한국주역대전 1

건괘

이 저서는 2012년 대한민국 교육부와 한국학중앙연구원(한국학진흥사업단)의 한국학분야 토대연구지원사업의 지원을 받아 수행된 연구임(AKS-2012-EAZ-2101)

1

한국주역대전

한국주역대전 편찬실

건괘

學古房

한국주역대전을 펴내며

2012년 9월 첫 작업을 시작한 '『한국주역대전』편찬·표점·번역·주해·해제'라는 방대한 사업이 이제 출판의 결실을 보게 되었다. 지난 수 십 년간 유교경학과 한국학의 급속한 성장에도 불구하고 한국역학은 여전히 불모의 상태를 벗어나기 어려웠다. 개별 연구들이 적지 않게 축적되어 왔고, 이에 고무되어 한국역학사를 공동으로라도 엮어보자는 호기로운 시도가 없었던 것은 아니지만, 그것이 아직 시기상조라는 자각과 함께 무산되곤 하였다. 한국역학 원전자료는 한국경학자료 가운데 단연 방대한 양을 자랑한다. 반면 전문연구자는 턱없이 부족하다. 사정이 이러하니 한국역학이 우뚝 서기까지는 아직 갈 길이 멀기만 하다. 이러한 정황 속에서 『한국주역대전』의 출간은 매우 기쁜 일이 아닐 수 없다.

이번에 출간되는 『한국주역대전』은 한국학자의 역학관련 자료 가운데 주요한 것을 가려 뽑아 『주역전의대전』 체제에 맞추어 집해(集解)형식으로 편찬한 것이다. 『주역전의대전』은 중국은 물론 조선시대 역학사상 형성에 무엇보다 영향력이 큰 문헌이라 할 수 있다. 이번 『한국주역대전』은 먼저 『주역전의대전』을 소주까지 모두 번역하여, 주역에 대한 중국학자들의 이해와 한국학자들의 해석을 비교해 볼 수 있도록 하였다. 편찬 체재는 경문-정전-본의-중국대전-한국대전으로 구성하였다. 편찬과 표점, 그리고 번역을 동반한 『한국주역대전』을 통해 한국학자들의 『주역전의대전』에 대한 깊은 이해 및 새로운 해석의 지평을 볼 수 있을 것이다. 또한 한국학자들의 저작을 시대별로 배열하였으므로 그 흐름을 일목요연하게 파악할 수 있을 것이다.

이번 『한국주역대전』을 편찬하면서 연구기간은 짧고 작업은 방대하여 아쉬운 점이 한 둘이 아니었다. 제한된 연구기간으로 인해 연구 범위를 제한할 수밖에 없었으며, 따라서 작자 미상의 자료, 연대 미상의 자료, 『주역전의대전』과 유사하여 별다른 특징을 볼 수 없는 자료는 편찬 범위에 포함시키지 않았다. 또한 다산의『주역사전』처럼 중요한 자료일지라도 별도로 번역되어 시중에 유통되고 있는 책은 자료에 포함시키지 않았다. 특히 상수학 관련 자료들에 대한 번역은 앞으로 더 정치한 번역이 필요할 것이라고 생각되며, 그에 대한 별도의 연구도 필요할 것이다. 그럼에도 불구하고 이번『한국주역대전』의 출간은 한국역학연구의 획기적인 토대를 제공하여, 많은 후속연구를 가능하게 하리라는 기대로 그 아쉬움을 상쇄하고자 한다.

이와 같이 방대한 토대사업은 실상 국가적 지원이 아니고서는 실행되기 어렵다. 이 사업의 지원을 결정해 주신 한국학중앙연구원과 한국학진흥사업단에 감사드린다. 그리고 제한된 연구기간의 압박 속에 과도한 업무를 사명감으로 감당해 준 연구진들의 노고에 고마운 마음을 전한다.

오늘날과 같은 출판시장의 현실에서『한국주역대전』과 같은 방대한 분량의 책을 간행해 줄 출판사를 찾는다는 것은 결코 쉽지 않은 일이다. 모든 어려움에도 불구하고 조금의 망설임도 없이 흔쾌하게 이 책의 출판을 결정해 주신 도서출판 학고방의 하운근 사장님께 깊은 감사를 드린다.

2017년 1월
한국주역대전편찬 연구책임자
성균관대학교 유학대학 교수/한국주자학회 · 율곡학회 회장
최 영 진

목차

1

건괘

乾卦☰

┃中國大全┃

本義

周, 代名也. 易, 書名也. 其卦本伏羲所畫, 有交周易變易之義, 故謂之易. 其辭則
文王周公所繫, 故繫之周. 以其簡袠重大, 故分爲上下兩篇, 經則伏羲之畫, 文王
周公之辭也. 竝孔子所作之傳十篇, 凡十二篇, 中間頗爲諸儒所亂. 近世晁氏始
正其失, 而未能盡合古文. 呂氏又更定著爲經二卷傳十卷, 乃復孔氏之舊云.

주(周)는 왕조의 이름이고 역(易)은 책의 이름이다. 괘는 본래 복희씨(伏羲氏)가 그렸다. 교역(交
易)과 변역(變易)의 뜻이 있기 때문에 역(易)이라 하였고, 그 풀이[辭]를 문왕(文王)과 주공(周公)
이 달았기 때문에 주(周)라고 이름 붙였다. 서책이 방대하기 때문에 상·하 두 편으로 만들었으니,
경문(經文)은 복희씨가 그린 괘와 문왕과 주공의 말이다. 여기에 공자가 지은 전(傳) 열편을 합하면
모두 열 두 편인데, 중간에 자못 여러 학자들에게 어지럽혀졌다. 근세에 조씨(晁氏: 晁說之)[1]가 처
음으로 그 잘못을 바로잡았으나, 고문(古文)과 완전히 일치하지는 않는다. 여씨(呂氏: 呂祖謙)가
또다시 교정하여 경(經) 두 권, 전(傳) 열 권으로 만들자,[2] 마침내 예전 공씨(孔氏: 孔安國)[3]의
역을 회복하게 되었다.

---

1) 조열지(晁說之,1059~1129): 자는 이도(以道)이고 호는 경우(景迂)이다. 시와 산수화에 능하였으며, 육경에
   능통하였고, 특히 역학에 정통하였다. 『유언(儒言)』, 『경우생집(景迂生集)』 등을 저술하였는데, 『경우생집』
   에 「역원성기보(易元星紀譜)」와 「역규(易規)」가 전한다.

2) 여조겸(呂祖謙,1137~1181)의 『고주역(古周易)』을 가리킨다. 「상경(上經)」·「하경(下經)」·「단상전(彖上
   傳)」·「단하전(彖下傳)」·「상상전(象上傳)」·「상하전(象下傳)」·「계사상전(繫辭上傳)」·「계사하전((繫
   辭下傳)」·「문언전(文言傳)」·「설괘전(說卦傳)」·「서괘전(序卦傳)」·「잡괘전(雜卦傳)」의 12권으로 되
   어 있다. 여조겸은 남송의 유학자이며 사학자이다. 자는 백공(伯恭), 호는 동래(東萊)이다. 인격과 학식으로
   당시 학자들의 존경을 받았고, 주자·장식(張栻)·육구연(陸九淵)과 교유하였다. 일찍이 정자의 문인에게서
   수업했는데, 주자의 학문과 육구연의 학문 토론인 아호(鵝湖)모임을 주선하기도 하였다. 주자와 함께 『근사
   록』을 지었으며, 『춘추』·『사기』의 정신을 이어 『대사기(大事記)』를 저술하였다.

3) 공씨(孔氏)를 공자(孔子)로 볼 수도 있다. 여조겸(呂祖謙)의 『고주역(古周易)』에 "공벽(孔壁)에서 나온
   고문(古文) 가운데 『십익』은 『역경』을 다루지 않았으니, 그렇다면 『십익』을 지은 애초에 『십익』만으로
   간편(簡編)을 만든 것이다."라고 하였다. 이에 의하면 공자의 본래의 역이 애초에 『역경』과 『십익』을 분리해
   서 본 것임을 알 수 있다. 여기에서는 이에 근거하여 공씨(孔氏)를 공벽(孔壁)을 지칭하는 공안국(孔安國)으
   로 보지 않고, 더 나아가 공자로 볼 수도 있다. 『대학장구대전(大學章句大全)』에 "子程子曰: 大學, 孔氏之
   遺書, 而初學入德之門也."라고 하였으니 이는 주희(朱熹)가 공자(孔子)를 공씨(孔氏)라고 칭한 사례이다.
   유정원(柳正源)은 『역해참고(易解參攷)』에서 "'공씨지구(孔氏之舊)'는 공자 문하에서 전해진 편제로 역의
   『상하경』과 『십익』을 말한 것이다. 어떤 이는 공씨를 공벽에 감추어진 것이라 하나 틀렸다. 정자(程子)가
   '『대학』은 공씨(孔氏)가 남긴 글이다'라 한 것도 역시 공자의 문하에서 전해진 것을 공씨로 여긴 것이다."라고
   하였다.

小註

或問, 伏羲始畫八卦, 其六十四者, 文王重之邪, 抑伏羲已自畫了邪. 看先天圖, 則有八卦, 便有六十四卦. 是伏羲之時, 已有六畫矣, 如何. 朱子曰, 周禮, 三易經卦皆八, 其別皆六十有四. 便見不是文王重. 又曰, 伏羲已上, 但有此畫, 而无文字可傳, 到得文王周公, 乃繫之以辭.

어떤 이가 물었다: 복희씨가 처음 팔괘를 그렸으니, 육십사괘는 문왕이 이것을 중첩해서 만든 것입니까, 아니면 복희씨가 이것마저도 이미 그려놨던 것입니까? 「선천도」를 보면 팔괘가 있어서 이것이 곧 육십사괘가 되니, 복희씨 때에 이미 육획괘가 있었던 것입니다. 이말이 어떻습니까?

주자가 답하였다: 『주례(周禮)·태복(太卜)』에 "삼역(三易)에서 소성괘[經卦]는 모두 여덟개이고, 대성괘[別卦]는 모두 육십사 개이다"라 하였으니, 문왕이 소성괘를 중첩해서 만든 것이 아님을 알 수 있습니다.

또 답하였다: 복희씨 이전에는 이런 괘만 있었고 전할 수 있는 문자가 없었는데, 문왕과 주공 때에 와서 설명을 붙였던 것입니다.

○ 問, 交易變易, 如何. 曰, 陰陽, 有箇流行底, 有箇定位底. 一動一靜, 互爲其根, 便是流行底, 寒往暑來, 是也. 分陰分陽, 兩儀立焉, 便是定位底, 天地上下四方, 是也. 變易, 便是流行底, 交易, 便是對待底.

물었다: 교역과 변역은 어떠한 것입니까?

답하였다: 음양은 유행하는 것도 있고 자리가 정해진 것도 있습니다. 한번 움직이고 한번 고요하여 서로 근원이 되는 것이 곧 유행하는 것이니, '추위가 가면 더위가 오는 것'이 여기에 해당합니다. 음양이 나뉘어 양의가 확립되는 것이 자리가 정해진 것이니, 천지·상하·사방이 여기에 해당합니다. 변역은 유행하는 것이고, 교역은 대대하는 것입니다.

又曰, 交易, 是陽交於陰, 陰交於陽, 是卦圖上底. 如天地定位, 山澤通氣, 雷風相薄, 水火不相射, 八卦相錯者, 是也. 變易是陽變陰, 陰變陽, 老陽變爲少陰, 老陰變爲少陽, 此是占筮之法, 如晝夜寒暑, 屈伸往來者, 是也.

또 답하였다: 교역은 양이 음과 사귀고 음이 양과 사귀는 것이니, 괘도상에 '하늘과 땅이 자리를 정하고, 산과 못이 기운을 통하며, 우레와 바람이 서로 부딪히고, 물과 불이 서로 해치지 않아 팔괘가 교착하는 것'[4]이 이것입니다. 변역은 양이 음으로 변하고 음이 양으로

---

4) 『周易·說卦傳』: 天地定位, 山澤通氣, 雷風相薄, 水火不相射, 八卦相錯.

변하는 것이니, 노양이 변하여 소음이 되고 노음이 변하여 소양이 되는 것입니다. 이는 점치는 방법으로서 밤과 낮, 추위와 더위, 굽힘과 폄, 가고 옴 같은 것이 여기에 해당합니다.

○ 沙隨程氏曰, 周者, 著代也, 言文王之書, 以別連山歸藏也.
사수정씨가 말하였다: '주'는 왕조를 드러내니 문왕이 지은 책이라고 말하여 『연산역』·『귀장역』과 구별하였다.

○ 虞氏翻曰, 易字, 從日下月.
우번이 말하였다: '역(易)'자는 '일(日)' 부수에 '월(月)'자를 쓴 것이다.

○ 莆田鄭氏曰, 易從日從月, 天下之理, 一奇一耦盡矣. 天文地理, 人事物類, 以至性命之微, 變化之妙, 否泰損益, 剛柔得失, 出處語黙, 皆有對敵, 故易設一長畫, 二短畫, 以總括之. 所謂一陰一陽之謂道者, 此也.
보전정씨가 말하였다: '역(易)'자는 '일(日)' 부수에 '월(月)'자를 썼으니, 천하의 이치는 하나의 기수와 하나의 우수가 있으면 다 갖추어진다. 천문과 지리, 인사(人事)와 물류(物類)에서부터 은미한 성명과 미묘한 변화에 이르기까지, 그리고 막히고 소통하고 덜고 보태지며,[5] 굳세고 부드러우며 얻고 잃으며, 나아가고 은둔하며 말하고 침묵하는 모든 것이 마주하여 상대가 있기 때문에 『주역』에서 '하나로 된 긴 획[—]'과 '둘로 된 짧은 획[--]'을 만들어 총괄하였다. 이른바 한번 음이 되고 한번 양이 되는 것을 도라 한다는 것이 여기에 해당한다.

○ 西山眞氏曰, 日往月來, 寒往暑來, 晝夜昏明, 循環不息, 此天道之常也. 聖人擬之, 以作易, 不過推明陰陽消長之理而已. 陽長則陰消, 陰長則陽消, 一消一長, 天之道也. 人而學易, 則知吉凶消長之理, 進退存亡之道也.
서산진씨가 말하였다: 날이 가면 달이 오고, 추위가 가면 더위가 오며, 낮과 밤의 어둠과 밝음이 순환하여 쉼이 없는 것이 하늘의 상도이다. 성인이 이것을 본받아 『주역』을 만들었으니, 『주역』은 음양이 사라지고 자라는 이치를 미루어 밝힌 것에 불과하다. 양이 자라면 음이 사라지고 음이 자라면 양이 사라지니, 한번 사라지고 한번 자라는 것이 하늘의 도이다. 사람이 『주역』을 배우면, 길하고 흉하며 사라지고 자라는 이치와 나아가고 물러가며 보존되고 망하는 도를 알 것이다.

○ 臨川吳氏曰, 伏羲始畫八卦, 因而重之. 以其有交易變易之義, 名之曰易. 其時未有

---

5) 원문의 '비태손익(否泰損益)'을 풀었다. 본래 비괘(否卦)·태괘(泰卦)·손괘(損卦)·익괘(益卦)가 있다.

易字也. 有圖而無書也, 後之造字者, 始合日月二文, 而爲易字. 夏商之時, 因其卦畫,
用以占筮, 其序各與先天之圖不同, 故連山首艮, 歸藏首坤. 按, 朱子謂有占无文, 則以
爲二易无繇辭也. 或云, 左傳所載繇辭, 與周易不同者, 蓋夏商之易, 則以爲有繇辭矣.
至文王演八卦之名, 爲六十四, 且作象辭, 周公又作爻辭, 故名曰周易. 孔子又爲之傳,
自是二易遂廢, 而周易獨傳焉.

임천오씨가 말하였다: 복희씨가 처음 팔괘를 그리고, 이것을 중첩하였다. 그것에 교역·변
역의 뜻이 있기 때문에 역이라 이름 붙였는데, 이때에는 아직 '역(易)'이라는 글자가 없었다.
그림만 있고 글자는 없다가 그 뒤에 글자를 만든 자가 비로소 '일(日)'·'월(月)'의 두 문자를
합하여 '역(易)'자를 만들었다. 하나라 상나라 때에는 괘의 획을 점서에 썼고, 그 순서가 각
각 「선천도」와 다르기 때문에 연산역은 간괘(艮卦)로 시작하고, 귀장역은 곤괘(坤卦)로 시
작한다. 내가 살펴보건대, 주자가 점은 있고 글자는 없었다고 한 것은 두 역에 점사가 없다
고 여긴 것이다. 그러나 어떤 이는 『춘추좌씨전』에 실린 점사는 『주역』의 점사와 다른 것이
라고 하였으니, 하나라와 상나라의 역에도 점사가 있다고 여긴 것이다. 문왕이 팔괘의 이름
을 연역하여 육십사괘를 만들고 단사를 짓고 주공이 또 효사를 지었기 때문에 『주역』이라고
이름 붙였다. 공자가 또 여기에 전을 붙였으니, 이로부터 두 역이 마침내 폐지되고 『주역』만
이 전해진 것이다.

○ 東萊呂氏曰, 按, 繫辭云, 二篇之策, 萬有一千五百二十, 所謂二篇則上下二篇也.
然則孔子時, 易固分上下經矣. 以此考之, 易經之分上下, 必始於文王定周易之時. 近
世晁氏編古周易, 乃合而爲一, 且謂後人妄有上下經之辯, 何其考之不詳哉.

동래여씨가 말하였다: 살펴보건대, 「계사전」에서 "두 편의 책수가 일만 일천 오백 이십이다"
라 하였는데, 이른 바 두 편은 상·하 두 편이다. 그렇다면 공자 때에 『주역』이 본래 상·하
편으로 나뉘어 있었던 것이다. 이것으로 고찰해 보면, 『역경』을 상·하로 나눈 것은 분명
문왕이 『주역』을 정리한 때에 시작된 것이다. 그런데도 근세의 조열지가 옛 『주역』을 편찬
하면서 하나로 합하고, 또 후세인들이 함부로 상·하경에 대한 변론을 한다고 하였으니, 어
쩌면 그리도 거칠게 고찰하였는가?

○ 雙湖胡氏曰, 按, 晁氏以道, 謂古者竹簡重大, 以經爲二篇, 本義從之. 然經分上下,
誠有至理. 上下經, 雖有三十卦三十四卦之不同, 以反對計之, 各十八卦, 一也. 上經反
對, 五十二陽爻, 五十六陰爻, 下經反對, 五十六陽爻, 五十二陰爻, 二也. 上經, 以四
正卦爲主, 首乾坤而終坎離, 與先天圖南北東西四方卦合. 下經, 以二變卦爲主, 震變
爲艮, 巽變爲兌, 首咸恒而終旣未濟, 與先天圖四維之卦合, 而坎離之交不交亦可見.
伏羲先天一圖大旨, 備見於文王序卦首尾中, 三也. 若是者, 豈以竹簡重大之故耶.

쌍호호씨가 말하였다: 살펴보건대, 조이도[晁以道: 晁說之]가 "옛날에 죽간이 무겁고 커서 경을 두 편으로 만들었다"라 하였고, 『본의』에서 이를 따랐다. 그러나 경을 상·하로 나눈 것에는 진실로 지극한 이치가 있다. 상경과 하경이 삼십 괘와 삼십사 괘라는 차이가 있지만, 반대괘를 계산 해보면 각각 십팔 괘인 것이 첫 번째 이치이다. 상경의 반대 괘는 52개의 양효와 56개의 음효이며, 하경의 반대괘는 56개의 양효와 52개의 음효인 것이 두 번째 이치 이다. 상경은 네 개의 정괘(正卦)를 위주로 하여 건괘·곤괘가 처음이고, 감괘·리괘가 끝 이니, 「선천도」의 남·북·동·서 사방의 괘와 합치된다. 하경은 두 개의 변괘(變卦)를 위 주로 하는데, 진괘는 변하여 간괘가 되고 손괘는 변하여 태괘가 된다. 함괘·항괘가 처음이 고 기제괘 ·미제괘가 끝이니, 「선천도」의 네 모퉁이[四維]의 괘와 합치되어 감괘·리괘의 사귐과 사귀지 않음도 알 수 있다. 복희씨 「선천도」의 큰 뜻이 문왕이 괘를 차례지은 순서 안에서도 갖추어 볼 수 있는 것이 세 번째 이치이다. 이와 같은 것이 어찌 죽간의 무게와 부피가 무겁고 컸기 때문이었겠는가?

○ 雲峯胡氏曰, 上經首乾坤, 氣化之始也. 陰陽各三十畫, 然後爲泰否. 下經首咸恒, 形化之始也. 陰陽亦各三十畫, 然後爲損益. 見天地與長少男女之交不交. 上下經終坎 離旣未濟, 又見乾坤中爻之交, 而中男女之交不交, 程朱子變易交易之義深矣.
운봉호씨가 말하였다: 상경은 건괘·곤괘가 처음이니 기화의 시작이다. 음양이 각각 삼십획 이 된 뒤에 태괘와 비괘가 된다. 하경은 함괘·항괘가 처음이니 형화의 시작이다. 음양이 각각 삼십획이 된 뒤에 손괘·익괘가 된다. 이는 하늘과 땅, 맏아들과 맏딸, 막내아들과 막 내딸의 사귐과 사귀지 않음을 나타낸 것이다. 상경이 감괘· 리괘에서 마치고 하경이 기 제·미제괘에서 마침은 또한 건괘·곤괘의 가운데 효가 사귀어 둘째 아들과 둘째 딸의 사귐 과 사귀지 않음을 나타낸 것이니, 정자와 주자가 말한 변역과 교역의 의미가 깊다.

乾, 元, 亨, 利, 貞.

정전 건(乾)은 크고 형통하며 이롭고 곧다.
본의 건(乾)은 크게 형통하고 곧음이 이롭다.

‖中國大全‖

傳

上古聖人, 始畫八卦, 三才之道備矣. 因而重之, 以盡天下之變, 故六畫而成卦. 重乾爲乾, 乾天也. 天者, 天之形體, 乾者, 天之性情. 乾健也, 健而无息之謂乾. 夫天專言之, 則道也, 天且弗違是也. 分而言之, 則以形體謂之天, 以主宰謂之帝, 以功用謂之鬼神, 以妙用謂之神, 以性情謂之乾. 乾者, 萬物之始, 故爲天爲陽, 爲父爲君. 元亨利貞, 謂之四德. 元者, 萬物之始, 亨者, 萬物之長, 利者, 萬物之遂, 貞者, 萬物之成. 唯乾坤有此四德, 在他卦, 則隨事而變焉. 故元專爲善大, 利主於正固. 亨貞之體, 各稱其事, 四德之義, 廣矣大矣.

상고시대에 성인이 처음으로 팔괘를 그리니 삼재의 도가 갖추어졌다. 이것을 중첩하여 천하의 변화를 다 드러내었기 때문에 획을 여섯 번 그어 괘를 완성하였다. 건괘(乾卦䷀)를 중첩하면 건괘(乾卦䷀)가 되니, 건은 천(天)이다. '천'은 하늘의 형체이고 건(乾)은 하늘의 성정이다. '건'은 굳셈이니 굳세게 하여 쉼이 없는 것을 '건'이라 한다. '천'을 전적으로 말하면 도(道)이니 "하늘도 어기지 않는다"[6]는 것이 이것이다. 나누어서, 형체로 말하면 천(天)이고, 주재(主宰)로 말하면 제(帝)이며 공용(功用)으로 말하면 귀신이고, 묘용(妙用)으로 말하면 신(神)이며, 성정(性情)으로 말하면 건(乾)이다. '건'은 만물의 시작이므로 하늘이고 양이며, 아버지이고 임금이다. 원·형·리·정을 네 가지 덕이라고 한다. 원은 만물의 시작이고, 형은 만물의 성장이며, 리는 만물의 완수이고, 정은 만물의 완성이다. 건괘와 곤괘만이 네 가지 덕이 있고, 다른 괘는 일에 따라서 변하기 때문에 원(元)은 오로지 선(善)하고 크며, 리는 바름과 견고함을 위주로 한다. 형(亨)과 정(貞)의 몸체는 각각 그 일에 걸맞게 하니, 네 가지 덕의 의미가 광대하다.

---

6)『주역·건괘·문언전』의 말이다.

小註

程子曰, 乾坤古无此二字. 作易者, 特立此以明難明之道.

정자가 말하였다: '건'자와 '곤'자는 옛날에 이런 글자가 없었다. 『주역』을 지은 자가 특별히 이런 글자를 만들어 밝히기 어려운 도를 명확히 했다.

○ 乾坤毁, 則无以見易, 須以意明之.

건과 곤이 없으면 역을 볼 수 없으니, 반드시 의미로 밝혀야 한다.

○ 讀易須先識卦體. 如乾有元亨利貞四德, 缺却一箇, 便不是乾, 須要認得.

『주역』을 읽을 때에는 반드시 먼저 괘의 몸체를 알아야 한다. 예컨대 건괘에는 원·형·리·정의 네 가지 덕이 있는데, 하나라도 빠뜨리면 건괘가 아니니, 이 점을 알아야 한다.

○ 張子曰, 乾之四德, 終始萬物. 迎之不見其首, 隨之不見其後, 然推本而言, 當父母萬物.

장자가 말하였다: 건의 네 가지 덕은 만물의 시종(始終)이다. 맞이해도 앞을 볼 수 없고, 따라가도 뒤를 볼 수 없지만, 근본을 미루어 말하면 만물의 부모에 해당한다.

○ 朱子曰, 元亨利貞, 理也, 有這四段, 氣也. 有這四段, 理便在氣中, 兩箇便不相離. 若是說時, 則有那未涉於氣底四德, 要就氣上看也, 得有是氣則理便具, 所以伊川只恁地說, 便可見得物裏面便有這理.

주자가 말하였다: 원·형·리·정은 리이고, 이런 네 단계가 있는 것은 기이다. 네 단계가 있으면 리가 기 안에 있으니, 이 두 가지는 서로 분리될 수 없다. 이와 같이 말할 때에는 거기에 기와 관계되지 않은 네 가지 덕이 있지만, 기에 나아가 살펴보아야 기가 있으면 리가 갖추어져 있음을 알 수 있다. 이 때문에 이천이 이렇게 말했을 뿐이니, 곧 사물 속에 바로 리가 있다는 것을 알 수 있다.

○ 乾之利貞, 是陽中之陰, 坤之元亨, 是陰中之陽. 乾後三畫是陰, 坤後三畫是陽. 又曰, 人只見夫子於乾坤文言, 解作四德, 他卦只云大亨以正, 便須要於乾坤四德說敎, 大於他卦, 畢竟本皆占辭也.

건괘의 리·정은 양 가운데의 음이고, 곤괘의 원·형은 음 가운데의 양이다. 건괘의 외괘는 음이고, 곤괘의 외괘는 양이다.

또 말하였다: 사람들은 공자가 건괘와 곤괘의 「문언전」에서 원·형·리·정을 네 가지 덕으

로 해석하고, 다른 괘에서는 단지 "크게 형통하여 바르다"고 한 것만 보고, 곧 건괘와 곤괘에서 네 가지 덕으로 설명한 것은 다른 괘보다 중대하게 하고자 한 것이라고 여겼다. 그러나 결국은 본래 모두 점치는 말이다.

○ 問, 據程子傳說, 卻是聖人始畫八卦, 每卦便是三畫, 聖人因而重之爲六畫. 似與邵子一生兩, 兩生四, 四生八, 八生十六, 十六生三十二, 三十二生六十四, 爲六畫, 不同. 曰, 程子之意, 只云三畫上疊, 成六畫, 八卦上疊, 成六十四耳, 與邵子說誠異. 蓋康節此意不曾說與程子, 程子亦不及問之, 故一向只隨他所見去. 但他說聖人始畫八卦, 不知聖人畫八卦時, 先畫甚卦. 此處更曉他不得.

물었다: 『정전』의 설명에 의하면 성인이 처음 팔괘를 그림에 매 괘가 세 획이었는데, 성인이 이것을 가지고 중첩해서 여섯 획을 만들었다고 하였습니다. 이는 소자(邵子)[7]의 설명과는 같지 않은 듯합니다. 소자는 하나가 둘을 낳고, 둘이 넷을 낳으며, 넷이 여덟을 낳고, 여덟이 열여섯을 낳으며, 열여섯이 서른둘을 낳고, 서른둘이 예순넷을 낳아 여섯 획이 된다고 하였습니다.

답하였다: 정자의 뜻은 세 획을 위로 중첩해서 여섯 획을 이루고, 팔괘를 위로 중첩해서 육십사괘를 이룬다고 말했을 뿐이니, 소자의 설명과는 정말 다릅니다. 소강절[소자]은 이 의미를 정자에게 설명한 적이 없고, 정자도 미처 묻지 않았기 때문에 줄곧 자신이 아는 대로만 설명하였습니다. 다만 정자가 성인이 처음 팔괘를 그렸다고 말했지만, 성인이 팔괘를 그릴 때 어떤 괘를 먼저 그렸는지 모르겠습니다. 이런 것은 분명하게 알 수 없습니다.

○ 問, 乾者天之性情. 曰, 乾健也. 健之體爲性, 健之用是情. 又曰, 性情二者, 常相參在此. 情便是性之發, 非性, 何以有情健而無息, 非性, 何以能如此. 又曰, 火之性情, 元是箇熱, 水之性情, 則是箇寒, 天之性情, 則是箇健.

물었다: "건은 하늘의 성정이다"라는 말은 무슨 뜻입니까?

답하였다: 건은 강건함이니, 강건함의 본체가 성이고, 강건함의 작용이 정입니다.

또 답하였다: 성과 정, 두 가지가 항상 서로 여기에 참여하는 것입니다. 정은 곧 성의 발현이니, 성이 아니면 어떻게 정이 강건하고 쉼이 없을 수 있겠으며, 성이 아니면 어떻게 이와

---

7) 소자(邵子): 소옹(邵雍, 1011~1077 북송)이다. 송나라 범양(范陽) 사람으로 자는 요부(堯夫), 호는 안락선생(安樂先生) 또는 이천옹(伊川翁)이며, 시호가 강절(康節)이기 때문에 소강절(邵康節)로 주로 불린다. 장재(張載)와 정이(程頤)·정호(程顥)와 교우했다. 북해(北海) 이지재(李之才)가 공성령(共城令)으로 있을 때 하도낙서(河圖洛書)와 천문, 역수(易數)를 배웠고, 이를 바탕으로 스스로 깨우쳐 자득한 것이 많았다. 저서로는 『황극경세서(皇極經世書)』 62편을 지어 천지간 모든 현상의 전개를 수리로 해석하는 한편, 세상에 처음 『선천도(先天圖)』를 제시하여 송대 선천역학의 창시자로 불린다.

같을 수 있겠습니까?
또 답하였다: 불의 성정은 원래 뜨거운 것이고, 물의 성정은 차가운 것이며, 하늘의 성정은
강건한 것입니다.

○ 乾者, 天之性情, 指理而言也, 謂之性情, 該體用動靜而言也.

건이 하늘의 성정이라는 것은 리를 가리켜서 말한 것이고, 성정이라고 말한 것은 체용과
동정을 포괄하여 말한 것이다.

○ 乾者, 天之性情. 此只是論其性體之健. 靜專是性, 動直是情. 大抵乾健, 雖靜時亦
專, 到動時, 便行之直, 到坤主順, 只是翕闢. 謂如一箇剛健底人, 雖在此靜坐亦專一,
而有箇作用底意思, 只待去作用, 到得動時, 其直可知. 若一柔順人坐時, 便只恁地靜
坐收斂, 全無箇營爲底意思, 其動也, 只是闢而已. 又問, 如此則乾雖靜時, 亦有動意
否. 曰然.

건은 하늘의 성정이다. 이것은 다만 성정의 체용이 강건함을 말한 것이다. 고요하면서 전일
함이 성이고, 움직이면서 곧음이 정이다. 대체로 건은 강건하여 비록 고요할 때라도 전일하
여, 움직이는 때에 곧 곧음을 행한다. 곤은 순종함을 주로 하니, 단지 닫히고 열리는 것일
뿐이다.[8] 예컨대, 어떤 강건한 사람이 여기에 고요히 앉아 있지만 전일하여, 작용하려는
생각을 가지고 작용할 일만을 기다리고 있다면, 움직여 작용할 때에 이르러 그 움직임이
곧으리라는 것을 알 수 있다. 또 유순한 사람이 고요히 앉아 있을 때에 곧 이처럼 고요히
앉아 수렴만하고 있어 전혀 무엇을 하려는 의지가 없다면, 그 움직임은 단지 열림일 뿐이라
는 말이다.
물었다: 이와 같다면 건은 비록 고요할 때라도 움직이려는 뜻이 있습니까?
답하였다: 그렇습니다.

○ 乾坤是性情, 天地是皮殼, 其實是一箇道理.

건곤은 성정이고 천지는 껍질이나, 사실은 하나의 도리이다.

○ 問, 天專言, 則道也. 曰, 如云天命之謂性, 便是說道, 如云天之蒼蒼, 便是說形體.
惟皇上帝降于下民, 是說帝便似以物給付與人, 便有主宰之意. 又曰, 天道虧盈而益
謙, 地道變盈而流謙, 此是說形體.

물었다: "하늘을 전적으로 말하면 도이다"라는 말은 무슨 뜻입니까?

---

8) 『周易·繫辭傳』: 夫乾其靜也專, 其動也直. 是以大生焉. 夫坤其靜也翕. 其動也闢, 是以廣生焉.

답하였다: 예컨대 하늘이 명한 것을 성이라고 한다면 이는 곧 도를 말한 것이고, 하늘이 푸르고 푸르다고 한다면 이는 곧 형체를 말한 것입니다. 오직 위대한 상제가 사람에게 강림하는 것은, 상제가 사람들에게 일을 부여하는 것과 같으니, 곧 주재의 의미가 있습니다. 또 답하였다: 하늘의 도는 가득 찬 것을 덜어내어 부족한 것에 더하고, 땅의 도는 가득 찬 것을 변화시켜 부족한 것으로 흘려보내니, 이는 형체를 설명한 것입니다.

○ 問, 天專言之則道也, 天且弗違是也, 此語何謂. 曰, 程子此語, 某亦未敢以爲然, 天且弗違, 此只是上天. 曰 , 知性則知天, 此天便是專言之則道者否 曰, 是.
물었다: "하늘을 전적으로 말하면 도이니, '하늘도 어기지 않는다'는 것이 이것이다"라 하였는데, 이 말은 무슨 뜻입니까?
답하였다: 정자의 이 말은 나도 감히 옳다고 여기지 않습니다. 하늘도 어기지 않는 것, 이것은 상천일 뿐입니다.
물었다: 성을 알면 하늘을 안다고 했으니, 이것이 "하늘을 전적으로 말하면 도이다"라는 것입니까?
답하였다: 그렇습니다.

○ 問, 以主宰謂之帝, 孰爲主宰. 曰, 自有主宰, 蓋天是箇至剛至陽之物, 自然如此, 運轉不息. 所以如此, 必有爲之主宰者. 這樣處要人自見得, 非言語所能到也.
물었다: "주재로 말하면 제(帝)"라고 하였는데, 누가 주재하는 것입니까?
답하였다: 스스로 주재함이 있는 것입니다. 하늘은 지극히 굳센 양이어서 저절로 그러함이 이와 같고 운행함에 쉼이 없습니다. 그래서 이처럼 반드시 주재하는 것이 있습니다. 이런 것은 사람들이 스스로 알아야 하는 것이지, 말로 설명할 수 있는 것이 아닙니다.

○ 問, 以功用謂之鬼神, 以妙用謂之神. 曰, 鬼神只是往來屈伸, 功用只是論發見者. 所謂神也者, 妙萬物而爲言, 妙處卽是神. 其發見而見於功用者, 謂之鬼神. 至於不測者, 則謂之神. 又曰, 功用, 言其氣也, 妙用, 言其理也. 又曰, 功用是有迹底, 妙用是無迹底. 又曰, 功用兼精粗而言, 妙用言精者.
물었다: "공용(功用)으로 말하면 귀신이고, 묘용(妙用)으로 말하면 신(神)이다"라는 말은 무슨 뜻입니까?
답하였다: 귀신은 왕래하고 굴신할 뿐이니, 공용은 다만 드러나는 것을 말한 것입니다. 이른바 신이라는 것은 만물을 신묘하게 하는 것으로 말한 것이니, 묘한 곳이 바로 신입니다. 발현하여 공용에 드러나는 것을 귀신이라고 하며, 헤아릴 수 없는 것을 신이라고 합니다."
또 답하였다: 공용은 기를 말한 것이고, 묘용은 리를 말한 것입니다.

또 답하였다: 공용은 흔적이 있고, 묘용은 흔적이 없습니다.

또 답하였다. 공용은 정밀함과 조악함을 함께 말한 것이고, 묘용은 정밀함을 말한 것입니다.

○ 伊川好意思, 固不盡在解經上, 然就解經上, 亦自有極好意思. 如說乾字, 便云乾健也, 健而无息之謂乾. 夫天專言之則道也, 天且弗違是也. 分而言之, 則以形體謂之天, 以主宰謂之帝, 以功用謂之鬼神, 以妙用謂之神, 以性情謂之乾.

이천의 생각은 진실로 경을 해석하는 데에 최선은 아니나, 경의 해석에 나름대로 매우 좋은 의미가 있다. ‘건’자를 아래와 같이 설명한 것이 그 예이다. “건은 강건함이니 강건하여 쉼이 없는 것을 건이라 한다. 하늘을 전적으로 말하면 도이니, 하늘도 어기지 않는다는 것이 이것이다. 나누어서, 형체로 말하면 천(天)이고, 주재로 말하면 제(帝)이며 공효(功效)로 말하면 귀신이고, 묘용(妙用)으로 말하면 신(神)이며, 성정으로 말하면 건이다.”

○ 東萊呂氏曰, 乾元亨利貞, 如堯欽明文思, 舜濬哲文明.

동래여씨가 말하였다: 건은 크고 형통하며 이롭고 곧으니, 요임금의 ‘위의[欽]가 있어 사방을 밝히며 천지를 다스리고 도덕이 갖추어진’ 것과 같고, 순임금의 ‘깊고 현철하며 덕이 문채나고 밝은’ 것과 같다.[9]

○ 西溪李氏曰, 四德見性, 六爻見情.

서계이씨가 말하였다: 네 가지 덕에서 성(性)을 알 수 있고, 여섯 효에서 정(情)을 알 수 있다.

○ 蛟峰方氏曰, 元亨利貞, 在乾爲四德者, 蓋六畫純陽, 惟天惟聖人足以當之. 本大本通本貞, 本无所不利, 不用戒辭, 非他卦之比也. 故孔子變例, 以四德釋之.

교봉방씨가 말하였다: 원·형·리·정은 건괘에서 네 가지 덕이 된다. 여섯 획이 순수하게 양인 것은 하늘과 성인만이 여기에 해당할 수 있다. 본래 위대하고 본래 형통하며 본래 정고하고 본래 이롭지 않음이 없어, 경계의 말이 필요하지 않음이 다른 괘에 비할 것이 아니다. 그러므로 공자가 일반적인 예와 다르게 네 가지 덕으로 해석하였다.

---

9) 『계고록(稽古錄)·도당씨(陶唐氏)』 “堯欽明文思”의 주에, “위의가 겉에 갖추어진 것을 흠(欽)이라 하고, 사방에 밝게 임하는 것을 명(明)이라 하고, 천지를 다스리는 것을 문(文)이라 하며, 도덕이 순전히 갖추어진 것을 사(思)라 한다[威儀表備謂之欽, 照臨四方謂之明, 經緯天地謂之文, 道德純備謂之思]”라 하였고, 『계고록(稽古錄)·유우씨상(有虞氏上)』 “舜濬哲文明”의 주에, “준심(濬深)은 현철한 지혜이니 덕망이 사방에 꽉 참이다[濬深哲智也. 其德信充塞上下]”라 하였다.

本義

六畫者, 伏羲所畫之卦也. 一者, 奇也, 陽之數也. 乾者, 健也, 陽之性也. 本註乾
字, 三畫卦之名也, 下者, 內卦也, 上者, 外卦也. 經文乾字, 六畫卦之名也. 伏羲
仰觀俯察, 見陰陽有奇耦之數, 故畫一奇, 以象陽, 畫一耦, 以象陰. 見一陰一陽
有各生一陰一陽之象, 故自下而上, 再倍而三, 以成八卦. 見陽之性健, 而其成
形之大者爲天, 故三奇之卦名之曰乾, 而擬之於天也. 三畫已具, 八卦已成, 則
又三倍其畫, 以成六畫而於八卦之上, 各加八卦, 以成六十四卦也. 此卦六畫皆
奇, 上下皆乾, 則陽之純, 而健之至也. 故乾之名, 天之象, 皆不易焉. 元亨利貞,
文王所繫之辭, 以斷一卦之吉凶, 所謂彖辭者也. 元, 大也, 亨, 通也, 利, 宜也,
貞, 正而固也. 文王以爲乾道大通而至正, 故於筮得此卦, 而六爻皆不變者, 言
其占當得大通, 而必利在正固, 然後可以保其終也. 此聖人所以作易敎人卜筮,
而可以開物成務之精意. 餘卦放此.

여섯 획은 복희씨가 그린 괘이다. '一'는 기수로 양의 수이다. 건은 강건함으로 양의 특성이다. 본주
(本註)의 건(乾)자[10]는 삼획괘의 이름이니, 아래의 세 획이 내괘이고 위의 세 획이 외괘이다. 경문
의 건(乾)자는 육획괘의 이름이다. 복희씨가 위로 하늘을 관찰하고 아래로 땅을 살펴 음과 양에 기수
와 우수가 있는 것을 알았기 때문에, 하나의 기수를 그려 양을 상징하고 하나의 우수를 그려 음을
상징하였다. 하나의 음과 하나의 양이 각각 하나의 음과 하나의 양을 낳는 형상이 있는 것을 알았기
때문에, 아래에서 위로 올라가면서 거듭하고 거듭하여 세 획으로 팔괘를 만들었다. 양의 특성은 강건
하고 그것이 형태를 이룬 것 가운데 큰 것이 하늘임을 알았기 때문에 세 기수로 된 괘를 건이라 이름
붙이고, 그것을 하늘에 견주었다. 세 획이 이미 갖추어져 팔괘가 이루어진 다음에 다시 획을 배로
하여 세 획을 더 그리니, 팔괘의 위에 각기 팔괘를 더하여 육십사괘를 만든 것이다. 건괘의 여섯 획은
모두 기수이고, 상괘와 하괘가 모두 건이니, 양이 순수하고 강건함이 지극하다. 그러므로 건이라는
이름과 하늘이라는 상이 모두 바뀌지 않는 것이다. 원·형·리·정은 문왕이 붙인 말로서 한 괘의
길흉을 단정하는 것이니, 이른바 단사이다. 원은 큼이고 형은 형통함이며, 리는 마땅함이고 정은 바
르고 견고함이다. 문왕은 건도가 크게 형통하고 지극히 바르다고 여겼기 때문에, 점을 쳐서 이 괘가
나오고 여섯 괘가 모두 변하지 않을 경우는 그 점이 당연히 크게 형통하지만, 반드시 이로움이 바르
고 견고함에 있으니, 이렇게 한 다음에야 잘 마침을 보전할 수 있는 것이다. 이것이 성인이 『주역』을
만들고 점치는 것을 사람들에게 가르쳐서 '만물을 열고 일을 이루게 하는[開物成務]'[11] 정밀한 뜻이

---

10) 본주(本註)의 건(乾)자: 대성괘 그림 아래에 "건이 하괘이고 건이 상괘이다[乾下乾上]"라는 주석을 본주라고
　　하니, 곧 "건하건상(乾下乾上)"에서의 건(乾)을 가리킨다는 말이다.

11) 개물성무(開物成務):『주역·계사전』상 11장의『본의』에, "개물성무란 사람들에게 점을 쳐서 길흉을 알게
　　하여 일을 이루게 함을 이른다[開物成務, 謂使人卜筮以知吉凶而成事業]"라 하였고,『한어대사전』에 "만물
　　의 도리를 깨달아 이 도리에 맞게 일을 행하여 공을 이루는 일[指通曉萬物的道理, 竝按這道理行事, 而得
　　到成功]"이라 하였으며,『주역정의』에 "만물의 뜻을 개통하여 천하의 일을 이룰 수 있는 것이다[能開通萬物

다. 나머지 괘의 경우도 이와 마찬가지이다.

小註

朱子曰, 數者, 祇是氣之分限節度處, 得陽必奇, 得陰必耦. 凡物皆然, 故聖人以之畫卦, 天便是一, 地便是二. 天之形, 雖包乎地之外, 而其氣實透乎地之中, 故乾一而實. 地雖一塊物事在天之中, 然其中實虛, 容得天許多氣, 故坤二而虛.

주자가 말하였다: 수는 다만 기의 한계와 절도여서 양을 얻으면 반드시 홀수이고 음을 얻으면 반드시 짝수이다. 모든 사물이 그렇기 때문에 성인이 그것을 본받아 괘를 그렸으니, 하늘은 곧 '하나[━]'이고 땅은 곧 '둘[╌]'이다. 하늘의 형태가 비록 땅의 바깥을 둘러싸고 있을지라도 그 기는 진실로 땅속까지 통하므로 건이 하나로 이어져서 채워져 있다. 땅이 비록 하늘 가운데에 있는 한 덩어리의 사물이지만, 그 속이 진실로 비어 있어 하늘의 많은 기운을 받아들이므로 곤이 둘로 나누어져 비어 있다.

○ 乾只是箇健, 坤只是箇順. 純是陽, 所以健, 純是陰, 所以順. 至健者, 惟天, 至順者, 惟地. 所以後來取象, 乾便爲天, 坤便爲地.

건괘는 강건함일 뿐이고 곤괘는 순종함일 뿐이다. 순전히 양이므로 강건하고, 순전히 음이므로 순종한다. 지극히 강건한 것은 오직 하늘이고 지극히 순종하는 것은 오직 땅이므로, 나중에 상(象)을 취하여 건(乾)을 천(天)이라 하고 곤(坤)을 지(地)라 하였다.

○ 問, 以乾字爲伏羲之文, 元亨利貞, 爲文王之文, 固是. 不知履虎尾同人於野亨之類. 又如何 曰, 此恐是少了字, 或是就上字立辭.

물었다: '건(乾)'자를 복희씨가 설명한 글이라 하고 '원·형·리·정'을 문왕의 글이라 하는 것은 진실로 옳습니다. 잘 모르겠습니다만, 리괘(履卦)의 괘사에서 "호랑이의 꼬리를 밟다[履虎尾]"라고 하고, 동인괘(同人卦)의 괘사에서 "들에서 사람들과 함께 하면 형통하다[同人於野亨]"라고 하는 부류는 어떻습니까?

답하였다: 이는 글자를 생략하였거나 앞 글자에 이어 괘사를 붙인 것인 듯합니다.

○ 古人淳質, 遇一事, 理會不下, 便須去占. 如占得乾時, 元亨便是大亨, 利貞便是利在於正, 知其大亨, 卻守其正, 以俟之. 只此便是開物成務底道理, 卽此是易之用. 蓋元亨是示其所以爲卦之意, 利貞是因以爲戒. 又曰, 元亨利貞四字, 文王本意, 在乾坤者,

_____

之志, 成就天下之務"라 하였다.

只與諸卦一般. 至孔子作象傳文言, 始以乾坤爲四德, 而諸卦自如其舊. 二聖人之意, 非有不同, 蓋各是發明一理耳. 今學者, 且當虛心玩味, 各隨本文之意, 而體會之. 其不同處, 自不相妨, 不可遽以已意, 橫作主張也.

옛 사람은 순박하여 한 가지라도 이해하지 못하는 일을 만나면 반드시 점을 쳤다. 만일 점을 쳐서 건의 때를 얻었다면, 원·형은 곧 "크게 형통한다"는 뜻이고, 리·정은 곧 "이로움이 바름에 있다"는 뜻이니, 크게 형통하게 됨을 알아 곧 바름을 지키면서 때를 기다려야 하는 것이다. 이것이 곧 '만물을 열고 일을 이루게 하는[開物成務]' 도리이고, 이것이 바로 『주역』의 응용이다. '원·형'은 괘의 뜻을 제시해 준 것이고 '리·정'은 이로 인하여 경계한 것이다. 또 말하였다: 원·형·리·정 네 글자에 대한 문왕의 본래 뜻은 건괘와 곤괘에 있어서도 다른 괘와 동일할 뿐이다. 공자가 「단전」과 「문언전」을 짓자 비로소 건괘·곤괘를 원·형·리·정의 네 가지 덕으로 보고 다른 괘는 여전히 옛날대로 하였다. 두 성인의 뜻이 다른 것이 아니라 각자 하나의 이치를 밝혔을 뿐이니, 오늘날 배우는 자들은 마땅히 마음을 비우고 완미하여 경문의 뜻에 따라 체득하여야 할 것이다. 같지 않은 곳도 두 가지가 서로 방해될 것은 없으니, 경솔하게 자기의 뜻으로 함부로 주장해서는 안 된다.

○ 問, 本義云, 見陽之性健, 而成形之大者, 爲天. 故三奇之卦名之曰乾, 而擬之於天也. 竊謂卦辭未見取象之意, 其成形之大者爲天, 及擬之於天二句, 恐當於大象言之, 下文天之象皆不易一句, 亦然. 曰, 纔設此卦時, 便有此象了, 故于此豫言之, 又後面卦辭, 亦有兼象說者, 故不得不豫言也.

물었다: 『본의』에 "양의 특성은 강건하고 형태를 이룬 것 중에 큰 것이 하늘임을 알았기 때문에 세 기수로 된 괘를 건이라 이름 붙이고, 그것을 하늘에 견주었다"라 하였는데, 이에 대하여 저는 아래와 같이 생각합니다. 괘사는 상을 취하기 전의 뜻이니, "형체를 이룬 것 중에 큰 것이 하늘이다[成形之大者爲天]"와 "하늘에 견주다[擬之於天]"의 두 구는 「대상전」에서 언급하여야 할 듯 하고, 아래 글의 "하늘이라는 상이 모두 바뀌지 않는다[天之象皆不易]"라는 한 구에 대해서도 그렇게 생각합니다.

답하였다: 이 괘를 만들 때에 언뜻 이런 상이 있었기 때문에 여기에서 미리 말한 것이고, 또 뒤의 괘사도 상을 겸하여 설명한 것이 있기 때문에 미리 말하지 않을 수 없었던 것입니다.

○ 孔氏曰, 卦者, 掛也, 懸掛物象以示人也.

공씨가 말하였다: 괘(卦)는 걸어 놓음이니, 물상을 매달아 사람들에게 제시하는 것이다.

○ 希夷陳氏曰, 羲皇始畫八卦, 重爲六十有四. 不立文字, 使天下之人, 觀其象而已. 能如象焉, 則吉凶應, 違其象, 則吉凶反. 後世卦畫不明, 易道不傳, 聖人於是, 不得已而有辭, 學者謂易止於是, 而不復知有畫矣.

희이진씨가 말하였다: 복희씨가 처음으로 팔괘를 그리고 팔괘를 중첩하여 육십사괘를 만들었다. 이때에 문자를 붙이지 않아 천하의 사람들에게 상만을 관찰하게 하였으니, 상(象)을 따르면 길흉이 호응하고 상(象)을 어기면 길흉도 반대가 되었다. 후세에 복희씨가 괘를 그렸던 의미에 대해 밝게 알지 못하여 『주역』의 도가 전해지지 않자, 이에 성인이 할 수 없이 말을 붙였는데, 배우는 자들은 『주역』을 말로 된 설명으로만 여기고 본래 획이 있었다는 사실을 더 이상 모르게 되었다.

○ 節齋蔡氏曰, 卦者, 事物之質也, 原事物之始, 要事物之終, 以爲質也. 爻者, 效也, 效事物之時而動也.

절재채씨가 말하였다: 괘는 사물의 바탕이니 사물의 시초에 근원하여 사물의 마침을 탐구하는 것을 바탕으로 삼는 것이다. 효는 본받음이니, 사물의 때를 본받아 움직이는 것이다.

○ 隆山李氏曰, 方一陰之生, 於時爲午, 於節爲夏至. 陰氣之所激, 宜其爲寒也, 而反熱. 一陽之生, 於時爲子, 於節爲冬至. 陽氣之所激, 宜其爲熱也, 而反寒. 蓋一陰之氣, 萌於地下, 推出陽氣, 而發見於外, 故熱. 一陽之氣, 萌於地下, 推出陰氣, 而發見於外, 故寒. 此陰陽之氣, 自下而上, 各分爲六層, 而卦之六畫象之, 非聖人之私意也.

융산이씨가 말하였다: 바야흐로 하나의 음이 생겨나는 것은 시간으로는 오시(午時)이고 절기로는 하지이다. 음기가 부딪치니 으레 추워야 할듯한데 도리어 덥다. 하나의 양이 생겨나는 것은 시간으로는 자시(子時)이고 절기로는 동지이다. 양기가 부딪치니 으레 더워야 할듯한데 도리어 춥다. 이는 하나의 음기가 땅속에서 싹터 양기를 밀어내자 양기가 밖으로 드러나기 때문에 더운 것이고, 하나의 양기가 땅속에서 싹터 음기를 밀어내자 음기가 밖으로 드러나기 때문에 추운 것이다. 이 음기와 양기가 아래에서 위로 올라가 각자 나누어 여섯 단계를 이루니, 괘의 육획은 이를 형상한 것이지 성인의 사사로운 뜻이 아니다.

○ 中溪張氏曰, 陽畫奇, 陰畫耦. 方其一畫之時, 一奇一耦, 只可謂之陰陽, 未可謂之乾坤. 自奇奇而奇, 耦耦而耦然後, 有乾坤之名. 重三而六, 六畫皆奇, 是爲純乾. 乾下者, 洪範曰, 貞是也. 乾上者, 洪範曰, 悔是也.

중계장씨가 말하였다: 양획은 기수이고 음획은 우수이다. 바야흐로 하나의 획을 그릴 때에 하나의 기수와 우수는 음과 양이라고만 말할 수 있고, 아직 건이나 곤이라고 말할 수는 없다. 기수가 기수를 낳은 데에서 다시 기수가 나오고, 우수가 우수를 낳은 데에서 다시 우수가 나온 뒤에야 건과 곤의 이름이 있게 된다. 세 번 쌓인 것이 중첩하여 여섯이 되니, 육획이 모두 기수인 것이 순수한 건이다. 건괘(☰)가 아래에 있는 것을 「홍범」에서 정(貞:내괘)이라

하였는데 바로 이것을 말하고, 건괘(☰)가 위에 있는 것을 「홍범」에서 회(悔:외괘)라 하였는데[12] 바로 이것을 말한다.

○ 雲峰胡氏曰, 夏連山首艮, 商歸藏首坤, 文王之易, 首乾, 易爲明大分而作也. 觀先天, 橫圖乾居一, 圓圖乾居前, 羲易固已如此矣. 本義云, 一奇也 陽之數也, 從象上說, 乾健也, 陽之性也, 從理上說. 程子云, 至微者理, 至著者象, 朱子又卽數與性發明之. 當伏羲時, 有乾卦畫, 未有元亨利貞卦辭. 想占得乾卦者, 卽六畫之象, 已自知有元亨利貞之理矣.

운봉호씨가 말하였다: 하나라 연산역은 간괘부터 시작하고, 상나라 귀장역은 곤괘부터 시작하며, 문왕의 역은 건괘부터 시작한다. 『주역』은 큰 분수를 밝히기 위하여 지어진 것이다. 선천역을 살펴보면 「횡도」는 건괘가 일의 자리에 있고 「원도」는 건괘가 앞에 있으니, 복희씨의 역이 본래 이와 같다. 『본의』에서 "일(一)은 기수이니 양의 수이다"라 한 것은 상(象)으로 설명한 것이고, "건의 강건함이니 양의 성질이다"라고 한 것은 리(理)로 설명한 것이다. 정자는 "지극히 은미한 것이 리이고 지극히 드러난 것이 상이다"[13]라 하였고, 주자는 또한 수(數)와 성(性)으로 밝혔다. 복희씨 때에는 건괘의 획만 있었고 원·형·리·정이라는 괘사는 없었다. 생각건대 점을 쳐서 건괘가 나온 경우는 여섯 획의 상을 가지고 본래 원·형·리·정의 이치가 있음을 알았던 것이다.

又曰, 元亨利貞, 諸家便作四德解, 惟本義以爲占辭, 故筮得此卦, 而六爻皆不變者, 以此爲占. 按啓蒙, 則非特六爻不變者, 占此, 乾三爻變, 或他卦三爻變之乾者, 亦兼以此占. 大通而至正. 此天地之本然, 大通而必在正固, 人事之當然也. 乾爲易第一卦, 占得之者, 其事雖大通, 而非正固, 尙不能保其終, 況他卦乎. 故易六十四卦彖辭, 三十四卦言貞, 然則不貞者, 固不可以占也.

또 말하였다: 원·형·리·정은 여러 학자들이 네 가지 덕으로 해석하였는데, 『본의』에서만 점사로 보았기 때문에 점을 쳐서 이 괘가 나오고 육획이 모두 변하지 않은 경우에는 이것으로 점쳤다. 『역학계몽』을 살펴보니, 육효가 변하지 않는 경우에 이것으로 점쳤을 뿐만 아니라, 건괘의 삼효가 변한 경우와 다른 괘의 삼효가 변하여 건괘로 변한 경우에도 아울러 이것으로 점쳤다. 크게 형통하고 지극히 바른 것, 이것은 천리(天理)의 본연이며, 크게 형통하나 반드시 바르고 견고함에 달려 있다는 것은 인사(人事)의 당연이다. 건괘는 『주역』의 첫째 괘이니 점을 쳐서 이 괘를 만난 자는 일이 비록 크게 형통하지만 바르고 견고하지 않으면

오히려 잘 끝마침을 보전할 수 없다. 하물며 다른 괘는 어떻겠는가? 그러므로 『주역』 육십
사괘의 단사 가운데 삼십 사괘에서 바름[貞]을 말하였으니, 그렇다면 바르지 않은 자는 진실
로 점을 칠 수 없는 것이다.

○ 雙湖胡氏曰, 六十四卦, 首乾次坤者, 蓋本天地之位, 著君臣上下之分, 以紀綱人
極. 今觀乾坤二卦象辭利貞安貞吉之訓, 可以見文王之心矣. 要之, 象辭只是卜筮占決
之辭, 亦多取象及卦變. 大抵皆因占以寓敎, 如言利貞, 不言利不貞, 言貞吉, 不言不貞
吉之類. 貞便是一箇正固底道理. 又曰, 聖人之道, 雖四, 聖人之敎, 本一, 一者何. 占
是也. 故占筮之頃, 辭變象, 因可觀玩, 而言動制器, 固在其中矣. 此聖人之精意所寓,
學者所當潛心焉.

쌍호호씨가 말하였다: 육십사괘 가운데 건괘가 먼저이고 곤괘가 다음인 것은 천지(天地)의
자리에 근본하여 군신과 상하의 분수를 드러내어서 인사(人事)의 표준을 다스린 것이다.
지금 건괘와 곤괘 두 괘의 단사인 "곧음이 이롭다[利貞]"와 "곧음을 편안히 여기면 길하다[安
貞吉]"는 훈계를 살펴보면 문왕의 마음을 알 수 있다. 요컨대 단사는 점을 쳐서 점을 결단하
는 말로서 또한 대부분 상과 괘변을 취하였다. 대체로 모두 점을 근거로 교훈을 부여하고
있으니, 예컨대 "곧음이 이롭다[利貞]"라 하고 "곧지 않음이 이롭다[利不貞]"라 하지 않았으
며, "곧음이 길하다[貞吉]"라 하고 "곧지 않음이 길하다[不貞吉]"라 하지 않은 부류가 이에
해당한다. 정(貞)은 하나의 곧고 견고한 도리이다.
또 말하였다: 성인의 도는 비록 네 가지이지만 성인의 가르침은 본래 하나이다. 하나는 무엇
인가? 점이 이것이다. 그러므로 점을 칠 때에 설명·변화·모양[辭·變·象]도 따라서 관찰
하고 완미해야 하니, 말·움직임·기물의 제작[言·動·制器]이 진실로 그 안에 있다.[14] 점
은 성인의 정밀한 뜻이 부여된 것이니, 배우는 자는 마땅히 마음을 가라앉히고 깊이 생각하
여야 한다.

---

14) 『周易·易傳序』: 『주역』에는 성인의 도가 넷이 있으니, 이것으로 말하는 자는 그 설명을 숭상하고, 이것으로
움직이는 자는 그 변화를 숭상하고, 이것으로 기물을 제작하는 자는 그 모양을 숭상하고, 이것으로 점을
치는 자는 그 점괘를 숭상한다.[易有聖人之道四焉. 以言者尙其辭, 以動者尙其變, 以制器者尙其象, 以
卜筮者尙其占.]

‖韓國大全‖

권근(權近) 『주역천견록(周易淺見錄)』

文王之辭, 本占法也, 孔子解作四德. 蓋占筮之所以有吉凶, 亦由是理之所自然者爾. 故筮得乾者, 其占爲大通而利於貞者, 亦以是卦有是四德故也. 非是別爲一說, 以異於 文王, 故可竝觀而不相悖也. 文王周公之辭, 直因卦爻之象, 以言占筮之法, 孔子之傳, 又因其辭, 以明占筮所以有吉凶之理. 程子本孔傳以演義理, 朱子本文王周公之意, 以 明占法, 前後聖賢, 互相發明也.

문왕의 말은 본래 점치는 법인데, 공자가 네 가지 덕으로 풀었다. 점에 길흉이 있는 것도 이 이치가 저절로 그런 것을 따랐을 뿐이다. 그러므로 점을 쳐서 건괘를 얻었을 경우에 점이 크게 형통하고 곧음에 이로운 것은 이 괘에 네 가지 덕이 있기 때문이다. 별도로 하나의 설명을 만들어 문왕의 말과 달리 한 것이 아니기 때문에, 문왕의 말과 공자의 설명을 함께 살펴보아도 서로 어긋나지 않는다. 문왕과 주공의 말은 단지 괘와 효의 상에 따라 점치는 법을 말하였고, 공자의 「단전」과 「상전」은 문왕과 주공의 말에 따라 점에 길흉의 이치가 있는 것을 밝혔다. 정자는 공자의 「단전」과 「상전」에 근거하여 의리를 부연하였고, 주자는 문왕과 주공의 뜻에 근거하여 점치는 법을 밝혔으니, 앞뒤의 성현이 서로 보완하여 밝힌 것이다.

유성룡(柳成龍) 『건원형리정설(乾元亨利貞說)』

程傳, 以元亨利貞爲四德, 本義, 以爲占辭, 蓋傳乃孔子之說, 而本義謂文王之意, 二者 當何適從. 易之爲道, 廣大悉備, 無所不該. 象不外於理, 理實具於象. 辭者卽象而明 理, 使人體之行事, 而不迷於吉凶之塗, 所謂器亦道道亦器, 二之則不是. 乾者天也, 天 具此四德, 故有此象, 而因有此辭耳. 元者大也, 亨者通也, 利者宜也, 貞者正也. 若乾 無此德, 則何自而有此象有此辭, 占者亦何自而得大通利於貞固乎. 以此觀之, 則文王 之易, 乃孔子之易. 本義雖主於占筮別爲一說, 而要不出程傳範圍之內. 今之議者, 欲 主本義, 而謂程傳可廢, 所謂癡人面前不得說夢.

『정전』에서는 원·형·리·정을 네 가지의 덕이라 하였고, 『본의』에서는 점사라 하였다. 『정전』은 곧 공자의 설이고 『본의』는 문왕의 뜻을 이르니, 두 가지 중에 어느 것을 따르는 것이 마땅한가? 역의 도는 넓고 커서 다 갖추어졌으니 포함되지 않는 것이 없다. 상(象)은 이치에서 벗어나지 않으며, 이치는 실제로 상에 갖추어 있다. 말[辭]은 상을 가지고 이치를 밝히는 것이니, 사람들이 이것을 체득하여 일에 시행한다면, 길흉의 길에 혼미하지 않을 것이다. 이것이 이른바 '기(器)도 도(道)이고, 도(道)도 기(器)'[15]라는 것이니, 두 가지로 보면 옳지 않다. 건(乾)은 하늘이다. 하늘은 이 네 가지 덕을 갖추고 있기 때문에 이런 상이 있고, 따라서 이런 말이 있을 뿐이다. 원(元)은 큼이고 형(亨)은 형통함이며 리(利)는 마땅함이고 정(貞)은 바름이다. 만일 건괘에 이 네 가지 덕이 없다면, 어디로부터 이런 상이 있고 이런 말이 있을 것이며, 점치는 자도 어디로부터 크게 형통하고 곧고 견고함[貞固]에 이로울 수 있겠는가? 이것으로 본다면, 문왕의 역이 바로 공자의 역이다. 『본의』에서 비록 점치는 일을 위주로 별도로 설명하였으나, 요컨대 『정전』의 범위 안에서 벗어나지 않는다. 오늘날 의론하는 자들은 『본의』를 주로 하고자 하여 『정전』을 없애도 된다고 하니, 이는 이른바 "어리석은 사람의 면전에서 꿈 이야기를 할 수 없다"는 것이다.[16]

조호익(曺好益) 『역상설(易象說)』

易象說卷之一.

『역상설』 일 권.

〈先生行狀及神道碑文, 皆曰易象推說, 而本非先生命名, 故去推字.

선생의 「행장」과 「신도비문」에는 모두 『역상추설(易象推說)』이라고 하였는데, 본래 선생이 명명한 것이 아니므로 추(推)자를 없앴다.〉

乾, 元亨.

건은 크게 형통하다

本義, 元大也, 亨通也. 文王以爲乾道大通, 於筮得此卦, 而六爻皆不變者, 言其占當得大通.

『본의』에서 말하였다: 원은 '크다'의 뜻이고 형은 '형통하다'의 뜻이다. 문왕은 "건의 도가 크게 형통한 것이다"라고 하였으니, 점을 쳐서 건괘를 얻고 여섯 효가 모두 변하지 않는 경우에는 그 점이 마땅히 크게 형통하다는 말이다.

愚謂, 乾本大通, 而以坤變, 不能大通. 〈本坤則大通, 而變則非本體, 乾則大通, 而以變得, 故不大通.〉

내가 살펴보았다: 건괘는 본래 크게 형통하나 곤괘로 바뀌면 크게 형통할 수 없다. 〈본래

---

15) 『二程遺書』.

16) 『시인옥설(詩人玉屑)』에 나온다. 어리석은 사람에게 꿈을 이야기해주면 실제의 일로 여긴다는 뜻이니, 어리석은 사람의 근거 없는 말을 가리킨다.

곤괘는 크게 형통하지만 바뀌면 본래의 몸체가 아니고, 건괘는 크게 형통하나 바뀌게 되므로 크게 형통하지 못하다.〉

○ 開物成務, 物人物也, 務事務也.
'개물성무(開物成務)'에서 '물(物)'은 사람·사물이고 '무(務)'는 일이다.

김장생(金長生) 「경서변의(經書辨疑)」

上經.
「상경」.

乾, 本義註, 諸儒晁氏呂氏.
건괘 『본의』의 주: 여러 학자, 조씨, 여씨.

諸儒指王弼韓康, 晁氏名說之, 呂氏指東萊呂氏, 名祖謙.
여러 학자는 왕필(王弼)과 한강(韓康)을 가리킨다. 조씨는 이름이 열지(說之)이고, 여씨는 동래여씨를 가리키며 이름이 조겸(祖謙)이다.

◗ 雙湖胡氏曰, 東萊所說, 不及微中, 此呂乃汲郡呂氏, 名大防字微中.
쌍호호씨가 말하였다: 동래가 말한 것은 미중(微中)[17]의 말에 미치지 못하니, 여기에서의 여씨는 바로 급군(汲郡)의 여씨이다. 그의 이름은 대방(大防)이고 자가 미중(微中)이다.

元亨利貞.
크게 형통하고 곧음이 이롭다.

朱子曰, 文王本意在乾坤者, 只與諸卦一般, 是大亨而利於正耳. 至孔子作彖傳文言, 始以乾坤爲四德, 而諸卦自如其舊. 二聖之意, 非有不同, 蓋各是發明一理耳.
주자가 말하였다: 문왕이 건괘와 곤괘에서 설명한 본래의 뜻은 다른 여러 괘에서와 마찬가지로 "크게 형통하고 바른 데에 이롭다"일 뿐이다. 공자가 「단전」과 「문언전」을 짓자 비로소 건괘·곤괘를 원·형·리·정의 네 가지의 덕으로 보았으나, 다른 괘에서는 여전히 옛날대로 하였다. 두 성인의 뜻이 다른 것이 아니라, 각자 하나의 이치를 밝혔을 뿐이다.

程傳, 天且不違, 是也.
『정전』에서 말하였다: "하늘도 어기지 않는다"는 것이 이것이다.

鄭時晦曰, 天且不違者, 文言之意, 謂天不違於聖人也. 程子引用之意, 謂天不違於道

---

17) 미중(微中): 여대방(呂大防, 1027-1097의 자이다. 경조부(京兆府) 남전(藍田)사람으로 경학과 지리학에 두각을 나타내었던 북송(北宋)의 학자이자 명재상이다.

也. 程子說與文言相異, 恐不是云.

정시회(鄭時晦)가 말하였다: “하늘도 어기지 않는다”라는 것은 「문언전」의 뜻으로 하늘이 성인을 어기지 않는다는 말이다. 그런데 정자가 인용한 뜻은 하늘이 도를 어기지 않음을 이른다. 정자의 설명은 「문언전」과 다르니, 옳지 않은 듯하다.

◑ 按, 文言程傳曰, 大人與天地日月四時鬼神合者, 合乎道也. 又曰, 聖人先於天而天同之, 後於天而能順天者, 合於道而已. 竊詳上下文勢, 則天之不違聖人, 以其合乎道也, 其不違聖人, 乃不違於道也. 傳之前後說相合, 無可疑.

내가 살펴보았다: 「문언전」의 『정전』에 “대인이 하늘·땅, 해·달, 사계절, 귀신과 더불어 부합한다는 것은 도에 부합하는 것이다”라고 하였고, 또 “성인이 하늘보다 먼저 해도 하늘이 그와 같이 하고, 하늘보다 뒤에 해도 하늘에 순응하는 것은 도에 부합해서일 뿐이다”라고 하였다. 내가 앞뒤의 문맥을 살펴보니 하늘이 어기지 않는 것은 성인이 도에 합일하기 때문이니, 성인을 어기지 않는다는 것이 곧 도를 어기지 않는다는 것이다. 그러므로 『정전』의 앞뒤의 말이 서로 같은 것임은 의심의 여지가 없다.

홍여하(洪汝河) 「책제(策題): 문역(問易)·독서차기(讀書箚記)-주역(周易)」

乾象辭本義, 乾之名, 天之象, 皆不易焉.

건괘 단사의 『본의』에서 말하였다: 건(乾)이라는 이름과 하늘[天]이라는 상(象)이 모두 바뀌지 않는 것이다.

乾曰, 皆不易焉, 坤曰, 皆不易也. 也字決辭, 坤卦在下故.

건괘에서는 “모두 바뀌지 않는 것이다[皆不易焉]”라 하고 곤괘에서는 “모두 바뀌지 않는 것이다[皆不易也]”라 하였다. ‘야(也)’자는 결단하는 말[決辭]이니, 곤괘가 아래에 있기 때문이다.

임영(林泳) 『독서차록(讀書箚錄)』

傳, 難曰, 康節先天之學, 伊川未嘗講, 故畫卦重卦之說, 未免疏略如此. 向非本義繼作, 學易者幾無以知其原矣. 此則旣然矣, 其下直以天解乾次第條理, 亦似未明矣.

『정전』에 대해 논변하였다: 정이천이 소강절의 선천학을 강학한 적이 없기 때문에 삼획괘와 중첩된 괘에 대하여 설명한 것이 이처럼 소략하다. 지난날 『본의』가 이어져 나오지 않았다면 『주역』을 배우는 자들이 거의 『주역』의 근원을 알지 못하였을 것이다. 이것은 이미 그렇지만, 그 아래 곧바로 하늘을 가지고 건을 풀이한 차례와 조리도 명확하지 않은 듯하다.

蓋乾只是純陽卦名, 健其義也, 天乃其象也, 重乾爲乾之下, 當直以乾健也之意爲解, 而繼言其象爲天. 然後性情形體專言分言之卜, 以次及之, 方得其序, 今其解如此, 何耶.

건은 단지 순양괘의 이름이고 강건함은 그 의미이며, 하늘은 그것의 상이니 "건괘(☰)를 중첩하면 건괘(䷀)가 된다"의 아래에서 당연히 곧바로 '건은 강건함'이라는 의미로 해석하고, 이어 그 상이 하늘임을 말해야 한다. 그런 다음에 성정으로 말하고 형체로 말하고 전적으로 말하고 나누어 말하는 것의 분별을 차례로 언급해야 그 순서를 얻을 수 있을 것인데, 이제 이처럼 해석한 것은 무엇 때문인가?

且乾者萬物之始下, 列言爲天爲陽爲君爲父. 夫乾之爲天, 乃其取象之定名, 固在所言, 而上旣言乾天也, 則不言而可知. 至於爲陽爲君爲父, 則恐不須列言於此處. 且利主於正固, 似釋利貞二字者, 皆所未曉.

또 "건은 만물의 시작이다"의 아래에서 "하늘이고 양이며, 아버지이고 임금이다"는 것을 열거하여 말했는데, "건이 하늘이다"는 것은 바로 상의 정해진 이름을 취한 것으로 본래 그렇게 말하는 것이 있으며, 또 위에서 이미 건은 하늘이라고 말하였으니, 말하지 않아도 알 수 있는 것이다. "양이고 임금이며 아버지이다"는 것도 굳이 여기에서 열거할 필요는 없을 듯하다. 또 "리는 바름과 견고함을 위주로 한다"는 리와 정 두 글자를 해석한 듯한데, 모두 분명하지 않다.

本義, 於筮得此卦, 而六爻皆不變者,

『본의』에서 말하였다: 점을 쳐서 이 괘가 나오고 여섯 괘가 모두 변하지 않을 경우.

難曰, 文王之演易也, 只繫卦下象, 當時非有六爻之辭也. 其考變觀占, 必皆於此取決, 何. 但六爻之不變者, 始用卦象哉. 如此則六爻有變者, 皆無占可考, 而惟六爻皆不變者, 然後方有所考也, 卦象之爲用, 不亦甚罕而爲偏乎. 若欲明後來考變之法, 則別爲數語, 方得明順, 恐不當賺連文王爲言也.

논변하였다: 문왕이 『주역』을 설명할 때에 괘 아래에 단사만을 붙였으니 당시에는 여섯 효에 대한 설명이 있었던 것이 아니다. 그런데 변화와 점을 고찰할 때에 굳이 모두 여기에서 결정하는 것은 어째서인가? 여섯 효가 변하지 않았을 경우에만 비로소 괘의 단사를 적용하는 것인가? 그렇다면 여섯 효에 변화가 있을 경우에는 모두 살필 점사가 없고, 오직 여섯 효가 모두 변하지 않은 다음에야 살필 점사가 있는 것이니, 괘의 단사를 적용하는 것이 너무 드물고 치우치지 않는가? 후대에 변화를 고찰하는 방법[考變之法]을 밝히고자 한다면, 별도로 몇 마디 말을 해야 분명하고 순리에 맞게 될 것이니, 이것을 문왕의 말이라고 거짓으로 이어 붙여서는 안 될 듯하다.

小註, 程子說第二條, 乾坤毁, 則無以見易, 須以意明之, 言乾坤爲易之門戶, 毁則幾無以見易矣, 然猶當以意明之. 蓋乾坤設毁, 無體之易自在也. 張子說, 然推本而言, 當父母萬物, 言乾之四德, 終始萬物, 其始也, 物與之始, 其終也, 物與之終, 初不可以先後分. 然推本而言, 四德固當爲萬物父母, 與下朱子說理便在氣中兩箇便不相離, 若是說時, 則有那未涉於氣底之意相似. 但朱子說又更有要就氣上看以下, 一轉語視此, 蓋周遍而竭盡矣.

소주에서 정자가 말한 두 번째 조목인 “건괘와 곤괘가 없으면 역을 볼 수 없으니, 반드시 의미로 밝혀야 한다”는 것은 건괘와 곤괘가 역의 문호여서 이것이 없으면 역을 볼 수 없으니 오히려 의미로 밝혀내야 한다는 말이다. 건괘와 곤괘가 설령 없더라도 형체 없는 역은 본래 존재하기 때문이다. 장자(張子)가 말한 “그러나 근본을 미루어 말하면 만물의 부모에 해당한다”는 것은 건의 네 가지 덕이 만물의 시종이 되어 시작함에도 만물이 그것과 함께 시작하고, 끝마침에도 만물이 그것과 함께 끝마치니 애초에 선후의 구분이 없다는 말이다. 그러나 근본을 미루어 말하면 네 가지 덕이 본래 만물의 부모에 해당하니, 아래에서 주자가 말한 “리가 기 안에 있으니, 리와 기 두 가지는 서로 분리될 수 없다. 원·형·리·정이라고 말할 때에는 기의 네 가지 덕과 관계되지 않은 듯하다”는 말의 의미와 서로 흡사하다. 다만 주자가 또 다시 “기에 나아가 살펴보아야 한다”는 이하의 말을 하여 한 번 말을 바꾸어 보았으니, 이는 원만하고 극진하다.

本義, 難曰, 元亨利貞, 傳以四德言, 本義以大亨而利於正固言, 本義之言, 與孔子程子之言, 不同, 何耶. 曰, 本義以文王本意. 六十四卦之象, 雖取義各異, 繁簡不一, 蓋皆有吉凶悔[18]吝之辭, 不如此, 無以考其占矣. 諸卦皆然, 不應獨於乾卦, 專言天之四德, 而無所可否也明矣. 本義之言, 文王之意也.

『본의』에 대해 논변하였다: 원·형·리·정을 『정전』에서는 네 가지 덕으로 말하였고, 『본의』에서는 “크게 형통하고 바르고 곧아야 이롭다”라 말하였으니, 『본의』의 말이 공자나 정자의 말과 다른 것은 어째서인가?

이에 대하여 말한다: 『본의』는 문왕이 설명한 본래의 뜻으로 말하였다. 육십사괘의 단전이 비록 뜻을 취한 것이 각기 다르고, 번다하고 간략한 것이 한결같지 않을지라도 모두 ‘길하다·흉하다·후회하다·인색하다[吉·凶·悔·吝]’는 말이 있어 이처럼 하지 않으면 점을 살필 수 없다. 모든 괘가 다 그러한데 유독 건괘만이 이것을 따르지 않고 전적으로 하늘의 네 가지 덕으로 말하여 가부(可否)를 밝힌 것이 없다. 『본의』의 말은 문왕의 뜻이다.

曰, 然則孔子豈不知文王之意, 而乃以四德言耶. 曰, 此朱子所謂各是發明一理, 方蛟峯所謂變例言之者, 頗已發其旨矣. 蓋非解經之正例, 乃後聖自就其辭, 推出一大道理耳. 非可與權者, 未易言也.

---

18) 悔: 경학자료집성DB와 영인본에 모두 ‘亨’으로 되어 있으나, 문맥을 살펴 ‘悔’로 바로잡았다.

논변하여 말한다: 그렇다면 공자가 어찌 문왕의 뜻을 모르고 네 가지 덕으로 말하였을까? 이에 대하여 말한다: 여기에 대한 답은 주자가 말한 "각자 하나의 이치를 밝혔을 뿐이다"라는 것과 방교봉(方蛟峯)[19]이 말한 "일반적인 예와 다르게 말한 것이다"라는 것이 자못 그 뜻을 드러낸다. 경문을 해석하는 일반적인 예가 아니기에 공자가 스스로 그 말에 나아가 하나의 큰 이치를 드러내었을 뿐이니, 권도를 함께할 수 있는 자[可與權者][20]가 아니면 쉽게 말할 수 없다.

강석경(姜碩慶)「역의문답(易疑問答)」

陽奇陰耦, 則一謂陽, 二謂陰,[21] 亦可矣. 而陽必言三, 陰則言二者, 何義. 又必陰陽三疊而爲一爻者, 是又何義也. 曰, 河圖洛書, 五數居中, 乃三二之合, 而爲天地之數也. 故易曰參天兩地而倚數焉. 蓋圓者徑一而圍三, 方者徑一而圍四. 圍三者, 三各一奇而陽數進, 故一進而用三, 圍四者, 四合二耦而陰數退, 故四退而用二, 此三二之義也. 且以陰陽之卦畫觀之, 陽畫實而陰畫折, 陰比陽畫中闕一分, 此可見陽三陰二之義也. 且陰陽必三重而成爻, 猶卦之必三重而成卦, 不三重則何以別老少, 而卜動靜乎. 故著必三揲而成爻, 十有八變而成卦. 今之擲錢, 雖只一擲, 而一擲之時, 已具三錢, 此亦著三揲之義也.

양은 하나[—]로 된 기수이고 음은 짝[--]으로 된 우수이니, 일(一)을 양이라 하고 이(二)를 음이라 하는 것은 괜찮다. 그러나 양을 반드시 삼(三)이라 하고 음을 이(二)라고 하는 것은 무슨 뜻인가? 또 반드시 음과 양이 세 번 중첩하여 한 효가 되는 것은 또 무슨 뜻인가?「하도」와「낙서」에 5가 가운데에 있는 것은 바로 3과 2가 합하여 천지의 수가 되었기 때문이다. 그러므로『주역』에서 "삼천양지(參天兩地)로 수를 의지하였다"[22]라고 하였다. 동그라미는

---

19) 방교봉(方蛟峯, 1221-1291): 방봉신(方逢辰)을 가리킨다. 교봉(蛟峯)은 호이다. 송말원초 때 엄주(嚴州) 순안(淳安) 사람이며, 원래 이름은 몽괴(夢魁)이고, 자는 군석(君錫) 또는 성석(聖錫)이다. 방용(方鏞)의 아들이다. 이종(理宗) 순우(淳祐) 10년(1249) 진사 제일로 급제했다. 병부시랑(兵部侍郎)과 국사수찬(國史修撰)을 역임했다. 재상 정청지(鄭淸之)와 가사도(賈似道)의 잘못을 적극 성토하다가 병을 이유로 사직한 뒤에 다시 이부(吏部)와 예부(禮部)의 상서에 임명되었지만 모두 나가지 않았다. 송나라가 망한 뒤 교봉(蛟峰)에 은거하여 후진을 양성하면서 원나라 조정에서 불렀지만 나가지 않았다. 사서(四書)를 근본으로 하고 육경(六經)을 율령(律令)으로 여겼으며, 주희(朱熹)의 사상을 종주로 하였으며, 육구연(陸九淵)의 이간공부(易簡工夫)를 반대했다. 저서에『학용주석(學庸注釋)』과『격물입문(格物入門)』,『효경해(孝經解)』,『상서석의(尙書釋疑)』,『역외전(易外傳)』,『교봉문집(蛟峰文集)』 등이 있다.

20)『論語·子罕』: 공자가 말하였다. 함께 배울 수는 있으나 함께 도에 나아갈 수는 없고, 함께 도에 나아갈 수는 있으나 함께 설 수는 없으며, 함께 설 수는 있으나 함께 권도를 쓸 수는 없다[子曰, 可與共學, 未可與適道, 可與適道, 未可與立, 可與立, 未可與權].

21) 陰: 경학자료집성DB와 영인본에 '耦'로 되어 있으나, 문맥을 살펴 '陰'으로 바로잡았다.

지름이 1이면 둘레가 3이고, 네모는 한 변이 1이면 둘레가 4이다. 둘레가 3인 것은 3이 1이라는 기수를 각각으로 해서 양수가 나아가기 때문에 1이 나아가서 3을 쓰고, 둘레가 4인 것은 4가 2라는 우수를 합해서 음수가 물러나기 때문에 4가 물러나서 2를 쓰니, 이것이 3과 2의 뜻이다. 또 음과 양의 괘획을 가지고 살펴보면, 양획은 이어져 있고 음획은 끊겨 있어 음획이 양획에 비해 가운데가 조금 비어 있으니, 여기에서 양이 3이고 음이 2인 의미를 알 수 있다. 또 음양이 반드시 세 번 중첩된 뒤에 효를 이루는 것은 괘가 반드시 세 번 중첩된 뒤에 이루어지는 것과 같으니, 세 번 중첩되지 않으면 어떻게 노소를 분별하여 동정을 변별할 수 있겠는가? 그러므로 시초를 반드시 세 번 세어 가른 뒤에 효를 이루고 열여덟 번 변한 뒤에 괘를 이룬다. 오늘날 동전을 던지는 것은 비록 한 번만 던지지만, 한 번 던질 때에 이미 세 개의 동전이 갖추어졌으니, 이 또한 시초를 세 번 세는 의미이다.

問, 乾元亨利貞, 程傳從孔子說解作四德, 而本義作占辭解, 何所述也. 曰, 聖人作易, 本爲占, 而六十四卦, 卦爻之辭, 皆是占決之辭也. 第是乾爲天, 而爲六十四卦之首. 且四德之說, 自古有之, 其義甚大, 故孔子姑借此, 以發明乾道之大, 非文王繫辭之本旨也. 朱子本義, 豈非述文王之意, 而解文王之經乎.

물었다: “건은 크고 형통하며 이롭고 곧다”를 『정전』에서는 공자의 설을 따라 네 가지 덕으로 설명하였는데, 『본의』에서 점사로 해석한 것은 무엇을 기술한 것입니까?

답하였다: 성인이 역을 지은 것은 본래 점을 치기 위한 것이니, 육십사괘의 괘사와 효사는 모두 점을 결단하는 말입니다. 다만 건괘는 하늘의 형상이어서 육십사괘의 앞에 해당합니다. 또한 네 가지 덕에 대한 말은 예로부터 있었고 그 의미가 매우 크기 때문에 공자가 우선 이것을 빌어 건도의 큼을 밝혔던 것이니, 문왕이 괘사를 붙인 본래의 뜻이 아닙니다. 주자의 『본의』가 어찌 문왕의 뜻을 기술하고 문왕의 경문을 해석하지 않았겠습니까?

이현익(李顯益) 「주역설(周易說)」

或曰, 元亨利貞, 雖作占辭, 看其義, 則謂大且通利且貞矣. 蓋以乾卦比他卦自別, 故其占辭不用戒, 而如此也. 如此看亦通, 然所謂占辭是. 以筮得者言, 則雖筮得此卦, 豈能皆不待戒而如此耶. 雖比他卦自別, 而其中所言, 未必皆聖人事, 則筮得者, 亦必貞然後利矣. 本義說不可易也.

어떤 이가 “원·형·리·정이 비록 점사로 지어졌을지라도 그 뜻을 살펴보면, 크면서 또 형통하고 이로우면서 또 곧음을 이른다. 건괘는 다른 괘보다 본래 특별하기 때문에 점사에

---

22) 『周易·說卦傳』: 參天兩地而倚數.

경계의 말을 하지 않아 이와 같은 것이다"라 하였다. 이와 같이 봐도 통하지만 점사라고 하는 것이 옳다. 점을 쳐서 이 괘를 얻은 자의 입장에서 말하자면, 비록 점을 쳐서 이 괘를 얻었을지라도 어찌 모두 경계하지 않고 이처럼 말할 수 있겠는가? 다른 괘보다 본래 특별할지라도 그 안에서 말한 것이 반드시 모두 성인의 일만은 아니니, 점을 쳐서 이 괘를 얻은 자가 또한 반드시 곧은 뒤에야 이로울 것이다. 『본의』의 설명은 바꿀 수 없다.

이익(李瀷) 『역경질서(易經疾書)』

天是正體之名, 乾是表德之字. 繫辭云, 其初難知, 其上易知, 本末也. 若夫雜物撰德, 辨是與非, 非其中爻不備. 初上者位也, 九六者物也, 言初上而不言一六者, 著其本末也. 先言初上, 而後言九六者, 以位爲重, 物爲輕也. 貴在中爻, 故互卦之說起. 古者十翼, 自爲一書, 諸儒亂之. 惟乾經與傳各著, 猶是存古, 其意亦善.

천(天)은 몸체의 바른 명칭이고 건(乾)은 덕을 나타내는 글자이다. 「계사전」에서 "초효는 알기 어렵고 상효는 알기 쉬우니 근본과 말단이기 때문이다. … 물건을 뒤섞고 덕을 잡으며 시비를 분별하는 것과 같은 것은 가운데의 효가 아니면 갖추지 못할 것이다"[23]라 하였다. '초효'와 '상효'는 자리이고, '구'와 '육'은 사물이다. 초효·상효라 말하고 일효·육효라 말하지 않은 것은 근본과 말단을 드러낸 것이고, 초효·상효를 먼저 말하고 구·육을 뒤에 말한 것은 자리가 우선이고 사물이 나중이기 때문이다. 가운데 효가 귀하기 때문에 호괘(互卦)의 주장이 나왔다. 옛날에 십익은 본래 하나의 책이었는데, 여러 학자들이 이를 어지럽혔다. 오직 건괘의 경문과 전문은 각각 드러나 있어 여전히 옛 것을 보존하고 있으니, 그 의미가 또한 훌륭하다.

권만(權萬) 「역설(易說)」

朱子不以四德言之, 而以大亨而利於貞立義, 謂占辭如此. 然孔子已分作四德, 程子從之. 蓋乾無他占辭者, 文王但見天德至大, 乾象至健, 無所不包, 有元亨利貞之周而復始而已, 故以四字, 作乾之占辭, 而孔子仍之. 孔子何嘗不以易爲占書哉.

주자는 원·형·리·정을 네 가지 덕으로 말하지 않고, "크게 형통하고 곧음이 이롭다"로 뜻을 세워 점사가 이와 같다고 하였다. 그러나 공자가 이미 네 가지 덕으로 나누었고 정자가 그 말을 따랐다. 건괘에는 달리 점사라는 것이 없는데, 문왕이 단지 하늘의 덕이 지극히 크고 건의 형상이 지극히 굳건하여 포함하지 않음이 없고, 원·형·리·정이 두루 하여 다

---

23) 『周易·繫辭傳』: 其初難知, 其上易知, 本末也. …. 若夫雜物撰德, 辨是與非, 則非其中爻, 不備.

시 시작함을 알았기 때문에 원·형·리·정 넉자를 건괘의 점사로 삼았고, 공자가 그대로 따른 것이다. 공자가 언제 『주역』을 점서로 여기지 않은 적이 있었는가?

○ 乾卦全體是純陽. 而以第二爻陰位, 第六爻極而變者言之, 似革卦象. 以初三五陽位, 以二四六陰位觀之, 已函得旣濟. 旣濟與未濟, 互相易之, 以旣未濟, 終其貞元之妙乎. ䷀, 上下皆乾. 乾古作䠄, 䠄有健意. 物之周轉不息者, 莫如天, 故取天之義, 以乾字說☰之義. 乾雖卦名, 實狀☰之德, 是知☰之德. 乾☰之德, 乾乾, 乾而又乾也.

건괘는 전체가 순양이다. 그런데 이것을 둘째 효가 음의 자리이고 여섯째 효가 끝에 있어 변한 것으로 말하자면 혁괘(革卦䷰)의 상과 흡사하다. 초효·삼효·오효가 양의 자리이고, 이효·사효·육효가 음의 자리인 것으로 살펴보면, 이미 기제괘(旣濟卦䷾)를 포함하고 있다. 기제괘(旣濟卦䷾)와 미제괘(未濟卦䷿)는 서로 바뀐 것이니, 기제괘와 미제괘를 가지고 정(貞)과 원(元)의 신묘함을 다할 수 있을 것이다. ䷀은 상괘와 하괘가 모두 건이다. 건을 예전에는 건(䠄)으로 썼으니, 건(䠄)은 굳세다는 의미가 있다. 두루 운전하여 쉬지 않는 사물 가운데 하늘만한 것은 없기 때문에 하늘의 뜻을 취하여 건(乾)이라는 글자로써 ☰의 뜻을 설명하였다. 건이 비록 괘의 이름이기는 하지만 실제로 ☰의 덕을 형상한 것이니, 이는 ☰의 덕이 건☰의 덕임을 안 것이다. '건건'은 힘쓰고 또 힘씀이다.

愚意, 以☰乾別行書之者, 恐合在乾元亨利貞之上, 讀曰, ☰은 乾이니 乾元亨코 利貞ᄒ니라. 如此則兩乾字連書作乾乾, 讀時雖有句讀於兩乾字之間, 而其爲乾乾之象, 自著矣. 以下七卦, 皆如此也. 如屯蒙旣未濟之間, 許多卦, 雖無重疊取象之義, 亦自成一義. 如䷂卦, 讀曰䷂ᄂ 屯이니 屯은 元亨코 利貞ᄒ니 勿用有攸往이오 利建侯ᄒ니라, 如此讀之, 亦有義意矣. 愚讀履之象辭, 常訝其無頭, 今若依此例讀之曰ᄂ ☰은 履니 履虎尾云云, 則爲有頭矣.

내가 살펴보았다: ☰건(乾)을 줄을 달리하여 쓴 것은 "건(乾)은 크게 형통하고 곧음이 이롭다[乾元亨利貞]"의 위에 놓여서 '☰은 건(乾)이니, 건은 크게 형통하고 곧음이 이롭다[☰은 乾이니 乾元亨코 利貞하니라]'로 읽어야 합당할 듯하다. 이렇게 하면 두 개의 건(乾)자가 연달아 쓰여 '건건(乾乾)'이 되니, 읽을 때는 비록 두 글자 사이에 구두가 있으나, 그것이 건건(乾乾)의 모양이라는 것이 저절로 드러난다. 이하 일곱 개의 괘도 모두 이와 마찬가지이다. 예컨대 준괘(屯卦)·몽괘(蒙卦)에서부터 기제괘(旣濟卦)·미제괘(未濟卦) 사이의 허다한 괘에 비록 중첩해서 모양을 취하는 뜻이 없더라도 저절로 하나의 뜻이 되니, ䷂卦[屯卦]의 경우, '䷂[屯]은 준(屯)이니, 준(屯)은 크게 형통하고 바름이 이로우니, 갈 곳을 두지 말고 제후를 세움이 이롭다[䷂ᄂ 屯이니 屯은 元亨코 利貞ᄒ니 勿用有攸往이오 利建

侯ㅎ니래"로 읽으니, 이와 같이 읽어도 의미가 있다. 내가 리괘(履卦䷉)의 단사를 읽을 때에 문장의 첫머리가 없는 것이 늘 이상했는데, 지금 이와 같은 사례에 따라 "䷉는 리(履)이니, 호랑이 꼬리를 밟더라도"하는 식으로 읽으면 문장의 첫머리가 있게 된다.

○ 古文, 天字作☰, 是乾三畫之微曲, 象覆下之形也. 然☰不曰乾, 而曰天者, 非遇王次仲程邈, 不可究詰, 姑闕之.〈王程, 變篆作隸者也.〉

고문에서 천(天)자를 ☰으로 쓴 것은 건괘의 삼획이 약간 휘어진 것으로 아래를 덮고 있는 모양을 형상한 것이다. 그러나 ☰을 '건'이라 하지 않고 '천'이라 한 것은 왕차중(王次仲)[24]과 정막(程邈)[25]을 만나지 못했다면 궁구할 수 없었을 것이니, 이 부분은 우선 놔둔다.〈왕차중과 정막은 전서를 예서로 바꾸어 쓴 자들이다.〉

○ 元亨利貞, 左傳, 穆姜已分作四德, 孔子仍之. 然文王之意, 以大亨利於貞立義. 觀他卦, 無單擧元字作善字義爲辭者, 可見其爲大字義也. 然易之辭, 曲暢旁通, 各成義理, 作大亨利貞看亦可, 作善通宜正看亦可也.

원·형·리·정은 『춘추좌씨전』에서 목강[26]이 이미 네 가지 덕으로 나누었는데[27] 공자가

---

24) 왕차중(王次仲): 진(秦)나라 사람. 대하소하산(大夏小夏山)에서 살았다. 당시 유행하던 전문(篆文)은 보편적으로 쓰이기 어렵다고 판단하고 약관의 나이로 전주체(篆籀體)를 응용하여 예서(隸書)의 자체를 가로로 넓게 벌여 쓴 사분서체(四分書體)를 개발했으니, 이를 한체(漢體)라 한다. 진시황이 보고 기이하게 여겨 세 번이나 불렀지만 나가지 않았다. 이에 진시황이 화를 내고 함거(檻車)를 보내 끌어오게 했다. 그때 큰 새가 날갯짓을 하며 날아가면서 깃 세 개를 흘리자 이것을 사신이 주워 왕에게 올렸다. 나중에 그 산을 깃을 흘렸다는 의미로 낙핵산(落翮山)이라 했고, 봉우리에도 대핵(大翮), 소핵(小翮)이라는 이름을 붙였다고 전해진다.

25) 정막(程邈): 진(秦)나라 하비(下邳) 사람이다. 자는 원잠(元岑)이고, 예서(隸書)의 창시자다. 일찍이 옥리(獄史)를 지내고 지방 현령으로 있다가 진시황에게 죄를 지어 운양(雲陽)에서 10년 동안 옥살이를 했는데, 이때 대전(大篆)과 소전(小篆)을 정리해서 예서체를 만들었다. 진시황이 이를 보고 사면했다고 한다.

26) 목강(穆姜): 선공(宣公)의 부인이자, 성공(成公)의 어머니이다. 선백(宣伯)의 유혹에 넘어가 성공을 폐위시키고 계손씨(季孫氏)와 맹손씨(孟孫氏)를 제거하려 하니 성공이 도리어 목강을 동궁에 유폐시켰다.

27) 『춘추좌씨전·양공』: 목강이 동궁에서 세상을 떠났다. 목강이 처음 동궁으로 갔을 때 시초점을 치니 간괘(艮卦)가 팔(八)로 변한 괘를 만났다. 태사가 말하기를 "이것은 간괘(艮卦)가 수괘(隨卦)로 변한 것입니다. 수(隨)는 나가는 뜻이니, 소군(小君)께서는 반드시 빨리 나가게 될 것입니다"라 하니, 목강이 말하기를 "나갈 수 없을 것이다. 『주역』에, '수(隨)는 크게 형통하니, 곧게 하는 것이 이롭고 허물이 없다'라고 하였다. 원(元)은 몸체의 으뜸이고, 형(亨)은 아름다움의 모임이며, 리(利)는 의로움의 화합이고, 정(貞)은 사물의 근간이다. 인(仁)을 체현하면 사람들의 으뜸이 될 수 있고, 아름다운 모임은 예(禮)에 부합할 수 있고, 만물을 이롭게 하면 도의와 조화될 수 있고, 성실하고 견고하면 일을 주관할 수 있다. 이와 같기 때문에 속일 수가 없는 것이다. 그러므로 비록 수괘(隨卦)를 만나더라도 재화가 없지만 지금 나는 부인으로 난에 참여하였으며, 본래 아래 자리의 신분으로 불인(不仁)을 저질렀으니 '원(元:나라의 어른)'이라 할 수 없고, 국가를 안정시키지 못하였으니 '형(亨)'이라고 할 수 없고, 난을 일으켜 자신을 해쳤으니 '리(利)'라고 할 수 없고, 소군의

그대로 따랐다. 그러나 문왕의 뜻은 크게 형통하고 곧아야 이롭다는 것으로 뜻을 세운 것이었다. 다른 괘를 살펴보아도 단지 원(元)자를 선(善)자의 뜻으로 말하는 경우는 없으니, 그것이 크대(大)는 말의 의미임을 알 수 있다. 그러나 『주역』의 말은 자세히 펴고 널리 통하여 각각 의리를 이루고 있으니, "크게 형통하고 곧음이 이롭대[大亨利貞]"로 보아도 괜찮고, "착하고 형통하고 마땅하고 바르대[善通宜正]"로 보아도 괜찮다

○ 乾之道, 兼晝夜四時, 轉運不已, 無一息之. 或間而明暗寒溫, 其變无窮. 分作四德, 以貞則復元, 證周而復始之義, 何不可之有. 文王之後, 惟孔子最近, 讀者, 以孔子爲正, 可也.

건의 도는 주야(晝夜)와 사시(四時)를 겸하여 계속 운행하니 한 순간도 쉼이 없다. 때로 그 사이에 밝고 어두우며 차갑고 더우니 그 변화가 무궁하다. 네 가지 덕으로 나눠 놓으면 정(貞)에서 다시 원(元)이 되어, 돌고서 다시 시작하는 의미를 증명하니 어찌 불가한 것이 있겠는가? 문왕의 뒤에 공자만이 이치에 가장 가까우니, 독자는 공자의 뜻을 바른 것으로 삼는 것이 옳다.

양응수(楊應秀) 「곤괘강의(坤卦講義)·역본의차의(易本義箚疑)」

本義, 一者奇也.

『본의』에서 말하였다: '一'은 기수이다.

一讀作何音. 按, 易學啓蒙註, 玉齋胡氏曰, 三奇爲老陽, 遇老陽者, 其爻爲口, 所謂重也. 二奇一偶爲少陰, 遇少陰者, 其爻爲--, 所謂析也. 二偶一奇爲少陽, 遇少陽者, 其爻爲一, 所謂單也. 三偶爲老陰, 遇老陰者, 其爻爲乂, 所謂交也. 以此觀之, 一音或可讀以單耶. 本註乾字, 本註謂卦下雙註.

'一'의 음을 어떻게 읽어야 할까? 내가 살펴보았다: 『역학계몽』의 주석을 살펴보니 옥재호씨가 아래와 같이 말하였다. "세 개의 기수가 노양인데, 노양을 만난 자는 그 효가 입[口]이니

지위를 버리고서 간음하였으니 '정(貞)'이라 할 수 없다. 이 네 가지 덕이 있는 사람은 수괘를 만나도 재화가 없지만 나에게는 네 가지 덕이 전혀 없으니 어찌 수괘의 괘사에 부합할 수 있겠는가? 내가 악행을 취하였으니, 어찌 재화가 없을 수 있겠는가? 반드시 여기서 죽을 것이고 나갈 수 없을 것이다"라고 하였대[穆姜薨於東宮, 始往而筮之, 遇艮之八. 史曰, 是謂艮之隨. 隨其出也, 君必速出. 姜曰, 亡. 是於周易曰, 隨元亨利貞无咎. 元體之長也, 亨嘉之會也, 利義之和也, 貞事之幹也. 體仁足以長人, 嘉德足以合禮, 利物足以和義, 貞固足以幹事. 然故不可誣也, 是以雖隨無咎, 今我婦人, 而與於亂, 固在下位, 而有不仁, 不可謂元, 不靖國家, 不可謂亨, 作而害身, 不可謂利, 棄位而姣, 不可謂貞. 有四德者, 隨而無咎, 我皆无之, 豈隨也哉. 我則取惡, 能無咎乎. 必死於此, 弗得出矣].

중(重)이라 이른다. 두 개의 기수와 한 개의 우수를 소음이라 하는데, 소음을 만난 자는 그 효가 --이니 석(拆)[28]이라 이른다. 두 개의 우수와 한 개의 기수를 소양이라 하는데, 소양을 만난 자는 그 효를 —라 하니 단(單)이라 이른다. 세 개의 우수를 노음이라 하는데 노음을 만난 자는 그 효를 乂라 하니 교(交)라 이른다." 이것을 가지고 살펴보자면, —의 음을 단(單)이라고 읽을 수 있을 것이다. '본주건자(本註乾字)'에서 본주는 괘 아래 쌍행의 주석을 이른다.

유정원(柳正源) 『역해참고(易解參攷)』

子夏傳, 元始也, 亨通也, 利和也, 貞正也.
『자하역전』에 "원은 시작이며 형은 형통함이고 리는 조화로움이며 정은 바름이다"라고 하였다.

○ 梁山來氏曰, 元亨者, 天道之本然, 數也. 利貞者, 人事之當然, 理也.
양산래씨가 말하였다: 원·형은 천도의 본래 그러함이니 수(數)이고, 리·정은 인사의 마땅히 그러함이니 리(理)이다.

○ 案, 本義重卦及乾上乾下四字, 皆在乾元亨上, 坤卦以下, 皆倣此. 傳小註, 朱子說氣上看, 案, 旣曰元亨利貞, 理也, 又曰氣上看, 蓋以生物之始通遂成言之, 則不得不就氣上看, 无是氣, 則理无掛搭處, 有是氣, 則理便在這裏.
내가 살펴보았다: 『본의』에서 '중괘(重卦)'와 '건상건하(乾上乾下)' 넉자는 모두 '건원형(乾元亨)'의 위에 있는데, 곤괘 이하도 모두 이와 마찬가지이다. 『정전』의 소주에서 "주자가 '기(氣)'에 나아가 살펴보아야'라 한 것"에 대하여 내가 살펴보았다. 이미 '원·형·리·정은 리(理)'라 하였는데 또 '기에 나아가 살펴보아야'라 하였으니, 이는 물건을 낳는 것의 처음·형통·완수·완성으로 말하면 기에 나아가 살펴보지 않을 수 없기 때문이다. 기가 없다면 리가 의지할 곳이 없고, 기가 있다면 리도 곧 이 속에 있는 것이다.

本義小註, 隆山說一陰[至]而上. 案, 陰氣萌於地下者, 旣失圓圖陰降之象 又其推出之云, 不合於朱子陽消便是陰陰消便是陽之義. 蓋陽氣之老, 而將變暑不得不倍, 陰氣之老, 而將變寒不得不極. 其升也有漸, 故下雖溫而上寒猶甚, 其降也有漸, 故上雖寒而下熱猶熾. 此皆理勢之自然造化之爲用也.
『본의』의 소주에 수록된 융산이씨의 말 가운데 '하나의 음기[一陰]'부터 '위로 올라가[而上]'

---

28) 석(拆): 일반적으로 '탁(拆)'이라 하기도 한다.

까지에 대하여 내가 살펴보았다: "음기가 땅속에서 싹트다[陰氣萌於地下]"라고 한 것은 이미 「원도(圓圖)」에서 음이 내려가는 형상을 잃었고, 또 "밀어내었다[推出]"라고 한 것은 "양이 사라지면 곧 음이 되고 음이 사라지면 곧 양이 된다"는 주자의 뜻과도 일치하지 않는다. 양기가 노쇠하면 장차 변하여 더위가 떠나지 않을 수 없고, 음기가 노쇠하면 장차 변하여 추위가 끝나지 않을 수 없다. 양기가 점차로 올라가기 때문에 아래가 비록 따뜻해도 위에서는 여전히 차가움이 심하고, 음기가 점차로 내려가기 때문에 위가 비록 차가워도 아래에서는 여전히 더위가 심한 것이다. 이는 모두 자연스러운 이치의 형세이자 조화의 작용이다.

○ 六層.〈案, 子至巳, 爲陽六層, 午至亥, 爲陰六層〉.
여섯 단계[六層].〈내가 살펴보았다: 자(子)부터 사(巳)까지를 양의 여섯 단계라 하고, 오(午)부터 해(亥)까지를 음의 여섯 단계라 한다.〉

김상악(金相岳) 『산천역설(山天易說)』

乾者健也, 陽之性也. 六畫皆奇, 上下皆乾, 陽之純而健之至也, 故不言天而言乾. 元亨利貞, 文王所繫之辭, 所謂彖辭者也. 元者大也, 亨者通也, 利者宜也, 貞者正以固也. 元以生物, 亨以長物, 利以成物, 貞以藏物. 惟乾坤全四德, 在他卦則皆以亨貞爲主.
건은 굳셈이며 양의 성질이다. 여섯 획이 모두 기수이면 상괘와 하괘가 모두 건괘이니, 순수한 양이면서 지극한 굳셈이다. 그러므로 '천(天)'이라 하지 않고 '건(健)'이라 하였다. 원·형·리·정은 문왕이 붙인 말이니 이른바 단사라는 것이다. 원은 큼이고 형은 형통함이며 리는 마땅함이고 정은 바르고 견고함이다. 원으로서 만물을 낳고 형으로서 만물을 기르며 리로서 만물을 이루고 정으로서 만물을 보관한다. 건괘와 곤괘만이 네 가지 덕을 전부 말하였고, 다른 괘에서는 모두 '형'과 '정'을 위주로 하였다.

○ 陽之靜者, 其數爲七, 象所以言其象也. 乾之靜者, 已有四時之象, 故以元亨利貞四者繫之. 朱子曰, 乾之利貞, 陽中之陰, 坤之元亨, 陰中之陽, 乾後三畫是陰, 坤後三畫是陽也. 蓋河圖之天一生水而爲坎, 地二生火而爲離, 坎離者, 乾坤之交也. 天三生木而爲震, 地四生金而爲兌, 震兌者, 坎離之交也. 坎離震兌, 皆得天地之生數, 陰陽相交故爲四德. 而天五之土, 則爲太極之體, 寄王於四時, 故凡於卦爻, 曰元曰亨曰利曰貞者, 天之所以布四德於萬物者也. 元而亨者, 一本而萬殊也, 利而貞者, 萬殊而歸於一也. 然元亨屬陽, 有吉无凶, 利貞屬陰, 吉凶相半, 故有不利无攸利可貞不可貞. 又有貞凶貞吝, 而亨亦有大小. 惟元則无不大, 而必稱元吉, 所以爲四德之首.
양 가운데 고요한 것은 그 수가 칠(七)이다. 단사에서 이것으로 그 상(象)을 말하였다. 건

(乾) 가운데 고요한 것은 사시(四時)의 상이 있기 때문에, 원·형·리·정 네 가지를 붙여 설명한 것이다. 주자는 "건괘의 리·정은 양 가운데 음이고 곤괘의 원·형은 음 가운데 양이니, 건괘에서 뒤의 세 획은 음이고 곤괘에서 뒤의 세 획은 양이다"라 하였다. 「하도(河圖)」는 천일(天一)이 수(水)를 낳아 감(坎)이 되고, 지이(地二)가 화(火)를 낳아 리(離)가 되니, 감·리는 건·곤이 사귄 것이다. 천삼(天三)이 목(木)을 낳아 진(震)이 되고, 지사(地四)가 금(金)을 낳아 태(兌)가 되니, 진·태는 감·리가 사귄 것이다. 감·리·진·태는 천지의 생수(生數)이고, 음양이 서로 사귀었기 때문에 네 가지 덕이 된다. 천오(天五)인 토(土)는 태극의 본체로서 사시(四時)에 붙어 왕성하기 때문에, 모든 괘사나 효사에서 원이라 하고 형이라 하고 리라 하고 정이라 하는 것이니, 하늘이 네 가지 덕을 만물에 펴고 있는 것이다. 크면서 형통하다는 것은 하나의 근본이면서 만 가지로 갈라진 것이고, 이로우면서 곧다는 것은 만 가지로 갈라졌으나 하나로 귀결되는 것이다. 그러나 원·형은 양에 속하여 길은 있고 흉은 없으며, 리·정은 음에 속하여 길과 흉이 서로 반반이다. 그러므로 "이롭지 않다[不利]"·"이로운 바가 없다[无攸利]"·"곧을 수 있다[可貞]"·"곧게만 해서는 안 된다[不可貞]"가 있고, 또 "곧게 지키면 흉하다[貞凶]"·"곧게 지키더라도 부끄럽다[貞吝]"가 있으며, 형(亨)에도 크고 작음이 있다. 오직 원(元)만이 크지 않음이 없어 반드시 "크게 길하다[元吉]"고 일컬으니, 이 때문에 네 가지 덕의 으뜸이 되는 것이다.

박윤원(朴胤源) 『경의(經義)·역경차략(易經箚略)·역계차의(易繫箚疑)』

乾有四德, 故遇乾卦者, 大亨而利於貞. 固義理與占辭, 其實一也.
건괘에 네 가지 덕이 있기 때문에 건괘를 만난 자는 크게 형통하나 곧아야 이롭다. 본래 의리와 점사는 실제로 한가지이다.

김귀주(金龜柱) 『주역차록(周易箚錄)』

傳, 上古聖人, 云云.
『정전』에 말하였다: 상고시대에 성인이, 운운.
○ 按, 乾者萬物之始, 對坤而言, 元者萬物之始, 對亨利貞而言. 朱子已言之.
내가 살펴보았다: 건이 만물의 시작이라는 것은 곤에 상대하여 말하였고, 원이 만물의 시작이라는 것은 형·리·정에 상대하여 말한 것으로 이는 주자가 이미 말하였다.

○ 利主於正固, 正固字, 恐與貞字之訓無別, 此當自爲一義.
"리(利)는 바르고 견고함을 위주로 한다"에서 '바르고 견고함[正固]'이라는 글자는 정(貞)자의 훈고와 구별이 없으니, 여기에서는 스스로 하나의 뜻이 되어야 할 듯하다.

小註, 程子曰, 乾坤, 云云.

소주에서 정자가 말하였다: '건'자와 '곤'자는, 운운.

○ 按, 程子此說, 似以伏羲畫卦時, 無乾坤之名, 而至文王周公, 始稱以乾坤者. 然此與朱子所謂伏羲卽卦體之全而立箇名者, 不同矣. 更按, 作易者三字, 若屬伏羲看, 則意無不通然. 伏羲乃畫卦者, 非作易者. 如繫辭云作易者其有憂患, 蓋指文王也.

내가 살펴보았다: 정자가 이런 말을 한 것은, 복희씨가 괘를 그렸을 때에는 건·곤이라는 명칭이 없었는데, 문왕과 주공이 비로소 건·곤을 칭한 것이라고 여겨서인 듯하다. 그러나 이는 주자가 "복희씨가 괘체의 전부에다 이름을 붙였다"고 말한 것과는 같지 않다. 내가 다시 살펴보았다: '역을 지은 이[作易者]'라는 글자는 복희씨에 속하는 것으로 보더라도 뜻이 통하지 않는 것은 아니다. 다시 생각해보면, 복희씨는 괘를 그린 자이지, 역을 지은 자가 아니다. 『계사전』에서 "역을 지은 이가 우환이 있었을 것이다"[29]라 한 것은 문왕을 가리키는 말이다.

張子曰, 乾之四德, 云云.

장자가 말하였다: 건의 네 가지 덕은, 운운.

○ 按, 此云父母萬物, 恐當活看. 蓋以乾坤對待之分而言, 則乾父萬物坤母萬物. 以乾道統體之義而言, 則乾自兼陰陽而父母乎萬物矣.

내가 살펴보았다: 여기에서 만물의 부모라고 한 것은 융통성 있게 보아야 할 듯하다. 건·곤을 대대(待對)의 구별로 말하면 건이 만물의 아버지이고 곤이 만물의 어머니이며, 건도를 통괄하는 본체의 의미로 말하면 건이 본래 음양을 겸하니, 만물에 있어서 부모에 해당할 것이다.

朱子曰, 元亨利貞, 云云.

주자가 말하였다: 원·형·리·정은, 운운.

○ 按, 有那未涉於氣底四德, 要就氣上看也, 得此兩句, 當仔細看. 蓋元亨利貞, 猶人性之仁義禮智, 就氣中各指其氣之理, 而亦不雜乎其氣也. 此云要就氣上看者, 卽所謂各指也, 有那未涉於氣底四德者, 卽所謂不雜也.

내가 살펴보았다: "거기에 기와 관계되지 않은 사덕이 있지만, 기에 나아가 살펴보아야한다"는 이 두 구절을 자세히 보아야 한다. 원·형·리·정은 인성의 인의예지와 같으니, 곧 기

---

29) 『周易·繫辭傳』.

안에서 각각 그 기의 리(理)를 가리키는 것으로 기와 서로 섞이지 않는다. 여기에서 "기에 나아가 살펴보아야 한다"는 것은 곧 이른바 '각각 가리킴[各指]'이고, "기와 관계되지 않은 사덕이 있다"는 것은 곧 이른바 '섞이지 않음[不雜]'이다.

問, 天專言之, 則道也, 云云.
물었다: 하늘을 전적으로 말하면 도이다, 운운.
○ 按, 程傳以天且不違之天, 作形而上者看, 故謂之道, 而朱子則只把作形體之天, 故以爲未敢以爲然耳.
내가 살펴보았다:『정전』에서는 "하늘도 어기지 않는다[天且不違]"의 '천(天)'을 형이상자(形而上者)로 간주하였기 때문에 도(道)라고 한 것이고, 주자는 형체가 있는 천(天)으로 간주하였기 때문에 "감히 옳다고 말할 수 없다"고 말하였을 뿐이다.

問, 以功用謂之, 云云.
물었다: 공용으로 말하면, 운운.
○ 按, 又曰以下三說, 意各有主. 第一說, 以功用妙用, 分理氣對言. 第二說, 以功用妙用, 分理氣看亦可, 竝以氣看亦可. 分理氣看, 則氣有迹而理無迹. 竝以氣看, 則氣之粗迹可見 而氣之良能不可見. 亦可以有迹無迹言也. 第三說, 以功用妙用, 竝屬之氣, 而兼精粗云者, 兼粗迹良能而言. 言精者云者, 專以良能言耳. 蓋功用固是專說氣者, 而若妙用之云, 以理看以氣看皆無所不可, 故朱子之論如是不一. 然程傳本旨, 則第一說, 恐最得之. 何以言之. 大抵神之一字, 散見經傳者, 或以理之妙用言, 或以氣之妙用言. 而今以鬼神對言, 則鬼神字已言氣之妙用, 其下不當復以氣之妙用謂之神也. 然則妙用之專以理言者, 曉然無疑矣.
내가 살펴보았다: '우왈(又曰)' 이하 세 가지 말은 의미상 각각 주장하는 것이 있다. 첫 번째 말에서는 공용과 묘용을 리와 기로 나누어 상대적으로 말하였다. 두 번째 말에서는 공용과 묘용을 리와 기로 나누어 보는 것도 괜찮고, 둘 다 기로 보는 것도 괜찮다고 하였다. 즉, 리와 기로 나누어 보면 기는 자취가 있고 리는 자취가 없으며, 둘 다 기로 보면 기의 거친 자취는 볼 수 있으나 기의 양능(良能)은 볼 수 없으니, 자취가 있음과 자취가 없음으로 말할 수 있다. 세 번째 말에서 공용과 묘용을 둘 다 기에 소속시켜 거침과 정밀함[精粗]을 겸하여 말한 것은 거친 자취와 양능을 겸하여 말한 것이고, 정밀하다고 말한 것은 전적으로 양능을 말하였을 뿐이다. 이는 공용은 본래 전적으로 기를 말한 것이나 묘용이라고 말하는 경우에는 리로 보나 기로 보나 모두 불가한 것이 없기 때문에, 주자의 논의가 이처럼 한결같지는 않은 것이다. 그러나『정전』의 본지에서는 첫 번째 말을 가장 적절한 설명으로 여긴 듯하다. 내가 무슨 근거로 그렇게 말하는가? 대체로 경문과 전문에 산재해 있는 신(神)이라는 한

글자는 때로는 리의 묘용으로 말하고 때로는 기의 묘용으로 말한다. 그런데 지금 귀신과 상대적으로 말하였으니, 귀신이라는 글자를 이미 기의 묘용으로 말해놓고도 그 아래에 다시 기의 묘용을 신(神)이라고 할 수는 없다. 그렇다면 묘용은 전적으로 리로 말하였다는 것이 분명하여 의심의 여지가 없다.

西溪李氏曰, 四德見性, 云云.
서계이씨가 말하였다: 네 가지 덕에서 성을 알 수 있고, 운운.
○ 按, 此以性情, 分屬四德六爻者, 恐未安. 自四德言, 則四德也有性情, 自六爻言, 則六爻也有性情, 而六爻之性情, 卽四德之性情也. 故朱子云, 初九九二之半, 卽所謂元, 九二之半與九三, 卽所謂亨, 九四與九五之半, 卽所謂利, 九五之半與上九, 卽所謂貞. 據此則四德六爻, 豈有性情之分耶.
내가 살펴보았다: 여기에서 성과 정을 나누어 네 덕과 여섯 효에 소속시킨 것은 타당하지 못한 듯하다. 네 가지 덕의 입장에서 말하면 네 가지 덕에도 성과 정이 있고, 여섯 효의 입장에서 말하면 여섯 효에도 성과 정이 있으니, 여섯 효의 성정이 곧 네 가지 덕의 성정이다. 그러므로 주자가 "초구에서 구이의 반까지가 곧 이른바 원이고, 구이의 반에서 구삼까지가 곧 이른바 형이며, 구사에서 구오의 반까지가 곧 이른바 리이고, 구오의 반에서 상구까지가 곧 이른바 정이다."라고 한 것이다. 이것을 근거해 보면 네 가지 덕과 여섯 효에 어찌 성과 정의 구분이 있겠는가?

서유신(徐有臣) 『역의의언(易義擬言)』

乾者, 天之健也, 元亨利貞, 健之道也. 四者, 運行循環不息, 是其健也, 詩云, 維天之命, 於穆不已.[30]
건은 하늘의 굳건함이고, 원·형·리·정은 굳건함의 도이다. 네 가지가 운행하며 순환하기를 마지않는 것이 굳건함이다. 『시경』에 "하늘의 명이여, 아, 심원하여 그치지 않네"라 하였다.

강엄(康儼) 『주역(周易)』

本義, 乾之名, 天之象, 皆不易焉.
『본의』에서 말하였다: 건이라는 이름과 하늘이라는 상이 모두 바뀌지 않는 것이다.
按, 此不獨乾爲然, 八純卦莫不皆然. 如一陽動於二陰之下, 則其名爲震, 其象爲雷, 至

成六畫, 而上下皆震, 則有洊雷之象. 故震之名, 雷之象, 皆不易焉. 一陰伏於二陽之下, 則其名爲巽, 其象爲風, 至成六畫, 而上下皆巽, 則有隨風之象. 故巽之名, 風之象, 皆不易焉. 其餘倣此. 但本義特於乾坤卦, 發其例以明之耳.

내가 살펴보았다: 이는 건괘만 그런 것이 아니라 여덟 순괘가 모두 그렇지 않은 것이 없다. 예컨대 한 양이 두 음의 아래에서 움직이면 이름을 진괘라 하고, 상을 우레라고 한다. 이것이 육획괘가 되어 위아래가 모두 진괘이면, 우레를 거듭하는 상이 있기 때문에 진괘라는 이름과 우레라는 상이 모두 바뀌지 않는 것이다. 또 한 음이 두 양의 아래에 엎드려 있으면, 이름을 손괘라 하고 상을 바람이라고 한다. 이것이 육획괘가 되어 위아래가 모두 손괘이면, 바람이 계속 부는 상이 있기 때문에 손괘라는 이름과 바람이라는 상징이 모두 바뀌지 않는 것이다. 나머지 것도 이와 마찬가지이다. 다만 『본의』에서는 건괘·곤괘에 대해서만 이러한 사례를 언급하여 밝혔을 뿐이다.

○ 按, 乾爲六十四卦之首, 元亨利貞, 爲六十四卦占之綱領. 蓋自乾坤以後, 屯隨臨无[31]妄革五卦, 皆得元亨利貞之占, 其餘或言元亨而不言利貞, 或言利貞而不言元亨, 或言亨而不言元, 或言利而不言貞, 固不可以枚擧. 然都不出乎元亨利貞四字之中也. 蓋乾道無所不包, 坤雖□□□[32], 只得乾道之半. 故利於柔順之貞, 而不利於剛健之貞, 先則失, 而後則得, 西南則得朋, 而東北則喪朋. 主於乾, 則該剛柔健順之貞, 而无先後无方體, 不容他辭之可盡, 故只曰元亨利貞. 而乾之全體在於是. 天下事物之理, 无有外於乾道者, 則六十四卦之占, 亦有外於元亨利貞者哉. 大哉易也. 斯其至矣.

내가 살펴보았다: 건괘는 육십사괘의 첫머리이니, 원·형·리·정은 육십사괘에 해당하는 점사의 강령이다. 대체로 건괘·곤괘 뒤로부터는 준괘(屯卦)·수괘(隨卦)·림괘(臨卦)·무망괘(无妄卦)·혁괘(革卦)의 다섯 괘가 모두 원·형·리·정의 점사를 얻었다. 나머지의 경우, 어떤 것은 원·형을 말하면서 리·정을 말하지 않고, 어떤 것은 리·정을 말하면서 원·형을 말하지 않았으며, 어떤 것은 형을 말하면서 원을 말하지 않았고, 어떤 것은 리를 말하면서 정을 말하지 않았다. 진실로 일일이 예를 들 수는 없으나, 모두 원·형·리·정이라는 네 글자 안에서 벗어나지 않는다. 건도는 포함하지 않음이 없다. 곤은 비록 □□□이나, 단지 건도의 절반을 얻었기 때문에 유순한 곤음이 이롭고 강건한 곤음은 이롭지 못하며, 먼저는 잃고 뒤에 얻으며, 서남쪽에서는 벗을 얻고 동북쪽에서는 벗을 잃는다. 건괘를 주체로 하면 강건과 유순의 정(貞)을 모두 포함하고 있어 앞과 뒤도 없고 일정한 모양도 없어 극진히 형용할 만한 다른 말이 없기 때문에 단지 원·형·리·정이라고만 말하였으니, 건의

---

31) 无: 경학자료집성DB에 '死'로 되어 있으나, 경학자료집성 영인본을 참조하여 '无'로 바로잡았다.
32) □□□: 훼손되어 알 수 없는 글자이다.

전체가 여기에 있다. 천하 만물의 이치가 건도에서 벗어나는 것이 없다면, 육십사괘의 점사 또한 원·형·리·정에서 벗어나는 것이 있겠는가? 위대하도다, 역이여! 이에 지극하도다.

박문건(朴文健) 『주역연의(周易衍義)』

貞, 剛貞也.

정(貞)은 굳세고 곧음이다.

〈問, 亨之取象. 曰, 陽之升進也. 問, 貞之取象. 曰, 體之純剛也.

물었다: 형(亨)은 무슨 상(象)을 취하였습니까?

답하였다: 양이 올라감을 취하였습니다.

물었다: 정(貞)은 무슨 상을 취하였습니까?

답하였다: 몸체가 순전하고 굳셈을 취하였습니다.〉

〈○ 問, 貞曰貞正也. 剛柔之骨子也.

물었다: 정(貞)을 "정은 곧고 바름이다"라고 말한 것은 무슨 뜻입니까?

답하였다: 굳셈과 부드러움의 뼈대입니다.〉

〈○ 問, 乾元亨利貞. 曰, 乾道雖大亨, 必剛貞爲利也. 曰, 乾純剛而勉貞, 何. 曰, 貞故行不息. 問, 夫子於乾坤二卦元亨利貞之文, 不取文王之舊, 而取四德之義, 何. 曰, 周之中世, 已析四箇之義, 而配乎天人, 故夫子取之, 如穆姜之釋是也. 然三聖之易, 不同, 各考其義而後, 不失其本旨也.

물었다: "건은 크게 형통하고 바름이 이롭다"는 무슨 뜻입니까?

답하였다: 건도가 비록 크게 형통하나 반드시 굳세고 곧아야 이로움이 된다는 말입니다.

물었다: 건은 순전한 굳셈인데 곧음을 권면하는 것은 어째서입니까?

답하였다: 곧기 때문에 행하기를 쉬지 않는 것입니다.

물었다: 공자가 건괘·곤괘의 원·형·리·정의 글에 대하여, 문왕의 옛날 뜻을 취하지 않고, 네 가지 덕의 뜻을 취한 것은 어째서입니까?

답하였다: 주나라 중세에 이미 네 가지 뜻으로 나누어 하늘과 사람에게 짝하였습니다. 그러므로 공자가 네 가지 뜻을 취한 것이니, 목강의 해석 같은 것이 여기에 해당합니다. 그러나 세 성인의 역이 같지 않으니, 각각 그 뜻을 고찰한 뒤에야 본지를 잃지 않을 것입니다.〉

〈○ 問, 元亨利貞占辭歟. 曰, 知畫而不知占, 知占而不知畫, 非也. 但因畫以寓占, 可也.

물었다: 원·형·리·정은 점사입니까?

답하였다: 괘획만 알고 점사는 모르며, 점사만 알고 괘획을 모르면 잘못입니다. 괘획을 통해 점사를 붙여보아야 됩니다.〉

이지연(李止淵) 『주역차의(周易箚疑)』

乾一卦, 爲天爲君爲父, 其德有元而亨而利而貞之理, 以占則有大吉利正固之道. 文王之繫彖辭, 不曰大吉利正固, 而特曰元亨利貞者, 因其德而爲占決之辭也. 夫子之繫彖傳, 因其占而解四德之義, 言占而德在其中, 言德而占在其中, 竝行而不相悖, 此所謂以道義配禍福者也.

건괘 한 괘는 하늘이 되고 임금이 되며 아버지가 된다. 덕은 크고 형통하며 이롭고 곧은 이치가 있다. 점사로는 크게 길하고 바르고 견고함이 이로운 도가 있으니, 문왕이 단사를 붙여 "크게 길하고, 바르고 굳셈이 이롭다"라고 하지 않고, 다만 "크게 형통하고 곧음이 이롭다"라고만 말한 것은 덕을 근거로 점사를 결정한 말이다. 공자가 「단전」을 붙여 점사를 근거로 네 가지 덕의 뜻을 해석한 것은 점을 말함에 덕이 그 안에 있고 덕을 말함에 점사가 그 안에 있으니, "나란히 행하여 서로 어긋나지 않음"이다. 이것이 이른바 도와 의가 재앙과 복에 짝한다는 것이다.

이항로(李恒老) 「주역전의동이석의(周易傳義同異釋義)」

傳, 上古, 聖人始畫八卦, 因而重之, 六畫而成卦. 元亨利貞, 謂之四德.

『정전』에서 말하였다: 상고시대에 성인이 처음으로 팔괘를 그리고, 그것을 중첩하여 여섯 획을 갖춘 괘가 완성되었다. 원·형·리·정을 네 가지 덕이라고 한다.

本義, 伏羲畫一奇以象陽, 畫一耦以象陰, 一陰一陽, 各生一陰一陽, 自下而上, 再倍而三, 以成八卦, 云云. 乾道大通而至正, 故筮得此卦, 其占當得大通而利在貞固.

『본의』에서 말하였다: 복희씨가 하나의 기수를 그려 양을 상징하고 하나의 우수를 그려 음을 상징하였다. 하나의 음과 하나의 양이 각각 하나의 음과 하나의 양을 낳아, 아래에서 위로 올라가면서 거듭 배가 되기를 세 번 하자, 팔괘가 만들어 진 것이다, 운운. 건도는 크게 형통하고 지극히 바르기 때문에 점을 쳐서 이 괘를 얻으면 그 점사가 크게 형통하고, 이로움이 정고(貞固)에 있는 것이다.

按, 繫辭, 易有太極, 是生兩儀. 兩儀生四象, 四象生八卦, 邵子所傳之書, 發明此義, 五贊所謂邵傳義[33]畫象陳數列者, 是也. 本義之釋, 實源於此, 卦下象卽文王所繫之辭, 以斷一卦之吉凶者也. 用四德解, 則无以見占, 故從程子所釋他卦例, 以大通至正釋之.

내가 살펴보았다: 「계사전」에 "역에는 태극이 있으니 이것이 양의를 낳고 양의가 사상을 낳고 사상이 팔괘를 낳았다"라 하였다. 소옹이 전한 책에서 이런 뜻을 밝혔으니, 「오찬(五贊)」에 "소옹이 복희씨의 획을 전하여 상과 수를 진열하였다"[34]라 한 것이 이것이다. 『본의』의 해석은 실제로 여기에 근원한 것이다. 괘 아래의 단사는 문왕이 붙인 말로서 한 괘의 길흉을 결단한 것이다. 원·형·리·정을 네 가지 덕으로 해석하면 점으로 볼 수 없기 때문에, 정자가 해석한 다른 괘의 예에 따라 '크게 형통하고 지극히 바름'으로 해석하였다.

김기례(金箕澧) 「역요선의강목(易要選義綱目)」

乾, 健也. 謂天之性情, 指理而言也

건은 굳건함이다. 하늘의 성정을 이름이니, 리를 가리켜 말한 것이다.

元亨利貞.

크고 형통하며 이롭고 곧다.

春夏秋冬之功用, 仁義禮智之體效.

춘·하·추·동의 공용(功用)이며, 인·의·예·지의 체효(體效)이다.

○ 文言, 言仁義禮, 而不言智. 但坤言知光大, 係辭以知爲陰道. 蓋五常之德, 知藏於內, 則坤以藏之, 故不言知於乾. 然係辭曰, 知崇效天, 乾不可謂[35]不言知. 且非知君子何以幹事乎.

「문언전」에서는 인·의·예만 말하고 지를 말하지 않았다. 그런데 곤괘에서 "앎이 빛나고 크다[知光大]"라고 말을 붙여 '지(知)'를 음의 도로 여겼다. 오상(五常)의 덕 가운데 지(知)가 안에 보존되면 곤으로 간직하는 것이므로 건괘에서 '지'를 말하지 않았다. 그러나 「계사전」에 "지혜가 높음은 하늘을 본받은 것이다"[36]라 하였으니, 건괘에 '지'를 말하지 않았다고 말해서는 안 된다. 또 '지'가 아니면 군자가 어떻게 일을 주관할 수 있겠는가?

---

33) 義: 경학자료집성DB에 '義'로 되어 있으나, 경학자료집성 영인본을 참조하여 '義'로 바로잡았다.

34) 『周易·原象』: 邵傳羲畫, 程演周經, 象陳數列, 言盡理得. 彌億萬年, 永著常式.

35) 謂: 경학자료집성DB와 영인본에 모두 '謁'로 되어 있으나, 문맥을 살펴 '謂'로 바로잡았다.

36) 『周易·繫辭傳』: 子曰, 易其至矣乎. 夫易聖人所以崇德而廣業也. 知崇禮卑, 崇效天, 卑法地.

심대윤(沈大允)『주역상의점법(周易象義占法)』

乾元亨利貞. 〈春夏冬, 皆所以爲秋也, 元亨貞, 皆所以爲利也. 萬物成於秋, 萬事成於利〉

건은 크고 형통하며 이롭고 곧다. 〈봄·여름·겨울은 모두 가을이 되기 위한 것이고, 원·형·정은 모두 리(利)가 되기 위한 것이니, 온갖 사물은 가을에서 이루어지고, 온갖 일은 리(利)에서 이루어진다.〉

凡卦之有六爻者, 象半年六月也. 二卦反對一順一逆者, 象卦氣全而成歲也. 利貞者, 陰之功也, 乾純陽而亦曰利貞者, 何也. 元亨者, 陽之化也, 坤純陰而亦曰元亨者, 何也. 曰, 獨陽不生, 獨陰不成. 純陽而已, 則亦何以有元亨乎. 純陰而已, 則亦何以有利貞乎.

괘에 여섯 효가 있는 것은 반년인 여섯 달을 상징한 것이며, 거꾸로 짝을 이룬 두 괘가 한 번 순행하고 한 번 역행하는 것은 괘의 기운이 온전하여 1년이 됨을 상징한 것이다. 리·정은 음의 공효인데 순양인 건괘에 또한 리·정이라고 말하는 것은 어째서이며, 원·형은 양의 변화인데 순음인 곤에 또한 원·형이라고 말하는 것은 어째서인가? 양 혼자서는 낳지 못하고 음 혼자서는 이루지 못한다. 순양일 뿐이라면 어떻게 원·형이 있겠으며, 순음일 뿐이라면 어떻게 리·정이 있겠는가?

夫天地陰陽之相配而行, 卽先後天之不可分也. 乾統坤而坤承乾, 乾爲氣化之本, 坤爲形化之主. 故乾坤二氣而合體也. 乾是坤之氣, 坤是乾之形. 故曰元亨利貞. 元也者, 始此者也. 亨也者, 長此者也. 利也者, 成此者也, 貞也者, 守此者也. 此者何也. 利也. 天地之所以存, 人物之所以立, 利而已矣, 一日無利, 則天地息而人物盡矣. 論語曰, 子罕言利與命與仁. 言利乎命與仁之先, 亦可見利之至大也. 夫君君臣臣, 父父子子, 夫夫婦婦, 兄兄弟弟, 皆所以利之也. 濟物利用, 博文執禮, 爲政立事者, 皆所以利之也. 〈孟子曰, 天下之言性, 以利爲本. ○ 子思曰, 仁義固所以利之也. ○ 國語曰, 利天地之所載. 又曰, 言義必及利. 又曰, 義以生利. ○ 文言曰, 利37)者, 義38)之和也.〉

천지는 음양의 기운이 서로 배합하여 운행하는 것이니, 선천·후천을 나누어서는 안 된다. 건이 곤을 통솔하고 곤이 건을 받드니, 건은 기화(氣化)의 근본이고 곤은 형화(形化)의 주체이다. 그러므로 건·곤은 두 기운이면서 합일된 몸체이다. 건은 곤의 기(氣)이고 곤은 건의 형(形)이기 때문에 원·형·리·정이라 하는 것이다. 원은 '이것'을 시작하는 것이고, 형은 '이것'을 자라게 하는 것이고, 리는 '이것'을 이루는 것이고, 정은 '이것'을 지키는 것이다. '이것'은 무엇인가? 리(利)이다. 천지가 존재하는 이유와 인물이 정립하는 이유가 리(利)가

---

37) 利: 경학자료집성DB에 '義'로 되어 있으나 『주역』에 의거하여 '利'로 바로잡았다.
38) 義: 경학자료집성DB에 '利'로 되어 있으나 『주역』에 의거하여 '義'로 바로잡았다.

있어서일 뿐이니, 하루라도 리(利)가 없다면, 천지가 종식되고 사람과 일이 끝장날 것이다. 『논어』에 "공자는 리와 명과 인을 드물게 말하였다"[39]라고 하였다. 여기에서 명과 인보다 앞에 리를 말하였으니, 리가 지극히 큼을 알 수 있다. 임금이 임금답고 신하가 신하다우며, 아버지가 아버지답고 자식이 자식다우며, 남편이 남편답고 아내가 아내다우며, 형이 형답고 아우가 아우다운 것은 모두 이롭게 하려는 이유이다. 또 일을 이루고 쓰임을 이롭게 하며, 문을 넓히고 예를 지키며, 행정을 만들어 일을 정립하는 것은 모두 이롭게 하는 것이다. 〈맹자가 말하였다: 천하에서 성(性)을 말하는 것은 리(利)를 근본으로 한다.[40] ○ 자사가 말하였다: 인의는 진실로 백성들을 이롭게 할 수 있는 방법이다.[41] ○ 『국어』에 말하였다: 천지에 실려 있는 것을 이롭게 한다. 또 말하였다: 의를 말하면 반드시 리(利)에 미친다. 또 말하였다: 의로써 리(利)가 생겨난다. ○ 「문언전」에 말하였다: 리(利)는 의의 조화이다.〉

利之爲物, 私之則爲邪爲慾, 公之則爲仁爲義. 專利則不利, 同利則乃利. 利者, 人之所以生, 而亦所以亡也, 物之所以殖, 而亦所以殘也. 莊周云, 善吾生者, 乃所以善吾死. 利之謂也. 故君子忠恕以施其仁, 中庸以立其義, 然後能繼天爲善而成其性也. 忠恕而中庸者, 善之大, 利之至也. 象辭則於諸卦, 隨其卦義與才, 而或曰元亨利貞, 或曰元亨, 或曰利貞, 或單言亨與貞, 而無單言元與利者, 元大始也, 有元必有亨, 利大成也, 有利必有貞. 故不可言元而不言亨, 言利而不言貞也. 象傳則乾坤之外 他卦, 多不釋元與利者, 所以見元之大利之至, 若曰是宜有於乾坤, 而不宜有於他卦者云然耳, 夫子之微意也.

'리(利)'라는 것은 사사롭게 쓰면 간사함이고 탐욕이나, 공적으로 쓰면 인이고 의이다. '리'를 독점하려면 이롭지 못하고, '리'를 함께 하면 곧 이롭다. '리'는 사람을 살릴 수도 있고 죽일 수도 있으며, 생물을 번식하게 할 수도 있고 잔멸하게 할 수도 있다. 장주가 "나의 삶을 좋게 하는 것은 곧 나의 죽음을 좋게 하는 것"[42]이라 하였으니 이는 '리'를 이름이다. 그러므로 군자는 충서로 인을 시행하고 중용으로 의를 정립한 뒤에 천명을 이어 선을 행하여 본성

---

39) 『論語 · 子罕』.
40) 『孟子 · 離婁』: 맹자가 말하였다. 천하에서 성을 말하는 것은 그렇게 되어 있는 자취일 뿐이다. 그렇게 되어 있는 자취는 저절로 그렇게 되는 것을 근본으로 한다[孟子曰, 天下之言性也, 則故而已矣, 故者, 以利爲本].
41) 『子思子全書』: 孟軻, 問牧民何先. 子思曰, 先利之. 曰, 君子之所以敎民者, 亦有仁義而已矣, 何必曰利. 子思曰, 仁義固所以利之也. 上不仁則下不得其所, 上不義則下爲亂也, 此爲不利大矣, 故易曰利者義之和也. 又曰利用安身, 以崇德也, 此皆利之大者也.
42) 『莊子 · 大宗師』.

을 이루니, 충서와 중용은 선의 큼이자 리의 지극함이다. 여러 괘에서 단사는 괘의 의미와 괘의 재질에 따라, 때로는 원·형·리·정이라 하고, 때로는 원·형이라 하고, 때로는 리·정이라 한다. 또, 때로는 형과 정을 홀로 말하기도 하지만, 원과 '리'는 홀로 말하지 않는다. 이는 원은 크게 시작하므로 원이 있으면 반드시 형이 있고, '리'는 크게 이루므로 '리'가 있으면 반드시 정이 있기 때문에, 원을 말하면서 형을 말하지 않을 수 없고 리를 말하면서 정을 말하지 않을 수 없어서이다. 「단전」은 건괘·곤괘 이외에 다른 괘에서는 원과 '리'를 해석하지 않은 경우가 많은데, 이것은 원이 크고 '리'가 지극함을 보인 것으로서, "건·곤에 있는 것은 마땅하지만 다른 괘에 있는 것은 마땅하지 않다"라고 말하는 것과 같을 뿐이니, 공자의 은미한 뜻이다.

上經先天也, 故有釋元而無釋利. 下經後天也, 故有釋利而無釋元也. 上經惟大有蠱義至大, 故釋元, 而下經非義偏小者, 則皆釋利, 所以見元之尤大於利也. 元所以爲利也. 元而利者, 堯舜也, 元而未利者, 夫子也, 利而未元者, 三代以後之君也. 元亨利貞者, 在天地爲氣爲理爲時爲方, 在人爲性爲道, 在物爲行, 凡占六爻不動, 則占象辭, 有動爻, 則占動爻.

상경은 선천이기 때문에 원(元)을 해석한 데는 있으나 리(利)를 해석한 데는 없고, 하경은 후천이기 때문에 '리'를 해석한 데는 있으나 '원'을 해석한 데는 없다. 상경에서는 오직 대유괘(大有卦)·고괘(蠱卦)가 뜻이 지대하기 때문에 '원'을 해석하였고, 하경에서는 뜻이 편소하지 않은 것은 모두 '리'를 해석하였으니, 이는 '원'이 '리'보다 더욱 큼을 나타낸 것이다. '원'은 '리'가 되는 이유이다. '원'이면서 '리'인 자는 요·순이고, '원'이면서 '리'가 아닌 자는 공자이며, '리'이면서 '원'이 아닌 자는 삼대 이후의 임금이다. 원·형·리·정은 천지에 있어서는 기(氣)이고 리(理)이며 때이고 방위요, 사람에게 있어서는 성정이고 도리이며, 사물에 있어서는 움직임이다. 점을 쳐서 여섯 효가 움직이지 않으면 단사로 점보고, 움직이는 효가 있으면 움직이는 효로 점친다.

오치기(吳致箕) 「주역경전증해(周易經傳增解)」

乾健也. 六陽至剛, 故爲健之象也. 大健而无疆, 故曰元亨, 剛實而純正, 故曰利貞, 言大通亨而利於正固也. 蓋占中最吉之辭也.

건은 굳건함이다. 여섯 양이 지극히 굳세기 때문에 굳건한 상이 된다. 매우 굳건하여 다함이 없기 때문에 "크게 형통하다"라 하였고, 굳세고 성실하며 순전하고 바르기 때문에 "곧음이 이롭다"라 하였으니, 크게 형통하고 바르고 곧음에 이롭다는 말이다. 이는 점 중에서 가장 길한 말이다.

○ 此文王所繫之辭, 以斷一卦之吉凶, 卽所謂彖辭也. 三畫卦, 本取卦德之健, 以乾稱卦名, 而重卦, 亦因其名. 他純卦倣此, 元亨利貞之辭, 與屯隨臨无妄等諸卦, 其義雖若无異, 然乾坤則其德廣大无量, 諸卦則各主一義, 故所指大小不同. 況諸卦之言利貞, 亦多戒意者乎. 餘詳見本義.

이는 문왕이 붙인 말로 한 괘의 길흉을 결단하는 말이니, 이른바 단사이다. 삼획괘는 본래 괘덕인 굳건함을 취하여 '건'으로 괘의 이름을 호칭했고, 중괘(重卦)도 그 이름을 따랐다. 다른 순괘(純卦)도 이와 마찬가지이다. 원·형·리·정이라는 말은 준괘·수괘·림괘·무망괘 등의 여러 괘와 그 뜻이 다른 점이 없는 듯하다. 그러나 건괘·곤괘는 덕이 넓고 커서 한계가 없고, 다른 괘는 각각 한 가지 뜻을 위주로 하였으므로 가리키는 규모가 같지 않다. 더구나 다른 괘에서 리·정을 말할 때에 대부분 경계의 뜻으로 말한 경우이겠는가? 나머지는 『본의』에 자세히 보인다.

이진상(李震相) 『역학관규(易學管窺)』

卦體.

괘의 몸체.

周統建子, 故其易首乾次坤, 卽所謂天地定位也.

주나라 역법은 천통(天統)으로서 연초를 자월(子月)로 세운다.[43] 그러므로 『주역』은 건괘를 첫머리로 하고, 곤괘를 그 다음으로 하였으니, 이것이 이른바 '천지의 자리가 정해짐'[44]이다.

채종식(蔡鍾植) 「주역전의동귀해(周易傳義同歸解)」

程傳, 推義理, 而從孔子象傳, 故以四德釋之. 本義,主卜筮, 而原文王本旨, 故以大通而利在正固解之, 各是發明一理耳. 然乾占之所以大通, 而利在正固者, 以其天道之有大通而至正也. 天道之所以大通而至正者, 以其有四德而然也, 然則孔程之推說, 自不妨於本義, 而只是一串道理也.

『정전』에서는 의리를 미루어 공자의 「단전」을 따랐기 때문에 네 가지 덕으로 해석하였다. 『본의』에서는 점을 위주로 하여 문왕의 본지에 근원하였기 때문에, "크게 형통하고 이로움이 바르고 견고한 데에 있다는 것"으로 해석하였으니, 각각 나름대로의 이치를 밝혔을 뿐이

---

43) 하(夏)나라는 인통(人統)으로서 북두칠성의 자루가 인방(寅方)을 가리키는 달을 세수로 삼고, 은(殷)나라는 지통(地統)으로서 축방(丑方)을 가리키는 달을 세수로 삼는다. 원문의 '주통건자(周統建子)'는 '주정건자(周正建子)'와 같은 말이다.

44) 『周易·說卦傳』.

다. 그러나 건괘의 점이 '크게 형통하고 이로움이 바르고 곧은 데에 있는' 이유는 천도가 크게 형통하고 지극히 바름이 있기 때문이다. 천도가 크게 형통하고 지극히 바른 이유는 네 가지 덕이 있어서 그런 것이다. 그렇다면 공자와 정자가 미루어 말한 것도 본래『본의』에 방해될 것이 없고, 다만 하나로 관통한 도리이다.

박문호(朴文鎬)「경설(經說)・주역(周易)」

元亨利貞, 孔子既以四德言之, 而朱子乃以二占法釋之, 非大膽聖人不能也. 此所以爲本義也. 本義者, 何也. 義文之占法, 是也. 四德則孔子推說之一義也. 故以義文之占法, 本義可改孔子之推說一義也.

원・형・리・정은 공자가 이미 네 가지 덕으로 말하였으나, 주자가 이어 두 가지(복희씨와 문왕의 점) 점법으로 해석하였으니, 담력이 큰 성인이 아니면 할 수 없는 일이다. 이것이『본의』가 지어진 이유이다.『본의』는 무엇인가? 복희씨와 문왕의 점법이 이것이다. 네 가지 덕은 공자가 미루어 말한 하나의 뜻이다. 그러므로 복희씨와 문왕의 점법을 가지고『본의』에서 공자가 미루어 말한 하나의 뜻을 고칠 수 있었던 것이다.

이용구(李容九)「역주해선(易註解選)」

乾註曰, 乾坤是性情, 天地是皮殼.

건괘 소주에 말하였다: 건곤은 성정이고, 천지는 껍질이다.

東萊呂氏曰, 乾元亨利貞, 如堯欽明文思, 舜濬哲文明.

동래여씨가 말하였다: "건은 크고 형통하니 곧음이 이롭다"는 요임금이 '위의[欽]가 있어 사방을 밝히며 천지를 다스리고 도덕이 갖추어진'것과 같고, 순임금이 '깊고 현철하며 덕이 문채나고 밝은' 것과 같다.[45]

易, 如一箇鏡.

역은 하나의 거울과 같다.

---

45)『계고록(稽古録)・도당씨(陶唐氏)』'요흠명문사(堯欽明文思)'의 주에, "위의가 겉에 갖추어진 것을 흠(欽)이라 하고, 사방에 밝게 임하는 것을 명(明)이라 하고, 천지를 다스리는 것을 문(文)이라 하며, 도덕이 순전히 갖추어진 것을 사(思)라 한다[威儀表備謂之欽, 照臨四方謂之明, 經緯天地謂之文, 道德純備謂之思]."라 하였고,『稽古録』「有虞氏上」, "순준철문명(舜濬哲文明)"의 주에, "준심(濬深)은 현철한 지혜이니 덕망이 사방에 꽉 참이다[濬深哲智也. 其德信充塞上下]."라 하였다.

이정규(李正奎) 「독역기(讀易記)」

乾坤之四德, 統萬物萬事. 始者爲元, 長者爲亨, 遂者爲利, 成者爲貞. 他卦之四德, 各就一物一事, 而以善大亨通宜利正固爲義. 四德非異也, 如統體太極, 各具太極者歟. 故乾曰元亨利貞, 屯亦曰元亨利貞之類, 可見統體各具之意也. 且雖微細事物, 不具四德而成者無之. 如蒙之亨, 只亨而已哉, 此卦亨之義爲長也, 需之亨貞, 只亨貞而已哉, 此卦亨貞之義爲長也.

건괘·곤괘의 네 가지 덕은 온갖 물건과 일을 통합한 말이다. 시작함이 원이고, 자람이 형이며, 완수가 리이고, 완성이 정이다. 다른 괘의 네 가지 덕은 각각 한 가지 물건과 일에 나아가 '선하거나 크며'·'형통하며'·'마땅하거나 이롭고'·'바르거나 견고함'으로 뜻을 삼았다. 네 가지 덕이 다르지 않은 것은 통합된 본체인 태극과 각각 갖추고 있는 태극이라는 것과 같을 것이다. 그러므로 건괘에서 "크고 형통하며 이롭고 곧다"라 한 것과, 준괘에서 "크게 형통하니 곧음이 이롭다"라 한 따위에서 '통합된 본체'와 '각각 갖추고' 있는 뜻을 알 수 있다. 또한 하찮은 사물이라도 네 가지 덕을 갖추지 않고 이루어지는 것은 없다. 예컨대 몽괘는 형(亨)하다고 했는데, 단지 형할 뿐이겠는가? 이 괘에서 형의 뜻이 두드러진 것이다. 수괘는 형정(亨貞)하다고 했는데, 단지 형정할 뿐이겠는가? 이 괘에서 형정의 뜻이 두드러진 것이다.

이병헌(李炳憲) 『역경금문고통론(易經今文考通論)』

乾, 卦名, 元亨利貞, 卦之繇辭. 孔子取以爲經, 特於乾卦, 以別四德之名目, 義詳文言.

건은 괘의 이름이고, 원·형·리·정은 괘의 점사이다. 공자가 이를 취하여 경문으로 삼음에 건괘에서만 네 가지 덕의 이름으로 구별하였으니, 그 뜻이 「문언전」에 자세하다.

初九, 潛龍, 勿用.

초구는 잠겨있는 용이니, 쓰지 말라.

中國大全

傳

下爻爲初. 九陽數之盛, 故以名陽爻. 理无形也, 故假象以顯義, 乾以龍爲象. 龍之爲物, 靈變不測, 故以象乾道變化, 陽氣消息, 聖人進退. 初九, 在一卦之下, 爲始物之端, 陽氣方萌, 聖人側微, 若龍之潛隱, 未可自用, 當晦養以俟時.

아래 효를 '초(初)'라 한다. 구(九)는 양수의 극성(極盛)이기 때문에 구를 가지고 양효를 명명하였다. 리(理)는 형체가 없기 때문에 상(象)을 빌어 의미를 드러내는데, 건괘는 용을 상으로 삼았다. 용은 신령스럽고 변화불측하기 때문에 용을 빌어 건도의 변화와 양기(陽氣)의 소식(消息)과 성인의 진퇴를 형상한 것이다. 초구는 한 괘의 아래에 있어서 일을 시작하는 단서가 되니, 양기가 막 싹트고 성인이 미천할 때에 해당되어 마치 잠겨 있는 용과 같으니, 스스로 쓸 수가 없고 감추어 수양하면서 때를 기다려야 하는 시기이다.

小註

程子曰, 乾六爻, 如欲見聖人曾履處, 當以舜可見. 在側陋時, 便是潛, 陶漁時, 便是見, 升聞時, 便是乾乾, 納于大麓時, 便是躍.

정자가 말하였다: 만일 건괘 여섯 효에서 성인이 겪었던 일을 보고자 한다면 마땅히 순임금의 일에서 찾아봐야한다. 순임금이 미천했을 때가 바로 '잠겨있음'이며, 순임금이 질그릇 굽고 물고기 잡아 살아 갈 때가 바로 '나타남'이며, 위로 요임금에게 알려진 때가 바로 '힘쓰고 힘씀'이며, 요임금이 순임금을 큰 산기슭에 들어가게 한 때가 바로 '뛰어 오름'에 해당한다.

○ 或問, 程易, 以初二三四四爻, 作舜說, 何以見得如此. 朱子曰, 此是推說爻象之意, 非本指也. 讀易, 若通得本指後, 便儘有道理可說. 問, 何謂本指. 曰, 易本因卜筮而有象, 因象而有占, 占辭中 便有道理. 如筮得乾之初九, 初陽在下, 未可施用. 其象爲潛龍, 其占曰勿用. 凡遇乾而得此爻者, 當觀此象, 而玩其占, 隱晦而勿用, 可也. 他皆倣此, 此易之本指也. 蓋潛龍則勿用, 此便是道理. 故聖人爲象辭象辭文言. 節節推去无限道理. 此程易所以推說得无窮. 然非易本義也. 先通得易本指後, 道理儘无窮, 推說不妨. 若便以所推說者, 去解易, 則失易之本指矣. 又曰, 伊川說得, 都犯手勢, 引舜, 來做乾卦, 乾又那裏, 有箇舜來 當初聖人, 作易, 又何嘗說乾是舜? 他只是懸空說在這裏, 多被人說得來, 事多失了他潔靜精微之意. 易只是說箇象, 是如此, 何嘗有實事? 如春秋, 便句句是實事, 易不過是因畫以明象. 因象以推數, 因這象數, 便推箇吉凶, 以示人而已. 都无後來許多勞攘說話.

어떤 이가 물었다:「정전」에서는 초효·이효·삼효·사효의 네 효를 순임금의 일로 설명하였는데 이와 같은 것을 어떻게 알았습니까?

주자가 답하였다. 이는 효상의 뜻을 미루어 설명한 것이지 『주역』의 본지가 아닙니다. 『주역』을 읽을 때에는 본지에 통한 뒤에야 도리를 다 설명할 수 있게 됩니다.

물었다: 무엇을 본지라 하는 것입니까?

또 답하였다: 『주역』은 본래 점을 통하여 상이 있게 되고 상을 통하여 점사가 있게 되니, 점사 가운데 곧 도리가 있는 것입니다. 만일 점을 쳐서 건괘의 초구효가 나왔다면, 초효의 양이 아래에 있어 쓸 수가 없으니, 그 상이 잠겨있는 용이 되어 점사에 "쓰지 말라"고 한 것입니다. 건괘에서 이 효를 얻은 점을 만난 자는 이러한 상을 관찰하고 점사를 완미하여 잠겨서 쓰지 않아야 합니다. 다른 괘의 경우에도 모두 이와 마찬가지이니, 이것이 『주역』의 본지입니다. "잠겨있는 용이니 쓰지 말라"는 것은 도리이기 때문에 성인이 「단전」·「상전」·「문언전」을 만들어 구구절절 무한한 도리를 설명한 것입니다. 이 때문에 「정전」에서 무궁한 이치를 미루어 설명하였으나, 『주역』의 본지가 아닙니다. 먼저 『주역』의 본지에 통한 뒤에야 무궁한 도리를 다 할 수 있으니, 그렇게 된다면 미루어 설명하는 것도 무방합니다. 그러나 미루어 설명한 것을 가지고 『주역』을 해석하려 한다면, 『주역』의 본지를 잃을 것입니다.

또 답하였다: 이천이 말한 것은 모두 자연스럽지 못합니다. 순임금을 끌어다가 건괘를 설명하였는데, 건괘의 어디에 순임금이 있습니까? 애당초 성인이 역을 만들 때에 또 어찌 건괘가 순임금의 일이라고 말한 적이 있었던가요? 다만 역은 그 안에 형이상학적인 말이 있는 것인데, 대체로 사람들에 의해 사실로 말해져 왔기 때문에 역의 결정(潔淨)·정미(精微)한 뜻을 잃게 된 것입니다. 역은 다만 이처럼 하나의 상으로 설명하는 것이니, 어찌 실제의 일이 있었던 것이겠습니까? 『춘추』는 구절구절 실제의 일이지만, 『주역』은 획을 통해 상을 밝히고 상을 통해 수를 미루며 상과 수를 통하여 곧 길흉을 미루어 사람들에게 제시하는데 불과합니다. 도무지 후세 사람들이 말하는 허다한 어지러운 말들은 없는 것입니다.

○ 縉雲馮氏曰, 居下而欲爲上, 禍斯及矣. 時方潛藏, 而欲發泄, 所謂反時爲災也.

진운풍씨가 말하였다: 아랫자리에 있으면서 윗사람이 되고자 한다면, 이에 재앙이 미칠 것이다. 잠겨 있어야 할 때에 드러내고자 한다면, 이른바 "때를 거스르면 재앙을 받는다"[46]는 것에 해당할 것이다.

○ 毅齋沈氏曰, 易爲君子謀, 不爲小人謀. 乾言潛龍勿用, 則欲君子之難進, 坤言履霜堅冰, 則防小人之易長.

의재심씨가 말하였다: 『주역』은 군자를 위한 도모이지 소인을 위한 도모가 아니다. 건괘에서 "잠룡이니 쓰지 말라"고 한 것은 군자에게 나아가기를 신중하게 한 것이고, 곤괘에서 "서리를 밟으면 단단한 얼음이 이른다"고 한 것은 소인의 악행이 자라나기 쉬운 것을 방지한 것이다.

本義

初九者, 卦下陽爻之名. 凡畫卦者, 自下而上, 故以下爻爲初. 陽數, 九爲老, 七爲少, 老變而少不變, 故謂陽爻爲九. 潛龍勿用, 周公所繫之辭, 以斷一爻之吉凶, 所謂爻辭者也. 潛, 藏也. 龍, 陽物也. 初陽在下, 未可施用, 故其象爲潛龍, 其占曰勿用. 凡遇乾而此爻變者, 當觀此象而玩其占也. 餘爻放此.

초구는 괘의 아래 자리에 위치하는 양효의 이름이다. 획을 그리는 순서는 아래 효에서부터 위로 나아가기 때문에 아래 자리에 위치한 효를 초(初)라 한다. 양의 수는 '구'가 노(老)이고 '칠'이 소(少)인데 노는 변하고 소는 변하지 않으므로 양효를 구(九)라 한다. "잠겨있는 용이니 쓰지 말라"는 주공이 붙인 말로서 한 효의 길흉을 판단하니, 이른바 효사라는 것이다. '잠'은 숨음이고 '용'은 굳센 양의 동물이다. 초양이 아랫자리에 있어서 시행할 수가 없기 때문에, 그 상이 잠겨있는 용이 되고 그 점은 "쓰지 말라"고 한 것이다. 건괘에서 초효가 변한 점을 만난 자는 이러한 상을 보고 그 점을 완미하여야 한다. 나머지의 효도 이와 마찬가지이다.

小註

朱子曰, 看易者, 須識理象數辭四者未嘗相離. 蓋有如是之理, 便有如是之象, 有如是

---

46) 『史記·淮陰侯傳』: 하늘이 주는데 취하지 않으면 도리어 허물을 받고, 때가 이르렀는데 행하지 않으면 도리어 재앙을 받는다[天與不取, 反受其咎. 時至不行, 反受其殃].

之象, 便有如是之數, 有理與象數, 便不能无辭. 六十四卦, 三百八十四爻, 有自然之象, 不是安排出來. 且如潛龍勿用, 初便是潛, 陽爻便是龍, 不當事, 便是勿用. 見龍在田, 離潛便是見, 陽便是龍, 出地上 便是田.

주자가 말하였다: 『주역』을 보는 자는 반드시 리(理)·상(象)·수(數)·사(辭) 네 가지가 서로 분리된 적이 없다는 것을 알아야 한다. 이와 같은 리가 있으면 이와 같은 상이 있고 이와 같은 상이 있으면 이와 같은 수가 있어, 리(理)와 상(象)과 수(數)가 있으면 사(辭)가 없을 수 없으니, 육십사괘의 삼백 팔십 사효 안에 자연스럽게 상이 있는 것이지 인위적으로 안배한 것이 아니다. 예컨대 "잠겨있는 용이니 쓰지 말라"에서는 초(初)가 잠(潛)이고 양효가 용이며 일을 해서는 안 된다는 것이 물용(勿用)이다. 또한 "나타난 용이 밭에 있다[見龍在田]"에서는 잠(潛)에서 벗어난 것이 현(見)이고 양(陽)이 용(龍)이며 땅위로 나온 것이 전(田)이다.

又曰, 潛龍勿用, 只是戒占者之辭, 解者遂去上面生義理, 以初九當潛龍勿用, 九二當見龍在田利見大人. 初九是箇甚麽, 如何會潛, 如何會勿用. 九二爻又是甚麽人, 他又如何會見龍在田利見大人.

또 말하였다: "잠겨있는 용이니 쓰지 말라"는 것은 점치는 자에게 경계하도록 한 말인데, 해석하는 자가 마침내 여기에 의리를 만들어 넣어 초구를 "잠겨있는 용이니 쓰지 말라"고 하였고, 구이를 "나타난 용이 밭에 있으니 대인을 봄이 이롭다"라 한 것이다. 초구가 무엇이 길래 어떻게 잠겨있을 수 있으며, 어떻게 쓰지 않을 줄 알겠는가? 또 구이는 어떤 사람이길래 "나타난 용이 밭에 있으니 대인을 봄이 이롭다"는 것을 알 수 있겠는가?

○ 易如一箇鏡相似, 看甚物來, 都能照得. 如所謂潛龍, 只是有箇象, 自天子, 至於庶人, 看甚人來, 都使得, 孔子說作龍德而隱, 不易乎世, 不成乎名, 便是就事上, 指殺說來. 然會看底, 雖孔子說也活, 也无不通. 不會看底, 雖文王周公說底也死了. 須知得他是假託說是包含說, 假託謂不惹著那事, 包含是說箇影象, 在這裏, 无所不包.

『주역』은 하나의 거울과 같아서 어떤 물건이 오더라도 다 비춰낼 수 있다. 예컨대 이른바 나타난 용은 하나의 상일 뿐이나, 천자로부터 서민에 이르기까지 누구든지 다 적용할 수 있는 것이다. 공자가 "용의 덕을 가지고 있으면서 은둔한 자이니, 세상을 따라 변하지 않으며 명성을 이루려 하지 않는다"[47]고 말한 것은 하나의 상황을 지정(指定)하여 말한 것이다. 그러나 『주역』을 볼 줄 안다면 공자의 말이라도 의미가 살아나서 통하지 않음이 없고, 『주역』을 볼 줄 모른다면 비록 문왕과 주공이 말한 것도 의미가 죽게 된다. 반드시 그것이 가탁

---

47) 『周易·乾卦·文言傳』.

하여 설명했는지 포함하여 설명했는지를 알아야 한다. 가탁이란 그 일과 직결되지 않는 것이고, 포함이란 여기에 하나의 영상이 있어 포괄하지 않음이 없는 것이다.

○ 乾初九, 只是陽氣潛藏之象, 未可發用之占耳. 若便著箇不易乎世, 不成乎名, 隱而未見, 行而未成之人, 坐在裏面, 便死殺了. 若會得卦爻本意, 卻不妨當此時, 居此位, 作此人也.
건괘의 초구는 양기가 잠겨있는 형상이니, 드러내 써서는 안 된다는 점사일 뿐이다. 이것을 세상에 따라 변하지 않으며 명예를 이루려하지 않아 잠겨서 드러내지 않고 행하되 이루지 못하는 사람이 그 속에 앉아 있는 것으로 고착한다면 융통성이 없어진다. 그러나 괘효의 본의를 안다면 이러한 시기에 이러한 자리에 거처하여 이러한 사람이라고 해도 나쁘지 않을 것이다.

○ 節齋蔡氏曰, 初, 位也. 九, 爻也. 初二三四五上, 爲位之陰陽. 九六, 爲爻之陰陽. 氣消息, 自下而上, 故畫卦, 自下而始. 潛象初, 龍象九.
절재채씨가 말하였다: 초는 위치이고 구는 효의 이름이다. 초(初)·이(二)·삼(三)·사(四)·오(五)·상(上)은 자리의 음양이고 구(九)·육(六)은 효의 음양이다. 기가 자라고 없어짐은 아래에서 위로 나아가기 때문에 획을 그릴 때에 아래에서 시작한다. 잠(潛)은 초(初)를 형상하고 용(龍)은 구(九)를 형상한다.

○ 丹陽都氏曰, 以時言之, 有初則有終. 以位言之, 有上則有下. 以數言之, 有二三四五, 則有一六. 三者, 互文以見也.
단양도씨가 말하였다: 때로써 말하면 처음이 있으면 마침이 있고, 위치로써 말하면 위가 있으면 아래가 있고, 수로써 말하면 이·삼·사·오가 있으면 일·육이 있다. 이 세 가지는 상호보완적인 문장으로 드러낸 것이다.

○ 沙隨程氏曰, 水經, 龍以秋日爲夜. 埤雅, 龍秋分而降, 則蟄寢于淵, 聖人擬諸其形容, 象其物宜如此.
사수정씨가 말하였다: 『수경(水經)』에 "용은 가을을 밤으로 삼는다"라 하였고, 『비아(埤雅)』[48]에 "용은 추분 이후에는 못 속에 잠겨있다"라 하였다. 성인이 이러한 형용을 빗대어 사물의 마땅함[物宜][49]을 형상한 것이 이와 같다.

---

48) 비아(埤雅): 『이아(爾雅)』를 보충한 서적으로, 송나라 육전(陸佃, 1042-1102)이 지었다.
49) 물의(物宜): 『주역·계사전』에 "聖人有以見天下之賾, 而擬諸其形容, 象其物宜, 是故謂之象"라 하였

○ 李氏仁父曰, 龍鱗八十一, 爲九九之數, 亦以象乾也.

이인보가 말하였다: 용의 비늘은 여든 한 개이니, 구구(九九)의 수이다. 또한 이것으로 건괘를 형상한 것이다.

○ 臨川王氏曰, 龍行天之物也, 故以象乾. 馬行地之物也, 故以象坤.

임천왕씨가 말하였다: 용은 하늘을 다니는 동물이기 때문에 이것으로 건괘를 형상하였고, 말은 땅을 다니는 동물이기 때문에 이것으로 곤괘를 형상하였다.

○ 雲峰胡氏曰, 易之爲道, 辭變象占而已. 就此爻觀之, 九爲變 潛龍爲象, 勿用爲占, 初九潛龍勿用, 爲占之辭. 餘倣此. 又曰, 乾初象潛龍, 護微陽也. 坤初象履霜, 防微陰也. 於陽之微, 則恐其或用, 勿也者, 禁之之辭也. 於陰之微, 則慮其必盛, 至也者, 危之之辭也.

운봉호씨가 말하였다: 『주역』의 도(道)를 설명한 것은 사(辭)·변(變)·상(象)·점(占)일 뿐이다. 건괘의 초구를 가지고 살펴보면, 구(九)는 변이고, 잠룡(潛龍)은 상이며, 물용(勿用)은 점이고 "초구는 잠겨있는 용이니 쓰지 말라"는 점친 말[辭]이다. 나머지도 이와 마찬가지다.

또 말하였다: 건괘의 초구에서 잠룡을 형상한 것은 미미한 양의 활동을 보호하려는 것이고, 곤괘의 초효에서 서리의 상을 형상한 것은 미미한 음의 해를 막으려는 것이다. 양이 미미할 때에는 혹 쓸까 염려되니, 물(勿)이라는 것은 금하는 말이고, 음이 미미할 때에는 반드시 번성하게 됨이[50] 염려되니, 지(至)라는 것은 위태롭게 여기는 말이다.

○ 雙湖胡氏曰, 六爻, 取六龍象, 固以純陽之物, 而象純陽之爻. 然亦寔取其變也. 龍之爲物, 靈變不測, 能大能小, 能隱能見. 潛則入于淵, 飛則升於天. 亦猶乾爲純陽卦, 若其動而變, 則六爻可變三百八十四爻, 眞活動不拘爾.

쌍호호씨가 말하였다: 여섯 효는 여섯 마리 용의 형상을 취하였다. 본래 순양(純陽)의 동물로 순양의 효를 형상하였으나 또한 변화를 취한 것이다. 용은 신령스러워 변화를 예측할 수 없으니, 크게도 될 수 있고 작게도 될 수 있으며 숨기도 하고 나타나기도 한다. 잠겨있을 때에는 못에 들어가고 날 때에는 하늘로 올라간다. 이는 건괘가 순양의 괘이지만 움직이고 변화하는 경우에는 여섯 효가 삼백 팔십 사효로 변화하는 것과 같으니, 진실로 구속받지 않고 활발히 움직일 뿐이다.

다. 물의(物宜)는 사물의 성질·도리·규율 등을 말한다.

50) 『周易·坤卦·初六·本義』: 此爻, 陰始生於下. 其端甚微. 而其勢必盛. 故其象, 如履霜則知堅冰之將至也.

○ 隆山李氏曰, 六爻之象, 皆取于龍者, 陽體之健. 其潛見惕躍飛亢者, 初終之序, 而變化之迹也.

융산이씨가 말하였다: 여섯 효의 상을 모두 용에서 취한 것은 양체(陽體)의 강건이고, 잠김[潛] · 나타남[見] · 두려워 함[惕] · 뛰어 오름[躍] · 낢[飛] · 끝까지 올라감[亢]이라고 한 것은 시종(始終)의 순서이자 변화의 자취이다.

○ 孔氏曰, 卦辭, 多文王後事, 升卦六四,[51] 王用享于岐山, 明夷六五, 箕子之明夷, 皆文王後事也. 故馬融陸續等, 皆以爲爻辭出于周公, 是也.

공씨가 말하였다: 괘사는 대부분 문왕 이후의 일이다. 승괘(升卦䷭)의 육사에 "왕이 기산에서 형통하다", 명이괘(明夷卦䷣)의 육오에 '기자의 명이'라고 한 것은 모두 문왕 이후의 일이다. 그러므로 마융(馬融)과 육적(陸績) 등이 모두 "효사는 주공이 말한 것이다"고 하였으니, 이 말이 옳다.

‖韓國大全‖

권근(權近) 『주역천견록(周易淺見錄)』

乾之初九, 卽復之初九也. 潛龍, 勿用, 卽是復象, 至日閉開, 商旅不行, 后不省方之意. 此卦六畵, 雖皆陽爻, 主初而言, 陽始生于下, 自二以上, 猶是陰也. 故乾之初九, 有復之象焉. 此乃乾道, 貞而復元之時也, 故當安靜, 以養其微陽也.

건괘(乾卦䷀)의 초구는 곧 복괘(復卦䷗)의 초구이다. "잠겨있는 용이니 쓰지 말라"는 것은 곧 복괘 「상전」 "동짓날에는 관문을 닫아걸어 장사꾼과 여행자들이 다니지 못하게 하고, 임금이 사방을 시찰하지 않게 했다."는 뜻이다. 이 괘의 여섯 획은 비록 모두 양효이지만 초효를 위주로 말하자면, 양이 아래에서 비로소 생겨나니 이효 이상은 여전히 음이다. 그러므로 건괘의 초구에는 복괘(䷗)의 상이 있다. 이것은 바로 건도가 정(貞)에서 원(元)으로 회복하는 때이므로 마땅히 안정하여 그 미약한 양을 길러야 한다.

---

51) 四: 경학자료집성DB에 '五'로 되어 있으나, 『주역』을 참조하여 '四'로 바로잡았다.

박지계(朴知誡) 「차록(箚錄)-주역건괘(周易乾卦)」

以衆民言之, 天子爲天, 以衆人言之, 聖人爲天, 以衆物言之, 龍爲天. 然天子聖人之德, 微而難知. 周行六位之形象, 則不如龍之易見, 故爻辭獨以龍爲言. 而天子聖人之道, 亦可見此而知矣. 雖以乾之大通而當其初發, 其端尙微, 先自施用, 則無序而失正理. 占者有龍之德, 則禁止施用, 乃正固之道也. 占者若無龍德, 而或在常人, 則雖不足以當潛龍之象, 而爲此爻之主, 其占則同爲勿用而已. 雖然, 此爻之辭, 但爲有龍德而言, 不及於常人之事也.

백성의 입장에서 말하면 천자가 하늘이고, 여러 사람의 입장에서 말하면 성인이 하늘이며, 여러 동물로 말하면 용이 하늘이다. 그러나 천자와 성인의 덕(德)은 은미하여 알기 어렵다. 여섯 자리를 두루 유행하는 형상은 용처럼 쉽게 드러나는 것이 없어 효사에서 유독 용으로 말하였지만, 천자와 성인의 도(道)도 이를 보고 알 수 있다. 비록 건이 크게 형통하지만, 처음 일어날 적에 그 단서는 오히려 은미하여 먼저 스스로 베풀어 쓰면 순서가 없어 바른 이치를 잃는다. 점치는 자에게 용의 덕이 있다면, 베풀어 쓰는 것을 금지하는 것이 바르고 견고한 도이다. 점치는 자에게 만약 용의 덕이 없어 혹 보통 사람에 해당하는 경우라면, 비록 '잠겨있는 용'의 상을 감당하기에 부족하더라도 이 효의 주인이니, 그 점(占)은 동일하게 "쓰지 말아야 한다"는 것일 뿐이다. 그렇다고 할지라도 이 효사는 용의 덕이 있는 사람을 위하여 말했을 뿐이니, 보통 사람들의 일에는 미치지 않는다.

송시열(宋時烈) 『역설(易說)』

變則爲巽, 巽者伏也, 入也. 卑順在下之象, 以其肯着於龍, 而謂之潛. 龍之爲物, 其用處專用陽火, 故所適土石焦草木焚. 有時乘雲氣御九天. 此皆陽氣所發也. 若其潛居於窟宅幽陰之中, 則其體至陰, 其氣至冷, 人莫敢近云. 此陰氣之莊于體也, 不徒以變化不測謂之龍也. 古詩曰, 天行莫如龍, 地用莫如馬, 乾坤之以龍馬對稱者, 其旨躍如矣. 觀於坤辭利牝上六龍戰, 可知. 勿用二字占辭, 遇此爻者, 見潛之義, 勿用所謀可也.

초효가 변하면 손괘(巽卦≡)가 되는데, 손은 엎드림[伏]이고 들어감[入][52]이다. 겸손하게 아래에 있는 형상을 용에 같다 붙여 "잠겨 있다"고 말했다. '용'은 그 작용이 양(陽)인 불을 전용하는 데 있기 때문에, 용이 지나가는 곳은 흙과 돌이 그을리고 초목이 불탄다. 때로는 구름의 기운을 타고 하늘[九天]을 날아다닌다. 이것은 모두 양의 기운이 드러난 것이다. 만일 용이 굴 속의 어두운 곳에 잠겨있으면, 그 몸체는 지극히 음하고 기운이 매우 차가워서 사람이 감히 가까이 하지 못한다고 한다. 이것은 음의 기운이 몸속에 꽉 차기 때문이니,

---

52) 『周易·雜卦傳』: 巽伏也, 『周易·說卦傳』: 巽, 入也, 『周易·序卦傳』: 巽者入也.

공연히 변화하여 헤아릴 수 없는 것을 용이라고 말한 것이 아니다. 옛 시(詩)에 "하늘을 나는 것으로는 용만한 것이 없고, 땅에서 쓰는 것으로는 말만한 것이 없다"[53]라고 했으니, 건곤을 용과 말로 짝하여 말할 경우 그 뜻이 충분히 드러나기 때문이다. 곤의 괘사에 "암말이 이롭다"라 하고, 상육에 "용이 싸운다"라 한 것을 보면 알 수 있다. "쓰지 말라[勿用]"는 두 글자는 점사이니, 이 효를 만난 사람은 '잠겨있다[潛]'는 뜻을 살펴보고 계획한 것을 실행하지 않는 것[勿用]이 좋다.

김만영(金萬英) 「역상소결(易象小訣)」

乾初九, 潛龍. 初九變則爲姤, 而下卦之巽反對爲兌, 兌澤也. 倒澤爲巽, 故有潛之象.

건괘 초구는 '잠겨 있는 용'이다. 초구가 변하면 구괘(姤卦䷫)가 되니, 하괘의 손괘(巽卦☴)를 거꾸로 하면[反對] 태괘(兌卦☱)가 되며, 태괘는 못이다. 못[澤]을 거꾸로 뒤집으면 손괘가 되므로 잠겨 있는 형상이 있다.

임영(林泳) 「독서차록(讀書箚錄)-주역(周易)」

初九曰, 潛龍.

초구에서 '잠겨 있는 용'이라 했다.

傳, 難曰, 自此以下, 傳何以謂用九之道也,

『정전』에 대해 논변하였다: 이후부터 『정전』에서는 무엇 때문에 용구(用九)의 도(道)라고 하였는가?

曰, 此一節, 只論六爻之道, 而不言用九之道. 傳以此通謂之用九之道者, 似以此矣. 而但六爻所論與用九之道, 都無干涉, 恐亦未爲定論也.

말하였다: 여기의 한 구절에서는 여섯 효의 도를 논하였을 뿐이고, 용구(用九)의 도를 말하지 않았다. 『정전』에서 이것까지 통틀어 용구의 도라고 하는 것은 이 때문인 듯하다. 그렇지만 여섯 효에서 논한 것은 용구의 도와 전혀 관계가 없으니, 아마 또한 정론이 아닌 듯하다.

本義, 小註, 朱子說第三條. 謹信存誠, 是裏面工夫無跡. 忠信進德脩辭居業, 外面事微有跡.

『본의』 소주(小註)에서 주자가 말한 세 번째 조항:[54] '삼가고 미덥게 하고 정성을 보존함'은

---

53) 『史記』三十卷: 天用莫如龍, 地用莫如馬.

54) 「문언전」 "初九曰, 潛龍勿用, 何謂也. 子曰龍德而隱者也, …, 確乎其不可拔, 潛龍也."구절의 『본의』에 있는 소주이다.

내면의 공부이니 자취가 없고, '진실과 믿음으로 덕을 기름, 말을 바르게 하여 본업을 수행함'은 바깥의 일이니 약간의 자취가 있다.

今按, 存誠固是裡面工夫, 謹信則不可專指爲裡, 居業固是外面事, 進德則亦不可專指爲外, 未詳其義. 至於無跡有跡, 則玩其辭, 察其用功, 誠若有辨耳.

내가 살펴보았다: 정성을 보존함은 진실로 내면의 공부이지만 삼가고 미덥게 함은 내면에서 이루어짐을 전적으로 가리킨 것이 아니고, '본업을 닦는 것'은 진실로 겉으로 드러난 일이지만 '덕을 기르는 것'은 역시 외면에서 이루어짐을 전적으로 가리킨 것이 아니니, 그 뜻이 자세하지 않다. 자취가 있고 없는 것은 그 말을 완미하고 그 공부하는 것을 살펴보면 진실로 분별이 있을 것 같다.

임영(林泳) 「독서차록(讀書箚錄)-주역(周易)」

傳 難曰, 理無形, 止顯義者, 通言易中取象之意. 乾以龍止進退者, 言一卦取象之意. 初九在一卦以下, 專言此爻取象之意. 是其爲說, 無所未盡耶.

『정전』에 대해 논변하였다 : "리(理)는 형체가 없기 때문에 상(象)을 빌어 의미를 드러낸다"는 것은 『주역』 가운데 상을 취한 뜻을 널리 말한 것이고, "건괘는 용으로 상을 삼았다. 용은 신령스럽고 변화불측하기 때문에 용을 빌어 건도의 변화와 양기(陽氣)의 소식(消息)과 성인의 진퇴를 형상한 것이다"는 한 괘에서 상을 취하는 의미를 말한 것이다. "초구는 한 괘의 아래에 있다"는 말 이하는[55] 오로지 이 효에서 상을 취한 뜻을 말한 것이다. 이것이 그 설명인데, 미진한 바가 없을까?

曰, 易之卦爻旣設, 則象數事理皆在其中, 初無彼此主客於其間. 今曰理無形也, 故假象以顯義, 則卻似卦爻者本主於明此理, 而理難明也. 故卻假彼之象, 以形容此理者如此, 則有主客彼此矣. 且雖取一物爲象, 凡天下事物, 皆可以類相附, 無所不通, 亦非以意, 故相附也, 一象揭而萬像森然, 亦無彼此主客矣. 今曰以象陽氣消息聖人進退, 則亦不免於拘矣. 且以初九爲始物之端, 蓋似承上文乾者萬物之始而言矣. 考之此爻, 別未見有始物之義, 而推之餘爻, 更說不去. 凡此皆愚之所未曉也.

말하였다: 역(易)에서 괘와 효가 이루어지고 나면 상(象)·수(數)·일[事]·이치[理]가 모두 그 속에 내재되어 처음부터 그것에는 피차와 주객이 없다. 지금 이천이 "리(理)는 형체가

---

55) 임영의 "초구는 한 괘의 아래에 있다[初九在一卦以下]는 말 이하"에 속하는 『정전』은 "초구는 한 괘의 아래에 있어서 일을 시작하는 단서가 되니, 양기가 막 싹트고 성인이 미천할 때에 해당된다. 이는 마치 잠겨 있는 용처럼 본래 쓸 수가 없으니 어둠속에서 수양하여 때를 기다려야 하는 시기이다[初九, 在一卦之下, 爲始物之端, 陽氣方萌, 聖人側微, 若龍之潛隱, 未可自用, 當晦養以俟時]"라는 것이다.

없기 때문에 상(象)을 빌어 의미를 드러낸다"라고 말한 것은, 오히려 괘효는 본래 이 이치를 밝히는 것을 위주로 하는데, 이치는 밝히기 어렵다는 말과 흡사하다. 그러므로 도리어 저 상을 빌려서 이 이치를 이와 같이 형용한다면, 주객과 피차가 있는 것이다. 또 어떤 사물로 상을 삼을지라도 천하의 사물은 모두 종류대로 서로 부합하여 통하지 않는 바가 없으니, 이것도 뜻으로 취한 것이 아니기 때문에 서로 부합하는 것이고, 어떤 상을 내세워 온갖 비슷한 것들이 빽빽하게 들어서는 것도 피차와 주객이 없는 것이다. 이제 이천이 "양기(陽氣)의 소식(消息)과 성인의 진퇴를 상징하였다"라고 한다면, 이것도 구속됨을 면하지 못한 것이다. 또 '초구를 만물이 시작되는 단서로 여긴 것'은 저 앞 경문 첫 구절의 "건은 만물의 시작이다"라는 주석을 이어서 말한 듯하다. 그런데 이 효를 살펴보면 별도로 만물이 시작하는 의미가 있음을 볼 수 없고, 나머지 효에 미루어 보더라도 다시 더 설명이 되지 않는다. 이런 것은 모두 내가 이해하지 못하는 부분들이다.

小註朱子說, 易本因卜筮而有象, 因象而有占, 占辭中便有道理. 此與易有太極之說甚不同. 蓋易有太極, 言易之所由起. 因有理而有陰陽, 因有陰陽而有卦畫, 有卦畫而後, 言動制器卜筮者, 皆有所考焉, 此循其本而言者也. 就言動制器卜筮中言之, 言動制器, 雖無易, 猶可考於他書而爲之, 惟卜筮非易莫能. 故易之爲用. 惟卜筮爲最切, 可知聖人作易精意, 其重尤在於卜筮矣. 故曰易本因卜筮而有象有占有道理. 此主其用而言者, 二意固竝行而不悖矣. 或曰, 本因卜筮而有象, 蓋言因卜筮而撰著營卦, 然後方有象占道理, 非謂作易. 本因卜筮而有卦象也, 其說亦通. 但恐朱子說其意未必然耳. 소주(小註)에서 주자는 "『주역』은 본래 점을 통하여 상이 있게 되고 상을 통하여 점사가 있게 되니 점사 가운데 곧 도리가 있는 것입니다"라고 말했다. 이 말은 "역에 태극이 있다"[56]는 말과는 매우 다르다. 대개 "역에 태극이 있다"라는 것은, 『주역』의 유래는 이치가 있어 음양이 있고, 음양이 있어 괘획이 있다는 말이다. 괘획이 있은 후에 "말·움직임·기물의 제작·점[言·動·制器·卜筮]"[57]을 말한 것에는 모두 고려할 것이 있으니, 이는 그 근본을 따라 말한 것이다. '말·움직임·기물의 제작·점'으로 말하자면, '말·움직임·기물의 제작'에는 비록 『주역』이 없더라도 오히려 다른 책에서 고찰하여 실행할 수 있지만, '점'만은 『주역』이 아니면 할 수 없다. 그러므로 『주역』의 쓰임은 점에서 가장 절실하니, 성인이 『주역』을 지은 정밀한 뜻은 그 귀중함이 더욱 점에 있음을 알 수 있다. 그러므로 『주역』은 본래 점으로

---

56) 『周易·繫辭傳』: 易有太極.

57) 『周易·易傳序』: 역에는 성인의 도가 넷이 있으니, 이것으로 말하는 자는 그 설명을 숭상하고, 이것으로 움직이는 자는 그 변화를 숭상하고, 이것으로 기물을 제작하는 자는 그 모양을 숭상하고, 이것으로 점을 치는 자는 그 점괘를 숭상한다.[易有聖人之道四焉. 以言者尚其辭, 以動者尚其變, 以制器者尚其象, 以卜筮者尚其占.]

인해서 상이 있고, 점이 있고 도리가 있다고 말한다. 이것은 『주역』의 쓰임을 위주로 말한 것이니, 두 가지 뜻을 진실로 병행해도 어긋나지 않는다. 혹자는 "본래 점으로 인해서 상이 있다는 것은 점을 치는 것으로 인해서 설시(揲蓍)하여 괘를 형성하고 그런 다음에 비로소 상과 점과 도리가 있다는 것이니, 『주역』을 짓는 것을 말한 것은 아니다"라 하였다. 본래 점으로 인해서 괘와 상이 있다는 그 주장도 통용될 수 있다. 다만 주자가 말한 것은 그 의미 가 꼭 그렇다고만 할 수 없을 것 같다.

本義, 陽數, 九爲老, 七爲少, 老變而少不變, 故謂陽爻爲九.
『본의』에서 말하였다: 양의 수는 '구'가 노(老)이고 '칠'이 소(少)인데 노는 변하고 소는 변하 지 않으므로 양효를 구(九)라 한다.

難曰, 凡爻必取其變數爲名者, 何義耶.
논변하였다: 효에서 반드시 그 '변하는 수[變數]'로 이름을 붙이는 것은 무슨 뜻인가?

曰, 據本義似是筮法. 用九不用七之義, 蓋凡筮得陽爻者, 皆用老陽, 不用少陽, 所謂動 則觀其變者然也. 本義, 以易本爲筮者設, 故仍謂陽爻爲九者, 取其數之變也. 但以此 爻言之, 筮卦之後, 爲老爲少, 不可預定. 占法取寡, 有時而占其不變, 亦豈可謂必用老 不用少, 而凡係陽爻, 皆斷以老陽之九耶. 且考易爻辭, 陽爻以陽義言, 陰爻以陰義言, 初無一處言其陽變爲陰, 陰變爲陽之義. 以此卦言之, 純陽之卦, 初陽變而爲陰, 則有 陽極生陰之義, 與姤卦之象同矣. 以坤卦言之, 純陰之卦, 初陰變而爲陽, 則有陰極生 陽之義, 與復卦之象同矣. 而此爻只爲潛陽之象, 卻與復之安靜以養微陽之義同. 坤初 爻只爲生陰之象, 卻與姤卦柔決剛之義同. 果主其變而言, 豈如此哉. 此不可曉. 無乃 程傳陽數之盛之說乃爲平穩, 而得其本指耶.
말하였다: 『본의』에 근거하면 이는 점치는 법[筮法]인 듯하다. 구는 쓰고 칠은 쓰지 않는다 는 의미는 점[筮]에서 양효를 얻을 경우 모두 노양은 쓰고 소양은 쓰지 않으니, 이른바 "동 (動)하면 그 변화를 살핀다"[58]는 것이 그런 것이다. 『본의』에서는 『주역』은 본래 점치기 위해 지었다고 하기 때문에 그대로 양효가 구가 된다고 하는 것은 그 수의 변화를 취한 것이다. 다만 이 효로 말하자면 시초로 괘를 만든 뒤에 노(老)가 될지 소(少)가 될지는 미리 정할 수 없다. 점법에서는 적은 것[寡]을 취하고 때에 따라서 변하지 않는 것으로 점을 치니, 또한 어찌 반드시 노는 쓰고 소는 쓰지 않는다 하며 일반적으로 양효로 걸린 것을 모두 노양의 구로 단정할 수 있겠는가? 또 『주역』의 효사를 살펴보면 양효는 양의 뜻으로 말했고, 음효는 음의 뜻으로 말했으니, 처음부터 어느 곳에서도 양이 변해 음이 되고 음이 변해 양이

---

58) 『周易·繫辭傳』: 是故, 君子居, 則觀其象, 而玩其辭, 動則觀其變, 而玩其占.

되는 뜻으로 말하지 않았다. 이 괘[乾卦]로 말하자면 순양의 괘에서는 처음 양이 변해 음이 되면, 양이 다해 음이 생긴다는 뜻이 있으니, 구괘(姤卦䷫)의 상과 같다. 곤괘로 말하자면 순음의 괘에서는 처음 음이 변해 양이 되면, 음이 다해 양이 생긴다는 뜻이 있으니, 복괘(復卦䷗)의 상과 같다. 그런데 초구는 잠겨있는 양의 상일 뿐이어서 도리어 복괘가 편안하고 고요해서 미미한 양을 기른다는 뜻과 동일하다. 곤괘의 초효는 단지 음을 낳는 상일뿐이어서 도리어 구괘가 부드러움으로 굳셈을 결단하려는 뜻과 동일하다. 과연 그 변화를 위주로 말한다면 어찌 이와 같겠는가? 이 부분은 이해할 수 없다. 『정전』의 '양수의 극성[陽數之盛]'이라는 설명이 적절하고 그 본래의 취지에 부합하는 것이 아니겠는가?

小註朱子說. 潛龍勿用, 只是戒占者之辭一段, 言勿用利見大人之類皆占辭, 有占者然後, 方可受用. 若初九九二, 則只是卦爻之名, 初無人事, 他又安能勿用, 安能利見大人乎. 其語意如此, 但潛龍見龍在田, 乃初二之象, 初非戒占者之辭. 今總言之, 則要是大綱說也.
소주(小註)에서 주자가 "'잠겨있는 용이니 쓰지 말라'는 점치는 자에게 경계하도록 한 말이다"라고 한 단락은 "쓰지 말라"와 "대인을 봄이 이롭다"와 같은 종류의 말이 모두 점사이니 점치는 자가 있은 다음에 받아들여 쓸 수 있다는 말이다. 초구·구이와 같은 것은 단지 괘효의 이름일 뿐이고, 애초에 사람과 관련된 일이 없으니, 그것에 또 어찌 "쓰지 말라"라고 하고 "대인을 봄이 이롭다"라고 할 수 있겠는가? 그 말의 뜻이 이와 같으니, '잠겨 있는 용, 나타난 용이 밭에 있음'은 바로 초구와 구이의 형상이지, 애초부터 점치는 자를 경계하는 말이 아니다. 지금 총체적으로 말하였으니, 요컨대 이것은 대강령에 대한 설명이다.

雙湖胡氏, 六爻取六龍象, 隆山李氏, 六爻之象, 皆取於龍. 此二說者, 到九三爻, 皆推不去. 與程傳乾以龍爲象, 皆爲可疑. 但象傳亦以六龍言, 如此說, 亦不妨耶.
쌍호호씨는 "여섯 효는 여섯 마리 용의 형상을 취하였다"라고 하고, 융산이씨는 "여섯 효의 상을 모두 용에서 취하였다"라고 했다. 그런데 이 두 설명을 모두 삼효에 대해 추론할 수 없으니, 『정전』에서 건은 용으로 상을 삼았다는 것과 함께 모두 의심스럽다. 다만 「단전」에서도 여섯 용으로 말하였으니, 이와 같이 설명하여도 또한 무방할 것이다.

강석경(姜碩慶) 「역의문답(易疑問答)」

程傳曰, 九陽數之盛, 故以名陽爻, 此何謂也.
『정전』에서 "구는 양수의 극성이기 때문에 구를 가지고 양효를 명명하였다"라 했는데, 이것은 무엇을 말하는 것인가?

曰, 六七八九, 四象之數, 而七與九皆陽, 六與八皆陰. 陽則九老而七少, 陰則六老而八少. 凡陰與陽老變而少不變. 易爲卜筮而作也, 卜筮者必觀其變以爲所値之爻. 故陰陽之爻, 皆以老名, 以待占者, 是謂稽虛待實, 非謂卦之六爻皆爲老也. 程傳之意, 恐有未瑩

말하였다: 육·칠·팔·구는 사상(四象)의 수인데, 칠과 구는 모두 양이고, 육과 팔은 모두 음이다. 양은 구가 노(老)이고 칠이 소(少)이며, 음은 육이 노(老)이고 팔이 소(少)이다. 음과 양에서 노는 변하고 소는 변하지 않는다. 『주역』은 점치기 위해 만들어졌으니, 점치는 자는 반드시 그것이 변해서 만나는 효를 살펴야 된다. 그러므로 음양의 효에서 모두 노(老)라고 이름 붙여 점치는 자를 기다리는 것은 바로 '허'를 헤아려 '실'을 기다린다고 말하는 것이지, 괘의 여섯 효가 모두 노(老)가 되는 것을 말하는 것이 아니다. 『정전』의 뜻이 분명하지 않은 것 같다.

이익(李瀷) 『역경질서(易經疾書)』

初與二屬地. 地者水與陸之通名. 地面曰田, 故水之離淵, 亦曰田, 蓋爲押韻也. 二爲田, 則知初之爲淵矣.

초효와 이효는 땅에 속한다. 땅은 물과 육지를 통괄하는 이름이다. 땅의 표면을 밭이라 하므로 물이 못으로부터 떨어지는 곳도 밭이라고 하였으니, 압운(押韻)이다. 이효가 밭이라면 초효는 못임을 알겠다.

권만(權萬) 「역설(易說)」

初九, 潛龍, 勿用者, 周公觀▤之象, 逐爻發明其義者. 而初爻以地則潛, 以象則龍, 初是潛, 九是龍.

초구(初九)의 "잠겨 있는 용이니 쓰지 말라"라는 말은 주공이 건괘(乾卦▤)의 상을 관찰하고 효에 따라 그 뜻을 밝힌 것이다. 그런데 초효는 땅으로는 잠겨 있는 것이고, 형상으로는 용이니, 초는 잠겨있는 것이고 구는 용이다.

○ 易本於河圖. 乾之初奇之潛, 卽潛於水, 陽畫之以水擬象者, 未始不本於天一之象, 而其時則當黃鍾子位之半. 則所謂潛, 卽地中之水. 龍處潛中, 是陽動地底. 極穉而微動則妄耳, 故戒以勿用也. 勿, 禁之之辭. 奇之畫, 有劃定限截之象, 勿義似之.

『주역』은 「하도」를 근본으로 한다. 건의 초구[初奇]가 잠겨 있다는 것은 곧 물에 잠겨 있는 것이니, 양획에 대해 물로 형상을 본뜬 것은 애초에 하늘의 수 1의 형상에 근본하지 않은 것이 없고, 그 때는 황종59)으로 '자(子) 자리의 반'에 해당한다. 그렇다면 이른바 '잠겨있다'

는 것은 곧 땅 속의 물이다. 용이 잠겨 있는 가운데 있다는 것은 양이 땅에서 움직이는 것이다. 너무 어려서 조금이라도 움직이면 잘못될 뿐이기 때문에, "쓰지 말라[勿用]"라는 말로 경계했다. '말라[勿]'는 금지하는 말이다. 홀[奇]의 획(一)은 확정하고 한정하는 형상이 있어 '말라'는 의미와 비슷하다.

○ 大抵易爻辭, 字字取象, 學者不可泛看. 然勿字亦有心看, 易歸穿鑿. 此[60]等字義, 雖處以無心有心之間亦可也.

대체로 『주역』의 효사는 글자마다 형상을 취했으니, 배우는 자들은 건성으로 보아서는 안 된다. 그러나 '말라'는 말까지 마음을 써서 보면 쉽게 천착하게 된다. 이런 글자들의 의미는 무심하게 봐도 되고 세심하게 봐도 된다.

○ 古人於文字皆押韻. 潛龍勿用, 龍用是韻. 用或作庸, 義與韻各諧, 考之韻會, 可知也.

옛 사람들은 문자에 모두 압운(押韻)을 사용했다. "잠겨있는 용이니 쓰지 말라[潛龍勿用]"의 경우 '용(龍)'과 '쓸 용(用)'은 운이다. '용(用)'은 '용(庸)'으로도 쓰니, 뜻과 운이 각기 어울리니, 『운회(韻會)』[61]에서 고찰해보면 알 수 있다.

○ 潛似有氣, 見似無氣

'잠겨있다[潛]'는 기(氣)가 있는 것과 같고, '나타나다[見]'는 기가 없는 것과 같다.

유정원(柳正源) 『역해참고(易解參攷)』

朱子曰, 陽進陰退, 故九六爲老, 七八爲少. 然陽極於九, 則退八, 而爲陰, 陰極於六, 則進七, 而爲陽. 凡占所以用九用六而不用七八, 蓋取其變也.

주자가 말하였다: 양은 앞으로 나아가고 음은 뒤로 물러나므로 구와 육은 노(老), 칠과 팔은 소(少)가 된다. 그러나 양은 구에서 극점에 도달하면 팔로 물러나서 음이 되고, 음이 육에서 극점에 도달하면 칠로 나아가 양이 된다. 점을 칠 때 구와 육을 쓰고 칠과 팔을 쓰지 않는 까닭은 그것이 변한 것[變]을 취하기 때문이다.

○ 案, 龍之潛必于淵, 淵者初九之象. 而至於九四言之, 何也. 蓋龍之在淵, 亦待發見

---

59) 황종(黃鐘): 12율려의 기본이자 시작점으로 사계절로 보면 동지이고, 12개월로는 음력11월이며, 시간으로는 밤 12시이다.

60) 此: 경학자료집성DB에 '北'으로 되어 있으나, 경학자료집성 영인본을 참조하여 '此'로 바로잡았다.

61) 운회(韻會): 『고금운회거요 (古今韻會擧要)』의 약칭이다. 이 책은 원나라 황공소(黃公紹)의 『고금운회(古今韻會)』를 웅충(熊忠)이 간략하게 정리한 책으로 모두 30권이다.

飛躍, 而後知矣. 方其潛藏隱晦之時, 深昧不測, 誰得以知之乎. 如伊尹太公不遇湯文, 則孰知有莘野磻溪也哉. 此潛龍之不言淵也. 且況淵者上空下洞之地也. 上空者上通 於天, 下洞者下通於地. 四之上近於五, 下離於二者, 政是在淵之時, 而非初九之象也.

내가 살펴보았다: 용은 반드시 못에 잠겨있으니, 못은 초구의 상이다. 그런데 구사에서 언급 하는 것은 무엇 때문인가? 용이 못에 있다는 것은 드러나서 뛰어오른 이후에 알 수 있다. 막 잠겨 있고 숨어 있는 때에는 깊고 어두워 헤아릴 수 없으니, 누가 그것을 알 수 있겠는가? 예를 들어 이윤과 태공이 탕왕과 문왕을 만나지 않았다면, 누가 이윤이 밭을 갈던 유신의 들[莘野]과 태공이 낚시를 하던 반계(磻溪)라는 강이 있었는지 알았겠는가! 이것이 '잠겨 있는 용'에서 '못'을 말하지 않은 이유이다. 또 더욱이 '못'이란 위가 비어 있고 아래가 뚫려 있는 곳이다. 위가 비어 있는 것은 위로 하늘과 통하고, 아래로 뚫려 있는 것은 아래로 땅과 통한다. 사효가 위로 오효와 가깝고 아래로 이효와 떨어져 있는 것은 바로 못에 있을 때이고 초구의 형상이 아니다.

本義, 龍陽物.

『본의』에서 말하였다: '용'은 양의 동물이다.

案, 程子曰, 龍陰物也, 本義曰, 龍陽物也, 二說不同, 何也. 龍是天用, 則謂龍爲陽亦 可, 龍是水物, 則謂龍爲陰亦可.

내가 살펴보았다: 정자(程子)는 "용은 음의 동물이다"라 하고, 『본의』에서는 "용은 양의 동물이다"라 하여 두 설이 같지 않은 것은 무엇 때문인가? 용이 하늘의 작용이면 용을 양이 라 해도 되고, 용을 물에 사는 동물로 보면 음이라고 해도 된다.

김상악(金相岳) 『산천역설(山天易說)』

此周公所繫之辭, 所謂爻辭者也. 凡卦畫自下而上, 故以下爻爲初潛藏也. 初九居卦之 下, 陽之微而動之始, 故有潛龍之象. 龍德可以施用而潛, 故曰勿. 勿用者, 初自不用 也, 與他卦不同.

이것은 주공이 설명을 붙인 말이니, 이른바 효사이다. 괘의 획은 아래에서 위로 올라가므로 아래의 효를 처음·잠겨있는 것·숨겨진 것으로 여겼다. 초구는 괘의 아래에 있어서 양(陽) 의 미약함이고 움직임의 시작이므로 잠겨 있는 용의 상이 있다. 용의 덕은 베풀어 쓸 수 있지만, 잠겨 있으므로 "말라"라고 하였다. "쓰지 말라"는 것은 처음에 스스로 사용하지 않는 것이니, 다른 괘와 같지 않다.

○ 陽之動者, 其數爲九, 爻所以言其變也. 凡內卦爲來, 外卦爲往, 故第一爻不曰下,而曰初, 第六爻不曰終, 而曰上. 蓋初者來之始也, 陰陽兩儀自太極而生來, 爲一卦之初. 自无入有, 萬物資始, 故言初. 上者, 往之極也. 卦止六爻, 位極于上, 无以復加而窮則必反, 故言上. 而九六字皆著其下者, 上爻象天, 初爻象地, 自有統攝之義. 其中四爻, 則紀之以數者, 卽萬物居中之象也. 蓋一三五之積爲天數也, 二四之積爲地數也. 爻用成數, 位用生數. 而數不用一, 撲著所以去其一也, 位不稱六, 掛扐所以止於五也.

양이 움직인다는 것은 그것이 수로 구(九)이니, 효에서 그것이 변화했다고 말하는 까닭이다. 내괘는 오는 것이고 외괘는 가는 것이므로, 제 일효를 '하(下)'라고 하지 않고 '초'라 하고, 제 육효를 '끝[終]'이라 하지 않고 '상(上)'이라고 한다. '초'는 오는 것의 시작이니, 음양의 양의가 태극에서 나와 한 괘의 처음이 된다. 무(无)에서 유(有)로 들어감에 만물이 그것을 바탕으로 시작하므로 '초'라고 말한다. '상'은 끝까지 간 것이다. 괘는 여섯 효에 그치고 자리는 위에서 끝나니, 다시 더할 것이 없을 정도로 다하면 반드시 되돌아오므로 '상'이라고 한다. 그런데 구(九)와 육(六)이라는 글자를 모두 뒤에 붙이는 것은 상효가 하늘을 상징하고 초효가 땅을 상징하여 본래 통섭하는 의미가 있기 때문이다. 그 가운데 네 효를 숫자로 기록한 것은 곧 만물이 가운데 있는 형상이다. 보통 일·삼·오로 쌓아가는 것이 하늘의 수이고, 이·사로 쌓아가는 것이 땅의 수이다. 효는 성수(成數)를 쓰고 자리는 생수(生數)를 쓰지만 수에서 일을 사용하지 않으니, 시초점에서 하나를 제쳐두기 때문이고, 자리에서 육이라 부르지 않으니, 시초를 손가락에 걸고 끼우는 것이 오에서 그치기 때문이다.

龍行天之物, 而靈變不測, 故以象乾. 震之爲龍者, 得乾之初爻也. 水經龍以秋日爲夜, 埤雅龍以秋分而降, 而乾居戌亥, 故初曰潛龍. 天一生水, 故潛字從水. 坤初之氷, 卽水氣之凝定者也. 潛見躍飛, 爲乾之元亨利貞. 而只初一爻亦具四德, 潛龍爲元亨之象, 勿用爲利貞之義. 或曰乾純陽无應. 然初位陽, 四位陰, 二位陰, 五位陽, 三位陽, 上位陰, 故初曰潛龍勿用, 四曰或躍在淵, 二曰見龍在田, 五曰飛龍在天, 三曰乾乾惕厲, 上曰亢龍有悔, 皆以位爲應也. 坤卦亦然.

용은 하늘을 날아다니는 동물인데, 영묘한 변화를 헤아릴 수 없으므로 건을 상징한다. 진괘(震卦䷲)가 용[62]인 것은 건의 초효를 얻었기 때문이다. 『수경(水經)』[63]에서는 용이 가을을 밤으로 삼고, 『비아(埤雅)』[64]에서는 용이 추분에 내려오는데, 건이 술·해(戌·亥)에 있기 때문에 초효에서 '잠겨있는 용'이라 하였다. 하늘의 수 일이 물을 낳으므로 '잠겨 있다[潛]'는

---

62) 『周易·說卦傳』: 震爲龍.

63) 수경(水經): 삼국 시대에 만들어진 중국 지리서로 중국 각지의 하천(河川)과 수계(水系)를 간단히 기록하였다. 편찬자는 미상이다

64) 비아(埤雅): 훈고서(訓詁書)로 송대(宋代)의 육전(陸佃, 1042~1102)이 지었다.

말은 물 수변[氵]이 있다. 곤괘 초효의 '얼음[氷]'[65]은 곧 물의 기운이 응결된 것이다. '잠겨있다[潛]'·'나타났다[見]'·'뛰어 오른다[躍]'·'날아오른다[飛]'는 것은 건의 '원·형·리·정(元·亨·利·貞)'이다. 그런데 오직 초구 한 효에는 또한 사덕이 갖추어져 있으니, '잠겨있는 용'은 '원·형(元·亨)'의 상이고, '쓰지 말라'는 '리·정(利·貞)'의 의미이다. 어떤 이가 "건은 순양이니 상응함이 없다"고 말한다. 그러나 초구는 자리가 양이고 구사는 자리가 음이며, 구이는 자리가 음이고 구오는 자리가 양이며, 구삼은 자리가 양이고 상구는 자리가 음이기 때문에, 초효에서 "잠겨 있는 용이니 쓰지 말라"라 하고, 사효에서 "혹 뛰어 오르거나 못에 있다"라 하며, 이효에서 "나타난 용이 밭에 있다"라 하고, 오효에서 "나는 용이 하늘에 있다"라 하며, 삼효에서 "힘쓰고 힘써 두려워하면 위태하지만"이라 하고, 상효에서 "끝까지 올라간 용은 후회가 있다"라 하였으니, 모두 자리로 호응한 것이다. 곤괘도 그렇다.

조유선(趙有善)『경의(經義)-주역본의(周易本義)』

乾 初九, 潛龍. 凡卦爻之辭有只言象者, 坤初六是也, 有兼言象占者, 此爻是也, 又有不言象, 而只言占者, 如乾元亨利貞是也. 以此例之, 無所不通矣.

건괘 초구는 잠겨 있는 용이다. 괘효의 말에 상(象)만을 언급한 것은 곤괘 초육이 여기에 해당하고, 상과 점(占)을 겸하여 말한 것은 건괘 초효가 여기에 해당하며, 또 상을 말하지 않고 점(占)만 말한 것은 이를테면 건괘의 '원·형·리·정'이 여기에 해당한다. 이렇게 사례를 삼으면 통하지 않는 곳이 없다.

박윤원(朴胤源)『경의(經義)·역경차략(易經箚略)·역계차의(易繫箚疑)』

顔子之處陋巷是也. 包犧時龍馬負圖出河, 始畫八卦. 周公於易之爻取龍爲象, 蓋亦以此.

"안자[顔回]가 누추한 곳에서 살았다"[66]는 것이 여기에 해당한다. 복희씨 당시에 용마(龍馬)가「하도」를 등에 지고 하수에서 나오니 비로소 팔괘를 그렸다. 주공이 역의 효에서 용으로 상을 삼은 것을 대체로 또한 이 때문이다.

김귀주(金龜柱)『주역차록(周易箚錄)』

本義, 初九者, 卦下, 云云,

『본의』에서 말하였다: 초구는 괘의 아래에 있는, 운운.

---

65) 얼음[氷]: 坤卦, 初六, 履霜, 堅冰至.
66) 『論語·雍也』: 賢哉, 回也. 一簞食, 一瓢飮.

小註沙隨程氏曰, 水經龍, 云云.

소주(小註)에서 사수정씨가 말하였다: 『수경』에 용은, 운운.

○ 按, 乾之取象於龍者, 以其爲陽物, 而靈變不測耳, 非直取秋分而降, 蟄寢于淵之象也.

내가 살펴보았다: 건이 용에서 상을 취한 것은 그것이 양물이어서 영묘하게 변화하는 것을 예측하지 못한다는 것뿐이지, 바로 추분에 내려와 못에 숨어 있는 상을 취한 것이 아니다.

李氏仁父曰, 龍鱗, 云云.

이인보가 말하였다: 용의 비늘은, 운운.

○ 按, 此說恐穿鑿傷巧.

내가 살펴보았다: 이 설은 천착하여 지나치게 교묘해졌다.

雙湖胡氏曰, 六爻, 云云.

쌍호호씨가 말하였다: 여섯 효는, 운운.

○ 按, 以啓蒙卦變圖考之, 則每卦六爻之變, 可爲三百八十四爻, 非獨乾卦然也. 以是而贊乾龍之活動不拘, 則卻少意味.

내가 살펴보았다: 『역학계몽』의 「괘변도」로 살펴보면, 매 괘의 여섯 효가 변하여 삼백 팔십 사효가 될 수 있으니, 건괘만 그런 것이 아니다. 이것으로 건괘에서 용의 활동이 구속되지 않는다고 찬미한 것은 도리어 의미를 축소시켰다.

서유신(徐有臣) 『역의의언(易義擬言)』

初九, 潛而不用之龍也. 潛, 乾有川象也, 龍, 陽德之象也, 勿用, 弗用也.

초구는 잠겨있어 쓰지 않는 용이다. '잠겨 있는'이란 건에 내[川]의 상이 있기 때문이고, '용'은 양덕(陽德)의 상이며, '쓰지 말래[勿用]'는 쓰지 않는다는 것이다.

박문건(朴文健) 『주역연의(周易衍義)』

處下欲藏, 故有潛龍之象. 潛隱也. 勿用, 戒君子之辭. 勿用, 潛藏, 勉其進也.

아래에 있어서 감추고자 하기 때문에 잠겨있는 용의 상이 있다. 잠겨있다는 것은 숨어 있다는 것이다. "쓰지 말라"는 군자에게 경계하는 말이다. 쓰지 말라는 것은 잠겨있고 숨어 있으면서 전진에 힘쓰는 것이다.

〈問, 九之取義. 曰, 四九老陽過揲之策, 故謂老爲九也.

물었다: 구가 취한 뜻은 무엇입니까?

답하였다: 시초를 헤아린 책 수[67]가 4×9=36의 노양이기 때문에 "노(老)는 구이다"라고 합니다.〉

〈○ 問, 六爻取義. 曰, 初九有疑而欲退者也, 九二處下而善道者也, 九三有懼而復則者也, 九四釋疑而欲進者也, 九五處上而明德者也, 上九无與而有憂者也.
물었다: 여섯 효가 취한 뜻은 무엇입니까?
답하였다: 초구는 의혹이 있어 물러나고자하는 것이고, 구이는 아래에 있어 도를 잘 행하는 것이며, 구삼은 두려움이 있어 법칙을 회복하는 것이고, 구사는 의심을 풀어 나아가고자 하는 것이며, 구오는 위에 있어 덕을 밝히는 것이고, 상구는 함께하는 자가 없어 근심이 있는 것입니다.〉

이지연(李止淵) 『주역차의(周易箚疑)』

初九爻亦曰龍, 則其德與九二九五之大人無異也. 特以位在下而氣潛藏, 故有勿用之戒. 大抵乾之時, 乃聖君在上, 賢臣在下, 君臣同德, 天下太平之時也. 初與三又與九二同體, 則德無優劣, 可以出爲時用, 而但以位與時, 有可潛可惕之象. 故初則潛而勿用, 乃泰伯之逃荊也. 三則惕而无咎, 卽周公之居東也. 土之以德施人者, 莫如田也, 龍之見在於田, 則宜其德之普施也.

초구효에서도 용이라고 했으니, 그 덕이 구이·구오의 대인과 다르지 않다. 다만 자리가 아래에 있고 기(氣)가 잠겨있고 숨겨졌으므로 "쓰지 말라"는 경계가 있다. 대체로 건의 때는 곧 성스러운 임금이 위에 있고 현명한 신하가 아래에 있어서 임금과 신하가 덕을 같이하니, 천하가 태평한 때이다. 초구와 구삼은 구이와 몸체가 같으니, 덕에 우열이 없어 나아가 때에 맞추어 사용될 수 있으나, 단지 자리와 시기에 따라 잠겨있을 수 있고 두려워할 수 있는 상이 있다. 그러므로 초효는 곧 잠겨있어 쓰지 말아야 하니, 바로 태백이 형만으로 숨은 것[68]이다. 삼효는 두려워하면 허물이 없으니 곧 주공이 동쪽에 머문[69] 것이다. 땅이 사람에게 덕을 베푸는 것으로는 밭 같은 것이 없으니, 용이 밭에 나타나면 당연히 그 덕이 널리 베풀어진다.

---

67) 과설지책(過揲之策): 시초점에서 시초를 헤아릴 때 손가락에 걸고 끼운 책수[掛扐之策數]를 제외하고 남은 시초수를 의미한다.

68) 『論語·泰伯』: 泰伯, 其可謂至德也已矣. 三以天下讓, 民無得而稱焉. 주나라 태왕의 장자인 태백이 왕위를 받지 않기 위해 형만으로 숨은 것을 말하는 것으로 천하를 사양한 태백의 덕을 초구의 덕에 비유한 것이다.

69) 『書經·金縢』: 周公居東二年, 則罪人斯得.

이항로(李恒老) 「주역전의동이석의(周易傳義同異釋義)」

傳, 九陽數之盛, 故以名陽爻. 潛龍象聖人進退.

『정전』에서 말하였다: 구(九)는 양수의 극성(極盛)이기 때문에 구를 가지고 양효를 명명하였다. '잠겨 있는 용'으로는 성인의 나아가고 물러남을 형상하였다.

本義, 陽數九爲老, 七爲少, 老變而少不變, 故謂陽爻爲九. 初陽在下, 未可施用, 故其象爲潛龍, 其占曰勿用.

『본의』에서 말하였다: 양의 수는 '구'가 노(老)이고 '칠'이 소(少)인데 노는 변하고 소는 변하지 않으므로 양효를 구(九)라 한다. 초양이 아랫자리에 있어서 시행할 수가 없기 때문에 그 상이 잠겨 있는 용이 되고 그 점은 "쓰지 말라"고 한 것이다.

按, 四象位數, 著莖策數, 見啓蒙. 潛龍初九之象也, 勿用初九之占也. 以聖人之事, 明潛龍之象可矣, 不成潛龍倒象聖人, 故本義如此. 蓋卦象爻辭皆有象有占, 而或有象而旡占, 占在象中. 或有占而旡象, 象在占中.

내가 살펴보았다: 사상(四象)의 자리와 수 및 시초의 책수에 대해서는 『역학계몽』에 나와 있다. '잠겨 있는 용'은 초구의 상(象)이고, "쓰지 말아야 한다"는 초구의 점(占)이다. 성인의 일로써 잠겨 있는 용의 상을 밝힌 것은 괜찮지만, 잠겨 있는 용이 거꾸로 성인의 상(象)을 형상한다는 것은 말이 안 되므로 『본의』에서 이와 같이 말했다. 괘의 괘사와 효사 모두 상(象)과 점(占)이 있는데, 간혹 상은 있는데 점이 없을 경우에는 점은 상 가운데에 있고, 간혹 점은 있는데 상이 없을 경우에는 상은 점 가운데에 있다.

김기례(金箕澧) 「역요선의강목(易要選義綱目)」

初九.

초구.

九老陽數. 易中陽畫, 畫以少陽而曰九者, 取其變動之意也.

구는 노양의 수이다. 『주역』에서 양의 획은 소양으로 획을 그어놓고도 구라고 말하는 것은 그것이 변동하는 뜻을 취한 것이다.

潛龍.

잠겨 있는 용.

龍陽物也, 乾爲純陽, 有變化之道, 故曰龍. 言在下君子, 雖有變化之龍德, 未可發用, 故曰潛. 潛龍以不見爲德. 易三百八十四爻中潛龍工夫, 爲學者第一講究處.

용은 양의 동물이고, 건은 순수한 양으로 변화하는 도가 있으므로 '용'이라고 한다. 아래에 있는 군자는 변화하는 용의 덕이 있을지라도 드러내서 쓸 수 없으므로 '잠겨있다'고 한다. '잠겨있는 용'은 나타나지 않는 것을 덕으로 삼는다. 『주역』의 삼백 팔십 사효 가운데 '잠겨있는 용'에 대한 공부가 배우는 자들이 제일 먼저 연구해야 할 부분이다.

심대윤(沈大允) 『주역상의점법(周易象義占法)』

凡陽數一, 陰數二, 陽統陰而爲三者, 陽之成數也. 孔穎達云, 陽尊得以兼陰, 陰不得以兼陽. 故陽數三陰數二. 陽數純而極, 三三而爲九, 則曰老陽, 陰數爲陽所統而未極, 三二而爲六, 則曰老陰. 陽極則動, 陰未極而附於陽則亦能動. 是故二老主變而用事也. 陽數雜于重陰數之間, 未純未極, 一三二二而爲七, 則曰少陽. 陽反附陰而陰極, 二三一二而爲八, 則曰少陰. 二少不能動而不變. 子丑之月, 陽未極而氷雪堅凝, 戌亥之月, 陰極而天地閉塞, 辰巳之月陽極而草木繁茂, 午未之月陰未極而材實成邃, 此自然之理自然之數也.

양의 수는 1이고 음의 수는 2이며, 양이 음을 통괄하여 3이 되는 것이 양의 성수(成數)이다. 공영달은 "양은 존귀하여 음을 겸할 수 있으나, 음은 양을 겸할 수 없다"라고 했다. 그러므로 양수는 3이고 음수는 2이다. 양수는 순수하여 극에 이르니 삼을 삼[3×3]으로 하여 구[9]가 되는 것을 노양(老陽)이라 하고, 음수는 양의 통제를 받아 극에 이르지 못하니 삼을 이[3×2]로 하여 육[6]이 되는 것을 노음(老陰)이라 한다. 양은 극에 이르면 움직이고, 음은 극에 이르지 못하지만 양에 붙으면 역시 움직일 수 있다. 이 까닭에 노양과 노음은 변화를 위주로 하여 일을 처리한다. 양수가 거듭된 음수 사이에 섞여 있으면 순전하지 않아 극에 이르지 못하니, 일을 삼[1×3]으로 하고 이를 이[2×2]로 하여 칠[7]이 된 것을 소양(少陽)이라 한다. 양이 반대로 음에 붙고 음이 극에 이르면 이를 삼[2×3]으로 하고 일을 이[1×2]로 하여 합해 팔[8]이 된 것을 소음(少陰)이라 한다.[70] 소양과 소음은 움직일 수 없고 변할 수 없다. 자월(子月, 11월)과 축월(丑月, 12월)은 양이 극에 이르지 못하여 얼음과 눈이 딱딱하게 굳고, 술월(戌月: 9월), 해월(亥月, 10월)은 음이 극에 이르러 천지가 닫히고, 진월(辰月, 3월)과 사월(巳月, 4월)은 양이 극에 이르러 초목이 무성하게 번성하며, 오월(午月, 5월)과 미월(未月, 6월)은 음에 극에 이르지 않고 재목과 과실이 다 자라니, 이것이 자연의 이치이고 자연의 수이다.

繫辭傳曰, 剛柔相推, 變在其中矣, 繫辭焉而命之, 動在其中矣. 吉凶悔吝者, 生乎動者

---

70) 2×3과 1×2로 8이 되고, 1×3과 2×2로 7이 된다는 내용은 『주자어류 · 권77』 6조목에 보인다. "兩其三一其二爲八, 兩其二一其三爲七."

也. 又曰, 爻象動乎內, 功業見乎變. 凡爻動而後占爻耳, 不動則不占. 動而後有辭耳, 不動則無辭. 故易獨取九六以命爻者, 明爻動而乃占耳, 動而乃有辭耳. 故春秋傳不筮而引易亦曰, 某卦之某卦, 明其不動而變則無辭. 凡陽爻變則爲陰, 陰爻變則爲陽, 假令筮遇乾卦初九動而變則爲姤. 乾爲本卦姤爲之卦, 乃兼取本之二卦之義與象, 而利害吉凶之辭生焉. 此亦先後天體用之義也.

「계사전」에서 "강과 유가 서로 밀치니 변화가 그 가운데 있고, 말을 달아 분부하니 움직임이 그 가운데 있다. 길과 흉과 뉘우침과 인색함은 움직임에서 나오는 것이다"라고 하였다. 또 "효와 상은 안에서 움직이고", "공적은 변화에 나타난다"고 하였다. 효가 움직인[動] 후에 효로 점칠 뿐이니, 움직이지 않으면 점치지 않는다. 효가 움직인 후에 점사(占辭)가 있을 뿐이고, 움직이지 않으면 점사도 없다. 그러므로 『주역』에서 오직 구와 육을 취하여 효를 명명한 것은 효가 움직이면 곧 점을 칠뿐이고, 움직이면 점사가 있을 뿐임을 밝혔다. 그러므로 『춘추좌씨전』에 점치지 않고 『주역』을 인용해 어떤 괘가 어떤 괘로 변했다고 말하였으니, 그것이 움직여서 변하지 않으면 점사가 없다는 것을 밝힌 것이다. 양효가 변하면 음이 되고, 음효가 변하면 양이 되는데, 가령 점을 쳐서 건괘 초구가 움직여서 변하는 점괘를 만났다면 구괘(姤卦䷫)이다. 건괘는 본래의 괘이고 구괘는 '변한 괘[之卦]'이니, 바로 본래의 괘와 변한 괘의 두 괘의 의미와 상을 함께 취하여 이해와 길흉의 점사가 나온다. 이것이 선후천과 체용의 뜻이다.

凡讀易之法, 一曰卦名, 以二體之象知其所以命. 二曰卦義, 以卦象卦才知其義. 卦義不明, 則象爻皆不可知. 卦義旣明然後乃可解也. 三曰卦道, 以卦德知其性. 四曰卦用, 以互卦知其用. 是四者旣通, 然後象辭可知也. 象辭旣通, 然後爻辭可讀也. 五曰卦變, 以本之二卦合而斷事情. 六曰卦位, 初庶人也, 二庶僚也, 三侯牧也, 四大臣也, 五人主也, 六師傅及君父之老而不聽政也. 七曰卦時, 初事之始也, 二三四五以次漸深, 而至六則終也. 八曰爻位, 初三五爲剛位, 二四六爲柔位. 凡居剛者用力, 居柔者不用力也, 察其所安以知其情. 九曰爻象, 以卦爻之象交互綜錯, 識其名物事爲, 向背輕重之用. 十曰繫辭, 以卦爻之辭比校推移, 以究其文理之互相發明. 是十者備而其吉凶利害, 悔吝咎厲之故居, 可知矣, 乃見天地之理, 聖人之情, 萬物之變也. 凡天下之事, 必有名·有義·有道·有用·有變·有位·有時·有情·有象·有辭, 雖聖人之作易不外乎是矣. 此自小子創以私意, 無所逃其愚妄之罪, 然合乎自然之理自然之數, 非人巧所能增損也.

역(易)을 읽는 법은 다음과 같다. 첫째는 괘(卦)의 이름이니, 두 몸체의 상으로 그 명(命)한 바를 아는 것이다. 둘째는 괘의 의미이니, 괘의 형상과 괘의 자질로 그 뜻을 아는 것이다. 괘의 의미가 분명하지 않으면 단(彖-卦)과 효(爻)를 모두 알 수 없다. 괘의 뜻이 분명한 연후에 해석할 수 있다. 셋째는 괘의 도(道)이니, 괘의 덕으로 그 본성을 아는 것이다. 넷째는 괘의 쓰임이니, 호괘(互卦)로 그 쓰임을 아는 것이다. 이 네 가지를 다 통달한 후에 단사(彖辭)를 알 수 있다. 단사를 통달한 후에 효사를 읽을 수 있다. 다섯째는 괘의 변(變)이니, 본래의 괘와 변한 괘 두 괘를 합하여 사건의 실정을 판단하는 것이다. 여섯째는 괘의 자리[位]이니, 초효는 일반 백성이고 이효는 하급 관리이며, 삼효는 중간 관리이고 사효는 대신이며, 오효는 임금이고 상효는 사부와 상왕이 늙어서 정사에 임하지 않는 것이다. 일곱째는 괘의 때[時]이니, 초효는 일의 시작이고 이효·삼효·사효·오효로 점차 깊이 진행되어 상효에 이르러 끝마치는 것이다. 여덟째는 효의 위치이니, 초·삼·오효는 굳센 자리이고 이·사·상효는 부드러운 자리이다. 굳센 자리에 있는 자는 힘을 쓰고 부드러운 자리에 있는 자는 힘을 쓰지 않으니, 그것이 편안하게 여기는 것을 살펴서 실정을 안다. 아홉째는 효의 상(象)이니, 괘와 효의 상을 서로 번갈아 뒤섞어 사물의 이름과 일을 행함과 향배와 경중에 따른 용도를 파악한다. 열 번째는 괘효에 붙인 설명[繫辭]이니 괘와 효의 말을 비교하고 미루어서 문리가 서로 드러내 밝히는 것을 궁구한다. 이 열 가지를 갖추어 길함·흉함·이로움·해로움·뉘우침·부끄러움·허물·징벌의 원인이 있는 것을 알 수 있으니, 이에 천지의 이치와 성인의 실정과 만물의 변화를 본다. 천하의 일에는 반드시 이름·의미·도리·용도·변화·위치·시기·실정·형상·말이 있으니, 비록 성인이 지은 역이라도 이것을 벗어나지 않는다. 이것은 본래 나의 사사로운 뜻으로 지어 어리석고 망령된 죄를 피할 수 없으나, 자연의 이치와 자연의 수에 합치되는 것이니, 사람의 기교로 더하고 뺄 수 있는 것이 아니다.

夫彖辭者, 言其大體之不變先天也, 爻辭者, 言其小節之變後天也. 故卦靜則占彖辭, 動則占爻辭. 夫彖釋一卦之義. 而有名義道用四者, 猶太極之有四象, 而先天之數少也. 爻釋六爻之義. 而有變時位情象辭六者, 猶卦之有六爻, 以測萬物之情, 而後天之數多也. 凡自太極至四象爲三層, 故三才也. 層各有陰陽, 故易一卦而六爻也. 二六而十二者, 陰陽形氣之極之大數相合也.

단사(彖辭)는 변함없는 선천의 큰 몸체를 말하고, 효사는 변하는 후천의 작은 마디를 말한다. 그러므로 괘가 고요하면 단사로 점치고 움직이면 효사로 점친다. 단(彖)은 한 괘의 뜻을 해석하였는데 이름·의미·도리·용도 네 가지가 있는 것은 태극에 사상(四象)이 있는 것과 같으니 선천의 수가 적은 것이다. 효는 여섯 효의 뜻을 해석하였는데 변화·시기·위치·실정·형상·말 여섯 가지가 있는 것은 괘에 여섯 효가 있어 만물의 실정을 헤아리는 것과 같으니 후천의 수가 많은 것이다. 태극에서 사상(四象)까지가 삼층이기 때문에 삼재(三才)이다. 층마다 음양이 있기 때문에 『주역』은 한 괘에 여섯 효이다. 이를 여섯 배하여 십이인 것은 음양, 형기의 지극히 큰 수[大數]가 서로 합한 것이다.

八卦者, 陰陽形氣之極, 各有四象也. 六陽之大數也, 八陰之大數也, 六層數也, 八分數也. 故六爻而成卦, 卦止乎八也. 四八而三十二者, 四象各有八分也, 八八而六十四者, 陰陽之四象各有八分也. 陽全陰半, 故曰統十二月有三十二.

팔괘란 음양, 형기의 궁극으로 각각 사상(四象)이 있다. 6은 양의 대수(大數)이고 8은 음의 대수(大數)이며, 6은 층수(層數)이고 8은 분수(分數)이다. 그러므로 여섯 효로 괘가 이루어지고 괘는 여덟 개에서 그친다. 4를 여덟 배하여 32가 되는 것은 사상이 각각 여덟 개로 나누어진 것이며, 8이 여덟 배하여 64가 되는 것은 음과 양의 사상이 각각 여덟 개로 나누어진 것이다. 양은 온전하고 음은 절반이기 때문에 해[日]는 12를 통괄하고 달[月]은 32를 갖는다.

夫層數無盈縮, 故足十二. 分數陽盈而陰縮, 故常不足於陽. 月不足三十二而常得二十九有奇. 合層數與分數而爲一歲. 歲者, 太極也. 春秋者, 兩儀也, 四時者, 四象也. 下層四象, 分數旣多而所縮亦多, 上層太極, 只有一分所縮不多, 雖不足三十二而常得三十有奇. 上層之縮于元數三十二者, 爲單一有奇, 下層之縮於上層之數者, 亦爲單一有奇也. 日用十二月用三十, 則一歲之數, 當得三百六十. 而下層之不足三十者, 積而一歲之中, 爲五日有奇, 上層之過于三十者, 積而一歲之中, 亦五日有奇. 一歲之日數爲三百六十五日有奇, 而十二月之日數爲三百五十四日有奇. 若用上層之數而爲一歲, 則月之弦望晦朔錯矣. 若用下層之數而爲一歲, 則年之寒暑時序錯矣, 故聖人乃置閏法, 三歲一閏五歲而再閏十九歲而七閏, 然後歲與月有準矣.

층수는 넘치고 줄어드는 것이 없으므로 12로 충족된다. 분수는 양은 넘치고 음은 모자라 항상 음이 양보다 부족하다. 달은 32에 부족해 항상 29와 나머지를 얻는다. 층수와 분수를 합하여 1년[歲]이 된다. 연[歲]은 태극이다. 봄과 가을은 양의(兩儀)이고 사계절은 사상(四象)이다. 하층의 사상은 나누어진 수가 이미 많아 줄어든 것도 많지만, 상층 태극은 단지 하나가 나뉘어 줄어든 것이 많지 않으니, 삼십이에 부족할지라도 항상 30과 나머지를 얻는다. 상층이 원수(元數)인 삼십이에서 줄어든 것도 일의 자리와 나머지이고, 하층이 상층의 수에서 줄어든 것도 일의 자리와 나머지이다. 해는 십이를 쓰고 달은 삼십을 쓰니 일 년의 날수가 360이다. 하층의 30에 부족했던 수가 쌓여서 일 년 중에 5일과 나머지가 되고, 상층의 30을 초과하는 수가 쌓여서 1년 중에 역시 5일과 나머지가 된다. 1년의 날수는 삼백육십오일과 나머지이고[양력], 열 두 달의 날수는 삼백오십사일과 나머지가 된다[음력]. 만약 상층의 수만 계산하여 일 년으로 삼는다면, 달의 초하루와 그믐, 반달과 보름달이 되는 과정과 어긋난다. 또 하층의 수만 계산하여 일 년을 삼는다면 매년 사계절의 순서가 어긋나니, 성인이 이에 윤달을 두어 삼년에 한 달, 오년에 두 달, 19년에 일곱 달의 윤달을 두어서 해와 달의 운행의 차이를 고르게 했다.

夫二月相合而足六十之數, 二卦反對而成十二之數. 二三爲六二六爲十二也, 故三十分爲時, 十二時爲日, 三十日爲月, 十二月爲歲, 三十歲爲世, 以至于運會元也. 二時合而爲六十分, 二時有六, 則爲十二時而成日矣. 二月合而爲六十日, 二月有六則爲十二月而成歲矣.

두 달을 합산하면 60일의 수이고, 두 괘가 뒤집어 마주하면 12의 수가 이루어진다. 2×3=6이고 2×6=12이므로 삼십분이 한 시간(時)이 되고 십이시가 하루가 되고 삼십일이 한 달이며 열두 달이 일 년이고 삼십년이 일세(世)로 운(運)과 회(會)와 원(元)에 이른다.[71] 두 시간을 합하면 육십분이고 두 시간이 여섯 개 있으면 십이시로 하루가 된다. 두 달을 합하면 육십일이고 두 달이 여섯 개 있으면 십이 개월로 일 년이 된다.

六十者, 甲子之數. 夫層數者, 合六而爲十二, 分數者, 分六而爲兩三, 合者先天, 合而分也, 分者 後天, 分而合也. 層數雖合六, 而只得十二單數, 分數雖分六爲三, 而乃得十之疊數, 多少之異也. 以層數合計之法論易, 則一爻當二時六十分而一卦爲一日, 卽易有二月六十日矣. 一爻當二月六十日, 而一卦爲一歲, 則易爲二世六十年矣. 以分數分計之法論易, 一爻當一時三十分而二卦合爲一日, 則易爲一月三十日矣. 一爻當一月三十日而二卦合爲一年, 則易爲一世三十年矣. 一合一分而變化生矣, 分時日月年世運會元, 皆三十焉十二焉, 而置閏法, 則萬世之日至, 可坐而策也. 易之六十四卦者, 乃陰陽四象之全數也, 必分而爲三十, 而置閏法焉. 以配于分日年運元合, 而爲十二, 以配于時月世會, 而以易理推之, 則萬世之事故, 可逆而覩之矣.

육십이란 갑자(甲子)의 수이다. 층수(層數)는 육을 합하여 십이가 되는 것이고, 분수(分數)는 육을 나누어 삼이 둘인 것이다. 합한다는 것은 선천이니 합하였다가 나뉘는 것이고, 나뉜다는 것은 후천이니 나뉘었다가 합하는 것이다. 층수가 비록 육을 합하지만 십이란 단일한 수만 얻고, 분수는 비록 육을 나누어 삼이 되지만 곧 십으로 거듭되는 수를 얻어서 많고 적음이 다르다. '층수합계법[層數合計之法]'으로 역(易)을 논하면, 한 효는 두 시간인 육십분에 해당하고 한 괘는 하루가 되니, 즉 역(易)에 두 달인 육십일이 있게 된다. 한 효가 이 개월인 육십일에 해당하고 한 괘는 일 년이니, 역(易)은 이세(二世)인 육십년이다. '분수분계법[分數分計之法]'으로 『주역』을 논하면, 한 효는 1시간인 삼십분에 해당하고 두 괘를 합하여 하루가 되니, 역은 한 달 삼십일이 된다. 한 효가 한 달인 삼십일에 해당하고 두

---

71) 원회운세(元會運世): 송대 소강절(1011~1077)의 『황극경세서』에 나오는 역사배분법(歷史配分法)이자 경세천지사부법(經世天地四府法)의 하나이다. 1년을 기초단위로 30년이 1세(世)이고, 12세가 1운(360년)이며, 30운이 1회(10,800년)이고 12회가 1원(129,600년)이다. 그의 주장에 의하면 천지는 129,600년을 1원(元)으로 끊임없이 순환한다고 한다. 그는 여기서 12와 30으로 반복하는 수의 확장 모형을 기반으로 그의 리수론(理數論)을 전개한다.

괘를 합하여 일 년이 되니, 역(易)은 일세 삼십년이 된다. 한번 합하고 한번 나뉘어 변화가 생겨나서 분(分), 시(時), 일(日), 월(月), 년(年), 세(世), 운(運), 회(會), 원(元)이 모두 삼십과 십이의 반복이니, 윤달을 두는 법을 쓰면 만세(萬世) 뒤의 동지와 하지도 앉아서 헤아릴 수 있다. 『주역』의 육십사괘는 음양과 사상(四象)의 전체 수인데, 반드시 나뉘어서 삼십이 되니 윤달을 두는 법을 쓴다. 분(分), 일(日), 년(年), 운(運), 원(元)의 짝을 합하면 십이가 되고, 시(時), 월(月), 세(世), 회(會)의 짝으로 역리(易理)를 추리하면, 모든 세상의 일들의 연고를 거슬러서 알 수 있다.

乾之姤䷫, 遇而不進也. 乾之世君臣上下同德相遇. 凡每卦初爻, 卽具全卦之義也. 初九以陽德居剛用力爲健, 而地卑時淺, 遇乎群剛而不得進, 故曰潛龍勿用. 坤一變爲艮, 再變爲坎, 三變爲巽, 初九巽體而爲坎之下, 故曰潛. 先儒云, 龍陽物也, 而靈變不測象. 乾之純陽而氣化神靈也. 震爲龍, 乾至震而遇坤, 故以龍言也. 乾爻入于坤而爲震, 則爲坤衆之主, 而遷動之爲艮, 則爲坤衆所戴而有位. 艮爲執取, 互震遷動爲用. 勿用者言不可進而求政與位也.

건괘(乾卦䷀)가 구괘(姤卦䷫)로 바뀌었으니, 만나도 나아가지 못한다. 건의 세상에서 군신·상하가 같은 덕으로 서로 만난다. 각 괘의 초효는 괘 전체의 뜻을 갖추고 있다. 건괘의 초구는 양의 덕이 굳센 곳에 있어 강건하게 되기를 힘쓰지만, 지위가 낮고 때가 되지 않아 여러 굳센 것을 만났지만 나아갈 수 없으므로, "잠겨 있는 용이니 쓰지 말라"라 하였다. 곤괘(坤卦䷁)가 한 번 변하면 간괘(艮卦䷳)가 되고, 두 번 변하면 감괘(坎卦䷜)가 되며, 세 번 변하면 손괘(巽卦䷸)가 되니, 초구는 손괘의 몸체로 감괘의 아래이므로 "잠겨있다"라고 하였다. 이전의 학자는 "용은 양의 동물이고, 영묘하여 변함을 헤아릴 수 없는 상이다"라 하였다. 건은 순양(純陽)이어서 기의 변화가 신묘하고 영통하다. 진괘(震☳)는 용[72]이고 건이 진에 이르는 동안 곤을 만나므로 용으로 말했다. 건괘의 효[陽爻]가 곤괘(坤☷)에 들어가서 진괘(震卦☳)가 되니 곤의 무리들의 주인이 되고, 움직여서 간괘(艮卦☶)가 되니 곤의 무리의 추대를 받아 지위가 있게 된다. 간괘(艮☶)는 '잡아 취함'이 되는데, 호괘인 진괘(震☳)가 자리를 움직인 것이어서 쓰임이 된다. "쓰지 말라"는 것은 나아가서 정사(政事)와 지위를 구할 수 없다는 말이다.

夫易虛位也. 凡處如此之位, 遇如此之時, 有如此之性之情之道之義之用之象, 則有如此之吉凶悔吝利害也. 推以求其類, 則萬物萬事莫不有是理焉, 非繫辭所可盡也, 繫辭者, 姑以槪見其如此爾. 欲人之因是以推移也, 非爲繫辭足以盡易之蘊, 而卦爻之義止

---

72) 『周易·說卦傳』: 震爲龍.

於此耳, 又非此辭可以通用於萬物萬事也.

역(易)은 비어있는 자리[虛位]이다. 이와 같은 자리에 있으면서 이와 같은 때를 만나 이와 같은 성(性)·정(情)·도(道)·의(義)·용(用)·상(象)이 있으니, 이와 같은 길(吉)·흉(凶)·회(悔)·인(吝)·이(利)·해(害)가 있다. 미루어서 그 부류를 구하면 만물과 만사에 이런 이치가 있지 않음이 없지만, '괘에 붙여서 설명하는 말[繫辭]'로 다할 수 있는 것은 아니니, 계사는 임시로 그것이 이와 같음을 대략 보여줄 뿐이다. 사람들이 이것을 바탕으로 헤아려 나아가도록 하지만, '붙여서 설명하는 말'로 충분히 역의 온축된 진면목을 다 드러내는 것이 아니어서 괘효의 뜻이 여기서 그칠 뿐이니, 또 이 말이 만사와 만물에 통용될 수 있는 것은 아니다.

오치기(吳致箕) 「주역경전증해(周易經傳增解)」

初九以剛健大正之德, 在下而无位, 隱藏而未見, 有潛龍之象. 故占言勿用.

초구는 강건하며 크고 바른 덕으로 아래에 있어 자리가 없고, 숨어있어 드러나지 않으니, 잠긴 용의 상이 있다. 그러므로 점(占)에서 "쓰지 말라"고 했다.

○ 此周公所繫之辭, 以斷一爻之吉凶, 卽所謂爻辭也. 後皆倣此. 凡畫卦自下爲始, 故指第一畫曰初也. 爻有六位, 而一剛二柔二剛四柔五剛六柔, 以陰陽奇偶之數, 分上下剛柔之位, 卽一卦六爻之體也.

이것은 주공(周公)이 쓴 말로 한 효의 길흉을 판단한 것이니, 곧 이른바 효사이다. 뒤에도 모두 이와 같다. 괘를 그을 때 아래에서 시작하므로 제 일획을 가리켜 '초'라 한다. 효에는 여섯 자리가 있는데, 일효는 굳세고 이효는 부드러우며 삼효는 굳세고 사효는 부드러우며 오효는 굳세고 육효는 부드러우니, 음양과 기우(奇偶)의 수로 위와 아래 굳세고 부드러운 자리를 나눈 것으로, 곧 한 괘에서 여섯 효의 몸체이다.

九者陽數也, 易主變易, 而凡陰陽老變少不變. 故聖人之繫爻辭, 必觀其變, 遇陽爻, 則皆用老陽之數而稱九, 遇陰爻, 則皆用老陰之數而稱六, 卽通例也. 詳見說卦解. 隱藏不出曰潛, 而爻變之巽爲入, 不出之象也.

구(九)는 양의 수이다. 역은 변역(變易)을 위주로 하여 음과 양의 노(老)는 변하고 소(少)는 변하지 않는다. 그러므로 성인이 효사를 붙일 때에 반드시 그 변(變)을 살피니, 양효를 만나면 모두 노양의 수를 사용하여 구(九)라 하고, 음효를 만나면 모두 노음의 수를 사용하여 육(六)이라 하는 것은 바로 통용되는 예이다. 상세한 것은 괘를 설명한 해석에 있다. 숨어있고 나오지 않는 것을 '잠겨있는 것'이라 하니, 효가 변한 손괘(☴)가 들어감[入]73)이니, 나오지 않는 상이다.

龍者靈變不測之物, 故取以喩乾陽也. 易中凡言物象者, 皆假虛象以明實理, 而非眞有
是物是事也. 後凡言象者皆倣此. 勿用占辭也, 言未可施用也.
용은 영묘하여 헤아릴 수 없는 동물이므로 그것으로 건의 양을 비유하였다. 『주역』에서 사
물의 상을 말한 것은 모두 비어있는 허상을 실제의 이치를 밝혔는데, 참으로 이런 물건과
이런 일이 있다는 것이 아니다. 뒤에 상을 말하는 것은 모두 이와 같다. "쓰지 말라"는 말은
점사이니, 아직 베풀어 사용해서는 안 된다는 말이다.

이진상(李震相) 『역학관규(易學管窺)』

一陽始生於北, 而乾之初爻起焉. 天地之位, 南上而北下, 陰陽之象, 終盛而初微. 初爻
者, 微下之位也. 四象之體, 二少不變, 而二老變, 九者老陽之數也. 占得乾而初爻動
者, 用此因以初九名之. 六爻之位, 初二爲地, 而初在地位之下, 故以潛言. 天一生水,
潛之所也, 陽生在北, 不用之地也. 天用莫如龍, 故以龍爲象, 而龍以潛言, 未至於用
也. 說卦震爲龍, 震得乾初爻故歟.
하나의 양(陽)이 북쪽에서 처음 나와서 건괘의 초효가 생긴다. 천지의 자리는 남쪽이 위이
고 북쪽이 아래인데, 음양의 상(象)은 끝에는 성대하지만 처음에는 미미하다. 초효는 미미
한 아래 자리이다. 사상(四象)의 몸체 가운데 소음과 소양은 변하지 않고 노양과 노음은
변하는데, 구는 노양의 수이다. 점(占)을 쳐서 건괘가 나왔는데 초효가 움직일 경우, 초효를
쓰기 때문에 초구라 이름 붙였다. 여섯 효의 자리에서 초효와 이효는 땅인데, 초효는 땅의
아래 자리이기 때문에 잠겨있다고 한다. 하늘의 수 1이 물을 낳으니 잠겨있는 곳이고, 양이
나서 북쪽에 있으니 쓰지 않는 땅이다. 하늘의 작용은 용만한 것이 없기 때문에, 용으로
상을 삼아서 용이 '잠겨있다[潛]'는 것으로 말했으니, 아직 쓰이지 못하는 것이다. 「설괘전」
에서 "진(震)이 용이다"라 했으니, 진괘(震卦☳)가 건괘의 초효를 얻었기 때문일 것이다.

박문호(朴文鎬) 「경설(經說)·주역(周易)」

程傳, 於初九則竝言陽方萌, 與聖人側微. 而九二以下專以舜事言之, 蓋爲其以人事
釋之故也. 初四五之聖人皆指舜也, 亢則舜之禪禹時也. 此事惟在聖人行之, 然後爲
無悔也.

---

73) 『周易·說卦傳』: 巽, 入.

『정전』은 초구에서 양(陽)이 바야흐로 싹튼다는 것과 성인이 미천한 때라는 사실을 함께 말하였다. 그런데 구이 이후로는 오로지 순임금의 일로 말하였으니, 사람의 일로 해석했기 때문이다. 초효와 사효 및 오효에서 말하는 성인은 모두 순임금을 가리켰고, 끝까지 올라간 겟亢은 순임금이 우임금에게 천자의 자리를 물려주는 때이다. 이런 일은 오직 성인으로서 행해야만 뉘우침이 없다.

本義, 於初九則詳言曰, 遇乾而此爻變者, 於九二, 則去遇乾二字, 而但云値此爻之變者, 於九三以下, 則又去此六字, 而但云其占如此, 自此以後諸卦放此, 皆蒙於此初二之註耳.
『본의』의 초구에서는 ‘건괘를 만났는데 초효가 변한 경우’라고 상세히 말했고, 구이에서는 ‘건괘를 만났는데’라는 말없이 ‘구이 효가 변한 것을 만난 경우’라고 말했을 뿐이며, 구삼효 이후에는 또 ‘~효가 변한 것을 만난 경우’라는 말없이 “그 점이 이와 같다면 이후의 모든 괘들은 이와 같다’라 하였으니, 모두 초효와 이효의 주석을 따랐을 뿐이다.

이용구(李容九) 「역주해선(易註解選)」

初九程子曰, 乾六爻當以舜見. 在側陋時是潛, 陶漁時見, 升聞時是乾乾, 納麓時是躍.
초구에 대해 정자가 말하였다: 건괘 여섯 효는 마땅히 순임금의 일에서 찾아봐야 한다. 순임금이 미천했을 때가 바로 ‘잠겨있음’이며, 순임금이 질그릇 굽고 물고기 잡아 살아 갈 때74)가 바로 ‘나타남’이며, 위로 요임금에게 알려진 때75)가 바로 ‘부지런히 힘씀’이며, 요임금이 순임금을 큰 산기슭에 들어가게 한 때76)가 바로 ‘뛰어오름’에 해당한다.

이정규(李正奎) 「독역기(讀易記)」

夫子, 於乾之初九曰, 陽在下也, 於坤之初六曰, 陰始凝也, 表出陰陽二字, 而諸卦之健順剛柔動靜奇耦尊卑小大進退往來之義, 始有歸着矣. 於此亦可見乾坤爲統體父母之象矣. 德之普施, 惟在君位者能之, 而以九二在田之龍, 何以如此耶. 蓋二地道也, 以龍德而用地道, 處于其世. 則雖未至君位, 其德之普施可知也, 如夫子德及萬世者也. 然與在天之龍, 天下治者有間矣. 且五與二位是配匹, 而以陽與陽, 無配匹之義, 故只曰利見歟. 然則易傳下字之意, 亦可見也.

74) 『孟子・公孫丑』: 自耕稼陶漁以至爲帝, 無非取於人者.
75) 『書經・舜典』: 玄德升聞.
76) 『書經・舜典』: 納于大麓.

공자가 건괘 초구에서 "양(陽)이 아래에 있기 때문이다"라고 했고, 곤괘 초육에서 "음(陰)이 처음 응결한 것이다"라고 하여 음과 양 두 글자를 드러내면서 모든 괘들의 굳건함과 유순함, 굳셈과 부드러움, 움직임과 고요함, 홀과 짝, 높고 낮음, 작은 것과 큰 것, 나아감과 물러남, 오고 감의 뜻이 비로소 귀착할 곳이 있게 되었다. 여기서 건과 곤이 부모를 총괄하는 상임을 알 수 있다. 덕을 널리 베푸는 것은 군주의 자리에 있는 자만이 할 수 있는데, 구이의 밭에 있는 용이 어떻게 이와 같이 하는가? 이효는 땅의 도(道)이기에 용의 덕으로 땅의 도를 사용하여 세상에서 처신한다. 그렇다면 군주의 자리에 오르지 않았지만 그 덕을 널리 베풂을 알 수 있으니, 예를 들어 공자의 덕이 만세에 미치게 된 것과 같다. 그러나 하늘에 있는 용이 천하를 다스리는 것과는 다르다. 또 오효와 이효의 자리는 서로 짝이 되지만, 양과 양은 짝이 되는 뜻이 없기 때문에, 단지 "보는 것이 이롭다"라고 했을 것이다. 그렇다면 『역전』에서 글을 쓴 뜻을 알 수 있다.

이병헌(李炳憲) 『역경금문고통론(易經今文考通論)』

程傳曰, 下爻爲初, 乾鑿度曰, 易氣從下生, 九者氣變之究也. 鄭玄後漢人曰, 易以變者爲占, 故稱九稱六. 李鼎祚唐人曰, 龍所以象陽也.

『정전』에서 "아래 효를 '초(初)'라 한다"라 하였다. 『건착도(乾鑿度)』[77]에서 "역의 기(氣)는 아래에서 생기고, 구란 기의 변화의 끝이다"[78]라 하였다. 후한 사람 정현(鄭玄)은 "역은 변한 것으로 점을 치므로 구라 하고 육이라 한다"[79]라 하였다. 당나라 사람 이정조는 "용은 양을 상징하는 것이다"[80]라 하였다.

---

77) 건착도(乾鑿度): 중국 서한시대 위서(緯書)인 『역위(易緯)』 가운데 한편임. 위서(緯書)는 경서(經書)에 대응되고 『역위(易緯)』는 『역경(易經)』에 대응되는 책이다.

78) 『乾鑿度』: 九者氣變之究也. …. 易氣從下生.

79) 『周易鄭康成注·易贊易論』: 周易以變者爲占, 故稱九稱六.

80) 『周易集解·乾卦』: 子夏傳曰, 龍所以象陽也.

九二, 見龍在田, 利見大人.

구이는 나타난 용이 밭에 있으니, 대인을 보는 것이 이롭다.

‖中國大全‖

傳

田, 地上也, 出見於地上, 其德已著. 以聖人言之, 舜之田漁時也. 利見大德之君, 以行其道. 君亦利見大德之臣, 以共成其功. 天下利見大德之人, 以被其澤. 大德之君, 九五也, 乾坤純體, 不分剛柔, 而以同德相應.

밭은 지상이니 지상에 드러난 것은 그 덕이 이미 드러난 것이다. 성인으로 말하면 순임금이 농사짓고 물고기 잡을 때에 해당한다. 큰 덕의 임금을 만나 자기의 도를 시행함이 이롭고, 임금도 큰 덕을 지닌 신하를 만나 함께 공을 이룸이 이로우며, 천하 사람이 큰 덕을 지닌 사람을 만나 그 은택을 입는 것이 이로운 것이다. 큰 덕을 지닌 임금은 구오이다. 건괘와 곤괘는 순체(純體)여서 양강(陽剛)과 음유(陰柔)로 나누지 않고 같은 덕으로 서로 응(應)한다.

小註

程子曰, 九二利見大人, 九五利見大人, 聖人固有在上者在下者.

정자가 말하였다: 구이는 대인을 만나는 것이 이롭고 구오도 대인을 만나는 것이 이롭다고 한 것은 본래 성인은 윗자리에 있을 때도 있고 아랫자리에 있을 때도 있어서이다.

○ 朱子曰, 六爻, 不必限定說. 且如潛龍勿用. 若是庶人得之, 自當不用, 人君得之, 也當退避. 見龍在田, 若是衆人得之, 亦可用事, 利見大人, 如今人所謂宜見貴人之類. 易不是限定底物. 伊川亦自說一爻當一事, 則三百八十四爻, 只當得三百八十四事, 說得自好, 不知如何到他解, 卻恁地說.

주자가 말하였다: 여섯 효를 한정하여 말할 필요는 없다. 바로 "잠겨있는 용이니 쓰지 말라"와 같은 것은 서민이 이 점괘를 얻었다면 당연히 쓰지 말아야 하고, 임금이 얻었다면 또한

물러나 피하여야 한다. 바로 "나타난 용이 밭에 있으니"와 같은 것은 일반 사람이 이 점괘를 얻었다면 또한 일을 할 수 있고, "대인을 만나는 것이 이롭다"와 같은 것은 요즘 사람들이 말하는 "귀인을 만나야 한다"는 것과 같다. 그러니 역은 한정할 수 있는 것이 아니다. 이천도 스스로 "하나의 효가 한 가지 일이라면 삼백팔십사 효가 삼백여든네 가지일일 뿐이다"라고 하였는데, 잘 설명하였다. 어떻게 그렇게 해석을 했는지 알 수 없지만, 그렇게 설명했다.

○ 李氏開曰, 二爲地上, 故曰田.
이개가 말하였다: 이효는 지상이기 때문에 밭[田]이라 한 것이다.

○ 隆山李氏曰, 田者, 象聖人應世之跡爾. 而龍豈眞在是哉.
융산이씨가 말하였다 : 밭은 성인이 세상에 대응한 자취를 형상한 것일 뿐이다. 그런데 어찌 용이 정말로 여기에 있겠는가?

本義

二, 謂自下而上, 第二爻也, 後放此. 九二, 剛健中正, 出潛離隱, 澤及於物, 物所利見. 故其象爲見龍在田, 其占爲利見大人. 九二雖未得位, 而大人之德已著, 常人不足以當之. 故値此爻之變者, 但爲利見此人而已, 蓋亦謂在下之大人也. 此以爻與占者, 相爲主賓, 自爲一例. 若有見龍之德, 則爲利見九五在上之大人矣.

이효는 아래로부터 위로 두 번째 효를 말하니 뒤에도 이와 같다. 구이의 강건하고 중정함은 잠겨있고 숨어있는 데서 벗어나면 은택이 만물에 미치니 만물은 그를 만나봄이 이롭다. 그러므로 그 상은 "나타난 용이 밭에 있다"이고, 점은 "대인을 봄이 이롭다"이다. 구이가 비록 자리를 얻지 못하였으나 대인의 덕이 이미 나타났으니, 보통 사람은 그에 해당할 수 없다. 그러므로 이 효의 변화를 만난 자는 다만 이 대인을 만나봄이 이로울 뿐이니, 또한 아래에 있는 대인을 이른다. 이는 효와 점치는 자를 서로 주인과 손님의 관계로 본 것이니, 각각 한 예가 된다. 만약 나타난 용의 덕이 있다면 위에 있는 대인인 구오를 봄이 이로울 것이다.

小註

朱子曰, 乾卦他爻, 皆可作自家身上說, 惟九二九五, 要作自家說不得. 兩箇利見大人, 向來人都說不通. 九二, 有甚麼形影, 如何敎見大人. 看來只占得此二爻, 便可見大人, 大人不必說人君也. 占者, 當不得見龍飛龍, 則占者爲客, 利見那大人. 大人卽九二九五之德, 見龍飛龍是也. 若潛龍君子, 則占者自當之矣.

주자가 말하였다: 건괘의 다른 효는 모두 자기의 신변으로 간주하여 설명했으나, 구이와 구오만은 자기의 신변으로 설명하면 안 된다. "대인을 봄이 이롭다"는 구이와 구오의 두 구절에 대하여 지금까지 사람들의 모든 설명이 통하지 않았다. 구이가 무엇이기에 어떻게 대인을 보게 하겠는가? 보아하니 다만 점을 쳐서 이 구이효가 나왔다면 곧 대인을 볼 수 있는 것이니, 대인은 반드시 임금을 말한 것은 아니다. 점치는 자가 나타난 용이나 나는 용이 될 수 없다면, 점치는 자가 객이 되어 그 대인을 만나는 것이 이롭다. 대인은 곧 구이·구오의 덕을 지닌 사람이니, 나타난 용과 나는 용이 여기에 해당한다. 잠겨있는 용이 군자라면 점치는 자가 스스로 거기에 해당한다.

○ 臨川吳氏曰, 凡卦畫, 陽爲大, 陰爲小. 以三畫卦言, 二爲人位, 九居二, 故爲大人.

임천오씨가 말하였다: 모든 괘의 획에서 양효가 크고 음효가 작다. 삼획괘로 말하면 이효가 사람의 자리이고 구가 이효의 자리에 있기 때문에 대인인 것이다.

○ 兼山郭氏曰, 乾德以大爲主, 大人者, 其道大之人也.

겸산 곽씨가 말하였다: 건의 덕은 큰 것이 주인이 되니, 대인은 도가 큰 사람이다.

○ 雲峰胡氏曰, 龍九象, 見而在田二象. 以六畫言, 則初二地位, 二地上, 故象田. 以三畫言, 則二與五本人位, 故九二九五, 象大人. 九二方出潛, 而猶未大顯, 是有大人之德, 未有大人之位者也. 本義謂常人不足以當之. 蓋如初九, 潛龍之象, 凡占者, 皆可當之, 象占之正例也, 如九二, 見龍是象, 利見大人是占, 則以象爲主占爲客, 變例也.

운봉호씨가 말하였다: '용'은 구(九)의 상징이고 '나타나 밭에 있음'은 이(二)의 상징이다. 육획괘로 말하면 초효와 이효는 땅의 자리이고 이효는 땅이기 때문에 밭을 상징한다. 삼획괘로 말하면 이효와 오효가 본래 사람의 자리이기 때문에 구이와 구오는 대인을 상징한다. 구이는 막 잠겨있는 데에서 나왔으나 아직 크게 드러나지 못했으니, 대인의 덕이 있으나 아직 대인의 자리에 있는 자는 아니다. 「본의」에서 "보통사람은 그에 해당할 수 없다"라고 하였다. 초구처럼 잠겨있는 용의 상이 점치는 자에게 모두 해당할 수 있는 것은 상과 점의 '일반적인 사례[正例]'이고, 구이처럼 '나타난 용'은 상이고 "대인을 봄이 이롭다"는 점이니, 상을 주인으로 하고 점을 객으로 한 것은 '특별한 사례[變例]'이다.

‖韓國大全‖

권근(權近) 『주역천견록(周易淺見錄)』

九二, 見龍在田.

구이(九二)는 나타난 용이 밭에 있다.

田, 地上也.

『정전』에서 말하였다: 밭은 땅의 위이다.

愚按, 易取地上之象, 或言丘, 或言陵, 言郊言野之類, 多矣. 今於見龍言田者, 言其澤之及人也. 田者, 稼穡耕穫之地, 必賴雨澤之沾, 然後人受其利. 故龍之見于地上, 唯田爲最急, 而澤之及物爲最大, 可以象大人德施之普也.

내가 살펴보았다: 『주역』은 지상의 형상을 취하여 ‘언덕’이라 하기도 하고 ‘구릉’이라 하기도 하고, ‘교외’라 하고 ‘들판’이라 하는 경우가 많다. 지금 ‘나타난 용’에서 ‘밭’이라고 말한 것은 그 혜택이 사람에게 미친 것을 말한다. ‘밭’은 농사를 지어 수확하는 땅이니, 반드시 비와 못이 땅을 적신 후에 사람들이 그 이로움을 얻는다. 그러므로 용이 지상에 나타나는 것은 오직 밭이 가장 빠르고 사물에 혜택을 주는 것이 가장 크니, 대인의 덕이 널리 베풀어짐을 상징할 수 있다.

조호익(曺好益) 『역상설(易象說)』

本義, 大人指龍二也, 見占者見也.

『본의』에서 말하였다: ‘대인(大人)’은 이효의 용을 가리킨 것이고, ‘나타난[見]’ 것은 점치는 자가 보는 것이다.

김장생(金長生) 『경서변의(經書辨疑)-주역(周易)』

九二, 本義, 爻與占者, 相爲主賓.

구이의 『본의』에서 말하였다: 효와 점치는 자가 서로 주인과 손님의 관계이다.

雲峯胡氏曰, 見龍是象, 利見大人是占, 則以象爲主, 占爲客, 變例也.

운봉호씨가 말하였다: '나타난 용'은 상이고 "대인을 봄이 이롭다"는 점이니, 상을 주인으로 하고 점을 객으로 한 것은 '특별한 사례[變例]'이다.

◑ 愚按, 占者乃是常人, 則利見九二之大人, 此則占者爲賓, 而九二之爻爲主也. 若有見龍之德, 則利見九五之大人, 此則占者爲主, 而九五之爻爲賓也.

내가 살펴보았다: 점(占)치는 자가 보통 사람이면 구이의 대인을 보는 것이 이롭고, 이런 경우 점치는 자가 손님이고 구이효는 주인이다. 만약 나타난 용의 덕이 있다면 구오의 대인을 보는 것이 이롭고, 이런 경우 점치는 자가 주인이고 구오의 효가 손님이 된다.

◑ 或曰, 占者常人, 則爻爲賓, 而所利見者, 卽是九二之大人也. 若占者自有見龍之德, 則爻爲主, 而所利見乃九五之大人也. 爻爲賓, 則占者爲主也, 爻爲主, 則占者爲賓也.

어떤 이가 말하였다: 점치는 자가 보통 사람이면 효는 손님이고, 보는 것이 이로운 자는 바로 구이의 대인이다. 만약 점치는 자에게 본래 나타난 용의 덕이 있다면, 효가 주인이고, 보아서 이로운 것은 구오의 대인이다. 효가 손님이면 점치는 자는 주인이고, 효가 주인이면 점치는 자는 손님이다.

박지계(朴知誡) 「차록(箚錄)-주역건괘(周易乾卦)」

以乾之大通, 而離潛隱居中正, 則大通之德已著, 利澤廣被, 物無不利. 故占辭不若初, 但爲有龍德者而言, 其爲言也, 兼包龍德及常人而無不在焉. 占者若在常人, 則不足以當見龍大人之德, 而別有他大人, 爲此爻象之主, 占者爲賓, 而但爲利見此人而已. 占者若有見龍之德, 則乃當爻象之主, 而占所利見之大人爲賓, 而別在他處, 卽九五之大人也. 蓋以見龍之德, 旣利物兼利己也, 利物, 龍德之廣遠處也, 利己, 龍德之近小處也. 故象及文言, 不言利己之理. 其謂利見九二之大人, 乃本文之宗旨也, 其謂利見九五之大人者, 乃一端之旨也. 而程朱始發之, 雖然, 程傳則以利見九五爲宗旨, 此則與朱子不同處也. 若以此爲宗旨, 則此爻之占, 唯在利己進取, 而非龍德廣被之占, 其爲澤利, 不亦近乎.

건이 크게 형통함으로 숨어 있는 곳을 벗어나 알맞고 바른 곳[中正]에 있으니, 크게 형통한 덕이 이미 드러났고 이로운 혜택이 널리 펴져 만물에 이롭지 않음이 없다. 그러므로 점사(占辭)가 초구와 같지 않으니, 단지 용의 덕이 있는 자를 위해 말했지만, 그 말에는 용의 덕을 가진 자와 보통 사람을 포함하여 있지 않은 곳이 없다. 점치는 자가 보통 사람이라면 대인이라는 나타난 용[見龍]의 덕을 감당할 수 없어 따로 다른 대인이 구이효상(爻象)의 주인 되고 점치는 자가 손님이 되니, 이 대인을 보는 것이 이로울 뿐이다. 점치는 자가 만약 나타난 용의 덕이 있다면 구이효상(爻象)의 주인에 해당되고, 점(占)에서 보는 것이 이로운 대인은 손님이 되어 따로 다른 곳에 있으니, 바로 구오의 대인이다. 나타난 용의 덕으로 이미 만물을 이롭게 하고 겸하여 자신도 이롭게 하는데, 만물을 이롭게 하는 것은 용의 덕이 넓게 먼 곳까지 있는 것이고, 자신을 이롭게 하는 것은 용의 덕이 가깝게 작은 곳에 있는 것이다. 그러므로 「상전」과 「문언전」에서 자신을 이롭게 하는 이치를 말하지 않았다. 구이의 대인을 보는 것이 이롭다고 말하는 것은 곧 본문의 근본 뜻이고, 구오의 대인을 보는 것이 이롭다는 것은 곧 한 자락의 뜻인데, 정자와 주자가 처음으로 밝혔다. 비록 그렇지만 『정전』은 구오를 보는 것이 이롭다는 것으로 근본을 삼았으니, 이 부분이 주자와 같지 않은 부분이다. 만약 이것을 근본으로 삼으면 이 효의 점(占)은 오직 자신을 이롭게 하는 것에 적극적이어서 용의 덕을 널리 미치게 하는 점(占)이 아니니, 혜택과 이로움이 작지 않겠는가?

송시열(宋時烈) 『역설(易說)』

九二變, 則爲離. 離者文明之象, 萬物相見之卦也, 故曰見. 三才之位, 地位居下. 二五相應, 二遠於五, 而稍有離, 上於幽潛之位, 若遠野之田. 故曰在田. 利見字占辭, 二五同德, 故互稱大人, 而遇此爻者, 利於見大人也. 大人陽爻之謂也.

구이효가 변하면 리괘(離卦☲)가 된다. 리괘는 빛나고 밝은 형상이어서 만물이 서로 만나는 괘이므로 '나타났다[見]'고 했다. 삼재(三才)의 자리에서 땅의 자리는 아래에 있다. 이효와 오효가 서로 호응함에 이효가 오효에서 멀리 있지만 다소 밝고, 어둡게 잠겨있는 자리보다 위에 있으니, 먼 들판의 밭과 같다. 그러므로 "밭에 있다"고 했다. "보는 것이 이롭다[利見]"란 글자는 점사(占辭)이고, 이효와 오효는 덕이 같기 때문에 서로 대인이라 부르는데, 점을 쳐서 구이효가 나왔을 경우에 대인을 보는 것에 이롭다. 대인은 양효를 말한다.

홍여하(洪汝河) 「책제(策題):문역(問易)·독서차기(讀書箚記)-주역(周易)」

九二, 本義, 但爲利見此人, 蓋亦謂在下之大人. 此人指君德之大人, 亦謂在下之大人, 指公卿之賢有德者. 故云亦也.

구이에 대해 『본의』는 "이 효의 변화를 만난 자는 다만 이 사람을 봄이 이로운 뿐이니, 아래에 있는 대인을 이르기도 한다"라고 했다. 이 사람은 군주의 덕을 가진 사람을 가리킨 것이고, "아래에 있는 대인을 이르기도 한다"는 것은 덕을 지닌 공경(公卿)의 현신(賢臣)중에 덕이 있는 자를 말한다. 그러므로 '이르기도'라고 했다.

김만영(金萬英) 「역상소결(易象小訣)」

九二, 見龍在田.

구이는 나타난 용이 밭에 있다.

九二之田象未詳. 或曰, 九二變, 則爲同人, 同人之互有巽, 巽之反對爲兌, 兌爲剛鹵之田. 故有田象, 於理似通.

구이효에서 밭의 상은 설명이 상세하지 않다. 어떤 이가 "구이효가 변하면 동인괘(同人卦䷌)가 되고, 동인괘의 호괘(互卦)에 손괘(巽卦☴)가 있고, 손괘를 거꾸로 하면 태괘(兌卦☱)인데 태는 단단한 소금[81]밭이다. 그러므로 밭의 형상이 있다"라고 말하니, 이치상으로 통하는 듯하다.

임영(林泳) 「독서차록(讀書箚錄)-주역(周易)」

九二, 利見大人.

구이, 대인을 봄이 이롭다.

難曰, 利見大人之義, 傳之言, 此自無滲漏, 本義又就其間, 改易賓主者, 何義耶. 且傳於諸爻, 必着聖人爲解, 固若拘矣. 本義必以常人爲主, 亦不爲懸空說耶.

논변하였다: "대인을 봄이 이롭다"는 뜻에 대하여 『정전』의 설명은 본래 빈틈이 없는데, 『본의』에서 또 그것을 '손님과 주인[賓主]'으로 바꾸었으니, 어떤 의도인가? 『정전』에서 건괘의 모든 효를 성인의 입장에서 해석한 것은 분명 융통성이 없는 것 같다. 그런데 『본의』에서 반드시 보통사람 위주로 해석한 것 또한 근거 없는 설명이 아니겠는가?

曰, 傳文推理造極, 故其說固無滲漏, 而本義必究本旨, 故於此爻及九五, 皆以爲占者利見龍德之大人也. 爻辭本指如此, 故旣先說此意. 繼又謂若有見龍之德, 爲利見九五在上之大人, 其言無滲漏之中, 主意尤分明矣. 但必謂常人不足以當之, 故但爲利見此人. 則卻似此爻象爲聖人, 而占爲常人, 故但爲見此人之占也. 夫占辭之說, 初豈分聖人常人而言之哉. 只是其象如此, 便有萬物共睹大德之意, 故占辭然耳. 若必謂因常人不足當, 故乃爲之辭如此, 是亦未免於拘矣, 可疑.

말하였다: 『정전』의 글은 이치를 미루는 것으로는 최고이므로 그 설명에 실로 빈틈이 없는데, 『본의』에서는 반드시 본래의 의미를 탐구했으므로 여기의 효와 구오에서 모두 점치는

---

81) 『周易·說卦傳』: 兌 … 爲剛鹵.

자는 용의 덕을 지닌 대인을 봄이 이롭다고 여겼다. 효사의 본래 의미가 이와 같으므로 이 뜻을 먼저 말한 다음, 이어서 또 만약 나타난 용의 덕이 있다면 위에 있는 구오라는 대인을 보는 것이 이롭게 된다고 말하니, 그 말은 빈틈이 없는 가운데 근본 의미가 더욱 분명해 진다. 그러나 반드시 보통사람은 이를 감당하기에 부족하므로 단지 이 사람을 만나보는 것이 이롭다고 말한다면, 도리어 여기 효의 상이 성인인데 점치는 자가 보통사람인 것 같기 때문에 단지 이런 사람을 보는 점이 될 뿐이다. 점사의 말이 애초부터 어찌 성인과 보통사람과 나누어서 말했겠는가? 단지 그 상(象)이 이와 같아서 곧 만물이 함께 보는 큰 덕의 뜻이 있으므로 점사가 그럴 뿐이다. 만약 반드시 보통사람은 해당할 수 없기 때문에 점사가 이와 같다고 여긴다면, 이것 역시 융통성이 없음을 피할 수 없으니 의심할 만하다.

小註朱子說, 九二有甚麼形影, 如何教見大人. 詳此語意, 蓋謂向來人皆謂利見九五在上之大人, 則九二只是爻名, 本無形影, 如何自會見人也. 但此說施之不知利見大人爲告占者之辭者則是矣. 若旣以人言, 則其見在上之大人與見在下之大人所爭, 只是彼此賓主之間而已. 豈可謂見在上之大人, 則非九二所能, 而見在下之大人則能之耶. 如潛龍勿用, 雖占者自當, 豈可謂初九自會勿用耶. 旣知勿用爲占辭, 則自無礙矣, 無乃此條所論, 亦只謂不知利見爲從占者言之之義者耶.

소주(小註)에서 주자는 "구이가 무엇이기에 어떻게 대인을 보라고 하였는가?"라 했다. 이 말의 뜻을 상세히 살펴보면, 지금까지 사람들은 모두 위에 있는 구오라는 대인을 봄이 이롭 다고 말하였으니, 구이는 단지 효의 이름일 뿐이고 본래 형체가 없는데, 어떻게 스스로 사람을 볼 수 있겠느냐는 말이다. 다만 이 설명이 대인을 봄이 이롭다는 것이 점친 사람에게 한 말인 줄 모르는 사람에게 했다면 옳다. 이미 사람으로 말했다면 위에 있는 대인을 보는 것과 아래에 있는 대인을 보는 것에서 문제가 되는 것은 단지 피차와 주객의 차이일 뿐이다. 그러니 어찌 위에 있는 대인을 보는 것은 구이가 가능하지 않고 아래에 있는 대인을 보는 것은 가능하다고 말할 수 있겠는가? 예를 들어 "잠겨있는 용은 쓰지 말라"는 것은 비록 점치는 자 자신이 해당되는 경우이지만, 어찌 초구가 스스로 쓰지 않을 줄을 안다고 말할 수 있겠는가? 이미 "쓰지 말라"가 점사임을 이미 알았다면 저절로 한정이 없어지니, 이 조항의 설명도 보는 것이 이롭다는 것은 점치는 사람을 따라 말한 의미라는 것을 모르는 자에게 한 것일 뿐이지 않겠는가?

이익(李瀷) 『역경질서(易經疾書)』

中正者, 惟六二九五也. 然君剛臣柔, 又不若剛明之臣遇剛明之君, 任用而無嫌猜也. 乾坤純體絶去私邪之間, 故乾九二曰, 龍德正中, 坤六五曰, 正位居體, 與他卦異例. 至中孚, 然後上下孚信際, 遇之至盛也, 可以互考.

중정(中正)이란 육이와 구오뿐이지만 임금은 굳세고 신하는 유순하니, 굳세고 밝은 신하가 굳세고 밝은 임금을 만나 임용되어 의심이 없는 것만 못하다. 건곤의 순수한 몸체는 사사로움과 사악함으로 생기는 틈을 끊어 없애기 때문에 건괘 구이에서 "용의 덕으로 딱 알맞다"라 하고, 곤괘 육오에서 "바른 자리에 몸을 둔다"[82]라 하니, 다른 괘와는 예가 다르다. 중부괘(中孚卦)에 이른 연후에 위아래가 신뢰하는 사이에 만남이 지극히 성대하니 서로 참고해 볼만하다.

권만(權萬) 「역설(易說)」

二雖陰位, 而爻才爲奇, 故亦謂之龍. 見, 著見也. 二陽比初浸長, 不至於微且稊, 而二位又離潛近陸, 故曰見. 見從目從人, 人目所及之地, 故曰在田, 曰利見.〈周禮職方氏, 澤藪曰, 圃田. 田恐指澤藪, 雖謂之田, 而與平陸有間也.〉

이효는 음의 자리이지만 효의 재질이 홀[奇]이기 때문에 또한 용이라 하였다. '나타나다[見]'는 드러난다는 것이다. 이효의 양은 초효의 잠겨있는 것보다 자라서 작고 어리지 않으며, 이효의 자리는 또 잠긴 곳을 벗어나 육지에 가까우므로 '나타나다'라 했다. '나타나다[見]'라는 말은 '눈목[目]'자에 '사람인[人]'을 합친 것이니, 사람의 눈으로 볼 수 있는 곳이다. 그러므로 '밭에 있다'라 하고 '보는 것이 이롭다'고 했다.〈『주례·직방씨』에서 늪의 수풀을 '밭[圃田]'이라 했다. 밭은 아마 늪의 수풀을 가리킨 듯하니, 밭이라 하더라도 육지와는 차이가 있다〉.

○ 利以四序言之, 則屬陰. 二是陰位, 故下卦之第二爻, 上卦之第二爻, 皆曰利見.

'이로움[利]'을 사계절의 순서로 말하면 음에 속한다. 이효는 음의 자리이기 때문에 하괘의 두 번째 효와 상괘의 두 번째 효에서 모두 "보는 것이 이롭다[利見]"라고 했다

○ 見有似無氣, 二故也

나타났지만[見] 기(氣)가 없는 듯함은 이효이기 때문이다.

○ 陰小陽大, 二是人位, 故九二之奇爲大人.

음은 작고 양은 크며, 이효는 사람의 자리이기 때문에 구이의 양[奇]은 대인이다.

---

82)『周易 · 坤卦 · 文言傳』: 君子黃中通理, 正位居體.

심조(沈潮) 「역상차론(易象箚論)」

九二, 見龍在田.

구이효는 나타난 용이 밭에 있다.

出在地上, 故曰見.

지상으로 나왔기 때문에 '나타난[見]'이라 하였다.

김원행(金元行) 『미상경의(渼上經義)-주역(周易)』

乾之九二文言, 只曰正中而不曰中正, 蓋言其不潛未躍, 正當中之時也. 不謂其以陽居陰, 亦得其正也. 然傳義諸說, 皆以中正言之者, 何也. 所喩正中, 言其不潛未躍, 正當中之時者, 得之. 如傳所謂在卦之正中, 本義所謂正中不潛而未躍之時, 皆是如此.

건괘 구이효「문언전」에서는 단지 '딱 알맞음[正中]'이라 했을 뿐이고, "알맞고 바르다[中正]"라고 말하지 않았으니, 잠겨있지도 않고 뛰어오르지도 않아서 바로 중의 때를 당하였음을 말한 것이다. 그것이 양으로서 음의 자리에 있다고 말하지 않은 것도 그 바름[正]을 얻었기 때문이다. 그러나 『정전』과 『본의』 및 여러 설명이 모두 "알맞고 바르다[中正]"로 말한 것은 무엇 때문인가? '딱 알맞음[正中]'이란 잠겨있지도 않고 뛰어오르지도 않아서 바로 중의 때를 당하였음을 말한다고 본 것이 옳다. 이를테면 『정전』에서 말한 "괘의 딱 가운데 자리에 있다"와 『본의』에서 말한 "'딱 알맞음[正中]'은 잠겨있지도 않고 뛰어오르지도 않는 때이다"가 모두 이와 같은 것이다.

유정원(柳正源) 『역해참고(易解參攷)』

正義, 田是地上可營爲之處. 陽氣發在地上, 故曰在田. 且初之與二, 俱爲地道, 二在初上, 所以稱田.

『주역정의』에서 말하였다: 밭은 지상에서 일할 수 있는 곳이다. 양기가 지상으로 나오므로 "밭에 있다"고 했다. 또 초효와 이효는 모두 땅의 도(道)인데, 이효가 초효 위에 있기 때문에 '밭'이라 부른다.

○ 梁山來氏曰, 田者地上之有水者也. 此爻變離, 有同人象, 故利見大人.

양산래씨가 말하였다: '밭'이란 땅위의 물이 있는 곳이다. 이 효가 변하면 리괘(離卦☲)이니, 동인괘(同人卦䷌)의 상이 있기 때문에 대인을 봄이 이롭다.

김상악(金相岳) 『산천역설(山天易說)』

二謂自下而上第二爻也. 乾之六畫三才始備, 九二剛健中正居地之上, 其德已著, 故有見龍在田之象. 大人謂五也. 二五同德相應, 故利見大德之君以行其道, 所以同聲相應, 同氣相求之人也.

이효는 아래에서 위로 두 번째 효를 말한다. 건괘의 여섯 획에 삼재(三才)가 비로소 갖추어졌으니, 구이는 강건함과 중정함이 땅 위에 있어 그 덕이 이미 드러났기 때문에 나타난 용이 밭에 있는 상이 있다. 대인은 오(五)를 말한다. 이효와 오효는 덕이 같아 상응하므로 큰 덕을 지닌 임금을 보고 그 도(道)를 행하는 것이 이로우니, 같은 소리가 상응하고 같은 기운이 서로 구하는 사람들이기 때문이다.

○ 見者, 陽之明也. 龍見于建巳之月, 故龍見而雩. 乾於辟卦爲巳月也. 田者百穀之所生, 田之耕稼利益萬物, 故取象之. 初之潛, 心之未發也, 二之見, 情之已動也. 大人五也, 利見者二也. 雖有見龍之德, 必見大人而後, 可以普施于天下也.

'나타난대[見]'는 것은 양의 밝음이다. 용은 사월(巳月-음력 사월)에 나타나므로 용이 나타나서 기우제를 지낸 것이다.[83] 건괘는 십이벽괘(辟卦)에서 사월이다. '밭'이란 온갖 곡식이 생기는 곳이어서 밭에서 지은 농사는 만물에 이롭고 유익하므로 그것을 취하여 상으로 하였다. 초효의 잠겨있음은 마음을 아직 드러내지 않은 것이고, 이효의 드러남은 마음[情]이 이미 움직인 것이다. 대인은 오효이며, 보는 것이 이로운 사람은 구이(九二)이다. 나타난 용의 덕이 있을지라도 반드시 대인을 본 후에야 천하에 널리 베풀 수 있다.

김규오(金奎五) 「독역기의(讀易記疑)」

九二, 本義, 剛健中正.
구이의 『본의』에서 "강건하고 중정하다"는 것에 대해.

得位爲正, 而九二陽居陰位, 疑與九五不同. 但此四字本出文言, 而其解曰, 中者其行無過不及, 正者其立不偏, 則今此云云, 蓋與他卦中正之義不同耳.

자리를 얻은 것이 정(正)인데, 구이는 양이 음의 자리에 있으니, 구오와 같지 않은 듯하다. 다만 "강건하고 중정하다"는 말은 본래 「문언전」에서 나왔고,[84] 그 해석에서 "중(中)은 그 행실이 지나치거나 미치지 못함이 없는 것이다. 정(正)은 서있음에 치우치지 않은 것이다"

---

83) 『春秋左氏傳・桓公』: 凡祀, 啓蟄而郊, 龍見而雩.
84) 『周易・乾卦・文言傳』: 大哉, 乾乎. 剛健中正, 純粹精也.

라 하였으니, 지금 여기서 말한 것은 다른 괘에서 중정(中正)의 뜻과는 같지 않다.

○ 九三, 小註, 龔氏, 以終與夕竝爲三象, 固爲得之. 然終日乾乾, 實統言上下卦交際之義, 而夕字又就終日中剔出後乾一節而申警之. 是以惕若字較重於乾乾字矣.
구삼의 소주(小註)에서 공씨(龔氏)가 종일[終]과 저녁[夕]을 함께 삼(三)의 상징으로 여긴 것은 진실로 맞다. 그러나 '종일토록 힘쓰고 힘써[終日乾乾]'는 실제로 상괘와 하괘가 교제하는 뜻을 통괄해서 말한 것이고, 저녁[夕]이란 말은 또 종일(終日) 가운데에서 뒤의 '힘쓰고 힘써 …'라는 한 구절을 끄집어내어 거듭 경계한 것이다. 이 때문에 '두려워하면[惕若]'이란 말은 '힘쓰고 힘써[乾乾]'란 말보다 비교적 무겁다.

又按, 九四亦上下之交, 而不言乾乾者, 三爲重剛, 陽性又進, 故兼上乾, 而九四則已過而上, 故只於或字微見可退之意. 退則亦可到下乾, 特不如九三之顯兼上下矣.
또 살펴보았다: 구사에서도 상괘와 하괘가 교제하지만 '힘쓰고 힘써[乾乾]'라 말하지 않은 것은, 삼효는 중첩된 굳셈이고 양의 특성이 또 전진하기 때문에 상괘의 건을 겸하는데, 구사는 이미 지나쳐서 올라가기 때문에 단지 '혹(或)'이란 말로 물러날 수 있다는 뜻을 은근히 드러냈던 것이다. 물러나면 역시 하괘의 건에 도달할 수 있으나, 다만 구삼의 드러남이 상·하괘를 겸하는 것과는 같지 않다.

박윤원(朴胤源)『경의(經義)·역경차략(易經箚略)·역계차의(易繫箚疑)』

本義曰, 常人不足以當之. 故[85]値此爻之變, 則但是利見此人而已, 蓋亦謂在下之大人也.
『본의』에서 말하였다: 보통 사람은 여기에 해당할 수 없다. 그러므로 이 효의 변함을 만난 자는 다만 대인을 봄이 이로운 뿐이니, 대인은 아래에 있는 대인을 이른다.

以此推之, 年少學者遇此占, 則爲就見賢師之兆也.
이로 미루어 보면, 어린 학생이 이런 점괘를 만났을 경우는 현명한 스승을 만날 조짐이다.

김귀주(金龜柱)『주역차록(周易箚錄)』

本義, 二謂自下, 云云.
『본의』에서 말하였다: 이효는 아래로부터 … 를 말하니, 운운.

---

85) 故: 경학자료집성DB와 영인본에 '而'로 되어 있으나, 『주역대전』에 따라 '故'로 바로잡았다.

○ 按, 易中凡言中正, 中固以二五言, 正則必以陰爻居陰位, 陽爻居陽位而言也. 此卦九二以陽爻居陰位, 則似未可謂正. 然大抵正者未必中, 而中則可知其爲正矣, 故以中正幷稱, 而倫於九五耳. 然乾之九二乃大人之德, 故當中正之名. 在他卦則不可以其或中, 而便許以正也.

내가 살펴보았다: 『주역』에서 '중정(中正)'을 말하는데, '중(中)'은 본래 이효와 오효를 말하고, '정(正)'은 반드시 음효가 음의 자리에 있고 양효가 양의 자리에 있는 것을 말한다. 여기 건괘 구이는 양효가 음의 자리에 있으니, '정'이라고 부를 수 없을 듯하다. 그런데 대체로 '정'이 반드시 '중'일 수 없지만 '중'이라면 그것이 '정'이 됨을 알아야 하므로, '중'과 정'으로 함께 불러 구오(九五)와 같게 했던 것이다. 그러나 건괘의 구이는 바로 대인의 덕이기 때문에 '중정'이라는 이름에 합당하다. 다른 괘에서라면 그것이 혹시 '중'인 것을 가지고 '정'하다고까지 인정할 수는 없다.

윤행임(尹行恁) 『신호수필(薪湖隨筆)·역(易)』

見龍在田, 德施旣普, 而善世不伐, 雖非君位, 能有君德. 此大禹治水告功, 天下莫與爭能, 而終陟元后之象也.

"나타난 용이 밭에 있다"는 것은 덕의 베풂이 이미 넓다는 것이고, "좋은 세상을 만들고도 자랑하지 않는다"는 것은 비록 군주의 자리가 아니라도 군주의 덕을 가질 수 있다는 것이다. 이것은 대우(大禹)가 물을 다스리고 공적을 보고하는 것[告功]이니, 천하 사람들이 누구도 그와 다툴 수 없어 마침내 임금의 자리에 오르는[86) 상이다.

서유신(徐有臣) 『역의의언(易義擬言)』

九二, 見而在田之龍也. 非龍之見, 德施之見也, 非龍之在田, 德施之在田也. 德施在田, 猶龍之見也, 德施及物. 故利見大人也.

구이는 나타나서 밭에 있는 용이다. 그런데 용의 나타남이 아니라 덕을 베풀어 드러남이니, 용이 밭에 있는 것이 아니고 덕의 베풂이 밭에 있는 것이다. 덕을 베풂이 밭에 있는 것은 용이 나타난 것과 같아, 덕을 베풂이 만물에게 미치기 때문에 대인을 보는 것이 이롭다.

박문건(朴文健) 『주역연의(周易衍義)』

出而令德, 故有見龍之象, 見顯著也. 見之者, 上下二陽也.

---

86) 『書經·大禹謨』: 汝終陟元后.

나와서 덕을 아름답게 하기 때문에 나타난 용의 상이 있다. '나타났다'는 것은 드러났다는 것이다. 본다는 것은 위와 아래의 두 양(陽)이다.

〈問, 在田在淵在天之義. 曰, 德博而地卑, 故取在田之義. 義剛而志柔, 故取在淵之義. 德崇而位尊, 故取在天之義.

물었다: 밭에 있고, 못에 있고, 하늘에 있다는 것은 무슨 뜻입니까?

답하였다: 덕은 넓고 땅은 낮으므로 밭에 있다는 의미를 취하였습니다. 의리는 굳세고 뜻은 부드러우므로 못에 있다는 뜻을 취하였습니다. 덕이 높고 자리가 존엄하므로 하늘에 있다는 뜻을 취하였습니다.〉

〈○ 問, 利見大人. 曰, 利人之見己也.

물었다: 대인을 봄이 이롭다는 것은 무슨 뜻입니까?

답하였다: 남이 자기를 보는 것을 이롭다는 것입니다.〉

윤종섭(尹鍾燮) 『경(經)-역(易)』

乾二之閑邪存誠, 坤二之敬以直內. 陽實而陰虛. 乾之剛健得中, 君子之道也. 而言謹行信所以閑其邪, 而實其中者, 至誠之工也, 中庸所謂戒懼也, 坤之柔順得中, 君子之學也. 而齊莊整肅所以成於外, 而一於內者, 至敬之工也, 大學所謂正心也. 誠者實而有乾之象, 敬者虛而有坤之象焉.

건괘 이효는 "간사함을 막고 정성을 보존한다"는 것이고, 곤괘 이효는 "공경으로 안을 곧게 한다"는 것이다. 양은 가득차고 음은 비어있다. 그러니 건의 강건함이 알맞음을 얻은 것이 군자의 도이다. 그런데 말을 삼가고 행실을 미덥게 하기 때문에 간사함을 막아 속을 충실하게 한 것이 '지극히 정성스러운' 공부이고, 『중용』의 이른바 '경계하고 두려워함'이다. 곤의 유순함이 알맞음을 얻은 것이 군자의 배움이다. 그런데 가지런히 하여 엄숙하고 정중하기 때문에 밖에서 이루어 안으로 전일하게 하는 것이 안으로 하나가 되는 것은 '지극히 공경하는' 공부이니, 『대학』에서 말한 마음을 바르게 함이다. 정성은 가득하여 건의 상이 있는 것이고, 공경은 비워서 곤의 상이 있는 것이다.

이항로(李恒老) 「주역전의동이석의(周易傳義同異釋義)」

傳, 舜之田漁時也.

『정전』에서 말하였다: 순임금이 농사짓고 물고기 잡을 때에 해당한다.

本義, 其占爲利見大人.

『본의』에서 말하였다: 점(占)은 "대인을 봄이 이롭다"이다.

按, 朱子曰, 利見大人, 是戒占者之辭. 九二爻, 是甚麼人, 如何會利見大人.

내가 살펴보았다: 주자가 말하였다: '대인을 봄이 이롭다'라고 한 것은 점치는 자에게 경계하라는 말이다. 구이효는 어떤 사람이며, 어떻게 해야 대인을 보는 것이 이롭겠는가?

又曰, 程子嘗言一爻當一事, 則三百八十四爻, 只當得三百八十四事, 說得自好. 不知如何到他解, 卻恁地說.

또 말하였다: 정자가 일찍이 "하나의 효가 한 가지 일이라면 삼백 팔십 사효가 삼백여든네 가지 일일 뿐이다"라고 하였는데, 잘 설명하였다. 어떻게 그런 해석을 했는지 알 수 없지만 그렇게 설명했다.

觀此, 則一爻不可裝定一事之意, 程朱所同. 而傳則專主道說, 不以占解. 故多與本義不同, 讀者詳之.

이런 주장을 살펴보면, 하나의 효는 한 가지 일로 설정할 수 없다는 의미이니, 정자와 주자가 같게 말한 부분이다. 그런데 『정전』은 오르지 도(道)를 위주로 하고 점(占)으로 해석하지 않았기 때문에 대부분 『본의』와 같지 않으니, 읽는 사람이 자세히 살펴야 한다.

김기례(金箕澧) 「역요선의강목(易要選義綱目)」

九二, 見龍在田.

구이, 나타난 용이 밭에 있다.

易六爻分三才位, 而初二爲地, 則言潛龍出地上.

『주역』에서 여섯 효는 자리를 삼재로 나누는데, 초효와 이효는 땅이니 잠겨있는 용이 지상으로 나왔다는 말이다.

심대윤(沈大允) 『주역상의점법(周易象義占法)』

乾之同人☲, 同類也. 九二以陽德居柔, 不用力爲健, 而居內卦之中爲得中也. 以中庸之德始得卑位, 以事九五大德之君, 有同人同類相永之義. 故曰見龍在田, 利見大人. 离爲著見, 見龍者, 言二之得位以顯仁也. 巽爲行, 离爲麗, 行而有所麗, 爲在巽, 爲高低等級. 离爲燥, 曰田. 在田者, 言巽而明也. 大人二五, 居乾之中有大人.

건괘가 동인괘(同人卦☲)로 바뀌었으니, 같은 부류이다. 구이는 양의 덕으로 유순한 자리에 있어 굳세게 되려고 힘쓰지 않고, 내괘의 가운데 있어 알맞음을 얻었다. 중용(中庸)의 덕으로 비로소 낮은 자리를 얻어 구오라는 큰 덕을 지닌 군주를 섬기니, 남들과 하나가 되고 한 무리가 되어 서로 영속하는 뜻이 있다. 그러므로 "나타난 용이 밭에 있으니 대인을 봄이 이롭다"라고 했다. 리괘(離卦☲)는 드러남이니, '나타난 용'이란 이효가 자리를 얻어 인(仁)을 드러냈다는 말이다. 손괘(巽卦☴)는 행위이고 리괘(☲)는 걸림이니, 행함에 걸리는 것이 손(巽)에서 되어 높고 낮은 등급이 된다. 리(離)는 마른 것이므로 '밭'이라고 했다. '밭'에 있다는 것은 유순하지만 밝다는 말이다. 대인은 이효와 오효이니, 상하 건괘의 가운데에 있어 대인이 있는 것이다.

오치기(吳致箕) 「주역경전증해(周易經傳增解)」

九二, 剛健得中, 進居臣位, 其德著顯, 有見龍在田之象. 而上有九五同德之君, 以中正之道相應, 故占言利見在上之大人也.

구이는 강건함이 알맞음[中]을 얻고 신하의 자리로 나아가 있어 그 덕이 드러나니, '나타난 용이 밭에 있는' 상이 있다. 그런데 위로는 구오의 같은 덕을 지닌 임금이 있어 중정(中正)의 도(道)로 상응하기 때문에, 점사에서 위에 있는 대인을 보는 것이 이롭다고 하였다.

○ 上見字, 著顯之謂, 下見字, 瞻眺之謂. 而爻變之離, 爲文明著顯之象, 又爲目見之象也. 地上曰田. 而二在地位之上, 亦取對體之坤爲地也. 大指乾陽, 人指人位, 而言大人也. 二五皆言利見大人者, 卽以位分剛柔, 而同德相應也.

위에 있는 '나타난[見]'이라는 말은 드러난다는 말이고, 아래에 있는 '보는 것[見]'이라는 말은 만난다는 말이다. 그런데 효가 변하여 리괘(離卦☲)가 되면 문채로 밝음이 드러나는 상이 되고 또 눈으로 보는 상이 된다. 지상을 밭이라 하는데, 이효가 땅의 자리에 있고 또한 음양이 반대인 몸체 곤괘(坤卦☷)를 취하면 땅이다. 대인(大人)에서 대(大)는 건의 양을 가리키고, 인(人)은 사람의 자리를 가리켜서 대인이라 한 것이다. 구이와 구오에서 모두 "대인을 보는 것이 이롭다"라 한 것은 곧 자리에 따라 굳셈과 부드러움을 나누었지만, 같은 덕이 상응하기 때문이다.

이진상(李震相) 『역학관규(易學管窺)』

二陽始中於東三, 而乾之二爻起焉, 曰見, 曰大人, 固似乎變離, 而離得乾二陽, 乾非有資於離也. 田在地上, 而二又在坤位之上也. 以九居二爲不當位, 而卦本純剛, 不害爲正中之德, 故不言有不利. 然見小人, 則莫無害否.

두 양이 동쪽의 삼에서 비로소 적당하여 건의 이효가 일어나니, '나타나다'라 하고 '대인'이라 하는 것은 리(離)로 변한 것과 비슷하지만, 리괘(離卦☲)가 건괘(乾卦☰)의 두 양을 얻은 것이지 건괘가 리괘에 의지함이 있는 것은 아니다. 밭은 지상에 있는데, 이는 또한 「낙서」에서 곤의 방위에 있다. 구가 이효에 있는 것은 마땅하지 않은 자리이지만, 괘가 본래 순수한 군셈이어서 딱 알맞음[正中]의 덕에 방해되지 않기 때문에, 이롭지 않음이 있다고 말하지 않았다. 그러나 소인을 본다면 해(害)가 없지 않을 것이다.

채종식(蔡鍾植) 「주역전의동귀해(周易傳義同歸解)」

九二九五大人. 傳以爲在九二, 則利見九五大德之君, 在九五則利見九二大德之人. 本義則以爻與占者相爲主賓而言之. 若以常人而筮得九二, 則利見九二之大人. 有見龍之德, 而筮得之, 則利見九五之大人, 九五亦倣此. 蓋程子之意, 以乾卦爲聖人之道, 而二五兩爻有聖君賢臣之相應. 故如此解之. 朱子主卜筮而言, 則非獨聖人當此卦, 人人皆可占得, 故其說不拘. 然程子亦曰, 一爻當一事, 則三百八十四爻, 只當得三百八十四事, 亦本義之義也, 朱子言若有見龍之德, 則爲利見九五在上之大人云, 則亦傳之義也, 兩說互相發明.

구이와 구오의 대인에 대해. 『정전』은 구이에서는 구오의 큰 덕을 지닌 군주를 보는 것이 이롭고, 구오에서는 구이의 큰 덕을 지닌 사람을 보면 이롭다고 여겼다. 『본의』는 효와 점(占)치는 사람이 서로 주인과 손님의 관계가 되는 것으로 말하였으니, 만약 보통 사람이 점을 쳐서 구이를 얻으면 구이의 대인을 봄이 이롭고, 나타난 용의 덕이 있는데 점을 쳐서 그것을 얻으면 구오의 대인을 보는 것이 이로우며, 구오도 이와 같다. 정자의 뜻은 건괘를 성인의 도(道)로 여겨 이효와 오효 두 효에는 성군(聖君)과 현신(賢臣)의 상응이 있다는 것이다. 그러므로 이와 같이 해석하였다. 주자는 복서를 위주로 말하였으니, 비단 성인만이 괘에 해당되는 것이 아니라 모든 사람이 점을 쳐서 이 괘를 얻을 수 있기 때문에 그 설명이 구애되지 않았다. 그러나 정자가 또한 "한 효가 한 사건에 해당되면, 삼백 팔십 사효는 단지 삼백팔십사건의 일에만 해당된다"고 한 것도 『본의』의 뜻이고, 주자가 "만약 나타난 용의 덕이 있으면 위 자리에 있는 구오라는 대인을 봄이 이롭다"라 한 것도 『정전』과 같은 뜻이니, 두 설명이 서로 드러내 밝혀주고 있다.

이병헌(李炳憲) 『역경금문고통론(易經今文考通論)』

鄭曰, 二於三才爲地道. 地上卽田, 故稱田也. 〈初二爲地, 三四爲人, 五上爲天.〉

정현(鄭玄)이 말하였다: 이효는 삼재에서 땅의 도(道)이다. 지상은 곧 밭이므로 '밭'이라고 한다. 〈초효와 이효는 땅이고, 삼효와 사효는 사람이고 오효와 상효는 하늘이다.〉

孟喜〈西漢人, 與施讐梁邱賀, 爲今文三家〉曰, 大人者, 聖人德備也.

맹희(孟喜)[87]〈서한(西漢)사람으로 시수(施讐)[88]·양구하(梁丘賀)[89]와 금문의 삼가(三家)이다〉가 말하였다: 대인이란 성인의 덕이 갖추어진 것이다.

---

87) 맹희(孟喜): 기원전 90~40년 전후 생졸. 서한시대 금문경학자이다. 전하(田何)에서 정관(丁寬)-전왕손(田王孫)으로 이어지는 역학의 계보가 맹희·시수·양구하에게 전해져 '시맹양구지학(施孟梁丘之學)'이 성립되었다고 『한서·유림전』에서 말한다. 맹희의 역학은 초연수에게로 전해지고 초연수에서 경방으로 전해졌으며 괘기설을 주장하여 한대 상수역학의 창시자로 불린다.

88) 시수(施讐): 기원전 100여년경 출생. 자는 장경(長卿). 저서로 『역경』 12편이 있다. 맹희와 양구하와 함께 한대 금문역학자의 한 명이다.

89) 양구하(梁丘賀): 생졸미상. 자는 장옹(長翁). 역학에서 '양구학'의 창시자. 맹희와 시수와 함께 한대 금문역학자의 한 명이다.

九三, 君子, 終日乾乾, 夕惕若, 厲, 无咎.

정전 구삼은 군자가 종일토록 힘쓰고 힘써 저녁까지도 두려워하면 위태로우나 허물이 없을 것이다.

본의 구삼은 군자가 종일토록 힘쓰고 힘써 저녁까지 두려워하니, 위태로우나 허물이 없을 것이다.

‖中國大全‖

傳

三雖人位, 已在下體之上, 未離於下, 而尊顯者也. 舜之玄德升聞時也, 日夕不懈 而兢惕, 則雖處危地, 而无咎. 在下之人, 而君德已著, 天下將歸之, 其危懼, 可知. 雖言聖人事, 苟不設戒, 則何以爲敎? 作易之義也.

삼효는 비록 사람의 자리이나 이미 하체의 위에 있으니, 아직 아래를 벗어나지는 못하였으나 높게 드러난 자이다. 이는 순임금의 그윽한 덕이 위로 올라가 알려진 때에 해당한다. 밤낮으로 게을리 하지 않고 조심하고 두려워하면 비록 위태로운 곳에 처하더라도 허물이 없을 것이다. 아래에 있는 사람으로서 군주의 덕이 이미 드러나 천하 사람들이 장차 그에게 귀의하려 한다면, 그 위태로움과 두려움을 알 수 있다. 비록 성인의 일을 말하였으나 만일 경계의 뜻을 베풀지 않는다면 어찌 가르침이 되겠는가? 이것이 『주역』을 지은 본의이다.

小註

或問, 陳瑩中, 嘗愛文中子, 或問學易, 子曰終日乾乾可也. 此語最盡, 文王所以聖, 亦只是箇不已. 程子曰, 凡說經義, 如只管節節推上, 可知是盡. 夫終日乾乾, 未盡得易, 據此一句, 只做九三使, 若謂乾乾是不已, 不已又是道, 漸漸推去, 則自然是盡, 理不如此.

어떤 이가 물었다: 진영중(陳瑩中)[90]이, 『문중자』[91]의 “어떤 이가 역을 배우는 것에 대해

---

90) 진영중(陳瑩中): 진관(陳瓘:1057-1122)의 자가 영중(瑩中)이다. 북송의 유학자로서 유학과 불교에 심취하였다. 호는 료옹(了翁)이다. 태학박사·교서랑·저작랑 등을 지냈다. 간관 시절에 자주 극언하여 폄직되었으며 초주(楚州)에서 일생을 마쳤다. 양시(楊時)와 교유하였고 정학(程學)을 발양(發揚)하였다. 저서에 『료옹역설(了翁易說)』이 있다.

묻자 공자께서 '종일토록 힘쓰고 힘써 쉬지 않으면 된다'고 하셨다"라는 말을 좋아하였는데, 이 말이 가장 극진하니 문왕이 성인이 된 이유도 '힘쓰고 힘씀'일 뿐입니다.

정자가 답하였다: 경전의 뜻을 설명할 때에 만일 구절구절 미루어 나아가면 다 알 수 있을 것입니다. 그러나 "종일토록 힘쓰고 힘쓴다"는 것만으로는 『주역』을 터득하기에 부족하니, 이 한 구절에만 의거한다면 단지 구삼으로만 간주하여 쓸 것입니다. 만일 '힘쓰고 힘씀'이 쉬지 않음이고, 쉬지 않음이 또 도라 하여 점점 미루어 나간다면 자연히 다 알 수 있을 것입니다. 그러나 역의 이치는 이것이 전부가 아닙니다.

○ 曾祖道因論易傳, 問九三終日乾乾, 是君子進德不懈, 不敢須臾寧否. 朱子曰, 程子云, 在下之人, 君德已著, 此語亦是拘了. 昔嘗有人問程子, 胡安定, 以九四一爻爲太子者. 程子笑之曰, 如此, 三百八十四爻, 只做得三百八十四件事了, 此說極是, 及到程子解易, 卻又拘了. 要知此事通上下而言, 在君有君之用, 臣有臣之用, 父有父之用, 子有子之用, 以至事物, 莫不皆然. 若如程子之說, 則千百年間, 只有箇舜禹用得也. 大抵九三此爻, 才剛而位危. 故須著乾乾惕厲, 方可无咎. 若九二, 則以剛居中位, 易處了.

증조도(曾祖道)92)가 『정전』의 논의로 인해 물었다: 구삼이 종일토록 힘쓰고 힘씀은 군자가 덕에 나아가기를 게을리 하지 않으며, 감히 잠시라도 편안하지 않는 것입니까?

주자가 답하였다: 정자가 "아래에 있는 사람으로서 군주의 덕이 이미 드러났다"고 하는 것은 또한 구속받는 말입니다. 옛날에 어떤 이가, 호안정이 구사를 태자라고 한 것에 대하여 정자에게 물었는데, 정자가 웃으면서 말하기를 "이와 같다면 삼백 팔십 사효가 단지 삼백 팔십 사건의 일이 될 뿐이다"라고 하였으니, 이 말이 매우 옳습니다. 그러나 정자가 『주역』을 해석하고 나서 도리어 『주역』이 구속을 받게 되었습니다. 여기에서는 상하를 통하여 말하였다는 것을 알아야 하니, 군주는 군주의 씀이 있고 신하는 신하의 씀이 있으며 아버지는 아버지의 씀이 있고 자식은 자식의 씀이 있어서 만물이 모두 그렇지 않음이 없는 것입니다. 만일 정자의 말과 같다면 수백 년 동안 단지 순임금과 우임금만 이 효에 적용될 수 있을 것입니다. 대체로 이 구삼은 재질이 굳건하고 자리가 위태롭기 때문에 힘쓰고 쉬지 않아 두려워하니 위태로우나 허물이 없을 수 있는 것이고, 구이는 굳건한 재질로 가운데 자리에 있어 대처

---

91) 문중자(文中子): 왕통(王通:584-618)의 시호이자, 그가 저술한 책이다. 왕통은 수(隋)나라의 경학자이며 자는 중엄(仲淹)이다. 20세 때 경세(經世)의 뜻을 가지고 장안(長安)으로 가 수나라 문제를 알현하고 12조의 태평책을 올렸으나 공경들의 반대로 받아들여지지 않았다. 이 때문에 고향인 용문현으로 돌아가 저술에 전념하면서 제자들을 가르쳤다. 제자는 천여 명이었으며 그 중에는 당나라의 문무대관이 된 사람도 적지 않았는데, 이들을 하분문하(河汾門下)라고 불렀다. 저서에 『중설(中說)』(일명 『문중자(文中子)』)이 있다.

92) 증조도(曾祖道): 송나라 여릉(廬陵)사람. 자는 택지(擇之). 처음에 육구연을 사사했다가 나중에 주자의 학문을 종주로 삼았다. 『송원학안(宋元學案)』 69에 보인다.

하기가 쉬운 것입니다.

○ 問, 伊川云, 雖言聖人事, 苟不設戒, 何以爲敎. 竊意, 因時而惕, 雖聖人, 亦有此心.
曰, 易之爲書, 廣大悉備, 人皆可得而用, 初无聖凡之別. 但當著此爻, 便用兢兢戒易.
물었다: 이천이 "비록 성인의 일을 말하였으나 만일 경계의 뜻을 두지 않는다면 어찌 가르침
이 되겠는가?"라 하였습니다. 제가 생각하건대, 때로 인하여 두려워함은 비록 성인이라도
항상 이런 마음이 있는 것이군요?
답하였다: 『주역』이라는 책은 광대하고 두루 갖추어져 있으니 누구나 다 쓸 수 있는 것이고,
애당초 성인과 보통사람의 구별이 없습니다. 다만 이 효를 만나면 곧 전전긍긍하여 경계하
고 두려워해야 합니다.

○ 厚齋馮氏曰, 乾坤君臣之分, 聖賢之德也. 然乾不專言聖人者, 作經立敎 使夫婦之
愚, 皆可與知與行. 若專以聖人言之, 則天下之望絶矣. 故自二五大人之外, 止言君子,
使天下之爲父爲夫爲子者, 皆可勉而至也. 又曰, 易爲天下作, 故必設爲警懼戒謹之
辭, 所以立敎也.
후재풍씨가 말하였다: 건괘와 곤괘는 군신간의 분수이며 성현의 덕이다. 그러나 건괘에서
전적으로 성인만을 말하지 않은 것은 법을 만들고 가르침을 세워 어리석은 필부필부라도
모두 함께 알 수 있고 함께 행할 수 있게 한 것이다. 만일 전적으로 성인만을 말했다면 천하
사람들의 기대가 끊어졌을 것이다. 그러므로 이효·오효의 대인 이외에는 다만 군자라고 말
하여 천하의 아버지 되고 남편 되고 자식 된 자들로 하여금 모두 힘써 이를 수 있게 하였다.
또 말하였다: 『주역』은 천하 사람들을 위하여 지어졌기 때문에 반드시 경계하고 두려워하고
삼가는 말을 베풀었으니, 가르침을 세우는 방법이다.

○ 東萊呂氏曰, 讀程傳者, 多謂聖人无待於戒, 只爲戒衆人. 故設敎. 若如此看, 則是
聖人處已敎人, 分作兩段 大失傳意. 蓋傳言若謂聖人不須設敎, 則无以爲敎. 設如設
官之設, 非假設之設也. 敎如儒敎之敎, 非敎人之敎也.
동래여씨가 말하였다: 『정전』을 읽는 사람은, 대부분 성인은 경계할 필요가 없고 단지 보통
사람을 경계하기 위하여 가르칠 것을 베푼 것이라고 생각한다. 그러나 이와 같이 간주한다
면, 성인이 자신을 처하는 일과 남을 가르치는 일을 두 가지로 나눈 것이니, 크게 『정전』의
뜻을 잃은 것이다. 『정전』에서 성인은 가르침을 베풀 필요가 없다고 말하였다면, 이는 교훈
이 될 수 없다. 설(設)은 '설관(設官)'의 '설(設)'과 같고 가설(假設)의 설(設)이 아니며, '교
(敎)'는 '유교(儒敎)'의 '교'와 같고 '교인(敎人)'의 교(敎)가 아니다.

本義

九, 陽爻. 三, 陽位. 重剛不中, 居下之上, 乃危地也. 然性體剛健, 有能乾乾惕厲
之象. 故其占如此, 君子指占者而言, 言能憂懼如是, 則雖處危地, 而无咎也.

구(九)는 양효이고 삼(三)은 양의 자리이니, 거듭된 강이고 가운데 자리에 있지 않으며 하괘의 위에 있으니 위태로운 자리이다. 그러나 성질과 몸체가 강건하여 힘쓰고 힘쓰며, 두려워하여 위태롭게 여기는 상이 있기 때문에 그 점이 이와 같은 것이다. 군자는 점치는 자를 가리켜 말한 것이니, 근심하고 두려워하기를 이와 같이 할 수 있다면, 비록 위태로운 자리에 처하더라도 허물이 없다는 말이다.

小註

朱子曰, 九三, 以過剛不中, 而處危地, 當終日乾乾, 夕惕若, 則雖危, 无咎矣. 聖人正意, 只是如此.

주자가 말하였다: 구삼은 지나친 굳셈으로 가운데 자리에 있지 않아 위태로운 곳에 있으므로, 마땅히 종일토록 힘쓰고 힘써 저녁에까지 두려워해야 하니, 비록 위태로우나 허물이 없을 것이다. 성인의 바른 뜻이 다만 이와 같을 뿐이다.

○ 問, 九三, 不言象, 何也. 曰, 九三, 陽剛不中, 居下之上, 有强力勞苦之象, 不可言龍. 故特指言乾乾惕若而已, 言有乾乾惕厲之象也.

물었다: 구삼에서 상을 말하지 않은 것은 어째서입니까?
답하였다: 구삼은 양의 굳셈으로 가운데 자리에 있지 않고 하괘의 위에 있어 매우 힘쓰고 수고하는 상이 있으니, 용을 말할 수 없습니다. 그러므로 다만 "힘쓰고 힘써 두려워한다"고 말하였을 뿐이니, 힘쓰고 힘쓰며 두려워하는 상이 있다는 말입니다.

○ 厲无咎, 是一句. 他後面有此例, 如頻復厲无咎是也. 又曰, 厲多是陽爻說.

"위태로우나 허물이 없다[厲无咎]"가 한 구절이다. 이 글 뒤에 이러한 예가 있으니, "자주 돌아옴이니 위태로우나 허물이 없을 것이다"[93]가 그것이다.
또 말하였다: '위태롭다[厲]'는 대부분 양효에 대한 설명이다.

○ 聖人因卦爻以垂戒, 多是利於正, 未有不正而利者. 如云夕惕若厲无咎, 若占得這爻, 必是朝兢夕惕, 戒謹恐懼, 可以无咎. 若自家不省如此, 便有咎.

---

93) 복괘 육삼의 효사이다.

성인은 괘와 효를 통해서 가르침을 베푸니, 대부분 바름에 이로운 것이고 바르지 못한데 이로운 경우는 없다. "저녁까지 두려워하니 위태로우나 허물이 없다"고 하는 것은 만일 점을 쳐서 이 효를 얻으면 반드시 아침에도 조심하고 저녁에도 두려워하여 경계하고 삼가며 두려워하여야 허물이 없을 수 있다는 것이다. 만일 스스로 이와 같음을 살피지 않는다면 곧 허물이 있게 될 것이다.

○ 括蒼龔氏曰, 君子九象, 終日三象. 三下卦之終, 故諸爻多于三言終. 夕亦三象, 日之終也. 三居下體之上, 當危懼之時. 惟自强不息, 戒謹恐懼, 可以免咎. 故曰乾乾夕惕若厲无咎. 然此非龍之所可爲, 故以君子言之.
괄창공씨가 말하였다: 군자는 구의 상이고 종일은 삼효의 상이다. 삼효는 하괘의 끝에 있기 때문에 여러 효 가운데 대부분 삼효에서 끝을 말하였다. 저녁도 삼효의 상이며 하루의 끝이다. 삼효는 하체의 위에 있으니 위태롭고 두려운 때에 해당한다. 오직 스스로 힘쓰고 쉬지 않으며 경계하고 삼가며 두려워하여야 허물을 면할 수 있다. 그러므로 "힘쓰고 힘써 저녁까지 두려워하니 위태로우나 허물이 없다"고 한 것이다. 그러나 이것은 용이 할 수 있는 것이 아니므로 군자를 가지고 말하였다.

○ 王氏曰, 凡言无咎者, 本皆有咎也, 處得其道. 故得无咎也.
왕씨가 말하였다: 허물이 없다고 말하는 것은 본래 모두 허물이 있는 것이나, 대처함에 알맞은 도를 얻었기 때문에 허물이 없을 수 있는 것이다.

○ 雲峰胡氏曰, 初二地位, 故二曰在田. 五上天位, 故五曰在天, 三四人位, 故三不稱龍, 而稱君子. 下乾終而上乾繼之, 故曰乾乾. 本義釋乾曰乾健也, 陽之性也. 此釋乾乾, 亦曰性體剛健, 蓋健者乾之性. 龍不過乾之象, 九三不言象而言性, 蓋性體剛健, 自有能乾乾夕惕之象也. 六爻, 惟三四言无咎, 以人位故也.
운봉호씨가 말하였다: 초효·이효는 땅의 자리이기 때문에 이효를 밭에 있다고 하였고, 오효·상효는 하늘의 자리이기 때문에 오효를 하늘에 있다고 하였으며 삼효·사효는 사람의 자리이기 때문에 삼효에서는 용을 일컫지 않고 군자를 일컬었다. 하괘의 건괘가 끝나고 상괘의 건괘가 이어지기 때문에 '힘쓰고 힘씀[乾乾]'이라고 하였다. 『본의』에서 건괘를 해석하여 건은 강건함이니 양의 성질이라 하였고, 여기에서 '건건(乾乾)'을 해석하여 역시 성질과 몸체가 강건하다고 하였으니, 강건함이란 건의 성질이다. 용은 건괘의 상에 불과하니 구삼에서 상을 말하지 않고 성질을 말한 것은 성질과 몸체가 강건하여 본래 힘쓰고 힘써 저녁까지 두려워할 수 있는 상이 있기 때문이다. 여섯 효 가운데 오직 삼효·사효에서만 허물이 없다고 말한 것은 여기가 사람의 자리이기 때문이다.

○ 雙湖胡氏曰, 初二爲地, 地者, 龍之下位. 五上爲天, 天者龍之上位. 三四人位, 非龍之所據. 乾九三一爻, 寔居六十四卦, 人道之首, 聖人尤致意焉. 此六爻所以不言乾, 而三獨言乾乾也.

쌍호호씨가 말하였다: 초효·이효는 땅이니 땅은 용의 아래 자리이고, 오효·상효는 하늘이니 하늘은 용의 위 자리이며, 삼효·사효는 사람의 자리이니 용이 살 곳이 아니다. 건괘의 구삼효는 실제로 육십사괘 가운데 인도(人道)의 처음에 해당되어 성인이 더욱 뜻을 극진히 한 것이다. 이것이 여섯 효 가운데 다른 효에서는 '건'을 말하지 않고 삼효에서만 '건건'이라고 말한 이유이다.

‖韓國大全‖

권근(權近) 『주역천견록(周易淺見錄)』

九三人位, 故直稱君子. 九四在人位之上, 大臣之象. 陽性欲進, 而近於五, 言或躍. 而不稱龍. 懼也, 不敢以言龍也. 或躍, 故可懼, 而在淵則無咎. 淵者, 在下而龍之所居也, 言能安守其在下所居之分, 則無咎矣. 君臣之際, 上下之分, 聖人之謹嚴如此, 其旨微矣. 象曰, 或躍在淵, 進無咎也. 言雖或躍, 而守其所居之分, 如是而進, 則得人臣致身盡忠之道, 故無咎. 若不躍進, 則爲潛□[94]其職矣. 進謂進而有爲, 非進於上也. 故或躍在淵, 言躍于淵, 而不上于天也.

구삼(九三)은 사람의 자리[人位]이기 때문에 곧바로 '군자'라고 하였다. 구사(九四)는 사람의 자리에서 위에 있으니 대신(大臣)의 상(象)이다. 양의 성질은 나아가 구오(九五)에 가까워지고자 하니, '혹 뛰어오르기도 하고'라고 하였다. 그런데 용을 말하지 않은 것은 두려워서 감히 용에 대해 말하지 못했던 것이다. 혹 뛰어오르기 때문에 두려워해야 하겠지만, 못에 있으니 허물이 없다. 못은 아래에 있고 용이 사는 곳이니, 아래에서 머무는 바의 분수를 편안히 지킬 수 있으면 허물이 없다는 말이다. 군신의 관계와 상하의 직분에 대하여 성인의 근엄함이 이와 같으니 그 뜻이 심오하다. 「상전」에서 "'혹 뛰어오르기도 하고 못에 있기도 함'은 나아감에 허물이 없는 것이다."라 하였으니, 비록 혹 뛰어오를지라도 자신이 처한 분

---

94) 경학자료집성 영인본에도 □ 표시만 되어 있다.

수를 지켜 이처럼 나아간다면 신하로서 몸을 바쳐 충성을 다하는 도리를 얻기 때문에 허물이 없다는 말이다. 만일 뛰어 올라 나아가지 않는다면 직분을 드러내지 않아 □하는 것이다. '나아간다[進]'는 것은 나아가 무엇인가를 시도한다는 뜻이지, 위로 나아간다는 것은 아니다. 그 때문에 '혹 뛰어오르기도 하고 못에 있기도 함'은 못에서 뛰어오르지만 하늘로 올라가지 않는다는 말이다.

박지계(朴知誡) 「차록(箚錄)-주역건괘(周易乾卦)」

以九陽剛有爲之才, 居三陽剛有爲之位, 偏於有爲而不中. 凡有作爲者事之危也, 以下三畫卦言之, 居上之極, 高危之地也. 大通之德到此, 則盛滿太過, 反不免於危矣. 然以六畫卦言之, 健剛之全體, 尙未亢盡, 猶有自强不息之象焉. 占者處此高危, 能盡自强不息之功業, 而正固終保, 則何有咎也. 乾卦諸爻, 非無自强不息之性體. 而或在潛隱不可見, 雖離潛隱, 但可見其儀表. 而未有如此爻之裏面性體著見無餘蘊也, 皆因爻象地位而致然也. 爻辭但言占者自强惕勵之意, 則爻象之高危, 亦可知矣. 此爻之辭, 專以有龍德者自保其危爲言, 而未言澤及乎物也. 然亦離潛隱, 而有所作爲之事業, 則物豈無所利哉. 占者若在常人, 則亦必利見此爻之主矣, 但周公釋爻之辭, 只擧爻象中所重之事爲言, 九二九五, 非無乾乾之性, 而所重唯在利物, 故以物所利見爲言. 如此爻之類, 非無利物之功澤, 而所重唯在乾乾自保, 故以此爲言. 占者若無剛健之性體, 則不足以當此爻辭, 當於爻辭之言外, 別求占法. 玩象, 則占法可求也.

일을 하려는 구(九)라는 양의 굳센 재질로 일을 하는 삼효라는 양의 굳센 자리에 있으니, 일을 하는 것에 편향되어 알맞은 자리가 아니다. 의도적으로 하려고 할 경우 일을 위태롭게 하니, 아래의 삼획괘로 말하면 꼭대기에 있어 높고 위험한 자리이다. 크게 통하는 덕이 여기에 이르면 가득차고 풍성함이 너무 지나쳐서 오히려 위험을 피할 수 없다. 그러나 육획괘로 말하면, 굳세고 강건한 전체가 오히려 끝까지 다한 것이 아니니, 여전히 스스로 힘쓰고 쉬지 않는 상이 있다. 점치는 자가 이런 높고 위험한 처지에 있을 때 스스로 힘쓰고 쉬지 않는 노력을 다하고, 바르고 견고함을 끝까지 지킬 수 있다면, 어떻게 허물이 있겠는가? 건괘의 모든 효에는 스스로 힘쓰고 쉬지 않는 본성이 없지 않다. 그런데 숨어있어 볼 수 없거나 숨어있음을 벗어났지만 그 거동만 볼 수 있어, 이와 같은 효의 이면에 있는 본성이 남김없이 드러나지 않으니, 이것은 모두 효에 대한 상의 지위 때문에 그런 것이다. 효사에서는 오직 점치는 자가 스스로 힘쓰고 두려워해야 한다는 뜻을 말하였으니, 효의 상이 높고 위험하다는 것도 알 수 있다. 이 효에서의 말은 오로지 용의 덕을 가진 자가 스스로 그 위태로움을 지키는 것으로 말하여 혜택이 사물에 미치는 것을 말하지 않았다. 그러나 또한 숨어있는 곳을 떠나 의도적으로 일을 하면 사물에 어찌 이로움이 없겠는가? 점치는 자가

보통 사람이면 반드시 이 효의 주인을 보는 것이 이롭다. 다만 주공이 효를 해석한 말에는
오직 효의 상 가운데 중요한 것을 들어 말하였으니, 구이와 구오는 힘쓰고 힘쓰는 성질이
없는 것이 아니지만, 중요한 것은 오직 사물을 이롭게 하는 것이기 때문에, 사물이 보는
것이 이로운 것으로 말하였다. 여기의 효와 같은 종류는 사물을 이롭게 하는 공과 혜택이
없는 것이 아니지만, 중요한 것은 오직 힘쓰고 힘쓰는 것을 스스로 지키는 것이기 때문에,
이와 같이 말한 것이다. 점치는 자가 만약 강건한 본성이 없다면, 여기 효의 말을 감당하기
에 부족하니, 효사의 말 이외에 따로 점법(占法)을 구하여야 한다. 상을 완미하면 점법은
구할 수 있다.

송시열(宋時烈) 『역설(易說)』

三爻四爻是人位, 故三爻言君子, 四爻亦不言龍字. 此爻變, 則爲兌. 兌者, 日入之方
也, 日者陽也. 內卦三陽將盡, 若日將終於西 , 故曰終日. 內乾將盡, 外乾又將至, 故疊
用乾字, 曰乾乾, 日旣終, 故謂之夕日. 旣夕, 則若大老至咨嗟之象, 故曰惕若. 旣惕,
則有危厲之道. 无咎二字, 亦占辭, 遇此爻者, 雖有危懼, 終無尤也. 凡言惕字, 多見坎
象, 然此則三多凶故也.

삼효와 사효는 사람의 자리이므로 삼효에서 군자를 말했고, 사효에서도 용(龍)이란 글자를
말하지 않았다. 삼효가 변하면 태괘(兌卦☱)가 된다. 태는 해가 들어오는 방향이고, 해는
양이다. 내괘의 삼양(三陽)이 다하게 되면 해가 서쪽에서 지는 것과 같으므로 '종일(終日)'
이라 했다. 안에 있는 건[下乾]이 다하면 밖에 있는 건[上乾]이 또 올 것이므로 건(乾)이란
글자를 중첩해서 '힘쓰고 힘써[乾乾]'라 했고, 해가 이미 졌으므로 '저녁[夕日]'이라 했다. 이
미 저녁이 되었다면 존경받는 원로가 탄식하는 상과 같으므로 '두려워하면'이라 했다. 이미
두려워하는 것이라면 위태로운 도가 있는 것이다. '허물이 없다[无咎]'는 말도 점사이니, 이
효를 만나는 자는 두려움이 있을지라도 끝내 재앙이 없다. '두려워하면'이라는 말은 대부분
감괘(坎卦☵)의 상에 보이지만, 여기에 있는 것은 삼효가 대부분 흉하기 때문이다.

김만영(金萬英) 「역상소결(易象小訣)」

九三, 終日乾乾, 夕惕. 九三變, 則爲履, 履之互有离, 离者日之象, 而三爲下卦之終,
故曰終日. 兩乾相接, 故有乾乾之象. 乾在後天之位, 爲戌亥日入之時, 故有夕之象, 离
屬心, 故有惕之象.

구삼은 종일토록 힘쓰고 힘써 저녁에도 두려워한다. 구삼효가 변하면 리괘(履卦䷇)가 되고,
리괘(履卦䷇)의 호괘에 리괘(離卦☲)가 있다. 리괘(離☲)는 해의 상인데, 삼효는 하괘의

끝이므로 '종일'이라 했다. 두 개의 건이 서로 이어지기 때문에 힘쓰고 힘쓰는 상이 있다. 건은 후천팔괘의 자리에서는 해가 진 술해(戌亥)의 때이므로 저녁의 상이 있다. 리(離)는 마음에 속하니, 두려워하는 상이 있다.

임영(林泳) 「독서차록(讀書箚錄)-주역(周易)」

九三, 乾乾惕若.

구삼은 힘쓰고 힘써 두려워한다.

傳, 最拘而有迹. 小註東萊說, 所以護翼傳意者, 巧曲難通. 傳蓋以此卦盡爲聖人事, 而 此爻皆爲設戒之辭, 故推言其義如此也. 欲求定論, 則朱子所謂初無聖凡之別. 但當着 此爻, 便用兢惕者是已.

『정전』은 가장 얽매여 부자연스럽다. 소주(小註)에서 동래 여조겸의 말은 정전의 뜻을 비호 하려는 것인데, 설명이 교묘하고 곡진하여 이해하기 어렵다. 『정전』은 이 괘를 모두 성인의 일로 여기는데, 이 효는 모두 경계함을 알리는 말이므로 그 의미를 추리하는 말이 이와 같 다. 정론을 얻고자 한다면 주자가 말한 "애초에 성인과 보통사람의 구별이 없으며, 단지 이 효를 만나면 곧 삼가고 두려워함을 써야 한다"는 것이 이것일 뿐이다.

厚齋說, 自大人之外, 止言君子, 使天下皆可勉而至.

후재풍씨가 말하였다: (구이와 구오의) 대인 이외에 다만 군자라고 말하니, 천하의 사람들이 모두 힘써 이르도록 한다.

乾以龍爲象者五, 惟二與五處位中正, 故其占大亨. 非諸爻言君子事, 二五獨言聖人事 也, 此說似拘.

건괘에서 용을 상으로 삼는 것이 다섯인데, 이효와 오효만 있는 자리가 중정(中正)하므로 그 점이 크게 형통한 것이지, 모든 효에 군자의 일을 말하고 이효와 오효만 유독 성인의 일을 말한 것은 아니니, 이 주장은 융통성이 없는 듯하다.

本義, 難曰, 惕厲之厲, 是厲無咎之厲耶.

曰, 非也. 下文處危地乃厲也.

『본의』에 대해 논변하였다: "두려워하고 위태롭게 여긴다[惕厲]"[95]의 '위태롭게 여긴다[厲]' 는 말은 "위태로우나 허물이 없다"[96]는 말에서의 '위태롭다[厲]'는 것인가?

---

95) 『주역·건괘』 구삼의 『본의』: 그러나 성질과 몸체가 강건하여 힘쓰고 힘써 두려워하고 위태롭게 여기는 상이 있으므로 그 점이 이와 같다[然性體剛健, 有能乾乾惕厲之象, 故其占如此].

말하였다: 아니다. 아래의 글에서 "위험한 지경에 처하더라도"가 바로 "위태롭게 여긴다"는 것이다.

권만(權萬) 「역설(易說)」

奇爻爲陽, 有日象. 三爻爲下卦之終, 故曰終日. 合下卦三畫觀之, 初爻似朝, 二爻似午, 三爻似夕.

홀수[奇]효는 양이니, 해의 상이 있다. 삼효는 하괘의 끝이므로 '종일토록[終日]'이라 했다. 하괘의 삼획을 합해서 보면 초효는 아침과, 이효는 낮과, 삼효는 저녁과 비슷하다.

○ 第三爻, 當下乾之終, 上承上乾, 故曰乾乾.

제 삼효는 아래에 있는 건의 끝에 해당하여 위로 상괘의 건과 이으니, '힘쓰고 힘써[乾乾]'라 한다.

○ 惕, 從心從易, 古作悐. 易平常之心, 而作兢畏之心者是惕. 又惕懼者, 有斂翕之象, 故屬夕. 作惕若, 若語助也. 或夕惕爲句, 若屬厲字, 作若厲亦可耶.

두려워한다는 글자 '척(惕)'은 '마음 심[忄]' 부수에 '바꿀 역[易]'자를 합친 것이니, 옛날에는 척(悐)으로 썼다. 평상시의 마음을 바꾸어 삼가고 무서워하는 마음을 먹는 것이 바로 '두려워하는 것[惕]'이다. 또 '두려워하고 조심하는 것[惕懼]'에는 거두어들이는 상이 있으므로 저녁에 해당한다. '두려워하면[惕若]'이라고 할 때에 '약(若)'이란 글자는 어조사이다. 혹 "저녁에 두려워하다[夕惕]"를 한 구절로 하면, '약(若)'은 '려(厲)'에 이어져 '만약 두려워한다면[若厲]'으로 되니, 또한 괜찮을 것이다.

○ 厲, 危也, 嚴也. 三以剛才, 而處剛位, 以象則太嚴厲, 以位則太危厲. 知其過於嚴厲, 而有危厲之戒, 則无咎也.

'위태롭다[厲]'는 위험하다는 것이고 엄중하다는 것이다. 삼효는 굳센 재질로 굳센 자리에 있으니, 상으로는 매우 엄하여 엄중하고, 자리로는 매우 위태롭다. 엄중함이 지나친 줄을 알고 위태로움을 경계할 수 있다면 허물이 없다.

○ 字書, 岸危處謂之厲. 乾之三陽, 皆水也, 而中爻似中央, 初爻三爻似兩岸. 故戒乾三之危, 必下厲字者也. 易下厲字, 大抵皆初與三, 而四與上, 又上體之兩邊, 故亦有厲義.

---

96) 『周易·乾卦』: 九三, 君子終日乾乾, 夕惕若, 厲, 无咎.

자서(字書)에서 "언덕이 가파른 곳을 위태롭다[厲]고 한다"라 하였다. 건괘의 세 양효는 모두 물[水]이어서 이효는 중앙과 같고, 초효와 삼효는 양 쪽 언덕과 같다. 그러므로 건괘 삼효의 위험함을 경계하여 반드시 위태롭다는 말을 썼다. 『주역』에서 위태롭다는 말을 쓴 것은 대개 모두 초효와 삼효인데, 사효와 상효는 또 상체의 양쪽이므로 역시 '위태롭다[厲]'는 뜻이 있다.

○ 咎從人, 各人各爲心, 是咎. 三陽同德同心, 故无咎.
허물은 사람에게서 나오니, 각 사람이 각기 마음대로 하는 것이 허물이다. 세 양(陽)은 덕이 같고 마음이 같으므로 허물이 없다.

○ 乾三爻, 當太簇三陽之寅月人位也.
건괘 삼효는 태주(太簇)[97]인 삼양(三陽)의 인월(寅月)로 사람의 자리에 해당한다.

○ 九而遇三, 多少大有氣, 卻欠雍容, 故厲.
구(九)인데 삼을 만났으니, 다소 기(氣)가 크게 있지만 도리어 온화한 모습이 부족하므로 위태롭다.

유정원(柳正源) 『역해참고(易解參攷)』

九三 [至] 无咎.
구삼은 … 허물이 없다.
〈厲, 說文作甐敬惕也. ○ 厚齋馮氏曰, 无今無字. 天傾西北, 故文從天屈西北. 咎文從人從各, 相違也. 違則相尤.
'위태롭다[厲]' 『설문해자』에 '조심하다[甐]', '공경하다[敬]', '두려워한다[惕]'로 되어 있다.
○ 후재풍씨가 말하였다: '무(无)'는 지금의 '무(無)'자이다. 하늘이 서북쪽으로 기울어졌으므로 글자 모양이 천(天)자가 서북쪽으로 구부러진 것과 같다. '허물 구[咎]'는 글자가 '사람 인[人]'에 '각각 각[各]'을 합친 것이니, 서로 위배하는 것이다. 위배하면 서로 탓한다.〉

王氏弼曰, 處下體之極, 居上體之下, 在不中之位, 履重剛之險, 上不在天, 未可以安其

---

97) 태주(太簇): 12율려(황종·대려·태주·협종·고선·중려·유빈·임종·이칙·남려·무역·응종) 가운데 3번째이다. 12월령으로 보면 자월[음력11월]은 황종이고 대려는 12월이며 태주는 정월[寅月]이다. 괘의 음양으로 보면 1양은 황종이고 2양은 대려, 3양은 태주이다. 이런 율려론은 『서경』, 『주례』, 『예기·월령』, 『관자·지원』, 『회남자』, 『한서·율력지』 등에 나온다.

尊也. 下不在田, 未可以寧其居也. 純修下道, 則居上之德廢, 純修上道, 則處下之體曠. 故終日乾乾, 至于夕惕, 猶若厲也.

왕필이 말하였다: 하괘의 맨 위에 있으면서 상괘의 아래에 있다. 가운데[中]가 아닌 자리에서 거듭된 굳셈의 험함을 밟았는데, 위로는 하늘에 있지 않아 그 존귀함을 편하게 할 수 없고, 아래로는 밭에 있지 않아 그 거처를 편하게 여길 수 없다. 아래의 도를 순수하게 닦으면 위에 머무는 덕이 없어지고, 위의 도를 순수하게 닦으면 아래에 거처하는 격식[體]이 사라진다. 그러므로 종일토록 힘쓰고 힘써서 저녁에 이르도록 두려워하는 것이 마치 위태로운 듯이 한다.

○ 正義, 居不得中, 故不稱大人, 陽而得位, 故稱君子.

『주역정의』에서 말하였다: 거처가 알맞음[中]을 얻지 못했으므로 대인이라 부르지 않고, 양(陽)인데 자리를 얻었으므로 군자라 불렀다.

○ 雙湖胡氏曰, 一卦六位, 初三五爲位之陽, 二四上爲位之陰, 則下體有離象, 上體有坎象, 乃六十四卦之通例. 此爻終日夕, 分明以離位取象. 〈案, 乾之上下皆乾, 是爲乾乾, 而有昨日行一天, 今日行一天之象, 不待位象取離. 而九三有終日夕之象, 若因此說就六十四卦, 必求坎離之象, 則恐別生穿鑿之病, 此不可不知〉.

쌍호호씨가 말하였다: 한 괘의 여섯 자리에서 초효 · 삼효 · 오효는 양의 자리이고, 이효 · 사효 · 상효는 음의 자리이니, 하체에 리괘(離卦☲)의 상이 있고 상체에 감괘(坎卦☵)의 상이 있는 것은 육십사괘의 통례이다. 이 효에서 말하는 종일(終日)과 저녁[夕]은 분명히 리괘(離卦☲)의 자리로 상을 취한 것이다. 〈내가 살펴보았다: 건괘(乾卦䷀)의 아래와 위가 모두 건(☰)인 것은 바로 '힘쓰고 힘쓰는 것[乾乾]'이어서 어제 하루를 운행하고 오늘 하루를 운행하는 상이 있으니, 자리의 상으로 리괘(離卦☲)를 취할 필요가 없다. 그런데 구삼에 종일과 저녁의 상이 있어 만약 이 설을 근거로 육십사괘에서 반드시 감괘와 리괘의 상을 구한다면, 아마 별도로 천착하는 잘못을 만들 것이니, 이것을 알지 못해서는 안 된다〉.

○ 案, 乾九三處下卦之終, 正對上卦之亢龍, 如日之將夕, 人心易懈, 其危可知. 然所以言无咎者, 以在上卦之下, 猶有向前地界, 如今日旣夕, 更有來日. 君子於此當乾乾惕厲, 進進不已, 无所間斷. 若以此自高, 便欲休了, 則與亢龍, 何以異乎.

傳. 〈案, 傳末本有咎其九反四字.〉

내가 살펴보았다: 건괘 구삼은 하괘의 끝에 있어 상괘에서 끝까지 올라간 용과 딱 마주 한 것이 해가 장차 저무는데 사람의 마음이 안이하고 게으른 것과 같으니, 그 위태로움을 알만하다. 그러나 허물이 없다고 말하는 까닭은 상괘의 아래에 있어 여전히 앞을 향한 여지가

있는 것이 오늘은 이미 저물었지만 다시 내일이 있는 것과 같기 때문이다. 군자는 이런 때에 힘쓰고 힘써 두려워하고 위태롭게 여기면서 나아가고 나아가기를 멈추지 않고 끊임없이 해야 한다. 만약 이것을 가지고 스스로를 높다고 여겨 바로 쉬고 싶어한다면, '끝까지 올라간 용'과 무엇이 다르겠는가?

『정전』에 대해서. 〈내가 살펴보았다: 『정전』의 끝에 본래 "허물의 구(咎)'자의 음은 기(其)자에서 'ㄱ'과 구(九)자에서 'ㅜ'를 합해 '구'[咎其九反]"라는 네 글자가 있었다.〉

김상악(金相岳)『산천역설(山天易說)』

九三, 以乾德而居人位, 乃君子也. 內乾已終, 外乾將至, 而重剛不中, 居下之上, 乃危地也. 然體性剛健, 有能朝夕兢惕之象, 故雖危厲, 而无咎也.

구삼은 건의 덕으로 사람의 자리에 있으니, 바로 군자이다. 안에 있는 건이 이미 끝나 밖에 있는 건이 오려고 하지만, 거듭된 굳셈이 가운데[中]가 아니고 하괘의 위에 있으니, 바로 위태로운 자리이다. 그러나 몸체의 성질이 강건하여 아침·저녁으로 경계하고 조심하는 상이 있으므로 위태로울지라도 허물이 없다.

○ 乾之陽, 得正于人位, 君子之象. 三多凶, 惟君子能善處, 故凡言君子者, 多在三爻. 三不稱龍而稱君子者, 危厲自修, 非龍所可爲也, 故雖不言龍, 象傳曰, 時乘六龍以御天. 據此則六爻皆取龍象可見也. 乾之陽居下卦之終, 終日之象, 貞悔皆乾, 乾乾之象, 君子所以自强不息也. 夕因終日而言. 或曰夕字象月之半見. 乾納甲, 月盈於甲, 而三居下乾之終, 爲上弦正半見之時也. 故上九象傳曰, 盈不可久也. 又乾坤具坎離之體, 初陽二陰三陽, 爲離之位, 四陰五陽六陰, 爲坎之位, 故三言日夕, 四曰在淵. 惕厲者, 三之過剛也.

건의 양이 사람의 자리에 바름을 얻었으니 군자의 상이다. 삼효는 대부분 흉하지만 군자만이 잘 처리할 수 있으므로 군자를 말하는 경우가 삼효에 많이 있다. 삼효에서 용을 말하지 않고 군자라 한 것은 위태롭지만 스스로 수양하는 것을 용(龍)이 할 수 있는 것이 아니기 때문에 용을 말하지 않았을지라도, 「단전」에서는 "때에 맞게 여섯 용을 타고 하늘을 다스린다"라 하였다. 이것에 근거하면 여섯 효가 모두 용의 상을 취했음을 알 수 있다. 건의 양이 하괘의 끝에 있어 해가 지는 상이고, 내괘와 외괘 모두 건이어서 힘쓰고 힘쓰는 상이니, 군자가 그래서 힘쓰고 쉬지 않는다. 저녁은 종일을 근거로 말한 것이다. 어떤 이가 저녁[夕]이란 글자는 달[月]의 절반이 드러난 것을 본떴다고 했다. 건은 갑을 받아들여[납갑법]⁹⁸⁾ 달이 갑방[동쪽]에서 가득 찼는데,⁹⁹⁾ 삼효는 하괘의 끝에 있어 상현달이 절반만 나타나는 때이다. 그러므로 상구의 「상전」에서 "가득 차면 오래가지 못한다"라 했다. 또 건과 곤은 감과 리의 몸체를 갖추고 있으니, 초효가 양이고 이효가 음이며 삼효가 양인 것은 리괘(離卦☲)의 자리이고, 사효가 음이고 오효가 양이며 상효가 음인 것은 감괘(坎卦☵)의 자리이다. 그러므로 삼효에서는 '낮[日]'과 '저녁[夕]'이라 하고, 사효에서는 '못에 있기도 하니'라 하였다. '두려워하고 위태로운 것'은 삼효의 지나친 굳셈 때문이다.

凡易之取象, 有取伏體變體互體反體交體者. 以乾卦言, 伏體爲坤, 變體爲履. 旣變, 則互體爲同人中孚, 反體爲小畜, 伏體爲謙, 交體爲夬. 而三本多凶, 故此取惕厲之象也, 所以繫辭曰, 雜物, 撰德, 辨是與非, 非中爻, 不備. 中爻, 卽互卦也, 互卦與雜卦相似. 卦不雜天地之道, 不得其用, 卦不互陰陽之交, 不得其理, 故有互卦. 然後進退消息, 由是而生, 吉凶悔吝, 由是而見矣.

대체로 『주역』에서 상을 취함에 복체·변체·호체·반체·교체가 있다. 건괘(乾卦䷀)로 말하면 복체는 곤괘(坤卦䷁)이고, 변체는 리괘(履卦䷉)이다. 리괘(履卦䷉)로 이미 변했다면 호체는 동인괘(同人卦䷌)와 중부괘(中孚卦䷼)이며, 반체는 소축괘(小畜卦䷈)이고 복체는 겸괘(謙卦䷎), 교체는 쾌(夬卦䷪)이다. 그런데 삼효는 본래 대부분 흉하므로 여기서 두려워하고 위태로운 상을 취하였다. 이 때문에 「계사전」[100]에서 "물건을 섞고 덕을 가리는 것과

---

98) 납갑법(納甲法): 한대 경방(京房)이 제창한 이론이다. 납갑이란 간단히 말하면, 10천간을 팔괘에 납입(納入)하는 것이고 자세히 말하면 팔궁괘(八宮卦-팔괘와 동일)를 60갑자의 10천간(天干)에 배당하고, 팔궁괘의 각 효를 12지지(地支)에 배당하는 것이다. 즉, 갑이 10천간의 첫째이므로 '납갑(納甲)'이라 하고 12지지에 배당되므로 '납지(納支)'라 한다. 납갑과 납지를 통칭하여 '납갑설'이라 한다. 10간의 분포 방향을 보면 갑·을은 동방, 병·정은 남, 경·신은 서, 임·계는 북, 무·기는 중앙이다. 간지를 팔괘에 배당하는 내용은 다음과 같다. 건괘의 내괘는 납갑(納甲)이고 외괘는 납임(納壬), 곤괘의 내괘는 납을(納乙) 외괘는 납계(納癸)이다. 이처럼 경방은 천지건곤(天地乾坤)만은 나누어 갑을임계(甲乙壬癸)를 각각 배당한다. 진괘는 내외괘 모두 납경(納庚), 손괘도 모두 납신(納辛), 감괘도 모두 납무(納戊), 리괘도 모두 납기(納己), 간괘도 모두 납병(納丙), 태괘도 모두 납정(納丁)에 배당한다. 육효에 지지를 배정하는 방법은 팔괘 중에서 양괘인 건,진,감,간은 양지(陽支)인 자·인·진·오·신·술(子·寅·辰·午·申·戌)을 초효부터 위로 순차적으로 배당하고 팔괘 중에서 음괘인 곤,손,리,태는 음지(陰支)인 미·사·묘·축·해·유(未·巳·卯·丑·亥·酉)를 초효부터 순차적으로 배정한다. 료명춘 외 2인 공저, 『주역철학사』, 예문서원, 2004, 193쪽, 232~233쪽. 참조.

99) 납갑법에 따라 팔괘 방위별로 달의 모양[月體]을 보면, 진(震)은 3일 초승달로 서쪽 경(庚), 태(兌)는 8일 상현달로 남쪽 정(丁), 건(乾)은 15일 보름으로 동쪽 갑(甲), 손(巽)은 16일 기망으로 서쪽 신(辛), 간(艮)은 23일 하현으로 남쪽 병(丙), 곤(坤)은 30일 그믐으로 동쪽을(乙)이다. 달의 차고 이지러짐과 방위별로 나뉘는 것은 달과 지구와 태양의 위치에 따라 결정된다. 즉 달은 지구를 중심으로 공전하고 지구는 태양 주위를 공전하는데 서로 공전 주기가 다르므로 달이 차고 이지러짐으로 우리 눈에 보인다. 달이 지구와 태양의 사이에 일직선으로 있으면 보름달이고, 그 반대편으로 태양-지구-달로 일직선이면 그믐달이다. 그 중간은 상·하현달이다. 그래서 보름달은 동쪽에서 뜨고 초승달은 서쪽, 상·하현달은 남쪽에서 뜬다.

100) 『周易·繫辭傳』: 若夫雜物撰德, 辯是與非, 則非其中爻不備.

시비를 분별하는 것은 가운데 효가 아니면 구비하지 못한다"라 했으니, '가운데 효[中爻]'는 곧 호괘이고 호괘는 잡괘와 서로 비슷하다. 괘는 천지의 도와 섞이지 않으면 그 쓰임을 얻을 수 없고, 괘는 음양의 사귐을 번갈아하지 않으면 그 이치를 얻을 수 없기 때문에 호괘가 있다. 그런 후에 진퇴와 소식이 이것으로 말미암아 나오고, 길흉과 회린이 이것으로 말미암아 드러난다.

박윤원(朴胤源) 『경의(經義)・역경차략(易經箚略)・역계차의(易繫箚疑)』

九三, 君子終日乾乾.

구삼은 군자가 종일토록 힘쓰고 힘쓴다.

○ 九三, 不言龍, 然君子卽龍也. 此爻只言君子, 以見五爻之龍, 皆君子也.

구삼에서 용을 말하지 않았으나 군자가 바로 용이다. 이 효에서는 오직 군자를 말하여 그것으로 다섯 효의 용이 모두 군자임을 드러냈다.

김귀주(金龜柱) 『주역차록(周易箚錄)』

傳,[101]三雖人位, 云云,

『정전』에서 말하였다: 삼효는 비록 사람의 자리이나, 운운.

小註厚齋馮氏曰, 乾坤, 云云.

소주(小註)에서 후재풍씨가 말하였다: 건괘와 곤괘는, 운운.

○ 按, 此卦六爻以程傳[102]意看, 則皆是聖人之事. 以本義意看, 則凡占者皆可用, 豈九二九五只當着聖人, 其餘則爲愚夫愚婦之企及, 而止言君子耶. 馮說於程專本義, 俱無所當.

내가 살펴보았다: 이 괘의 여섯 효를 『정전』의 의미로 보면 모두 성인의 일이고, 『본의』의 의미로 보면 점치는 자가 모두 쓸 수 있다. 어찌 구이와 구오를 단지 성인에 해당시키고 그 나머지는 보통사람들이 겨우 할 수 있는 것이어서 단지 군자라고만 말한 것이겠는가? 풍씨가 『정전』과 『본의』에 대해 말한 것은 모두 합당한 것이 없다.

東萊呂氏曰, 讀程專, 云云.

동래여씨가 말하였다: 『정전』을 읽은, 운운.

---

101) 경학자료집성DB에는 傳에 이어 '專'자가 있지만 영인본에는 없어 지웠다.
102) 傳: 경학자료집성DB에는 '專'으로 되어 있으나, 영인본에는 '傳'으로 되어 있어 바로잡았다.

○ 按, 程專之意, 本謂聖人固無待於戒, 然豈可以無待於戒, 而不戒乎. 故作易者爲之設戒, 使後之聖人當危厲之地, 而乾乾夕惕, 此所謂教也. 如是看, 則其義曉然, 不必費辭强卜. 且設官之設, 假設之設, 及儒教之敎, 敎人之敎, 未見其不同也.

내가 살펴보았다: 『정전』의 뜻은 본래 성인은 진실로 경계할 필요가 없다고 했지만, 어찌 경계할 필요가 없다고 경계하지 않을 수 있겠는가? 그러므로 『주역』을 지은 자는 경계함을 내세워 후대의 성인이 위태로운 지경에 처하더라도 힘쓰고 힘써 저녁까지도 두려워하게 했으니, 이것이 이른바 가르침이다. 이처럼 보면 그 의미가 분명하니, 굳이 여러 말을 하면서 억지로 구분할 필요는 없다. 또 관직을 설치한다고 할 때의 설치한다와 임시로 설치한다고 할 때의 설치한다는 것 및 유학의 가르침이라고 할 때의 가르침과 사람을 가르친다고 할 때의 가르친다는 것은 그것들이 같지 않은 점을 모르겠다.

本義, 九, 陽爻, 云云.

『본의』에서 말하였다: 구(九)는 양효이고, 운운.

○ 按, 重剛與不中與居下之上, 是三件事, 非重剛, 故不中, 又非但以居下之上爲不中也. 蓋有重剛而不危者, 九五是也, 以其居中故也. 又有重剛且不中而不危者初九是也, 以其居下之下故也. 必重剛且不中, 又居下之上, 然後方是危地.

내가 살펴보았다: '거듭된 굳셈'·'가운데가 아님'·'하괘의 위에 있음'은 세 건의 일이다. 거듭된 굳셈이기 때문에 가운데가 아님이 아니고, 또 단지 하괘의 위에 있음을 가운데가 아님으로 여긴 것도 아니다. 대개 거듭된 굳셈인데 위태롭지 않은 것은 구오가 여기에 해당하니, 가운데에 있기 때문이다. 또 거듭된 굳셈에다가 가운데 있지도 않고 위태롭지 않은 것은 초구가 여기에 해당하니, 하괘의 아래에 있기 때문이다. 반드시 거듭된 굳셈에다가 가운데 있지 않고 또 하괘의 위에 있는 연후에야 위태한 자리이다.

小註, 厲無咎, 是一句, 云云.

소주(小註)에서 말하였다: "위태로우나 허물이 없을 것이다"는 한 구절이다, 운운.

○ 按, 厲固多陽爻說. 至於頻復之厲, 雖非陽爻, 乃陽位也. 蓋陽性動, 動而不中, 必至於厲. 故厲字每就陽上說, 朱子之意恐如此.

내가 살펴보았다: '위태하다[厲]'는 진실로 양효에서 말한 것이 많다. '자주 돌아오는 허물[頻復之厲]'[103]에서는 비록 양효는 아니나 양의 자리이다. 양의 성질은 움직이고, 움직여서 알맞지[中] 않으면 반드시 위태롭게 된다. 그러므로 '위태롭다[厲]'는 말은 매번 양(陽)에 대하여 말한 것이니, 주자의 뜻이 이럴 것이다.

---

103) 『주역·복괘』 육삼효: 자주 돌아옴이니, 위태롭지만 허물은 없다[頻復, 厲, 无咎]. 상: 자주 돌아옴의 위태함은 의리에는 허물이 없다[頻復之厲, 義无咎也].

雲峰胡氏曰, 初二地位, 云云.

운봉호씨가 말하였다: 초효와 이효는 땅의 자리이니, 운운.

○ 按, 此論乾乾之義, 恐未然. 下乾雖終而上乾未及繼之, 則何以謂之乾乾乎. 蓋乾乾之云, 以其以陽爻居陽位耳. 或曰, 初九九五, 皆以陽爻居陽位, 而不言乾乾何也. 曰, 易之取義, 不一其端. 初九九五, 雖以陽爻居陽位, 而或在下體之下, 或居中正之位, 無惕厲之象, 故不言乾乾. 獨九三重剛, 且不中, 而又居下體之上, 乃是戒懼之地. 故因取其以陽居陽, 而謂之乾乾也. 三四人位, 故言無咎云云, 亦涉附會. 凡言吉凶悔吝者, 皆以人事言, 不必人位而後, 始言无咎也. 苟如胡說, 則上九乃天位, 而亦言有悔, 將謂天亦有悔耶.

내가 살펴보았다: 여기에서 논한 '힘쓰고 힘써[乾乾]'의 뜻은 그렇지 않은 것 같다. 아래의 건이 끝났는데도 위의 건이 아직 이어지지 않고 있다면, 어떻게 '힘쓰고 힘써'라고 할 수 있겠는가? '힘쓰고 힘써'라고 말하는 것은 그것이 양효로서 양의 자리에 있었기 때문일 뿐이다.

어떤 이가 물었다: 초구와 구오가 모두 양효로서 양의 자리에 있는데도 '힘쓰고 힘써'라고 하지 않는 것은 무엇 때문입니까?

답하였다: 『주역』에서 뜻을 취하는 것은 그 단서를 하나로 하지 않습니다. 초구와 구오가 비록 양효로서 양의 자리에 있지만, 하체의 아래에 있기도 하고 중정(中正)의 자리에 있기도 하여 두려워하고 위태로운 상이 없기 때문에, '힘쓰고 힘써'라고 말하지 않았습니다. 유독 구삼은 거듭된 굳셈인데다가 가운데가 아니고 또 하체의 위에 있으니, 바로 경계하고 두려워할 자리입니다. 그러므로 그것이 양으로서 양의 자리에 있는 것을 가지고 '힘쓰고 힘써'라고 하였습니다. "삼효와 사효는 사람의 자리이기 때문에 허물이 없다"고 했으니, 역시 견강부회한 것입니다. 길흉회린을 말할 경우 모두 사람의 일로 말하니, 반드시 사람의 자리가 된 다음에 비로소 허물이 없다고 말할 필요는 없습니다. 진실로 호씨의 설명대로 한다면, 상구(上九)는 바로 하늘의 자리인데도 또한 후회가 있다고 말했으니, 하늘도 후회가 있다고 말해야 할 것입니다.

雙湖胡氏曰, 初二爲地, 云云.

쌍호호씨가 말하였다: 초효와 이효는 땅이니, 운운.

○ 按, 九四言, 或躍在淵, 則雖不言龍字, 亦以龍言. 今謂四非龍之所據者, 誤矣.

내가 살펴보았다: 구사에서 "혹 뛰어오르기도 하고 못에 있기도 하니"라 말했으니, 비록 용(龍)자를 말하지 않았을지라도 용으로 말한 것이다. 지금 사효는 용이 의지하는 것이 아니라고 말하는 것은 잘못이다.

박제가(朴齊家) 『주역(周易)』

乾, 九三.

건괘의 구삼효.

注, 雲峯胡氏曰, 三四人位, 故三不稱龍而稱君子. 然則四之躍, 豈人之躍耶.

소주에서 운봉호씨가 "삼효와 사효는 사람의 자리이기 때문에 삼효에서는 용을 일컫지 않고 군자를 일컬었다"라 하였다. 그렇다면 사효에서 뛰어오른 것이 어찌 사람이 뛰어오른 것이겠는가?

서유신(徐有臣) 『역의의언(易義擬言)』

九三, 乾惕之君子也. 乾而重剛君子也. 稱君子者, 嫌於龍之乾惕也. 終日者事爲之時, 夕者宴息之時. 君子平居, 如臨深淵, 如履薄氷, 無一息不乾惕, 故雖有危厲亦无咎也. 一乾之終, 天行一周之象, 故曰終日, 曰夕也. 兩乾之交, 健而又健之象, 故曰乾乾也. 其位不中, 適當於兩乾終始之際, 兩日昏曉之間, 故爲厲也.

구삼은 힘쓰면서 두려워하는 군자이다. 힘써 굳셈을 거듭하니 군자이다. 군자라고 부른 것은 용이 힘쓰고 두려워한다는 것에 대해 마땅찮게 여겼기 때문이다. '종일'은 일을 하는 때이고, '저녁'은 쉬는 때이다. 군자는 평소에 깊은 못가에 있는 듯이 살얼음을 밟는 듯이 하여[104] 잠시라도 힘써 두려워하지 않음이 없기 때문에 위태로울지라도 허물이 없다. 하나의 건의 끝마침은 하늘이 한 바퀴 운행하는 형상이기 때문에 '종일'이라 하고 '저녁'이라 한다. 두 개의 건이 함께 있는 것이 강건하고 또 강건한 상이기 때문에 '힘쓰고 힘써'라 한다. 그 자리가 가운데가 아니고 마침 두 개의 건이 끝나고 시작하는 사이와 두 날이 저물고 밝아오는 사이에 있으므로 위태롭다.

강엄(康儼) 『주역(周易)』

九三, 君子 [止] 无咎.

구삼은 군자가 … 허물이 없다.

按, 君子於朝晝之間, 應接甚多, 固當隨事省察警戒不怠. 而及其向晦之時, 則雖未有事物之接, 而尤當致惕厲之意, 故曰終日乾乾, 而又曰夕惕若. 然非剛健之君子, 孰能與於此哉.

내가 살펴보았다: 군자는 아침과 낮 사이에 응접하는 일이 매우 많아서 진실로 일에 따라 성찰

---

104) 『詩經·小民』.

하고 경계하기를 게을리 하지 않아야한다. 밤이 되어 사물과 접촉하지 않더라도 더욱 두려워하고 위태롭게 여기는 마음은 있어야 하므로, "종일토록 힘쓰고 힘쓴다"고 하고, 또 '저녁까지도 두려워하면'이라 했다. 그러나 강건한 군자가 아니라면 누가 이것을 할 수 있겠는가?

박문건(朴文健) 『주역연의(周易衍義)』

懼而脩省, 故有乾乾之象. 乾乾, 健又健自彊不息之謂也, 厲, 危, 咎, 過也.

두려워하고 수양하며 반성하기 때문에 힘쓰고 힘쓰는 상이 있다. '힘쓰고 힘써'는 굳건하고 또 굳건하니 스스로 강건하여 쉬지 않는 것을 말하고, '위태하다'는 위험하다는 것이고 '허물'은 잘못이다.

이지연(李止淵) 『주역차의(周易箚疑)』

九三爻, 爲一卦中最剛最危者. 初與五雖以剛居剛, 而初則在下, 五則得中, 二四雖剛, 一則居陰, 一則居陰而得中. 六雖爲亢, 而猶爲居陰之爻. 獨三爻重剛而不中, 又在下卦之上, 所應者又亢陽之爻. 以時, 則日終之夕也, 以位, 則乾革之際也. 以是陽, 而居此位, 當此時, 其危厲, 當如何哉. 大凡人與龍, 俱是陽物, 而人也得五行精秀之氣, 稟天地健順之性, 比之於龍, 尤其至靈之物也. 乾之取象, 皆可以龍爲之, 而至於此爻, 則時與位行與事, 非人則莫能當之. 故統論一卦之體, 則雖謂之六龍, 而辨別六爻之位, 則獨爲君子者, 以此也. 此一爻善變, 則眞所謂自彊不息之君子乎.

구삼효는 건괘 중에서 가장 굳세고 가장 위태한 효이다. 초효와 오효는 비록 굳센 양이 굳센 자리에 있으나, 초효는 아래에 있고 오효는 알맞음을 얻었으며, 이효와 사효는 굳세지만 하나는 음의 자리에 있고 또 하나는 음의 자리에 있으면서 가운데를 얻었다. 상효는 비록 끝까지 날아올랐으나 오히려 음의 자리에 있는 효이다. 삼효만이 거듭 굳세면서 알맞음이 아니고 또 하괘의 위에 있어 호응하는 것이 끝까지 올라간 양의 효이다. 그러니 '때'로는 곧 하루의 끝인 저녁이고, '자리'로는 건이 변혁하는 때이다. 이런 양(陽)으로 이 자리에 있으면서 이때를 당하였으니, 그 위태로움이 마땅히 어떠하겠는가? 대체로 사람과 용, 모두 양의 동물이지만 사람은 실로 오행의 정밀하고 우수한 기운을 얻어 천지의 굳건하고 순한 본성을 품부 받았으니, 용보다 더욱 지극히 영적인 것이다. 건괘에서 상을 취한 것은 모두 용이라 할 수 있는데, 구삼효에서의 때와 자리·행위와 일은 사람이 아니면 감당할 수 없다. 그러므로 한 괘의 몸체를 통괄적으로 논하면 여섯 용이라고 말할 수 있으나, 여섯 효의 자리를 분별하면 유독 군자가 되는 것은 이것 때문이다. 이 한 효가 잘 변하면 진실로 이른바 '스스로 힘쓰고 쉬지 않는' 군자일 것이다.

이지연(李止淵) 『주역차의(周易箚疑)』

終日者, 三畫陽卦之終也. 乾乾者, 重乾之象也. 惕者, 陽之爲也, 厲者, 陽之位也.
'종일토록[終日]'이란 삼획 양괘의 끝이다. '힘쓰고 힘써'는 거듭된 건의 상이다. '두려워하다[惕]'는 양이 하는 것이다. '위태하다[厲]'는 양의 자리이다.

이항로(李恒老) 「주역전의동이석의(周易傳義同異釋義)」

九三, 君子終日乾乾, 夕惕若.
구삼은 군자가 종일토록 힘쓰고 힘써 저녁까지도 두려워하면.
傳, 苟不設戒, 則何以爲敎, 云云.
『정전』에서 말하였다: 만일 경계의 뜻을 베풀지 않는다면 어찌 가르침이 되겠는가? 운운.
本義, 有能乾乾惕厲之象.
『본의』에서 말하였다: 힘쓰고 힘써 경계하고 두려워하는 상이 있다.
按, 君子從筮者而言. 九三居下卦之終, 故曰終日, 居兩乾之際, 故曰乾乾. 重剛不中而居上, 故曰惕厲. 純剛居內而不至於亢, 故曰无咎. 此爻有是象, 故其占如此, 此所謂象在占中也. 若止做設戒言, 則无以見九三之有是象.
내가 살펴보았다: 군자는 점치는 자의 입장에서 말한 것이다. 구삼은 하괘의 끝에 있으므로 '종일'이라고 하였고, 두 개의 건이 만나는 곳에 있으므로 '힘쓰고 힘써[乾乾]'라고 하였다. 거듭된 굳셈이 가운데 있지 않고 위에 있기 때문에, "두려워하고 위태하다[惕厲]"라고 하였다. 순전한 굳셈이 안에 머물고 끝에 이르지 않았기 때문에 "허물이 없다[无咎]"고 하였다. 이 효에는 이런 상이 있기 때문에 그 점이 이와 같으니, 이것이 이른바 "상이 점 속에 있다"는 것이다. 만약 경계하는 말 뿐이라면, 구삼에 이런 상이 있음을 볼 수 없다.

김기례(金箕澧) 「역요선의강목(易要選義綱目)」

九三, 君子.
구삼은 군자가.
乾諸爻皆謂龍, 而三曰君子, 不獨三爲人爻. 蓋盛德君子當德升之時, 在下體之上, 自知過剛, 因時危懼不宜變動, 故不稱龍而稱君子.
건의 여러 효에서 모두 용이라 했는데 삼효에서 군자라 하였으니, 삼효가 사람의 효이기 때문만은 아니다. 훌륭한 덕을 갖춘 군자는 덕이 위로 전해지는 때에 하체의 위에 있으니, 지나치게 굳셈을 스스로 알고 위태롭고 두려운 때로 인해 변동해서는 안 되기 때문에 용이라 하지 않고 군자라 하였다.

終日.

종일토록.

三爲下卦之終, 故諸卦三爻多言終. 夕惕之夕字與終同義.

삼효는 하괘의 끝이기 때문에 여러 괘의 삼효에서 대부분 '끝[終]'을 말하였다. "저녁까지도 두려워한다"에서 '저녁[夕]'이란 글자는 '끝[終]'과 같은 뜻이다.

乾乾.

힘쓰고 힘써.

三爲二體之中, 下乾已盡, 上乾又繼. 則體兩乾之性, 自彊不息, 惟君子能之. 諸爻皆言乾象, 而三獨言乾性者, 亦君子事也.

삼효는 상·하 양체의 가운데이니, 하괘의 건이 이미 끝나 상괘의 건으로 또 이어진다. 그렇다면 두 건의 본성을 체득하여 스스로 힘쓰고 쉬지 않는 것은 군자만이 할 수 있다. 여러 효에서 모두 건의 상을 말했으나, 삼효에서 유독 건의 본성을 말한 것도 군자의 일이기 때문이다.

无咎.

허물이 없다.

本當有咎, 而因兢惕之道得无咎, 後倣此.

원래 마땅히 허물이 있지만, 조심하고 두려워하는 도(道)로 말미암아 허물이 없게 할 수 있으니, 뒤에서도 이와 마찬가지이다.

심대윤(沈大允) 『주역상의점법(周易象義占法)』

乾之履☰, 禮也, 所以辨尊卑親疏也. 九三以剛德居剛, 用力爲健, 而居侯牧之位, 以爲下卦之主, 而有所專任, 尤自勉力. 以禮自修, 而上承君與大臣, 下保其臣與民, 勉其職分之所當治, 而不謀乎其外. 故曰君子終日乾乾夕惕若厲无咎.

건괘가 리괘(履卦☰)로 바뀌었으니, 예(禮)가 되기 때문에 높고 낮은 것과 가깝고 먼 것을 분별하는 것이다. 구삼은 굳센 덕을 가지고 굳센 자리에 있어 힘을 쓰는 것이 굳건하고 제후의 자리에 있어 하괘의 주인이 되었으며, 전적으로 맡은 바가 있어 더욱 스스로 노력한다. 예(禮)로 자신을 닦아 위로는 임금과 대신을 받들고 아래로는 신하와 백성을 보호하여 직분상 다스려야 할 것에 힘쓰고, 그 밖의 것들을 도모하지 않는다. 그러므로 "군자가 종일토록 힘쓰고 힘써 저녁까지 두려워함이니, 위태로우나 허물이 없을 것이다"라고 하였다.

兌之對艮也, 艮爲君子. 以三能事上治下, 懋自修而不願乎外, 故特稱君子以美之也.
离爲日, 坤爲終. 乾之對坤. 乾乾敬健之貌. 离對坎爲夕, 离中虛爲怯. 惕言終日勉力,
而夕又惕若也, 其所處雖危而无咎也. 三承上臨下, 篤內而疏外, 有禮之意也. 三之位
疑於五, 四近逼, 故三不言龍. 四只言躍淵, 而亦不言龍, 所以別嫌疑而訓人臣也.

태괘(兌卦☱)의 음양을 반대로 한 괘가 간괘(艮卦☶)이니, 간괘는 군자이다. 삼효가 위를
섬기고 아래를 다스릴 수 있어 자신을 닦는 데에 힘쓰고 그 밖의 것을 원하지 않기 때문에
유독 군자라고 하여 찬미했다. 리괘(離卦☲)는 해[日]이고 곤괘(坤卦☷)는 끝마침이다. 건
괘(乾卦☰)의 음양을 반대로 한 괘가 곤괘(坤卦☷)이다. '힘쓰고 힘쓰는 것[乾乾]'은 공경하
고 굳센 모양이다. 리괘(離卦☲)와 음양을 반대로 한 감괘(坎卦☵)는 저녁이고, 리괘는 가
운데가 비어서 두려워함이다. '두려워함[惕]'은 종일토록 힘쓰고 저녁까지도 두려워함이니,
처한 곳이 위태롭지만 허물이 없다는 말이다. 삼효는 위를 잇고 아래에 임하여 안을 두터이
하고 밖을 소략하게 하니, 예(禮)가 있다는 의미이다. 삼효의 자리는 오효에 의심받고 사효
와 가깝기 때문에 삼효에서는 용을 말하지 않았고, 사효에서는 "뛰어오르기도 하고 못에
있기도 한다"고만 하고 또한 용을 말하지 않았으니, 혐의를 멀리하고 신하를 훈계하려는
것이다.

오치기(吳致箕)「주역경전증해(周易經傳增解)」

九三, 剛居剛位, 雖得其正, 而其體則以剛接剛而過乎健, 其位則无應无比而失其中,
宜若危厲而有咎. 然剛而得正, 能勉强自修, 日夕不懈, 有兢惕憂懼之心, 則雖危而无
咎. 此卽戒辭也.

구삼은 굳센 양이 굳센 자리에 있어 그 바름을 얻었지만, 그 몸체는 굳셈과 굳셈이 붙어서
굳건함이 지나치고, 그 자리는 호응함도 없고 가까이함도 없어서 알맞음을 잃었으니, 위태
롭고 허물이 있는 듯이 하는 것이 당연하다. 그러나 굳세면서 바름을 얻었으니, 스스로 힘써
수련하여 하루 종일 저녁까지 게으르지 않아 삼가고 두려워하면서 근심하는 마음이 있으면
위태롭지만 허물이 없을 것이다. 이것은 곧 경계하는 말이다.

○ 九三一爻, 居六十四卦人位之首, 故不言龍而直稱君子也. 下卦之終, 故言終, 而爻
變互離爲日之象也. 下乾接于上乾, 故言乾乾, 而卽健而復健之謂也. 爻變之兌, 爲日
入之方, 故言夕也. 惕從心, 而爻變互離爲心也. 若語助辭也, 无咎占辭也. 凡言无咎
者, 本宜有咎而能補過, 故得无咎也.

구삼 한 효는 육십사괘에서 사람 자리의 첫머리에 있기 때문에 용이라 하지 않고 바로 군자
라 했다. 하괘의 끝이므로 '종일[終]'이라 했는데, 효가 변한 호괘인 리괘(離卦☲)는 해[日]의

상이다. 아래의 건은 위의 건에 이어졌기 때문에 '힘쓰고 힘써[乾乾]'라 하였으니, 곧 굳건한 데 다시 굳건하다는 말이다. 효가 변하여 태괘(兌卦☱)가 되면, 해가 땅에 들어가는 방향이므로 저녁이라 말하였다. '두려워한다[惕]'는 말은 '마음 심[心:忄]'에서 왔는데, 효가 변한 호괘인 리(☲)는 마음이다. '약(若)'은 어조사이고 "허물이 없다[无咎]"는 점사이다. 일반적으로 "허물이 없다"라 하는 것은 본래 허물이 있는 것이 당연하지만, 잘못을 잘 보완하기 때문에 허물이 없을 수 있다는 것이다.

이진상(李震相) 『역학관규(易學管窺)』

三陽始盛於南七, 而乾之三爻起焉. 三者人位, 故不稱龍而稱君子, 在下體之終, 故言終日及夕. 今日行一天, 明日行一天, 乾乾之象也. 以九居三, 重剛不中, 本未能无咎也. 但以性體剛健, 故處危而能懼, 則可得以无咎〈正義, 居不得中, 故不稱大人, 陽而得位, 故稱君子〉.

삼의 양이 남쪽의 칠(七)에서 무성하기 시작하여 건괘의 삼효가 나온다. 삼효는 사람의 자리이므로 용이라 하지 않고 군자라 하였고, 하괘의 끝에 있으므로 종일과 저녁을 말하였다. 오늘 하늘을 한 번 운행하고 내일 하늘을 한 번 운행하는 것이 '힘쓰고 힘쓰는[乾乾]' 상이다. 구(九)가 삼 자리에 있으니, 거듭된 굳셈이 가운데에 있지 않아 본래 허물이 없을 수 없다. 다만 성질과 몸체가 강건하므로 위태한 처지라도 두려워하면 허물이 없을 수 있다. 〈『주역정의』에서 말하였다: 있는 곳이 가운데가 아니기 때문에 대인이라 하지 않았고, 양인데 제자리를 얻었으므로 군자라 한다.〉

채종식(蔡鍾植) 「주역전의동귀해(周易傳義同歸解)」

九三, 乾乾夕惕.

구삼은 힘쓰고 힘써 저녁까지도 두려워한다.

傳, 作君子之乾惕. 本義作爻象之乾惕. 蓋有理而後有象, 有象則理又在象中. 九三有乾惕之理, 故有乾惕之象. 既有乾惕之象, 故君子有乾惕之戒. 象與戒只是一理而已, 易中如此類者, 皆倣此.

『정전』에서는 군자가 힘쓰고 두려워하는 것으로 하였고, 『본의』에서는 효상(爻象)이 힘써 두려워하는 것으로 하였다. 이치가 있은 후에 상(象)이 있으니, 상이 있다면 이치 또한 상 가운데 있다. 구삼에는 힘쓰고 두려워하는 이치가 있으므로 힘쓰고 두려워하는 상이 있다. 이미 힘쓰고 두려워하는 상이 있기 때문에 군자에게 힘쓰고 두려워하는 경계가 있다. 상과 경계는 하나의 이치일 뿐이니, 『주역』 가운데 이와 같은 종류는 모두 같다.

박문호(朴文鎬) 「경설(經說)·주역(周易)」

作易之義, 只是設敎. 而敎莫切於戒, 故以乾之德而猶有所戒, 利在貞固是也. 況他卦乎.

『주역』을 지은 뜻은 가르침을 베풀기 위한 것일 뿐이다. 그런데 가르침은 경계를 시키는 것보다 절실한 것이 없기 때문에 건의 덕을 가지고도 여전히 경계할 것을 두었으니, "이로움이 정고(貞固)한 데 있다"는 것이 그것이다. 하물며 다른 괘에서랴!

이정규(李正奎) 「독역기(讀易記)」

九三, 以陽剛不中, 而居動之位, 宜乎有咎. 然上下皆龍德而正中, 則不能無畏憚自懼之意. 故有乾乾夕惕之象.

구삼은 양이 굳세지만 가운데 자리가 아니니, 거동하는 자리에 당연히 허물이 있다. 그러나 위아래가 모두 용의 덕이고 딱 알맞으니, 몹시 꺼려하고 스스로 두려워하는 뜻이 없을 수 없다. 그러므로 힘쓰고 힘써 저녁까지도 두려워하는 상이 있다.

이병헌(李炳憲) 『역경금문고통론(易經今文考通論)』

淮南九師道訓〈西漢淮南王劉安所輯〉, 曰乾乾, 以陽動也, 夕惕若厲, 以陰息也.〈諸本或以夕惕爲句, 王弼亦以夕惕句. 現行本以夕惕若句.〉

『주역회남구사도훈』〈서한의 회남왕 유안이 편집한 것이다〉에서 "'힘쓰고 힘써'는 양이 움직이는 것이고, '저녁까지도 두려워하여 위태로운 듯한' 것은 음이 그치는 것이다"라 했다.〈여러 책에서는 혹 '저녁까지 두려워하니[夕惕]'를 구절로 했고, 왕필도 그렇게 했다. 현행본에서는 '저녁까지도 두려워하면 [夕惕若]'을 구절로 했다.〉

九四, 或躍在淵, 无咎.

정전 구사는 혹 뛰어오르기도 하고 못에 있기도 하면, 허물이 없을 것이다.

본의 구사는 혹 뛰어오르기도 하고 못에 있기도 하니, 허물이 없을 것이다.

‖中國大全‖

傳

淵, 龍之所安也. 或, 疑辭, 謂非必也. 躍不躍, 唯及時以就安耳. 聖人之動, 无不時也. 舜之歷試時也.

‘못’은 용이 편안하게 여기는 곳이다. ‘혹’은 의심하는 말이니, 꼭 그렇지는 않다는 말이다. ‘뛰어 오르거나 뛰어 오르지 않음’은 오직 때에 미쳐 편안함에 나아가는 것일 뿐이다. 성인의 움직임은 때에 맞지 않음이 없다. 구사는 순임금이 시험을 거칠 때에 해당한다.

小註

或問, 胡先生, 解九四作太子, 恐不是卦義. 程子曰, 亦不妨. 只看如何用, 當儲貳, 便做儲貳. 使九四近君. 便作儲貳. 亦不害, 但不要拘一. 若執一事, 則三百八十四爻, 只作得三百八十四件事, 便休也.

어떤 이가 물었다: 호선생이 구사를 태자로 해석한 것은 괘의 뜻이 아닌 듯합니다.

정자가 답하였다: 또한 무방합니다. 다만 어떻게 적용할지를 보아서, 태자에 해당하면 태자로 간주하면 됩니다. 만약 구사가 임금과 가깝다면 곧 태자라고 간주해도 무방합니다. 그러나 한 가지에 구속되어서는 안 됩니다. 만일 한 가지 일을 고집한다면 삼백 팔십 사효가 단지 삼백 팔십 사건의 일이 되는 데에 그칠 것입니다.

○ 沙隨程氏曰, 初與二, 旣皆稱龍, 此爻, 雖不稱龍, 卽上文, 知其爲龍也. 亦猶大壯九三羝羊觸藩羸其角, 而九四不言羊, 知藩決不羸卽羊也.

사수정씨가 말하였다: 초효와 이효에서 이미 모두 용을 일컬었으니, 여기 삼효에서 비록 용

을 일컫지는 않았으나, 윗글을 보면 용임을 알 수 있다. 이는 또한 대장괘(大壯卦)의 구삼에서 "숫양이 울타리를 받아서, 그 뿔이 위태롭다"고 하고 구사에서 양을 말하지 않았으나, '울타리가 터져서 곤궁하지 않은 것'이 곧 양임을 알 수 있는 것과 같다.

○ 瀘川毛氏曰, 躍者, 飛之漸. 或者, 未必然之辭.'
노천모씨가 말하였다: '뛰어오름'은 나는 것의 조짐이고, '혹'은 꼭 그렇지는 않다는 말이다.

○ 西溪李氏曰, 或躍, 陽使之也. 在淵, 陰係之也.
서계이씨가 말하였다: '혹 뛰어오름'은 양(陽)이 그렇게 시키는 것이고 '못에 있음'은 음(陰)에 매어서이다.

○ 中溪張氏曰, 躍淵, 卽龍之象也. 在四不言龍, 蓋疑于五也.
중계장씨가 말하였다: '뛰어오름'과 '못'은 용의 상이다. 사효에서 용을 말하지 않은 것은 오효에게 의심을 받기 때문이다.

○ 潛室陳氏曰, 无咎者, 善補過之辭. 乾, 聖人之事, 而九三九四, 皆以无咎言之, 何也. 曰, 易之爻義, 有不足處, 有當垂戒處. 故各係以无咎之辭, 固不問聖人與凡人也. 易之爲易, 爲變易不拘也. 在聖人卽作聖人用之, 凡人卽作凡人用之. 若乾卦只斷作聖人之事, 則六十四卦之用, 有窮矣. 豈所謂易者乎.
잠실진씨가 말하였다: 허물이 없다는 것은 허물을 잘 보충한다는 말이다. 건괘는 성인의 일인데 구삼과 구사에서 모두 허물이 없다는 것으로 말한 것은 어째서인가? 대체로『주역』에서 효의 뜻은 부족하게 여긴 곳도 있고 경계의 말을 한 곳도 있다. 그러므로 각각 허물이 없다는 말을 붙인 것은 본래 성인인지 보통사람인지를 따질 필요가 없다.『주역』이『주역』이 되는 것은 변역하여 구애되지 않음을 이르니, 점치는 자가 성인이라면 성인의 입장이 되어 적용하고, 보통사람이라면 보통사람의 입장이 되어 적용하는 것이다. 만일 건괘를 성인의 일로만 단정한다면 육십사괘의 적용이 한계가 있게 될 것이니, 이것을 어찌『주역』이라고 할 수 있겠는가?

本義

或者, 疑而未定之辭. 躍者, 无所緣而絶於地, 特未飛爾. 淵者, 上空下洞, 深昧不測之所. 龍之在是, 若下於田, 或躍而起, 則向乎天矣. 九陽四陰, 居上之下, 改革之際, 進退未定之時也. 故其象如此, 其占能隨時進退, 則无咎也.

'혹'은 의심하여 결정하지 못한다는 말이다. '뛰어 오름'은 인연한 것이 없어 땅에서 떠났으나 다만 날지 못할 뿐이다. '못'은 위는 비고 아래는 뚫려 있어 깊고 어두워서 예측할 수 없는 곳이다. 용이 여기에 있을 때에는 밭보다 아래에 있는듯하지만, 혹 뛰어 일어나면 하늘로 향한다. 구(九)는 양이고 사(四)는 음이니, 상괘의 아래에 있어 개혁의 즈음이자 진퇴가 결정되지 못한 때이다. 그러므로 상이 이와 같고, 점은 때에 따라 진퇴할 수 있다면 허물이 없을 것이다.

小註

朱子曰, 淵與天不爭多. 淵是那空虛無寔底之物. 躍是那不著地了兩脚跳上去底意思. 淵雖下於田, 田卻是箇平地, 淵則通上下, 一躍卽飛在天.

주자가 말하였다: 못은 하늘과 많음을 다투지 않는다. 못은 텅 비어 바닥이 없는 물건이다. '뛰어오름'은 땅에 붙어 있지 않고 두 발로 뛰어오르는 뜻이다. 못은 밭보다 낮으나, 밭은 도리어 평지이고 못은 위 아래로 통하여 한번 뛰어오르면 날아서 하늘에 있게 된다.

○ 山齋易氏曰, 九四已離下體. 故謂之躍, 猶在上體之下, 故謂之在淵. 淵卑於田. 二言在田, 今反謂之在淵者, 淵乃龍之所宅, 非在田之比. 在田不能變, 而在淵有可變之道也.

산재역씨가 말하였다: 구사는 이미 하체를 떠났기 때문에 뛰어오른다고 하였으나, 오히려 상체의 아래에 있기 때문에 못에 있다고 하였다. 못은 밭보다 낮다. 이효에서는 밭에 있다고 하였는데 지금 도리어 못에 있다고 한 것은, 못은 곧 용이 사는 곳이므로 밭에 있는 것에 비할 것이 아니기 때문이다. 밭에서는 변할 수 없지만 못에서는 변할 수 있는 도리가 있다.

○ 建安丘氏曰, 九爲陽, 陽動, 故言躍. 四爲陰, 陰虛, 故象淵. 或者, 疑之也. 進則躍, 退則在淵, 出處如此, 可无咎矣.

건안구씨가 말하였다: 구(九)는 양이다. 양은 움직이므로 뛰어오른다고 하였다. 사(四)는 음이다. 음은 비어있으므로 못을 형상하였다. '혹'은 망설임이다. 나아갈 때에는 뛰어오르고 물러날 때에는 못에 있어 출처가 이와 같으니, 허물이 없을 수 있는 것이다.

○ 雲峰胡氏曰, 其位上下之交, 其時進退未定之際. 躍以或言, 審于進也. 淵以在言, 安于退也.

운봉호씨가 말하였다: 구사의 자리는 상괘와 하괘가 교차하는 곳이고, 구사의 때는 나아가

고 물러남이 정해지지 않은 즈음이다. '뛰어 오름[躍]'을 '혹[或]'으로써 말한 것은 나아감을 살피는 것이고, '못[淵]'을 '있음[在]'으로써 말한 것은 물러남을 편히 여기는 것이다.

‖韓國大全‖

송시열(宋時烈) 『역설(易說)』

九四變則亦爲巽. 巽爲進退不果, 故曰或. 孔子以上下進退言之. 躍者, 躍而在上卦也. 雖躍而在上, 猶不離於最下爻, 如初爻之潛之義. 故曰在淵. 无咎二字, 亦占辭. 遇此爻者, 若隨時進退, 如龍之或躍而在淵, 則无咎. 且虞氏云巽爲魚, 魚之躍于淵者, 猶未變化爲龍者歟.

구사효가 변하면 또한 손괘(巽卦☴)이다. 손괘는 진퇴에 과감하지 않으므로[105] '혹'이라 했다. 공자는 위아래로 진퇴하는 것으로 말했다. "뛰어오르기도 한다[躍]"는 것은 뛰어올라 상괘에 있는 것이다. 비록 뛰어올라 위에 있지만 여전히 맨 아래 효에서 벗어나지 못했으니, 마치 초효의 "잠겨있다[潛]"는 의미와 같다. 그러므로 "못에 있기도 한다[在淵]"라 했다. "허물이 없다[无咎]"는 말도 점사이다. 이 효를 만난 사람이 때를 따라 진퇴하면 마치 용이 혹 뛰어오르기도 하고 못에 있기도 하는 것과 같으니, 허물이 없을 것이다. 또 우번은 "손괘(巽卦☴)는 물고기이다"[106]라 했는데, 물고기가 못에서 뛰어오른다는 것은 아직 용으로 변화하지 못한 것이다.

김만영(金萬英) 「역상소결(易象小訣)」

九四, 或躍在淵.

구사는 혹 뛰어오르기도 하고 못에 있기도 한다.

九四變, 則爲小畜. 互體四爲兌之上, 故有淵之象, 兌澤也. 又九四變, 則爲巽, 巽股也, 故有躍之象.

---

105) 『周易·說卦傳』: 巽爲進退, 爲不果.
106) 『周易集解』: 虞翻曰, 巽爲魚.

구사효가 변하면 소축괘(小畜卦䷈)가 된다. 호체에서 사효가 태괘(兌卦☱)의 상효이므로 못의 상이 있으니, 태괘(兌卦☱)가 못이기 때문이다. 또 구사효가 변하면 손괘(巽卦☴)이니, 손괘는 넓적다리[107]이므로 뛰어오르는 상이 있다.

임영(林泳) 「독서차록(讀書箚錄)-주역(周易)」

傳, 難曰, 傳於此又重釋或躍在淵之義. 如此其詳, 何耶. 曰, 以解經之常例言之, 旣已解釋於爻下, 於此不宜重致詳矣. 豈爻下解釋疏略有不滿意者, 故於此自發變例, 又釋之如此耶. 觀於此, 益可知諺解解經, 非程子意耳. 說已見爻下.

『정전』에 대해 논변하였다: 『정전』은 이에 대해 "혹 뛰어오르기도 하고 못에 있기도 하니"에 대한 뜻을 거듭 해석하였다. 이와 같이 상세한 것은 왜 그런가?

말하였다: 경문을 해석하는 일반적인 사례로 말한다면, 이미 효사의 아래에서 해석하였으니 여기에서 거듭 상세하게 설명하는 것은 마땅하지 않다. 아마 효사의 아래 해석이 소략한 것에 불만을 가진 자가 있기 때문에, 이에 스스로 변칙 사례로 드러내어 또 이처럼 해석한 것 같다. 이것을 보면 『언해』에서 경문을 해석한 것이 정자의 뜻만이 아니라는 것을 알 수 있다. 설명이 이미 효의 아래에 있다.

本義, 小註, 雲峯說, 知時知道窮理盡性, 皆牽補之說.

『본의』 소주에서 호운봉이 "때를 알고 도를 알아 이치를 궁구하고 본성을 다한다"라 했는데, 모두 억지로 끌어다 붙인 말이다.

임영(林泳) 「독서차록(讀書箚錄)-주역(周易)」

九四, 或躍在淵.

구사는 혹 뛰어오르기도 하고 못에 있기도 하니.

傳之意, 蓋謂或躍不躍, 皆在於所安之淵. 至本義, 始解作或躍或在淵之義. 今之諺解, 以一例釋之, 似未精察乎此耳.

『정전』의 뜻은 혹 뛰어오르기도 하고 뛰어오르지 않기도 하여 모두 편안한 못에 있다는 말이다. 『본의』에 이르러 비로소 혹 뛰어오르기도 하고 혹 못에 있기도 한다는 뜻으로 해석하였다. 지금의 『언해』는 하나의 예로만 해석하였으니, 이 점을 정밀하게 살피지 않은 듯하다.

---

107) 『周易·說卦傳』: 巽爲股.

강석경(姜碩慶) 「역의문답(易疑問答)」

乾九四, 或躍在淵.

건괘 구사는 혹 뛰어오르기도 하고 못에 있기도 하니.

程傳以爲淵龍之所安, 或躍在淵, 謂躍就所安. 朱子則以爲淵下於田, 遂疑躍就所安之說. 而其註疏, 則與程傳無大異者, 今當何看, 而可合經義乎. 曰孔子於此爻, 文言曰, 上下無常, 非爲邪也, 進退無恒, 非離群也.

『정전』에서는 못을 용이 편안한 곳이라고 여겨 "혹 뛰어오르기도 하고 못에 있기도 하니"를 뛰어올라 편안한 곳에 나아가는 것이라 했다. 주자는 못을 밭보다 아래라 여겨 마침내 뛰어올라 편안한 곳에 나아간다는 말을 의심하였다. 그런데도 그 주소(註疏)에서『정전』과 크게 다름이 없으니, 어떻게 보아야 경문의 뜻과 합치할 수 있겠는가? 말하자면, 공자는 이 효에 대해「문언전」에서 "오르고 내림에 일정함이 없음은 간사함이 되지 않고, 나아가고 물러남에 일정함이 없음은 무리를 떠남이 아니다"라 했다.

觀此, 則分明以上字進字貼躍字, 下字退字貼淵字解, 而以或躍在淵爲二句看也. 蓋乾之爻初潛而五飛. 四之位比五而應初. 初與四往來之爻也, 四與五相比之位也. 故躍則天飛, 退則淵潛, 其進其退與時偕行, 此所以無咎也. 若如程傳躍就所安之說, 則只說進字上字, 而退字下字無所當矣. 諺解作二句釋, 其得之矣.

이것을 살펴보면 분명히 '올라가고[上]', '나아간대[進]'는 말은 "뛰어오르기도 한다"는 말에 붙이고, '내려가고[下]', '물러난대[退]'는 말은 "못에 있기도 한다"는 말에 붙여 해석해야 하고, "혹 뛰어오르기도 하고 못에 있기도 하다"는 말은 두 구절로 봐야 한다. 건괘의 초효는 '잠겨있대[潛]'는 것이고 오효는 '날대[飛]'는 것이다. 사효의 자리는 오효와 가까운데 초효와 호응한다. 초효와 사효는 왕래하는 효이고 사효와 오효는 서로 가까운 자리이다. 그러므로 뛰어오르면 하늘을 날고 물러나면 못에 잠겨 있어 그 나아가고 물러남이 때와 더불어 함께 행하니, 이것이 허물이 없는 까닭이다. 만약『정전』의 "뛰어올라 편안한 곳으로 나아간다"는 설명과 같이 하면 "나아가고 올라간다"는 말을 설명할 뿐이고, "물러나고 내려간다"는 말은 해당하는 것이 없다.『언해』에서 두 구절로 해석한 것이 옳다.

이익(李瀷)『역경질서(易經疾書)』

四曰中不在人, 則惟三屬人, 故專以人事言. 三有龍德, 而人是善惡之通名, 故以君子言.

사효에서 "가운데로는 사람에도 있지 않다"라 했으니, 삼효만 사람에 속하므로 오로지 사람의 일로만 말했다. 삼효는 용의 덕이 있지만, '사람'은 선악을 통칭하는 이름이므로 '군자'로 말하였다.

乾卦名, 而謂之乾乾, 則健在其中, 既謂六龍, 則三亦在其中. 乾乾雖指人事, 而在龍亦
必有此象, 其將躍未躍, 而意未嘗息也. 四亦屬人, 而上天下田之間, 三與四亦, 必有
別, 宜以高下分也. 四在三上, 非天非地, 而惟騰躍者可到, 故曰或躍, 異乎在天之飛龍
矣. 躍而復下, 則在淵而己, 雖在淵, 意則已動, 又異乎勿用, 故於四發之. 或之者, 兼
躍與在淵言.

건은 괘의 이름이지만 '건건(乾乾)'이라고 하면 굳건함이 그 속에 있고, 이미 여섯 용이라
했으니, 삼효도 그 가운데에 있다. '힘쓰고 힘쓰는 것'이 사람의 일을 가리켰지만 용에도 반
드시 이런 상이 있으니, 그것이 뛰어오르려고 하거나 말거나 뜻을 그친 적은 없다. 사효도
사람에 속하지만 위로 하늘과 아래로 밭의 사이에서 삼효와 사효도 반드시 구별이 있으니,
높고 낮음으로 구분해야 한다. 사효는 삼효 위에 있지만 하늘도 아니고 땅도 아니면서 단지
높이 뛰어오른 자가 닿을 수 있기 때문에 "혹 뛰어오르기도 한다"라 말하였으니, 하늘에서
날아다니는 용과는 다르다. 뛰어올랐다가 다시 내려오면 못일 뿐이고, 못에 있을지라도 뜻
이 이미 움직였다면, "쓰지 말라"고 한 것과는 다르기 때문에 사효에서 그것을 드러냈다.
'혹'이라는 것은 "뛰어오르기도 하다"와 "못에 있기도 하다"는 것을 겸해서 말한 것이다.

躍如鷹之學習, 龍之將飛, 必先習於躍, 故曰自試也. 其習也, 或離於田, 或入於淵, 故
曰進退無恒也.

뛰어오르기도 하기를 마치 매가 배워서 익히듯이 하니, 용이 장차 날려고 하면 반드시 먼저
뛰어오르는 것을 연습하기 때문에 "스스로 시험한다"고 하였다. 연습에서 혹 밭을 벗어나기
도 하고 혹 못으로 들어가기도 하기 때문에, "나아가고 물러남에 일정함이 없다"고 하였다.

龍之未至天, 亦甚費力, 不升則降. 既至天, 動靜有裕, 惟意所欲, 是謂在天

용이 하늘에 다다르지 못하면 힘만 많이 쓰고 올라가지 못해 내려온다. 이미 하늘에 다다르
면 움직임과 고요함에 여유가 있어 오직 뜻대로 하고자 함이니, 이것이 '하늘에 있는 것'이다.

권만(權萬) 「역설(易說)」

四離下體, 在上卦之初, 故躍. 而龍之性, 常在於淵. 淵指初一潛處而言, 初四之應爻也.

사효는 하체를 떠나 상괘의 처음에 있기 때문에 뛰어오른다. 그러나 용의 본성은 항상 못에
있는 것이다. 못은 초효의 잠겨 있는 곳을 가리켜서 말했으니, 초효와 사효는 상응하는 효이
기 때문이다.

○ 古文淵作㸤. 左右象岸, 中象水, 乾初二五上似兩岸, 三四似水中, 在淵云者, 指九四本爻而言, 不必指初爲淵歟. 字書管子曰, 水出不流曰淵, 則初謂之淵, 亦無不可. 大抵以學者之事言之, 或躍, 有進取之義, 在淵, 有居業溫舊之象. 龍至靈者也, 雖有登玄間興雲作雨之具, 而相時而動, 不妄不躁. 故到得時, 時施用, 有力其躍, 而還潛, 何咎之有. 故无咎.

옛글에서는 '연(淵)'을 '연(㸤)'으로 썼다. 좌우는 언덕을 상징하고 가운데는 물을 상징하니, 건괘의 초효·이효·오효·상효는 양쪽 언덕과 비슷하고, 삼효와 사효는 물 가운데와 비슷하다. "못에 있기도 하다"는 것은 구사 본효를 가리켜서 말했으니, 초효를 가리켜서 못이라고 할 필요는 없을 것이다. 자서(字書)에서 관자가 "물이 나와 흘러가지 않는 것을 못이라 한다"[108]라 했으니, 초구를 못이라 부른 것에도 잘못됨이 없다. 배우는 자들의 일로 말한다면 "혹 뛰어오르기도 한다"는 것에는 진취적인 뜻이 있고, "못에 있기도 한다"는 것에는 할 일에 거처하고 옛 것을 익히는 상이 있다. 용은 지극한 영물이니, 비록 하늘로 올라가 구름을 일으켜 비를 뿌리는 힘이 있지만, 시기를 보고 움직이고 함부로 조급해하지 않는다. 그러므로 때가 되면 때에 맞게 시행하여 힘이 있으면 뛰어오르기도 하지만, 돌아와 잠겨 있으니 어찌 허물이 있겠는가? 그러므로 허물이 없다.

○ 四處近五之地, 不待時至, 而凌節驟進, 則非遠嫌之道也.

사효는 오효와 가까운 곳에 있는데 때가 되기를 기다리지 않고 절차를 무시하고 갑자기 나아가면 혐의를 멀리하는 도리가 아니다.

○ 九故躍, 四故在淵.

구(九)이므로 뛰어오르고, 사(四)이므로 못에 있다.

유정원(柳正源) 『역해참고(易解參攷)』

梁山來氏曰, 或躍在淵者, 欲躍猶在淵也. 此爻變巽爲進退爲不果, 又四多懼, 故或躍在淵.

양산래씨가 말하였다: "혹 뛰어오르기도 하고 못에 있기도 하니"란 뛰어오르고자 하지만 여전히 못에 있는 것이다. 여기의 효가 변하여 손괘(巽卦☴)가 되면 나아가고 물러남이 과감하지 않은 것이 되고, 또 사효는 두려움이 많기 때문에 혹 뛰어오르기도 하고 못에 있기도 한다.

---

108) 『管子·度地』: 水出地而不流者, 命曰淵.

○ 案, 或躍在淵, 諺解所釋於傳義俱違. 以文言傳躍就所安觀之, 程傳似是躍而就安之意, 以龍之在是, 若下於田, 或躍而起觀之, 本義似是躍於在淵之意.

내가 살펴보았다: "혹 뛰어오르기도 하고 못에 있기도 하니"는 『언해』에서 해석한 것이 『정전』과 『본의』와는 모두 다르다. 「문언전」에서 『정전』의 "뛰어올라 편안한 곳으로 간다"로 보면, 『정전』은 "뛰어올라서 편안한 곳으로 간다"는 의미인 것 같고, 『본의』의 "용이 여기에 있을 때에는 밭보다 아래에 있는 듯하지만 혹 뛰어 일어나면"으로 보면, 『본의』는 '연못에서 뛰어오른다는 의미인 것 같다.

김상악(金相岳) 『산천역설(山天易說)』

九陽四陰, 居上之下, 乃乾道改革之際, 進退未定之時也. 或躍者, 陽之動也. 在淵者, 陰之靜也. 能進退自試, 斯无咎矣. 以明善之功言之, 是理之无定在也, 故詩云, 魚在于渚或潛在淵.

구(九)는 양이고 사(四)는 음인데 상괘의 아래에 있어 건의 도(道)가 바뀌는 즈음이니, 나아가고 물러남이 정해지지 않은 때이다. "혹 뛰어오르기도 한다"는 양이 움직이는 것이고, "못에 있기도 한다"는 음이 고요한 것이다. 나아가고 물러남을 스스로 시험할 수 있으니, 이것이 허물이 없는 것이다. 선을 밝히는 일로 말하면 이치에는 일정한 소재가 없다는 것이다. 그러므로 『시경·소아편』에서 "물고기가 물가에 놀다가 간혹 못에 숨는다"라 했다.

○ 或躍者, 承五之飛, 在淵者, 應初之潛也. 水者天一所生, 而六爻皆靜, 故取象于淵. 淵者龍之所安, 若不蟄而在淵, 何能躍而飛天. 所以尺蠖之屈, 以求伸也, 龍蛇之蟄, 以存身也. 初之潛在水中, 四之躍在水外, 上下卦之辨也. 四不言龍而曰或躍在淵者, 承上爻而言也, 如大壯九三. 无咎者, 善補過之辭也. 三四皆不中, 故勉之以无咎. 所以三之惕, 四之疑, 互見於爻辭及文言.

"혹 뛰어오르기도 한다"는 오효의 날아오르는 것을 계승하는 것이고, "못에 있기도 한다"는 초효의 잠겨 있는 것에 호응하는 것이다. 물이란 하늘의 수 1에서 생긴 것인데, 여섯 효가 모두 고요하므로 못에서 상을 취했다. 못은 용이 편안한 곳인데, 만약 움츠리고 못에 있지 않았다면 어떻게 뛰어올라 하늘로 날아오를 수 있겠는가? 자벌레가 굽히는 까닭은 펴기 위함이고, 용과 뱀이 움츠리고 있는 것은 몸을 보존하기 위함이다.[109] 초효가 물속에 잠겨 있고 사효의 물 밖에서 뛰어오름은 상하괘의 분변이다. 사효는 용을 말하지 않고 "혹 뛰어오르기도 하고 못에 있기도 하니"라 한 것은 위의 효를 이어서 말한 것이니, 대장괘(大壯卦☲☰)

---

109) 『周易·繫辭傳』: 尺蠖之屈, 以求信也, 龍蛇之蟄, 以存身也.

의 구삼효와 같다. "허물이 없을 것이다"는 잘못을 잘 보완한다는 말이다.[110] 삼효와 사효는 모두 알맞지 않기[不中] 때문에 노력하여야 허물이 없다. 삼효가 두려워하고 사효가 의심하는 까닭은 효사와 「문언전」에서 서로 드러내고 있다.

김규오(金奎五) 「독역기의(讀易記疑)」

九四或躍, 傳解作躍거나, 此實本義之意也. 若傳則以淵爲龍之所安, 而謂之躍就所安, 自可釋之, 以躍ᄒᆞ야矣, 文言傳可攷也. 爻下傳所謂躍不躍, 只所以釋或字之意, 非以躍字, 謂含躍不躍兩義. 而解之者, 未及深考耳.

구사는 '혹 뛰어오르기도 하고[躍]'에 대한 『정전』의 해석을 '뛰어오르거나'로 하였으니, 이것은 사실 『본의』의 뜻이다. 『정전』과 같이하면, '못'을 용이 편안한 곳으로 여겨서 "뛰어오르기도 하면서 편안한 곳에 나아간다"라 말한 것이어서 본래 '뛰어올라서'라 해석할 수 있으니, 「문언」의 『정전』에서 살필 수 있다. 효 아래의 『정전』에서 말한 "뛰어오르거나 뛰어오르지 않거나"라 한 것은 단지 '혹(或)'이란 말의 뜻을 해석한 것이지, '뛰어오르기도 하고[躍]'라는 말에 "뛰어오르거나 뛰어오르지 않거나"라는 두 가지 의미가 있다는 것은 아니다. 그런데 그것을 해석하는 사람들이 깊이 헤아리지 못했다.

○ 本義, 進退未定之時, 改革之際, 體陽則可進, 位陰則又可退也.

『본의』에서 "나아가고 물러남을 결정하지 못하는 때이고 개혁의 즈음이다"라 한 것은 몸체가 양이면 나아갈 수 있고, 자리가 음이면 또 물러날 수 있다는 것이다.

박윤원(朴胤源) 『경의(經義)‧역경차략(易經箚略)‧역계차의(易繫箚疑)』

或者, 非必之辭, 故本義以爲進退未定之時. 旣是進退未定之時, 則何以隨時進退耶. 象傳曰, 進无咎也. 石徂徠以爲夫子加一進字, 以斷其疑. 然則本義何以曰可以進, 而不必進也. 恐非夫子斷定之意, 且文言第二節曰, 或躍在淵, 自試也.

'혹(或)'은 반드시 그런 것은 아니라는 말이므로, 『본의』에서 나아가고 물러남이 정해지지 않는 때라 여겼다. 이미 나아가고 물러남이 정해지지 않는 때라면, 어떻게 때에 따라 나아가고 물러나겠는가? 「상전」에서 "나아감이 허물이 없는 것이다"라 했다. 석조래(石徂徠)는 공자가 '나아감'이라는 말을 더하여 그 의혹을 결단했다고 여겼다. 그렇다면 『본의』에서 무엇을 근거로 "나아갈 수 있지만 반드시 나아가는 것이 아니다"라 했겠는가? 공자가 단정한

---

110) 『周易‧繫辭傳』: 无咎者, 善補過也.

의미가 아닌 듯하고, 또 「문언전」제 2절에서 "혹 뛰어 오르거나 못에 있음은 스스로 시험하는 것이다"라고 하였다.

小註馮厚齋說, 以爲如試可乃已之試, 旣云試可, 則何以曰, 未遽有爲也. 無所爲, 而何以試之耶. 此爻以一或字爲辭, 象傳文言及本義, 亦皆難曉.

소주(小註)에서 후재풍씨는 '시험하다[試]'를 "가능한지를 시험한 뒤에 그만두다"[111]고 할 때의 '시험하다[試]'와 같은 것으로 여긴다고 말했는데, 이미 가능한지를 시험한다고 말했다면 왜 "갑자기 큰일을 할 수 없다"[112]고 말하겠는가? 해야 할 일 없다면 왜 시험해야 하겠는가? 여기의 효에서 '혹(或)'자로 말한 것은 「상전」과 「문언전」및 『본의』에서도 모두 이해하기 어렵다.

김귀주(金龜柱) 『주역차록(周易箚錄)』

傳, 淵龍之所安, 云云.

『정전』에서 말하였다: 못은 용이 편안하게 여기는 곳이다, 운운.

○ 按, 此以所安解在淵字. 則進退未定之意, 皆包在一或字矣. 然恐不如本義, 以躍與淵分言, 進退之爲完備也.

내가 살펴보았다: 이것은 '편안하게 어기는 곳[所安]'으로 '못에 있기도 하다[在淵]'는 말을 해석한 것이다. 그렇다면 나아가고 물러남이 아직 정해지지 않았다는 뜻은 모두 '혹(或)'이라는 말에 포함되어 있다. 그러나 『본의』의 '뛰어 오르기도 하다'와 '못'으로 나눠 말하여 나아가고 물러남이 완비된 것과 같지는 못하다.

小註中溪張氏曰, 躍淵, 云云.

소주(小註)에서 중계장씨가 말하였다: 뛰어오르기도 하고 못에 있기도 하니, 운운.

○ 按, 四不言龍, 只是沙隨所謂大壯九四之例. 疑於五之云, 恐未必然.

내가 살펴보았다: 사효에서는 용을 말하지 않은 것은 사수정씨(沙隨程氏)가 말한 대장괘(大壯卦䷡)구사효의 예[113]일 뿐이다. '오효에게 의심을 받기 때문…'은 그렇지는 않은 듯하다.

---

111) 『書經·堯典』: 악이 말하였다: 그만두더라도 가능한지를 시험해보고 이에 그만두어야 합니다[岳曰, 异哉, 試可乃已].

112) "갑자기 큰일을 할 수 없다[未遽有爲]"는 「문언전」"或躍在淵, 自試也"에 대한 『본의』의 주석이다. 『본의』 원문은 "未遽有爲, 姑試其可"이다.

113) 沙隨程氏曰, 猶大壯九三, 羝羊觸藩, 羸其角, 而九四不言羊, 知藩決不羸卽羊也.

박제가(朴齊家) 『주역(周易)』

九四重剛.

구사는 거듭된 굳셈이다.

本義, 重字疑衍.

『본의』에서 말하였다: '거듭된'이라는 말은 잘못 들어간 듯하다.

案, 繫辭傳, 非其中爻不備, 中爻指互體者也. 內卦旣剛, 外卦又剛, 內外交接之初, 卽重剛也, 固非膠守四之陰位而言者. 雲峯說, 復之六四曰中行, 益之三四皆曰中行者得之. 四以三爲人, 則三以四爲天, 蓋統內外卦爲天, 不害爲重剛矣.

내가 살펴보았다. 「계사전」에서 "가운데 효가 아니면 갖추어지지 않는다"[114]에서 '가운데 효[中爻]'는 호체를 가리킨다. 내괘가 이미 굳세고 외괘가 또한 굳세어 내·외괘가 서로 만나는 처음이라 바로 굳셈을 거듭하는 것이니, 진실로 사효의 음의 자리를 융통성 없이 지켜서 말하는 것이 아니다. 운봉호씨가 "복괘(復卦䷗)의 육사효에서 '중도를 행한다'[115]라 하고, 익괘(益卦䷩)의 육삼효와 육사효에서 모두 '중도를 행한다'[116]라 했"고 말한 것에서 알 수 있다. 사효에서는 삼효를 사람으로 여겼다면 삼효에서는 사효를 하늘로 여겼으니, 내외괘를 통괄하여 하늘로 여기는 것은 굳셈을 거듭하는 데에 방해되지 않는다.

박제가(朴齊家) 『주역(周易)』

九四, 或.

구사는 혹.

傳, 或疑辭, 謂非必也. 然則非必躍矣. 本義曰, 疑而未定之辭. 然則欲躍, 而尙未決. 都不及孔子之言曰或之. 添一之字, 便見躍之或也. 躍之或者, 躍則躍矣, 而不常躍也. 不常躍乃疑也, 單釋或字爲疑, 則恐未暢.

『정전』에서 "'혹'은 의심하는 말이니 반드시 그런 것은 아니라는 말이다"라 하였다. 그렇다면 반드시 뛰어오르는 것[躍]이 아니다. 『본의』에서 "'혹'은 의심하여 결정하지 못하는 말이다"라 하였다. 그렇다면 뛰어오르고자 하면서도 아직 결정하지 못한 것이다. 둘 다 공자의 말에 '그것을 의혹한다'고 한 데에는 미치지 못한다. '그것을[之]'이라는 말을 더했으니 곧

---

114) 『周易·繫辭傳』: 非其中爻, 不備. 박제가는 중효를 2~5효를 말한다고 한다.
115) 『周易·復卦』: 六四. 中行獨復.
116) 『周易·益卦』: 六三. 益之用凶事, 无咎, 有孚中行, 告公用圭. 六四. 中行告公從, 利用爲依遷國.

뛰어오르는 것에 대한 의혹임을 알 수 있다. 뛰어오르는 것에 대한 의혹'은 뛰어오르면 뛰어 오르지만 항상 뛰어오르는 것은 아니라는 것이다. 항상 뛰어오르지 않는 것이 바로 의심하는 것이니, '혹'자만 가지고 의심하는 것으로 해석한다면 통하지 않는 것 같다.

윤행임(尹行恁) 『신호수필(薪湖隨筆)·역(易)』

忠信進德, 卽論語第七章主忠信之義. 忠信以爲基址, 然後德可以進矣, 辭可以修矣, 誠可以立矣. 知至至之, 卽大學經一章知至之義. 知至以爲本領, 然後義可以存矣. 貴可以謙矣, 賤可以安矣, 此爲學問之極功也.

'진실과 믿음으로 덕을 기름[忠信進德]'은 곧 『논어』 제 7장의 진실함과 믿음을 위주로 한다는 것이다. 진실함과 믿음이 기초 토대가 된 후에 덕을 기를 수 있고, 말을 바르게 할 수 있으며 정성을 확고히 세울 수 있다. '다다를 곳을 알고 다다르는 것[知至至之]'은 곧 『대학』 1장의 다다를 곳을 안다는 뜻이다. 다다를 곳을 아는 것을 본령으로 삼은 후에 의리를 보존할 수 있다. 귀할 때는 겸손할 수 있고 천할 때는 편안히 여길 수 있으니, 이는 학문의 지극한 공효이다.

서유신(徐有臣) 『역의의언(易義擬言)』

九四, 躍而在淵之龍也, 曰躍曰淵, 知其龍也. 或者, 有時也, 躍者, 由潛而超騰也. 離於下體, 故爲躍也. 重乾疊川爲深淵, 深淵而後方可潛也, 又可躍也. 初九, 蓋始潛於此淵之底也, 潛躍隨時有義. 九四重剛以當躍之龍, 遇當躍之時, 進得時宜, 故无咎也. 淵卑天高, 不啻懸截. 而以龍言, 則淵之上便是天, 出於淵便飛天, 其間更無遮攔. 四近於五, 乃其象惟淵字, 善形容四之位也.

구사는 뛰어오르기도 하고 못에 있기도 하는 용이니, "뛰어오르기도 한다"라 하고 '못'이라 하였으니, 그것이 용이라는 것을 알겠다. '혹'이란 때가 있는 것이며 "뛰어오르기도 한다"는 것은 잠겨 있는 곳에서 뛰어 오르는 것이다. 하체를 벗어나기 때문에 뛰어오르기도 하는 것이다. 거듭된 건괘(乾卦☰)에 중첩한 내[川]가 깊은 못이니, 깊은 못인 다음에야 잠겨 있을 수 있고 또한 뛰어오르기도 할 수 있다. 초구는 여기 못의 바닥에 처음 잠겨 있는 것이니, 잠겨 있고 뛰어오르는 것은 때에 따라 뜻이 있는 것이다. 구사는 거듭된 굳셈으로 뛰어오르기도 하는 용에 해당하니, 뛰어오르는 때를 만나면 나아감에 시기의 마땅함을 얻기 때문에 허물이 없는 것이다. 못은 낮고 하늘은 높은데, 매우 현저하게 차이가 날 뿐만 아니다. 그런데 용으로 말하면 못의 위가 바로 하늘이고, 못을 벗어나면 바로 하늘을 나는 것이니, 그 사이에는 다시 막히는 것이 없다. 사효는 오효와 가까워 이에 그 상을 '못[淵]'이라는 말로 했을 뿐이니, 사효의 자리를 잘 형용했다.

박문건(朴文健) 『주역연의(周易衍義)』

慮而後躍, 故有或躍之象, 躍試其進也.

생각한 뒤에 뛰어오르므로 혹 뛰어오르기도 하는 상이 있고, 뛰어오르는 것은 나아감을 시험하는 것이다.

〈問, 或義. 曰, 或者, 疑而慮審之謂也.

물었다: '혹'의 뜻이 무엇입니까?

답하였다: '혹'은 의심하면서 생각하고 살피는 것입니다.〉

〈○ 問, 淵何在田上. 曰, 壅則成淵, 決則成田故也.

물었다: 못이 왜 밭보다 위에 있습니까?

답하였다: 막으면 못이 되고 터놓으면 밭이 되기 때문입니다.〉

이지연(李止淵) 『주역차의(周易箚疑)』

淵與田以形論之, 則淵下於田. 而以龍得之, 則淵近於天也.

못과 밭을 형태로 말하면 못이 밭보다 아래에 있다. 그러나 용이 얻는 것으로 말하면 못이 하늘과 가깝다.

이항로(李恒老) 「주역전의동이석의(周易傳義同異釋義)」

九四, 或躍在淵.

구사는 혹 뛰어오르기도 하고 못에 있기도 하니.

傳, 淵龍之所安也.

『정전』에서 말하였다: 못은 용이 편안하게 여기는 곳이다.

本義, 淵者上空下洞, 深昧不測之所, 云云.

『본의』에서 말하였다: '못'은 위는 비고 아래는 뚫려 있어 깊고 어두워 헤아릴 수 없는 곳이다, 운운.

按, 在字與或字互言, 而非一定之辭. 淵非龍所安之地, 止是飛天之階也. 在天施雨, 乃其德也, 豈以淵爲安乎. 以文言, 上不在天, 下不在田, 中不在人, 上下无常, 進退无恒等語觀之, 則可見, 故本義如此.

내가 살펴보았다: '~에 있기도 하다[在]'는 말은 '혹(或)'이라는 말과 서로 도와주는 말이어서 일정한 말이 아니다. 못은 용이 편안한 곳이 아니고 단지 하늘을 날기 위한 단계이다. 하늘에서 비를 내리는 것이 바로 용의 덕인데, 어찌 못에 있는 것을 편안히 여기겠는가? 「문언전」

에서 "위로는 하늘에 있지 않고, 아래로는 밭에 있지 않으며, 가운데로는 인간에 있지 않다. 오르내림에 일정함이 없고 나아가고 물러남에 일정함이 없다"라 한 말 등을 살펴보면 알 수 있으므로 『본의』에서 이와 같이 했다.

김기례(金箕澧) 「역요선의강목(易要選義綱目)」

九四, 或.
구사는 혹.

四爲陰位, 以陽居陰. 陰性多疑, 故曰或者疑之也. 蓋疑於五, 而審於進, 安於退, 故无咎. 或躍陽性, 在淵陰位. 淵比於田尤卑, 而在田特出見時, 在淵安宅, 而能變化. 蓋四爲上體之下, 故曰淵.
사효는 음의 자리인데 양으로서 음의 자리에 있다. 음의 성질은 의심이 많으므로 '혹'이라고 하였으니, 의심한다는 것이다. 오효를 의심하여 나아가는 것을 살펴 물러나 있는 것에 편안하므로 허물이 없다. 혹 뛰어오르기도 하는 것은 양의 성질이고 못에 있기도 하는 것은 음의 자리이다. 못은 밭보다 더욱 낮지만 밭에 있는 것은 특출하게 드러나는 때이니, 못이라는 편안한 집에 있으면 변화할 수 있다. 사효는 상체의 아래가 되므로 못이라 하였다.

심대윤(沈大允) 『주역상의점법(周易象義占法)』

乾之小畜☴, 畜而無形也. 九四以陽德居柔, 不用力爲健. 而二與四, 人臣從君, 不可自力爲健也. 九四居大臣位, 承君而畜有天下, 然非其有也, 有小畜之義. 又以文德施天下, 而无專治焉, 亦爲小畜義也. 於天下之事, 无所不當爲, 无專主之職, 故曰或躍在淵, 无咎.
건괘가 소축괘(小畜卦☴)로 바뀌었으니, 길러주는데도 형체가 없다. 구사는 양의 덕으로 유순한 곳에 있어 힘을 쓰지 않아도 굳건함이 된다. 그런데 이효와 사효는 신하가 임금을 따르는 것이니, 강건하기를 스스로 힘써서는 안 된다. 구사는 대신의 자리에 있으면서 임금을 받들어 천하를 소유하도록 길러주지만 자신이 소유하는 것이 아니니, 소축의 뜻이 있다. 또 문덕을 천하에 베풀지만 전적으로 다스리는 것이 없는 것도 소축의 뜻이다. 천하의 일에는 해서는 안 되는 것도 없고 전적으로 주관할 직분도 없기 때문에 "혹 뛰어오르기도 하고 못에 있기도 하니, 허물이 없을 것이다"라 했다.

或者, 衆无定主之辭. 巽之對爲震, 震爲躍巽. 离爲在天, 水同光淵, 然不可測之謂淵.

离之對坎, 坎乾相對爲淵. 言四之威德俱崇, 或威力, 或巽恭, 或文明, 或莊毅, 或勞苦, 而无不得其宜, 故无咎也. 凡二與五爲行之中, 三與四居卦之中, 有時中之義, 故文言三四皆言時. 然唯乾坤與二過爲然, 他卦則不用也.

'혹'이란 무리에서 정해진 주인이 없다는 말이다. 손괘(巽卦☴)와 음양을 반대로 한 괘가 진괘(震卦☳)이니, 진괘는 뛰어오른 손괘이다. 리괘(離卦☲)는 하늘에 있는 것이니, 물이 빛과 함께 있는 못이지만, 헤아릴 수 없는 것이 못이다. 리괘(離卦☲)와 음양을 반대로 한 괘가 감괘(坎卦☵)이고, 감괘와 건괘(乾卦☰)가 서로 마주한 것이 못이다. 사효의 위엄 있는 덕을 모두 숭상하니, 혹 위력이 있거나 혹 공손하거나 혹 문채로 밝거나 혹 엄숙하고 굳세거나 혹 수고스럽지만, 그 적절함을 얻지 않을 수 없기 때문에 허물이 없다는 말이다. 이효와 오효는 행실의 알맞음이고 삼효와 사효는 괘의 가운데 있어서 때에 알맞은 뜻이 있으므로 「문언전」에서 삼효와 사효에서는 모두 때를 말했다. 그렇지만 오직 건·곤괘와 두 지나치는 괘[소과·대과]에서만 그렇고, 다른 괘에서는 쓰지 않았다.

오치기(吳致箕) 「주역경전증해(周易經傳增解)」

九四以陽剛之德, 自下升上, 近於天位, 而以剛居柔, 進退未決. 故有或躍在淵之象. 而位不得正, 宜若有咎, 然以剛德處柔, 能量時度宜, 不輕其進. 故占言无咎.

구사는 양의 굳센 덕으로 아래에서 위로 올라가서 하늘 자리에 가깝지만 굳셈이 부드러움에 머물러서 나아가고 물러남이 결정되지 않았다. 그러므로 혹 뛰어오르기도 하고 못에 있기도 하는 상이 있다. 그런데 자리가 바르지 않아서 허물이 있어야 할 것 같지만, 굳센 덕으로 유순한 자리에 있어 때와 적절함을 헤아려서 그 나아감에 가볍지 않다. 그러므로 점(占)에서 허물이 없다고 한다.

○ 或者未定之辭也. 絶乎潛, 而近乎飛, 故曰躍也. 爻變互兌爲澤淵之象, 而在淵則去天不遠矣.

'혹'은 정해지지 않았다는 말이다. 잠겨 있는 곳을 떠나 나는 것에 가까우므로 "뛰어오르기도 한다"고 하였다. 효가 변하면 호괘인 태괘(兌卦☱)는 못의 상이고, 못에 있으면 하늘에서 멀지 않다.

이진상(李震相) 『역학관규(易學管窺)』

四陽周於西九, 變而爲巽. 巽股有躍象, 又有進退不果之象. 然巽實資乾, 乾非有資於巽也. 以重卦分三才, 則初與四爲地位, 而四又在卦體之下, 故以淵言. 蓋龍之潛, 不知其所在, 而因其一躍知其在淵, 淵乃所潛之處也. 至四而始言淵者, 乾行到西, 西爲重水之鄕, 以互體則變成互兌, 兌爲澤也. 以九居四, 旣不當位, 近君多懼, 但以隨時就安, 得无咎.

사(四)의 양이 서쪽의 구(九)로 돌아가 변하여 손괘(巽卦☴)가 된다. 손괘는 넓적다리로 뛰어오르는 상이 있고, 또 진퇴(進退)에 과감하지 않는 상이 있다. 그러나 손괘는 사실 건괘(乾卦☰)를 바탕으로 하지만, 건괘는 손괘를 바탕으로 하지 않는다. 거듭된 괘[重卦]를 삼재로 나누면 초효와 사효는 땅의 자리인데, 사효는 또 괘의 몸체의 아래에 있기 때문에 못으로 말했다. 용이 잠겨 있으면 그 있는 곳을 알지 못하지만, 한 번 뛰어올랐기 때문에 그것이 못에 있다는 것을 알 수 있으니, 못은 바로 잠겨 있는 곳이다. 사효에서 비로소 못을 말한 것은 건의 운행이 서쪽에 도착하니 서쪽은 거듭된 물의 고향이고, 호체로는 변하여 호괘인 태괘(兌卦☱)가 되니 태괘는 못이기 때문이다. 구(九)가 사효의 자리에 있으면 이미 적당한 자리가 아니고 임금에게 가까워 두려움이 많지만, 다만 때에 따라 편안한 곳으로 나아가니 허물이 없을 수 있다.

채종식(蔡鍾植) 「주역전의동귀해(周易傳義同歸解)」

九四, 或躍在淵.

구사는 혹 뛰어오르기도 하고 못에 있기도 하니.

傳云, 躍就所安, 本義云, 躍而起則向乎天. 蓋九四之爻居上之下, 可以進則進, 可以退則退, 隨時而已, 故程子就退處說, 朱子就進處說. 其說雖殊, 其時義則一也.

『정전』에서 "뛰어 편안한 곳에 나아간다"라 했고, 『본의』에서 "뛰어 일어나면 하늘로 향한다"라 했다. 구사라는 효는 상괘의 아래에 있어서 나아갈 수 있으면 나아가고, 물러날 수 있으면 물러나서 때를 따를 뿐이기 때문에, 정자는 물러나는 곳으로 말했고 주자는 나아가는 곳으로 말했다. 그들의 설이 다르지만 그 때와 의리는 동일하다.

九五, 飛龍在天, 利見大人.

구오는 나는 용이 하늘에 있으니, 대인을 보는 것이 이롭다.

‖中國大全‖

傳

進位乎天位也. 聖人旣得天位, 則利見在下大德之人, 與共成天下之事. 天下固利見夫大德之君也.

하늘의 자리[천자의 자리]로 나아가는 것이다. 성인이 이미 하늘의 자리를 얻었다면 아래에 있는 큰 덕의 사람을 만나 함께 천하의 일을 이루는 것이 이롭고, 천하 사람들은 진실로 큰 덕의 임금을 만나는 것이 이롭다.

小註

龜山楊氏曰, 此舜之謳歌朝覲時也.

구산양씨가 말하였다: 구오는 순임금이 칭송하는 노래를 받고 신하들의 조회를 받은 때에[117] 해당한다.

○ 朱子曰, 飛龍在天, 利見大人, 文言分明言同聲相應, 同氣相求, 水流濕火就燥, 雲從龍風從虎, 聖人作而萬物覩. 他分明是以聖人爲龍, 以作言飛, 以萬物覩解利見大人. 只是言天下利見夫大德之君也, 今人卻別做一說, 恐非聖人本意.

주자가 말하였다: "나는 용이 하늘에 있으니, 대인을 보는 것이 이롭다"에 대하여 「문언전」에서 "같은 소리는 서로 호응하며 같은 기운은 서로 구해서 물은 젖은 곳으로 흐르고 불은 마른 곳으로 나아가며, 구름은 용을 좇고 바람은 범을 따른다. 성인이 나타남에 만물이 바라

---

[117] 『孟子·萬章』: 堯崩, 三年之喪畢, 舜避堯之子於南河之南, 天下諸侯朝覲者, 不之堯之子而之舜, 訟獄者, 不之堯之子而之舜, 謳歌者, 不謳歌堯之子而謳歌舜, 故曰, 天也.

보니"라고 분명히 설명하였다. 이는 분명히 '성인'은 '용'이고 '일어남[作]'은 '날다'이며 "만물이 본다"는 "대인을 봄이 이롭다"를 해석한 것이다. 단지 천하 사람들이 큰 덕의 임금을 봄이 이롭다고 말한 것인데, 요즘 사람들은 도리어 별도로 다른 한 설을 만들어 내니, 아마도 성인의 본래의 뜻은 아닐 것이다.

○ 隆山李氏曰, 乾之六龍獨取君象, 潛見飛躍, 其跡不同, 同此一龍耳. 向以大人之德, 爲一世之所利見, 今以大人之德, 爲天下之所利見, 所謂聖人作而萬物覩也.
융산이씨가 말하였다: 건괘의 여섯 용은 유독 임금의 상을 취하였으니, 잠김·나타남·날아오름·뛰어 오름은 자취가 같지는 않으나, 모두 하나의 용일 뿐이다. 먼저는 대인의 덕이 온 세상 사람들에게 보여짐을 이롭게 여기고, 지금은 대인의 덕이 천하 사람들에게 보여짐을 이롭게 여겼으니, 이것이 이른바 성인이 일어남에 만물이 바라본다는 것이다.

○ 西溪李氏曰, 人心所利見, 已在二矣, 況正九五之位乎.
서계이씨가 말하였다: 인심이 보는 것을 이롭게 여기는 대상이 이미 이효에 있으니, 하물며 중정한 자리에 있는 구오임에랴!

○ 楊氏雄曰, 龍之潛亢, 不獲中矣. 過中則惕, 不及中則躍, 二五其中乎, 故有利見之吉.
양웅이 말하였다: 잠겨있는 용이나 끝까지 올라간 용은 중도[가운데 자리를 얻지 못하였다. 중도를 지나치면 두려워하고 중도에 미치지 못하면 뛰어 오르니, 이효와 오효는 중도이기 때문에 보는 것이 이로운 길함이 있다.

剛健中正以居尊位, 如以聖人之德, 居聖人之位. 故其象如此, 而占法與九二同, 特所利見者, 在上之大人爾. 若有其位, 則爲利見九二在下之大人也.
강건하고 중정함으로 높은 자리에 있으니, 성인의 덕으로 성인의 자리에 있는 것과 같다. 그러므로 그 상이 이와 같고 점법이 구이와 같으나, 다만 보는 것이 이로운 자가 위에 있는 대인일 뿐이다. 그런 지위에 있는 사람이라면, 아래에 있는 대인인 구이를 만나는 것이 이로울 것이다.

朱子曰, 九二九五兩爻, 此當以所占之人之德觀之. 若已是有九二之德, 占得此九二爻, 則爲利見九五大德之君. 若常人无九二之德者, 占得之, 則只爲利見此九二之大人耳. 已爲九五之君, 而有九五之德, 占得此九五爻, 則爲利見九二大德之人. 若九二之人占得之, 則爲利見此九五大德之人, 各隨所占之人, 以爻與占者, 相爲賓主也. 太祖一日, 問王昭素曰, 九五飛龍在天利見大人, 常人何可占得此卦. 昭素曰, 何害. 若臣等占得, 則陛下是飛龍在天, 臣等利見大人, 是利見陛下也. 此說得最好. 如此, 所以三百八十四爻, 而天下萬事, 无不可該, 无不周遍, 此易之用所以不窮也.

주자가 말하였다: 구이와 구오, 이 두 개의 효는 점치는 사람의 덕으로 살펴보아야 한다. 만일 이미 구이의 덕이 있는 자가 점을 쳐서 이 구이효를 얻었다면, 큰 덕을 지닌 구오의 임금을 보는 것이 이로울 것이나, 만일 구이의 덕이 없는 보통사람이 점을 친 경우라면, 단지 이 구이의 대인을 보는 것이 이로울 뿐이다. 이미 구오의 임금이면서 구오의 덕이 있는 자가 점을 쳐서 이 구오효를 얻었다면, 큰 덕을 지닌 구이의 사람을 보는 것이 이로울 것이다. 만일 구이의 사람이 점을 쳐서 이 효를 얻었다면, 큰 덕을 지닌 구오의 대인을 보는 것이 이로울 것이니, 각각 점치는 사람에 따라서 효와 점이 서로 손님과 주인이 된다. 하루는 송나라 태조가 왕소소(王昭素)에게 물었다. "구오는 나는 용이 하늘에 있으니 대인을 보는 것이 이롭다'라는 것을 보통사람이 어떻게 점을 쳐서 이괘를 얻을 수 있겠는가?" 왕소소가 답하였다. "무슨 문제가 있겠습니까? 만약 신들이 점을 쳐서 이 괘를 얻었다면 폐하께서 '나는 용이 하늘에 있다'에 해당하고, 저희들이 '대인을 봄이 이롭다'에 해당 될 것이니, 이는 폐하를 봄이 이롭다는 것입니다." 이 말이 가장 좋으니, 이와 같다면 삼백 팔십 사효로 천하의 온갖 일을 해당시키지 못할 것이 없고 두루 미치지 못할 것이 없으니, 이것이『주역』의 작용이 무궁한 이유이다.

○ 誠齋楊氏曰, 九天德也龍象也, 五天位也, 飛而在天之象也.
성재양씨가 말하였다: '구'는 하늘의 덕이고 용의 형상이며, '오'는 하늘의 자리이니, 날아서 하늘에 있는 상이다.

○ 雲峰胡氏曰, 本義於二五, 皆曰剛健中正, 九五以天德居天位, 剛健而純, 中正而粹者也. 文言曰, 剛健中正, 純粹精也, 其九五之謂歟. 雲行雨施, 天下平也, 則飛龍在天之事矣, 在田乃雲行, 在天乃雨施.
운봉호씨가 말하였다:『본의』에서는 이효·오효에 대하여 모두 강건하고 중정하다고 하였다. 구오는 하늘의 덕으로 하늘의 자리에 있어 강건하면서도 순일하고 중정하면서도 순수한 자이다. 「문언전」에 "강건하고 중정함이 순수하여 정(精)하다"고 하였으니, 구오를 말할 것이다. "구름이 떠다니고 비가 내려 천하가 화평하다"라 한 것은 나는 용이 하늘에 있는 일이니, 밭에서는 구름이 끼는 것이고, 하늘에서는 비가 내리는 것이다.

▎韓國大全▎

권근(權近) 『주역천견록(周易淺見錄)』

九五天位, 故爲飛龍在天. 萬物咸仰覩, 而得被其澤. 上九過高出天之外, 物所不及見, 而龍亦无所施其澤矣, 故亢而有悔.

구오(九五)는 하늘의 자리[天位]이기 때문에 나는 용이 하늘에 있어 만물이 모두 우러러보고 그로부터 혜택을 입는 것이다. 상구(上九)는 하늘 밖까지 지나치게 높이 날아올라 다른 것들이 볼 수 없고, 용 역시 그 혜택을 베풀 수 없으므로 끝까지 올라가서 후회가 있다.

조호익(曺好益) 『역상설(易象說)』

本義, 大人, 指龍五也, 見, 占者見也.

『본의』에서 대인은 오효의 용을 가리키고, 본다는 것은 점치는 자가 보는 것이다.

송시열(宋時烈) 『역설(易說)』

九五變, 則爲離. 離爲飛鳥象, 故曰飛者天在. 龍之飛騰行, 變化之時, 五爲三爻中天位, 而卽王者得位之時也. 利見九二之大人, 利者占辭. 二五兩見字, 可見相見乎離之義也.

구오가 변하면 리괘(離卦☲)이다. 리괘는 날아다니는 새의 상이기 때문에 "나는 것은 하늘에 있다"라 한다. 용이 날아올라 돌아다니는 것은 변화하는 때이고, 오효는 세 효 중에서 하늘의 자리여서 곧 임금이 지위를 얻은 때이다. "구이의 대인을 봄이 이롭다"에서 '이롭다'는 점사이다. 이효와 오효에서 두 번의 '본다[見]'는 말은 리괘(離卦☲)에서 서로 본다는 뜻임을 알 수 있다.

석지형(石之珩) 『오위귀감(五位龜鑑)』

臣謹按, 乾之九五, 以飛龍爲君象, 而利在見在下之大人. 蓋九是陽數, 五是陽位, 龍爲陽物而又天飛, 所以象君也. 臣於君, 猶龍之雲, 不得則无以神其靈, 所以利見也. 今聖上旣龍飛矣, 未有爲之雲者, 天下无能飛, 而不能致雲之龍. 臣恐致雲有其術, 而殿下或未之求也. 噫. 雲之興, 只在陰陽之感, 膚寸之間, 不必在名山大川, 人所共聞之地. 伏願殿下, 求所以感應, 无方之術焉.

신(臣)이 삼가 살펴보았습니다: 건괘의 구오는 나는 용을 임금의 상으로 여겨 이로움이 아래의 대인을 보는 것에 있습니다. 구(九)는 양의 수이고 오(五)는 양의 자리이며, 용은 양의 동물이고 또 하늘을 날기 때문에 임금을 상징합니다. 임금에게 신하는 용에게 구름과 같아서 얻지 못하면 그 영험함을 신통하게 할 방법이 없기 때문에 보는 것을 이롭게 여깁니다. 이제 성상께서는 이미 나는 용인데 구름 역할을 하는 자가 없으니, 천하를 날 수 없고 구름을 부를 수 없는 용입니다. 신하가 구름을 부르는 기술이 있는데도 전하께서 혹 구하지 못할까 염려스럽습니다. 아! 구름이 일어남은 오직 음양의 감응하는 가까운 사이에 있을 뿐, 반드시 명산대천의 사람들이 모두 듣는 곳에 있지 않습니다. 전하께 삼가바라건대 감응함에 일정함이 없는 방법을 구하소서.

김만영(金萬英) 「역상소결(易象小訣)」

九五, 飛龍.

구오는 나는 용이.

九二九五變, 則上下皆爲离. 离者日也, 初出地上, 則有見之象, 麗于中天, 則有飛之象, 故二曰見, 五曰飛.

구이와 구오가 변하면 상괘와 하괘는 모두 리괘(離卦☲)가 된다. 리괘는 해이니,[118] 처음 땅위로 나오면 나타나는 상이 있고 중천에 걸려있으면 날아다니는 상이 있기 때문에 이효에서 '나타나다[見]'라 하고 오효에서 '날다[飛]'라 하였다.

이현석(李玄錫) 「역의규반(易義窺斑)」

此爻爲聖人得天位行天道之占. 旣以飛龍在天取象, 則其興雲施雨, 神變化澤萬物, 可言者多矣. 一功不擧, 只以利見大人一句斷之而釋之者, 謂利見在下大德之人. 是知人君之能事, 莫大於得賢臣也. 此乃易中開卷第一義云.

이 효는 성인이 하늘의 자리를 얻어 하늘의 도를 행하는 점(占)이다. 이미 나는 용이 하늘에 있는 것으로 상을 취했다면 구름이 일고 비가 내려 변화를 신묘하게 하여 만물에 혜택을 미치니 말할 수 있는 것들이 많다. 모든 것을 들지 않고 단지 "대인을 봄이 이롭다"라는 구절로 단정해서 해석한 것은 아래에 있는 큰 덕을 지닌 대인을 봄이 이로움을 말함이다. 이것은 임금이 할 수 있는 일로는 어진 신하를 얻는 것보다 더 중요한 것이 없다는 것을

---

118) 『周易·說卦傳』: 離爲日.

아는 것이다. 이것이 바로 『주역』 책을 펼쳤을 때 들어있는 첫 번째 뜻이라는 것이다.

임영(林泳) 「독서차록(讀書箚錄)-주역(周易)」

九五曰.

구오에서 말하였다.

傳, 人之類, 莫不歸仰, 況同德乎. 上應於下, 下從於上. 上旣見下, 下亦見上, 上下相見, 共成其事.

『정전』에서 말하였다: 사람들은 귀의하지 않음이 없는데 더욱이 같은 덕에서랴! 위는 아래와 상응하고 아래는 위를 따른다. 위가 아래를 이미 봤고 아래도 위를 봤으니, 위아래가 서로 보고 함께 일을 이룬다.

難曰, 傳, 必以同德上下言之者, 何耶.

논변하였다: 『정전』에서 굳이 같은 덕의 위아래로 말한 것은 무엇 때문인가?

曰, 對九二而言, 蓋謂九五大人, 利見九二大人, 故九二大人, 亦自利見大人也. 同德者, 彼此皆大人也, 上者五也, 下者二也. 其意如此矣, 但支離湊合, 終欠直截, 本義益可信矣.

말하였다: 구이와 상대하여 말하자면, 구오의 대인이 구이의 대인을 보는 것이 이로우므로 구이의 내인도 스스로 대인을 봄이 이롭다는 것이다. 같은 덕이란 이쪽과 저쪽이 모두 대인인 것으로, 위는 오효이고 아래는 이효이다. 그 뜻이 이와 같은데 무질서하게 흩어놓거나 모아놓았을 뿐 끝내 명쾌하지 않으니 『본의』가 더욱 믿을만하다.

本義小註雲峯說, 謂九五只是釋利見者, 太狹小矣, 謂五之飛龍在天, 至誠變化者, 亦不可知也.

『본의』 소주(小註) 운봉의 주장에서 "구오는 '보는 것이 이롭다'에 대해 해석했을 뿐이다"라한 것은 매우 협소한 해석이고, "구오의 나는 용이 하늘에 있는 것은 지극한 정성이 변화한 것"이라는 말도 역시 알 수 없다.

임영(林泳) 「독서차록(讀書箚錄)-주역(周易)」

九五, 飛龍在天.

구오는 나는 용이 하늘에 있다.

本義小註朱子說, 其於二五之占, 盡之矣. 前此數條, 皆不如此之周遍, 豈記錄有詳略耶.

『본의』소주(小註) 주자의 설명: 구이와 구오의 점(占)에서 이치를 다 드러내었다. 앞의 몇 조항에서는 모두 이것처럼 주도면밀하지 않았으니, 아마도 기록하는 것에 상세함과 소략함이 있을 것이다.

이익(李瀷) 『역경질서(易經疾書)』

五之大人, 卽二之大人. 然在田, 則惟近者見之, 在天然後遠近共見. 二之利見, 所過者化也, 五之利見, 群生被澤也.

오효의 대인은 곧 이효의 대인이다. 그러나 밭에 있으면 가까이 있는 자만을 볼 수 있으니, 하늘에 있은 뒤에야 멀리 있고 가까이 있는 이가 함께 만날 수 있다. 이효의 "보는 것이 이롭다"는 지나가는 곳이 교화됨이고, 오효의 "보는 것이 이롭다"는 모든 생명들이 혜택을 입음이다.

龍憑雲雨, 而行亢極, 而或雲散雨息, 則勢有所不可奈何, 其覺於未亢之前, 亦可以無悔.

용은 구름과 비를 타고 끝까지 높이 올라갔는데, 혹 구름이 흩어지고 비가 그치면 형세상 어찌 할 수 없는 것이니, 끝까지 올라가기 전에 그것을 깨달으면 또한 후회가 없을 수 있다.

易之道, 以七八爲體, 九六爲用. 以一畫言, 則乾之六畫, 莫非體七, 其見龍飛龍之類, 又莫非用九. 坤之六畫, 莫非體八, 其直方黃裳之類, 又莫非用六. 其靜也七八, 其動也九六, 非用九用六, 而何以一卦言. 則其體之純於七八, 惟乾坤二卦. 故其用之九六, 亦惟乾坤二卦有之. 其餘則靜旣未純於七八之體, 動豈有九六之用乎. 詳在蓍卦考不贅.

『주역』의 도는 칠과 팔을 몸체로 삼고 구와 육을 쓰임으로 삼는다. 한 획으로 말하면 건괘(乾卦☰)의 여섯 획은 칠을 몸체로 하지 않음이 없고, '나타난 용'과 '나는 용'의 부류는 또 구를 쓰지[用九] 않음이 없다. 곤괘(坤卦☷)의 여섯 획도 팔을 몸체로 하지 않음이 없고, '곧고 방정함'과 '황색 치마'의 부류는 또 육을 쓰지[用六] 않음이 없다. 고요한 것은 칠과 팔이고 움직이는 것은 구와 육이니, 구와 육을 쓰지 않고 어떻게 하나의 괘를 말할 수 있겠는가? 곧 그 몸체가 칠과 팔에서 순수한 것은 건·곤 두 괘뿐이다. 그러므로 구와 육을 쓰는 것도 역시 건·곤 두 괘에만 있다. 그 나머지는 고요해도 이미 칠과 팔의 몸체에 순수하지 않으니, 움직임에 어찌 구와 육의 쓰임이 있겠는가? 상세한 것은 「시괘고(蓍卦考)」[119]에 있으니 사족을 달지 않겠다.

---

119) 『星湖全集Ⅱ』卷44「雜著」.

권만(權萬) 「역설(易說)」

凡物陽物飛, 陰物走. 龍雖陰物, 而其鱗八十一有九九之數, 又能天飛, 故稱陽物. 是龍具陰陽之德, 與乾之兼坤象者類, 故以龍擬九象. 且龍字從肉從飛, 本是飛肉. 又龍之有翼者, 爲應龍, 九五是應龍也. 其得謂應龍者, 以九五與九二爲正應, 而爲飛龍, 故後人取其義, 有應龍之名歟.

사물 중에서 양의 물건은 날고 음의 물건은 달린다. 용은 비록 음에 속하는 동물이지만, 그 비늘이 81로 9×9의 수가 있고, 또 하늘을 날 수 있으므로 양에 속하는 동물이라 불렀다. 용이 음양의 덕을 구비한 것은 건이 곤의 상을 겸한 부류와 비슷하기 때문에 용을 구(九)의 상에 비겼다. 또 용(龍)이란 글자는 '육(肉)'의 부수에 '비(飛)'자를 합한 것으로 본래 날아다니는 동물이다. 또 날개를 가진 용을 '응용(應龍)'[120]이라 하니 구오가 응용이다. '응용'이라고 부를 수 있는 것은 구오와 구이가 정응(正應)이어서 나는 용이 되기 때문에 후세 사람이 그 뜻을 취하여 '응용'이라는 이름이 있게 되었을 것이다.

○ 五處地高, 而又陽位, 故曰在天, 爲上體之第二爻, 亦稱人位, 故曰利見大人.
오효는 높은 자리에 있고 또 양의 자리이므로 "하늘에 있다"라 하며, 상괘의 두 번째 효로 역시 사람의 자리에 걸맞으므로 "대인을 보는 것이 이롭다"라 하였다.

○ 九而又五, 故飛.
구(九)이면서 또 오효이므로 '난다'라 하였다.

유정원(柳正源) 『역해참고(易解參攷)』

九五 [至] 大人.
구오 … 대인.

王氏曰, 不躍而在乎天, 非飛而何. 故曰飛龍.
왕씨가 말하였다: 뛰어오르지 않고 하늘에 있으니, 나는 것이 아니고 무엇이겠는가? 그러므로 '나는 용'이라 하였다.

○ 朱子曰, 凡占得卦爻, 要在互分賓主. 若自己有大人之德, 占得此爻, 則如聖人作而萬物覩, 我爲主, 而彼爲賓也. 自己旡大人之德, 占得此爻, 則利見彼之大人, 我爲賓而

---

120) 응용(應龍): 용의 아홉 아들 가운데 물과 비를 관장한다는 중국 신화 속의 용을 말한다.

彼爲主也.

주자가 말하였다: 점을 쳐서 괘효를 얻으면 손님과 주인으로 서로 구분해야한다. 자신에게 대인의 덕이 있는데 점을 쳐서 구오효를 얻었다면, "성인이 나타남에 만물이 바라본다"와 같이 내가 주인이고 상대방이 손님이다. 자신에게 대인의 덕이 없는데 점을 쳐서 구오효를 얻었다면 상대방의 대인을 보는 것이 이로우니, 내가 손님이고 상대방이 주인이다.

김상악(金相岳) 『산천역설(山天易說)』

剛健中正, 位于天位, 是以聖人之德, 居天子之位者也. 故有飛龍在天之象, 聖人作而萬物覩, 故爲天下之所利見也.

강건하고 중정한 것이 하늘의 자리에 있는 것은 성인의 덕으로 천자의 지위에 있는 것이기 때문에 '나는 용이 하늘에 있는' 상이 있다. 성인이 나타남에 만물이 바라보기 때문에 천하 사람들이 보는 것이 이로운 것이다.

○ 龍之得雲雨者, 飛龍也, 陽動而上飛, 而在天之象也. 二五同稱大人, 而象傳於五曰大人造也, 二曰時舍也, 其義可見. 故他卦有利見用見之別. 巽象曰利見大人, 指五也, 升五曰用見大人, 謂二也, 二五之剛健中正, 爲四德之主, 而不言其吉, 何也. 曰六爻无凶, 皆大人之德也, 其吉不言可知. 故曰能以美利, 利天下. 不言所利, 大矣哉.

용이 구름과 비를 얻은 것이 '나는 용'이니, 양이 움직여 위로 날아올라서 하늘에 있는 상이다. 이효와 오효에서 동일하게 '대인'을 일컬었으나, 「상전」에서는 오효에 대해 "대인의 일이다"라 하고, 이효에 대해 "때에 알맞게 그침이다"[121]라 했으니, 그 뜻을 알 수 있다. 그러므로 다른 괘에서는 "보는 것이 이롭다[利見]"와 '만나보다[用見]'[122]라는 구별이 있다. 손괘(巽卦䷸) 단사에서 "대인을 봄이 이롭다"[123]라 한 것은 오효를 가리키고, 승괘(升卦䷭) 오효에서 "대인을 보므로"[124]라 한 것은 이효를 말한다. 이효와 오효의 강건중정(剛健中正)함은 네 가지 덕의 주체인데도 길함을 말하지 않는 것은 무엇 때문인가? 여섯 효에 흉이 없는 것은 모두 대인의 덕이니, 그 길함을 말하지 않더라도 알 수 있기 때문이다. 그러므로 "아름다운 이로움으로 천하를 이롭게 할 수 있기 때문에 굳이 이로움을 말하지 않았으니, 크도다!"라 하였다.

---

121) "때에 알맞게 그침이다[時舍也]"는 「상전」이 아니고 「문언전」에 나오는 내용이다.

122) 『周易·升卦』: 升, 元亨, 用見大人, 勿恤, 南征, 吉.

123) 『周易·巽卦』: 象辭. 小亨, 利有攸往, 利見大人.

124) 『周易·升卦』 오효의 효사는 "貞, 吉, 升階"이고, "用見大人"은 괘사이다.

박윤원(朴胤源) 『경의(經義)·역경차략(易經箚略)·역계차의(易繫箚疑)』

九五位, 惟天子當之. 然自諸侯之邦言之臣視其君, 如天九五, 卽天位尊, 其君爲九五之位. 占辭亦當依此解之.

구오의 자리는 천자에게만 해당된다. 그러나 제후의 나라로 "신하가 임금을 본다"는 것을 말하자면, 하늘[乾]의 구오는 곧 하늘 자리의 존귀함이니, 임금이 구오의 자리이다. 점사 역시 이와 같이 해석해야 한다.

김귀주(金龜柱) 『주역차록(周易箚錄)』

本義, 剛健中正, 云云.

『본의』에서 말하였다: 강건하며 중정하다, 운운.

小註雲峯胡氏曰, 本義, 云云.

소주(小註)에서 운봉호씨가 말하였다: 『본의』에서, 운운.

○ 按, 文言剛健中正純粹精, 統言乾之德據其上文大哉乾乎之云, 可知矣. 今謂但指九五, 則偏矣. 末段以雲行雨施, 分屬在田在天亦未安.

내가 살펴보았다. 「문언전」에서 "강건하고 중정함이 순수하고 정밀하다"라 한 것은 건의 덕이 윗글인 "크도다! 건이여"에 근거하여 통괄적으로 말한 것임을 알 수 있다. 그런데 지금 구오만을 가리켜 말했으니 편향된 것이다. 끝 부분에서 "구름이 떠다니고 비가 내려서"를 "밭에 있다"와 "하늘에 있다"로 나누어 소속시킨 것도 타당하지 않다.

서유신(徐有臣) 『역의의언(易義擬言)』

九五飛而在天之龍也, 重乾剛九剛五, 剛所以爲飛龍. 乾九五獨有此象也, 飛而在天, 布德澤成變化. 故利見大人也.

구오는 날아서 하늘에 있는 용이다. 건(乾)을 거듭한 것은 굳센 구와 굳센 오효를 말하며, 굳세기 때문에 나는 용이라 하였다. 건의 구오만이 이런 상이 있으니, 날아서 하늘에 있으면서 덕과 은택을 베풀어 혜택이 변화를 이루어 주기 때문에 대인을 보는 것이 이롭다.

박문건(朴文健) 『주역연의(周易衍義)』

進而居尊, 故有飛龍之象. 飛高出之謂也, 見之者上下二陽也.

나아가 존귀한 자리에 있으므로 나는 용의 상이 있다. '날아오른다[飛]'는 높이 올라가는 것을 말하고, '보는 것'은 위아래의 두 양이다.

이지연(李止淵)『주역차의(周易箚疑)』

九五, 先於下卦之天者也, 九二, 後於上卦之天者也. 夫子於用九之下, 再言乾元用九者, 豈無以乎. 陽之散在他卦者, 以變剛能柔解之可也, 乾元則不然. 用初九變柔, 則爲姤. 用九二變柔, 則爲同人. 用九三變柔, 則爲履. 用九四變柔, 則爲小畜. 用九五變柔, 則爲大有. 用上九變柔, 則爲夬, 六爻盡變爲柔, 則爲坤. 凡七變之間, 大有之外, 奚足爲天下治之道乎. 大抵用九之道, 在乾元也, 潛而在下, 見而在田, 惕而在三, 躍而在四, 無非君子也. 又以飛而在天之大人, 臨於其上, 天下之用九, 孰有善於此者乎. 用九之道, 當如乾元一卦, 然後方可謂之天下治, 而其曰用九者, 猶云用陽之道也.

구오는 하괘의 하늘보다 먼저 행하는 자이고, 구이는 상괘의 하늘보다 뒤에 행하는 자이다. 공자가 용구의 아래에서 '건원용구(乾元用九)'라고 거듭 말한 것이 어찌 의미가 없겠는가? 다른 괘에 흩어져 있는 양은 굳셈이 변하여 부드러울 수 있는 것으로 풀 수 있지만, '건원'은 그렇지 않다. 초구를 써서 부드러운 음으로 변하면 구괘(姤卦䷫)가 되고, 구이를 써서 부드러운 음으로 변하면 동인괘(同人卦䷌)가 되고, 구삼을 써서 부드러운 음으로 변하면 리괘(離卦䷝)가 되고, 구사를 써서 부드러운 음으로 변하면 소축괘(小畜卦䷈)가 되며, 구오를 써서 부드러운 음으로 변하면 대유괘(大有卦䷍)가 되고, 상구를 써서 부드러운 음으로 변하면 쾌괘(夬卦䷪)가 되며, 여섯 효가 전부 변하여 부드러운 음이 되면 곤괘(坤卦䷁)가 된다. 일곱 번 변하는 가운데 대유괘 이외의 것이 어찌 충분히 천하를 다스리는 도가 되겠는가? '구를 쓰는[用九]' 도(道)가 '건원'에 있으니, 잠겨서 아래에 있거나, 나타나 밭에 있거나, 두려워하여 삼효에 있거나, 뛰어올라 사효에 있는 것이 군자가 아닌 것이 없다. 또 날아올라 하늘에 있는 대인은 위에서 임하니, 천하의 용구에 누가 이보다 나을 수 있는가? '구를 쓰는[用九]' 도는 마땅히 건원의 한 괘와 같은 연후에 비로소 천하가 다스려 진다고 말할 수 있으니, '용구'라고 하는 것은 양을 쓰는 도라고 말하는 것과 같다.

김기례(金箕澧)「역요선의강목(易要選義綱目)」

五爲天爻, 故曰在天.

오효는 하늘의 효이므로 "하늘에 있다"라 하였다.

○ 分內外卦言, 則二五俱是人爻, 故二五皆曰大人.

내외괘로 나누어서 말하면 이효와 오효가 모두 사람의 효이므로 이효와 오효에서 모두 '대인'이라 하였다.

○ 蓋龍德升天位, 而利見在下大人.

용의 덕은 하늘 자리로 올라가고, 보는 것이 이로운 것은 아래에 있는 대인이다.

○ 乾六龍皆君德. 潛見躍, 未得位時, 至飛而利見, 則所謂聖人作而萬物覩. 蓋君得此
爻, 則利見大臣, 臣得此爻, 則利見大君.

건의 여섯 용은 모두 임금의 덕이다. 잠기고 나타나고 뛰어오름은 아직 자리와 때를 얻지
못함이고, 날아올라 보는 것이 이롭게 되면 "성인이 일어남에 만물이 우러러 본다"라 하는
것이다. 임금이 이 효를 얻으면 큰 덕을 지닌 신하를 보는 것이 이롭고, 신하가 이 효를
얻으면 큰 덕을 지닌 임금을 보는 것이 이롭다.

심대윤(沈大允) 『주역상의점법(周易象義占法)』

乾之大有䷍. 九五居剛自勉, 而得中居尊位, 有天下賢德輔于下. 故曰飛龍在天, 利見
大人. 乾再變爲离, 三變爲震. 乾之二爻, 齊入于坤, 則爲巽, 巽爲風, 爲羽. 互离震爲
風羽麗, 而遷動, 曰飛. 离取明, 震取威, 巽取巽于賢, 而同享之義, 天言其廣大無私也.

건괘가 대유괘(大有卦䷍)로 바뀌었다. 구오는 굳센 자리에 있어서 스스로 힘쓰고 알맞음을
얻어 존귀한 자리에 있으니, 천하의 현명하고 덕이 있는 이가 아래에서 보필한다. 그러므로
"나는 용이 하늘에 있으니 대인을 보는 것이 이롭다"라 한다. 건이 두 번째 변하면 리괘(離
卦☲)가 되고 세 번째 변하면 진괘(震卦☳)가 된다. 건의 두 효가 곤괘(坤卦☷)에 가지런히
들어가면 손괘(巽卦☴)가 되는데, 손은 바람[125]이고 날개이다. 호괘인 리괘(☲)와 진괘(☳)
는 바람과 날개와 걸림이 되어서 움직여 이동하니 '난다'라 한다. 리는 밝음을 취하고, 진은
위엄을 취하며, 손은 현자에게서 공손함을 취하여 함께 누리는 뜻이 있으니, 하늘은 광대하
고 사사로움이 없다고 한다.

오치기(吳致箕) 「주역경전증해(周易經傳增解)」

九五剛健中正, 而居天位之尊, 有飛龍在天之象. 以剛中之德在上, 而爲乾之君, 下與
九二剛中之臣, 同德相應. 故占言利見在下之大人也.

구오는 강건하고 중정하며 하늘 자리의 존귀함에 있으니, 나는 용이 하늘에 있는 상이다. 굳세
고 알맞은 덕을 가지고 위에 있어 건의 임금이 되고, 아래로 굳세고 알맞은 구이의 신하와
같은 덕으로 상응한다. 그러므로 점(占)에서 아래에 있는 대인을 보는 것이 이롭다고 말했다.

---

125) 『周易 · 說卦傳』: 巽爲風.

○ 登于天位, 故曰飛, 曰在天也.

하늘의 자리에 오르므로 '날아오른다'라 하고, '하늘에 있다'고 했다.

이진상(李震相) 『역학관규(易學管窺)』

五陽更匝于北一. 乃人君居北, 面南之位, 得太陽之正, 建大中之極者也. 爻當變離, 曰飛曰見曰大人. 然亦非資離而然也. 以六畫卦言, 則五乃天位, 故言天, 以單體言, 則五亦人位, 故言人, 天與大人一也.

오의 양이 북쪽 일(一)에서 다시 돈다. 곧 임금은 북쪽에 있으니, 남면한 자리는 태양의 바름을 얻어 대중(大中)의 표준을 세우게 된다. 효가 변해 리괘(離卦☲)에 해당하므로 '날다'라 하고 '나타나다'라 하며 '대인'이라 하였다. 그러나 또한 리괘를 의지하여 그렇게 된 것이 아니다. 육획괘로 말하면 오효는 하늘의 자리이므로 하늘이라 말하였고, 한 몸체로 말하면 오효 역시 사람의 자리이므로 사람이라 말하였으니, 하늘과 대인은 일체이다.

박문호(朴文鎬) 「경설(經說)·주역(周易)」

九五, 固剛健中正, 而九二則剛健中而已. 以陽爻居陰位, 非其正也, 而亦言正未詳. 若子[126]以下, 又以他卦諸爻之例言之. 九五註同.

구오는 진실로 강건하고 중정하지만, 구이는 강건하고 중할 뿐이다. 구이는 양효가 음의 자리에 있어 정(正)이 아닌데도 또한 정이라고 한 것은 자세하지 않다. "공자가 말하였다[子曰]" 이하는 또 다른 괘에 속한 여러 효의 사례로 말한 듯하다. 구오의 주석도 같다.

이용구(李容九) 「역주해선(易註解選)」

九五, 王昭素曰, 陛下是飛龍在天, 臣等是利見大人.

구오에 대해 왕소소(王昭素)[127]는 "폐하는 '나는 용이 하늘에 있다'에 해당되고, 신(臣) 등은 '대인을 보는 것이 이롭다'에 해당됩니다"라 하였다.

---

126) 子: 경학자료집성DB와 영인본에 '字'로 되어 있으나 문맥을 살펴 '子'로 바로잡았다.

127) 왕소소(王昭素, 894~982): 송나라 개봉(開封) 산조(酸棗) 사람. 어릴 때부터 학문에 힘써 행실이 지극했고, 학생을 모아 가르치면서 생계를 꾸렸다. 이목(李穆)과 이숙(李肅), 이운(李惲) 등을 스승으로 섬겼다. 구경(九經)에 두루 해박했고, 노장(老莊)도 함께 연구했는데, 특히 『시(詩)』와 『역(易)』에 정통했다. 관직은 국자박사(國子博士)에 이르렀다. 성격이 순수·질박했으며, 사람을 잘 판단했다고 한다. 저서에 『역론(易論)』 33편이 있다.

上九, 亢龍有悔.

상구는 끝까지 올라간 용이니, 후회가 있을 것이다.

‖中國大全‖

傳

九五者, 位之極中正者, 得時之極, 過此則亢矣. 上九至於亢極, 故有悔也. 有過則有悔. 唯聖人知進退存亡而无過, 則不至於悔也.

구오는 지극히 중정한 자리이니 때를 얻음이 지극하고 이것을 지나면 높게[亢]된다. 상구는 지나치게 높은 데에 이르렀기 때문에 후회가 있는 것이다. 허물이 있으면 후회가 있다. 오직 성인은 진퇴와 존망의 때를 알아 허물이 없으니, 후회에 이르지 않는 것이다.

小註

莆陽張氏曰, 天地之道, 以六陽遞相往來生成萬物而无窮也. 陽氣至此而盛極, 陰氣將生而推之, 苟不能窮上返下以知變, 是之謂亢, 非久而不窮之道也.

보양장씨가 말하였다: 천지의 도는 여섯 개의 양이 번갈아 서로 왕래하고 만물을 생성하여 무궁한 것이다. 양의 기운이 이에 이르러 성대함이 극에 달하면 음의 기운이 생겨나 밀어낸다. 진실로 변화를 알지 못하여 올라간 것이 궁극에 달해도 아래로 되돌아 올 수 없는 것을 '끝까지 올라감[亢]'이라고 하는 것이니, 이는 오래도록 다함이 없는 도가 아니다.

○ 白雲郭氏曰, 三過而惕, 故无咎. 上過而亢, 故有悔. 龍德莫善於惕, 莫不善於亢, 則貪位慕祿, 不知進退存亡, 其悔宜矣. 堯老舜攝, 舜亦以命禹, 伊尹復政厥辟, 周公復于明辟, 君臣之間, 皆有是道.

백운곽씨가 말하였다: 삼효는 지나치지만 두려워하기 때문에 허물이 없고, 상효는 지나치면서 끝까지 올라가기 때문에 후회가 있는 것이다. 용의 덕은, 두려워하는 것보다 더 좋은 것이 없고 끝까지 올라가는 것보다 더 나쁜 것이 없다. 이것은 지위를 탐하고 봉록을 사모하

여 나아가고 물러날 때와 보존하고 멸망하는 기미를 모르는 것이니 후회함이 마땅하다. 요임금이 연로함에 순임금이 섭정하였고, 순임금도 우임금에게 명하였다. 이윤은 자기 임금을 복권시켰고, 주공은 현명한 군주에게 돌려주었다. 임금과 신하 사이에는 모두 이러한 도가 있다.

○ 進齋徐氏曰, 堯老而舜攝, 極則變, 變則通, 此无悔之道也.
진재서씨가 말하였다: 요임금이 연로하여 순임금이 섭정한 것은 극에 달하면 변하고 변하면 통하는 것이다. 이것이 후회를 없게 하는 도이다.

本義

上者, 最上一爻之名. 亢者, 過於上而不能下之意也. 陽極於上, 動必有悔, 故其象占如此.
상은 가장 위에 있는 한 효의 이름이고, 항은 올라감에 지나쳐 내려오지 못하는 뜻이다. 양이 올라감에 지극하니 움직임에 반드시 후회가 있을 것이므로 상과 점이 이와 같다.

小註

朱子曰, 上九亢龍有悔, 若占得此爻, 必須以亢滿爲戒. 當極盛之時, 便須慮其亢, 如這般處, 最是易之大義. 大抵於盛滿時致戒, 蓋陽氣正長, 必有消退之漸, 自是理勢如此. 又曰, 當極盛之時, 便須慮其亢, 如當堯之時, 須交付與舜. 若不尋得舜, 便交付與他, 則堯之後天下之事未可知.
주자가 말하였다: "상구는 끝까지 올라간 용이니 후회가 있을 것이다"라는 말은 만일 점을 쳐서 이 효를 얻었다면, 반드시 '올라가고 가득참'으로 경계를 삼아야 한다는 것이다. 극도로 성한 때를 당하면 올라감을 염려해야 하니, 이와 같은 부분이 『주역』의 가장 큰 의리가 된다. 대체로 번성하고 가득 찰 때에 경계를 해야 하는데, 양의 기운이 한창 자랄 때에 사라지고 물러남의 조짐이 있게 되니, 저절로 이치와 형세가 이와 같다.
또 말하였다: 극도로 번성한 때를 당하면 반드시 올라감을 염려해야 한다. 이는 마치 요임금 때를 당하여 반드시 순임금에게 선위한 일과 같다. 만일 순임금 같은 이를 찾지 못하고 곧 다른 이에게 주었다면 요임금 뒤의 천하의 일을 알 수 없었을 것이다.

○ 雲峰胡氏曰, 凡卦爻有占无象, 象在占中, 有象无占, 占在象中. 如乾初二五上分象
與占, 九三終日乾乾夕惕若, 疑皆占辭也, 而曰終日曰夕, 象在其中. 九四或躍在淵, 似
若專言象也, 而曰或曰在, 占在其內. 若其辭則有不同者, 勿用, 禁止之辭, 利見, 幸之
之辭, 无咎, 謂如此而後无咎, 勉之之辭, 有悔, 憂之之辭, 觀乾一卦大槪可見矣. 且卦
以內爲貞外爲悔, 乾上九外卦之終曰有悔, 坤六三內卦之終曰可貞, 貞悔二字, 豈非諸
卦之凡例乎.

운봉호씨가 말하였다: 괘와 효에 점만 있고 상이 없으면 상이 점 안에 있고, 상만 있고 점이
없으면 점이 상 안에 있다. 예컨대 건괘의 초효·이효·오효·상효는 상과 점으로 나뉘어 있으
나, 구삼은 "종일 힘쓰고 힘써 저녁까지 두려워 하면"이 모두 점사인데, 종일이라 하고 저녁
이라 한 것은 상이 그 안에 있는 것인 듯하다. 구사는 '혹은 뛰기도 하고 못에 있기도 함'이
전적으로 상을 말한 것 같으나, '혹'이라 하고 '있다'라 한 것은 점이 그 안에 있는 것이다.
말[辭]의 경우에는 같지 않은 것이 있다. '물용(勿用)'은 금지하는 말이고, '이견(利見)'은 다
행으로 여기는 말이고, '무구(无咎)'는 이와 같으나 뒤에는 허물이 없음을 이르니 힘쓰라는
말이고, '유회(有悔)'는 근심하는 말이니, 건괘 하나만 살펴보아도 대개 알 수 있다. 또 괘는
내괘를 정(貞)이라 하고 외괘를 회(悔)라 한다. 건괘의 상구는 외괘의 끝이니 후회가 있을
것이라 하였고, 곤괘의 육삼은 내괘의 끝인데 바를 수 있다 라 하였으니, '정'과 '회' 두 글자
는 어찌 여러 괘에 대한 일반적인 예를 드러낸 것이 아니겠는가?

○ 李氏曰, 乾陽物也, 消息盈虛有時, 龍陽類也, 潛見飛躍亦有時, 聖人龍德也, 升降
進退亦有時, 爻序可知矣.

이씨가 말하였다: 건은 양의 물건이니 사라지고 자라고 차고 빔에도 때가 있는 것이고, 용은
양의 부류이니 잠기고 나타나고 날고 뜀에도 때가 있는 것이며, 성인은 용의 덕성이니 오르
고 내리고 나아가고 물러남에도 때가 있는 것이니, 효의 순서를 알 수 있다.

○ 沙隨程氏曰, 易以道義配禍福, 故爲聖人之書, 陰陽家獨言禍福, 而不配以道義,
故爲伎術. 如此而詭遇獲禽則曰吉, 得正而斃則曰凶, 故王仲淹曰, 京房郭璞古之亂
常人也.

사수정씨가 말하였다: 『주역』은 도의로써 재앙과 복에 짝하였기 때문에 성인의 책이 된다.
음양가들은 재앙과 복만을 말하고 도의와 짝하지 않았기 때문에 기예와 술책이 된다. 이와
같은데도 속이는 방법으로 짐승을 잡게 되면 길하다 하고, 정도를 얻으려다 죽게 되면 흉하
다고 하기 때문에 왕중엄(王仲淹)이 "경방(京房)과 곽박(郭璞)은 옛날에 떳떳한 도를 어지
럽힌 사람이다"라고 말하였다.

○ 雙湖胡氏曰, 文王於乾无所取象, 蓋以乾卦畫卽象, 而元亨利貞直占辭耳. 周公始象六爻以六龍, 至孔子大象, 方有天之名. 說卦方有馬之名, 而爲首爲君爲父爲玉爲金之類, 始大備. 後之象學者, 各據三聖而論, 庶无惑于紛紜之多端也. 大抵易莫難明於象, 象明則占煥, 而辭變亦有不難通者矣.

쌍호호씨가 말하였다: 문왕은 건괘에서 상을 취한 것이 없다. 대체로 건괘의 획을 그어 상에 나아갔으니, 원·형·리·정이 단지 점사일 뿐이다. 주공이 비로소 여섯 효를 여섯 용으로 형상하였고, 공자에 이르러 「대상전」에서 바야흐로 하늘의 명칭이 있었으며, 「설괘전」에 말의 이름이 있어 머리·임금·아버지·옥·금이 되는 부류가 비로소 크게 갖추어졌다. 훗날 상학(象學)을 하는 사람들이 각각 세 성인에 의거하여 논함에 복잡한 여러 가지 단서에서 의혹이 없게 되었다. 대체로 역은 상보다 밝히기 어려운 것이 없으니, 상이 밝아지면 점이 환해지고 괘효사와 변화도 통하기 쉬운 것이 있게 된다.

又曰, 沙隨謂易以道義配禍福, 最有補於世敎云.

또 말하였다: 사수 정씨가 『주역』은 도의로 재앙과 복에 짝하는 것이라 하였으니, 이 말이 세상 사람들을 가르치는 데에 가장 도움이 있을 것이다.

‖韓國大全‖

박지계(朴知誡) 「차록(箚錄)-주역건괘(周易乾卦)」

九三居下之上, 猶爲危地. 況上九居上之上, 陽之亢極, 蓋可知矣. 大槪下三爻, 屬地陰也, 上三爻, 屬天陽也. 陽全陰半, 故下三爻皆半於上三爻. 初九潛退無進, 而九四或退或進, 九二有德無位, 而九五位德兼備. 九三危而能保其危, 上九高位而剛健之性體, 亦已窮盡, 不能善保其危. 蓋以下卦, 初生根本未盛之象也, 上卦, 乃枝葉暢茂盛長之象也. 故以上三爻比下三爻, 則皆加一倍也.

구삼은 하괘의 위에 있는데도 오히려 위태로운 자리이다. 하물며 상구는 상괘의 맨 위에 있어서 양이 끝까지 올라간 것이니, 어떠할지 알만하다. 대체로 아래의 세 효는 땅에 속하여 음이고 위의 세 효는 하늘에 속하여 양이다. 양은 전부 쓰고 음은 반만 쓰므로 아래의 세 효는 모두 위의 세 효의 반이다. 초구는 잠기고 물러나서 나아감이 없고, 구사는 혹 물러나거나 혹 나아가며, 구이는 덕은 있으나 지위가 없고, 구오는 지위와 덕을 모두 갖추었다.

구삼은 위태하나 그 위태함에서 보전될 수 있고, 상구는 높은 자리이나 강건한 성질과 몸체가 이미 끝까지 드러났으므로 그 위태함에서 잘 보전될 수 없다. 하괘는 근본이 갓 생겨나 아직 무성하지 않은 상이고, 상괘는 가지와 잎이 무성하여 성대하게 자란 상이다. 그러므로 위의 세 효는 아래의 세 효에 비해 모두 배를 더한 것[加一倍]이다.

송시열(宋時烈) 『역설(易說)』

亢, 高也, 極者也. 若此爻變則爲兌, 兌錯艮, 而有高山之象. 然此近於[128)]來易錯綜之說也. 況此爻不可變, 變則全失乾之體也.

'끝까지 올라 간[亢]'은 높이 올라간 것이고 끝까지 간 것이다. 이 효가 변하면 태괘(兌卦☱)가 되고, 태괘의 음양을 반대로 하면[錯] 간괘(艮卦☶)가 되니, 높은 산의 상이 있다. 그러나 이는 래지덕『주역집주』의 착종설에 가깝다. 더욱이 이 효는 변할 수 없으니, 변한다면 건의 몸체를 전부 잃는다.

以令卜筮家分卦之次第言之, 山地剝之上不用重地坤, 而反用火地晉, 此亦不使乾體全消也, 其義亦猶是也. 乾與坤六爻俱變, 則以用九用六互換看, 然天不可以變爲地, 地不可以變爲天, 與六子有異. 其本體之乾坤, 有不可全失也. 故不以變例言之. 有[129)]悔占辭.

복서가에게 괘를 나누게 하는 차례로 말하면, 산지박괘(剝卦䷖)의 상효는 중지곤괘(坤卦䷁)를 쓰지 않고 도리어 화지진괘(晉卦䷢)를 쓴다. 이것 역시 건의 몸체가 전부 사라지지 않게 한 것이니, 그 의미도 이와 같다. 건괘와 곤괘의 여섯 효가 모두 변하면 용구와 용육으로 서로 바꾸어 보지만, 하늘이 변하여 땅이 될 수 없고 땅이 변하여 하늘이 될 수 없으니, 여섯 자식과 차이가 있다. 그 본체의 건곤은 완전히 잃어버릴 수 없다. 그러므로 변례(變例)로 말할 수 없다. '유회(有悔)'는 점사이다.

김만영(金萬英) 「역상소결(易象小訣)」

上九, 亢龍.

상구는 끝까지 올라간 용이다.

---

128) '於' 뒤에 두 글자가 탈락한 것으로 보이나 이어서 번역하였다.
129) 영인본에 '自', '貞', '有' 인지 불분명한데 문맥을 살펴서 '有'로 해석했다.

乾之爲卦, 在上爲天, 在位爲君, 在倫爲父, 在物爲老馬. 上極乎天, 位極乎君, 尊極乎父, 物極乎老. 故物之高者, 莫如乾上, 又在乾之極, 故有亢之象. 下卦之上[130]惕, 上卦之上悔, 上之有心象, 未詳.

건이라는 괘는 위로는 하늘이고, 자리로는 임금이며, 인륜으로는 부친이고, 동물로는 늙은 말이다.[131] 위는 하늘이 궁극이고, 지위는 임금이 궁극이며, 존귀함은 부친이 궁극이고, 동물은 늙음이 궁극이다. 그러므로 만물에서 높은 것으로는 건의 꼭대기만한 것이 없는데, 또 건의 끝에 있으므로 끝까지 올라간 상이 있다. 하괘의 꼭대기[上]는 두려워함이고, 상괘의 꼭대기[上]는 뉘우침이다. 꼭대기에 있는 마음의 상[心象]에 대해서는 자세하지 않다.

임영(林泳) 「독서차록(讀書箚錄)-주역(周易)」

小註李氏說, 乾陽物也, 物字似未妥.

소주(小註)에서 이씨는 "건은 양의 물(物)이다"라 했는데, '물(物)'자는 타당하지 않는 듯하다.

권만(權萬) 「역설(易說)」

亢, 高之極也, 九, 極於上, 龍之亢者也. 內三已不中, 而外三則非特不中而已, 故亢. 初不悟, 而後悟者爲悔.

'끝까지 올라간'은 높은 것의 끝이고, 구는 위의 끝으로 용이 끝까지 올라간 것이다. 내괘의 삼효도 이미 알맞지 않은데, 외괘의 삼효라면 알맞지 않을 뿐[不中]만이 아니므로 끝까지 올라간 것[亢]이다. 처음에 깨닫지 못하다가 나중에 깨닫는 것이 후회이다.

유정원(柳正源) 『역해참고(易解參攷)』

上九 [至] 有悔.

상구는 … 후회가 있다.

案, 上九志滿意溢, 與群下懸絶. 旣无向前之地, 更无降屈之意, 雖欲无悔, 得乎. 龍之爲物, 能大能小, 或潛或飛, 變化不測. 然人得以烹而醢之, 或豢而畜之若犬羊然, 有欲故也. 上九, 有德而自滿, 有位而自高, 貪位慕祿, 知進而不知退, 知存而不知亡者, 欲使之也.

내가 살펴보았다: 상구는 뜻이 차서 넘치니, 아래 사람들과 현격하게 떨어져 있다. 이미 앞

---

130) 上: 경학자료집성DB와 영인본에 모두 '象'으로 되어 있으나 문맥을 살펴 '上'으로 바로잡았다.
131) 『周易·說卦傳』: 乾爲天·爲君·爲父·爲老馬.

으로 나아갈 곳이 없고 다시 낮추고 굽히는 뜻이 없으니, 비록 후회가 없고자 한들 그렇게 할 수 있겠는가? 용이라는 동물은 크게 할 수도 있고 작게 할 수도 있으며, 때로는 잠기고 때로는 날아올라서 변화를 헤아릴 수 없다. 그러나 사람이 용을 삶거나 젓갈로 담글 수 있으며 개나 양처럼 사육할 수도 있는 것은 용에게 욕심이 있기 때문이다. 상구가 덕은 있지만 자만하고 지위는 있지만 스스로 높이 여기며, 자리를 탐하고 녹봉을 바라며, 나아갈 줄은 알되 물러날 줄은 모르고, 보존되는 줄만 알고 망하게 될 줄은 모르는 것은 욕심이 그렇게 만든 것이다.

小註, 白雲說, 復于明辟.
소주(小註)에서 백운곽씨가 말하였다: 현명한 군주에게 돌려주었다.
〈案, 復是復命之復. 而孔氏以攝位復政訓之, 蔡九峯辨之已明. 郭氏此說乃襲其謬.
내가 살펴보았다: ‘복(復)’는 ‘복명(復命)’의 ‘복(復)’이다. 공씨가 “임시로 다스리다가 다시 정권을 돌려주다”라고 해석하였는데, 채구봉이 이미 그것을 분명하게 논박하였다. 그런데도 곽씨의 이 주장은 공씨의 오류를 답습했다.〉

김상악(金相岳) 『산천역설(山天易說)』

上者最上一爻之名, 亢者過於上而不能下之意也. 陽極於上, 爲亢龍之象. 以時則極, 以勢則窮, 動必有悔. 左氏所謂天爲剛德, 猶不干時, 況在人乎者此也.
‘상(上)’은 가장 위에 있는 한 효의 이름이고, ‘항(亢)’은 올라감에 지나쳐서 내려오지 못한다는 뜻이다. 양이 위로 극한에 이른 것이 ‘끝까지 올라간 용’의 상이다. 때로 보면 극한이고 형세로 보면 궁극이니, 움직이면 반드시 후회가 있다. 『춘추좌씨전』에서 “하늘은 굳센 덕으로도 오히려 시절을 간섭하지 않는데, 하물며 사람에 있어서랴”[132]라 한 것이 이것이다.

○ 凡卦以內爲貞, 以外爲悔, 故乾上曰有悔, 坤三曰可貞. 悔字說文作卜筮乃易中一事. 故卦字與貞, 皆從卜也.
모든 괘에서 내괘는 ‘곧음[貞]’이고 외괘는 ‘후회하다[悔]’이므로 건의 상효에서 “후회가 있다[有悔]”라 하고, 곤괘 삼효에서 “곧을 수 있다[可貞]”[133]라 하였다. 『설문』에 ‘회(悔)’자는 점치는 일이라 하였으니, 역(易)에 관련된 일이다. 그러므로 ‘괘(卦)’자와 ‘정(貞)’자 모두 복(卜)을 부수로 한다.[134]

---

132) 『春秋左氏傳 · 文公』: 天爲剛德, 猶不干時, 況在人乎.
133) 『周易 · 坤卦』: 六三, 含章可貞, 或從王事, 无成有終.

박윤원(朴胤源) 『경의(經義)·역경차략(易經箚略)·역계차의(易繫箚疑)』

蓋以其道猶龍, 且是知者過之, 故或云老子爲亢龍之退, 果是知退而不致悔者歟. 然謂之亢, 然則老子竊窺無首之義, 而與聖人有公私, 呂東萊所論老子之辨者得之.

그 도(道)가 용과 같고, 또 지혜로운 자는 지나치기 때문에, 혹자는 노자를 '끝까지 올라간 용이 물러남[135]'이라고 하였으니, 과연 물러날 줄을 알아서 후회에 이르지 않은 자이다. 그러나 '끝까지 올라간[亢]'이라 하였으니, 그렇다면 노자는 '머리가 없는 뜻'을 엿본 것으로 성인과는 공과 사의 차이가 있으니, 여동래가 노자에 대해 논변한 것이 적절하다.

김귀주(金龜柱) 『주역차록(周易箚錄)』

傳, 九五者, 位之極, 云云.

『정전』에서 말하였다: 구오는 지극한 자리, 운운.

小註, 莆陽張氏曰, 天地, 云云.

소주(小註)에서 포양장씨가 말하였다: 천지가, 운운.

○ 按, 六陽下, 恐脫六陰二字.

내가 살펴보았다: 육양(六陽) 아래에 '육음(六陰)' 두 글자가 빠진 것 같다.

本義, 上者最上, 云云.

『본의』에서 말하였다: '위[上]'는 가장 위, 운운.

小註, 雲峰胡氏曰, 凡卦爻, 云云.

소주(小註)에서 운봉호씨가 말하였다: 괘효, 운운.

○ 按, 九三雖不取物爲象, 然乾乾惕厲, 卽是象也. 本義已言之, 今但以日終日日夕爲象, 恐涉偏枯. 大抵乾之六爻, 皆有象有占, 以九三言, 則終日乾乾夕惕若是象, 而厲无咎是占. 以九四言, 則或躍在淵是象, 而无咎是占, 未見其與他爻不同. 若夫占者見乾乾之象, 而兢兢戒惕, 見躍淵之象, 而隨時進退者, 則乃觀象處變之道也. 此則非但九三九四爲然, 於初九則見其潛龍之象, 而卽當潛晦, 於上九則見其亢龍之象, 而卽當戒滿. 本義之意, 正如此. 胡氏所云, 象在占中, 占在象中, 恐是沒緊要之論, 殆於象占之義, 有所未瑩矣.

---

134) 『說文解字』: '卦', 筮也, 從卜. '貞', 卜問也, 從卜.

135) 『道德經』: 가득하게 가짐은 아니가짐만 못하다. 예리하게 갈면 오래 보존할 수 없다. 금과 옥이 가득하면 누구도 지킬 수 없다. 부귀를 누리며 교만하면 허물이 있다. 공이 이루어지면 자신은 물러남이 하늘의 도이다持而盈之, 不如其已, 揣而銳之, 不可長保, 金玉滿堂, 莫之能守, 富貴而驕, 自遺其咎, 功遂身退, 天之道].

내가 살펴보았다: 구삼은 비록 사물에서 취하여 상(象)을 삼지는 않았지만, '힘쓰고 힘쓰는
것', '두려워하는 것', '위태로운 것'이 바로 상이다. 『본의』에서 이미 말했는데도 지금 '종일'
이라 하고 '저녁'이라 한 것만을 상으로 여긴 것은 치우친 듯하다. 대체로 건의 여섯 효에는
모두 상이 있고 점(占)이 있으니, 구삼으로 말하면 '종일토록 힘쓰고 힘써 저녁까지도 두려
워하는 것'이 상이고 '위태로우나 허물이 없는 것'이 점이다. 구사로 말하면 '혹 뛰어오르기도
하고 못에 있는 것'이 상이고, '허물이 없는 것'이 점이니, 그것이 다른 효와 같지 않음을
볼 수 없다. 점치는 자가 '힘쓰고 힘쓰는[乾乾]' 상을 보면 조심하고 경계하고 두려워하고,
'혹 뛰어오르거나 못에 있는' 상을 보면 때에 따라 나아가고 물러나는 것이 곧 상을 보고
변함에 대처하는 방법이다. 이것은 구삼과 구사만 그런 것이 아니고, 초구에서 곧 '잠겨있는
용'의 상을 보면 마땅히 잠겨서 감추어야 하며, 상구에서 곧 '끝까지 올라간 용'의 상을 보면
가득 참을 경계해야 한다. 『본의』의 뜻이 바로 이와 같다. 호씨가 말한 "상(象)은 점(占)
속에 있고 점은 상 속에 있다"는 말은 아마도 긴요한 논의가 없는 듯하여, 자못 상과 점의
의미에 대해 명확하지 않은 점이 있다.

윤행임(尹行恁) 『신호수필(薪湖隨筆) · 역(易)』

本乎天者親上, 本乎地者親下, 則各從其類也. 各從如各正. 此所以飛者下睫掩上睫,
走者上睫掩下睫, 鱗虫本躍在淵, 不親上不親下. 故睫不掩而長開. 孟子曰, 形色性也.
究其形色所具之理, 則是莫非性也. 亢龍, 如楚義帝, 漢帝玄.

하늘에 근본 한 것은 위와 친하고 땅에 근본 한 것은 아래와 친하니, 각기 그 부류를 따름이
다. 각기 부류를 따름은 각기 바르게 함이다. 이 때문에 날아다니는 것은 아래 속눈썹이
위 속눈썹을 가리고, 뛰어다니는 것은 위 속눈썹이 아래 속눈썹을 가리는 것이며, 비늘 있는
벌레는 본래 뛰어오르기도 하고 못에 있기도 하니, 위와도 친하지 않고 아래와도 친하지
않으므로 속눈썹이 가리지 않고 오래 열려있다. 맹자는 "생긴 바탕이 천성이다"[136]라 하니,
그 생긴 바탕에 갖추어진 이치를 궁구해 보면 천성이 아닌 것이 없다. '끝까지 올라간 용[亢
龍]'은 예컨대 초나라 의제나 한나라 황제 현[137]이다.

---

136) 『孟子 · 盡心』: 형색이 천성이니 성인이 된 후에야 형색을 실천할 수 있다[形色, 天性也, 惟聖人然後,
可以踐形].

137) 초나라 의제는 기원전 225년경에서 206년경의 초나라 왕으로 기원전 208년에서 206년 까지 재위하다 항우에
의해 죽었다. 한나라 황제 현은 전한(前漢) 말 왕망 이후 후한(後漢) 광무제 등극 전 과도기의 군주로서
기원후 23년에서 25년까지 약 2년간 재위하였다. 역사적으로 이 둘을 임금으로 간주하느냐에 논란이 있다.
둘 다 최고의 자리까지 갔으나 짧은 재위 기간으로 임금으로서의 뜻을 다 펴지 못했다는 의미에서 '항룡(亢
龍)'에 비유했다.

서유신(徐有臣) 『역의의언(易義擬言)』

上九, 亢而有悔之龍也. 龍升過高則失其變化. 上九, 極於卦, 外有是象, 故曰亢龍有悔. 悔者懼厲之意, 知懼則可變也, 旣失而追悔亦無及矣, 恐非上九之義也.

상구는 끝까지 올라가서 후회가 있는 용이다. 용은 올라가되 지나치게 높으면 그 변화를 놓친다. 상구는 괘의 극단에 있어 밖으로 이런 상이 있기 때문에, "끝까지 올라간 용이니, 후회가 있다"고 한다. '후회'는 두려워하고 위태롭다는 뜻이다. 두려움을 알면 변할 수 있으나 이미 놓치고 난 뒤에 후회해도 미칠 수 없으니, 상구의 뜻이 아닐 것이다.

박문건(朴文健) 『주역연의(周易衍義)』

處極已盈, 故有亢龍之象. 亢盈也, 悔恨也.

처지가 극한에 이르러 이미 가득 차므로 "끝까지 올라간 용"의 상이 있다. 끝까지 올라간 것[亢]은 가득 참이고, 후회는 한탄함이다.

〈問, 亢龍有悔. 曰, 盈則必虧, 故所以有憂極, 而有悔恨者也.

물었다: "끝까지 올라간 용이니, 후회가 있다"는 무슨 뜻입니까?

답하였다: 가득 차면 반드시 줄어들기 때문에 극단을 근심함이 있고 뉘우치고 한탄함이 있는 것입니다.〉

이지연(李止淵) 『주역차의(周易箚疑)』

進退存亡, 而不失其正者. 程傳本義, 皆屬之亢龍之下, 而似當屬之於用九之下.

"나아가고 물러나고 보존하고 망하는 데에 있어 그 바름을 잃지 않는 자"를 『정전』과 『본의』 모두 '끝까지 올라간 용'의 아래에 붙였는데, 마땅히 용구(用九)의 아래에 붙여야 할 듯하다.

이지연(李止淵) 『주역차의(周易箚疑)』

亢龍有悔. 故群龍无首, 然後吉也.

"끝까지 올라간 용이니 후회가 있다." 그러므로 여러 용이 머리가 없는 뒤에야 길하다.

김기례(金箕澧) 「역요선의강목(易要選義綱目)」

上九, 亢.

상구는 끝까지 올라감이다.

陽極, 而貪位冥升. 知進不知退, 不亦謂之悔乎.

양이 극단에 있어 자리를 탐하고 올라감에 어둡다.[138] 나아갈 줄만 알고 물러날 줄은 모르니, 후회한다고 하지 않을 수 있겠는가?

심대윤(沈大允) 『주역상의점법(周易象義占法)』

乾之夬䷪, 明決也. 上九居柔不力, 而處卦之終, 至高无位之地. 莊健明決之極, 不力於行事, 以爲師傅之道則可也, 而以爲他事則必有悔矣. 故曰亢龍有悔. 亢, 高亢之極也. 兌之對爲艮, 艮爲高峻曰亢. 夬有決下之義, 其對爲剝, 亦有落下之義. 上九之時, 有下而无上, 有退而无進矣. 乾者變化之主, 故多取彼此對卦及乾坤交變, 而爲解也, 在他卦則不皆然矣. 凡易因其義而取象, 有彼此之義, 則取彼此之象, 有變易之義, 則取變易之象. 不徒而已也, 乾之道廣大无私, 不可言吉, 而用九无首, 獨言吉也.

건괘가 쾌괘(夬卦䷪)로 바뀌었으니, 밝게 결단함이다.[139] 상구는 유약한 곳에 있어서 힘이 없고 괘의 끝에 처해 지극히 높되 지위가 없는 곳이다. 씩씩하고 굳건하여 밝게 결단하는 끝에 있어서 일을 행하는데 힘쓰지 않고 스승의 도로 여기면 괜찮지만, 다른 일로 여긴다면 반드시 후회가 있을 것이다. 그러므로 "끝까지 올라간 용이니 후회가 있다"라 한다. '항(亢)'은 높이 올라가서 더 이상 올라갈 수 없는 것을 말한다. 태괘(兌卦☱)의 음양을 반대로 하면 산괘(艮卦☶)이고, 간괘는 매우 높아서 '항'이라 한다. 쾌괘는 결단하는 뜻이 있고 음양을 반대로 하면 박괘(剝卦䷖)가 되어 또한 아래로 떨어진다는 뜻이 있다. 상구의 때에는 내려감은 있으나 올라감은 없으며, 물러남은 있으나 나아감은 없다. 건은 변화의 주체이므로 대부분 서로간의 반대괘와 건곤이 교대로 변함을 취하여 풀이 했지만, 다른 괘의 경우는 모두 그렇지 않다. 역(易)은 그 뜻으로 인해서 상을 취하니, 서로간의 뜻이 있으면 서로간의 상을 취하고, 변역(變易)의 뜻이 있으면 변역의 상을 취한다. 그뿐만이 아니라 건의 도는 광대하고 사사로움이 없어서 길하다고 말할 수 없지만, 용구의 '머리가 없음'에서만 오직 길하다고 하였다.

오치기(吳致箕) 「주역경전증해(周易經傳增解)」

上九以剛居乾之終, 有進而无退處, 高而過極, 有亢龍之象. 以時則危, 以義則窮, 故占言有悔, 而戒之也.

---

138) 『周易·升卦』六三: 冥升, 利于不息之貞.
139) 『周易·夬卦』: 象傳. 夬, 決也, 剛決柔也, 健而說, 決而和.

상구는 굳셈으로 건의 끝에 있는데, 나아감은 있고 물러날 곳은 없으며, 높아서 극한선을 지나쳐 끝까지 올라간 용의 상이 있다. 시기상으로는 위태하고 의리상으로는 막혔기 때문에, 점괘에 "후회가 있다"라 하여 경계하였다.

○ 居全卦之上, 故曰上也. 亢者極高之謂也.
괘의 전체에서 위에 있으므로 '상(上)'이라 했다. '항(亢)'은 지극히 높은 것을 이른다.

이진상(李震相) 『역학관규(易學管窺)』

乾行既匝北一, 則數之窮, 而位之亢者也. 其勢必歸于南, 而南又炎火, 亢極之鄕也. 一蹉, 則入於兌之毁折. 故其象爲亢龍, 其占爲有悔. 有過而能悔, 陽剛之事也, 若陰之窮, 則安能知悔乎.

건이 운행하여 이미 북쪽 일(一)을 돌면 수(數)가 다하고 자리는 끝까지 간 것이다. 그 형세는 반드시 남쪽으로 돌아오는데, 남쪽은 타오르는 불이고 끝까지 올라간 곳이다. 한 번 잘못되면 태괘(兌卦☱)의 "헐어서 부러진다[毁折]"[140]로 들어간다. 그러므로 상(象)은 '끝까지 올라간 용[亢龍]'이고, 점(占)은 '뉘우침이 있음[有悔]'이 된다. 허물이 있으나 뉘우칠 수 있음은 굳센 양의 일이니, 만약 음이 끝까지 갔다면 어찌 뉘우칠 줄 알겠는가?

---

140) 『周易·說卦傳』: 兌爲毁折.

用九, 見群龍无首, 吉.

정전 용구(用九)는 여러 용을 보되 앞장섬이 없으면 길할 것이다.
본의 용구(用九)는 여러 용이 머리가 없음을 보니 길할 것이다.

中國大全

傳

用九者, 處乾剛之道, 以陽居乾體, 純乎剛者也. 剛柔相濟爲中, 而乃以純剛, 是
過乎剛也. 見群龍, 謂觀諸陽之義, 无爲首則吉也. 以剛爲天下先, 凶之道也.

용구는 굳센 건괘에 대처하는 도이니, 양으로서 건체(乾體)에 있고 순수히 굳센 자이다. 굳셈과 부드
러움이 서로 돕는 것이 중도인데 순수한 굳셈으로 되어 있으니, 굳셈이 지나친 것이다. '여러 용을
봄'은 여러 양을 살핀다는 뜻이니, 앞섬이 없으면 길하다. 굳셈으로써 천하 사람에 앞장서는 것은
흉한 도이다.

小註

程子曰, 荊公言用九只在上九一爻, 非也. 六爻皆用九, 故曰見群龍无首吉. 用九便是
行健處, 天德不可爲首, 言乾已至剛健, 又安可更爲物先. 爲物先則有禍, 所謂不敢爲
天下先. 乾順時而動, 不過處, 便是不爲首, 六爻皆同.

정자가 말하였다: 형공(荊公)이 "용구는 상구 한 효에만 해당 한다"고 한 말은 잘못이다.
여섯 효가 모두 용구이므로 "여러 용을 보되 앞장섬이 없으면 길할 것이다"고 하였다. 용구
는 곧 강건함을 행하는 곳이다. '하늘의 덕은 먼저 해서는 안 되는 것'[141]이니, 건이 이미
강건함에 이르렀는데, 또 어찌 다시 다른 물건에 앞장설 수 있겠는가? 다른 물건에 앞장서면
재앙이 있게 될 것이니, 이른바 감히 천하 사람에 앞장섬이 되지 않는다는 것이다. 건괘는
때에 따라 움직여서 지나치지 않음이 곧 앞장섬이 되지 않음이니, 여섯 효가 모두 같다.

---

141) 『周易·乾卦·大象傳』.

○ 或問, 伊川之意, 似云用陽剛以爲天下先則凶, 无首則吉. 朱子曰, 凡說文字, 須有情理方是, 用九當如歐公說, 方有情理. 某解易所以不敢同伊川, 便是有這般處. 看來當以見群龍无首爲句, 蓋六陽已盛如群龍, 然龍之剛猛在首, 故見其无首則吉, 大意只是要剛而能柔, 自人君以至士庶皆須如此. 若說爲天下先, 便只是人主方用得, 以下更使不得, 恐不如此. 又曰, 如歐說, 蓋爲卜筮言, 所以須著有用九用六. 若如伊川說, 便无此也得.

어떤 이가 물었다: 이천의 뜻은 굳센 양을 써서 천하 사람들에 앞선다면 흉하고 앞서지 않으면 길하다고 한 듯합니다.

주자가 답하였다: 문자를 설명할 때에는 반드시 실정과 이치가 있어야 옳으니, 용구는 구양공의 설명처럼 해야 실정과 이치가 있게 됩니다. 내가 『주역』을 해석함에 굳이 이천과 같게 하지 않는 이유는 바로 이러한 부분이 있어서입니다. 내가 보기에 "여러 용을 봄에 앞장섬이 없다[見群龍无首]"를 한 구(句)로 해야 합니다. 여섯 양이 이미 극성한 것이 여러 용과 같으나 용의 우선적인 특징이 굳세고 사나움이기 때문에 앞장섬이 없는 것이 길한 것입니다. 단지 굳세면서 부드러울 수 있는 것이 대의(大意)이니, 임금으로부터 사대부와 서민에 이르기까지 모두 이와 같아야 합니다. 만일 천하 사람들에 앞선다고 말한다면, 임금은 쓸 수 있으나 임금 이하는 다시 쓰게 할 수 없으니, 아마도 이런 뜻은 아닐 것입니다.

또 답하였다: 구양공의 설명과 같은 경우는 복서를 말하기 위하여 용구와 용육을 붙인 것입니다. 이천의 설명과 같은 경우에는 이런 것이 없어도 괜찮습니다.

○ 廣平游氏曰, 乾以純陽, 陽極而亢, 坤以純陰, 陰極而戰, 如其不變, 則亢而災戰而傷, 不能免也. 乾用九, 則陽知其險而變, 故无首吉. 坤用六, 則坤知其阻而變, 故利永貞.

광평유씨가 말하였다: 건괘는 순전한 양으로서 양이 극에 달하여 끝까지 올라갔고 곤괘는 순전한 음으로서 음이 극에 달하여 싸운다. 만일 변하지 않으면 끝까지 올라가 재앙을 받고 싸워서 손상됨을 면할 수 없을 것이다. 건이 구를 쓰면 양이 험함을 알아 변하기 때문에 앞장섬이 없는 것이 길하고 곤이 육을 쓰면 곤이 험함을 알아 변하기 때문에 영원하고 곧게 하는 것에 이로운 것이다.

本義

用九, 言凡筮得陽爻者, 皆用九而不用七. 蓋諸卦百九十二陽爻之通例也. 以此卦純陽而居首, 故於此發之, 而聖人因繫之辭, 使遇此卦而六爻皆變者, 卽此占

之. 蓋六陽皆變, 剛而能柔, 吉之道也. 故爲群龍无首之象, 而其占爲如是, 則吉
也. 春秋傳曰,乾之坤曰, 見群龍无首, 吉. 蓋卽純坤卦辭, 牝馬之貞,先迷後得,
東北喪朋之意.

용구는 점을 쳐서 양효를 얻은 경우에 구를 쓰고 칠을 쓰지 않음을 말하는 것이니, 이는 모든 괘의
일백구십이효에 대하여 공통된 예이다. 건괘는 순전한 양으로서 앞에 있기 때문에 여기에서 밝힌
것이고, 성인이 인하여 말을 붙여서 이 괘를 만나고 여섯 효가 모두 변한 경우에 이것을 가지고 점치
게 한 것이다. 이는 여섯 양이 모두 변한 것이니, 굳세면서도 부드러울 수 있는 것이 길한 도이다.
그러므로 여러 용이 머리가 없는 상이 되고, 그 점이 이와 같다면 길한 것이다.『춘추좌씨전』에 "건
괘가 곤괘로 바뀐 데에 말하기를 '여러 용이 머리 없음을 보는 것이 길하다'라고 하였다[142]"라고 하
였으니, 이는 곤괘 괘사의 '암말의 곧음', '먼저 하면 혼미하고 뒤에 하면 얻음', '동북에서 벗을 잃음'
의 뜻이다.

小註

或問, 乾坤獨言用九用六, 何也. 朱子曰, 此二卦, 純陽純陰, 而居諸卦之首, 故於此,
發此一例. 凡占法, 皆用變爻占, 故凡占得陽爻者, 皆用九而不用七, 占得陰爻者, 皆用
六而不用八. 蓋七爲少陽, 九爲老陽, 六爲老陰, 八爲少陰, 老變而少不變, 凡占用九用
六者, 用其變爻占也. 遇乾而六爻皆變則爲陰, 遇坤而六爻皆變則爲陽.

어떤 이가 물었다: 건괘와 곤괘에서만 용구와 용육을 말한 것은 어째서입니까?

주자가 답하였다: 이 두 괘는 순전한 양과 순전한 음으로서 여러 괘의 앞에 있기 때문에
여기에서 이런 한 가지 예를 말한 것입니다. 점치는 법은 모두 변효를 쓰는 점입니다. 그러
므로 점을 쳐서 양효를 얻은 경우 모두 구를 쓰고 칠을 쓰지 않으며, 점을 쳐서 음효를 얻은
경우 모두 육을 쓰고 팔을 쓰지 않습니다. 이는 칠은 소양이고 구는 노양이며 육은 노음이고
팔은 소음이니, 노양과 노음은 변하고 소양과 소음은 변하지 않아서입니다. 점을 쳐서 구를
쓰고 육을 쓰는 것은 그 중 변효를 쓰는 점입니다. 건괘를 만나 여섯 효가 모두 변한 경우는
음이 되고, 곤괘를 만나 여섯 효가 모두 변한 경우는 양이 됩니다.

○ 用九用六, 此歐公舊說也, 而愚又嘗因其說而推之. 竊以爲凡得乾而六爻純九, 得
坤而六爻純六者, 皆當直就此例, 占其所繫之辭, 不必更看所變之卦. 左傳蔡墨所謂乾
之坤曰見群龍无首, 卽坤之牝馬先迷也, 利永貞, 卽乾之不言所利也.

예전에 구양수가 용구(用九)와 용육(用六)에 대한 설명을 하였는데, 나도 그 설명에 따라

---

142)『春秋左氏傳』昭公 29年.

추론해 보고 아래와 같이 생각하였다: 건괘를 얻고 여섯 효가 순전히 구(九)이거나, 곤괘를 얻고 여섯 효가 순전히 육(六)인 경우는 모두 곧바로 이러한 예에 나아가 거기에 붙여진 말로 점을 치고, 굳이 변괘를 볼 필요는 없다. 『춘추좌씨전』에 채묵(蔡墨)이 이른바 '건괘가 곤괘로 갔으니 여러 용이 머리가 없음을 봄[見群龍无首][143]'이니, 곤괘의 괘사인 "암말이 먼저 하면 혼미함[牝馬先迷]"이고 "영원하고 곧게 하는 것에 이로움[利永貞][144]"은 곧 건괘의 "이로운 바를 말하지 않음[不言所利][145]"이다.

○ 用九不用七. 且如得純乾卦皆七數, 這卻是不變底, 他未當得九, 未在這爻裏面. 所以只占上面象辭, 用九蓋是變底.
구를 쓰고 칠을 쓰지 않는다. 순전한 건괘를 얻고 모두 칠의 수이면 변하지 않는 것이니, 구에 해당하지 않으면 점사가 이 효[用九] 안에 있지 않다. 용구는 변하는 것이기 때문에 위에 있는 건괘의 단사로 점치는 것이다.

○ 群龍无首, 這便是利牝馬者. 爲不利牡而卻利牝, 如西南得朋, 東北喪朋, 皆是无頭底.
'여러 용이 머리가 없음[群龍无首]'은 곧 암말을 이롭게 여기는 것이다. 숫말을 이롭게 여기지 않고 도리어 암말을 이롭게 여기는 것은 "서남쪽에서 벗을 얻고 동북쪽에서 벗을 잃는다"[146]와 같으니, 이는 모두 머리가 없는 것이다.

又曰, 卦之本體, 元是六龍, 今變爲陰, 頭面雖變, 渾身卻只是龍, 只一似无頭底龍相似.
또 말하였다: 건괘의 본체가 원래 여섯 용인데 지금 변하여 음이 되었으니, 비록 머리는 변하였으나 몸은 그래도 용이다. 그러므로 하나의 머리 없는 용과 같을 뿐이다.

○ 廬陵歐陽氏曰, 乾坤之用九用六何謂也. 曰, 乾爻七九, 坤爻八六, 九六變而七八无爲. 易道占其變, 故以其所占者, 名爻, 不謂六爻皆九六也. 及其筮也, 七八常多, 而九六常少, 有无九六者焉, 此不可以不釋也. 六十四卦皆然, 特於乾坤言之, 則餘可知耳.
여릉구양씨가 말하였다: 건괘·곤괘의 용구와 용육은 무엇인가? 건괘의 효는 칠과 구이고 곤괘의 효는 팔과 육인데, 구와 육은 변하고 칠과 팔은 변하지 않는다. 『주역』의 도(道)는

---

143) 『춘추좌씨전』 소공(昭公) 29년에 나온다. 채묵(蔡墨)은 춘추시대 진(晉)나라 태사(太史)이고, 일명 채묵(蔡墨) 또는 채사묵(蔡史墨), 사암(史黯)이라고도 한다.
144) 『주역·곤괘』에 "用六, 利永貞"이라 하였다.
145) 『周易·乾卦·文言傳』.
146) 『주역·곤괘』의 괘사이다.

변화를 점보기 때문에 점치는 것으로 효를 이름 지은 것이지, 여섯 효가 전부 구와 육은 아니다. 시초점에서 칠과 팔은 항상 많고 구와 육은 항상 적으니, 구와 육이 없는 경우도 있으므로 이것을 설명하지 않을 수 없다. 육십사괘가 다 그러하나 특히 건괘·곤괘로 말하면 나머지를 알 수 있을 뿐이다.

○ 雲峰胡氏曰, 卦主乎用, 故先乾而不先坤艮, 動者爲主也. 爻主乎用, 故用九六而不用七八, 變者爲主也. 乾見群龍, 以知言. 坤利永貞, 以行言, 乾主知而坤主行也, 要之占固不用七八, 然有六爻俱不變者, 有六爻中一爻二爻不變者, 亦未嘗不用七八. 但遇七八常多, 九六常少, 多則以少爲主, 故嘗用九六. 易變易也, 以變爲主, 故三百八十四爻, 皆用九六.

운봉호씨가 말하였다: 괘는 작용을 위주로 하기 때문에 건괘를 먼저하고 곤괘나 간괘를 먼저 하지 않으니, 움직이는 것이 주체가 되는 것이다. 효는 작용을 위주로 하기 때문에 구와 육을 쓰고 칠과 팔은 쓰지 않으니, 변하는 것이 주체가 되는 것이다. 건괘의 "여러 용을 보다[見群龍]"는 지(知)로 말한 것이고, 곤괘의 "영원하고 곧게 하는 것에 이롭다[利永貞]"는 행(行)으로 말한 것이니, 건괘는 지를 위주로 하고 곤괘는 행을 위주로 한다. 요컨대 점은 본래 칠과 팔을 쓰지는 않는다. 그러나 여섯 효가 모두 변하지 않는 것도 있고, 여섯 효 중에 한 두 효만이 변한 것도 있으니, 이런 경우에는 칠과 팔을 쓰지 않은 적이 없다. 다만 칠과 팔을 만나는 경우는 항상 많고 구와 육을 만나는 경우는 항상 적으니, 많으면 적은 것을 주체로 삼기 때문에 일찍이 구와 육을 쓴 것이다. 『주역』은 변역(變易)이니 변을 위주로 하기 때문에, 삼백 팔십 사효에 모두 구와 육을 적용한다.

┃韓國大全┃

柳成龍, 河圖洛書眞有是耶聖人以神道設敎·乾元亨利貞說·見群龍無首說·易占·焦氏易林

見群龍无首說.

여러 용이 머리 없음을 보는 것에 대한 설명.

龍而无首, 則不成爲龍, 凶之象也, 而言吉, 何也. 蓋非无首也, 有首而人不得見耳. 語云, 龍噓氣成雲, 史記, 龍頷下有逆鱗, 攖之則殺人. 是龍之神怪可畏, 變化不測, 尤在於首也.

용인데도 머리가 없으면 용이 될 수 없으니 흉한 상이다. 그런데도 길하다고 한 것은 무엇 때문인가? 이는 머리가 없는 것이 아니라, 머리는 있으나 사람들이 볼 수 없을 뿐이다. 옛말에 "용은 숨을 내뿜어 구름을 만든다"라 하고,『사기』에 "용의 턱 밑에 있는 거꾸로 난 비늘[逆鱗]이 있는데 이것을 건드리면 그 사람을 죽인다"라 했다. 이는 용이 신묘하고 괴이하여 두려울 만하고, 변화를 헤아릴 수 없음이 특히 머리에 있다는 것이다.

世人言山澤間龍升上天者, 往往人或見之, 而不見其首. 輒爲雲氣所蔽密, 與見群龍无首之義, 相近. 乾之六爻皆陽, 故謂之群龍. 六爻皆變而爲陰, 則爲群龍而不見其首之象. 以人事推之, 則以聖人之德, 居帝王之位, 不自有其德, 不自有其位, 持之以柔巽謙抑, 親附天下之象.

세상 사람들이 말하기를, 산속의 못에서 용이 하늘로 올라가는 것을 왕왕 사람들이 보았으나 용의 머리는 보지 못했다고 한다. 이는 구름에 빽빽히 가려졌기 때문이니, "여러 용이 머리 없음을 보다"의 뜻과 서로 비슷하다. 건괘의 여섯 효가 모두 양이기 때문에 여러 용이라 하였다. 여섯 효가 모두 변하여 음이 되면, 여러 용이지만 그 머리의 모습을 볼 수 없는 상(象)이 된다. 이것을 사람의 일로 헤아려보면 성인의 덕으로 제왕의 자리에 있으나, 덕과 자리가 있다고 자처하지 않고 유순함과 겸손함을 지니고서 천하를 가까이 하려는 상이다.

堯之溫恭克讓, 舜之好問察邇, 禹之不矜不伐, 湯之接下思恭, 文王之小心翼翼, 皆此道也. 下此如光武, 亦云朕治天下, 欲以柔道行之. 至於屈萬乘之尊下於匹夫, 容其加足而不辭, 其爲无首也大矣. 以常人言之, 聰明才辨, 而聽於至愚, 慮以下人, 亦同一義, 安得不吉.

요임금의 '온화하고 공손하여 능히 겸양함'[147]과 순임금의 '묻기를 좋아하고 말을 살핌'[148]과 우임금의 '뽐내지도 않고 자랑하지도 않음'[149]과 탕임금의 '아랫사람을 대할 때에 공손함을 생각함'[150]과 문왕의 '조심하고 공경함'[151]은 모두 이러한 도이다. 후대에 이에 대해 광무제

---

147) 『書經·堯典』: 진실로 공손하고 능히 겸양하다[允恭克讓].
148) 『中庸』: 순임금이 묻기를 좋아하고 가까이서 들은 말을 살피기를 좋아하다[舜好問而好察邇言].
149) 『書經·大禹謨』: 네가 뽐내지 않으니 천하에 너와 능력을 다툴 자가 없으며, 네가 자랑하지 않으니 천하에 너와 공을 다투는 자가 없다[汝惟不矜, 天下莫與汝爭能, 汝惟不伐, 天下莫與爭功].
150) 『書經·太甲』: 조상을 받들 때 효성을 생각하고, 아랫사람을 대할 때 공손함을 생각한다[奉先思孝, 接下思恭].

같은 이는 "짐은 천하 다스리기를 부드러운 방법으로 하고자 한다"152)라 했다. 그리하여 천자의 존귀함을 굽혀 필부에게 낮추어 발을 올려도 용서하고 마다하지 않았으니,153) 머리 없음이 위대하도다. 보통 사람으로 말하면, 총명하고 재주가 뛰어나면서도 지극히 어리석은 사람의 말을 들으며,154) 생각하여 남에게 낮추는155) 것과 또한 같은 뜻이니, 어찌 길하지 않을 수 있겠는가!

김장생(金長生) 『경서변의(經書辨疑)-주역(周易)』

用九. 本義, 陽爻用九, 而不用七
용구. 『본의』에서 말하였다: 양효는 구를 쓰고 칠을 쓰지 않는다.

按, 程傳不用占法. 用九用六之意, 只言處過剛用柔, 處過柔用剛之義.
내가 살펴보았다: 『정전』은 점치는 법을 사용하지 않는다. 용구와 용육의 뜻은 단지 굳셈이 지나친 상황에는 부드러움을 쓰고, 부드러움이 지나친 상황에는 굳셈을 쓴다는 의미를 말했다.

❶ 占法, 純陽爲老陽, 陽變爲陰, 故謂之用九, 純陰用六, 其義亦然.
점치는 법에 순전한 양이 노양이면 양이 변하여 음이 되므로 구를 쓴다고 하니, 순전한 음이 육을 쓸 경우에도 그 뜻이 그러하다.

❶ 九變而七不變. 易貴變, 所謂用九, 只主變而言. 陰爻用六不用八, 其義亦然.
구는 변하지만 칠은 변하지 않는다. 『주역』은 변함을 귀중하게 여기므로 구를 쓴다는 것은 단지 변함을 위주로 말한 것이다. 음효는 육을 쓰고 팔을 쓰지 않음도 그 뜻이 그러하다.

송시열(宋時烈) 『역설(易說)』

此以占言, 互換用六說. 見上龍雖飛騰, 必藏頭角, 怒則頭角崢嶸, 剛强太過. 君子觀群

---

151) 『詩經·烝民』: 훌륭한 거동에 훌륭한 모습이요 조심하고 공경하도다[令儀令色, 小心翼翼].
152) 『後漢書』: 짐은 천하 다스리기를 부드러운 방법으로 하고자 한다[吾理天下亦, 欲以柔道行之].
153) 후한 광무제가 옛 친구 엄광과 하룻밤 왕실에서 잘 때에, 엄광이 광무제의 배에 그의 발을 올렸다는 고사가 있다.
154) 『東坡全集』: 천하에서 가장 특출하게 총명한 사람도 어리석은 사람의 말을 들어야 할 때가 있다[智出天下而聽於至愚].
155) 『論語·顏淵』: 통달이란 질박 정직하고 의리를 좋아하며, 남의 말을 경청하고 안색을 살펴서 생각하여 몸을 낮추는 것이다[夫達也者, 質直而好義, 察言而觀色, 慮以下人].

龍之不露頭角, 而莊其圭角, 無爲過剛, 則吉也. 意則以見群龍旡首五字作句看, 蓋旡首之吉, 不以乾剛而用坤之柔順之道, 則吉也. 象曰以下, 又釋四德.

이것을 점(占)으로 말하면, 육을 쓰는 설과 서로 바꾸어 적용할 수 있다. 위에 있는 용을 보면 비록 높이 날아오르지만 반드시 머리 뿔을 감추고 있다가, 성내면 머리 뿔이 우뚝 솟아 굳세고 강함이 매우 지나치다. 군자가 여러 용에서 머리 뿔이 노출되지 않음을 보고, 그 모서리 뿔을 조심하여 지나치게 굳세지 않으면 길하다. 생각하건대 "여러 용이 머리 없음을 보다[見群龍旡首]"를 한 구절로 본다면, 머리가 없는 길함이니 건의 굳셈으로 하지 않고 곤의 유순한 도를 쓰면 길하다. '단왈' 이하는 또 네 가지 덕을 해석하였다.

◇ 象曰天行以下, 孔子[156]所繫之辭.
'상왈천행(象曰天行)' 이하는 공자가 붙인 말이다.

◇ 君子體仁以下, 春秋傳穆姜稱之, 古有此語, 故下復以子曰起之.
「문언전」에서 '군자체인(君子體仁)' 이하는 『춘추좌씨전』에서 목강이 한 말이다. 옛적에 이 말이 있었기 때문에,[157] 아래에서 다시 '자왈(子曰)'로 시작하였다.

◇ 文言皆以聖人明之, 有隱顯而無淺深也.
「문언전」은 모두 성인을 밝힌 것이니, 숨음과 드러남은 있지만 깊음과 얕음은 없다.

임영(林泳) 「독서차록(讀書箚錄)-주역(周易)」

用九, 本義, 難曰, 凡占陽爻皆用九不用七, 而啓蒙之法, 變者多則用不變者爲占. 如此, 則又有用七之時矣, 是又何義耶.

용구의 『본의』에 대해 논변하였다: 점을 칠 때 양효는 모두 구를 쓰고 칠을 쓰지 않는데, 『역학계몽』의 점치는 법에서는 변하는 것이 많으면 변하지 않는 것은 써서 점을 친다고 하였다. 이와 같으면 또 칠을 쓰는 때가 있다는 것이니, 이것은 무슨 뜻인가?

答, 胡雲峯以所遇多少言, 其說在小註可考. 但未知其義果止此而已也.

답하였다: 호운봉이 만나는 것의 많고 적음으로 말했으니, 그 설명은 소주(小註)에서 고찰

---

156) 孔子: 경학자료집성DB와 영인본에 모두 '周公'으로 되어 있으나 문맥을 살펴 '孔子'로 바로잡았다.

157) 『춘추좌씨전·양공』 양공 9년(기원전 564년)에 목강(穆姜)이 말한 점사가 「문언전」과 다른 것에 대한 것이다. 목강은 공자 이전 사람이니 그가 한 말은 옛날부터 있었던 말이기 때문에 후대의 공자는 '자왈(子曰)'로 「문언전」을 시작하였다는 것이다. 자세한 내용은 『본의』와 이에 대해 주석한 건안구씨(建安丘氏)의 말을 참고 할 수 있다.

할 수 있다. 그러나 그 뜻이 과연 여기에 그치는지는 알 수 없을 뿐이다.

小註朱子說, 以用九用六爲歐公說.

소주(小註)에서 주자가 "구를 쓰고 육을 쓰는 것을 구양수가 주장했다"고 하였다.

今按, 歐說只言用九名爻之義, 而且及不可不別立一論, 以釋用九之義而已, 至於以用九占, 乾之六爻皆變者, 則出於朱子耳.

내가 살펴보았다: 구양수는 다만 용구라는 이름과 효의 뜻만을 말하고, 또 별도로 하나의 이론을 세우지 않을 수 없어 구를 쓰는 뜻을 해석하였을 뿐이다. 건의 여섯 효가 모두 변하면 용구로 점친다는 이론은 주자에게서 나왔을 뿐이다.

강석경(姜碩慶) 「역의문답(易疑問答)」

觀程傳解, 則乃是泛言處乾剛之道, 而元無定屬之處. 匪卦匪爻, 而有象有占何也.

『정전』의 해석을 보면 이것은 건의 굳셈이 처한 도를 범범하게 말하여 원래 소속된 곳이 없다. 괘(卦)도 아니고 효(爻)도 아닌데도 상(象)이 있고 점(占)이 있는 것은 어째서인가?

曰, 元亨利貞, 遇乾全卦不變之占也. 潛龍勿用, 初變之占也, 見龍在田二變之占也, 終日夕惕三變之占也, 或躍在淵四變之占也, 飛龍在天五變之占也, 亢龍有悔上變之占也. 至於群龍无首乾卦六爻盡變之占也, 此卽坤卦利永貞之義, 而爲六十四卦之通例也. 故春秋傳蔡墨, 以此爲乾之坤. 蓋昔聖人作易繫辭, 建官立師, 敎之卜筮, 故義理之微奧, 雖或失傳, 而法則遵守相傳, 而不失矣. 故蔡墨之言如此. 程傳泛以處乾剛之道言之, 自無歸屬之處, 失其義矣.

말하였다: "크고 형통하니 곧음이 이롭다"는 건괘를 만나고 괘가 전부 변하지 않았을 때의 점(占)이고, "잠겨있는 용이니 쓰지 말라"는 초효가 변했을 때의 점이며, "나타난 용이 밭에 있다"는 이효가 변했을 때의 점이고, "종일토록 힘쓰고 힘쓰다"는 삼효가 변했을 때의 점이며, "뛰어오르기도 하고 못에 있기도 하다"는 사효가 변했을 때의 점이고, "나는 용이 하늘에 있다"는 오효가 변했을 때의 점이며, "끝까지 올라간 용이니 후회가 있을 것이다"는 상효가 변한 점이다. "여러 용이 머리 없음"은 건괘 여섯 효가 다 변했을 때의 점이니, 이는 곧 곤괘 용육(用六)의 "영원하고 곧게 하는 것에 이롭다"는 뜻으로 육십사괘에 통용되는 사례이다. 그러므로 『춘추좌씨전』에서 채묵이 이것을 건괘가 곤괘로 변한 것으로 여겼다.[158] 의리의

---

158) 『春秋左氏傳·昭公』: 건괘가 곤괘로 간 것으로 여러 용의 머리 없음 보니 길하다[其(乾之)坤䷁曰, 見群龍無首, 吉].

은미함과 오묘함이 비록 간혹 중간에 없어지는 경우도 있었지만, 옛날 성인이 역(易)을 짓고 말을 붙이며 관청을 건립하고 선생을 세워서 복서를 가르쳤으므로, 법칙을 준수하고 서로 전하여서 잃어버리지는 않았다. 그러므로 채묵의 말이 이와 같았다. 그러나 『정전』은 건의 굳셈이 처한 도로 범범하게 말하였으니, 스스로 귀속할 곳이 없어져서 본래의 뜻을 잃게 되었다.

이익(李瀷) 『역경질서(易經疾書)』

用九之見, 恐與見龍之見同義. 初之有勿用之象, 以上五爻不動故也. 至於六爻皆動, 則初之隱者亦見, 是群龍皆見. 不然何云六龍御天也. 乾只有亢龍有悔, 五爻皆吉, 故曰无爲首. 首者指上九也. 凡卦象初爲趾, 上爲首, 比離旣未濟皆可驗, 此戒其亢也. 亦以此意看.

용구의 '견(見)'은 '현룡(見龍)'의 '현(見)'과 같은 뜻인 듯하다. 초효에 "쓰지 말라"는 상이 있는 것은 위의 다섯 효가 움직이지 않기 때문이다. 여섯 효가 모두 움직이게 되면 초효의 숨은 것도 나타나서 여러 용을 모두 볼 수 있다. 그렇지 않다면 어떻게 여섯 용이 하늘을 다스린다고 하겠는가? 건에는 오직 "끝까지 올라간 용의 후회가 있고" 다섯 효는 길하기 때문에 "머리됨이 없다"라 하였다. '머리'란 상구를 가리킨다. 괘상에서 초효는 발이고 상효는 머리인데, 리괘(☲)로 견주어 보면 기제(䷾)와 미제(䷿)로 모두 징험할 수 있으니, 이는 용이 끝까지 올라가는 것을 경계함이다. "돕는 데 머리가 없다[比之无首]"[159]도 이런 뜻으로 살필 수 있다.

권만(權萬) 「역설(易說)」

此言聖人用易之道, 剛中用柔, 爲言剛而不能濟以柔, 則非用易之道也. 用九, 用九之道也, 群龍, 群陽也. 見群龍, 言衆九之竝進, 如群龍之齊作. 見群龍云者, 有嘉喜之意. 然旣喜之, 又卻有過剛之憂, 以无爲首爲心, 則吉. 无爲首者, 變剛而柔之也. 首者衆陽所聚之會, 故凡物之進首先於身, 无爲首, 則其變剛而爲柔可知也. 陽極則變爲陰, 陰極則又變爲陽. 乾而不知變, 則獨陽過剛, 何以化生. 故貴无首.

이것은 성인이 역(易)을 활용하는 방법이 굳센 알맞음으로 부드러움을 쓰는 것임을 말한 것이니, 굳세지만 부드러움을 구제할 수 없으면 역을 활용하는 방법이 아니라는 말이다. '용구(用九)'는 구를 쓰는 방법이고, 여러 용은 여러 양(陽)이다. 여러 용을 본다는 것은 여

---

159) 비괘(比卦) 상육효(上六爻)의 효사이다.

러 구(九)가 함께 나아간다는 말로, 여러 용이 일제히 일어난다는 것과 같다. "여러 용을 본다"고 말하는 것은 아름답고 기쁘게 여기는 뜻이다. 그러나 기쁜 뒤에는 도리어 굳셈이 지나칠 우려가 있으니, 머리됨이 없음을 마음으로 삼는다면 길하다. "머리됨이 없다"는 것은 굳셈이 변하여 부드럽게 하는 것이다. 머리란 여러 양이 모인 모임이므로 사물이 나아감에 머리가 몸보다 앞서니, 머리됨이 없다면 그것이 굳셈이 변하여 부드러움이 됨을 알 수 있다. 양이 극한에 이르면 변하여 음이 되고, 음이 극한에 이르면 또 변하여 양이 된다. 건이면서 변할 줄 모르면 유독 양이 지나치게 굳세니, 어떻게 변화하여 생겨날 수 있겠는가? 그러므로 '머리 없음[无首]'을 귀하게 여긴다.

○ 用九之道, 王霸之分係焉. 聖人用九, 過者裁之, 不及者輔之, 裁成輔相之宜, 王道也. 老子用九爲占, 便自私之術, 霸道也.
구를 쓰는 방법에는 왕도(王道)와 패도(霸道)의 구분이 관계된다. 성인이 구를 써서 지나친 것은 재단하고 부족한 것은 도와주니, 마름질하여 이루어주고 살펴서 도와주는 마땅함이 왕도이다. 노자가 용구(用九)로 점을 친 것은 바로 자신의 사사로운 술수이니 패도이다.

심조(沈潮) 「역상차론(易象箚論)」

用九, 群龍无首.
용구, 여러 용이 머리 없음.
乾爲首, 今變爲坤, 故曰无首.
건은 머리인데 지금 변하여 곤이 되므로 '머리 없음'이라 하였다.

유정원(柳正源) 『역해참고(易解參攷)』

用九 [至] 首, 吉.
용구 … 머리, 길하다.
王氏曰, 以剛健而居人之首, 則物之所不與也, 以柔順而爲不正, 則佞邪之道也. 故乾吉在无首, 坤利在永貞.
왕씨가 말하였다: 강건함으로써 사람의 머리에 있으면 사물과 같이 할 수 없고, 유순함으로써 바르지 못하면 간교한 도가 된다. 그러므로 건의 길함은 '머리 없음'에 있고, 곤의 이로움은 '영원하고 곧게 함'에 있다.
○ 案, 以卦言, 則乾爲首, 以爻言, 則上爲首, 何以謂无首. 天下之物首爲上, 龍之无首, 何謂吉也. 此以六爻皆變而言, 非指一爻而言也. 乾變爲坤, 而不有其剛, 是无首.

如所謂有若无, 實若虛者是也. 龍之或潛或飛, 興雲致雨, 變化不測之用, 在於其首. 故其性愛護其首, 常使藏晦不見. 蓋非无首也, 有首而人不得見耳. 夫以聖人在上, 不以聰明自居, 不以賢知先人, 如舜之舍己從人, 禹之不矜不伐, 政是无首之義也.

내가 살펴보았다: 괘로 말하면 건이 머리이고, 효로 말하면 상효가 머리인데, 어떻게 '머리 없음[无首]'이라 할 수 있는가? 천하의 물건은 머리를 꼭대기로 삼는데, 머리 없는 용을 어떻게 길(吉)하다고 할 수 있는가? 이것은 여섯 효가 모두 변함을 말한 것이지, 하나의 효를 가리켜서 말한 것이 아니다. 건이 변하여 곤이 되면 굳셈이 있지 않으니, 이것이 '머리 없음'이다. 예를 들어 "있어도 없는 듯하고 가득해도 빈 듯하다"[160]라 한 것이 이것이다. 용이 혹 뛰어오르거나 혹 날아올라 구름이 일어나고 비가 내리며 변화를 헤아릴 수 없게 하는 작용은 용의 머리에 있다. 그러므로 그 성질이 머리를 보호하여 항상 숨겨서 어둡게 하고 드러나지 않게 한다. 이는 머리가 없는 것이 아니라 머리는 있는데 사람이 볼 수 없을 뿐이다. 성인은 윗자리에 있으면서 총명함을 자처하지 않고 현명한 지혜로 다른 사람에 앞장서지 않으니, 예컨대 순임금이 "자기를 버리고 남을 따르는 것"[161]이나 우임금이 "뽐내지 않고 자랑하지 않는다"는 경우가 바로 '머리 없음[无首]'의 의미이다.

本義, 用九不用七.
『본의』에서 말하였다: 구(九)는 쓰고 칠(七)은 쓰지 않는다.

案, 乾初爻得九, 則變爲姤, 六爻皆九, 則變爲坤, 坤卦亦倣此. 凡變爻皆九六, 而九必變爲八, 六必變爲七, 是謂老陽變爲少陰, 老陰變爲少陽者也. 玉齋謂, 乾卦自變姤初六至坤上六, 坤卦自變復初九至乾上九, 恐非朱子所謂九來做八, 六去做七本意.

내가 살펴보았다: 건의 초효가 구를 얻으면 변하여 구괘(姤卦☰)가 되고, 여섯 효가 모두 구(九)이면 변하여 곤괘(坤卦☷)가 되니 곤괘 역시 이와 같다. 변효는 모두 구와 육인데 구는 반드시 변하여 팔이 되고 육은 반드시 변하여 칠이 되니, 이것이 노양이 변하여 소음이 되고 노음이 변하여 소양이 된다는 것이다. 옥재호씨는 "건괘는 초육이 변한 구괘에서부터 상육까지 변하여 곤괘에 이르고, 곤괘는 초구가 변한 복괘(復卦☷)에서부터 상구까지 변하여 건괘에 이른다"[162]라 했으니, 주자가 "구가 와서 팔이 되고 육이 가서 칠이 된다"[163]라고

---

160) 『論語·泰伯』: 견문이 많으면서도 적은 이에게 묻고, 있어도 없는 듯하고, 가득해도 빈 듯하며, 자신에게 잘못을 범해도 따지지 않는다[以多問於寡, 有若無, 實若虛, 犯而不校].

161) 『書經·大禹謨』: 여러 사람의 의견을 살펴 자기를 버리고 다른 사람을 따르고, 하소연 할 곳 없는 이를 학대하지 않았다[稽于衆, 舍己從人, 不虐無告].

162) 『易學啓蒙·考變占』: 예를 들어 건괘를 얻을 경우, 변한 구괘의 초육에서 곤괘 상육까지 변하는 부류이다. 만약 끝괘를 얻은 경우, 끝에서부터 처음으로 아래에서 위로 변한다. 예를 들어 곤괘를 얻을 경우, 변한 복괘의 초구부터 건괘 상구까지 변하는 부류이다. 뒤도 이와 같다[如得乾卦者, 自變姤初六至坤上六之

말한 본래의 뜻이 아닌 듯하다.

小註朱子說, 純乾 [至] 裏面.

소주(小註)에서 주자가 말하였다: 순수한 건이 … 그 속에.

案, 此謂六爻皆得七數, 則卻與爻辭不相當, 所占吉凶之應, 不求各爻辭之中, 而只占卦辭而已.

내가 살펴보았다: 이것은 여섯 효 모두 칠의 수를 얻으면 도리어 효사와 서로 맞지 않아 길흉을 점치는 결과를 각 효사에서 구할 수 없으니, 다만 괘사로 점칠 뿐임을 말한 것이다.

김상악(金相岳) 『산천역설(山天易說)』

用九者, 陽數九爲老, 七爲少, 老變而少不變, 故不用七而用九. 群龍潛見躍飛之龍也. 龍爲飛騰之物而剛猛在首, 故見其无首則吉. 如上九之亢龍有悔, 不得其用九之道也. 若能用九, 則知進退存亡, 不與時偕極, 而有悔也.

'구를 씀[用九]'이란 양의 수는 구가 노(老)이고 칠이 소(少)이니, 노는 변하고 소는 변하지 않기 때문에 칠은 쓰지 않고 구는 쓴 것이다. '여러 용'은 잠기고 나타나고 뛰어오르고 날아오르는 용이다. 용은 날아오르는 동물로 굳세고 용맹함은 머리에 있기 때문에 용이 머리 없음을 보면 길하다. 예를 들어 상구의 "끝까지 올라간 용이니 후회가 있다"와 같은 경우는 용구의 도를 행할 수 없다. 만약 구를 쓸 수 있다면, 진퇴와 존망을 알아서 때와 함께 극한에 이르러 뉘우침이 있게 되지는 않는다.

○ 乾上九坤上六象傳皆言窮, 終於窮, 則乾坤或幾乎息矣. 故特於二卦言用九用六之道. 二用行, 則剛而能柔, 乾无亢龍之悔, 柔而能剛, 坤无龍戰之凶矣.

건 상구와 곤 상육의 「상전」에서 모두 '궁극함[窮]'을 말했는데, 궁극함에서 마치면 건곤이 거의 끝날 것이다.[164] 그러므로 특히 이 두 괘에서 용구와 용육의 도를 말했다. 이 두 가지 쓰임이 행해지면 건은 굳세면서도 부드러울 수 있어 끝까지 올라간 용의 후회가 없을 것이고, 곤은 부드러우면서도 굳셀 수 있어 용들이 싸우는 흉함[165]이 없을 것이다.

類. 得末卦者, 自終而初, 自下而上. 如得坤卦者, 自變復初九至乾上九之類. 後放此].

163) 『朱子語類』65卷: 노음과 노양이 변하는 것은 다른 것이 아니고 극한처에 이르면 갈 곳이 없어서 바로 변한다. 9는 그 이상 위로 갈 수 없으니 변하여 돌아와서 8이 된다. 6은 아래로 내려오면 바로 5의 생수이므로 갈 수 없어서, 이 때문에 도리어 위로 가서 7이 된대老陰老陽所以變者, 無他, 到極處了, 無去處, 便只得變. 九上更去不得了, 只得變回來做八. 六下來, 便是五生數了, 也去不得, 所以卻去做七].

164) 『周易·繫辭傳』: 乾坤毀, 則无以見易, 易不可見, 則乾坤或幾乎息矣.

김규오(金奎五)「독역기의(讀易記疑)」

用九用六, 自是三百八十四爻之通例而發於二純之末矣. 本无可繫之辭, 但諸卦六爻
變者, 捨貞取悔, 如姤之復, 否之泰, 只占復泰卦辭. 而乾雖盡變, 終无化爲純坤之道,
坤雖盡變, 亦无化爲純乾之理. 見群龍尙不離於易知, 利永貞尙不離於簡能. 此不可不
別立爻辭, 而他无可立之地, 惟此用九用六, 旣是論變之地. 故乾之坤, 坤之乾之辭, 以
類而附其下. 本義所謂因繫之辭云者, 至明且約矣.

용구(用九)와 용육(用六)은 본래 삼백 팔십 사효에 통용되는 사례로 건·곤 두 순수한 괘의
끝에 밝힌 것이다. 본래 설명을 붙인 말이 없었기에 단지 모든 괘에서 여섯 효가 변한 경우
는 본괘인 정(貞)을 버리고 변괘인 회(悔)를 취하는데, 예를 들어 구괘(姤卦䷫)가 복괘(復
卦䷗)로 변하거나 비괘(否卦䷋)가 태괘(泰卦䷊)로 변하면 복괘와 태괘의 괘사로 점을 치는
것과 같다. 그러나 건이 비록 다 변하여도 끝내 순수한 곤의 도로 변화하지 못하고, 곤이
비록 다 변해도 역시 순수한 건의 이치로 변화할 수 없다. 또, '여러 용을 보는 것'은 오히려
'평이함으로써 주장하는 것[易知]'에서 벗어날 수 없고, "영원하고 곧게 하는 것에 이롭
다"[166]는 오히려 '간략함으로써 능한 것[簡能]'[167]에서 벗어날 수 없다. 이에 별도의 효사를
만들지 않을 수 없었으나 다른 괘에는 적용할 만한 데가 없다. 오직 용구와 용육만이 변하는
곳을 논하였기 때문에 건괘가 곤괘로 변하거나 곤괘가 건괘로 변하는 말로써 부류대로 그 아래
에 부기한 것이니, 『본의』에서 말한 "인하여 말을 붙였다"는 말은 매우 분명하고 간단하다.

박윤원(朴胤源)『경의(經義)·역경차략(易經箚略)·역계차의(易繫箚疑)』

朱子將用九總六陽而言之, 以爲乾在諸卦之首, 故曰无首. 來知德將用九屬之上九, 以
爲上九在六畫之首, 故曰无首, 其說出於王荊公, 然不如朱子說之圓全.

주자는 용구가 여섯 양을 총괄하는 것으로 말하여, '건괘가 모든 괘의 머리에 해당하기 때문
에 머리가 없음을 말하였다'고 하였다. 래지덕은 용구를 상구에 국한하여 '상구가 여섯 획의
머리에 해당하기 때문에 머리가 없음을 말하였다'고 하였다. 이 주장은 왕안석으로부터 나
왔지만 원만하고 온전한 주자의 주장만 못하다.

김귀주(金龜柱)『주역차록(周易箚錄)』

傳, 用九者, 處乾, 云云.

---

165) 『周易·坤卦』上六: 龍戰于野, 其血, 玄黃.
166) 『周易·坤卦』: 用六, 利永貞.
167) 『周易·繫辭傳』: 乾以易知, 坤以簡能.

『정전』에서 말하였다: 용구란 건이 처한, 운운.

小註廣平游氏曰, 乾以純陽, 云云.

소주(小註)에서 광평유씨가 말하였다: 건이 순양으로, 운운.

○ 按, 此云陽極而亢, 陰極而戰云云, 只以乾坤上九一爻言, 正與王荊公之說同, 而亦不合於程傳之旨矣.

내가 살펴보았다: 여기에서 "양[乾]이 극에 달하여 끝까지 올라가고", "음[坤]이 극에 달하여 싸운다" 운운 한 것은, 건곤의 상구 한 효만을 가지고 말했으니, 바로 왕안석의 주장과 같고, 『정전』의 취지와는 부합하지 않는다.

本義, 用九, 言凡筮, 云云.

『본의』에서 말하였다: 용구는 무릇 점을 쳐서 … 말하였다, 운운.

○ 按, 用九用六歐陽說固是. 然只如其說而已, 則無以見乾坤六爻皆變之例也. 故朱子又因其說而推之斷, 以爲六爻皆變之占, 可謂至矣.

내가 살펴보았다: 용구(用九)・용육(用六)에 대한 구양수의 주장은 진실로 맞다. 그러나 단지 그 주장과 같을 뿐이라면 건곤 여섯 효가 모두 변할 경우에는 알 수가 없다. 그러므로 주자는 또 그의 주장을 근거로 헤아려서 판단하여 여섯 효가 모두 변하는 점(占)으로 삼았으니, 지극하다고 할 수 있다.

蓋諸卦百九十二陽爻, 皆莫非用九, 百九十二陰爻, 皆莫非用六, 而獨乾坤二卦, 於六爻之外, 特言用九用六者, 無他也. 諸卦六爻皆變, 則必占之卦象辭, 無事乎更論, 而若乾之六爻皆變, 則雖云爲陰, 而渾體猶是陽, 陽有統體之義. 坤之牝馬之貞, 東北喪朋, 未足以盡其用, 故特又設見群龍無首之辭, 以占之. 坤之六爻皆變, 則雖云爲陽, 而渾體猶是陰, 陰常居其半. 乾之元亨利貞, 未可以當其用, 故特又設利永貞之辭, 以占之, 非如諸卦之, 但占之卦象辭而已. 然則用九用六九六字, 實包六爻皆變之義, 猶言用純九用純六也. 如是看然後, 用九用六之意, 方分曉矣.

모든 괘에서 192양효는 모두 9를 쓰지 않음이 없고, 192음효는 모두 6을 쓰지 않음이 없는데도 유독 건・곤 두 괘만 여섯 효 이외에 특별히 용구와 용육 이라 함은 다른 것이 아니다. 건・곤 이외의 다른 괘는 여섯 효가 모두 변하면 반드시 변한 괘의 단사로 점을 치고 다시 논하는 일이 없지만, 건괘의 여섯 효가 모두 변한 경우에는 비록 음이 되었다고 하더라도 혼연한 몸체는 오히려 양이니, 양은 몸체를 통괄하는 뜻이 있다. 그러므로 곤괘의 "암말의 바름"과 "동쪽과 북쪽에서 벗을 잃는다"는 괘사는 그 쓰임을 극진히 하기에 충분하지 못하기 때문에, 특별히 건괘 용구인 "여러 용의 머리 없음을 본다"라는 말을 만들어서 점(占)을 친다. 곤괘의 여섯 효 모두 변하는 경우는 비록 양이 되었다고 하지만 혼연한 몸체는 오히려 음이고, 음은 항상 절반에 머문다. 그러므로 건의 '원·형·리·정' 괘사는 그 쓰임을 감당할 수 없기 때문에, 특별히 또 곤괘 용육인 "영원하고 곧게 하는 것에 이롭다"는 말을 만들어서 점을 치니, 단지 괘의 단사로만 점을 치는 다른 괘와는 다르다. 그렇다면 용구와 용육의 구와 육은 실제로 여섯 효가 모두 변하는 뜻을 포함하니, 순전한 구를 쓰고 순전한 육을 쓴다고 말하는 것과 같다. 이와 같음을 살핀 뒤에야 용구와 용육의 뜻이 비로소 분명해질 것이다.

〈後考南塘雜著用九用六說, 蓋亦如愚說.

뒤에 남당 잡저의 용구와 용육의 주장을 살펴보니, 또한 나의 주장과 같았다.〉

小註, 雲峰胡氏曰, 卦主乎用, 云云.

소주(小註)에서 운봉호씨가 말하였다: 괘는 쓰임을 주로 하니, 운운.

○ 按, 六爻中一爻二爻不變者, 亦未嘗不用七八, 此說恐是錯說. 易之三百八十四爻占辭, 皆以變爻言, 無一箇以不變爻言者. 若夫四爻五爻變, 則以之卦不變爻占者, 固載於啓蒙. 然此當細推, 蓋自本卦言, 則其一爻二爻不變者, 雖謂之七八, 而自之卦言, 則其所謂不變者, 依舊是九六. 如穆姜遇艮之隨, 自艮而言, 則第二爻不變者, 固謂之八, 而自隨而言, 則其曰係小子失丈夫者, 卽隨之六二變爻之辭也. 以是例之, 則凡卦一爻二爻不變者, 名雖用七八, 而實未嘗用七八也. 胡氏於此未之深考, 而乃引歐陽氏揲蓍之際, 七八常多九六常少之說, 而混言之, 未知何謂也.

내가 살펴보았다: 여섯 효 가운데 한 효, 두 효가 불변한 것은 일찍이 7과 8을 쓰지 않은 적이 없다는 이 주장은 아마도 착오로 말한 듯하다. 『주역』의 384효의 점사(占辭)는 모두 변효로 말하고, 하나라도 불변효로 말하는 것이 없다. 네 효와 다섯 효가 변한 경우에는 지괘(之卦)의 변하지 않는 효로 점을 친다는 것이 『역학계몽』에 실려 있다. 그러나 이것을 자세히 미루어보면, 본괘로 말하는 경우 한 효와 두 효가 불변한 것은 비록 칠·팔이라 하지만, 지괘로 말하면 이른바 불변이라는 것은 예전의 9와 6이다. 예를 들어, 목강(穆姜)이 간괘(艮卦䷳)가 수괘(隨卦䷐)로 변한 괘를 만났을 때,[168] 간괘로 말하면 이효가 불변한 것은 진실로 팔이라 하지만, 수괘로 말하면, "어린아이에게 얽매이면 장부(丈夫)를 잃는다"[169]라 하는데 이것은 곧 수괘의 육이효인 변효[170]의 효사이다. 이런 예로 보면 괘에서 한 효, 두

---

168) 『春秋左氏傳·襄公』: 목강이 막 동궁으로 옮겨 가서 점을 치니 간괘의 팔을 얻었다. 사관이 말하기를 "이는 간괘䷳가 수괘로䷐ 간 것입니다. 수는 나가는 것입니다. 군주께서는 속히 나가셔야 합니대穆姜薨於東宮, 始往而筮之, 遇艮之八. 史曰, "是謂艮之隨. 隨, 其出也. 君必速出"]. 이 내용은 점을 쳐서 '艮之八'을 얻었다는데 대한 해석이다.

169) 『周易·隨卦』 六二: 係小子, 失丈夫.

170) 본문에서 택뢰수의 육이효를 '변효'라 했다. 그러나 목강의 사례는 간괘에서 이효만 불변하고 나머지 다섯

효가 불변한 것은 그 이름은 비록 용칠·용팔이라 하더라도 실제로는 일찍이 7과 8이 쓰인 적이 없다. 호씨가 이 부분을 깊이 고찰하지 않고 구양수가 설시(渫蓍)할 때 7과 8은 항상 많이 나오고 9와 6은 항상 적게 나온다는 주장을 인용하여 혼란스럽게 말하였으니, 무엇을 말하는지 알 수가 없다.

윤행임(尹行恁) 『신호수필(薪湖隨筆)·역(易)』

乾元用九, 乃見天則. 所謂則者, 法也, 法者, 象也. 一三五七九卽天之數也, 用九所以見乎天象也.

"건원의 용구는 하늘의 법칙을 보는 것이다"에서 이른바 '칙(則)'은 법(法)이고 법은 상(象)이다. 일·삼·오·칠·구는 곧 하늘의 수이니, 구를 쓰는 것이 하늘의 상을 볼 수 있는 방법이다.

서유신(徐有臣) 『역의의언(易義擬言)』

用九, 天德不可爲首也.

용구는 하늘의 덕은 머리가 되어서는 안 된다는 것이다.

爲首, 如爲仁爲善. 不可爲首, 言不可爲六陽之至剛也, 故變而之坤, 以藏其剛也.

'머리가 됨'은 인(仁)이 되고 선(善)이 되는 것과 같다. '머리가 되어서는 안 됨'은 여섯 양이 지극히 굳세어서는 안 되기 때문에 곤괘로 변하여 그 굳셈을 감춘다는 말이다.

서유신(徐有臣) 『역의의언(易義擬言)』

春秋傳蔡墨以爲乾之坤者是也, 陽數七少九老, 陽爻變動謂之用九也. 純陽之卦, 汎稱用九, 是謂六爻皆動也, 六爻皆動爲乾用九也. 乾之坤, 坤之乾, 異於凡卦陰陽相雜之象, 故用九用六別繫之爲辭也. 群龍猶曰純陽也, 无首猶曰无乾也, 六陽可見, 而乾則藏矣, 如龍之變化, 藏護其首也. 乾之剛而能柔, 用九見之, 純剛而不能柔者, 非吉道也. 天且不用純剛, 而況君長人者乎.

『춘추좌씨전』에 채묵이 건괘(乾卦☰)가 곤괘(坤卦☷)로 변한 것으로 여긴 것이 이것이다.[171] 양수 7은 소(少)이고 9는 노(老)이며, 양효가 변하여 움직이는 것을 용구라 한다.

효가 모두 변하여 수괘(隨卦)가 되었고, 수괘의 불변효인 육이효로 점친다. 따라서 여기서 '변효'란 수괘 육이효로 점치는 점사(占辭)로서의 의미로 보인다.

171) 『춘추좌씨전·소공』: 앞 주석 참조.

순전한 양의 괘에서 보통 용구라고 하는 것은 여섯 효가 모두 변한 것을 말하니, 여섯 효가 모두 움직인 것이 건괘의 용구이다. 건괘가 곤괘로 변하거나 곤괘가 건괘로 변한 경우는 다른 괘에서 음양이 서로 섞인 상과 다르므로 용구와 용육에 별도로 점사를 붙인 것이다. '여러 용'은 순수한 양이라 하는 것과 같고, '머리 없음'은 건이 없다고 하는 것과 같다. 여섯 양이 드러나지만 건이 숨어 있음은 용이 변화하여 그 머리를 숨겨서 보호하는 것과 같다. 건은 굳세지만 부드러울 수 있는 것을 용구에서 볼 수 있으니, 순전히 굳세기만 하고 부드러울 수 없는 것은 길한 도가 아니다. 하늘도 또한 순전한 굳셈을 써서는 안 되는데, 하물며 군장(君長)은 어떻겠는가?

강엄(康儼) 『주역(周易)』

傳, 見群龍 [止] 爲首則吉.

『정전』에서 말하였다: 여러 용을 보되 … 앞섬이 없으면 길하다.

按, 觀諸陽之義, 謂觀諸陽乾體純剛之義. 而无以純剛爲天下先, 則吉也.

내가 살펴보았다: '여러 양을 살핀다는 뜻'이란 건체의 순전히 굳센 여러 양을 고루 살핀다는 뜻이다. 그리하여 순전한 굳셈이 천하 보다 앞장서지 않으면 길하다.

本義, 遇此卦而六爻皆變者, 卽¹⁷²⁾此占之.

『본의』에서 말하였다: 이 괘를 만나고 여섯 효가 모두 변한 경우는 이것을 가지고 점친다.

按, 用九非必六爻皆變, 而後爲用九. 雖一爻變, 亦用九而不用七. 如乾卦初爻變, 則潛龍勿用是用九也, 二爻變, 則見龍在田利見大人是用九也. 三四五上爻亦餘隨變而用九. 但聖人特以用九二字繫之六爻之後, 而又以爲見群龍无首, 則是其以全卦皆變辭言可知也. 故本義旣云, 百九十二陽爻之通例, 而於此又曰六爻皆變者此也.

내가 살펴보았다: 구를 쓰는 것[用九]은 반드시 여섯 효가 모두 변한 뒤에 구를 쓰는 것이 아니다. 비록 한 효가 변해도 구를 쓰지 칠을 쓰지 않는다. 예를 들어 건괘 초효가 변하면 "잠겨있는 용이니 쓰지 말아야 한다"가 구를 쓰는 것[用九]이고,¹⁷³⁾ 이효가 변하면 "나타난 용이 밭에 있으니 대인을 봄이 이롭다"가 구를 쓰는 것이다. 삼효·사효·오효·상효도 변하는 것에 따라 구를 쓴다. 다만 성인이 특히 '용구' 두 글자를 여섯 효의 뒤에 붙이고 또 "여러 용의 머리 없음을 본다"고 하였으니, 이는 모든 괘가 다 변한 효사로써 말한 것임을

---

172) 卽: 경학자료집성DB에 '閉'로 되어 있으나, 『본의』를 참조하여 '卽'으로 바로잡았다.

173) 용구(用九): 노양수 9로 인해 초효가 변하고 점사는 초효사인 '잠룡물룡'이다. 여기서 '쓰다'는 의미인 '用'은 변한다는 뜻이다. 용육(用六)의 경우 노음수 6으로 변하므로 원리는 마찬가지이다.

알 수 있다. 그러므로 『본의』에서 이미 '백구십이 양효에 통용되는 예'라 했고, 여기에서 또 "여섯 효 모두 변한 것이다"라 한 것이 이것이다.

박문건(朴文健) 『주역연의(周易衍義)』

六爻純變[174], 故有无首之象. 首者陽之所會也, 乾道用九者, 示群龍之无首. 人能體之, 則含剛發柔, 以示天下.

여섯 효가 순전히 변하므로 머리 없는 상이 있는 것이다. '머리'란 양이 모이는 곳이다. 건도에서 용구란 여러 용이 머리 없음을 보이는 것이다. 사람이 이를 체득할 수 있으면 굳셈을 품고 부드러움을 발휘하여 천하에 보인다.

〈問, 見義. 曰, 見示也, 如天垂象見吉凶之見也.

물었다: 보이다[見]의 뜻이 무엇입니까?

답하였다: '현(見)'은 '보이다'이니, "하늘이 상을 드리워서 길흉을 보여준다"[175]의 '보여준다[見]'와 같습니다.〉

〈○ 問, 用九見群龍无首吉. 曰, 乾元用九, 示群剛之无剛, 卽剛而柔者也. 剛而能柔, 吉之道也.

물었다: "용구(用九)는 여러 용이 머리가 없음을 보임이니 길할 것이다"가 무슨 뜻입니까?

답하였다: 건원의 용구는 여러 굳센 양이 굳셈이 없음을 보여주니, 곧 굳세면서도 부드러운 것 입니다. 굳세면서 부드러울 수 있는 것이 길한 도입니다.〉

〈○ 問, 乾坤獨取用九用六, 何義. 曰, 乾變之坤, 坤變之乾, 之坤者剛而柔者也, 之乾者柔而剛者也. 故取用九用六之義. 若他卦, 則陽雖用九, 陰雖用六, 然雜而不純, 雖欲取用九用六之義, 何可得乎. 〈曰, 然則他卦雜變, 而獨乾坤純變, 故取用九用六之義歟, 曰, 然.

물었다: 건곤만이 용구와 용육을 취하는 것은 무슨 뜻입니까?

답하였다: 건이 변하여 곤이 되고 곤이 변하여 건이 되니, 곤으로 변한 것은 굳세면서 부드러운 것이고, 건으로 변한 것은 부드러우면서 굳센 것입니다. 그러므로 용구와 용육의 뜻을 취한 것입니다. 다른 괘의 경우는 양이 비록 구를 쓰고 음이 육을 쓰더라도 섞여서 순수하지 않으니, 비록 용구와 용육의 뜻을 취하고자 하더라도 어떻게 할 수 있겠습니까?

---

174) 變: 경학자료집성DB와 영인본에 모두 '變'으로 되어 있으나, 문맥을 살펴 '變'으로 바로잡았다.

175) 『周易 · 繫辭傳』: 天垂象, 見吉凶.

물었다: 그렇다면 다른 괘는 섞여서 변하나, 건·곤만 순수하게 변하기 때문에 용구와 용육의 뜻을 취한 것입니까?

답하였다: 그렇습니다.〉

이지연(李止淵) 『주역차의(周易箚疑)』

群龍无首, 程傳曰, 无爲首則吉. 本義曰, 龍之剛猛在首, 无首則吉.

'여러 용의 무수(无首)'에 대해 『정전』에서는 "앞장섬이 없으면 길하다"라 하였고, 『본의』에서는 "용의 굳세고 용맹함은 머리에 달려 있으니 머리가 없으면 길하다"라 하였다.

二說雖不同, 而大要, 則以變剛能柔, 爲吉之道也. 乾三畫以純陽之德, 下於地則爲泰, 上於地則爲否, 否不如泰之吉也. 下於離, 則爲大有, 上於離, 則爲同人, 同人不如大有之吉. 其他需·訟·大壯·无妄·小畜·姤·大畜·遯·夬·履皆然, 此其天德不可爲首之一證也. 如復之初九·師之九二·謙之九三·豫之九四·比之九五·剝之上九, 若以剛變柔, 則不吉, 不如不變之爲愈也. 然則不可以一例論也. 大抵九爲老陽之數, 用九之道, 當以剛之極, 而可變者爲吉也, 不必謂一百九十二陽之通例也.

『정전』과 『본의』 두 설은 비록 같지 않지만 큰 요점은 굳셈이 변하여 부드러움이 될 수 있는 것을 길한 도로 여긴 것이다. 건괘 삼획은 순수한 양의 덕으로, 땅보다 아래이면 태괘(泰卦☷)가 되고 땅보다 위이면 비괘(否卦☰)가 되는데, 비괘는 태괘의 길함만 못하다. 리괘(☲)보다 아래이면 대유괘(大有卦☲)가 되고, 리괘보다 위이면 동인괘(同人卦☲)가 되는데, 동인괘는 대유괘의 길함만 못하다. 나머지 수괘(需卦☵)와 송괘(訟卦☵)·대장괘(大壯卦☳)와 무망괘(无妄卦☳)·소축괘(小畜卦☴)와 구괘(姤卦☴)·대축괘(大畜卦☶)와 돈괘(遯卦☶)·쾌괘(夬卦☱)와 리괘(履卦☱)가 모두 그러하니, 이것이 하늘의 덕이 머리가 될 수 없는 하나의 증거이다. 그러나 복괘(復卦☷)의 초구·사괘(師卦☷)의 구이·겸괘(謙卦☷)의 구삼·예괘(豫卦☷)의 구사·비괘(比卦☵)의 구오·박괘(剝卦☶)의 상구와 같이 굳셈이 유약함으로 변하면 길하지 않으니, 불변이 나은 것만 못하다. 그러니 이것을 하나의 예로 논할 수는 없다. 대체로 구는 노양의 수로 구를 쓰는[用九] 도(道)는 굳셈이 극에 달해 변할 수 있는 것을 길하다고 여기는 것이니, 굳이 백구십이개 양(陽)의 통례를 말하는 것이 아니다.

이항로(李恒老) 「주역전의동이석의(周易傳義同異釋義)」

傳, 用九者, 處乾剛之道, 云云.

『정전』에서 말하였다: 용구란 건의 굳센 도에 있으니, 운운.

本義, 用九言凡筮得陽爻者, 皆用九而不用七, 云云.

『본의』에서 말하였다: 용구는 점을 쳐서 양효를 얻은 것을 말한 것으로 모두 구는 쓰고 칠은 쓰지 않는다, 운운.

按, 凡揲蓍九爲老陽, 而變而爲陰, 故曰用九. 見群龍无首, 謂諸陽變剛爲柔也. 以處乾剛解用九, 則无以見群龍无首之象矣.

내가 살펴보았다: 설시(揲蓍)에서 구는 노양인데 변하여 음이 되므로 용구라 한다. "여러 용의 머리 없음을 보다"는 여러 양이 굳셈이 변하여 부드러움이 되는 것을 말한다. 굳센 건이 처한 것으로 용구를 풀이하면 여러 용의 머리 없는 상을 볼 수 없다.

김기례(金箕澧) 「역요선의강목(易要選義綱目)」

用九, 指六皆變而言, 卽乾之坤.

용구는 여섯 효가 모두 변한 것을 가리켜 말한 것이니, 곧 건괘(䷀)가 곤괘(䷁)로 변한 것이다.

○ 无首吉, 卽坤辭先迷後得, 乃終有慶之意.

"머리 없음이 길하다"는 바로 곤괘 괘사인 "먼저 하면 혼미하고, 나중에 하면 얻는다"[176]로, 마침내 경사가 있다는 뜻이다.

심대윤(沈大允) 『주역상의점법(周易象義占法)』

乾之坤䷁, 剛柔之相接也. 乾主氣而爲純陽, 坤主形而爲純陰. 二氣分居而不交, 則无以成化育之功, 乾坤交合然後, 八卦生而成易矣. 乾坤之有用九用六者, 卽四象之氣交形而爲先後天也. 乾坤之六爻盡動, 則本之二卦皆爲純體, 故獨占用九用六也. 艮震爲用, 乾之變, 終于震而逢坤, 坤之變, 始于艮而交乾. 四象者氣之終而形之初, 故取震艮曰用.

건괘가 곤괘(坤卦䷁)로 바뀌었으니, 굳셈과 부드러움이 서로 접한 것이다. 건은 기운을 위주로 하니 순전한 양이고, 곤은 형체를 위주로 하니 순전한 음이다. 두 기운이 나누어져 있어 서로 교제하지 않으면 화육(化育)의 공효를 이룰 수 없고, 건곤이 서로 교대로 합한 후에 팔괘가 생겨 『주역』이 이루어진다. 건과 곤에 용구와 용육이 있는 것은 곧 사상(四象)의 기가 교제하고 드러나서 선천과 후천이 되는 것이다. 건곤의 여섯 효가 다 움직이면 본괘

---

176) 『周易·坤卦』: 先迷, 後得, 主利.

와 지괘 두 괘가 모두 순전한 몸체이기 때문에 유독 용구와 용육으로 점을 친다. 간괘(艮卦 ☶)와 진괘(震卦☳)는 변(變)의 쓰임이 되는데 건괘(乾卦䷀)의 변(變)이 진괘(☳)에서 끝나면 이어서 곤괘(坤卦☷)를 만나고, 곤괘(☷)의 변은 간괘(☶)에서 시작하여 건과 교제한다. 사상이란 기의 끝이자 형체의 시작이므로 진과 간을 취하여 '쓴다[用]'라 한다.

用九者陽之交于陰, 我之交于物也, 天人之道也. 乾, 性也誠也, 坤, 心也利也. 离爲見, 巽离爲繁多附麗, 曰群. 兌爲无, 震爲首, 首, 主首也, 主事而都統也. 乾之主爻, 獨入于坤, 而主其政, 則爲震. 見群龍无首者, 言物與同利, 而无偏私獨主也, 卽忠恕之道也. 忠恕之道, 先難而後得, 故言吉而不及利也. 重取离象者, 取陰之麗於陽也, 獨不取坎象者, 不取陽之陷於陰也.

용구란 양이 음과 교제하는 것이고, 내가 사물과 교제하는 것으로 하늘과 사람의 도이다. 건은 본성[性]이자 정성[誠]이며, 곤은 마음[心]이자 이로움[利]이다. 리괘(離卦☲)는 보는 것이고, 손괘(巽卦☴)와 리괘(☲)는 번다하게 붙어있어서 '여럿'이라 한다. 태괘(兌卦☱)는 없음이고 진괘(震卦☳)는 머리가 되는데, '머리[首]'는 앞서기를 위주로 하고 일을 주관하여 모두를 통괄한다. 건괘의 주인 효가 홀로 곤괘에 들어가 다스림을 주관 하면 진괘(☳)가 된다. "여러 용의 머리 없음을 보다"는 사물과 이로움을 함께하고 치우치고 사사로움이 없이 홀로 주인이 되는 것으로 바로 '충서(忠恕)'의 도를 말한 것이다. 충서의 도는 어려운 일을 먼저하고 얻음을 뒤로 하기 때문에 길하다고 말하고 이로움을 언급하지 않는다. 리괘(☲)의 상을 거듭 취한 것은 음이 양에 걸려있음을 취한 것이고, 유독 감괘(坎卦☵)의 상을 취하지 않은 것은, 양이 음에 빠진 것을 취하지 않은 것이다.

夫用九用六者, 先後天交合而爲數與理之用, 故乾坤俱用四焉, 卽陰陽四象之數也. 故揲蓍以四, 而四營成易. 二老二少之策數, 皆以四乘之也. 是故凡占一爻動, 則占其爻, 自二爻動以上, 陽用九陰用六, 合卦中動爻之數, 而以乾四除之, 至八而止, 至八而止者, 合坤四之數也. 除之以乾數, 而剩之則合坤數者, 卽乾之爲政於易, 而坤以助成之義也.

구를 쓰고[用九] 육을 쓰는 것[用六]은 선천과 후천이 교대로 합하여 수와 이치의 쓰임이 되기 때문에 건곤(乾坤)이 여기에 함께 사(四)를 쓰니, 이는 곧 음양과 사상(四象)의 수이다. 그러므로 설시(揲蓍)에서 시초를 네 개씩 세고 네 번 운영하여 역(易)을 이룬다. 노양·노음의 책수와 소양·소음의 책수는 모두 사를 곱한 수이다. 이러므로 점(占)에서 한 효가 움직이면 움직인 효로 점치고 두 효 이상이 움직이는[動爻] 경우에는 양은 구를 쓰고 음은 육을 써서 괘에서 동효(動爻)의 수를 합하여, 건(乾) 사(四)로 제(除)하여 팔(八)에 이르러 멈추는데 팔에 이르러서 멈추는 것은 곤(坤) 사(四)의 수를 합했기 때문이다. 건의 수로 제하고 남으면[剩] 곤의 수와 합한다는 것은 즉 건이 『주역』을 다스리고 곤이 이를 도와서 이루는 뜻이다.

剩數溢于八, 則必以四除之, 其剩數或八或七或六或五焉. 乾數常盈, 而坤數有盈虧者, 陰陽日月盈虧之義也. 剩數八則占之卦象辭, 七則占本卦象辭. 卦之六爻當六數, 本象當七, 而之象當八也. 剩數六與五, 則自下而上數動爻, 周而復始, 占其所止之爻也. 春秋傳艮之八是也.

남은 수가 팔(八)을 넘으면 반드시 사(四)로 제하는데, 그 남는 수는 팔·칠·육·오 중의 하나일 것이다. 건의 수는 항상 가득하지만 곤의 수는 차고 이지러짐이 있는 것은 음양(陰陽)과 해와 달의 차고 이지러지는 뜻이다. 남은 수가 팔이면 지괘(之卦)의 단사로 점치고, 칠이면 본괘의 단사로 점친다. 괘의 여섯 효는 육에 해당하고 본괘의 단사는 칠에 해당하며 지괘의 단사는 팔에 해당한다. 남은 수가 육과 오이면 아래에서 위로 동효(動爻)를 헤아려, 한 번 돌아서 다시 시작하여, 그 멈춘 효로 점을 친다.[177] 『춘추좌씨전』에서 말한 "간괘(艮卦)의 팔이다"[178]가 이것이다.

朱子之義及雜書, 各有占爻之法, 而皆不合, 於艮之八占之, 亦不驗. 故妄以私意臆度,

---

[177] 심대윤의 점법(占法)은 새로운 법이다. 설시(揲蓍)하는 기본구조는 종래의 시초점법과 동일하나 점괘의 적용하는 방법이 다르다. 즉, 동효(動爻)가 하나일 때는 그 동효로 점치고, 둘 이상 동효가 있을 때에는 동효가 양은 9, 음은 6을 부여 한 후 합산하여 4로 나누어서 남는 수가 8이면 지괘(之卦)의 단사로 점치고, 7이면 본괘의 단사로 점친다. 남는 수가 5나 6이면 한 번 돌고 다시 아래 효부터 시작하여[周而復始] 동효에 부여 된 수를 계산하고 4로 제하여 그 멈추는 효[所止之爻]로 점을 친다. 여기서 '멈추는 효[所止之爻]'의 의미가 불분명하지만 앞 단락에서 8에서 멈춘다고 했으니 남는 수가 8이 되는 효가 '멈추는 효'로 보고 그 효로 점친다고 볼 수 있다. 예를 들어 초효와 2효가 동효라면 음과 양이니 15이고 4로 제하면 2효에서 7이 남는다. 이럴 때는 본괘의 단사로 점친다. 2효와 4효가 동효일 경우는 음과 음이므로 12이다. 4로 제하면 8이 남으므로 지괘의 단사로 점친다. 초효와 3효가 동효라면 양이니 18이 되고 4로 제하면 남는 수는 6이다. 다시 동효를 계산하면 남는 6에다 초효 9를 더하면 15로 4를 제하더라도 8이 되지 않으니 3효의 9를 더하면 24로 4로 제하면 8이 된다. 그래서 3효동으로 점친다. 만약 초·2·3효 동효라면 총수는 24이다. 4로 제하면 3효에서 4로 제하고 8이 남는다. 그래서 3효동으로 점친다. 또 초·2·3·4효가 동효라면 총수는 30으로 4를 제하면 6이 남는다. 다시 동효를 계산하면 초효 9에다 남는 수 6을 더하면 15로 8이 남지 않고, 2효 6을 더하면 21로 8이 남지 않고, 3효 9를 더하면 30으로 8이 남지 않고, 4효 6을 더하면 36으로 4로 제하면 8이 남는다. 그래서 4효동으로 점친다. 초효~5효동이나 여섯 효가 모두 동효라도 앞의 계산법에 따라 4효동으로 점친다. 만약 2·4·상효동으로 18일 경우는 4로 제하면 남는 수는 6이다. 다시 계산하면 남은 수 6에다 2효의 수 6을 더하면 12로 4를 제하면 8이 남는다. 즉 2효동으로 점친다.

[178] 『춘추좌씨전·양공』의 일로 앞 주석 참조 할 것. '간괘(艮卦)의 팔'이라는 것은 점을 치니 본괘인 간괘 육이효만 소음수 팔이 나와서 불변이라는 뜻(변괘는 隨卦)인데, 사관(史官)이 "艮卦☶☶가 隨卦☱☳로 갔다"라 했고 같은 의미로 이를 '간괘의 팔'을 얻었다고 한 것이다.

而爲此說, 徐驗之於筮事, 則可知矣. 凡每卦六爻, 皆含後卦之義, 而乾之上九, 獨无坤之義, 用九无首乃有之也.

주자의 『본의』와 여러 책에 각각 효로 점치는 법이 있지만 모두 합당하지 않으니, "간괘의 팔이다"를 점치는 것도 증명할 수 없었다. 그러므로 내가 함부로 사사로운 뜻으로 억측하여 이러한 설명을 만들었으니, 차분히 이것을 점치는 일에 실험해 보면 알 수 있을 것이다. 각 괘의 여섯 효는 모두 뒤에 있는 괘의 뜻을 포함하였는데, 건괘의 상구만 곤괘의 뜻이 없는 이유는 용구의 '머리 없음'에 바로 곤괘의 뜻이 있어서이다.

오치기(吳致箕) 「주역경전증해(周易經傳增解)」

此卽乾六陽皆變之占辭也. 六陽皆變, 爲群龍无首之象, 而有乾道變化循環无端之義, 故占言吉.

이것은 바로 건괘 여섯 양이 모두 변했을 때의 점사(占辭)이다. 여섯 양이 모두 변하면 여러 용의 머리 없는 상이 되며, 건도가 변화하여 순환함이 끝이 없다는 뜻이 있기 때문에 점(占)에서 길하다고 말했다.

○ 見之取象未詳, 而卽文言乃見天則之義也. 群龍指六陽也. 以象言, 則乾爲首, 而乾已變, 故曰无首. 以數言, 則九者奇數也, 奇圓而動, 卽天道之循環而无終始, 故爲无首也.

상(象)에서 취한 견해는 자세하지 않지만, 곧 「문언전」에서는 "이에 하늘의 법칙을 본대乃見天則]"는 뜻이라 했다. 여러 용은 여섯 양(陽)을 가리킨다. 상(象)으로 말하면 건은 머리인데 건이 이미 변하므로 '머리가 없다'고 말했다. 수로 말하면 구는 기수인데 기수는 둥글어 움직이니, 곧 천도가 순환하여 끝과 시작이 없기 때문에 머리 없음이 된다.

이진상(李震相) 『역학관규(易學管窺)』

乾坤體尊, 故六爻皆變, 則不占之卦之象, 而占此用九用六. 乾爲首而變得盡, 故謂之无首.

건곤의 몸체는 존귀하므로 여섯 효가 모두 변하면 지괘(之卦)의 단사로 점치지 않고 이 용구와 용육으로 점친다. 건은 머리이지만 변하면 다 없어지기 때문에 '머리 없음'이라 하였다. 〈三山柳公曰, 龍之或潛或飛, 興雲致雨, 變化不測之用, 在於其首. 故其性愛護其首, 常使藏晦不見. 非无首也, 有首而人不得見耳.

삼산 유공[179]이 말하였다: 용이 혹 뛰어오르거나 혹 날아올라 구름이 일어나고 비가 내리며 변화를 헤아릴 수 없게 하는 작용은 용의 머리에 있다. 그러므로 그 성질이 머리를 보호하여 항상 숨겨서 어둡게 하고 드러나지 않게 하였다. 이것은 머리가 없는 것이 아니라 머리는 있는데 사람이 볼 수 없을 뿐이다.〉

채종식(蔡鍾植) 「주역전의동귀해(周易傳義同歸解)」

用九, 見群龍无首, 傳謂觀諸陽之義, 无爲首, 則吉也. 本義, 則以見群龍无首爲句. 蓋程子之意, 以剛柔相濟爲吉之道, 若以剛爲天下先, 凶之道也, 朱子之意, 以變剛而能柔爲吉之道也. 然則剛柔相濟, 卽變剛能柔之義也. 但爲天下先一句, 若以常人而占之, 則未免拘了也, 然此卦又爲聖人得天位行天道, 致太平之占, 則亦无害耳.

용구(用九)의 '견군룡무수(見群龍无首)'에 대해서, 『정전』은 "여러 양을 살펴본다는 뜻이니, 앞장섬이 없으면 길하다"라 했다. 『본의』는 "여러 용의 머리 없음을 보다"를 한 구(句)로 삼았다. 여기서 정자의 뜻은 굳셈과 부드러움이 서로 구제하는 것을 길한 방도로 여기니, 만약 굳셈으로 천하 사람에 앞장서면 흉한 도(道)가 된다는 것이고, 주자의 뜻은 굳셈이 변하여 부드러움이 될 수 있는 것을 길한 도로 여긴다는 것이다. 그렇다면 굳셈과 부드러움이 서로 구제하는 것이 곧 굳셈이 변해서 부드러움이 될 수 있다는 의미이다. 다만 "천하 사람에 앞장서다"는 한 구절은 만약 보통 사람의 입장에서 친 점(占)이라면 속박되지 않을 수 없으나, 이 괘는 또 성인이 하늘의 지위를 얻어 천도를 행하여 태평한 세상을 이루는 점(占)이니, 또한 문제될 것이 없을 뿐이다.

이정규(李正奎) 「독역기(讀易記)」

用九者, 陽數九爲極而變, 故用九而不用七. 陰數六爲極而變, 故用六而不用八. 陽爻變剛能柔者爲吉, 故以九爲用. 陰爻變柔能剛者爲吉, 故以六爲用. 群龍至剛者也, 而不要剛而能柔, 則是爲首而悔也. 乾六爻皆龍德, 而五爻以下不至過剛, 故吉. 惟上九一爻處極而不能柔, 故有悔也. 然吝者入凶之象也, 悔者反吉之象也, 或已含變柔之意, 故不至於凶歟. 然則九之用, 剛則變柔者, 爲無首而吉也. 故凡不正而處極者, 大略皆不吉.

용구란 양수 9가 궁극에 이르면 변하므로 9는 쓰고 7은 쓰지 않는다는 것이다. 음수 6이 궁극에 이르면 변하므로 6을 쓰고 8은 쓰지 않는다. 양효는 굳셈이 변하여 부드러울 수 있는 것을 길한 것으로 여기므로 9를 쓰임으로 삼는다. 음효는 부드러움이 변하여 굳셀 수 있는

---

179) 삼삼 유공(三山柳公): 유정원(柳正源, 1702~1761). 자는 순백(淳伯), 호는 삼산(三山)이다. 영조 때 대사간을 지냈다.

것을 길한 것으로 여기기 때문에 6을 쓰임으로 삼는다. 여러 용은 지극히 굳센 자이나 굳세고자 하여 부드러울 수 없으면 이는 머리가 되어 후회할 것이다. 건괘의 여섯 효는 모두 용의 덕이지만, 오효 이하는 지나친 굳셈에 이르지 않았기 때문에 길하다. 오직 상구 한 효는 극단에 처하여 부드러울 수 없기 때문에 후회가 있다. 그러나 부끄러운 것은 흉함에 들어가는 상이고, 뉘우침은 도리어 길한 상이니 혹 이미 변하여 부드러운 뜻을 지녔다면 이 때문에 흉함에 이르지 않을 것이다. 그렇다면 9를 써서 굳셈이 부드러움으로 변한 것은 머리 없음이 되어 길하다. 그러므로 바르지 않으면서 궁극에 처한 자는 대체로 모두 길하지 않다.

이병헌(李炳憲) 『역경금문고통론(易經今文考通論)』

此七節, 皆爻下繇辭, 義詳文言. 蓋聖人特加刪正潤色之功, 竝入爲經後, 凡係卦下爻下者倣此. 用九指六爻皆動爲坤者也. 宋衷後漢人曰, 六爻皆九, 先之者凶, 隨之者吉.

이 7절은 모두 효 아래의 점사(占辭)인데, 의미는 「문언전」에 상세하다. 성인이 특히 산정하고 윤색한 공효를 더하여 아울러 경문 뒤에 넣었으니, 괘 아래와 효 아래에 붙여진 모든 것이 이와 마찬가지이다. 용구는 여섯 효가 모두 움직여서 곤괘가 된 것을 가리킨다. 후한사람 송충(宋衷)[180]은 "여섯 효가 모두 9일 경우에는 앞장서는 자는 흉하고, 따라가는 자는 길하다"[181]라 했다.

---

180) 송충(宋衷): 생몰미상의 후한 말기 정치가 겸 경학의 주석가이다. 형주(荊州) 남양군(南陽郡)사람으로 중자(仲子)라는 별호가 있다. 『구가역』에서 9명 중의 1인이다. 『오경』과 양웅의 『태현경』을 주석했다.
181) 『주역집해』에서 송충이 말하였다: 용구는 여섯 자리가 모두 9일 경우이므로 '여러 용을 보다' … 앞에 가는 자는 흉하고 따라가는 자는 길하다. 그러므로 머리가 없으면 길하다[宋衷曰, 用九六位皆九, 故曰見群龍 … 先之者凶, 隨之者吉, 故曰无首吉].

象曰, 大哉乾元, 萬物資始, 乃統天.

「단전」에서 말하였다: 위대하다, 건원(乾元)이여! 만물이 의뢰하여 시작하니, 이에 하늘을 통솔하도다.

▌中國大全▐

本義

象, 卽文王所繫之辭. 傳者, 孔子所以釋經之辭也. 後凡言傳者, 放此.

단(象)은 문왕이 붙인 말이고 전(傳)은 공자가 경문을 해석한 말이다. 뒤에 전이라고 말한 것은 모두 이와 같다.

○ 此專以天道明乾義, 又析元亨利貞爲四德以發明之. 而此一節, 首釋元義也. 大哉, 嘆辭. 元, 大也, 始也. 乾元, 天德之大始, 故萬物之生, 皆資之以爲始也. 又爲四德之首, 而貫乎天德之始終, 故曰統天.

이 단전의 글은 전적으로 하늘의 도(道)로 건괘의 뜻을 밝히고, 원·형·리·정을 네 가지 덕으로 분석하여 발명하였다. 이 한 구절은 먼저 원(元)의 뜻을 해석한 것이다. '크도다[大哉]'는 감탄하는 말이고 '원(元)'은 큼이며 시작의 뜻이다. 건원(乾元)은 하늘의 덕이 크게 비롯하기 때문에 만물의 생성이 모두 그것을 의뢰하여 처음을 삼는 것이다. 또 네 가지 덕의 처음이 되어 하늘의 덕의 처음과 끝을 관통하므로 하늘을 통솔한다고 하였다.

小註

或問, 贊易之贊. 朱子曰, 稱述其事, 如大哉乾元之類, 是贊. 又曰, 凡彖辭象辭, 皆押韻.

어떤 이가 물었다: 찬역(贊易)의 찬(贊)은 무슨 뜻입니까?

주자가 답하였다: 그 일을 칭술하는 것입니다. 예컨대 "위대하다, 건원이여"라고 하는 것과 같은 종류가 찬(贊)입니다.

또 답하였다: 단사와 상사는 모두 압운을 썼습니다.

○ 乾者, 萬物之始, 對坤而言, 天地之道也. 元者, 萬物之始, 對亨利貞而言, 四時之序也. 錯綜求之, 其義乃盡.

건괘가 만물의 시작이라는 것은 곤괘를 상대하여 말한 것이니 천지의 도이고, 원(元)은 만물의 시작이라는 것은 형・리・정(亨利貞)을 상대하여 말한 것이니 사계절의 순서이다. 이것을 착종해 보아야 그 의미를 극진히 할 수 있다.

○ 乾元, 只是天之性, 不是兩箇物事. 如人之精神, 豈可謂人自是人, 精神自是精神. 萬物資始, 與資之深, 資於事父以事君之資, 皆訓取字.

건원(乾元)은 하늘의 본성이니, 서로 다른 일이 아니다. 이는 사람의 정신과 같으니, 어찌 사람 따로, 정신 따로 라고 말할 수 있겠는가? "만물이 취하여 시작한다[萬物資始]"와 "취함이 깊다[資之深]"와 "아버지를 섬기는 일에서 취하여 임금을 섬긴다[資於事父以事君]"의 '자(資)'가 모두 '취하다[取]'의 뜻이다.

○ 乾元統天, 蓋天只是以形體而言. 乾元卽天之所以爲天者也, 猶言性統形耳.

건원(乾元)과 통천(統天)에서의 천(天)은 다만 형체로서 말하였다. 건원(乾元)은 바로 하늘이 하늘이 되는 까닭이니, 본성이 형체를 통솔한다고 말하는 것과 같을 뿐이다.

○ 元者, 用之端, 而亨利貞之理具焉. 至於爲亨爲利爲貞, 則亦元之爲耳, 此元之所以包四德也. 若分而言之, 則元亨誠之通, 利貞誠之復, 其體用固有在矣, 以用言則元爲主, 以體言則貞爲主.

원은 작용의 단서이며 형・리・정(亨利貞)의 이치가 갖추어 있다. 형이 되고 리가 되고 정이 되는 데에 이르러는 원이 그렇게 만들었을 뿐이다. 이것이 원이 네 가지 덕을 포괄하는 이유이다. 나누어 말하면 원・형은 성(誠)의 소통(疏通)이고 리・정은 성(誠)의 회복이니 본체와 작용이 본래 있는 것이다. 작용으로 말하면 원이 주인이고 본체로 말하면 정이 주인이다.

○ 大哉乾元萬物資始, 至哉坤元萬物資生, 那元字, 便是生物之仁, 資始是得其氣, 資生是成其形, 到得亨便是他彰著, 利便是結聚, 貞便是收斂, 收斂旣无形迹, 又須復生. 至如夜半子時, 此物雖存, 猶未動在, 到寅卯便生, 巳午便著, 申酉便結, 亥子丑便寔, 及至寅又生. 他這箇只管運轉, 一歲有一歲之運, 一月有一月之運, 一日有一日之運, 一時有一時之運. 雖一息之微, 亦有四箇段子, 恁地運轉. 又曰元亨利貞, 无斷處, 貞了又元, 今日子時前便是昨日亥時. 物有夏秋冬生底, 是到這裏, 方感得生氣, 他自有箇小小元亨利貞.

"위대하다, 건원이여. 만물이 의뢰하여 시작하니"와 "지극하다, 곤원이여. 만물이 의뢰하여 생겨나니"에서 '원[元]'자는 바로 만물을 낳는 인(仁)이니, "의뢰하여 시작하다[資始]"는 원의 기운을 얻는 것이고, "의뢰하여 생기다[資生]"는 형체를 이루는 것이다. 형에 이르면 드러나고, 리에 이르면 모이고, 정에 이르면 수렴되고, 수렴되면 형체가 없게 되어 또 다시 생겨난다. 예컨대 한밤중인 자시가 되면 이 물건이 비록 있으나 아직 움직이지 않는 때이고, 인(寅)과 묘(卯)에 이르면 생겨나고, 사(巳)와 오(午)에 이르면 드러나고, 신(申)과 유(酉)에 이르면 맺고, 해(亥)·자(子)·축(丑)에 이르면 씨가 되고 인(寅)에 이르러 다시 생겨난다. 원(元)은 운행을 주관하는데 1년에는 1년의 운행이 있고, 1달에는 1달의 운행이 있으며, 1일에는 1일의 운행이 있고, 한 때에는 한 때의 운행이 있다. 비록 짧은 한순간이라도 네 개의 단계가 있어 이처럼 운행한다.

또 말하였다: 원·형·리·정은 단절되는 곳이 없으니, 정(貞)이 끝나면 다시 원(元)이 된다. 오늘의 자시(子時) 전(前)이 곧 어제의 해시(亥時)이다. 만물에는 여름·가을·겨울에 생겨나는 것이 있다. 이는 이때에 이르러야 생기를 느끼게 되는 것이니, 본래 작고 작은 원·형·리·정이 있는 것이다.

○ 節齋蔡氏曰, 象者, 斷也, 卦之辭, 卦之斷也. 凡言象曰者, 又釋象之義也.
절재채씨가 말하였다: '단'은 단정(斷定)이니, 괘의 말은 괘를 단정하는 것이다. '단왈(彖曰)'이라는 것은 또한 단의 뜻을 풀이한 것이다.

○ 雙湖胡氏曰, 象傳, 乃孔子贊文王卦辭. 然多自發明己意, 以解伏羲卦, 不盡同於文王. 如乾卦辭, 文王只作占辭, 孔子自作四德. 又其間多說卦變, 此卦自某卦來, 皆孔子所自發, 文王間亦有之, 而不如孔子之多.
쌍호호씨가 말하였다: 「단전」은 공자가 문왕의 괘사를 찬술한 것이다. 그러나 대부분 스스로 자기의 뜻을 밝혀서 복희씨의 괘를 풀이하였으니, 문왕과 다 같지는 않다. 예컨대 건괘의 괘사를 문왕은 다만 점치는 말로 풀었는데, 공자는 나름대로 네 가지 덕으로 만들어 설명하였다. 또한 그 사이에 "이 괘는 아무 괘에서 왔다"는 방식의 괘변(卦變)으로 설명한 것이 많으니, 이는 모두 공자가 스스로 밝힌 것이다. 문왕도 간혹 그런 방식을 채택하였으나, 공자처럼 많지는 않다.

○ 毅齋沈氏曰, 資始者, 氣之始. 資生者, 形之始. 故皆謂之元, 而有施受唱和之分, 故以乾坤相配.
의재심씨가 말하였다: "의뢰하여 시작하다[資始]"는 기운의 시작이고, "의뢰하여 생기다[資生]"는 형체의 시작이다. 그러므로 모두 원(元)이라고 하나 베풀고 받고 부르고 답하는 구분

이 있기 때문에 건괘와 곤괘가 서로 짝이 되는 것이다.

○ 建安丘氏曰, 以四德言, 雖有元亨利貞之分, 而其所以无間斷者, 亦惟一元之運行, 有所統攝也.

건안구씨가 말하였다: 네 가지 덕으로 말하면 원·형·리·정의 구분이 있으나 원·형·리·정이 간단이 없는 이유는 하나의 원(元)이 운행하여 통섭(統攝)하는 바가 있어서이다.

○ 蘭氏廷瑞曰, 乾元者, 天陽一元之氣, 亦如人之有元氣也. 人知萬物之生於地, 而不知天以乾元之氣爲之始, 亦如人之生於母, 而不知資始于父之元氣也. 始之於未生之前, 生之于有始之後.

난정서가 말하였다: 건원(乾元)은 하늘인 양이며 하나의 원의 기운이니, 사람에게 원기(元氣)가 있는 것과 같다. 사람들은 만물이 땅에서 생겨나는 것만 알고 하늘이 건원의 기운으로 처음을 만들어 줌을 모르니, 사람이 어머니에게서 태어나지만 아버지의 원기를 의뢰하여 시작됨을 모르는 것과 같다. 생겨나기 전에 시작하고 시작이 있은 뒤에 생겨나는 것이다.

‖韓國大全‖

김장생(金長生) 『경서변의(經書辨疑)-주역(周易)』

凡他卦之例, 彖及大象皆在卦辭下, 小象在各爻辭下, 獨乾卦在爻辭末端, 未知何意.

모든 다른 괘의 사례에서는 「단전」과 「대상전」 모두 괘사의 아래에 있고, 「소상전」은 각 효사 아래에 있는데, 유독 건괘만 효사의 끝에 있다. 그것이 어떤 뜻인지 알 수 없다.

박지계(朴知誡) 「차록(箚錄)-주역건괘(周易乾卦)」

乾者, 摠指萬物之有健德者也. 於其萬物之中, 若擧一二, 則天德與聖人之德也, 故此專以天道明乾義也. 元者, 天之心德也.

건이란 만물 가운데 굳건한 덕을 가진 자를 총괄하여 가리킨 것이다. 만물 가운데 한 두 가지만 거론한다면 하늘의 덕과 성인의 덕이기 때문에, 이것은 오로지 천도로서 건의 뜻을 밝힌 것이다. '원'은 하늘의 마음의 덕[心德]이다.

朱子曰, 心者, 人之神明, 所以具衆理應萬事者也. 若以天言之, 天之神明所以具衆理而生萬物者, 天之心也. 天之心譬如穀種, 心之有生物之理, 猶穀種之有生芽之性也. 生芽之性, 穀禾之大始也, 生物之理, 天德之大始也. 故曰乾元, 天德之大始, 天與萬物一體也. 天德之大始, 卽生物之所資以始, 故曰萬物之生, 皆資之以爲始也. 葉茂也, 結實也, 實之成熟也, 無非穀禾也, 而穀種生芽之性, 一以貫之者也. 下文所謂雲行雨施也, 萬物各正性命也, 保合大和也, 無非天德也, 而天之神明, 生物之理, 一以貫之者. 故曰乃統天.

주자는 "마음이란 사람의 신통한 밝음[神明]이니, 모든 이치를 갖추어 만사에 대응하는 것이다"[182]라 했다. 만약 하늘로 말한다면 하늘의 신명은 모든 이치를 갖춘 것으로 만물을 낳는 것이니, 하늘의 마음이다. 하늘의 마음은 비유하면 곡식의 씨와 같으니, 천심(天心)에 사물을 낳으려는 이치가 있는 것은 곡식의 씨앗에 싹을 틔우려는 본성이 있는 것과 같다. 싹을 틔우려는 본성은 곡식의 큰 시작이며, 만물을 낳으려는 이치는 천덕의 큰 시작이다. 그러므로 '건원'이라 하였으니, 천덕의 큰 시작은 하늘과 만물이 일체인 것이다. 천덕의 큰 시작은 곧 만물의 생겨남이 의뢰하여 생겨나기 때문에, "만물의 생김에 모두 이것을 바탕으로 시작한다"라 한다. 잎이 무성하고 열매를 맺어 열매가 성숙한 것이 곡식 아님이 없기 때문에, 곡식의 씨앗이 싹을 틔우려는 본성은 하나의 이치가 꿰뚫은 것이다. 아래에 있는 이른바 '구름이 떠다니고 비가 내림'과 '만물이 각각 성명을 바르게 함'과 '큰 조화를 보전하고 합함'도 천덕 아님이 없으니, 하늘이 신명과 사물을 낳으려는 이치가 하나로 꿰뚫고 있기 때문에, "이에 하늘을 통솔한다"라 했다.

홍여하(洪汝河) 「책제(策題):문역(問易)·독서차기(讀書箚記)-주역(周易)」

象傳, 本義, 象卽文王所繫之辭, 傳者孔子所以釋經之辭.

「단전」『본의』에서 말하였다: '단(象)'은 곧 문왕이 붙인 말이고, '전(傳)'은 공자가 경문을 해석한 말이다.

舊本此上有象傳二字, 故其釋如此. 永樂諸儒依程本移屬, 本義於此因去象傳二字而存其釋, 讀者詳之.

옛 판본에는 이 위에 '단전'이란 두 글자가 있었기 때문에 주자가 이와 같이 해석했다. 영락제 때 여러 유학자들이 정자의 판본을 따라 「십익」을 옮겨 배속시켰고,[183] 『본의』는 이 부

---

182) 『孟子·盡心』: 心者, 人之神明. 所以具衆理應萬事者也.

183) 공자가 「십익」을 달 때 그 위치를 『주역』 상·하경문과 별도의 책으로 분책했다. 이런 편제의 역서(易書)를 『고역(古易)』이라한다. 그러나 한나라 비직(費直)에서부터 정현과 왕필에 이르러서는 분책된 「십익」에서 「단전」, 「상전」, 「문언전」을 떼어 각 괘에다 배속시켰다. 즉 『주역』의 편제를 바꾼 것이다. 오늘날 보는

분에서 편찬자들이 『정전』을 따라 '단전' 두 글자를 제거함으로 인해 그 해석을 보전하였으니, 읽는 사람들이 자세히 살펴야 한다.

임영(林泳) 「독서차록(讀書箚錄)-주역(周易)」

象傳, 本義, 傳者孔子所以釋經之辭也.

「단전」에 대한 『본의』에서 말하였다: '전(傳)'이란 공자가 경문을 해석한 말이다.

難曰, 經無傳字, 而何以有是言也.

논변하였다: 경문에는 '전'자가 없는데 어찌하여 이런 말이 있는가?

曰, 本義用古易, 古易象下有傳字. 蓋元亨利貞乃象辭, 此乃象之傳也, 象亦然. 故本義又曰後凡言傳者倣此.

말하였다: 『본의』는 『고역(古易)』을 따랐고 『고역(古易)』에는 '단'자 다음에 '전'자가 있다. '원·형·리·정'이 바로 단새[卦辭]이지만, 이것은 '단의 전'[「단전」]이고, 「상전」 또한 그러하다. 그러므로 『본의』에서 또 "뒤에 '전(傳)'이라고 말한 모든 것은 이와 같다"라 했다.

小註朱子說第六條, 此物雖存.

소주(小註) 주자는 여섯째 조항에서 "이 사물이 비록 보전되지만"이라 했다.

未知此物何物, 似謂一日之氣.

'이 사물'이 어떤 사물인지 알 수 없으나, 아마도 '하루의 기(氣)'를 말하는 듯하다.

節齋說, 卦之辭, 卦之斷也.

절재는 "괘의 설명[辭]은 괘의 판단이다"라 했다.

言卦之辭乃卦之斷也.

괘의 설명은 바로 괘를 판단하였음을 말한 것이다.

편제인데 이를 『금역(今易)』이라 한다. 정이천은 이를 따랐으나 주자는 『고역』의 편제를 채택하여 『본의』를 지었다. 그런데 영락제 때 편찬한 『주역대전』은 정이천의 『금역』 편제를 채택하였고, 『본의』도 주자의 의도와 달리 「십익」의 배속을 『금역』 체제로 바꾸어 분책된 「단전」을 '단왈'이라 하여 각 괘에 배속시켰다. 「상전」 「문언전」도 같다. 정리하면 '원본 『본의』'에는 각 괘에 '단왈', '상왈', '문언왈'이란 말이 없고 괘사와 효사만 있으며, 경문과 별도로 「십익」이 있고 각 전마다 「단전」, 「상전」, 「문언전」이란 표제어가 있다. 그래서 주자는 경문에 없는 '전(傳)'에 대한 설명이 필요하다고 보아서 『본의』에 '단(象)'은 문왕이 붙인 말이고 '전(傳)'은 공자가 경문을 해석한 것이라고 명기하고 그 뒤의 '전'자도 이와 같다는 것을 말했다. 그런데 '전(傳)'자는 경문에는 없고 『본의』에는 설명이 있으니, 이에 대한 추가 주석이 필요하다고 후학들이 생각하여 조선의 모든 학자들이 이를 언급하고 있다. 홍여하는 본문을 통해서 '원본 『본의』'에 있는 「단전」이란 말이 없어졌다고 지적하면서 자신은 주자를 따라 「단전」이란 말을 앞머리에 두고 해석함을 밝혔다. 요즘에도 『본의』는 정이천 편제로 구성된 것을 쉽게 보는데, 이는 사실과 다르니 반드시 『(원본)주역본의』로 확인해야 한다. 이런 편제 문제는 『주역대전』의 서문에 자세히 나와 있으니 참고할 수 있다.

雙湖說, 以解伏羲卦.

쌍호는 "이것[「단전」]으로 복희의 괘를 해석한다"라 하였다.

彖傳以卦體卦變卦義, 解卦辭則有之, 恐無直以解伏羲卦者. 更考之.

「단전」은 괘체·괘변·괘의를 가지고 괘사를 해석할 수 있지만, 곧바로 복희의 괘를 해석한 것이라고 할 수 없을 듯하다. 다시 살펴보아야 한다.

毅齋說, 乾元自會始萬物, 坤元自會生萬物,[184] 不當如此逆推而强名之.

의재는 "건원(乾元)이 만물의 시작임을 스스로 알 수 있고, 곤원(坤元)에서 만물이 생긴다는 것을 스스로 알 수 있다"라 했는데, 이처럼 거꾸로 미루어서 억지로 이름 지어서는 안 된다.

丘氏說, 泛而不切. 且亦惟二字, 可知其所見尙淺處.

구씨의 말[185]은 범범하여 절실하지 않다. 또 '역유(亦惟)' 두 자에서 그 견해가 오히려 얕다는 것을 알 수 있다.

蘭氏說, 所謂人只知生於母, 而不知資始於父.

난씨는 "이른바 사람이 단지 어머니로부터 생겨남만 알고, 아버지에게서 의뢰하여 비롯됨을 알지 못한다는 것이다"라고 말했다.

此何足據以爲言. 有若常情之所同然者哉.

이것이 어찌 충분한 근거로 말 한 것이겠는가? 그러나 인정상 함께 그렇다고 여기는 것이 있을 것이다.

권만(權萬) 「역설(易說)」

乾資始.

건에 의뢰하여 시작하다.

始古作乨, 說文曰, 從女從台. 坤母道也.

---

184) 『주역대전』에 나오는 의재심씨의 말 가운데 이 부분이 없고 또한 『주역대전』에 이런 말이 없다. 의재심씨가 한 말은 다음과 같다: 의재심씨가 말하였다: '의뢰하여 시작하다[資始]'는 기운의 시작이고, '의뢰하여 생기다[資生]'는 형체의 시작이다. 그러므로 모두 원(元)이라고 하나 베풀고 받고 부르고 답하는 구분이 있기 때문에 건괘와 곤괘가 서로 짝이 되는 것이다[毅齋沈氏曰, 資始者, 氣之始. 資生者, 形之始. 故皆謂之元, 而有施受唱和之分, 故以乾坤相配]. 임영이 다른 사람의 말을 의재심씨의 말로 착각한 듯하다. 번역은 일단 본문에 있는 대로 하였다.

185) 『주역대전』에 나오는 건안구씨의 말은 다음과 같다: 건안구씨가 말하였다: 네 가지 덕으로 말하면 원·형·리·정의 구분이 있으나 원·형·리·정의 사이가 끊어짐이 없는 이유는 하나의 원(元)이 운행하여 통섭(統攝)하는 바가 있어서이다[建安丘氏曰, 以四德言, 雖有元亨利貞之分, 而其所以无間斷者, 亦惟一元之運行, 有所統攝也].

'시작하다[始]'는 말은 옛날에 '비롯하다[胎]'로 썼다. 『설문해자』에 "'여(女)'자 부수에 '태(台)'자를 합한 것이니, 곤은 어머니의 도이다"라 하였다.

양응수(楊應秀) 「곤괘강의(坤卦講義)·역본의차의(易本義箚疑)」

本義, 彖卽文王所繫之辭, 傳者孔子所以釋經之辭也, 後凡言傳者倣此.

『본의』에서 말하였다: '단(彖)'은 곧 문왕이 붙인 말이고, '전(傳)'은 공자가 경문을 해석한 말이다. 뒤에 '전'이라고 말하는 것은 모두 이와 같다.

彖下無傳字, 而本義釋傳字, 何也.

'단'자 아래에 '전'자가 없는데도 『본의』에서 '전'자로 해석한 것은 어째서인가?

按, 程子取鄭王所定今易作傳, 而今易則彖下無傳字, 故只釋彖字. 朱子取呂氏所定古易作本義, 而古易則有傳字所以從而釋之也.

내가 살펴보았다: 정자는 정현과 왕필이 정한 『금역(今易)』을 가지고 『정전』을 지었는데, 『금역』에는 '단'자 아래에 '전'자가 없기 때문에 '단'자만 해석했다. 그러나 주자는 여조겸이 정한 『고역(古易)』을 가지고 『본의』를 지었고, 『고역』에는 '전'자가 있었기 때문에 있는 그대로 해석했다.

유정원(柳正源) 『역해참고(易解參攷)』

彖曰.

「단전」에서 말하였다.

王氏曰, 彖者何也. 統論一卦之體, 明其所縊之主.

왕씨가 말하였다: '단(彖)'이란 무엇인가? 통괄적으로 말하면 한 괘의 몸체이니, 점(占)이 주장하는 바를 밝힌 것이다.

○ 東萊呂氏曰, 大哉乾元以下彖之傳也. 鄭康成合彖象於經, 故加彖曰象曰以別之, 諸卦皆然.

동래여씨가 말하였다: "위대하다 건원(乾元)이여" 이하는 「단전」이다. 정강성[鄭玄]이 「단전」과 「상전」을 경문에 붙였기 때문에 '단왈', '상왈'을 덧 붙여서 구별하였으니, 다른 괘도 모두 그러하다.

本義, 彖卽 [至] 倣此.

『본의』: 단은 곧 … 이와 같다.

案, 此彖上傳篇題也. 彖者文王之辭, 指乾元亨一句也, 傳者孔子之辭, 指大哉乾元以下文也. 文王所繫之辭下, 本有上者經之上篇六字. 蓋古經篇目有象上傳象下傳象上傳象下傳之別, 故篇題歷擧象上傳三字而釋之. 又言凡言傳者倣此, 以該諸篇之傳字. 今大全旣去篇題, 則上字之解, 无所當於象曰之下, 故刊去此六字, 然傳者以下十八字无所當, 則一也.

내가 살펴보았다: 이것은 「단상전(彖上傳)」편의 제목이다. '단'은 문왕의 말로 '건원형(乾元亨)' 한 구절을 가리킨 것이고, '전(傳)'은 공자의 말로 '대재건원(大哉乾元)' 이하의 문장을 가리킨 것이다. 문왕이 붙인 말 아래에는 본래 '상자경지상편(上者經之上篇)'이라는 여섯 글자가 있었다. 옛 경문의 편목(篇目)에는 단상전(彖上傳)·단하전(彖下傳)·상상전(象上傳)·상하전(象下傳)의 구별이 있었으므로 편제마다 '단상전' 세 글자를 일일이 열거하여 해석하였다. 또 "전이라고 말하는 것은 모두 이와 같다"라고 말하여 모든 편의 '전'자를 해당시켰다. 그러나 지금의 『주역대전』에는 이미 편제를 없앴으니, '상(上)'자의 해석을 '단왈'의 아래에 해당시킬 수가 없기 때문에 이 여섯 글자를 삭제한 것이다. 그러나 '전자(傳者)' 이하 열여덟 글자[186]도 해당하는 것이 없기는 마찬가지이다.

小註雙湖說, 某卦來.

소주(小註)에서 쌍호가 말하였다: 어떤 괘가 왔다.

案, 啓蒙卦變圖, 六十四卦各變爲六十四, 而其例已略見於經文. 如訟之剛來得中爲自遯來, 泰之 小往大來爲自歸妹來之類可見. 胡氏說此下有說卦變, 凡二十卦訟泰否隨蠱噬嗑賁无妄大畜咸恒晉睽家人解升鼎漸渙節. 又有胡氏他說, 言卦變凡十九見訟剛來得中條, 而无家人節大有蹇字. 然象傳卦變旣不止此數. 胡氏易說中論卦變, 又往往有與本義不同, 而自成一說, 覽者詳之.

내가 살펴보았다: 『역학계몽』의 「괘변도」를 보면 64괘가 각각 변하여 64가 되는데 그 예는 이미 간략하게 경문에 보인다. 예를 들어 송괘(訟卦☰)의 "굳센 양이 와서 중도를 얻어"[187]는 둔괘(遯卦☰)로부터 온 것이고, 태괘(泰卦☰)의 "작은 것이 가고 큰 것이 오니"[188]는 귀매괘(歸妹卦☰)로부터 온 것과 같은 부류임을 알 수 있다. 호씨의 주장은 이 아래에 괘변(卦變)을 말함이 있는데, 모두 20괘로 송괘(訟卦☰)·태괘(泰卦☰)·비괘(否卦☰)·수괘(需卦☰)·고괘(蠱卦☰)·서합괘(噬嗑卦☰)·비괘(賁卦☰)무망괘(无妄卦☰)·대축괘(大畜卦☰)·함괘(咸卦☰)·항괘(恒卦☰)·진괘(震卦☰)규괘(睽卦☰)·가인괘(家人卦

---

186) 『周易大全·元』 281쪽: '傳'은 공자가 경문을 해석한 말이고, 뒤에 '전'이라고 말하는 것은 모두 이와 같다[傳者孔子所以釋經之辭也, 後凡言傳者倣此]의 18글자임.

187) 『周易·訟卦』「彖傳」.

188) 『周易·泰卦』卦辭.

䷀)·해괘(解卦䷧)·승괘(升卦䷭)·정괘(鼎卦䷱)·점괘(漸卦䷴)·환괘(渙卦䷺)·절괘(節卦䷻)이다. 또 호씨의 다른 주장이 있으니, 괘변하는 19괘에는 송괘의 "굳센 양이 와서 중도를 얻는다"는 조목이 보이지만, 가인·절·대유괘(大有卦䷍)·건괘(蹇卦䷦)에서는 그 글자가 없다고 말한다. 그러나 「단전」에서 괘변은 이 숫자에 그치지 않는다. 호씨의 역(易)에 대한 주장 가운데 괘변을 논한 것이 왕왕 『본의』와 다르게 스스로 하나의 이론을 이루었으니, 읽는 사람이 자세히 살펴야 한다.

김상악(金相岳) 『산천역설(山天易說)』

此孔子釋經之辭也, 所謂象傳者也. 專以天道釋元義也. 大者歎辭, 元大也始也. 萬物資始而爲四德之首, 故曰乃統天.

이것은 공자가 경전의 글을 해석한 것으로 이른바 「단전」이라는 것이다. 오로지 천도로 '원'의 뜻을 해석했다. '크도대大]'란 감탄사이고 '원'은 크다는 것이고 시작한다는 것이다. 만물이 의뢰하여 시작하고 네 가지 덕의 으뜸이 되었으므로 "이에 하늘을 통솔한다"라 했다.

○ 一大曰天. 天字去上一畫而爲大, 卽用九无首之象. 故乾曰大哉. 土也爲地, 至字加下一畫而爲土, 卽用六大終之義也, 故坤曰至哉. 萬物資始於乾, 資生於坤, 所以爲大爲至.

'하나의 큰 것[一大]'을 '하늘[天]'이라 한다. '천(天)'자에서 위의 '일(一)' 획을 제거하면 '대(大)'가 되니 즉 용구의 머리 없는 상이 된다. 그러므로 건은 '크도대大哉]'라 한다. '토(土)'와 '야(也)'가 합쳐 '지(地)'가 되고, '지(至)'자에 아래 '일(一)' 획을 더하면 '토(土)'가 되니,[189] 즉 용육의 "성대하게 마친다"는 뜻이므로 곤은 '지극하대至哉]'라 한다. 만물이 건에 의뢰하여 시작하고 곤에 의뢰하여 생겨나니, 이 때문에 '크다'가 되고 '지극하다'가 되는 것이다.

조유선(趙有善) 『경의(經義)-주역본의(周易本義)』

象傳 大哉乾元, 云云.

「단전」에서 말하였다: 크도다. 건원이여, 운운.

經言元亨利貞以人事言, 此言元亨利貞以天道言. 蓋曰德本天道, 故推原以發明其義, 以御天一句, 乃說向卦辭.

---

189) 허신의 설문해자에서 '지(至)'자가 원래 '일(一)'과 '일(一)'을 합쳐서 만들어졌다고 했기 때문에 이렇게 말한 것으로 보인다.

경전에서 '원·형·리·정'을 사람의 일로 말했는데, 여기서는 '원·형·리·정'을 천도로 말하였다. 덕은 천도에 근본하기 때문에 근원을 미루어서 그 뜻을 밝혔다. "이에 하늘을 다스리다[以御天]"의 구절은 곧 괘사에 대한 설명이다.

김귀주(金龜柱) 『주역차록(周易箚錄)』

本義, 彖卽文王, 云云.

『본의』: 단(彖)은 문왕이, 운운.

○ 按, 經文無傳字, 而本義卻訓傳字何也. 蓋以凡例考之, 則想呂氏定本以十翼各爲一卷, 而篇題標之曰彖傳曰象傳, 故本義從其文而解之. 今見行周易, 則一依程傳元本〈程傳元本, 則以彖傳象傳文言附於各卦之下, 直云彖曰象曰文言曰, 而去傳字, 蓋從鄭玄王弼所定也〉. 而本義仍舊編入, 故與經文之例, 或不相値, 文言本義此篇云云, 蓋亦類此.

내가 살펴보았다: 경문에 '전(傳)'자가 없는데도 『본의』에서 도리어 '전'자를 풀이한 것은 어째서인가? 『주역대전』의 범례(凡例)를 고찰해보면, 여조겸(呂祖謙)의 정본은 십익을 각각 낱권으로 삼았고, 편제의 표지에 「단전」이라 하고 「상전」이라 하였으므로 『본의』는 여조겸의 글을 따라서 해석한 것으로 생각된다. 지금 현행 『주역』은 줄곧 『정전』 원본에 준거한 것이나. 〈『정전』 원본은 「단전」·「상전」·「문인진」을 긱괘의 아래에 이어 붙이고는 바로 '단왈'·'상왈'·'문언왈'이라 하면서 '전'자를 삭제했는데, 그것은 정현과 왕필이 정한 것을 따랐기 때문이다.〉 그런데 『본의』는 그대로 옛 편제로 했으므로 경문의 체제와 혹 서로 맞지 않으니, 『본의』의 「문언전」 부분에 "이 편 운운"하는 것은 역시 이와 같은 것들이다.

此專以天道云云,

이것은 오로지 천도로써, 운운.

小註蘭氏廷瑞曰, 乾元者, 云云.

소주에서 난정서가 말하였다: 건원(乾元)이란, 운운.

○ 按, 元亨利貞之理, 要就氣上看, 然不可直喚做氣. 今以乾元之元, 專作一元之氣, 恐未安.

내가 살펴보았다: '원·형·리·정'의 이치는 '기(氣)'의 측면에서 보아야 하지만, 바로 기라고 말할 수는 없다. 지금 건원(乾元)의 '원'을 오로지 하나의 원(元)의 기로 여기는 것은 적절하지 않은 듯하다.

本義, 此釋乾之亨, 云云,

『본의』에서 말하였다: 이것은 건의 형통함을 해석했다, 운운.

小註誠齋楊氏曰, 彖言, 云云.

소주(小註) 성재양씨가 말하였다: 단에서 말하였다, 운운.

○ 按, 此以氣之亨, 形之亨, 分兩句說, 恐涉破碎.

내가 살펴보았다: 이것은 기의 형통함과 형체의 형통함의 두 구절로 나누어 설명한 것이니, 너무 잘게 나눈 듯하다.

大哉乾元, 是說, 云云.

크도다! 건원이여. 이 말은, 운운.

○ 按, 人得這道理, 做那性命者, 卽天命之謂性, 孟子性善之性, 何謂不是正說性耶. 此恐有記錄之差.

내가 살펴보았다: 사람이 이 도리를 얻어 성명(性命)을 갖게 된 것이, 곧 "하늘이 명한 것을 성(性)"[190]이라 하는 것과 맹자가 성선(性善)이라고 한 것의 성과 같으니, 어찌 바로 성(性)을 설명한 것이 아니라고 할 수 있겠는가? 이는 잘못 기록한 듯하다.

○ 更按, 庸孟之言性, 據現成而言, 易之言性, 以方稟賦者而言. 以是爲語意, 差別似或可矣. 而若謂易之言性, 不是正說性, 庸孟之言性, 方是正說性, 則恐未然矣.

다시 내가 살펴보았다: 『중용』과 『맹자』에서 말하는 성(性)은 이미 갖추어진 것을 근거로 말한 것이며, 『주역』에서 말하는 성은 품부 받은 것으로 말한 것이다. 이로써 말의 의미를 삼는다면 이러한 차이는 혹 괜찮을 것이다. 그러나 『주역』에서 말한 성은 성을 설명한 것이 아니고, 『중용』과 『맹자』에서 말한 성이 바로 성을 설명한 것이라고만 한다면 온당치 못할 것이다.

박제가(朴齊家) 『주역(周易)』

彖傳, 乃統天.

「단전」, 이에 하늘을 통솔하도다.

本義, 又爲四德之首而貫乎天德之始終, 故曰統天. 小注猶言性統形耳, 義自可通. 然恐是萬物統乎天之謂統, 有充滿匡郭之意. 蓋乾元統萬物足矣, 又自統天終涉疊疊. 傳, 天道始萬物, 萬物資始於天, 則添一於字, 便是統於天矣.

『본의』에서 "또 사덕(四德)의 으뜸이 되어 천덕(天德)의 시작과 끝을 관통하므로 '하늘을 통솔한다'고 했다"라 하였다. 소주(小註)에서 "성(性)이 형체를 통솔한다고 말하는 것과 같

---

190) 『中庸』.

을 뿐이다"라 하니, 뜻이 저절로 통할 수 있다. 그러나 만물이 하늘에 통솔[統]되는 것을 '통(統)'이라 하는 듯하니, 채우고 둘러싸는 뜻이 있다. 이는 건원이 만물을 통솔한다고 하면 충분하고, 다시 하늘 자신을 통솔한다고 하면 끝내 중첩되어 혼란할 수 있다. 『정전』에서 "하늘의 도는 만물을 시작하게 하고, 만물은 하늘에 의뢰하여 시작한다"라 하니, '어(於)'자 하나를 더하면 바로 "하늘에 통솔 받는다[統於天]"가 된다.

서유신(徐有臣)『역의의언(易義擬言)』

大哉乾元者, 健之大也. 六陽爲乾, 其健大矣哉. 天以健行其元, 故曰乾元也. 乾元之爲化, 何嘗如範金埴土之陶鑄也哉. 一氣運行而已, 萬物各自稟得而發育焉, 故曰萬物資始也. 乾元者始而亨者也, 統乎四德統乎六爻, 故曰乃統天也.

"크도다! 건원(乾元)이여"란 굳건함이 크다는 것이다. 여섯 양이 건이어서 그 굳건함이 크다! 하늘은 굳건함으로써 원(元)의 덕을 행하기 때문에 '건원(乾元)'이라 했다. 건원이 '화(化)'하는 것이 어찌 일찍이 쇠틀에서 쇠붙이를 주조하고 찰흙을 다져 그릇을 빚어내듯이 하는 것이겠는가? 하나의 기(氣)가 운행할 뿐이다. 만물이 각자 품부 받아 발육되기 때문에 "만물이 의뢰하여 시작한다"라 한다. '건원'은 시작하여 형통하는 것이니, 네 가지 덕을 통괄하고 여섯 효를 통괄하므로 "이에 하늘을 통솔하도다"라 한다.

강엄(康儼)『주역(周易)』

本義, 彖卽文王 [止] 之辭也.

『본의』에서 말하였다: 단(彖)은 문왕이 … 말이다.

按, 經文無傳字, 而本義釋之者, 蓋本義從古易, 古易以彖傳自爲一篇, 而彖傳卽其篇名, 故本義釋之如此.

내가 살펴보았다: 경문에는 '전(傳)'자가 없는데『본의』에서 해석한 것은『본의』가『고역』을 따랐고, 그 책에서는「단전」을 본래 하나의 편으로 삼아 그것이 곧 편명이었기 때문에『본의』에서 이와 같이 해석하였던 것이다.

박문건(朴文健)『주역연의(周易衍義)』

乾元贊乾道之大也, 萬物資始釋元之義. 而乾无所承, 故曰統天. 統天者, 自統天道也.

'건원'은 건도의 큼을 찬미한 것이고, '만물이 의뢰하여 시작하니'는 '원'의 뜻을 풀이한 것이다. 그런데 건은 받들지 않는 것이 없으므로 "하늘을 통솔하도다"라 하였다. "하늘을 통솔하도다"는 본래 천도를 통솔하는 것이다.

〈問, 象. 曰, 象者斷也, 文王卦辭之名, 而夫子釋象, 故名其辭謂之象.

물었다: '단(象)'이란 무엇입니까?

답하였다: '단(象)'은 결단하는 것입니다. 문왕이 붙인 괘사의 이름이지만, 공자가 '단'을 해석하였기 때문에 그 괘사에 대해 이름을 붙여 '단'이라고 합니다.〉

〈○ 問, 乾稱大坤稱至, 何. 曰, 大健底意存, 至順底意存, 言大者其德廣大也, 至者其德極至也.

물었다: 건을 '크다[大]'라 하고, 곤은 '지극하다[至]'라 하는 것은 어째서 입니까?

답하였다: '크다'에는 굳건한 뜻이 있고 '지극하다'에는 유순하다는 뜻이 있는데 '크다'는 그 덕이 광대하고, '지극하다'는 그 덕이 지극함을 말하는 것입니다.〉

〈○ 問, 乾元之元與元亨之元不同乎. 曰, 然. 雖然萬物資乾而始之也, 故由乎乾道之元也.

물었다: 건원의 '원'과 원형의 '원'이 같지 않은 것입니까?

답하였다: 그렇습니다. 비록 그렇지만 만물이 건에 의뢰하여 시작하기 때문에 건도의 '원'에서 말미암는 것입니다.〉

〈曰, 資始何以爲元義. 曰, 資而始焉, 生生之元也. 元者大也始也, 資者藉也取也.

물었다: '의뢰하여 시작하는 것'을 어찌 '원'의 뜻으로 삼을 수 있습니까?

답하였다: 의뢰하여 시작하는 것은 낳고 낳는 '원'입니다. '원'은 큰 것이고 시작하는 것이며, '자(資)'는 의지하는 것이고 취하는 것입니다.〉

김기례(金箕澧) 「역요선의강목(易要選義綱目)」

象.

단.

斷一卦之意, 係辭曰, 觀象辭則思過半矣.

한 괘를 결단하는 뜻이니, 「계사전」에서 "단의 말[象辭]을 살피면 생각이 반을 넘는다"[191]라 했다.

---

191) 『周易·繫辭傳』: 知(智)者觀其象辭, 則思過半矣.

萬物資始, 乃統天.

만물이 의뢰하여 시작하니, 이에 하늘을 통솔하도다.

釋元.

'큼[元]'을 해석하였다.

雲行雨施, 品物流形.

구름이 떠다니고 비가 내려 만물이 형체를 이룬다.

‖中國大全‖

本義

此釋乾之亨也.

이글은 건괘의 형통함에 대해 풀이하였다.

小註

程子曰, 雲行雨施, 是乾之亨處.

정자가 말하였다: "구름이 떠다니고 비가 내린다"는 말은 건괘의 형(亨)에 대한 부분이다.

○ 誠齋楊氏曰, 象言元利貞, 而獨不言亨者, 蓋雲行雨施, 卽氣之亨也, 品物流形, 卽形之亨也.

성재양씨가 말하였다: 「단전」에서 원(元)·리(利)·정(貞)에 대해 말하고, 유독 형(亨)에 대해서만 말하지 않은 이유는 구름이 떠다니고 비가 내린다는 것이 곧 기의 형통함이고, 만물이 형체를 움직인다는 것이 곧 형체의 형통함이기 때문이다.

‖韓國大全‖

조호익(曺好益) 『역상설(易象說)』

形猶迹也, 運造化之迹也. 〈見記註.〉

형체는 자취와 같으니, 조화를 운행하는 자취이다. 〈『예기』 주석에 보인다.〉

임영(林泳) 「독서차록(讀書箚錄)-주역(周易)」

品物流形.

만물이 형체를 이룬다.

流形二字非聖人不能道. 往者過來者續, 而脉絡分明, 形色無妄, 有若流而傳之也.

"형체를 이룬다[流形]"란 두 글자는 성인이 아니면 말할 수 없다. '가는 것[往]'은 지나가고 '오는 것[來]'은 이어져, 맥락이 분명하고 형색(形色)을 함부로 하지 않으니, 두루 흘러 전해짐이 있을 것이다.

권만(權萬) 「역설(易說)」

雨施.

비가 내리다.

施古作𢼛, 平聲.

'시(施)'는 옛날에 '𢼛'로 썼는데 평성이다.

김상악(金相岳) 『산천역설(山天易說)』

此釋乾之亨也. 雲行雨施者, 氣之亨也, 品物流形者, 形之亨也.

이것은 건의 형통함[亨]을 해석한 것이다. "구름이 떠다니고 비가 내린다"는 기(氣)의 형통함이고, "만물이 형체를 이룬다"는 형체[形]의 형통함이다.

서유신(徐有臣) 『역의의언(易義擬言)』

九三之德也見龍之施也, 曰雲曰雨, 以龍言也. 資始者, 萬物而至是, 則各具其形品類不同, 故曰品物也. 流形者, 通而不窒, 進而不息之謂也.

구삼의 덕은 나타난 용의 베풂이고, '구름'이라 하고 '비'라 한 것은 용으로써 말한 것이다. "의뢰하여 시작한다[資始]"는 만물이 이에 이르면, 각각 형상을 갖추는 부류가 다르기 때문에 '사물[品物]'이라 하였다. "형상을 이룬다[流形]"는 통하고 막히지 않아서 전진하여 그치지 않는 것을 말한 것이다.

강엄(康儼) 『주역(周易)』

按, 流形恐未便是成形之謂. 只如解卦象傳, 所謂雷雨作, 而百果草木, 皆甲折之義也. 若作成形看, 則是利貞而非元亨矣.

내가 살펴보았다: '유형(流形)'이 곧 '형체를 이룬다[成形]'는 말은 아닌 듯하다. 이는 단지 해괘 「단전」에서 말하는 "우레와 비가 일어나자 온갖 과목(果木)과 초목(草木)이 모두 껍질이 터진다"[192]는 것과 같은 뜻일 것이다. "형체를 이룬다[成形]"로 간주하면 이는 '리정'이지 '원형'은 아니기 때문이다.

박문건(朴文健) 『주역연의(周易衍義)』

品物流釋亨之義也.

만물이 형체를 이루는 것은 '형통함[亨]'의 뜻을 해석한 것이다.

〈問, 流形. 曰, 隨雲雨而共流其形, 雲雨之中已具品物之理也.

물었다: '형체를 이루는 것[流形]'이 무엇입니까?

답하였다: 구름과 비를 따라 그 형체를 함께 이루니, 구름과 비 가운데에 이미 만물의 이치가 갖추어져 있는 것입니다.〉

김기례(金箕澧) 「역요선의강목(易要選義綱目)」

雲行,

구름이 떠다니고,

在田時.

밭에 있을 때이다.

雨施,

'비가 내려

在天時.

하늘에 있을 때이다.

---

192) 『周易·解卦』: 천지가 풀리자 우레와 비가 일어나고, 우레와 비가 일어나자 온갖 과실나무와 초목이 모두 껍질이 터지니, 해(解)의 때가 크도다![天地解而雷雨作, 雷雨作而百果草木, 皆甲拆, 解之時大矣哉].

品物流形.

만물이 형체를 이룬다.

合釋亨.

합해서 '형통함[亨]'을 해석하였다.

심대윤(沈大允) 『주역상의점법(周易象義占法)』

象曰, 大哉乾元, 萬物資始, 乃統天. 雲行雨施, 品物流形.

「단전에서 말하였다: 크도다! 건원이여, 만물이 의뢰하여 시작하니 이에 하늘을 통솔하도다. 구름이 떠다니고 비가 내려 만물이 형체를 이룬다.

乾之象傳與象在卦爻之後者, 明其純一不雜與他卦不同也. 曰乾元者, 異乎他卦之元也, 統天者, 言一統六合而自主也. 夫天之可見於跡者, 生物而已矣, 生物仁也. 人之可見於事者, 濟物而已矣, 濟物亦仁也. 在天爲元, 在人爲仁, 夫元焉而无亨利貞則不成爲元矣. 仁焉而无禮義知信則不成爲仁矣. 曰元則亨利貞在其中矣, 曰仁則禮義知信在其中矣. 元者所以貫四德而兼終始之道也. 故通言其大體, 則有元則必有亨利貞也, 曲言其小故, 則有元必有亨, 有利必有貞, 而亨不必有元, 貞不必有利, 元亨不必有利貞, 利貞不必有元亨. 觀於諸卦可以知之矣. 流形者, 言氣之流行而賦形也. 此釋元亨而不言亨者, 明元之自有亨也. 下文始而亨, 亦此義也.

건괘의 「단전」과 「상전」이 괘사와 효사의 뒤에 있는 것은 섞이지 않은 순수함이 다른 괘와 같지 않은 것을 밝힌 것이다. '건원(乾元)'이라 함은 다른 괘의 '원(元)'과 다르다는 것이고, "하늘을 통솔하도대[統天]"라 함은 천지와 사방을 하나로 통일하여 스스로 주인이 되는 것이다. 하늘이 흔적으로 드러나는 것은 만물을 낳는 것뿐이고, 만물을 낳는 것은 인(仁)이다. 사람이 일로 드러나는 것은 '사물을 구제하는 것[濟物]' 뿐이고, '사물을 구제하는 것[濟物]'도 '인(仁)'이다. 하늘에서는 '큼[元]'이고 사람에서는 '인'이니, '큼[元]'이면서 '형통함[亨]·이로움[利]·곧음[貞]'이 없으면 '큼[元]'을 이룰 수 없고, '인'이면서 '예·의·지·신'이 없으면 '인'을 이룰 수 없다. '큼[元]'이라 하면 '형통함[亨]·이로움[利]·곧음[貞]'이 그 가운데 있고, '인'이라 하면 '예·의·지·신'이 그 가운데 있다. '큼[元]'은 네 가지 덕을 관통하고 끝과 시작을 겸하는 도이다. 그러므로 큰 몸체를 통틀어서 말할 경우, '원(元)'이 있으면 반드시 '형·리·정'이 있고, 작은 일을 자세히 말할 경우, '큼[元]'이 있으면 반드시 '형통함[亨]'이 있고 '이로움[利]'이 있으면 반드시 '곧음[貞]'이 있으나, '형통함'에 반드시 '큼[元]'이 있는 것이 아니고, '곧음'에 반드시 '이로움'이 있는 것이 아니며, '크고 형통함'에 반드시 '이롭고 곧음'이 있는 것이 아니고, '이롭고 곧음'에 반드시 '크고 형통함'이 있는 것이 아니다. 이는 여러 괘를 살펴보면 알 수 있다. "형체를 이룬다[流形]"는 기가 흘러 형체가 부여되는 것을 말한다. 여기에서 '큼과 형통함'을 해석하면서 '형통함'을 말하지 않은 것은 '큼'에는 본래 '형통함'이 있음을 밝힌 것이다. 아래 글에서 "시작하여 형통한 것이다"라는 것도 이런 뜻이다.

오치기(吳致箕) 「주역경전증해(周易經傳增解)」

象曰, 大哉乾元, 萬物資始, 乃統天. 雲行雨施, 品物流形.

「단전에서 말하였다: 크도다! 건원이여, 만물이 의뢰하여 시작하니 이에 하늘을 통솔하도다. 구름이 떠다니고 비가 내려 만물이 형체를 이룬다.

大哉者, 贊美之辭也. 元者大也, 首擧其大而贊之, 以起下文也. 文王象辭元亨卽大通之義, 故夫子亦因此而釋之, 言萬物之資始, 乃統于天, 所以爲大之由. 而雲行雨施, 品物流形者, 卽言其亨也, 此乃大通之謂也. 乾不可以獨生萬物, 必資乎坤, 然分其終始, 而言其所統, 則乾先於坤, 而主其權. 有雲行雨施之功, 品其類於庶物, 流其氣於萬形, 无停滯之機, 有生育之化, 故盛言其大亨如此, 而此一節言天道之元亨也.

'크도다[大哉]'란 찬미하는 말이다. '원(元)'은 크다는 것인데 먼저 그 큼을 들어서 찬미하고 아래의 문장을 일으켰다. 문왕의 단사 '원형'은 크게 형통하다는 뜻이므로 공자도 그 말에 따라 해석하여, '만물이 의뢰하여 시작하고 이에 하늘을 통솔하기 때문에 큰 까닭'이라고 하였고, '구름이 떠다니고 비가 내려 만물이 형체를 이루는 것', 그것을 가지고 형통하다고 하였으니, 이것은 크게 형통함을 말한 것이다. 건은 홀로 만물을 낳을 수 없어 반드시 곤에 의뢰하여야 하지만, 끝과 시작을 나누어서 그 통솔하는 것을 말하면 건은 곤보다 앞서고 시작을 위주로 한다. '구름이 떠다니고 비가 내리는' 공로가 있어서 여러 사물로 종류대로 형체를 부여하고 온갖 형체로 기운을 유통시켜 정체할 틈이 없이 낳고 기르는 변화가 있기 때문에 이처럼 크게 형통하다고 성대하게 말했고, 여기의 한 절에서는 천도가 크게 형통하다고 말했다.

○ 此言象者, 卽孔子所釋文王象辭之義, 而所謂象傳也, 後皆倣此.

여기서 말하는 '단'이란 곧 공자가 문왕의 단사의 뜻을 해석한 것으로 이른바 「단전」이라는 것이니 뒤에도 모두 같다.

大明終始, 六位時成, 時乘六龍, 以御天.

끝과 시작을 크게 밝히면 여섯 자리가 때에 맞게 이루어져서, 때에 맞게 여섯 마리의 용을 타고 하늘을 다스린다.

║中國大全║

本義

始, 卽元也. 終, 謂貞也. 不終則无始, 不貞則无以爲元也. 此言聖人大明乾道之終始, 則見卦之六位, 各以時成, 而乘此六陽, 以行天道, 是乃聖人之元亨也.

시작은 곧 원(元)이고, 끝은 정(貞)을 말한다. 마치지 않으면 시작이 없고, 바르지 않으면 원이 될 수 없다. 이는 성인이 건도의 끝과 시작을 크게 밝히면 괘의 여섯 자리가 제각기 때에 맞게 이루어져서 이 여섯 마리의 용을 타고 천도를 행한다는 말이니, 이것이 바로 성인의 원(元)과 형(亨)이다.

小註

朱子曰, 乾四德, 元最重, 其次貞亦重, 以明終始之義. 非元則无以生, 非貞則无以終, 非終則无以爲始, 不始則不能成終. 如此循環无窮, 此所謂大明終始也.

주자가 말하였다: 건괘의 네 가지 덕 가운데 원(元)이 가장 중요하고 그 다음으로 정(貞)이 중요하다는 것으로 종시(終始)의 의미를 밝혔다. 원이 아니면 생겨날 수 없고, 정이 아니면 끝마칠 수 없다. 끝나지 않으면 시작할 수 없고, 시작하지 않으면 끝마칠 수 없다. 이처럼 끝없이 순환하는 것, 이것이 이른바 끝과 시작을 크게 밝힌다는 것이다.

又曰, 終始卽四德也. 始則元, 終則貞. 蓋不終, 則无以爲始, 不貞則无以爲元, 六爻之立, 由此而立耳. 以時成者, 言各以其時而成, 如潛見飛躍, 皆以時耳. 然皆四德之流行也. 初九九二之半, 卽所謂元, 九二之半與九三, 卽所謂亨, 九四與九五之半, 卽所謂利, 九五之半與上九, 卽所謂貞. 蓋聖人大明乾道之終始, 故見六位各以時成, 乘此六爻之時, 以當天運, 而四德之所以終而復始, 應變而不窮也.

또 말하였다: 끝과 시작이 곧 사덕이니, 시작이 원이고 끝이 정이다. 끝마치지 않으면 시작할 수 없고, 정이 아니면 원이 될 수 없으니, 육효가 이로 말미암아 세워질 뿐이다. 때에 맞게 이룬다는 것은 각기 때에 맞추어 이루는 것을 말하니, '잠기다[潛]·나타나다[見]·날다[飛]·뛰다[躍]' 같은 것이 모두 때에 맞게 할 뿐이다. 그러나 이는 모두 네 가지 덕이 두루 운행하는 것이다. 초구와 구이의 반(半)이 곧 이른바 원이고, 구이의 반과 구삼이 곧 이른바 형이며, 구사와 구오의 반이 곧 이른바 리이고, 구오의 반과 상구가 곧 이른바 정이다. 이는 성인이 건도의 끝마침과 시작을 크게 밝혔기 때문에 여섯 자리가 각기 때에 맞게 이루어짐을 보고, 이 여섯 효의 때를 타고 천운을 맞이하니, 네 가지 덕이 끝나면서 다시 시작하고 변화에 응하면서 무궁한 것이다.

又曰, 天人一理, 人之動, 乃天之運也. 然以私意而動, 則人而不天矣. 惟其潛見飛躍, 各得其時, 則是以人當天也. 不曰當天, 而曰御天, 以見遲速進退之在我耳.
또 말하였다: 하늘과 사람은 하나의 이치이니, 사람의 움직임이 바로 하늘의 운행이다. 그러나 사사로운 생각으로 움직이니, 사람이지 하늘이 아니다. 오직 '잠기다[潛]·나타나다[見]·날다[飛]·뛰다[躍]'는 각기 그 때를 얻었으니, 이것이 사람이 하늘을 맞이한다는 것이다. 하늘을 맞이한다고 하지 않고 하늘을 다스린다고 한 것은 더디고 빠르고 나아가고 물러나는 것이 나에게 달려 있을 뿐임을 나타낸 것이다.

又曰, 時乘六龍以御天, 六龍只是六爻, 龍只是譬喩明此六爻之義. 潛見飛躍以時而動, 便是乘六龍, 便是御天. 聖人便是天, 天便是聖人.
또 말하였다: "때에 맞게 여섯 마리의 용을 타고 하늘을 다스린다"는 것에서 여섯 마리의 용은 여섯 효일 뿐이니, 용은 단지 이 여섯 효의 의미를 비유해서 밝힌 것이다. '잠기다[潛]·나타나다[見]·날다[飛]·뛰다[躍]'는 때에 맞게 움직이는 것이니, 여섯 마리의 용을 탄 것이고 하늘을 다스린다는 것이다. 성인은 바로 하늘이고 하늘은 바로 성인이다.

○ 淸江張氏曰, 以上下之定位言之, 謂之六位, 以陽氣之變化言之, 謂之六龍.
청강장씨가 말하였다: 상하의 정해진 자리로 말하면 여섯 자리라고 하고, 양기의 변화로 말하면 여섯 마리의 용이라고 한다.

○ 開封耿氏曰, 統天言乾之體, 御天言乾之用, 統如身之統四體, 御如心之御五官.
개봉경씨가 말하였다: 하늘을 통솔한다는 것은 건의 본체를 말하고, 하늘을 다스린다는 것은 건의 작용을 말하니, 통솔한다는 것은 몸이 사지를 통솔하는 것과 같고, 다스린다는 것은 마음이 오관을 다스리는 것과 같다.

○ 建安丘氏曰, 聖人體乾之元亨, 而以終始言之何也. 蓋以重卦言之, 乾下三爻元亨也, 而九三爲下乾之終, 乾上三爻 利貞也, 而九四爲上乾之始. 故九四曰乾道乃革, 所以先言終, 後言始也. 終始之間, 功用密庸, 陽變而陰, 春夏變而秋冬. 此正是造化過接處, 故聖人必大明之, 以成贊化之功也.

건안구씨가 말하였다: 성인은 건괘의 원·형을 체득하였는데, 끝마침과 시작으로 말한 것은 무엇 때문인가? 이는 중괘(重卦)로 말하면, 건괘 하괘의 세 효는 원·형에 해당하나 구삼은 하괘의 끝이고, 건괘 상괘의 세 효는 리·정에 해당하나 구사는 상괘의 시작이기 때문이다. 그러므로 구사는 건도의 혁신이라고 하기 때문에 먼저 끝을 말하고, 뒤에 시작을 말한 것이다. 끝과 시작의 사이는 공용이 긴밀하게 작용하니, 양이 변하여 음이 되고 봄과 여름이 변하여 가을과 겨울이 된다. 이것은 바로 조화가 지나가면서 연결되는 곳이기 때문에, 성인이 반드시 크게 밝혀서 이끌며 화육을 돕는 공을 이루었다.

○ 雲峰胡氏曰, 天有十二時, 陰陽各司其半, 以成四時. 故爻位亦以六而成. 一爻有一爻之位, 則各有一爻之時. 六位時成, 泛指易六虛言. 時乘六龍, 專指乾六畫言. 三百八十四爻, 只是一時字. 故夫子首於乾象發之. 坤止說行, 乾兼說知行, 大明是知, 御天是行.

운봉호씨가 말하였다: 하늘에는 12시진(時辰)이 있어 음과 양이 각각 반씩 맡아서 사시를 이룬다. 그러므로 효의 자리도 여섯으로 이루어졌다. 한 효에는 한 효의 자리가 있으니, 각기 한 효의 때가 있다. 여섯 자리가 때에 맞게 이루어진 것은 널리 『주역』의 육허(六虛)를 가리켜 말한 것이고, 때에 맞게 여섯 마리의 용을 타는 것은 전적으로 건괘의 여섯 획을 가리켜 말한 것이다. 삼백 팔십 사효가 단지 하나의 때일 뿐이기 때문에, 공자가 먼저 건괘의 「단전」에서 말하였다. 곤괘는 단지 '행'을 설명했고, 건괘는 '지'와 '행'을 겸하여 설명했으니, "크게 밝혔다"가 '지'이고 "하늘을 다스린다"가 '행'이다.

韓國大全

임영(林泳) 「독서차록(讀書箚錄)-주역(周易)」

大明終始.

끝과 시작을 크게 밝히다.

大明者, 豁然無所不明之謂也. 極天極地, 徹古徹今其中一事一物之微, 一息一瞬之蹔, 無不是乾道之終始者, 大明則無一之不明矣. 終始者, 擧終始而竭言也. 但謂始終, 則只爲自始至終之辭, 言終始則又可見終而復始, 循環不窮之義耳.

"크게 밝히다[大明]"는 확 트여서 밝지 않은 곳이 없음을 이른다. 하늘 끝과 땅 끝, 예나 지금을 통하여 그 속에 있는 하찮은 하나의 일과 물건일망정 한번 호흡하는 잠깐 동안이라도 건도의 끝과 시작이 아님이 없는 것은 크게 밝히면 하나라도 밝지 않은 것이 없기 때문이다. '끝과 시작[終始]'은 끝과 시작을 들어 모든 것을 다 말한 것이다. '시종(始終)'이라 하면 단지 시작에서부터 끝에 이르는 말이 되지만, '종시(終始)'라 하면 끝마침에 다시 시작하여 순환하고 끝이 없다는 의미를 알 수 있다.

六位時成.

여섯 자리가 때에 맞게 이루어진다.

傳本義所謂各以時成者, 約而能盡, 玩各之一字, 其義已昭然矣. 而呂東萊說, 首出庶物下小註, 尤更仔細, 分外明白. 未見呂說, 只觀傳義亦曾會得此意. 但據見在事物推之, 不見六位所在, 又不見如何是六龍如何會乘. 勉强安排, 則又成穿鑿, 反不如不爲. 要是大明終始後, 自然見得如此, 固難以臆度揣摩而得之也. 東萊亦只說得到此, 恐未必實見得成實會得乘也. 未知程朱如何耳.

『정전』과 『본의』에서 말하는 "각기 때에 맞게 이루어진다"는 축약해서 극진히 한 것이니, '각기'라는 말을 완미하면 그 의미가 이미 분명하다. 그런데 여동래의 설명 가운데 "만물 중에서 으뜸으로 나오면"이라는 경문 아래 소주(小註)가 더욱 자세하고 특히 명백하다. 여동래의 설명을 보지 않고 단지 『정전』과 『본의』만 보더라도 이런 의미를 이해할 수 있다. 다만 보는 것에 근거하여 사물에서 미루어 가면, 여섯 자리가 어디에 있는지 알 수 없고, 또 무엇이 여섯 용이고 어떻게 탈 수 있는지를 알 수 없다. 억지로 안배하면 또 천착하게 되니, 도리어 하지 않는 것만 못하다. 요컨대 "끝과 시작을 크게 밝힌" 뒤에 저절로 이와 같음을 알 수 있다면, 실로 억측하고 미루어 헤아려서는 이해하기 어렵다. 동래여씨도 이렇게 말했을 뿐이지 반드시 실제로 알고 실제로 탈 수 있다고 여긴 것은 아닐 것이다. 정자와 주자가 어떠한지는 알 수 없다.

大抵聖人, 大明乾道之終始, 則自見六位之各以時成. 蓋初之初爲初, 初之中爲二, 初之終爲三. 終之初爲四, 終之中爲五, 終之終爲上. 雖甚微細事物, 亦無無終始者. 旣有終始, 其六位便已自然天成, 不假安排. 但人心智粗淺, 自不見得耳, 惟聖人大明終始, 故自然見得也. 旣見六位之各以時成, 則可以時乘六龍而御天矣. 蓋六龍, 所以運乎六位者, 在初爲潛, 在二爲見是已. 乘者當潛而潛, 當見而見是已. 御天者, 先後合奉之意也. 學易要當至此地位, 然後方可謂善學.

성인이 건도의 끝과 시작을 크게 밝히면 저절로 여섯 자리가 각각 때에 맞게 이루어짐을 알 수 있다. 시작의 처음이 초효이고, 시작의 중간이 이효이며 시작의 끝이 삼효이다. 끝의 처음이 사효이고 끝의 중간이 오효이며 끝의 끝이 상효이다. 극히 미세한 사물이라도 끝과 시작이 없음이 없다. 이미 끝과 시작이 있으면, 그 여섯 자리가 이미 저절로 하늘이 이루었으니, 안배할 필요가 없다. 사람의 마음과 지혜가 천박하여 스스로 알 수 없을 뿐이고, 오직 성인만이 끝과 시작을 크게 밝히므로 저절로 알 수 있다. 이미 여섯 자리가 때에 맞게 이루어짐을 알 수 있으면, 여섯 용을 때에 맞게 타서 하늘을 다스리는 것이다. 여섯 용이 여섯 자리에 운행한다는 것은 초효에서는 '잠겨있는[潛]' 것이고, 이효에서는 '나타나는[見]' 것이 그것이다. '탄다[乘]'는 것은 잠겨 있어야 하면 잠겨 있고, 나타나야 하면 나타나야 하는 것이다. '하늘을 다스린다[御天]'는 것은 앞뒤로 합하고 받든다는 뜻이다. 역(易)을 배울 때 마땅히 이런 지위에 도달해야하고 그런 후에 비로소 잘 배웠다고 이를만하다.

朱子本義, 發明占筮之用, 信有切於易書矣. 然後學遵循, 又意易之用止於占筮而已, 亦淺乎學易矣. 蓋易雖因卜筮而作, 其實本原道極, 模擬陰陽天地之理, 無不備具, 夫豈但爲占筮用而已哉. 此孔子贊易道之意也. 且如此章之言, 果能大明終始, 自然見得六位時成, 則占筮尙安用哉. 縱未到此地位, 苟能精玩此書, 亦可以觀時識象, 推理處中, 而自不待占筮而可決矣. 惟有人謀所不及之大疑, 乃可占也. 然則易雖爲卜筮而作, 其用則固不止於卜筮也. 必如此章之言, 方是能事極功.

주자의 『본의』는 점치는 용법을 밝혔으니, 진실로 역서(易書)에 절실함이 있다. 그러나 후학들이 배우고 따르면서 역(易)의 용도가 점치는 것에만 국한된다고 여긴다면 또한 얕게 역을 배운 것이다. 역은 비록 복서를 바탕으로 지어졌지만 그 내용은 본래 도의 궁극에 근본하여 음양과 천지의 이치를 본떠서 구비되지 않은 것이 없으니, 어찌 단지 점(占)치는 용도일 뿐이겠는가! 이것이 공자가 역도(易道)를 찬미한 뜻이다. 또 이 문장의 말처럼 과연 끝과 시작을 크게 밝히면 여섯 자리가 때에 맞게 이루어짐을 저절로 알 수 있으니, 점치는 것으로만 어찌 쓰이겠는가? 이런 지위에 도달하지 않았을지라도 진실로 이 책을 정밀하게 완미하면 역시 때를 살피고 상(象)을 알며 이치를 헤아려 알맞게 처신할 수 있으니, 스스로 점치지 않고도 결정할 수 있다. 다만 사람의 생각으로 미칠 수 없는 큰 의심이 있으면 곧 점을 쳐도 된다. 그렇다면 역이 비록 점치기 위해서 지은 것이나, 그 활용은 진실로 점치는 데 국한되지 않는다. 반드시 이 문장의 말과 같이 하면 일을 잘 처리하여 매우 큰 공(功)이 있을 것이다.

小註丘氏說, 推言先終後始之義, 似精而實. 非如此, 則聖人所大明者, 只在乎下卦之終, 上卦之始, 所謂陽變而陰, 春夏變而秋冬, 造化過接處而已, 何以見六位之時成哉.

此說與邵子動靜間之說亦不同. 蓋邵子則通言一動一靜之間, 而其意尤重於靜極復動之際, 此則只以陽變而陰處言之. 蓋本因下卦終上卦始而立言, 不得不如此也. 雖邵子說, 已不能如經文大明終始之言周遍而竭盡, 況丘說耶.

소주(小註) 구씨의 주장은 '끝'을 먼저하고 '시작'을 나중에 한 의미를 미루어 말했는데, 정밀하고 사실인 것 같다. 이와 같지 않으면 성인이 크게 밝힌 것은 단지 하괘의 끝과 상괘의 시작에 있어서 이른바 양이 변해 음이 되고 봄·여름이 변해 가을·겨울이 되는 조화가 지나가는 연결 지점일 뿐이니, 어떻게 여섯 자리가 때에 맞게 이루어짐을 알겠는가? 이 주장은 소자(邵子)의 '한번 움직이고 한번 고요한 사이에 대한 설명'과도 다르다. 소자는 '한번 움직이고 한번 고요한 사이'를 통틀어서 말하였고 그 뜻은 고요함이 지극하면 다시 움직이는 순간이 더욱 중요하다는 것이다. 이것은 단지 양이 변하여 음이 처한 것으로 말하였다. 이는 본래 하괘가 끝나고 상괘가 시작하는 것으로 말해 이와 같지 않을 수 없었다. 비록 소자의 말이라도 경문에서 "끝과 시작을 크게 밝힌다"고 말한 것이 두루 널리 다 미치는 것과는 같을 수 없는데, 하물며 구씨의 주장이겠는가?

雲峯說, 六位泛指易六虛, 六龍專指乾六畫, 此說亦非是. 以本文而言, 則所謂大明終始者, 乃大明乾道終始之義. 如此則六位是乾之六位, 六龍是乾之六陽, 不可以泛指易專指乾分之也. 若謂乾道是天道, 六十四卦無非天道, 觸類而長之, 則六位六龍, 皆可泛通於易矣. 雖陰爻無不有變動之義, 亦可以龍言, 然非本指也.

운봉의 설명은 여섯 자리(六位)를 『주역』에서 말하는 여섯 빈자리[六虛][193]라고 일반적으로 넓게 가리켰고, 여섯 용(六龍)은 오로지 건괘의 여섯 획(六畫)이라고 가리켰으니, 이 설명 역시 옳지 않다. 본문으로 말하면 "끝과 시작을 크게 밝힌다"란 바로 건도의 끝과 시작을 크게 밝힌다는 뜻이다. 이와 같다면 여섯 자리는 건괘의 여섯 자리이고 여섯 용은 건괘의 여섯 양이므로, 넓게 역을 가리킨다거나 오로지 건괘를 가리킨다고 나누어서는 안 된다. 만약 건도를 천도(天道)라고 하면 64괘는 천도가 아님이 없고, "종류에 따라 확장하면"[194] 여섯 자리와 여섯 용이 모두 역(易)에 두루 통용된다. 비록 음효에 변동의 뜻이 있지 않음이 없을지라도 용으로 말할 수 있으니, 본래의 뜻은 아니다.

---

193) 『周易·繫辭傳』: 易之爲書也 不可遠, 爲道也屢遷. 變動不居, 周流六虛, 上下无常. 剛柔相易, 不可爲典要.

194) 『周易·繫辭傳』: 引而伸之, 觸類而長之. 8괘에서 64괘가 형성되는 과정을 묘사한 부분이다.

심조(沈潮) 「역상차론(易象箚論)」

御天.

하늘을 다스린다.

御字, 程朱皆以當字釋之. 蓋與參天地之參字, 與天地合其德之合字, 一般意思.

'다스리다[御]'를 정자와 주자 모두 '맡는다[當]'로 해석하였다. '참천지(參天地)'의 '참(參)'자와 '천지합기덕(天地合其德)'의 '합'자는 같은 뜻이다.

유정원(柳正源) 『역해참고(易解參攷)』

雲行 [至] 御天.

구름이 떠다니고 … 하늘을 다스린다.

漢上朱氏曰, 雲雨坎也, 大明離也. 乾卦而擧坎離者, 六爻天地相函, 坎離錯居, 坎離者, 天地之用也. 雲行雨施坎之升降也, 大明終始離之往來也. 〈案, 坎離取象, 恐穿鑿.〉

한상주씨가 말하였다: 구름과 비는 감(☵)이고 큰 밝음은 리(☲)이다. 건괘이면서 감과 리를 거론하는 것은 여섯 효는 천지를 서로 머금고 감과 리가 섞여있으니, 감리는 천지의 작용이다. "구름이 떠다니고 비가 내리다"는 감이 오르내리는 것이고, "끝과 시작을 크게 밝히다"는 리가 왕래하는 것이다. 〈내가 살펴보았다: 감리에서 상을 취한 것은 천착인 듯하다.〉

○ 沙隨程氏曰, 乘如乘車之乘, 託物有行, 御如御馬之御, 制物有節.

사수정씨가 말하였다: '승(乘)'은 '가마를 타다[乘車]'의 '승'과 같이 물건에 의탁하여 가는 것이고, '어(御)'는 '말을 몰다[御馬]'의 '어'와 같이 물건을 제어할 때 절도가 있는 것이다.

○ 息齋余氏曰, 乾之六爻不皆龍. 象傳則蔽之以六龍, 聖人觀象命辭, 不如後世之拘也.

식재여씨가 말하였다: 건괘의 여섯 효는 모두가 용은 아니다. 「단전」은 곧 여섯 용으로 다 설명했으니, 성인이 상(象)을 살펴 말[辭]을 명한 것이 후세의 구애됨과 같지 않다.

○ 梁山來氏曰, 品者物各品類, 流者物各以類, 而生生不已, 其機不停滯也. 終謂上爻, 始謂初爻, 卽初辭擬之, 卒成之終. 原始要終以爲質也. 時者, 六爻相雜唯其時物之時也.

양산래씨가 말하였다: '품(品)'은 물건의 각각의 등급 부류이고, '류(流)'는 물건 각각의 부류인데, 생기고 생겨서 끝이 없어 그 전체의 움직임이 머무르지 않는다. 끝을 상효라 하고 시작을 초효라 하니, 곧 "처음 말은 헤아리고, 끝마쳐 마침을 이룬다."[195] "시작을 찾아내고

마침을 간추려서 바탕을 삼는다."196) '때[時]'란 '여섯 효가 서로 섞이는 것으로 오직 때와 물건'이라고 하는 경우의 '때'이다.

김상악(金相岳) 『산천역설(山天易說)』

乾元之道, 旣能始物, 又能終物, 故聖人大明其道於天下也. 六位時成者, 易之體也, 乘龍御天者, 乾之用也, 此言聖人之元亨也.

건원(乾元)의 도는 이미 만물을 시작하게 할 수 있고 또 끝마치게 할 수 있으므로 성인은 천하에 그 도를 크게 밝힌 것이다. "여섯 자리가 때에 맞추어 이루어진다"는 것은 역(易)의 본체이고, "용을 타고 하늘을 다스린다"는 것은 건의 작용이니, 이는 성인의 '원'과 '형'을 말한 것이다.

○ 終謂上九, 始謂初九也, 所以原始要終以爲質也. 六位時成者, 天有十二時, 陰陽各司其半, 以成四時也. 六龍卽六陽也, 潛見躍飛, 以時而動, 故乘此六龍, 以行天道也. 或曰, 大明日也, 懸象著明, 莫大乎日月. 後天之離, 代先天之乾. 而上下皆乾, 故曰大明終始, 所以得天而能久照. 晉象傳曰, 順而麗于大明, 離之配坤也. 蓋乾道只是雲雨日月隨時變化, 而傳義分天人作解. 非二之也, 言聖人體天地之道也, 文言於九五其義可見.

끝을 '상구'라 하고, 시작을 '초구'라 하는 것은 시작에 근원하여 끝을 구함을 바탕으로 삼기 때문이다. "여섯 자리가 때에 맞추어 이루어진다"는 것은 하늘에는 12시(時)가 있으니, 음양이 각각 그 반씩 담당하여 사계절을 이루는 것이다. 여섯 용은 여섯 양인데 잠기고·나타나고·뛰어오르고·날아오르기를 때에 맞추어 움직이므로, 이 여섯 용을 타고 하늘의 길로 나아가는 것이다. 어떤 이가 '큰 밝음은 해[日]'라 하였으니, 「계사전」에서 말한 "상을 내걸어 널리 밝힘이 일월(日月)보다 큰 것이 없다"197)라는 뜻이다. 후천의 리괘(離卦☲)는 선천의 건괘(乾卦☰)을 대신하였다.198) 위아래가 모두 건괘(☰)이므로 "끝과 시작을 크게 밝힌다"라 하였고, 하늘을 얻었기 때문에 오래도록 비출 수 있다. 진괘(震卦䷲)「단전」에 "순종하여 큰 밝음에 붙는다"199)라 한 것은 리괘가 곤괘☷☷에 짝하기 때문이다. 건도(乾道)는 단지

---

195) 『周易·繫辭傳』: 其初難知, 其上易知, 本末也. 初辭擬之, 卒成之終.

196) 『周易·繫辭傳』: 易之爲書也 原始要終, 以爲質也, 六爻相雜, 唯其時物也.

197) 『周易·繫辭傳』.

198) 여기서 '대신한다'는 의미는 선천인 「복희팔괘방위도」상에서 위쪽인 남쪽이 건(☰)이고, 후천인 「문왕팔괘방위도」에는 그 자리에 리(☲)가 대신 있다는 뜻이다. 또한 「설괘전」에 '離爲日'이 있어 리괘는 해·밝음의 의미가 있다.

구름과 비와 해와 달이 때에 따라 변화하는 것인데도 『정전』과 『본의』는 하늘과 사람을 나누어서 해석하였다. 둘이 아니기 때문에 성인이 천지의 도를 체인함을 말하였으니, 「문언전」 구오에서 그 뜻을 알 수 있다.

조유선(趙有善) 『경의(經義)-주역본의(周易本義)』

大明終始一段, 在乾道變化之上, 雖從元亨之類, 然文勢錯互. 且首出庶物云云, 繼於乃利貞之下, 亦不相接. 若乾道變化一段承品物流形, 首出庶物一段承以御天, 文義通順, 而傳文不如此者, 何也.

'대명종시(大明終始)'의 한 단락은 '건도변화(乾道變化)'의 앞에 있으니, 비록 '원형(元亨)'의 부류를 따르지만 문장의 형세가 서로 뒤섞였다. 또 "수출서물(首出庶物)" 운운은 "내리정(乃利貞)"의 뒤에서 이어져서 역시 서로 연결되지 않았다. 만약 '건도변화(乾道變化)'의 단락이 '품물유형(品物流形)'을 잇고, '수출서물(首出庶物)'의 단락이 '이어천(以御天)'을 이었다면 문장의 의미가 통하여 순조로울 것인데, 「단전」의 문장이 이와 같지 않은 것은 어째서인가?

박윤원(朴胤源) 『경의(經義)・역경차략(易經箚略)・역계차의(易繫箚疑)』

彖曰, 時乘六龍, 以御天.

「단전」에서 말하였다: 때에 맞춰 여섯 용을 타고 이에 하늘을 다스린다.

○ 以德言, 則龍爲聖人, 以位言, 則聖人乘龍.

덕으로 말하면 용이 성인이고, 자리로 말하면 성인이 용을 타는 것이다.

김귀주(金龜柱) 『주역차록(周易箚錄)』

大明終始, 云云.

끝과 시작을 크게 밝히다, 운운.

○ 按, 不曰始終, 而曰終始者, 蓋上節旣言大哉乾元, 則已見重元之義, 至此則又先言終, 以見重貞之義, 亦以明貞下起元循環不已之意, 聖人立言之精密, 蓋如此矣.

내가 살펴보았다: '시작과 끝[始終]'이라 하지 않고 '끝과 시작[終始]'라 한 것은 앞의 구절에

---

199) 『周易・晉卦』「象傳」: 밝음이 지상에서 나와, 순히 하여 큰 밝음에 걸린다[明出地上, 順而麗乎大明].

서 이미 "크도다 건원이여[大哉乾元]"라 하였으니 이미 거듭된 '원(元)'을 드러내고, 여기에서 또 먼저 '끝[終]'을 말하여 거듭된 '정(貞)'의 뜻을 드러낸 것이다. 또한 '정' 다음에 '원'을 일으켜 순환하여 그치지 않는 뜻을 밝혔으니, 성인이 말을 하는 정밀함이 이와 같다.

本義, 始卽元也, 云云.
『본의』에서 말하였다: 시작은 곧 '원'이다, 운운.
小註開封耿氏曰, 統天, 云云.
소주(小註)에서 개봉경씨가 말하였다: 하늘을 통솔하고, 운운.
○ 按, 統天非但言乾之體, 亦言乾之用也. 御天乃聖人所以當天運, 亦當兼體用看. 今以統天爲乾之體, 御天爲乾之用, 恐未穩.
내가 살펴보았다: "하늘을 통솔한다[統天]"는 건의 본체를 말할 뿐만 아니라 건의 작용도 말했다. "하늘을 다스린다[御天]"는 곧 성인이 하늘의 운행을 담당한다는 것으로 또한 체용을 함께 살펴야 한다. 지금 '통천'을 건의 본체로 삼고, '어천'을 건의 작용으로 삼는 것은 타당하지 않은 듯하다.

建安丘氏曰, 聖人, 云云.
건안구씨가 말하였다: 성인이, 운운.
○ 按, 此以元亨之終, 利貞之始, 釋終始之義, 大失本旨.
내가 살펴보았다: 이것은 '원형'의 끝과 '리정'의 시작으로, '끝과 시작'의 뜻을 해석한 것인데, 본래의 취지를 크게 잃은 것이다.

雲峰胡氏曰, 天有十二, 云云.
운봉호씨가 말하였다: 하늘에는 12시가 있고, 운운.
○ 按, 六位時成, 專指乾之六爻, 他卦六爻, 亦以是類推則可也. 今云泛指易六虛者, 恐說得太濶. 내가 살펴보았다: "여섯 자리가 때에 맞춰 이루어지다"는 오로지 건괘의 여섯 효를 가리킨 것이고, 다른 괘의 여섯 효 역시 이런 부류로 추측이 가능하다. 지금 역(易)의 여섯 빈 자리를 범범하게 가리켰다는 것은 너무 광범위하게 말한 듯하다.

박제가(朴齊家) 『주역(周易)』

大明終始.
끝과 시작을 크게 밝히다.
本義, 聖人大明乾道之終始, 則見六位各以時成.

『본의』에서 말하였다: 성인이 건도의 끝과 시작을 크게 밝히면 괘의 여섯 자리가 제각기 때에 맞게 이루어짐을 볼 수 있다.

畫前亦有易, 乾道豈必待人之明之而後, 六位成耶. 大明二字, 乃贊乾德之名, 如以大陽爲大明. 蓋日月相推而明生焉, 通日月而謂之明矣. 如曰大陽, 則涉於陰陽之陽, 故曰明終始者, 乾之自爲終始循環無端者是也. 周流六虛上下無常, 雖在初下亦天也, 故曰御天. 蓋自剛健循環者而言, 曰大明, 自氤氳生物者而曰大和, 大和固不可謂聖人明之也.

又曰, 不曰當天, 而曰御天, 以見遲速進退之在我.

又曰, 晉見飛躍以時而動, 便是乘六龍, 便是御天. 聖人便是天, 天便是聖人, 固是易之一部.

何者非聖人體天之事, 而但此自贊乾釋象, 非贊聖人. 此逐句說乾道時不可以聖人混入其中, 至首出庶物然後, 方以聖人比乾德, 經文之有序次.

획을 긋기 전에도 역(易)이 있었으니,[200] 건도가 어찌 반드시 사람이 밝히기를 기다린 후에 여섯 자리가 이루어졌겠는가? "크게 밝히다[大明]"란 말은 건의 덕을 찬미하는 이름으로, 이를테면 태양을 '대명(大明)'으로 여기는 것과 같다. 해와 달이 서로 미루어 밝음이 생기기 때문에 해와 달을 통틀어서 '밝다[明]'라고 하는 것이다. 예를 들어 태양이라고 말하면 음양의 양과 통하므로 "끝과 시작을 밝히다"라 말하는 것은, 건이 본래 끝과 시작이 순환하여 그침이 없다는 것이 이것이다. "여섯 빈자리를 두루 거치면서 위아래가 한결같지 않지만" 맨 아래[初爻] 역시 하늘이기 때문에 "하늘을 다스린다[御天]"라 한다. 강건하게 순환하는 것으로부터 말하면 '크게 밝힘'이라 하고, 천지의 기운이 합하여 만물을 낳는 것으로 말하면 '큰 조화'라 하지만, '큰 조화'는 진실로 성인이 밝힌 것이라 말할 수 없다.

또 말하였다: "하늘을 담당한다[當天]"라 하지 않고 "하늘을 다스린다[御天]"라 하여, 늦고 빠르고 나아가고 물러남이 나에게 있음을 나타냈다.

또 말하였다: 잠기고·나타나고·날고·뛰어오르기를 때에 맞추어 움직이니, 바로 여섯 용을 타는 것이고 하늘을 다스리는 것이다. 성인은 바로 하늘이고 하늘이 성인이니, 진실로 역(易)의 일부이다.

어느 것인들 성인이 하늘을 본받는 일이 아니겠는가마는 여기에서는 단지 건(乾)을 찬미하여 단(彖)을 해석했지 성인 자체를 찬미한 것이 아니다. 이는 구절마다 건도(乾道)의 때를 말하였으나 성인이 그 속에 섞여들 수 없는 것이고, '수출서물(首出庶物)'의 단락에 이른

---

200) 『주역』의 육효를 긋기 전에도 역의 생성원리인 천지자연의 이치가 있었다는 의미로 사용하는 개념이 '획전 역(劃前易)'이다. 이 용어는 송대 소강절(邵康節, 1011~1077)이 처음 사용했으며 선천역학의 중요한 뼈대가 되었다고 주자는 『역학계몽』에서 주장하고 있다.

뒤에야 비로소 성인을 건의 덕에 견주었으니, 경문에는 분명히 순서가 있다.

小注, 問, 大明天道之終始, 不知是說聖人明之耶. 抑說乾道明之耶.

曰, 此處說得鶻突, 但遺書有一段, 明說人能明天道終始.

本義蓋從遺書爲證也, 然乾道非待人明之而後, 成六位者也. 明字下, 下一之字, 則便是人. 此明字, 如明德之明, 非明明德之上明字也.

소주(小註)에서 물었다: "천도의 시작과 끝을 크게 밝힌다"라는 말이 성인이 밝힌다는 것인지 혹은 건도가 밝힌다는 것인지 알 수가 없습니다.

답하였다: 이것은 애매모호하게 말한 것이지만, 『하남정씨유서』에 있는 한 단락에서 "사람이 천도의 끝과 시작을 밝힐 수 있다"[201]고 하였습니다.

『본의』는 대개 『하남정씨유서』의 뜻을 따라 증명하지만, 건도는 사람이 밝히기를 기다린 후에 여섯 자리가 이루어지는 것은 아니다. '명(明)'자의 아래, 하나의 '지(之)'자는 바로 사람이다. 여기의 '명'자는 '밝은 덕[明德]'의 '밝은[明]'과 같고, '명명덕(明明德)'[202]의 '밝히다[明]'가 아니다.

東萊呂氏曰, 乾之六位, 自古自今隨在隨足, 何嘗不成. 但人不能明乾之終始, 故自見其不成, 其實六位元不曾損壞也. 苟大明乾之終始, 則事事物物中, 六位歷然森列, 應時俱成, 更无漸次.

동래여씨가 말하였다: 건의 여섯 자리는 언제 어디서나 어찌 이루어지지 않았겠는가! 다만 사람들이 건의 끝과 시작을 밝힐 수 없기 때문에 자연히 그 이루어지지 않았음을 보게 되지만, 실제로 여섯 자리는 원래 손상된 적이 없다.

說得自好. 如此乾坤毀, 則無以見易, 易不可見, 則乾坤息矣, 語脈相似, 但此說乾德時自說乾德, 如品物流形, 何嘗待人明之而後, 流形云耶.

이는 잘 말한 것이다. "건과 곤이 훼손되면 역을 볼 수 없고, 역을 볼 수 없다면 건과 곤이 혹 거의 그칠 것이다"[203]와 같은 경우 말의 맥락이 서로 비슷하지만, 다만 여기서 건의 덕을 말할 때에는 나름대로의 건의 덕을 말한 것이다. 예컨대 "만물이 형체를 이룬다[品物流形]"가 어찌 일찍이 사람이 밝힌 것을 기다린 뒤에 "형체를 이룬다"라고 말한 것이겠는가?

---

201) 『河南程氏遺書 · 卷第三十九』.

202) 『大學』: 대학의 도는 밝은 덕을 밝히는데 있다[大學之道, 在明明德].

203) 『周易 · 繫辭傳』: 乾坤毀, 則无以見易, 易不可見, 則乾坤或幾乎息矣.

서유신(徐有臣) 『역의의언(易義擬言)』

大明終始, 六位時成, 時乘六龍, 以御天. 〈時與是通.〉

끝과 시작을 크게 밝히면 여섯 자리가 이에 맞게 이루어지고, 이에 여섯 용을 타고서 하늘을 다스린다. 〈'시(時)'는 '시(是)'와 통한다.〉

大明乾象也, 終始行健不息之象也. 下乾終上乾始, 兩乾相重, 而六爻是成也. 上文以初九九二釋元亨, 下文以九五上九釋利貞. 此叚爲九三九四之際, 而言其重乾成象, 六爻分位之義, 以承接之也. 重其乾六其陽, 而剛健中正純粹之精, 元亨利貞流行不息之妙, 備載於是矣. 是行其六陽以用天道, 故曰時乘六龍以御天. 乘猶行也, 御猶用也, 乾之事也.

'크게 밝힌다[大明]'는 건의 상이고, '끝과 시작[終始]'은 굳건함을 행하여서 그치지 않는 상이다. 아래의 건이 끝나면서 위의 건이 시작되니, 두 개의 건이 서로 중첩되어서 여섯 효가 이에 이루어진다. 앞의 글은 초구와 구이로 '크게 형통함'을 해석했고, 뒤의 글은 구오와 상구로 '곧음이 이로움'을 해석했다. 이 단락은 구삼과 구사의 즈음에서 중첩된 건이 상을 이루고, 여섯 효의 자리로 구분된 뜻을 말하여 연결하였다. 건을 중첩하고 양(陽)을 여섯으로 하며 강건하고 중정(中正)하여 순수한 정수이니, '원·형·리·정'이 유행하여 그치지 않는 오묘함이 여기에 갖추어 실려 있다. 이것은 여섯 양이 운행하여 천도가 작용하는 것이므로 이에 "여섯 용을 타고서 하늘을 다스린다"라 한다. '타다[乘]'는 운행하는 것과 같고, '다스리다[御]'는 작용하는 것과 같은 것으로 건의 일이다.

박문건(朴文健) 『주역연의(周易衍義)』

此贊二聖之業, 體乾之元亨也.

이는 두 성인의 업적을 찬미하고, 건의 '원형'을 본받은 것이다.

〈問, 終始. 曰, 終始事物之終, 始原始要終是也.

물었다: '끝과 시작[終始]'은 무엇입니까?

답하였다: '끝'은 시작한 사물의 마침이고, '시작'은 '시작을 찾아내고 마침을 간추리는 것'[204] 이 이것입니다〉.

〈問, 乘御. 曰, 跨龍駕天, 皆借言. 乘者因也, 龍者陽也, 御者行也, 天者道也.

물었다: '타다[乘]'와 '다스리다[御]'는 무슨 뜻입니까?

---

204) 『周易·繫辭傳』: 易之爲書也 原始要終, 以爲質也, 六爻相雜, 唯其時物也.

답하였다: 용을 타고 하늘로 올라간다는 것은 모두 빌어서 말한 것입니다. '타다(乘)'는 말미암는다는 것이고, 용은 양(陽)이며, '다스린다(御)'는 나아가는 것이며 '하늘'은 도입니다).

〈○ 問, 何謂時成時乘. 曰, 旣成其象, 則必乘其理也.

물었다: 어떻게 때에 맞게 이루어지고 때에 맞추어 탄다고 합니까?

답하였다: 이미 그 상이 이루어지면 반드시 그 이치를 타기 때문입니다.〉

심대윤(沈大允) 『주역상의점법(周易象義占法)』

爻之六位, 有始終淺深之時. 大明終始六位時成者, 言乾元之貫乎利貞而能成物也. 子曰, 吾道一以貫之, 忠恕而已矣, 忠恕者仁也. 時乘六龍以御天者, 言物與同利也, 子曰, 仁者己欲立而立人, 己欲達而達人.

효의 여섯 자리에는 시작하고 끝내며 얕고 깊은 때가 있다. "끝과 시작을 크게 밝히면 여섯 자리가 때에 맞게 이루어진다"는 건원이 '이로움과 곧음'을 관통하여 만물을 이루는 것을 말한 것이다. 공자가 "나의 도는 하나로 관통하고 있으니 충서(忠恕)일 뿐이다"[205]라 했는데, '충서'란 인(仁)이다. "여섯 용을 때에 맞게 타고서 하늘을 다스린다"는 것은 사물이 이로움을 함께 하나로 한다는 말이니, 공자가 "어진 이는 자신이 서고자 하면 남을 서게 하고, 자신이 통달하고자 하면 다른 사람을 통달하게 한다"[206]는 것이다.

오치기(吳致箕) 「주역경전증해(周易經傳增解)」

大, 指陽, 而明者, 陽之德光明也. 終始, 言六爻之始終, 而六位, 卽六爻之位也. 時者, 大傳所謂唯其時物也, 乘者憑據也, 六龍, 卽指六陽也. 御謂如車之有御, 而御天者, 言運行天之道也, 此一節言聖人之元亨也.

'크다(大)'는 양(陽)을 가리키고, '밝히다(明)'는 양의 덕이 밝다는 것이다. '끝과 시작(終始)'은 여섯 효의 시작과 끝을 말하니, 여섯 자리는 곧 여섯 효의 자리이다. '때(時)'란 「계사전」에서 말하는 "오직 그 때와 사물이다"[207]이다. '탄다(乘)'는 의지한다는 것이고 '여섯 용'은 바로 여섯 양(陽)을 가리킨다. '다스린다(御)'는 수레에 모는 이가 있는 것과 같고, '하늘을 다스린다(御天)'란 하늘 길을 운행한다는 말이다. 여기의 한 절에서는 성인의 '크게 형통함'을 말하였다.

---

205) 『論語·里仁』.

206) 『論語·雍也』.

207) 『周易·繫辭傳』: 易之爲書也 原始要終, 以爲質也, 六爻相雜, 唯其時物也.

乾道變化, 各正性命, 保合大和, 乃利貞.

정전 건도가 변하고 화함에 각각 성명(性命)을 바르게 하니, 큰 조화를 보전하고 합하여, 이에 이롭고 곧다.

본의 건도가 변하고 화함에 각각 성명(性命)을 바르게 하여 큰 조화를 보전하고 합하니, 이에 곧음이 이롭다.

┃中國大全┃

本義

變者, 化之漸. 化者, 變之成. 物所受爲性, 天所賦爲命. 大和, 陰陽會合沖和之氣也. 各正者, 得於有生之初. 保合者, 全於已生之後. 此言乾道變化, 无所不利, 而萬物各得其性命以自全, 以釋利貞之義也.

변(變)은 화(化)가 점점 진행되는 것이고, 화(化)는 변(變)이 이루어진 것이다. 사물이 받은 것을 성(性)이라 하고 하늘이 주는 것을 명(命)이라 한다. '큰 조화[大和]'는 음양이 만나 조화를 이루는 기운이다. '각각 바르게 함[各正]'은 사물이 태어나는 처음에 얻는 것이고 '보전하고 합함[保合]'은 이미 태어난 뒤에 온전히 하는 것이다. 이는 건도가 변하고 화하여 이롭지 않음이 없으니, 만물이 각기 그 성명을 얻어 스스로 온전히 함을 말하여 곧음이 이롭다는 뜻을 해석한 것이다.

小註

朱子曰, 乾道變化, 似是再說元亨, 變化字, 且只大槪恁地說, 不比繫辭所說底子細. 各正性命, 他那元亨時雖正了, 然未成形質, 到這裏方成. 如那百穀堅寔了, 方喚做正性命. 乾道是統說底, 四德是說他做出來底. 大率天地是那有形了重濁底, 乾坤是他性情. 其寔乾道天德, 互換一般, 乾道又言深得些子.

주자가 말하였다: "건도가 변하여 화한다"는 다시 '원형'이라고 말하는 것과 마찬가지이다. "변하고 화하다"는 말은 단지 이와 같이 대략 말한 것이어서 「계사전」에서 자세히 말한 것과는 같지 않다. "각각 성명을 바르게 한다"는 사물이 '원형'이었을 때에는 비록 바르나 형질이

아직 이루어지지 않다가 여기[利貞]에 이르러야 이루어진다. 마치 백곡이 단단히 열매를 맺어야 "성명을 바르게 하다"로 불리어 지는 것과 같다. 건도는 전체적으로 말한 것이고, 네 가지 덕은 만들어져 나온 것으로 말하였다. 대체로 천지는 무겁고 탁한 형체가 있는 것이고, 건곤은 그것의 성정이다. 그러나 실제로 건도와 천덕은 호환해도 같은 것이나, 건도가 천덕에 비해 좀 자세한 말이다.

又曰, 乾道變化, 各正性命, 是那一草一木, 各得其理. 變化是箇混全底.
또 말하였다: "건도가 변하고 화하여 각각 성명을 바르게 한다"는 것은 하나의 초목이 각각 리(理)를 얻는 것이다. 변하고 화하는 것은 완전히 하나가 됨이다.

○ 問, 變者化之漸, 化者變之成, 如昨日是夏, 今日立秋爲變. 到那全然天凉, 没一些熱時, 是化否. 曰, 然. 又曰, 如此等字, 自是難說. 變者化之漸, 化者變之成, 固是如此然. 又曰, 化而裁之, 謂之變, 則化又是漸. 蓋化如正月一日漸漸化, 至三十日. 至二月一日, 則是正月變爲二月矣. 然旣變, 則又化, 是化長而變短. 此等字, 須當通看乃好.
물었다: "'변'은 '화'가 점점 진행되는 것이고, '화'는 '변'이 이루어진 것이다"라는 것은, 마치 어제가 여름이고 오늘이 입추인 것을 '변'이라 하고, 날씨가 완전히 쌀쌀해져서 조금도 더운 때가 없는 것을 '화'라고 하는 것입니까?
답하였다: 그렇습니다.
또 말하였다: 이런 글자는 본래 설명하기 어렵습니다. '변'은 '화'가 점점 진행되는 것이고 '화'는 '변'이 이루어진 것이라는 것은 본래 그와 같은 것입니다.
또 말하였다: '화'하여 마름질하는 것을 '변'이라 하니, '화'는 점점 진행되는 것입니다. 이는 1월 1일이 점점 화하여 30일에 이르는 것과 같습니다. 2월 1일에 이른 것은 1월이 변하여 2월이 된 것입니다. 그러나 변하면 또 화하니 화는 길고 변은 짧습니다. 이런 글자는 모름지기 관통하여 보아야 좋습니다.

○ 大哉乾元, 是說天道流行, 各正性命, 是說人得這道理, 做那性命處, 卻不是正說性. 如天命之謂性, 孟子道性善, 便是就人身上說性, 易之所言, 卻是說天人相接處.
"크도다 건원이여"는 천도의 유행을 말하고, "각각 성명을 바르게 한다"는 사람이 이 도리를 얻어 성명이 있게 됨을 설명한 것이나, 바로 성(性)을 설명한 것은 아니다. "천명을 성이라 한다"라든가 "맹자가 본성이 선함을 말하였다"같은 것은 곧 사람의 일로 성을 설명한 것이고, 『주역』에서 말한 것은 하늘과 사람이 서로 관련된 입장에서 설명한 것이다.

○ 乾道變化, 各正性命, 總只是一箇理. 此理處處相渾淪, 如一粒粟, 生爲苗, 苗便生花, 花便結實, 又成粟, 還復本形. 一穗有百粒, 每粒箇箇完全. 又將這百粒去種, 又各成百粒, 生生只管不已, 初間只是這一粒分去. 物物各有理, 総只是一箇理.

"건도가 변하고 화하여 각각 성명을 바르게 한다"는 것은 단지 하나의 리(理)일 뿐이니, 이 리(理)가 어디든지 하나가 되어 완전하게 있다. 마치 한 낟알의 곡식이 날 때에는 싹이고, 싹에서 곧 꽃이 피고, 꽃이 곧 열매를 맺고, 또 곡식이 되어 도로 본래의 형체를 회복하는 것과 같다. 하나의 이삭에 달린 백 개의 낟알은 낟알마다 완전하니, 또 백 개의 낟알을 가지고 가서 씨를 심으면 각각 백 개의 낟알이 되어 낳고 낳기를 그만두지 않으나, 처음에는 단지 하나의 낟알이 나뉘었을 뿐이다. 사물마다 각각 리(理)가 있으나 모두 하나의 리(理)일 뿐이다.

○ 各正性命, 保合太和, 聖人於乾卦, 發此兩句最好. 人之所以爲人, 物之所以爲物, 都是正箇性命, 保合得箇和氣. 性命便是當初合下分付底, 保合便是有箇皮殼包裹在裏.

"각각 성명을 바르게 하여 큰 조화를 보전하고 합함"이라는 구절은 성인이 건괘를 설명한 말 중에 가장 좋다. 사람이 사람이 되는 이유와 사물이 사물이 되는 이유가 모두 성명을 바르게 하여 조화로운 기운을 보전하고 합하는 것이다. 성명은 애당초 본래 품부 받은 것이고, 보전하고 합함은 속을 싸고 있는 껍데기이다.

○ 保合大和, 卽是保合此生理也, 天地氤氳, 乃天地保合以生物之理, 造化不息, 及其萬物化生之後, 則萬物各自保合其生理, 不保合則無物矣.

'큰 조화를 보전하고 합함'은 낳는 리(理)를 보전하고 합하는 것이다. '천지의 얽히고 설킴'[208]은 곧 천지가 만물을 낳는 리(理)를 보전하고 합하여 조화(造化)가 그침이 없고, 만물이 화생(化生)한 뒤에는 만물이 각각 생리(生理)를 보전하고 합하는 것이다. 보전하고 합하지 못하면 사물이 없게 될 것이다.

○ 問, 保合大和, 乃利貞. 曰, 天之生物, 莫不各有軀殼, 如人之有體, 果實之有皮核, 有箇軀殼保合以全之, 能保合, 則眞性常存, 生生不窮. 如一粒之粟, 外面有箇殼以裹之, 方其發一萌芽之始, 是物之元也. 及其抽枝長葉, 則是物之亨. 到得生實, 欲熟未熟之際, 此便是利. 及其既實而堅, 便是貞矣.

물었다: "큰 조화를 보전하고 합하니, 이에 곧음이 이롭다"는 말은 무슨 뜻입니까?

답하였다: 하늘이 만물을 낳음에 몸체가 없는 것은 없습니다. 몸이 있는 사람과 껍질과 핵이 있는 과실은 몸체가 있어 보전하고 합할 수 있는 것입니다. 보전하고 합할 수 있으면 진실한

---

208) 『周易 · 繫辭傳』: 天地絪縕, 萬物化醇, 男女構精, 萬物化生.

성이 항상 보존되어 낳고 낳아 다함이 없을 것입니다. 마치 한 낱알의 곡식과 같아서 겉에 껍질이 감싸고 있다가 하나의 싹이 발아하는 처음이 사물의 원(元)이고, 가지가 뻗고 이파리가 자라는 것이 사물의 형(亨)이며, 열매가 생겨나 영글려 하는데 아직 영글지 않은 때가 리(利)이고, 열매가 난 뒤 단단하게 되는 것이 정(貞)입니다.

○ 仁爲四德之首, 而智則能成始而成終, 猶元爲四德之長. 然元不生于元, 而生於貞, 蓋天地之化, 不翕聚, 則不能發散也. 仁智交際之間, 乃萬化之機軸, 此理循環不窮, 脗合無間, 不貞, 則無以爲元也.

인(仁)이 네 가지 덕 중에 으뜸이나 지(智)가 시작을 이루고 마침을 이룰 수 있다. 마치 원(元)이 네 가지 덕의 어른이지만 원은 원에서 생겨나지 않고 정(貞)에서 생겨나는 것과 같으니, 이는 천지의 조화(造化)는 모이지 않으면 발산할 수 없기 때문이다. 인과 지가 교제하는 즈음이 온갖 조화의 기틀이다. 이 리(理)가 순환하여 다하지 않고 꼭 맞아 간격이 없는 것이니, 정(貞)이 아니면 원(元)이 될 수 없다.

○ 開封耿氏曰, 乾道所以變化者, 陰陽而已, 各正性命者, 陰陽之定分, 保合大和者, 陰陽之沖氣.

개봉경씨가 말하였다: 건도가 변하고 화하는 것은 음양에 관계될 뿐이니, 각각 성명을 바르게 하는 것은 음양의 분수가 정해진 것이고, 큰 조화를 보합하는 것은 음양의 기운이 조화로운 것이다.

○ 雲峰胡氏曰, 以二氣之分言, 則變者萬物之出機, 元亨是也, 化者萬物之入機, 利貞是也. 以一氣之運言, 則變者其漸, 化者其成. 先言品物流形, 後言各正性命, 物有此形, 卽有此性, 皆天所命也. 謂之各正, 則命之稟也, 乃性之所以一定而不易. 謂之保合, 則性之存也, 又命之所以流行而不已. 蓋大和者, 陰陽會合沖和之氣, 而乾元資始之理, 固在其中矣. 以漸而變, 是之謂和.

운봉호씨가 말하였다: 두 기운으로 나누어 말하면 '변'은 만물이 기틀을 내는 것이니 원·형이 이것이고, '화'는 만물이 기틀을 들이는 것이니 리·정이 이것이다. 하나의 기운이 운행하는 것으로 말하면 '변'은 점점 나아감이고 '화'는 이루어짐이다. "만물이 형체를 이룬다"를 먼저 말하고 "각각 성명을 바르게 한다"를 뒤에 말한 것은 물건에 이러한 형체가 있으면 곧 이러한 성(性)이 있어서이니 모두 하늘이 명한 것이다. "각각 바르게 한다"는 것은 명이 품부된 것이니, 성이 이 때문에 하나로 정해져서 바뀌지 않는 것이고, "보전하고 합한다"고 하는 것은 성을 보존하는 것이니 또한 명이 이 때문에 유행하여 그치지 않는 것이다. '크게 조화로움[太和]'은 음양이 모이고 화합하여 조화를 이루는 기(氣)이나, 건원이 의뢰하여 시

작하는 리(理)가 본래 그 안에 있는 것이니, 점점하여 변하는 것을 조화라고 하는 것이다.

○ 瀘川毛氏曰, 變化之餘, 各正性命, 收斂於冬也. 斂之不固, 則泄不以時. 凡雨雪不應, 水泉不收, 愆陽伏陰, 冬華春寒, 皆天地之沴氣也. 故斂之於冬者, 萬物之所以止也.
노천모씨가 말하였다: 변하고 화한 뒤에 각각 성명이 바르게 되는 것이 겨울에 거두어들이는 것이다. 거두어들이는 것이 견고하지 않으면 아무 때나 새어나간다. 계절에 맞게 눈이 내리지 않아 샘에 물이 고이지 않고, 따뜻한 기운이 지나치고[209] 음산한 기운이 잠복해 있어 겨울에 꽃피고 봄에 열매 맺는 것은 모두 천지의 요사한 기운이다. 그러므로 겨울에 거두어들이는 것이 만물이 그치는 것이다.

▌韓國大全▌

임영(林泳) 「독서차록(讀書箚錄)-주역(周易)」

乾道變化.

건도가 변하고 화한다

難曰, 本義以各正爲得於有生之初, 保合爲全於已生之後. 而又謂萬物各得其性命以自全, 是皆從萬物言而非正言天道也. 至下章小註, 又謂自乾道變化, 至乃利貞, 是天. 其不同, 何耶.
논변하였다: 『본의』에서 '각각 바르게 함[各正]'은 사물이 태어나는 처음에 얻는 것이라 하였고, '보전하고 합함[保合]'은 태어난 뒤에 온전히 하는 것이라 하였다. 또 "만물이 각각의 성과 명을 얻어 스스로 온전히 한다"라 했는데, 이는 모두 만물을 따라서 말한 것이지 바로 천도를 말한 것이 아니다. 아래 장의 소주(小註)에서 또 "'건도가 변하고 화함'부터 '이에 곧음이 이롭다'까지는 하늘에 대한 것이다"라 하였다. 그것이 같지 않은 것은 어째서인가?
曰, 萬物之如此, 實亦天道也. 且此對下文說聖人言之, 爲說天矣.
말하였다: 만물이 이와 같다면 실로 또한 천도이다. 또 이것은 아래 문장에서 성인을 설명한 것과 짝하여 말하였으니, 하늘을 설명한 것이다.

---

[209] 건(愆)을 '지나치다'로 풀었다. 『춘추좌씨전·소공』4년에 "其藏之也周, 其用之也徧, 則冬無愆陽, 夏無伏陰"이라고 하였는데, 이에 대한 두예(杜預)의 주(注)에 "愆, 過也"라 하였다.

小註耿氏說, 無所發明, 亦有語病.

소주(小註)에서 경씨의 주장은 밝힌 것이 없고, 또한 말에 결점이 있다.

雲峯說, 以變化分配元亨利貞, 與朱子說不同, 〈大註乾道變化, 無所不利, 小註乾道變化, 似是再說元亨, 似非易之本指.〉然猶可自爲一義. 其言流形性命各正保合之義, 及以漸而變, 是之謂和之說, 皆牽强杜撰. 獨其所謂太和者, 陰陽冲和之氣, 而乾元資始之理, 固在其中者, 爲可取耳. 蓋保合有收斂之意, 太和便是生育之氣, 雖以太和爲元亨, 保合爲利貞, 似亦可備一說.

운봉의 주장은 변화를 원·형·리·정에 분배하였으니, 주자의 주장과 같지 않지만, 〈큰 주석[『본의』]에서는 "건도가 변하고 화하여 이롭지 않음이 없다"라 하고, 소주(小註)에서는 "건도가 변하여 화한다는 다시 '원형'이라고 말하는 것과 같다"라 하였으니, 『주역』의 본래 뜻이 아닌 듯하다.〉 그러나 오히려 스스로 하나의 뜻이 될 수도 있다. 그가 "만물이 형체를 이루고, 성명을 바르게 하며 보전하고 합한다"라고 한 것에서 "점점 변화하는 것을 조화라고 하는 것이다"라는 주장까지는 모두 억지로 끌어온 근거 없는 이론이다. 다만 이른바 "'큰 조화[大和]'는 음양이 모이고 화합하여 조화를 이루는 기(氣)나 건원이 의뢰하여 시작하는 리(理)가 본래 그 안에 있다"라는 말을 취할 수 있을 뿐이다. '보전하고 합함'은 수렴하는 뜻이 있고 '큰 조화'는 곧 낳아 기르는 기운이니, 비록 '큰 조화'를 '원형'으로 삼고 '보전하고 합함'은 '리정'으로 삼을지라도 역시 하나의 이론을 갖출 것 같다.

毛氏說, 變化之餘, 各正性命. 如此說, 便有先後節次, 亦可見其玩理未熟. 經曰, 雲行雨施品物流形, 又曰, 乾道變化, 各正性命. 中間更不分先後, 不分天人, 徹上徹下, 只是乾道. 且毛氏以各正性命, 爲收斂於冬, 此處當玩乾道變化萬物各正之義. 若作四時說, 非不可說, 非本指也.

모씨(毛氏)는 "변화한 뒤에 각각의 성명(性命)을 바르게 한다"라 했다. 이렇게 말한다면 곧 선후 절차가 있는 것이니, 역시 이치를 완미함에 미숙함을 알 수 있다. 경전에서 말하기를, "구름이 떠다니고 비가 내려 만물이 형체를 이룬다"라 하고, 또 "건도가 변하고 화하여 각각의 성명(性命)을 바르게 한다"라 했다. 중간에 다시 선후를 나누지 않고, 하늘과 사람도 나누지 않았으니, 시종일관 건도(乾道)이다. 또 모씨는 '각각 성명을 바르게 함'을 겨울에 수렴하는 것으로 여기니, 이곳에서 건도가 변화하여 만물이 각각 바르게 되는 뜻을 완미해야만 한다. 만약 사계절로 주장한다면 불가한 말은 아니나 본래의 뜻은 아니다.

이만부(李萬敷) 「역통(易統)·역대상편람(易大象便覽)·잡서변(雜書辨)」210)

易曰, 保合大和, 乃利貞.

『주역』에서 말하였다: 큰 조화를 보전하고 합하니, 이에 곧음이 이롭다.

朱曰, 大和者, 道也, 生物之本, 天地之根. 一團眞理實氣, 充宇宙而無餘, 歷浩劫而無改. 鼓剛柔生造化, 主萬象攝三才, 冲漠絪縕, 融和純粹. 若能保此氣而不失, 合此理而不違, 身同大道, 如點雨之滴, 海渾滄溟而共存. 心契天眞, 猶片雲之没空, 攬太虛而同久, 利通而無滯碍. 貞固而無變遷, 故天地終而壽不竟. 日月晦而明不虧, 故曰至誠無息. 無息則久, 久則徵, 徵則悠遠. 保善大和者, 誠道之至妙至妙者也.

대번주씨가 말하였다: '큰 조화'는 도(道)이니, 만물을 낳는 근본이자 천지의 뿌리이다. 진실한 이치와 참된 기운이 한 덩어리가 되어 있으니, 우주에 가득하여 빈틈이 없고 긴 시간을 거쳐 변함이 없다. 굳셈과 부드러움[剛柔]을 고무시켜 조화를 낳고, 만상(萬象)을 주재하고 삼재(三才)를 다스리며 지극히 고요함과 왕성한 운동이 조화롭게 화합하여 순수하다. 만약 이 기운을 보전하여 잃지 않고 이 이치와 합하여 어기지 않으면, 자신이 큰 도(道)와 하나가 되니 마치 몇 방울의 비와 넓고 큰 바닷물이 공존하는 것과 같다. 마음이 하늘의 진실함에 부합하니, 마치 조각구름이 허공 속에 묻히고 크게 빈 것[太虛]을 잡아 함께 영구하며, 이로움이 형통해서 막힘이 없고 바르고 굳어서 변천함이 없기 때문에 천지가 다하더라도 수명이 끝나지 않는다. 해와 달이 어두워지고 밝아지면서 없어지지 않기 때문에, "지성(至誠)은 그침이 없으니 그침이 없으면 오래가고, 오래가면 조짐이 나타나고 조짐이 나타나면 멀고 오래간다"라 하였다.211) 선(善)을 보전하고 크게 화합하는 것이 '성의 도[誠道]'가 아주 지극히 오묘하고 오묘한 것이다.

愚按, 傳文自大哉乾元至此, 蓋以乾道之終始, 明卦辭之四德, 未嘗及人所用工之處也. 惟以道理言之, 人能保合所受於天之大和, 則固所以爲道之本矣. 然人物聚散於大和之中, 而大和之出則常自若而已, 豈有人所合之和, 別爲寄托於太和, 而不竟不虧之理也. 點雨片雲之喩, 正釋氏之遺意, 詳在下辨, 此略之.

내가 살펴보았다: 「단전」의 글 "크도다, 건원이여"에서 여기까지는 건도의 끝과 시작으로 괘사의 네 가지 덕을 밝혔는데, 일찍이 사람이 공부하는 곳에 대해서는 언급하지 않았다. 단지 도리로 말하면, 사람이 하늘에서 받은 큰 조화를 보전하고 합할 수 있으면 진실로 도의 근본으로 삼을 수 있는 것이다. 그러나 사람과 사물은 큰 조화의 가운데에서 모이고 흩어지는데, 큰 조화가 나가면 항상 태연할 뿐이니, 어찌 사람이 화합하는 조화가 별도로 태화(太

---

210) 『식산선생(息山先生)문집』「잡저·잡서변(상)」, 대번주씨독서록(代藩朱氏讀書錄)의 일부임.

211) 『中庸』: 至誠無息, 不息則久, 久則徵, 徵則悠遠.

和)에 기탁하여 끝나지 않고 없어지지도 않는 이치가 있겠는가? 빗방울과 조각구름의 비유는 바로 부처가 남긴 뜻으로 상세한 것은 아래에서 논하니 여기서는 생략한다.

朱曰, 性卽理也, 命卽氣也. 人之性, 天地之理也, 人之命, 天地之氣也. 誠能以性合天地之理, 以命會天地之氣, 卽天地之理自性也, 天地之氣自命也. 理氣無終壞, 此性命亦無終壞. 譬以水投水, 于何可渴, 以火投火, 于何可滅. 由其體大造而超小劫, 故不以天地之成毀而成毀. 獲大身而忘小形, 故不以軀殼之存亡而存亡, 謂之盡性至命, 謂之體道同天, 謂之至德凝道. 此中大有眞樂, 盎然春融, 云云.

대번주씨가 말하였다: 성(性)은 리(理)이고, 명(命)은 기(氣)이니, 사람의 성(性)은 천지의 리이고, 사람의 명은 천지의 기이다. 성(誠)은 성(性)으로 천지의 리와 합하고, 명(命)으로 천지의 기와 합하니, 즉 천지의 이치는 본래 성(性)이고 천지의 기는 본래 명이다. 리와 기는 끝내 파괴됨이 없고, 이 성(性)과 명도 끝내 파괴됨이 없다. 비유하면 물을 가지고 물에 던지는데 어떻게 물이 마를 수 있겠으며, 불을 가지고 불에 던지는데 어떻게 불이 꺼지겠는가? 리와 기는 큰 조화를 몸뚱이로 하여 '소겁 정도의 시간[小劫]'[212]은 초월하기 때문에 천지가 이루어지고 사라지는 것으로는 이루어지고 사라지지 않고, 큰 몸뚱이를 얻어 작은 형체를 잊기 때문에 육체가 존재하고 없어지는 것으로는 존재하고 사라지지 않으니, 성을 극진하게 하고 명을 지극하게 한다고 하고, 도와 한 몸이 되고 하늘과 하나가 되었다고 하며, 덕을 지극하게 하고 도와 함께 한다고 한다. 이 가운데 참된 즐거움이 있으니, 가득히 봄이 화락하는 것이다, 운운.

愚按, 言性則理, 可也, 命何以偏言氣也. 蓋理妙氣行爲命, 氣稟理賦爲性. 大傳所謂大哉乾元, 萬物資始. 乾道變化, 各正性命, 是也. 人能存性命之本, 則爲反之之聖矣. 人能安氣數之變, 則爲順受之正矣. 君子之於性命, 知以明之, 仁以盡之, 故內重外輕, 生順死安, 無入而不自得焉. 與釋氏虛遠放肆, 自以爲見性成佛, 常住不滅, 而實出於怖死生之欲者, 不同矣. 朱氏雖假性命之說爲之言, 而及其歸宿, 則不過以所謂不滅者自詑焉. 其曰點雨片雲, 曰投水投火, 卽生死根也. 其曰滄溟太虛, 曰不渴不滅, 卽涅槃相也. 其曰共存同久, 曰超小劫而無成毀, 忘小形而無存亡, 卽超死生而證涅槃者也. 楞嚴佛告波斯匿王曰, 顔貌有變而見精不變, 變者受滅, 不變者無生滅. 蓋其路脈已熟於此, 故所言不同, 而其意則同. 蘇黃門所以合吾儒於老子竝釋氏而彌縫者, 正謂此也.

내가 살펴보았다: 성(性)이 곧 리(理)라고 말하는 것이 괜찮다면, 명(命)은 어째서 기(氣)만 말하는가? 리와 기가 오묘하게 운행하는 것이 명이고, 기와 리가 품부된 것이 성(性)이다. 「단전」에서 말하는 "위대하다, 건원(乾元)이여! 만물이 의뢰하여 시작한다. 건도가 변하고

---

212) 소겁(小劫): 사람의 목숨이 8만 살부터 백 년마다 한 살씩 줄어져서 열 살이 되기까지의 시간.

화함에 각각 성과 명을 바르게 한다"가 여기에 해당한다. 사람이 성과 명의 근본을 보존할 수 있으니, 되돌리는 것이 성(聖)이다. 사람이 기수(氣數)의 변화에 편안하다면 이어서 받는 것이 바름[正]이다. 군자는 성과 명에서 지혜로 밝히고 어짊[仁]으로 다하기 때문에, 안은 무겁고 밖은 가벼우며, 삶은 순응하고 죽음은 편안하여 어디에 가더라도 스스로 만족하지 않은 곳이 없다. 부처가 공허하게 먼 곳에서 제멋대로 하면서 스스로 견성성불(見性成佛)하여 영원히 존재하고 없어지지 않는다고 여기면서 실로 생사의 두려움에서 벗어나려는 욕망과는 다르다. 대산주씨가 비록 성명(性命)의 설을 빌어서 말하지만, 그 귀착점에 이르면 이른바 "없어지지 않는다[不滅]"고 하는 것으로 스스로 자랑함에 불과하다. 주씨가 '빗방울과 조각구름'이라 하고, "물에 던지고 불에 던진다"라 하는 것은 곧 삶과 죽음의 근본이다. 그가 '넓고 큰 바다와 태허'라 하고, "마르지도 않고 꺼지지 않는다"라 한 것은 곧 열반상(涅槃相)이다. 그가 "공존하고 영원함과 하나된다"라 하고, "소겁 정도의 시간은 초월해서 이루어지고 사라짐이 없으며, 작은 형체를 잊기 때문에 존재하고 없어짐이 없다"라 하는 것은 죽음과 삶을 초월하여 열반을 알린 것이다. 『능엄경』에서 부처가 파사닉왕(波斯匿王)에게 "얼굴 용모는 변함이 있더라도 '마음을 본 것[見精]'은 불변하니, 변하는 것은 '없어지는 것을 받아들이는 것[受滅]'이고, 불변하는 것은 생멸을 없애는 것이다"[213]라 했다. 그 맥락이 이미 여기에 익숙하기 때문에 말이 다를지라도 그 의미는 같다. 소황문(蘇黃門)[214]이 우리 유가를 노자와 석씨에게 합하여 임시변통으로 이리저리 꾸며대어 맞추었다는 것은 바로 이것을 말한다.

권만(權萬) 「역설(易說)」

保合大和.

큰 화합을 보전하고 합한다.

古祏合大和.

옛날에는 '보합대화(祏合大和)'라 했다.

심조(沈潮) 「역상차론(易象箚論)」

保合大和.

---

213) 『대여래불정수능엄경(大如來佛頂首楞嚴經)·정본수능엄경(正本首楞嚴經)권2』: 정미로이 보는[見精] 이 본래 성품은 주름지고 변한 적이 없다. 주름지는 것은 변하겠지만, 주름지지 않는 것은 변하는 것이 아니다. 변함은 집착이 없어지는 것이지만, 변하지 않는 것은 원래 생멸이 없다[而此見精, 性未曾皺. 皺者爲變, 不皺非變. 變者受滅, 彼不變者, 元無生滅].
214) 소식의 아우 소철이 소황문이다. 소철은 『노자』의 주석을 달았다.

큰 화합을 보전하고 합한다.

朱子曰, 性命, 當初合下分付底, 保合, 便是有箇皮殼, 包裹在裏.

주자가 말하였다: '성명(性命)'은 당초 합해진 것이 나누워진 것이고, '보전하고 합함'은 껍데기가 그 안을 싸고 있는 것이다.

又曰, 保合大和, 卽是保合此生理. 萬物各自保合其生理, 不保合, 則無物矣.

또 말하였다: '큰 조화를 보전하고 합함'은 곧 낳는 이치를 보전하고 합하는 것이다. 만물이 각자 그 낳는 이치를 보전하고 합하고 있으니, 보전하고 합하지 못하면 만물이 없게 될 것이다.

人物之生, 各得其所賦之理〈性命〉, 保合其冲氣於軀殼之內. 蓋性命理也, 大和氣也, 不曰保合性命, 而曰保合大和者. 理不能懸空獨立, 只是在這氣裏面, 保合其氣, 便是保合其理也. 前言品物流形, 後言各正性命者, 蓋氣以成形, 理亦賦焉之意也. 故人物各得其理,〈理之賦也, 氣以傳之.〉而以軀殼包裹之也.

사람과 만물이 생길 때 각각 품여된 리(理)를 얻어〈성(性)과 명(命)을 말한다〉, 몸속에 조화로운 기운을 조합한다. 성명(性命)은 리(理)이고 큰 조화(大和)는 기(氣)이니, "성명을 보전하고 합한다"라 하지 않고 "큰 조화를 보전하고 합한다"라 한다. 리(理)는 빈 것에 매달아 독립시킬 수 없어 이 기 속에 보합되어 있으니, 기가 보합하는 것이 곧 리를 보합하는 것이다. 먼저는 "만물이 형체를 이룬다"라 하고, 뒤에는 "각각 성명을 바르게 한다"라 하는 것은 기가 형체를 이루면 리도 부여된다는 의미이다. 그러므로 사람과 만물은 각각 그 리를 얻어〈리가 품부됨에 기가 이어받는 것이다.〉몸뚱이로 그것을 싸안고 있는 것이다.

유정원(柳正源) 『역해참고(易解參攷)』

朱子曰, 性猶職任, 命猶誥勑.

주자가 말하였다: 성(性)은 직임과 같고 명(命)은 조칙과 같다.

○ 梁山來氏曰, 就各正言則曰性命, 性命雖以理言, 而不離於氣. 就保合言則曰大和, 大和雖以氣言而不離於理. 其實非有二也.

양산래씨가 말하였다: "각각 바르게 한다[各正]"로 말하면 '성명'이라 하니, '성명'은 비록 이치로 말했지만 기를 떠날 수 없다. "보전하고 합한다[保合]"로 말하면 '큰 조화'라 하니, '큰 조화'는 비록 기로써 말했지만 이치를 떠날 수 없다. 이는 사실 두 가지가 있는 것이 아니다.

○ 案, 中庸章句曰, 天以陰陽五行, 化生萬物, 氣以成形而理亦賦焉. 於是人物之生, 因各得其所賦之理, 以爲健順五常之德, 所謂性也, 政說此節之意. 蓋以理言, 則初无人物貴賤之別, 而是氣之運行, 交錯自有通塞偏正之殊. 唯人得其正且通者, 故方寸之間, 虛靈洞澈, 而健順五常之德, 全具於此. 彼物, 則得其偏且塞者, 而禽獸或通一路. 如虎狼之父子, 蜂蟻之君臣, 馬之健牛之順之類. 草木則全塞不通, 无知覺之可論. 然亦皆各一其性, 雖至枯木死灰, 亦有枯木死灰之性. 此无非天之所賦, 物之所受, 而各正性命者也. 然性有本然氣質之異, 命有於穆不已, 夭壽不貳之命, 須兼看方備.

내가 살펴보았다: 『중용장구』에서 말하기를, "하늘이 음양오행으로 만물을 화생(化生)할 때에 기(氣)로 형체를 이루고 이치도 부여받는다. 이에 사람과 만물이 태어남에 각각 부여받은 바의 이치를 얻음으로 인해 건순오상(健順五常)의 덕으로 삼으니 성(性)이라 한다"라 했으니, 바로 이 절의 뜻을 말하였다. 이치로 말하면 애초에 사람과 만물의 귀천에 대한 차별이 없었지만, 기의 운행으로 뒤섞여 저절로 통함과 막힘 및 치우침과 바름의 차이가 있었다. 사람만이 바름과 통함을 갖추었으므로 마음 사이가 비어 신묘하고 밝아서 건순오상의 덕이 이에 전부 구비되었다. 저 만물은 치우침과 막힘이 있으니, 짐승 중에 어떤 것은 한 쪽만 통한다. 예를 들어 호랑이와 이리의 부자 관계나 벌과 개미의 군신 관계나 말의 힘셈·소의 순함과 같은 부류이다. 초목은 전부 막혀 통하지 않아 논할 만한 지각이 없다. 그러나 역시 모두 각각 하나의 본성이니, 비록 고목과 사그라진 재라 하더라도 또한 고목과 사그라진 재의 본성이 있다. 이것이 하늘이 부여한 것과 사물을 받은 것이 아님이 없는 것으로 각각의 성명(性命)을 바르게 한다는 것이다. 그러나 본성은 본연의 기질과 다름이 있고 명(命)은 심원하여 그치지 않음[215]이 있으니, 장수하거나 요절함을 의심하지 않는[216] 명(命)도 함께 살펴야만 비로소 갖추어진다.

김상악(金相岳) 『산천역설(山天易說)』

此釋利貞之義, 變者化之漸, 化者變之成. 物所受爲性, 天所賦爲命. 乾道變化而裁萬物之宜者利也, 萬物成就而全性命之正者貞也. 保合者收斂凝固之意, 大和卽元亨生長之氣, 而爲利貞之體也.

이것은 '리정(利貞)'의 뜻을 해석한 것으로, '변(變)'은 점차 '화(化)'하는 것이고 '화'는 '변'이 완성된 것이다. 만물이 받은 것이 '성(性)'이고 하늘이 부여한 것이 '명(命)'이다. 건도가 변화하여 만물을 알맞게 재단하는 것이 '리'이고, 만물이 성취하여 성명의 바름을 온전히 하는 것이 '정'이다. '보전하고 합함'은 수렴하여 굳건히 하려는 뜻이고, '큰 조화'는 낳고 자라는 '원형'의 기(氣)이니 '리정'의 몸체이다.

---

215) 『詩經·周頌』: 維天之命.
216) 『孟子·盡心』.

조유선(趙有善) 『경의(經義)-주역본의(周易本義)』

各正性命, 保合大和. 本義各正者, 得之於有生之初, 保合者, 全之於已生之後. 據此則所以保合者, 卽性命也, 然性命理也, 大和氣也, 上下文義似不相應, 何也. 蓋大和卽冲和之氣, 而所以該貯性命者. 其意若曰保合以大和云爾, 語類皮殼裹米之喩可見.

"각각의 성명(性命)을 바르게 하여 큰 화합을 보전하고 합한다"에 대해 『본의』는 '각각 바르게 함各正'은 사물이 태어나는 처음에 얻는 것이고, '보전하고 합함'은 이미 태어난 뒤에 온전히 하는 것이라 했다. 이것에 의거하면 '보전하고 합하는 것'은 즉 '성명'이다. 그러나 '성명'은 리(理)이고 '큰 조화'는 기(氣)이니, 앞뒤 문장의 뜻이 상응하지 않은 듯한 것은 어째서인가? '큰 조화'는 조화롭고 부드러운 기운이어서 '성명'을 갖추어 쌓는 것이다. 그 뜻이 큰 조화를 보전하고 합한다고 말하는 것과 같으니, 『주자어류』의 곡식의 낱알을 껍질이 싸고 있다는 비유[217]를 통해 알 수 있다.

김귀주(金龜柱) 『주역차록(周易箚錄)』

乾道變化, 云云.

건도가 변화하여, 운운.

○ 按, 上言品物流形, 則已言萬物稟賦之意, 而此又言各正保合, 疑若架疊然. 蓋首二節萬物資始品物流形, 卽命之所以流行, 所謂元亨者誠之通也. 此言各正性命, 保合大和, 卽分之所以一定, 所謂利貞者誠之復也. 夫以四德之次第言, 則元而後亨, 亨而後利, 利而後貞, 固其常也. 而又以四德之大分言, 則流行者是天道之元亨, 一定者定天道之利貞, 流行者不外乎一定之中, 而一定者亦在乎流行之內也. 聖人之元亨利貞, 亦當以此例之六龍, 御天是大分之元亨, 萬國咸寧是大分之利貞, 非六龍御天之外, 別做得萬國咸寧之事也.

내가 살펴보았다: 앞에서 "만물이 형체를 이룬다"고 한 것은 이미 만물이 품부 받았다는 뜻을 말하고, 여기서 또 "각각 바르게 하여 보전하고 합한다"라고 말하였으니, 중첩하여 반복한 말인 듯하다. 앞의 두 구절인 "만물이 의뢰하여 시작한다"와 "만물이 형체를 이룸"은 즉 명(命)이 유행하는 것이니, 이른바 '원형(元亨)은 성(誠)의 형통함'이라는 것이다. 여기서

---

217) 『朱子語類』 68卷: 하늘이 낸 만물 가운데 몸체가 없는 것은 없다. 몸이 있는 사람과 껍질과 핵이 있는 과실은 몸체가 있어 보합될 수 있는 것이다. 보합할 수 있으면 진실한 성이 항상 보전되어 낳고 낳아 다함이 없을 것이다. 마치 한 낱알의 곡식과 같아서 겉에 껍질이 감싸고 있다가 하나의 싹이 발아하는 처음이 사물의 원이다[天之生物, 莫不各有軀殼. 如人之有體, 果實之有皮核, 有箇軀殼保合以全之. 能保合, 則眞性常存, 生生不窮. 如一粒之穀, 外面有箇殼以裹之. 方其發一萌芽之始, 是物之元也].

말한 "각각 성명을 바르게 하고, 큰 조화를 보전하고 합한다"는 것은 즉 분수가 하나로 정해지는 것으로, 이른바 '리정(利貞)은 성(誠)의 회복'이라는 것이다. 네 가지 덕의 순서로 말하면, '원' 뒤에 '형'이고 '형' 뒤에 '리'이고 '리' 뒤에 '정'으로 본래 그것이 일정하다. 그러나 또 네 가지 덕을 크게 나누어 말하면, '유행(流行)' 하는 것은 천도의 '원형'이고 '하나로 정함[一定]'은 천도의 '리정'이 정해진 것이니, '유행'하는 것은 '하나로 정함'의 가운데를 벗어나지 못하고, '하나로 정함' 역시 '유행'하는 가운데 있는 것이다. 성인의 '원·형·리·정'은 역시 이런 예의 여섯 용에 해당하여 "어천(御天)"은 크게 나눈 '원형'이고 "만국이 모두 편함"은 크게 나눈 '리정'이니, 여섯 용이 하늘을 다스리는[御天] 외에 별도로 만국이 모두 편안할 일을 할 수 있는 것이 아니다.

○ 各正性命, 是人物胚胎之時, 保合大和, 是人物成質之時. 胚胎之時, 陰陽之氣固已凝聚, 而性命得以各正, 然其氣猶未及完全, 故所謂各正者, 亦未能着實安頓到. 他成質之時, 其氣始得充盛堅實, 攧撲不破, 乃所謂會合冲和者. 而向之各正者至此, 而方得保合矣. 各正保合, 雖是統體利貞, 而分而言之, 則各正爲利, 而保合爲貞也.

"각각 성명을 바르게 한다"는 사람과 동물이 잉태할 때이고, "큰 화합을 보전하고 합한다"는 사람과 동물의 바탕이 이루어지는 때이다. 잉태할 때는 음양의 기(氣)가 본래 모이고 엉겨 있어 성명이 각각 바름을 얻을 수 있으나, 기(氣)는 아직 완전하지 못하기 때문에 이른바 "각각 바르게 한다"는 것이 또한 아직 확실하게 안정될 수 없다. 그것이 형체가 이루어질 때에 기가 비로소 성대하고 견실해져 넘어지거나 얻어맞더라도 깨지지 않아서 이른바 "온화로운 기가 모인다"는 것이다. 그러므로 이전에 '각각 바르게 한다[各正]'가 이에 도달하면 비로소 보전하고 합하는 것이 된다. '각정·보합(各正保合)'은 비록 '리정'을 통괄하는 몸체이지만 나누어서 말하면 '각각 바르게 함[各正]'이 '리'이고, '보전하고 합함[保合]'이 '정'이다.

本義, 變者化之, 云云.
『본의』에서 말하였다: 변(變)이란 '화(化)'의, 운운.

小註朱子曰, 乾道, 云云.
소주(小註) 주자가 말하였다: 건도가, 운운.

○ 按, 天地是那有形了重濁底, 此說當細商. 蓋就氣上分言, 則輕淸爲天, 重濁爲地, 而以氣對理言, 則天地皆當以重濁言矣.
내가 살펴보았다: "천지는 무겁고 탁한 형체가 있는 것이다"는 이 말은 마땅히 상세하게 헤아려야 한다. 기(氣)로 나누어 말하면 가볍고 맑은 것은 하늘이고 무겁고 탁한 것은 땅인데, 기를 리(理)와 상대하여 말하면 천지는 모두 마땅히 무겁고 탁하다고 말할 수 있다.

乾道變化, 云云.

건도가 변화하고, 운운

○ 按, 此段所論, 正好看得, 一原分殊, 分殊還他一原之理.

내가 살펴보았다: 이 단락에서 논한 것은 바로 잘 이해할 수 있으니, 하나의 근본에서 만 가지로 나뉘고, 나뉜 만 가지가 다시 그것의 하나의 근본이 되는 이치이다.

保合大和, 云云.

큰 조화를 보전하고 합하니, 운운.

○ 按, 上段云保合得箇和氣, 此云保合此生理, 兩說相矛盾. 以本義考之, 則當以此說 爲正. 本義曰, 各正者, 得於有生之初, 保合者全於已生之後. 又曰, 萬物各得性命, 以 自全曰得曰全, 皆以性命言, 則意自分曉矣. 蓋和氣者, 人物之皮殼, 而所保合者, 乃皮 殼中所盛之理, 非謂保合其和氣也.

내가 살펴보았다: 앞 단락에서 "조화로운 기를 보전하고 합한다"라 했고, 여기서는 "이 낳는 이치를 보전하고 합한다"라 했으니, 두 설이 서로 모순된다. 이를 『본의』로 고찰해 보면 마땅히 여기서 말한 것이 바르다. 『본의』에서 "'각각 바르게 함'은 사물이 태어나는 처음에 얻는 것이고, '보전하고 합함'은 이미 태어난 뒤에 온전히 하는 것이다"라 했고, 또 "만물이 각기 그 성명을 얻어 스스로 온전히 함을 '득(得)'이라 하고 '전(全)'이라 한다"라 하였으니, 모두 성명으로 말하면 뜻이 저절로 분명해 질 것이다. '조화로운 기[和氣]'란 사람과 사물의 껍질이며 '보전하고 합한대[保合]'는 것은 바로 껍질 속에 담겨있는 이치이지, 그 조화로운 기운을 보전하고 합함을 말한 것이 아니다.

開封耿氏曰, 乾道, 云云.

개봉경씨가 말하였다: 건도는, 운운

○ 按, 此論各正保合, 皆專以陰陽之氣而言. 卻没箇理字, 殊未可曉.

내가 살펴보았다: 여기서 논한 "각각 바르게 하여 보전하고 합함"은 모두 오로지 음양의 기 (氣)로만 말했다. '리(理)'자가 없으니 특히 이해할 수 없다.

雲峰胡氏曰, 以二氣, 云云.

운봉호씨가 말하였다: 이기(二氣)로, 운운.

○ 按, 變化者乾道之元亨, 蓋承上品物流形而泛言之. 朱子所謂再說元亨, 大概恁地 說者是也. 胡氏乃以變爲元亨, 化爲利貞, 恐失本旨. 品物流形, 卽命之流行, 亦是大綱 說, 不可以流形之形字, 直謂之物之成形也. 各正保合皆, 是分之一定, 則今以保合爲 命之流行者, 亦謬矣. 末段以漸而變, 是謂之和, 語亦未安.

내가 살펴보았다: 변하고 화하는 것이 건도의 원·형(元亨)이라는 것은 앞의 글 "만물이 형체를 이룬다"를 이어서 일반적으로 말한 것이다. 주자의 이른바 "다시 원·형을 말했다"와 "대략 이와 같이 말했다"는 것이 옳다. 호씨는 이에 '변'을 '원·형'으로, '화'를 '리·정'으로 여겼으니, 본래의 뜻을 잃은듯하다. "만물이 형체를 이룬다"는 즉 명이 유행함을 대강 말한 것이니, '유형(流形)'의 '형'자를 곧바로 사물이 형체를 이룬 것이라 할 수 없다. "각각의 성명(性命)을 바르게 하여 큰 조화를 보전하고 합한다"는 분수가 하나로 정해진 것이니, 지금 '보전하고 합하다'를 명의 유행으로 여긴 것은 잘못이다. 끝 단락에 '점차 변함'을 '화(和)'라고 말하는 것 역시 적절하지 않다.

瀘川毛氏曰, 變化, 云云.
노천모씨가 말하였다: 변화는, 운운.
○ 按, 各正保合皆收斂之事, 而分而言之, 則各正屬秋, 保合屬冬, 今以各正爲收斂於冬, 恐未精細.
내가 살펴보았다: "각각 바르게 하여 보전하고 합하다"는 모두 수렴하는 일이나, 나누어 말하면 "각각 바르게 하다"는 가을에 속하고 "보전하고 합하다"는 겨울에 속하니, 지금 "각각 바르게 하다"를 겨울에 수렴되는 것으로 여긴 것은 정밀하지 않은 듯하다.

傳, 卦下之辭, 云云.
『정전』에서 말하였다: 괘 아래의 말이, 운운.
○ 按, 天地之道, 常久而不已者, 保合大和. 此說專以天地常久之道, 言保合大和, 恐當自爲一說. 내가 살펴보았다: 천지의 도가 항상 오래하여 그치지 않는 것이 "큰 조화를 보전하고 합함"이다. 이는 오로지 천지가 항상하고 오래하는 도를 설명하여 "큰 조화를 보전하고 합함"을 말한 것이니, 나름대로 하나의 주장이 될 것이다.

小註, 問四德之元, 云云.
소주(小註)에서 물었다: 네 가지 덕의 원은 무엇입니까?, 운운.
○ 按, 元之元, 元之亨, 元之利, 元之貞, 上四元字是專言, 下元亨利貞字是偏言也. 元之元, 亨之元, 利之元, 貞之元, 上元亨利貞字是偏言, 下四元字又就偏言中專言者也. 然因是而推之, 元亨利貞又各自有元亨利貞, 此便是五行一原也.
내가 살펴보았다: 원의 원, 원의 형, 원의 리, 원의 정에서 앞의 네 '원'자는 전체적으로 말한 것이고, 뒤의 '원·형·리·정'자는 부분적으로 말한 것이다. 원의 원, 형의 원, 리의 원, 정의 원에서 앞의 '원·형·리·정'자는 부분적으로 말한 것이고, 뒤의 네 '원'자는 또 부분적인 말 가운데 전체적으로 말한 것이다. 그러나 이에 따라 미루어 보면 '원·형·리·정'은 또

각자 '원·형·리·정'이 있으니, 이것이 바로 오행은 동일한 근원이라는 것이다.

本義, 聖人在上, 云云.
『본의』에서 말하였다: 성인이 위에 있으며, 운운.
小註, 元亨利貞其發見, 云云.
소주(小註)에서 '원·형·리·정' 그 발현의, 운운.
○ 按, 此云元亨利貞發見有次第, 當與上段不是說道有元之時有亨之時云者參看. 蓋上段以全體之渾然者言, 此段以次序之秩然者言, 其下發時无次第, 生時有次第, 固爲至論. 然又錯而言之, 則發時亦有次第, 生時亦無次第. 南塘先生所撰, 朱書同異攷, 詳論之.
내가 살펴보았다: 여기서 말한 '원·형·리·정'은 발현에 순서가 있다는 것은 앞의 단락에서 '원'의 때가 있고 '형'의 때가 있다고 말하지 않은 것을 참고하여 살펴야만 한다. 앞 단락에서는 전체의 혼연함으로 말했고, 이 단락에서는 순서의 정연함을 말한 것이니, 그 뒤 문장에서 '인의예지'가 발현될 때 순서가 없고 생길 때 순서가 있다고 한 말은 진실로 맞는 이론이다. 그러나 또 섞어서 말한다면 발현될 때 순서가 있고 생길 때 역시 순서가 없다고 할 수 있다. 남당 한원진선생이 편찬한 『주자언론동이고』에 상세히 나와 있다.

雲峯胡氏曰, 文王, 云云.
운봉호씨가 말하였다: 문왕이, 운운.
○ 按, 此以首出之首爲元, 而因謂元包四德而統天者, 固有此義. 然終非本旨, 正猶程子所譏陳瑩中, 乾乾不已之說也.
내가 살펴보았다: 여기서 "만물 가운데 으뜸으로 나오니[首出]"의 '으뜸[首]'을 '원'이라 하고, 인하여 '원'은 네 가지 덕을 포괄하여 하늘을 통솔한다고 말한 것은 본래 이런 의미가 있다. 그러나 끝내 본래의 취지가 아니고 바로 정자가 진형중(陳瑩中)에게 충고한 "힘쓰고 힘써 쉬지 않는다[乾乾不已]"는 설과 같은 것이다.[218]

박제가(朴齊家) 『주역(周易)』

乾道變化.
건도가 변하고 화하다

---

[218] 『주역대전·원』 266쪽에 나오는 정자와 진형중의 문답내용으로, 경전의 뜻은 구절구절 미루고 헤아려서 나아가면 다 알 수 있다는 의미이다.

本義, 變者化之漸, 化者變之成, 亦覺說偏. 自无而有曰化生, 自有而无曰歸化, 則始終皆可曰化, 化可通有无而說者也. 變者依形而說者也, 若无形, 則不言變所謂漸也. 然无而忽成, 則乃无漸之成, 亦可通謂之變. 大約化全而變半, 若總化之首尾而言, 亦可曰變. 如災異謂之變, 卽无漸之謂也, 如天之四時人之老少, 卽有漸之變. 如化而裁之謂之變者, 乃變通之變. 人爲之變與單言自然之變化不同, 如鎔金只可曰化金, 不可曰變金, 旣鎔之後, 則當曰金變爲某物, 變金爲某物. 蓋化有融義, 變則革義而已. 如敎化造化不可曰造變敎變, 如於變時雍不可曰於化時雍, 此皆確定不可通者也.

『본의』에서 "변(變)은 화(化)가 점점 진행되는 것이고, 화(化)는 변(變)이 이루어진 것이다"라 했는데, 역시 치우친 설명이다. 무(无)에서 유(有)가 된 것을 '화하여 생김[化生]'이라 하고, '유'에서 '무'가 된 것을 '화로 돌아감[歸化]'이라 한다면 '끝과 시작[終始]'은 모두 '화'라 할 수 있으니 '화'는 '유무'를 통틀어서 말할 수 있다는 것을 알 수 있다. '변'은 형체를 의지해서 말했으니, 만약 형체가 없다면 '변'은 이른바 '점차 함'이라고 말할 수 없다. 그러나 없다가 홀연 이루어지면 이는 점차 함이 없이 이루어지므로 역시 통틀어서 '변'이라고 할 수 있다. 대략 '화'는 전부이고 '변'은 그 절반인데 만약 모든 '화'의 시작과 끝으로 말하면 역시 '변'이라 할 수 있다. 예를 들어 재난과 변고를 '변'이라 한다면 점차 함이 없다고 할 수 있고, 하늘의 사계절과 사람의 늙음과 젊음 같은 경우는 점차 함이 있는 '변'이라 할 수 있다. 예를 들어 "화하여 마름질함을 변(變)이라 이르고"[219]는 변하여 통한다[變通]는 '변'이다. 사람이 '변'하게 하는 것과 오직 저절로 '변화'한다고 말하는 것은 같지 않으니, 예컨대 금을 녹이면 단지 금으로 '화'했다고 말할 수 있지만 금으로 '변'했다고는 할 수 없고, 이미 녹인 뒤에는 당연히 금이 변해서 어떤 물건이 되었다고 하니, 금이 변해서 어떤 물건이 되었다고 하는 것은 '화'에는 녹이다[融]의 뜻이 있고 '변'은 '바꾸다[革]'의 뜻이 있어서일 뿐이다. 예컨대 '교화(敎化)'와 '조화(造化)'를 '교변(敎變)'과 '조변(造變)'이라 할 수 없고, "아, 변하여 화목하다[於變時雍]"[220]를 '아, 화하여 이에 화목하다[於化時雍]'라 할 수 없으니, 이는 모두 확고하여 통할 수 없는 것이다.

서유신(徐有臣) 『역의의언(易義擬言)』

六龍御天, 而乾道變化之象乃見矣. 乾而又乾, 乾道變化也. 元亨而利貞, 各正性命也. 保合者, 全而終之也. 大和者, 萬物之所稟也. 向之資始而流形者, 今焉乃利而貞也.

---

219) 『周易·繫辭傳』: 化而裁之, 謂之變.

220) 『書經·堯典』: 큰 덕을 밝혀 구족을 친하게 하시니 구족이 이미 화목하거늘, 백성을 고루 밝히시니 백성이 덕을 밝히며, 만방을 합하여 고르게 하시니 여민들이 아! 변하여 이에 화하였다[克明俊德, 以親九族, 九族旣睦, 平章百姓, 百姓昭明, 協和萬邦, 黎民, 於變時雍].

여섯 용이 하늘을 다스려서 건도가 변화하는 상이 이에 나타났다. 건인데 또 건이니, 건도가 변화하는 것이다. '크게 형통하고', '곧음이 이로운 것'이 '각각의 성명을 바르게 함'이다. '보전하고 합한다[保合]'는 온전히 하여서 마치는 것이다. '큰 조화[大和]'는 만물이 품부 받은 것이다. 지난 날 의뢰하고 시작하여서 형상이 이루어지는 것은 지금 비로소 '이롭고' '바른' 것이다.

박문건(朴文健) 『주역연의(周易衍義)』

各正性命, 乾之利也, 保合大和, 乾之貞也.
'각각 성명을 바르게 하여'는 건의 '리'이고, '큰 조화를 보전하고 합하니'는 건의 '정'이다.
〈問, 變化. 曰, 變化往來屈伸之謂也.
물었다: '변화'가 무엇입니까?
답하였다: '변화'는 가고 오고 굽혔다 폈다하는 것을 말한 것입니다.〉

〈問, 各正性命, 保合大和. 曰, 鳶飛魚躍, 各正性命之謂也, 雨順風調, 保合大和之謂也, 各正則不倦, 保合則不失, 不倦者利也, 不失者貞也.
물었다: "각각 성명을 바르게 하여", "큰 조화를 보전하고 합하니"는 무슨 뜻입니까?
답하였다: 솔개가 날고 물고기가 뛰는 것을 "각각 성명을 바르게 하다"라 하고, 비가 순조하고 바람이 순조로운 것을 "큰 조화를 보전하고 합하다"라 합니다. '각각 바르게 하면' 나태하지 않고, '보전하고 합하면' 잃지 않으니, 나태하지 않은 자는 이롭고, 잃지 않는 자는 바른 것입니다.〉

김기례(金箕澧) 「역요선의강목(易要選義綱目)」

乾道變化, 各正性命, 保合大和.
건도가 변하고 화함에 각각 성명을 바르게 하여 큰 조화를 보전하고 합한다.
釋利貞.
'리정(利貞)'을 해석하였다.

심대윤(沈大允) 『주역상의점법(周易象義占法)』

此釋利貞也. 貞者兼信與知, 知與信能變化氣質, 而能變化天下. 信无知則愚, 知无信則詐, 信以爲正, 知以行權, 知與信, 相配而行者也. 故以貞兼之也. 乾道變化各正性命者, 能盡其性, 而盡物之性, 仁之成功, 而中庸曰, 惟天下至誠者也. 在天爲命, 在人性爲性命者, 天之所命於物, 而物之所稟於天也, 利而已矣. 保合大和者, 言以義爲利而致中和也, 卽文言利者義之和是也. 中庸曰, 致中和天地位焉, 萬物育焉. 君子忠恕而施其仁, 中庸而立其義, 然後能繼天爲善而成其性之利也, 忠恕而中庸者, 善之大, 利之至也.

이것은 '리정(利貞)'을 해석한 것이다. '곧음'은 '믿음[信]'과 '지혜(知)'를 겸하는데 '지혜'와 '믿음'은 기질을 변화시켜 천하를 변화시킬 수 있다. 믿음에 지혜가 없으면 어리석고, 지혜에 믿음이 없으면 남을 속인다. 믿음으로 바름을 삼고 지혜로 권도(權道)를 행하니, 지혜와 믿음이 서로 짝하여 행해지는 것이다. 그러므로 '곧음(貞)'이 믿음과 지혜를 겸하는 것이다. "건도가 변하고 화함에 각각의 성과 명을 바르게 한다"라는 것은 그 본성을 극진하게 하고 사물의 본성을 극진하게 할 수 있어 인(仁)이 공적을 이루니, 『중용』에서 "오직 천하에 지극히 성실한 자"[221]라 한 것이다. 하늘에서는 명(命)이고 사람의 본성에서는 성명(性命)이 되는 것은 하늘이 만물에 명한 것으로 만물이 하늘로부터 품부 받은 것이니 '리(利)' 뿐이다. "큰 조화를 보전하고 합한다"는 것은 '의(義)'를 '리(利)'로 여겨 '중화(中和)'를 지극히 하는 것이니, 곧 「문언전」에서 말하는 "리는 의로움의 화합이다"는 것이 이것이다. 『중용』에서 "중도와 화합함에 지극하면 천지가 제자리에 편안히 하고 만물이 잘 생육된다"[222]라 하였다. 군자가 '충서(忠恕)'로 '인'을 베풀고, '중용(中庸)'으로 그 뜻을 세운 뒤에 하늘을 받들어 선행을 하여야 본성의 이로움을 이룰 수 있으니, '충서'와 '중용'은 선의 위대함과 이로움의 지극함이다.

오치기(吳致箕) 「주역경전증해(周易經傳增解)」

乾道變化, 各正性命, 保合大和, 乃利貞.

건도가 변하고 화함에 각각 성명(性命)을 바르게 하여 큰 조화를 보전하고 합하니, 이에 곧음이 이롭다.

變者化之始, 化者變之終也. 物所受爲性, 天所賦爲命也. 常存而不虧曰保, 專聚而不散曰合, 大和者陰陽冲和之氣也. 此一節言天道之利貞也.

'변(變)'이란 '화(化)'의 시작이고, '화'는 '변'의 끝이다. 사물이 받는 것이 본성이고 하늘이 부여하는 것이 명(命)이다. 항상 보존하여 줄어들지 않는 것을 '보전한다[保]'라 하고, 오로지 모이고 흩어지지 않는 것을 '합한다[合]'라 하며, '큰 화합'은 음양의 조화로운 기이다. 여기 한 절에서는 천도의 '곧음이 이로움'을 말하였다.

---

221) 『中庸』.
222) 『中庸』.

首出庶物, 萬國咸寧.

만물 중에서 으뜸으로 나오니, 만국이 모두 편안하다.

｜中國大全｜

傳

卦下之辭爲彖. 夫子從而釋之, 通謂之彖. 彖者, 言一卦之義, 故知者觀其彖辭,
則思過半矣. 大哉乾元, 贊乾元始萬物之道大也. 四德之元, 猶五常之仁, 偏言
則一事, 專言則包四者. 萬物資始乃統天, 言元也, 乾元, 統言天之道也. 天道始
萬物, 物資始於天也. 雲行雨施, 品物流形, 言亨也, 天道運行, 生育萬物也. 大
明天道之終始, 則見卦之六位, 各以時成, 卦之初終, 乃天道終始. 乘此六爻之
時, 乃天運也, 以御天, 謂以當天運. 乾道變化, 生育萬物, 洪纖高下, 各以其類,
各正性命也. 天所賦爲命, 物所受爲性. 保合大和乃利貞, 保謂常存, 合謂常和,
保合大和, 是以利且貞也. 天地之道, 常久而不已者, 保合大和也. 天爲萬物之
祖, 王爲萬邦之宗. 乾道首出庶物而萬彙亨, 君道尊臨天位而四海從. 王者體天
之道, 則萬國咸寧也.

괘(卦) 아래의 말이 '단(彖)'이고, 공자가 이를 따라서 해석한 것도 통틀어서 '단'이라 한다.[223] '단'
이란 한 괘의 의미를 말한 것이므로 "지혜 있는 사람이 단사(彖辭)를 살펴보면 그 의미에 대한 깨달
음이 절반 이상이다[224]"고 했다. "위대하다, 건원이여"란 건원(乾元)이 만물을 시작하게 하는 도가
위대함을 찬미한 것이다. 네 가지 덕에서 '원(元)'은 오상(五常)에서 '인(仁)'과 같으니, 부분적으로
말하면 한 가지 일이고, 전체적으로 말하면 네 가지를 포함한다. "만물이 의뢰하여 시작하니 이에
하늘을 통솔한다"는 '원'을 말한 것이니, '건원'은 하늘의 도를 통괄하여 말한 것이다. 하늘의 도는
만물을 시작하게 하고, 만물은 하늘에 의뢰하여 시작한다. "구름이 떠다니고 비가 내려 만물이 형체

---

223) 괘 아래의 말을 '단(彖)'이라 할 때 '단'은 經文인 괘사를 의미하고, 공자가 이를 해석한 것을 '단(彖)'이라
할 때의 '단'은 「십익」의 하나인 「단전(彖傳)」을 의미하는데 본문에서 보통 '단왈'로 시작한다.

224) 『周易·繫辭傳』: 知者觀其彖辭, 則思過半矣.

를 이룬다"는 '형(亨)'을 말한 것이니, 천도가 운행하여 만물을 낳고 기르는 것이다. 천도의 끝과 시작을 크게 밝히면 괘의 여섯 자리가 각각 때에 맞게 이루어짐을 볼 수 있으니, 괘의 처음과 끝은 곧 천도의 끝과 시작이다. 이 여섯 효의 때에 맞게 타는 것이 곧 하늘의 운행이니, "이에 하늘을 다스린다"는 하늘의 운행에 맞게 함을 말한다. 건의 도가 변화하여 만물을 낳고 길러서 크고 작고 높고 낮음이 각기 그 부류를 따르는 것이 각각의 성(性)과 명(命)이 바르게 하는 것이다. 하늘이 부여한 것은 '명(命)'이고, 만물이 받은 것은 '성(性)'이다. "큰 조화를 보전하고 합하여 이에 이롭고 곧다"에서 '보(保)'는 항상 보존함이고 '합(合)'은 항상 화(和)함을 이르는 것이니, 크게 화합함을 보전하고 합하기 때문에 이롭고 또 바르다. 천지의 도가 항상 유구하고 그치지 않는 것은 큰 화합을 보존하고 합하기 때문이다. 하늘은 만물의 조상이고, 임금은 온 나라의 근본이다. 건의 도가 만물 중에서 으뜸으로 나와서 온갖 것들이 형통하고, 임금의 도가 하늘의 자리에 높이 임하여 온 세상이 따른다. 임금 된 자가 하늘의 도를 본받으면 만국이 모두 편안하다.

小註

程子曰, 大明終始, 人能大明乾之終始, 便知六位時成, 卻時乘六龍以當天事.

정자가 말하였다: '시작과 끝을 크게 밝히면', 사람이 건의 시작과 끝에 크게 밝아, 곧 여섯 자리가 때에 맞게 이루어짐을 알 수 있고, 여섯 용을 때에 맞게 타서 하늘의 일을 감당할 수 있다.

○ 朱子曰, 伊川語録中, 說仁者以天地萬物爲一體, 說得太深, 无捉摸處. 易傳其手筆, 只云, 四德之元, 猶五常之仁, 偏言則一事, 專言則包四者. 又曰, 仁者天下之公, 善之本也. 易傳, 只此兩處說仁, 說得極平實, 學者當精看此等處.

주자가 말하였다: 이천의 어록 가운데 "인(仁)은 천지만물을 한 몸으로 여긴다[225]"라 한 것은 설명이 매우 심오하여 파악하기 힘들다. 『역전(易傳)』은 그가 손수 지은 것으로, "네 가지 덕의 '원'이 오상의 '인'과 같은데 부분적으로 말하면 한 가지 일이고, 전체적으로 말하면 네 가지를 포함한다"라고만 했고, 또 말하기를, "인이란 천하의 공적인 일이고, 선의 근본이다[226]"라 했다. 『역전』에서는 이 두 곳에서만 '인(仁)'을 언급했는데, 논설이 매우 평이하면서도 빈틈없으니, 배우는 사람들은 이런 이 부분들을 정밀하게 살펴보아야 한다.

○ 問, 四德之元, 猶五常之仁, 偏言則一事, 專言則包四者.

물었다: 네 가지 덕에서 '원'은 오상에서 '인'과 같으니, 부분적으로 말하면 한 가지 일이고,

---

225) 『河南程氏遺書』 卷2.
226) 『주역 · 복괘』 육이효(六二爻) 상사(象辭)에 대한 정이천의 주석이다.

전체적으로 말하면 네 가지를 포함한다는 말은 무슨 뜻입니까?

曰, 元是初發生出來, 生後方會通, 通後方始向成. 利者物之遂, 方是六七分, 到貞處, 方是十分成, 此偏言也. 然發生中, 已具後許多道理, 此專言也. 惻隱是仁之端, 羞惡是義之端, 辭讓是禮之端, 是非是智之端. 若无惻隱, 便都沒下許多. 到羞惡, 也是仁發在羞惡上, 到辭讓, 也是仁發在辭讓上, 到是非, 也是仁發在是非上.

답하였다: '원'은 처음으로 발생하여 나오고, 생긴 후에 비로소 통할 수 있고, 통한 후에 완성으로 향하기 시작합니다. '리(利)'는 만물이 이루어지는 과정으로 60~70%가 이루어지고, '정(貞)'에 도달해서야 100%가 이루어지니, 이것이 부분적으로 말하는 것입니다. 그러나 발생하는 가운데 이미 그 후의 많은 도리가 구비되어 있으니, 이것이 전체적으로 말한 것입니다. '측은하게 여기는 것'은 '인(仁)'의 단서이고, '부끄러워하고 미워하는 것'은 '의(義)'의 단서이고 '사양하는 것'은 '예(禮)'의 단서이고 '옳고 그름을 가리는 것'은 '지(智)'의 단서입니다. 만약 '측은하게 여기는 것'이 없다면 곧 허다한 것들이 없을 것입니다. '부끄러워하고 미워하는 것'에 이르면 또한 '인'이 '부끄러워하고 미워하는 것'을 통하여 발현되고, '사양하는 것'에 이르면 또한 '인'이 '사양하는 것'을 통하여 발현되고, '옳고 그름을 가리는 것'에 이르면 또한 '인'이 '옳고 그름을 가리는 것'을 통하여 발현됩니다.

又曰, 大哉乾元, 萬物資始, 元者, 天地生物之端倪也. 元者生意, 在亨則生意之長, 在利則生意之遂, 在貞則生意之成. 若言仁, 便是這意思, 仁本生意, 生意則惻隱之心也. 苟傷著這生意, 則惻隱之心便發. 若羞惡, 也是仁去那義上發. 若辭讓, 也是仁去那禮上發. 若是非, 也是仁去那智上發. 若不仁之人, 安得更有禮義智.

또 말하였다: "위대하다, 건원이여! 만물이 의뢰하여 시작한다"에서 '원'은 천지가 만물을 낳는 시작과 끝입니다. '원'은 낳는 뜻[生意]이니, '형'에서는 생의(生意)가 자라고, '리'에서는 생의가 성취되고, '정'에서는 생의가 완성됩니다. '인'으로 말할 것 같으면 곧 이런 뜻이어서 '인'은 생의에 근본하니, 생의는 측은하게 여기는 마음입니다. 만약 생의를 다치게 하면 측은하게 여기는 마음이 바로 발현됩니다. 만약 부끄러워하고 미워하는 상황이라면 또한 '인'이 '의(義)'에서 발현되고, 만약 사양하는 상황이라면 또한 '인'이 '예'에서 발현되고, 만약 옳고 그름을 가려야하는 상황이라면 또한 '인'이 '지'에서 발현됩니다. 그러니 '인'하지 않은 사람이라면 어떻게 예·의·지를 지닐 수 있겠습니까?

又曰, 元只是初底, 便是如木之萌, 如草之芽. 其在人, 如惻然有隱, 初來底意思便是. 所以程子謂看雞雛可以觀仁爲是. 那嫩小底, 便有仁底意思在. 若能知得所謂元之元, 元之亨, 元之利, 元之貞, 上面一箇元字, 便是包那四箇, 下面元字, 則是偏言則一事者, 須要知得所謂元之元, 亨之元, 利之元, 貞之元者. 蓋見得此, 則知得所謂只是一箇也. 若以一歲之體言之, 則春便是元. 然所謂首夏淸和, 便是亨之元. 孟秋之月, 便是利之元, 到那初冬十月, 便是貞之元也, 只是初底意思便是.

또 말하였다: '원'은 단지 처음의 것으로, 곧 나무의 움이나 풀의 새싹과 같습니다. 그것이 사람에게서는 측은히 여기는 마음이 처음 나온다는 뜻이 바로 이것입니다. 정자가 "병아리를 보더라도 인을 엿볼 수 있다"[227]고 말한 것은 이 때문입니다. 이렇게 어리고 작은 것에 곧 '인'의 뜻이 들어 있는 것입니다. 이른바 '원의 원'·'원의 형'·'원의 리'·'원의 정'이라는 것을 알 수 있다면, 앞의 '원'자가 곧 네 개를 포함하고, 뒤의 '원'자[228]는 '부분적으로 말하면 한 가지 일'이라는 것이 됩니다. 모름지기 '원의 원'·'형의 원'·'리의 원'·'정의 원'을 알아야 하니, 대개 이것을 알 수 있다면, 이른바 '단지 이것은 하나이다[只是一箇也]'[229]라고 말한 뜻을 알 수 있습니다. 이를 1년의 체재로 말하면 봄은 곧 '원'과 같으니, 이른바 초여름인 4월[230]은 곧 '형의 원'이고, 초가을은 '리의 원'이며, 초겨울인 10월에 이르면 '정의 원'이므로, 단지 처음 시작한다는 뜻이 바로 이것입니다.

○ 四德之元, 猶五常之仁, 偏言則一事, 專言則包四者, 此段只於易元者善之長, 與論語言仁處看. 若天下之動, 貞夫一者也, 則貞又包四者. 周易一書, 只說一箇利, 則利又大也.

"네 가지 덕에서 '원'은 오상에서의 '인'과 같으니, 부분적으로 말하면 한 가지 일이고, 전체적으로 말하면 네 가지를 포함한다"라는 이 단락은 단지『주역』에서 '원이란 선의 으뜸'[231]이란 부분과『논어』의 '인'에 대해 말한 곳에서 살펴볼 수 있다. "천하의 움직임은 오직 하나에서 바르다"[232]의 경우에 '정(貞)'은 또 네 가지를 포함한다. "『주역』이란 한 책은 다만 하나의 이로움만 말했다"[233]라고 하니, 이로움 또한 큰 것이다.

---

227)『河南程氏遺書』卷3.

228) 앞의 '원'자는 예컨대 '元之元'에서 앞 글자인 원이고, 뒤의 '원'자는 뒤 글자인 원이다.

229)『주자어류』95권 11조목에 나오는 내용으로 '원'에 '형·리·정'이 포함되어 있고 '인'에 '의·예·지'가 포함되어 있지만 포함된 개수가 중요한 것이 아니라 결국 '단지 하나이다'라는 의미임.[問: 四德之元, 猶五常之仁, 偏言則一事, 專言則包四者. 曰: 須先識得元與仁是箇甚物事, 便就自家身上看甚麽是仁, 甚麽是義·禮·智. 旣識得這箇, 便見得這一箇能包得那數箇. 若有人問自家: 如何一箇便包得數箇? 只答云: 只爲是一箇.]

230) 수하(首夏)는 초여름이고 청화(淸和)는 음력 4월을 가리킨다.

231)『周易·文言傳』: 元者, 善之長也

232)『周易·繫辭傳』: 天下之動, 貞夫一者也.

233)『朱子語類』68卷 37條目.

○ 專言仁則包三者, 言仁義則又管攝禮智二者, 如知之實, 知斯二者, 禮之實, 節文斯二者是也.

'인'을 전적으로 말하면 세 가지를 포함하나, '인'과 '의'를 말하면 '예'와 '지' 두 가지를 겸하여 관장한다. 예컨대 『맹자』의 "지의 실질은 이 두 가지를 아는 것이고, 예의 실질은 이 두 가지를 절도 있게 꾸미는 것이 이것이다"[234]라는 것이다.

○ 問, 程易說, 大明天道之終始, 則見卦之六位各以時成, 不知是說聖人明之耶, 抑說乾道明之耶. 曰, 此處說得鶻突. 但遺書有一段明說云, 人能明天道終始, 則見卦爻六位皆以時成, 以此語證之. 可見大明者, 指人能明之也.

물었다: 정자가 『역전』에서 "천도의 시작과 끝을 크게 밝히면 괘의 여섯 자리가 각각 때에 맞추어 이루어짐을 알 수 있다"라고 했는데, 이 말을 잘 모르겠습니다. 성인이 밝힌다는 것인가요? 아니면 건도가 밝힌다는 것인가요?

답하였다: 이 부분은 설명이 분명하지 않습니다. 다만 『하남정씨유서』에 있는 한 단락에서 "사람이 천도의 끝과 시작을 밝힐 수 있으면, 괘효의 여섯 자리가 모두 제때에 이루어짐을 알 수 있다"[235]라고 분명히 말했으니, 이 말로 논증해 보면 "크게 밝힌다[大明]"는 것은 사람이 밝힐 수 있음을 가리킨다는 것을 알 수 있습니다.

○ 問, 首出庶物, 萬國咸寧, 恐盡是聖人事. 伊川分作乾道君道, 如何. 曰, 乾道變化至乃利貞, 是天. 首出庶物, 萬國咸寧, 是聖人.

물었다: "만물 중에서 으뜸으로 나오니 만국이 모두 편안하다"란 모두 성인의 일인 것 같은데, 이천이 건도와 군도로 나누어 말한 것은 무엇 때문입니까?

답하였다: "건도가 변하고 화하고"에서 "이에 이롭고 바르다[乃利貞]"까지는 하늘에 대한 것이고, "만물 중에서 으뜸으로 나오니 만국이 다 편안하다"는 성인에 대한 것입니다.

○ 東萊呂氏曰, 乾之六位, 自古自今隨在隨足, 何嘗不成. 但人不能明乾之終始, 故自見其不成, 其實六位元不曾損壞也. 苟大明乾之終始, 則事事物物中, 六位歷然森列, 應時俱成, 更无漸次.

동래여씨가 말하였다: 건의 여섯 자리는 예나 지금이나 있는 곳마다 족하였으니, 언제 이루어지지 않은 적이 있었던가? 다만 사람들이 건의 끝과 시작을 밝힐 수 없기 때문에 스스로

---

234) 『孟子·離婁』: 孟子曰, "仁之實, 事親是也, 義之實, 從兄是也, 智之實, 知斯二者弗去是也, 禮之實, 節文斯二者是也." 여기서 두 가지는 인과 의이며 사친(事親)과 종형(從兄)을 가리킨다.

235) 『河南程氏遺書』卷第三十九.

그것이 이루어지지 않음을 보나, 실제로 여섯 자리는 원래 손상된 적이 없다. 진실로 건의 끝과 시작을 크게 밝히면, 온갖 사물 속에 여섯 자리가 뚜렷하게 촘촘히 늘어서서 때에 응하여 모두 이루어지고, 더 이상 점차적으로 이루어짐이 없다."[236)]

本義

聖人在上, 高出於物, 猶乾道之變化也, 萬國各得其所而咸寧, 猶萬物之各正性命而保合太和也, 此言聖人之利貞也. 蓋嘗統而論之, 元者物之始生, 亨者物之暢茂, 利則向於實也, 貞則實之成也. 實之旣成, 則其根蔕脫落, 可復種而生矣, 此四德之所以循環而无端也. 然而四者之間生氣流行, 初无間斷, 此元之所以包四德而統天也. 其以聖人而言, 則孔子之意, 蓋以此卦爲聖人得天位行天道, 而致太平之占也, 雖其文義有非文王之舊者, 然讀者各以其意求之, 則竝行而不悖也. 坤卦放此.

성인이 위에 있으면서 만물보다 출중함은 건도의 변화와 같고, 만국이 각각 있을 곳에 있어 다 함께 편안함은 만물이 각각 성명을 바르게 하여 큰 조화를 보전하고 합하는 것과 같으니, 이는 성인의 '리정'을 말한 것이다. 통괄해서 논하면 '원'은 만물이 처음 생김이고, '형'은 만물이 번장하고 무성함이며, '리'는 결실로 나아감이고, '정'은 결실이 완성된 것이다. 결실이 완성되면 그 뿌리와 꼭지가 떨어져 다시 씨앗이 되어 생겨 날 수 있으니, 이것이 네 가지 덕이 순환하여 끝이 없는 까닭이다. 그러나 네 가지 덕 사이에는 생기(生氣)가 유행하여 처음부터 끊어짐이 없으니, 이것이 '원'이 네 가지 덕을 포함하여 하늘을 통괄하는 까닭이다. 공자의 뜻은 이를 성인의 입장에서 말하면, 이 괘를 성인이 하늘의 자리를 얻고 천도를 행하여 태평시대에 이르는 점(占)으로 삼았으니, 비록 그 글의 의미가 문왕의 옛 것의 아님이 있더라도, 읽는 이가 각각 그 뜻으로 찾는다면 나란히 적용해도 서로 어긋나지 않을 것이다. 곤괘도 이와 같다.

小註

朱子曰, 首出庶物, 須是聰明睿智, 高出庶物之上以君天下, 方得萬國咸寧. 禮記云, 聰明睿智, 足以有臨也, 須聰明睿智皆過於天下之人, 方可臨得他.

주자가 말하였다: "만물 중에서 으뜸으로 나왔다"는 것은 반드시 총명예지가 만물의 위에 출중하여 천하에 임금 노릇해야 만국이 다 편안해진다는 것이다.『예기』에서 "총명하고 슬기

로워 충분히 군림할 수 있다"[237)라 했으니, 반드시 총명예지하여 모두 천하의 사람보다 뛰어나야 천하에 군림할 수 있다.

又曰, 這卦大槪是說那聖人得位底, 若使聖人在下, 亦自有箇元亨利貞. 如首出庶物不必在上, 方如此. 如孔子出類拔萃, 便是首出庶物, 著書立言, 澤及後世, 便是萬國咸寧
또 말하였다: 이 괘는 대체로 성인이 자리를 얻은 것을 말하였다. 성인은 설령 낮은 자리에 있을지라도 본래 '원·형·리·정'이 있으니, 예를 들어 '만물 중에서 으뜸으로 나옴'은 꼭 높은 자리에 있지 않더라도 이와 같을 수 있다. 공자처럼 무리에서 뛰어난 것이 곧 "만물 중에서 으뜸으로 나온다"는 것이고, 책을 짓고 훌륭한 말을 남겨 은택이 후세에 미치는 것이 곧 "만국이 모두 편안하다"는 것이다.

○ 元亨, 繼之者善也, 陽也. 利貞, 成之者性也, 陰也.
'원형'은 "이은 것이 선이다"이니 양이고, '리정'은 "이룬 것은 성이다"[238)이니 음이다.

○ 元是未通底, 亨利是收未成底, 貞是已成底, 譬如春夏秋冬. 冬夏, 便是陰陽極處, 其間春秋, 便是過接處.
'원'은 아직 통하지 않은 것이고, '형·리'는 거둬들임이 아직 이루어지지 않은 것이며, '정'은 이미 이루어진 것이니, 비유하자면 봄여름가을겨울과 같다. 겨울과 여름은 곧 음양이 극심한 때이며, 그 사이의 봄과 가을은 곧 연결하는 때이다.

○ 乾之四德, 元譬之則人之首也. 手足之運動則有亨底意思. 利則配之胸臟, 貞則元氣之所藏也.
건의 네 가지 덕에서 '원'은 비유하자면 사람의 머리이다. 손과 발이 운동하는 것은 '형'의 뜻이 있다. '리'는 가슴에 배속되고, '정'은 '원'의 기운이 저장된 곳이다.

又曰, 以五臟配之, 尤明白. 肝屬木, 木便是元. 心屬火, 火便是亨. 肺屬金, 金便是利. 腎屬水, 水便是貞.
또 말하였다: 오장으로 짝지우면 더욱 명백하다. 간은 나무에 속하니 나무는 '원'이며, 심장은 불에 속하니 불은 '형'이고, 폐는 금에 속하니 금은 '리'이며, 신장은 물에 속하니 물은 '정'이다.

---

237) 『中庸』: 오직 천하의 지극한 성인이라야 총명하고 슬기로워 충분히 임할 수 있다.[唯天下至聖, 爲能聰明睿知, 足以有臨也.]
238) 『周易·繫辭傳』: 繼之者善也, 成之者性也.

○ 元亨利貞, 只就物上看, 亦分明. 所以有此物, 便有此氣, 所以有此氣, 便有此理. 故易傳只說, 元者萬物之始, 亨者萬物之長, 利者萬物之遂, 貞者萬物之成. 不說氣, 只說物者, 言物則氣與理皆在其中. 伊川所說四句自動不得, 只爲遂字成字說不盡, 故某略添字說盡.

'원·형·리·정'을 사물의 관점에서 보면 또한 분명하다. 사물이 있는 까닭은 바로 기(氣)가 있어서이고, 기가 있는 까닭은 바로 리(理)가 있어서이다. 그러므로 『역전』에서 단지 "'원'은 만물의 시작이고, '형'은 만물의 자람이고, '리'는 만물이 성취함이고, '정'은 만물의 완성"이라 했다. 기를 말하지 않고, 사물만 말한 이유는 사물을 말하면 곧 기와 리가 모두 그 속에 있기 때문이다. 이천이 말한 네 구절은 본래 변할 수 없다. 단지 '성취[遂]'와 '완성[成]'이라는 말은 설명이 미진하므로 내[주자]가 간략하게 글자를 첨가하여 설명을 다했다.

○ 元亨利貞, 譬諸穀可見, 穀之生萌芽是元, 苗是亨, 穟是利, 成實是貞. 穀之實又復能生, 循環无窮.

'원·형·리·정'은 곡식에 비유해 보면 알 수 있다. 곡식의 눈이 나오는 것이 '원'이고, 싹이 '형'이며, 이삭이 '리'이고, 열매가 익은 것이 '정'이다. 곡식의 열매는 또 다시 나올 수 있으며 순환하여 끝이 없다.

又曰, 梅蘂初生爲元, 開花爲亨, 結子爲利, 成熟爲貞. 物生爲元, 長爲亨, 成而未全爲利, 成熟爲貞.

또 말하였다: 매화의 꽃술이 처음 나오는 것이 '원'이고, 꽃이 피는 것이 '형'이며, 열매를 맺는 것이 '리'이고, 열매가 다 익는 것이 '정'이니, 사물이 나오는 것이 '원'이고, 자라는 것이 '형'이며, 이루었지만 온전하지 않은 것이 '리'이고, 성숙한 것이 '정'이다.

○ 仁義禮智, 似一箇包子, 裏面合下都具了, 一理渾然, 非有先後. 元亨利貞便是如此, 不是說道有元之時, 有亨之時

'인의예지'는 한 개의 만두와 비슷하니, 그 속에 본래 모든 것이 갖추어져 있고, 하나의 이치가 혼연하여 선후가 있지 않다. '원·형·리·정'이 곧 이와 같으니, '원'의 때가 있고 '형'의 때가 있다고 말하는 것은 아니다.

○ 元亨利貞, 其發見有次序, 仁義禮智, 在裏面自有次序. 到發見時隨感而動, 卻无次序.

'원·형·리·정'은 발현되는 데에 순서가 있으나, '인의예지'는 본래 그 속에 순서가 있고, 발현될 때에는 느낌에 따라 움직여서 도리어 순서가 없다.

又曰, 發時无次第, 生時有次第.

또 말하였다: 발현될 때에는 순서가 없으나, 생겨날 때에는 순서가 있다.

○ 問, 孟子言仁義禮智, 義在第二, 易以義爲利, 卻成在第三. 曰, 禮是陽, 故曰'亨, 謂之仁義禮智, 猶東西南北, 所謂元亨利貞, 猶東南西北, 一箇是對說, 一箇是從一邊說.

물었다: 맹자가 인의예지를 말한 것은 '의'가 두 번째인데, 『주역』에서는 '의'를 '리(利)'로 여기니, 도리어 세 번째가 되는 것입니까?

답하였다: '예'는 양이기 때문에 '형'이라고 합니다. '인의예지'라고 한 것은 동서남북과 같고, 이른바 '원·형·리·정'은 동남서북과 같으니, 하나[仁義禮智]는 짝지어 말한 것이고, 다른 하나[元亨利貞]는 한 쪽을 따라 말한 것[239]입니다.

○ 四德取貞配冬者, 以其固也. 孟子以知斯二者弗去, 爲智之實, 弗去之說, 乃貞固之意, 彼知亦配冬也.

네 가지 덕 가운데 '정'을 취하여 겨울과 짝지은 것은 견고하기 때문이다. 맹자는 '이 두 가지[仁義]를 알아서 떠나지 않는 것'을 '지(智)의 실질'이라고 하였는데, 떠나지 않는다는 말이 곧 "바르고 견고하다"는 뜻이니, 저 '아는 것[知]'도 겨울과 짝한다.

又曰, 貞於五常爲智, 孟子曰, 知斯二者勿[240]去, 是也. 旣知. 又曰弗去, 有兩義. 又文言訓正固. 又於四時爲冬, 冬有始終之義. 王氏亦云, 腎有兩, 龜蛇亦兩, 所以朔易亦猶貞也.

또 말하였다: '정'은 오상(五常) 중에서 지(智)에 해당한다. 맹자는 "이 두 가지를 알아서 떠나지 않는 것이 이것이다"라 하였다. 이미 알았는데 또 '떠나지 않는다[弗去]'라고 한 것은 두 가지 뜻이 있다. 또 「문언전」에서 "바르고 견고하다"로 풀이했다. 또 사계절로는 겨울이 되는데, 겨울에는 시작과 끝의 의미가 있다. 왕씨도 "콩팥은 두 개가 있고, 거북과 뱀도 둘이기 때문에 '다시 소생함[朔易]'[241]도 '정'과 같다"라 하였다.

---

239) 여기서 '대설'은 동쪽과 서쪽, 남쪽과 북쪽으로 마주보는 방향을 말한다. 인의예지에서 인은 동쪽, 의는 서쪽, 예는 남쪽, 지는 북쪽이니 동-서-남-북의 방위이다. '일변설'은 시계방향 같이 한 방향으로 움직이는 것을 말한다. 동쪽은 원, 남쪽은 형, 서쪽은 리, 북쪽은 정으로 원·형·리·정은 동-남-서-북의 방위이다.

240) 弗: 경학자료집성DB에 '勿'로 되어 있으나 경학자료집성 원문에 따라 '弗'로 바로잡았다.

241) 『서경·요전』의 "다시 소생하는 일을 고르게 살피다[平在朔易]"에서 나온 말. 채침은 "삭역은 겨울에 한 해 일을 마치고 옛 것을 버리고 다시 새롭게 하니, 마땅히 바꾸어야 할 일이다[朔易, 冬月歲事已畢, 除舊更新, 所當改易之事也]"라 했다.

○ 元亨利貞性也, 生長收藏情也. 以元生, 以亨長, 以利收, 以貞藏者, 心也. 仁義禮智性也, 惻隱羞惡辭讓是非情也. 以仁愛, 以義惡, 以禮讓, 以智知者心也. 性者心之理也, 情者心之用也, 心者性情之主也.

'원·형·리·정'은 성(性)이고, '나고 자라고 거두고 갈무리함'은 정(情)이다. '원'으로써 나고, '형'으로써 자라고, '리'로써 거두고, '정'으로써 갈무리하는 것은 심(心)이다. '인의예지'는 성이고, 측은·수오·사양·시비는 정이다. '인'으로써 사랑하고, '의'로써 싫어하고, '예'로써 겸양하고, '지'로써 아는 것은 마음[心]이다. 성은 마음의 이치이고 정은 마음의 작용이니, 마음이 성과 정의 주인이다.

○ 建安丘氏曰, 此聖人體乾之利貞也, 元首者, 君之象也. 聖人出乎其類, 足以有臨於天下, 然後萬國咸底輯寧也.

건안구씨가 말하였다: 이것은 성인이 건괘의 '리정'을 체득한 것이다. '원'이 '머리[首]'라는 것은 임금의 상이니, 성인은 그 부류에서 뛰어나 충분히 천하에 군림하니, 그런 다음에 만국이 모두 편안하게 된다.

○ 雲峰胡氏曰, 文王本從卜筮上說, 夫子則從義理上說. 故曰大曰始, 以贊乾之元, 曰終曰始, 以見乾貞下起元. 其釋元亨而曰終始者, 終, 貞也, 不貞无以爲元. 此四德之所以循環而无窮也. 其釋利貞, 又曰首出, 首 元也. 非元无以爲貞, 此又元之所以包四德而統天也. 其在聖人, 則得天位行天道, 而致太平之占. 蓋乘六龍是得天位, 御天是行天道, 萬國咸寧是致太平也. 象傳主義理, 亦曷嘗不可推之卜筮哉.

운봉호씨가 말하였다: 문왕은 본래 복서로 말했으나, 공자는 의리로 말하였다. 그러므로 '위대하다[大]'라 하고 '시작[始]'이라 하여 건의 '원'을 찬미하였고, '끝[終]'이라 하고 '시작[始]'이라 하여 건의 '정' 아래에 '원'이 일어남을 나타내었다. '원형'을 해석하여 '끝과 시작'이라고 말한 것은 '끝'은 '정'이니, '정'이 아니면 '원'이 될 수 없어서이다. 이것이 네 가지 덕이 순환하여 끝이 없는 까닭이다. '리정'을 해석하여 또 "으뜸으로 나오대[首出]"라 한 것은 '으뜸[首]'은 '원'이니, '원'이 아니면 '정'이 될 수 없어서이다. 이것이 또 '원'이 네 가지 덕을 포함하여 하늘을 통솔하는 까닭이다. 성인에게 있어서는 곧 하늘의 자리를 얻고 하늘의 도를 행하여 태평성대의 점(占)을 이룬 것이니, '여섯 용을 탐'은 하늘의 자리를 얻은 것이고, '하늘을 다스림'은 천도를 행하는 것이며, '만국이 모두 편안함'은 태평성대를 이룬 것이다. 「단전」은 의리를 주로 하였으나, 어찌 일찍이 복서를 미루어 적용할 수 없겠는가.

▌韓國大全▌

권근(權近) 『주역천견록(周易淺見錄)』

彖傳, 大哉乾元 [止] 萬國咸寧.

「단전(彖傳)」에서 말하였다: 위대하다 건원(乾元)이여! … 만국이 모두 편안하다.

愚嘗觀王氏申子之說, 謂此節爲錯簡. 乾道變化以下, 至乃利貞, 十五字當在品物流形之下. 分天與聖人之事, 以類相從. 蓋以品物流形, 方言元通, 而未及利貞, 卻繼說大明終始, 故疑之也. 昔學者, 亦嘗以此問於朱子, 朱子曰, 此終始說元亨所自來. 愚因思之, 上言乾元統天, 則元包四德, 而天道之終始已具矣. 故言天道元通, 而繼以大明終始, 以天與聖人交互而言之. 故於六龍御天之下, 又提起乾道而言, 以別於聖人也. 不然則, 品物流形, 自是乾道, 何必再擧而言哉? 動靜無端, 陰陽無始, 天道之行, 貞復乎元, 循環無窮, 故方言元亨, 而繼言終始. 又以天與聖人合而言之, 可見天卽聖人, 聖人卽天, 渾然無間之意. 反復潛玩, 其味深長. 王氏之說, 眞所謂界辨, 雖若有餘意味, 或反不足者也.

내가 일찍이 왕신자(王申子)[242]의 주장을 보니, 그가 말하기를, "이 구절은 착간이다. 건도변화(乾道變化)'에서 '내이정(乃利貞)'까지 15글자는 '품물유형(品物流形)' 밑에 있어야만 한다. 천과 성인의 일을 구분하여 같은 종류끼리 모아야 하기 때문이다"라 했다. 생각하건대 "만물이 형체를 이룬다[品物流形]"는 크게 형통하다는 사실만을 말하고 "바르면 이롭다"는 것에 대해서는 언급하지 않는데도 오히려 이어서 "끝과 시작을 크게 밝힌다"고 말하므로 이렇게 의심한 것이다. 예전에 학자들도 이것을 주자에게 물은 적이 있는데, 주자는 "여기에서 끝과 시작은 '원'과 '형'이 유래한 바를 설명한 것이다"라고 대답하였다. 내가 이것을 계기로 생각해 보니, 위에서 "건원이 하늘을 통솔한다"고 하였으니 '원'은 네 가지 덕을 포함하여 천도의 끝과 시작을 이미 갖추고 있다. 그 때문에 천도가 크게 형통하다고 말하고 이어서 "끝과 시작을 크게 밝힌다"고 하여 하늘과 성인을 교대로 말하였다. 그러므로 여섯 용을 타고 하늘을 다스린다고 한 뒤에 다시 건도를 제기하여 말함으로써 성인과 구분하였다. 그렇지 않다면 '품물유형' 자체가 건도인데, 어찌 다시 거명하여 말할 필요가 있겠는가? 움직임과

---

242) 왕신자(王申子): 원대(元代) 역학자. 생몰 미상. 공주(邛州, 四川省 邛崍) 사람. 자는 손경(巽卿)이다. 30여 년 동안 자리주(慈利州) 천문산(天門山)에 은거하면서 『춘추류전(春秋類傳)』과 『대역집설(大易集說)』, 『주례정의(周禮正義)』등을 지었다.

고요함은 끝이 없고 음양은 시작이 없어 천도의 운행은 '정(貞)'에서 '원(元)'으로 돌아가 끝없이 순환하므로 막 원형을 말하고 이어서 종시(終始)를 말한 것이다. 게다가 하늘과 성인을 합하여 말한 것을 통해 하늘은 곧 성인이고 성인이 바로 하늘이어서 혼연히 조금의 틈도 없다는 뜻을 알 수 있다. 반복하여 깊이 완미하면 그 맛이 심오하다. 왕신자의 설은 진실로 이른바 '경계를 분별한 것'이어서 의미의 여운이 있는 듯 보이지만 오히려 부족한 것이다.

임영(林泳) 「독서차록(讀書箚錄)-주역(周易)」

首出庶物.

만물 중에서 으뜸으로 나온다.

傳, 難曰, 此一節傳義雖有詳略之不同, 究其歸則不合者鮮矣. 惟保合大和之解絶不同, 何耶. 曰, 保合似是凝聚之意, 本義以全爲解, 言雖不詳, 其大義可見矣. 若傳之以保爲常存, 合爲常和, 則以保爲存尙可也, 以合爲和, 則與所謂大和者, 辭複而意絮. 且保合大和, 是乃利貞之義, 傳又下是以字在中間, 卻似由其保合也. 故能利且貞, 亦似非經旨矣. 且各正性命, 保合大和, 雖皆天道之所變化, 然各正性命, 正是說成之者性也, 其下保合大和, 亦當爲成之者性以後事. 而傳又曰, 天地之道常久而不已者, 保合大和也, 又爲繼之者善以上事, 亦可疑耳.

『정전』에 대해 논변하였다: 이 한 구절에 대해 『정전』과 『본의』가 비록 간략함과 상세함의 차이가 있지만, 귀결점을 연구해 보면 합치되지 않는 점이 드물다. 오직 '큰 조화를 보전하고 합하다[保合大和]'에 대한 해석에 있어서는 절대 같지 않으니, 어째서인가?

말하였다: '보전하고 합함[保合]'은 모은다는 뜻과 비슷한데 『본의』는 '온전히 한다[全]'는 것으로 해석하여 말이 비록 상세하지 않지만 그 큰 뜻을 알 수 있다. 만약 『정전』처럼 '보(保)'를 항상 보전하는 것으로, '합(合)'을 항상 화합하는 것으로 여긴다면, '보'를 보전하는 것으로 여기는 것은 여전히 가능하지만, '합'을 '화합[和]'으로 여기는 것은 이른바 '큰 조화[大和]'와 말이 겹쳐 뜻이 거칠어진다. 또 '큰 조화를 보전하고 합함[保合大和]'은 바로 '이롭고 바르다[利貞]'는 뜻인데, 『정전』에는 또 아래에 '이 때문에(是以)'라는 말이 중간에 있어서 도리어 '이롭고 곧음'이 '보합'으로 말미암은 듯하다. 그러므로 "이롭고 바르다"도 경전의 뜻이 아닌 것 같다. 또 "각각 성명을 바르게 하니 큰 조화를 보전하고 합한다"는 것이 비록 모두 천도가 변화하는 것이지만, '각각 성명을 바르게 함'은 바로 "갖추고 있는 것은 본성이다[成之者性也]"[243]를 말한 것이고, 그 아래 '큰 조화를 보전하고 합함'도 "갖추고 있는 것은 본성

---

243) 『周易·繫辭傳』: 繼之者善也, 成之者性也.

이다” 이후의 일이 되어야 한다. 그리고 『정전』에서 또 “천지의 도가 영원하고 그치지 않는 것은 큰 조화를 보합하기 때문이다”라 했으니, 또 “이은 것이 선이다[繼之者善也]”의 앞의 일인지 또한 의심스럽다.

小註東萊說, 已論於六位時成下, 除程朱說外, 以上小註中, 未見有如此痛快者.
소주(小註) 동래의 주장은 이미 “여섯 자리가 때에 맞게 이루어진다”는 말 아래에서 논했던 것인데, 정자와 주자의 설명 외에 이상의 소주에서 이와 같이 통쾌한 것을 본적이 없다.

朱子說, 發時無次第, 生時有次第下一句, 未曉.
주자의 설명에서 “발현할 때에는 순서가 없으나 생길 때에는 순서가 있다”라는 아래 한 구절은 분명하지 못하다.

丘氏說, 首出庶物, 萬國咸寧, 此是聖人之利貞. 聖人初非以是爲利貞而行之. 只是首出物上, 萬國皆寧, 便有乾道變化, 萬物各正之象. 故謂聖人之利貞也. 丘氏謂此聖人體乾之利貞, 則失之拘矣.
구씨(丘氏)는 “‘만물 중에서 으뜸으로 나오니 만국이 모두 편안하다’는 것은 성인의 ‘리정(利貞)’이다”라 했다. 성인이 애초에 이것을 ‘리정’으로 여겨 행한 것은 아니다. 단지 만물에서 으뜸으로 나오면 만국이 모두 편안하여 바로 건도가 변화하여 만물이 각각 바르게 되는 상이다. 그러므로 성인의 ‘리정’이라 말했다. 구씨는 “이것은 성인이 건의 ‘리정’을 체득한 것”이라 했으니 잘못되어 융통성이 없는 것이다.

雲峯說, 其言之無病者, 皆本義所已發. 其以首出爲元, 而謂元之所以包四德, 則乃自發之義. 而又病於鑿矣.
운봉의 주장에서 그 말에 잘못이 없다는 것을 모두 『본의』에서 이미 밝혔다. 그는 ‘으뜸으로 나옴[首出]’을 ‘원(元)’으로 여겨서 ‘원’이 사덕을 포함하는 것으로 말하니, 바로 저절로 드러난다는 뜻이다. 그러나 또 천착하는 잘못이 있다.

이익(李瀷) 『역경질서(易經疾書)』

象象字皆從豕, 必皆獸名. 象之爲字像形也. 上兩畫像其兩牙, 次二畫像其鼻. 象則去牙而存其鼻, 則牝象也. 象以牙爲用, 牡者牙長六七尺. 牝止一尺, 則不以牙爲用也. 象有十二種肉, 以配十二辰, 孕五歲而産, 六十歲骨方完. 足其膽春在前左足, 夏在前右足, 秋在後左足, 冬在後右足, 行必先移左足. 宋淳化中, 象有春死者, 得膽于前左

足. 陳藏器云, 正月在虎肉, 虎者寅也. 五歲象再閏, 六十歲象干支始終也. 牙聞雷聲
而文生, 故古人謂像天之感氣也. 膽之流行像四時, 而其用在牙, 則易之取象宜矣. 彖
之爲字, 只是象去其牙, 則非牝象而何. 卦靜而屬陰, 爻動而屬陽, 其所取宜.

단(彖)과 상(象)이란 글자는 모두 '시(豕)'에서 왔으니 반드시 모두 짐승의 이름이다. '상(象)'이란 글자는 코끼리 모양을 본 뜬 것이다. 위의 두 획은 두 개의 어금니를 본뜨고 그 다음 두 획은 코를 본뜬 것이다. '단(彖)'은 어금니를 없애고 코만 남겼으니 암 코끼리이다. 코끼리[象]는 어금니를 용도로 하니 수컷은 어금니 길이가 6~7자이고 암컷이 단지 1자인 것은 어금니를 용도로 하지 않기 때문이다. 코끼리에는 12종류의 고기가 있으니, 12진(辰)에 배당하고, 5년간 잉태하여 낳고, 60세에 뼈가 비로소 완전하게 된다. 코끼리의 쓸개는 봄에는 앞 왼발에 있고 여름에는 앞 오른발에 있으며, 가을에는 뒤 왼발에 있고 겨울에는 뒤 오른발에 있으니, 걸을 때 반드시 먼저 왼발을 이동한다. 송나라 순화(淳化)[244] 연간에 봄에 죽은 코끼리가 있었는데, 그 쓸개를 앞 왼발 쪽에서 찾았다. 진장기는 "정월은 호랑이 고기에 있다"라 했으니, 호랑이는 인(寅)이다. 5년은 윤달을 두 번 두는 것을 상징하고, 60년은 60갑자 간지의 시작과 끝을 상징한 것이다. 어금니가 우레 소리를 들으면 문채가 생기므로 옛사람들은 하늘의 감응하는 기운을 상징한다고 했다. 쓸개가 옮겨 다니는 것은 사계절을 상징하고 코끼리의 작용은 어금니에 있으니, 『주역』에서 상(象)을 취한 것이 마땅하다. 단(彖)이라는 글자는 코끼리에서 어금니를 없앤 것일 뿐이니, 암 코끼리가 아니고 무엇이겠는가? 괘는 고요해서 음에 속하고 효는 움직여서 양에 속하니 취한 것이 마땅하다.

然大傳云, 兩儀生四象四象生八卦, 立象以盡意, 設卦以盡情僞, 是象在卦, 前四象卽
陰陽老少之名. 又揲著先立四像之畫, 然後方設八卦, 故云爾. 夫大傳中言象, 皆指八
卦也, 如八卦以象告之類, 是也. 六畫不重之前, 體中有用, 故謂之象. 至六畫之動謂之
爻, 此孔子意也. 從六畫以後言, 則卦靜而爻動, 靜爲陰爻爲陽. 故卦辭之傳謂之象, 爻
辭之傳謂之象, 此後人名之也. 其傳如是, 則其經亦然, 故逐指卦辭曰象經, 爻辭曰象
經亦宜也.

그러나 「계사전」에서 "양의가 사상을 낳고 사상이 팔괘를 낳는다"[245]라 하고, "상(象)을 세워 뜻을 다하며, 괘를 베풀어 진실과 거짓을 다한다"[246]라 한 것은 바로 상(象)이 괘에 있다는 것이니, 앞의 사상(四象)은 바로 음양·노소의 이름이다. 또 설시(揲著)에서 사상의 획을 먼저 세운 뒤에 비로소 팔괘가 베풀어지기 때문에 말했던 것이다. 「계사전」에서 말하는

---

244) 순화(淳化): 송나라 태종의 연호, 서기 990~994년.
245) 『周易·繫辭傳』.
246) 「周易·繫辭傳」.

상(象)은 모두 팔괘를 가리키니, 예를 들어 "팔괘는 상으로 알려준다"[247]는 것이 여기에 해당한다. 여섯 획을 거듭하기에 앞서 몸체에 작용이 있으므로 상(象)이라 한다. 여섯 획이 움직임에 이르러 효(爻)라고 하니, 이것이 공자의 뜻이다. 여섯 획 이후에서 말하면, 괘는 고요하고 효는 움직이는데, 고요한 것은 음이고 효는 양이므로 괘사의 주해(註解)를 단(彖)이라 하고 효사의 주해를 상(象)이라 하니, 이것은 뒷사람들이 이름붙인 것이다. 그 주해가 이와 같다면 경전도 그렇기 때문에 마침내 괘사를 가리켜 '단경(彖經)'이라 하고, 효사를 가리켜 '상경(象經)'이라 하니 역시 마땅한 것이다.

易之興, 當文王之世, 而謂其辭危, 以是知易中有文王所繫之辭也. 孔子以前, 只有卦象爻象之辭, 王用亨于岐山, 及箕子之明夷, 斷非文王所繫. 韓宣子見易象, 知周公之德, 則爻象之爲周公作定矣. 然則象經非文王作, 而何孔子旣爲彖象作傳, 又撮六爻上下之象作大象. 大而包小, 其實周公之辭不外於是矣. 十翼未附經之前, 七象合爲一書, 及各附經文, 則大象在周公爻辭之上, 人遂疑無經之傳, 此勢也非孔子意也. 惟乾卦稍存古例, 大小象同在爻辭之後可以見矣.

『주역』이 흥한 때는 문왕의 시대인데 "그 말이 위태하다"[248]고 하였으니, 이로써 『주역』 가운데 문왕이 붙인 말이 있음을 알 수 있다. 공자 이전에 단지 괘사와 효사가 있었으나 "왕이 기산에서 제사지냈다"[249]와 "기자(箕子)의 명이(明夷)"[250]는 결코 문왕이 붙인 것이 아니다. 한선자(韓宣子)[251]가 역상(易象)을 보고 주공의 덕을 알았으니, 효상(爻象)은 주공이 지어서 정한 것이다. 그렇다면 단경(彖經)은 문왕이 지은 것이 아닌데, 어찌 공자가 이미 단과 상에 주해[傳]를 짓고 또 여섯 효의 위아래의 상을 모아서 「대상전」을 지었겠는가? 큰 것은 작은 것을 포함하니, 사실 주공의 말은 이것에서 벗어나지 않는다. 「십익」을 경문의 앞에 붙이지 않고 칠상(七象)[252]을 합하여 한 책으로 만들어서 각각을 경문에 붙이는 데에 이르면 「대상전」은 주공의 효사 앞에 있어서 사람들이 마침내 경문의 주해가 없다고 의심하니, 이런 형세는 또한 공자의 뜻이 아닌 것이다. 오직 건괘만 옛날의 사례가 조금 남아있어서 「대상전」과 「소상전」이 효사의 뒤에 함께 있음을 볼 수 있을 뿐이다.

---

247) 「周易·繫辭傳」.
248) 『周易·繫辭傳』: 易之興也 其當殷之末世, 周之盛德耶. 當文王與紂之事邪, 是故, 其辭危.
249) 『周易·升卦』六四爻.
250) 『周易·明夷卦』六五爻: 箕子之明夷, 利貞.
251) 한선자(韓宣子, ?~기원전514): 춘추시대 진(晉)나라 대부.
252) 칠상(七象): 청대 황종희(黃宗羲, 1610~1695)는 그의 『역학상수론』에서 "성인이 상(象)으로 사람에게 보여주는 일곱[七象]이 있는데, 팔괘의 상[八卦之象], 육효의 상[六爻之象], 상형의 상[象形之象], 효위의 상[爻位之象], 반대의 상[反対之象], 방위의 상[方位之象], 호체의 상[互體之象]이 이것이다"라 했다.

萬物資始, 非雨潤日暄, 何以時成. 大明者日也, 禮器所謂大明生於東是也. 一日則朝東暮西, 一歲則冬南夏北皆所以終始也. 終始有恒, 所以時成六位, 皆龍象而乘之者, 乾元也. 御天則終至在天, 而後已是爲元亨也. 雖遍乘六龍而亢則戒, 故曰盈不可久也. 乾道變化, 各正性命, 所謂天命之謂性也. 謂之各正, 則繼之者善也, 此以理言也. 大和者元氣也, 氣以成形, 理亦賦焉. 謂之保合, 則所謂道不可離是也, 是爲利貞也.

"만물이 의뢰하여 시작한다"는 비가 와서 윤택하고 해가 나서 따뜻한 것이 아니라면 어떻게 때에 맞춰 이루겠는가? 큰 밝음[大明]은 해이고, 『예기』에서 말한 "큰 밝음은 동쪽에서 생긴다"[253]는 것이 여기에 해당한다. 하루라면 해는 아침에는 동쪽에 있고 저녁에는 서쪽에 있으며, 일 년이라면 겨울에는 남쪽에 있고 여름에는 북쪽에 있는 것이 모두 '끝과 시작[終始]'이 되는 까닭이다. 끝과 시작에 항상됨이 있기 때문에 때에 맞게 여섯 자리가 이루어지니, 모두 용의 상으로 그것을 타는 것은 건원(乾元)이다. '하늘을 다스리면[御天]' 마침내 하늘에서 지극해진 이후에는 이미 '원형(元亨)'이 되는 것이다. 비록 두루 여섯 용을 타지만 끝까지 올라가면 경계해야하므로 "가득 차면 오래가지 못한다"라 하였다. "건도가 변화하여 각각의 성명을 바르게 한다"는 이른바 "하늘의 명을 성이라 한다"[254]는 것이다. '각각 바르게 한다[各正]'는 곧 "이은 것이 선(善)이다"[255]이니 이는 이치로 말한 것이다. '큰 조화[大和]'란 원기(元氣)이고, 기가 형태를 이루면 이치 역시 부여되는 것이다. '보전하고 합함[保合]'이라 함은 이른바 "도는 떨어질 수 없다"라 함이 여기에 해당하니 이것이 '리정(利貞)'이다.

首出庶物, 如孟子所謂出類拔萃. 朱子曰, 一有聰明睿智出乎其間, 則天必命之以爲億兆之君師, 使之治而敎之, 此所以萬國咸寧也.

"만물 중에서 으뜸으로 나온다"는 『맹자』에서 말하는 "무리 중에서 특별히 뛰어나다"[256]와 같다. 주자는 "한 사람이라도 총명하고 예지함을 지닌 자가 그 사이에 나오면, 하늘이 반드시 그에게 억조 백성의 군주와 스승이 되도록 명하여, 그가 다스리고 가르치게 한다"[257]라 하니, 이것이 "만국이 모두 편안한 까닭이다"라 하였다.

---

253) 『禮記·禮器』.

254) 『中庸』.

255) 『周易·繫辭傳』.

256) 『孟子·公孫丑』.

257) 『大學章句序』: 一有聰明叡智能盡其性者, 出於其間, 則天必命之, 以爲億兆之君師, 使之治而敎之, 以復其性.

임성주(任聖周) 「주역(周易)」

象傳於元亨則有說, 而利貞則合言之. 文言利貞者性情也亦然, 其意可見. 唯文言首一段引古語析作四德, 與子服惠伯以黃裳元三字析作三德, 一例看自分明.

「단전」에서 '원형'에는 각각 설명이 있지만, '리정'은 합해서 말했다. 「문언전」에서 '리정'을 성정(性情)이라 한 것도 또한 그러하여 그 뜻을 알 수 있다. 오직 「문언전」의 첫 단락에서만 옛 글을 인용하여 분석하기를 네 가지 덕으로 하였는데, 자복혜백이 "황색 치마이니 크게 길하다[黃裳元]"[258]란 글자로 세 가지 덕을 해석한 것과[259] 같은 예로 보면 자연히 분명해진다.

유정원(柳正源) 『역해참고(易解參攷)』

首出庶物.

만물 중에서 으뜸으로 나온다.

正義, 人君位實尊高, 故云首出庶物也.

『주역정의』에서 말하였다: 임금의 지위는 실제로 존귀하므로 "만물 중에서 으뜸으로 나온다"라 하였다.

傳, 知者 [至] 過半.

『정전』 지혜로운 자 … 반을 넘다.

案, 此一句本是夫子專指文王彖辭者, 而程子引之兼指夫子之釋通謂之彖. 然其主意, 則推本文王之彖辭.

내가 살펴보았다: 이 한 구절은 본래 공자가 전적으로 문왕의 단사라고 가리킨 것이고, 정자가 이를 인용하여 공자가 해석한 것을 겸하여 가리켜서 통틀어서 '단'이라 하였다. 그러나 그 주된 뜻은 본래 문왕의 단사를 미루어 보는 것이다.

仁偏專言.

인(仁)에 대해 부분적으로 말하고 전적으로 말하다.

朱子仁說曰, 仁者天地生物之心, 而人之所得以爲心. 未發之前四德具焉, 而唯仁則包乎四者. 是以涵育渾全无所不統, 所謂生之性愛之理仁之體也. 已發之際四端著焉, 而唯惻隱則貫乎四端. 是以周流貫澈, 无所不通, 所謂性之情愛之發仁之用也. 專言則未發是體, 已發是用, 偏言則仁是體, 惻隱是用.

---

258) 『周易 · 坤卦』 六五: 黃裳, 元吉.

259) 『春秋左氏傳 · 昭公』 12年: 혜백이 말하였다. '황상원길'에서 '황'은 중도의 색이고 '상'은 아래를 꾸밈이고 '원'은 선의 으뜸이다[惠伯曰, '黃裳元吉'. 黃, 中之色也; 裳, 下之飾也; 元, 善之長也].

주자의 「인설(仁說)」에서 말하였다: 인(仁)은 천지가 만물을 낳는 마음이며 또한 사람이 이것을 얻어 마음으로 삼는 것이다. 아직 발현하기 전에 마음에 네 가지 덕이 갖추어져 있지만, 오직 '인'만이 사덕을 포괄한다. 그러므로 함양하고 온전하게 하여 네 가지 덕을 통괄하지 않음이 없으니, 이른바 '생성의 본성'이며 '사랑의 이치'이며 '인의 본체'인 것이다. 이미 발현하였을 때에는 사단이 드러나지만, 오직 측은만이 사단을 관통한다. 이 때문에 두루 흐르면서 관철되어 통하지 않는 곳이 없는 것이니, 이른바 '본성의 실정'이며 '사랑의 드러남'이며 '인의 작용'인 것이다. 전적으로 말하면 아직 발현하지 않은 것은 본체이고 이미 발현한 것은 작용이며, 부분적으로 말한다면 인이 본체이고, 측은은 작용이다.

○ 玉山講義, 仁則是箇溫和慈愛底道理, 義則是箇斷制裁割底道理, 禮則是箇恭敬撙節底道理, 知則是箇分別是非底道理. 凡此四者具於人心, 乃是性之本體. 方其未發, 漠然无形象之可見, 及其發而爲用, 則仁者爲惻隱, 義者爲羞惡, 禮者爲恭敬, 知者爲是非. 隨事發見, 各有苗脈, 不相般亂, 所謂情也. 故孟子曰, 惻隱之心仁之端也, 羞惡之心義之端也, 恭敬之心禮之端也, 是非之心知之端也. 謂之端者, 猶有物在中而不可見, 必因其端緒發見於外, 然後可得而尋也. 蓋一心之中, 仁義禮知各有界限, 而其性情體用又自各有分別, 須是見得分明, 然後就此四者之中, 又自見得仁義兩字是箇大界限, 如天地造化, 四序流行, 而其實不過一陰一陽而已.

『옥산강의』[260]에서 말하였다: '인'이란 온화하고 자애로운 도리이고, '의'는 판단하고 일을 재단하여 처리하는 도리이며, '예'는 공경하고 알맞게 절제하는 도리이고, '지'는 분별하고 시비를 가리는 도리이다. 이 네 가지가 사람의 마음에 구비되어야 하니 바로 이것이 성(性)의 본체이다. 이 네 가지가 발현하지 않았을 때에는 막연하여 볼 수 있는 형상이 없다가 발현하여 작용하게 되면 인은 측은이 되고, 의는 수오가 되고, 예는 공경이 되고, 지는 시비가 된다. 일에 따라 발현하는 데에는 각각 근원이 있어 서로 뒤섞이지 않는 것이 이른바 정(情)이다. 그러므로 맹자는 "측은지심은 인의 단서이고, 수오지심은 의의 단서이며, 사양지심은 예의 단서고, 시비지심은 지의 단서이다"[261]라고 했다. '단서'라고 하는 것은 마치 사물이 가운데 있어서 볼 수 없다가, 반드시 그 단서가 밖으로 발현함으로 인해 뒤에 찾을 수 있는 것과 같다. 한 마음 속 인·의·예·지는 각각 한계가 있고, 성·정과 체·용이 또 각각 분별이 있으니, 반드시 분명히 안 뒤에 이 네 가지 가운데 나아가면 인과 의 두 글자가 하나의 커다란 경계라는 것을 저절로 알 수 있을 것이다. 마치 천지가 조화되고 사계절이 유행하

---

260) 『옥산강의』: 주희가 65세 11월 중앙정부에서 면직되어 건양(建陽: 福建省)으로 돌아가는 도중 옥산(玉山: 江西省)에서 강의한 것으로, 그 내용은 정공(程珙)이 '공자는 인을 말하고 맹자가 인과 의를 말한 것'에 대해 묻자 이에 답변하고 나아가 성리학의 이론을 개략적으로 기술하면서 무실(務實)을 강조한 것이다.

261) 『孟子・公孫丑』: 孟子曰, 惻隱之心, 仁之端也. 羞惡之心, 義之端也. 辭讓之心, 禮之端也. 是非之心, 智之端也.

여도 그 실상은 한 번 음이 되고 한 번 양이 되는 것에 지나지 않음과 같다.

於此見得分明, 然後就此, 又自見得仁字是箇生底意思, 通貫周流於四者之中. 仁固仁之本體也, 義則仁之斷制也, 禮則仁之節文也, 知則仁之分別也, 正如春之生氣貫徹四時, 春則生之生也, 夏則生之長也, 秋則生之收也, 冬則生之藏也. 故程子謂四德之元猶五常之仁, 偏言則一事, 專言則包四者, 正謂此也. 孔子只言仁, 以其專言者言之也, 故但言仁而仁義禮知, 皆在其中. 孟子兼言義, 以其偏言者言之也.

이것을 분명히 안 뒤에 이 네 가지에 나아가면, 또 '인(仁)'자가 생성하는 뜻이 네 가지의 중심을 관통하여 두루 흐르고 있음을 스스로 알 수 있다. 인은 본래 인의 본체이고 의는 곧 인의 결단과 제재이며, 예는 곧 인의 절차와 형식이고 지는 곧 인의 분별이다. 바로 봄의 생기가 네 계절을 관통한 것과 같으니, 봄은 곧 생성의 생성이고 여름은 곧 생성의 자람이고 가을 곧 생성의 수렴이고 겨울은 곧 생성의 감춤이다. 그러므로 정자가 "네 가지 덕에서 원(元)은 오상의 인과 같으니, 부분적으로 말하면 하나의 일이고 전적으로 말하면 네 가지를 포함한다"[262]고 한 것은 바로 이를 말한 것이다. 공자가 인만을 말한 것은 전적으로 말한 입장에서 언급한 것이기 때문에 인만 말하여도 인·의·예·지가 모두 그 가운데 있다. 맹자가 의를 함께 말한 것은 부분적으로 말한 입장에서 언급한 것이다.

〈案, 仁說未發已發皆分偏專. 講義以仁包四德爲專, 分言四德爲偏. 仁說講義取意若別然, 亦只是一義, 讀者詳之.

내가 살펴보았다: 「인설(仁說)」은 미발(未發)과 이발(已發)을 모두 부분과 전체로 나누었다. 『옥산강의』는 인이 네 가지 덕을 포괄하는 것을 전적이라 하였고, 네 가지 덕으로 나누어 말한 것을 부분적이라 하였다. 「인설」과 『옥산강의』가 취한 뜻이 구별되는 것 같지만 역시 같은 뜻이니, 읽는 이가 자세히 살펴야한다.〉

小註, 朱子說, 雞雛觀仁.

소주(小註)에서 주자가 말하였다: 병아리로 인(仁)을 관찰할 수 있다.

朱子曰, 當時飮啄自如, 未有所謂鬪爭之患者, 只此便是仁.

주자가 말하였다: 병아리가 물을 마시고 모이를 쫄 때는 태연하여, 이른바 싸움하는 걱정이 없으니, 이것이 바로 '인'이다.

○ 案, 凡物初生, 夭夭柔嫩, 皆可觀仁, 此偶見雞雛而言.

내가 살펴보았다: 모든 사물이 갓 태어났을 때는 어리고 천진하여 모두 '인'을 관찰할 수 있으니, 이것은 우연히 병아리를 보고서 말한 것이다.

---

262) 『伊川易傳』卷1, 「乾」: 四德之元, 猶五常之仁, 偏言則一事, 專言則包四者, 萬物資始, 乃統天言元也.

本義, 孔子 [至] 之舊.
『본의』에서 말하였다: 공자의 … 옛 것.

案, 元亨利貞之義, 文王以爲大亨利於貞, 而孔子分作四德. 文王主占筮而孔子言義
理, 此所謂並行不悖也. 繫辭論作易之由, 多以占筮爲言, 而至於彖象文言, 未嘗一言
及占筮, 專從義理上說. 蓋天道散在人事, 人事不外天道, 人之日用常行者, 只這義理
也, 占筮之決定嫌疑者, 亦只這義理也. 雖專主義理, 而觀象玩占, 亦在其中矣.

내가 살펴보았다: '원·형·리·정'의 뜻에 대해 문왕은 "크게 형통하고 곧음이 이롭다"고
여겼으나, 공자는 네 가지 덕으로 나누었다. 문왕은 점치는 것을 위주로 했고 공자는 의리를
말했는데, 이것이 이른바 주자가 말한 "같이 적용해도 서로 어긋나지 않는다"는 것이다. 「계
사전」에서 역(易)을 지은 연유를 논할 때 대부분 점치는 것으로 말했지만, 「단전」·「상전」·
「문언전」에서는 점치는 것에 대해 한 번도 언급한 적이 없고, 오로지 의리의 입장에서 설명
했다. 이는 하늘의 도가 사람의 일에 흩어져 있고 사람의 일은 하늘의 도에서 벗어날 수
없으니, 사람의 일상생활이 단지 의리이고, 점을 쳐서 의심을 결정하는 것도 의리이기 때문
이다. 비록 오로지 의리만을 위주로 한다 해도 상(象)을 살피고 점(占)을 완미함이 또한
그 속에 있다.

小註朱子說, 亨利是.
소주(小註)에서 주자가 "형·리는 …이다[亨利是]"라 했다.

〈案, 亨字下疑闕是已通底四字.
내가 살펴보았다: '형(亨)'자 아래에 '시이통저(是已通底)'라는 네 글자가 빠진듯하다.〉

○ 發時 [至] 次第.
나타날 때 … 차례.

案, 人之稟陰陽五行之氣者, 一齊都稟得, 更无先後之序. 故其理之渾然在中者, 亦无
先後之序. 然就渾然中看, 則溫然慈愛者仁也, 才溫然便粲然有條者禮也, 才粲然便肅
然不亂者義也, 才肅然便凝然有定者知也. 此其渾然之中, 有不相殽亂者, 其本體然
也. 是以見入井, 則惻隱發, 過宗廟則恭敬發. 自外感之者无次第, 故隨感而應者, 亦无
次第, 所謂發時无次第也. 就其所生之端而言, 則始發者仁也, 宣著者禮也, 收斂者義
也, 凝定者智也, 是所謂生時有次第也. 此亦猶專偏說无次第者, 所以統言乎四德者
也, 有次第所以剔言乎一情者也.

내가 살펴보았다: 사람이 음양오행의 기를 품수 받는 것은 한꺼번에 모두 받은 것으로 다시
선후의 순서가 없다. 그러므로 혼연하게 그 속에 들어있는 리(理)도 선후의 순서가 없다.
그러나 혼연한 가운데에 나아가 살펴보면 온화하고 자애로운 것이 '인'이고, 잠깐 온화했다

가 곧 빛나서 조리가 있는 것이 '예'이며, 잠깐 빛났다가 곧 숙연하여 어지럽지 않는 것이 '의'이고, 잠깐 숙연했다가 곧 진중하여 정함이 있는 것이 '지'이다. 이것이 혼연한 가운데 서로 어지럽지 않은 것은 본체가 그러하기 때문이다. 이 때문에 우물에 빠지는 것을 보면 측은한 마음이 발현되고, 종묘를 지날 때 공경하는 마음이 발현되는 것이다. 밖으로부터 느끼는 것은 순서가 없으므로 느낌에 따라 감응하는 것도 순서가 없으니, 이른바 "발현될 때에는 순서가 없다"라 하는 것이다. 생기는 단서로 말하자면 처음 발현되는 것은 '인'이고, 베풀어 드러나는 것이 '예'이며, 수렴하는 것이 '의'이고, 안정하는 것이 '지'이니, 이것이 이른바 "생길 때에는 순서가 있다"는 것이다. 여기에서 또한 전적인 것과 부분적인 것은 순서가 없다고 말하는 것은 네 가지 덕에 대해 통괄적으로 말했기 때문이고, 순서가 있다고 말하는 것은 하나의 '정(情)'을 꼬집어 말했기 때문이다.

김상악(金相岳) 『산천역설(山天易說)』

天爲萬物之祖, 君爲萬邦之宗, 君道尊臨, 天位猶乾道之變化也. 萬國咸寧, 猶萬物之各正保合也, 此言聖人之利貞也.

하늘은 만물의 조상이고 임금은 온 나라의 우두머리이니, 임금의 도는 존귀하게 임하고 하늘의 지위는 건도의 변화와 같다. 온 나라가 모두 편안함은 만물이 각각의 보전하고 합함을 바르게 하는 것과 같으니, 이는 성인의 '리정'을 말한 것이다.

조유선(趙有善) 『경의(經義)-주역본의(周易本義)』

首出庶物云云此一段, 與上文文意不接. 竊意, 乾道變化一段承品物流形之下, 此段承以御天之下, 則上言天之四德, 下言聖人之四德, 段落分明文意亦順, 但傳義俱無此意, 不敢質言.

'수출서물' 운운한 이 단락은 앞 문장의 뜻과 연결되지 않는다. 내가 생각하건대, '건도변화'한 단락이 '품물유형'의 뒤로 이어지고, 이 단락'수출서물'이 '이어천'의 뒤에 이어진다면, 앞에서는 하늘의 네 가지 덕을 말하고 뒤에서는 성인의 네 가지 덕을 말하게 되어서 단락이 분명하고 문장의 뜻이 순조로울 것이다. 다만 『정전』과 『본의』에 모두 이런 뜻이 없어서 감히 딱 잘라 말할 수 없다.

박제가(朴齊家) 『주역(周易)』

建安丘氏曰, 此聖人體乾之利貞也.

건안구씨가 말하였다: 이것은 성인이 건괘의 '리정(利貞)'을 체인한 것이다.

案, 此恐錯看本義. 而然本義云, 聖人在上猶乾道之變化也, 萬國各得其所云云, 言聖
人之利貞也. 蓋乾道變化是再說元亨, 本義以首出庶物已屬元亨, 而萬國咸寧一句, 配
各正性命保合大和, 而曰利貞, 非竝與上句而屬之利貞也. 經明言君子行此四德, 豈首
出之單言利貞乎. 此兩句八字, 以乾道屬聖人, 而縮得元亨利貞在其中.

내가 살펴보았다: 이것은 『본의』를 잘못 본 듯하다. 그러나 『본의』에서 "성인이 위에 있으
니 건도의 변화와 같고, 만국이 각각 있을 곳에 있어" 운운한 것은 성인의 '리정'을 말한
것이다. '건도변화(乾道變化)'는 '원형(元亨)'을 다시 말한 것이다. 『본의』에서 "만물 중에서
으뜸으로 나오니"를 이미 '원형'에 배속하고, "만국이 모두 편안하다"의 구절을 "각각의 성명
(性命)을 바르게 하여 큰 조화를 보전하고 합한다"에 배속하여 '리정'이라 하였고, 위 구절
[首出庶物]과 함께 '리정'에 배속시키지 않았다. 경문에 분명히 "군자가 이 네 가지 덕을
행한다"[263]라 하였는데, 어찌 '수출서물(首出庶物)'이 단순히 '리정'만을 말한 것이겠는가?
이 두 구절 여덟 글자[首出庶物, 萬國咸寧]는 건도를 성인에게 소속하고 '원·형·리·정'
을 그 속에 축소시킨 것이다.

서유신(徐有臣) 『역의의언(易義擬言)』

首乾象也, 首出者聖人居天位也, 萬國者通言庶物也, 咸寧者各正性命也. 乾元亨利貞
在聖人爲參贊化育之功, 故以九五大人總結之也.

'으뜸'은 건의 상이고, '으뜸으로 나옴[首出]'은 성인이 하늘의 자리에 있음이며, '만국'은 만
물과 통하는 말이고, '모두 편안하다[咸寧]'는 각각의 성명을 바르게 함이다. 건의 "크게 형통
하고 곧음이 이롭다"는 성인에 있어서는 화육(化育)의 공을 찬미하는 데 참여하는 것이 되
므로 구오의 대인으로 총괄한다.

강엄(康儼) 『주역(周易)』

本義, 實之旣成 [止] 而无端也.

『본의』에서 말하였다: 결실이 완성되면 … 끝이 없는 까닭이다.

按, 此言四德之循環无端, 而與大明終始之意相照應.

내가 살펴보았다: 이것은 네 가지 덕이 순환하여 끝이 없음을 말하였으니, "끝과 시작을 크
게 밝힌다"는 뜻과 서로 호응한다.

---

263) 『周易·乾卦·文言傳』: 君子行此四德.

○ 孔子之意 [止] 太平之占.

『본의』에서 말하였다: 공자의 뜻은 … 태평시대에 이르는 점으로 삼았다.

按, 得天位指乘六龍而言, 行天道指以御天而言, 致太平指首出咸寧二句而言. 元亨而利於貞, 人皆可用之占也. 元也亨也利也貞也, 聖人致太平之占, 而聖人之所獨也. 象傳以元亨利貞作四德, 雖非文王之舊, 然其以爲聖人致太平之占, 則又自爲一占而未嘗不同於文王之卜筮矣.

내가 살펴보았다: "하늘의 자리를 얻는다"는 "여섯 용을 탄다"를 가리켜 말했고, "천도를 행한다"는 "하늘을 다스린다"를 가리켜 말했으며, "태평시대에 이른다"는 "으뜸으로 나오고 모두 편안하다"는 두 구절을 가리켜서 말했다. '크게 형통하고', '곧음이 이롭다'는 사람이 모두 활용할 수 있는 점(占)이다. '원'하고 '형'하고 '리'하고 '정'한 것은 성인이 태평을 이룬 점이어서 성인만이 하는 것이다. 「단전」에서 '원형리정'을 네 가지 덕으로 한 것은 비록 문왕의 옛 것이 아니지만, 그것을 성인의 태평시대를 이룬 점으로 삼으면 또 나름대로 하나의 점이 되어서 일찍이 문왕의 점치는 일과 다르지 않을 것이다.

박문건(朴文健) 『주역연의(周易衍義)』

此贊二聖之德, 體乾之利貞也.

이것은 두 성인의 덕을 찬미하고, 건괘의 '리정(利貞)'을 체인한 것이다.

이지연(李止淵) 『주역차의(周易箚疑)』

大哉乾元, 萬物資始, 言乾之元也, 妙在始字. 雲行雨施, 品物流形, 言乾之亨也, 妙在行與施二字. 大明終始, 六位時成, 時乘六龍, 以御天, 言聖人之元亨也, 元之妙在明, 亨之妙在乘御. 乾道變化, 各正性命, 保合大和, 乃利貞, 言乾之利貞也, 利之妙在變化, 貞之妙在保合. 首出庶物, 萬國咸寧, 言聖人之利貞也. 聖人之道, 如乾道之變化而澤及萬方.

"크도다! 건원이여, 만물이 의뢰하여 시작한다"는 건의 '큼[元]'을 말하였으니, 묘함이 '시작한다'에 있다. "구름이 떠다니고 비가 내려 만물이 형체를 이룬다"는 건의 '형통함[亨]'을 말하였으니, 묘함이 '떠다닌다'와 '내린다'에 있다. "끝과 시작을 크게 밝히면 여섯 자리가 때에 맞게 이루어지고, 여섯 용을 때에 맞게 타고서 하늘을 다스린다"는 성인의 '원형'을 말하였으니, 원의 묘함이 '밝힌다'에, 형의 묘함이 '탔다'와 '다스린다'에 있다. "건도가 변하고 화합에 각각 성명을 바르게 하여 큰 조화를 보전하고 합하나니, 이에 이롭고 곧다"는 건의 '이로움과 곧음[利貞]'을 말하였으니, '이로움[利]'의 묘함이 변화에, '곧음[貞]'의 묘함이 보합에 있다. "만물 중에서 으뜸으로 나오니 만국이 모두 편안하다"는 성인의 '이로움과 곧음[利貞]'을 말하였으니, 성인의 도는 건도의 변화와 같아서 혜택이 온 세상에 미친다.

김기례(金箕澧) 「역요선의강목(易要選義綱目)」

首出庶物,
만물 중에서 으뜸으로 나오니,
乾爲首, 故曰首. 言萬物資始, 指聖人得位, 統庶物時.
건이 '으뜸[首]'이므로 '으뜸(首)'이라 하였다. "만물이 의뢰하여 시작한다"라 한 것은 성인이 지위 얻어서 만물을 통괄할 때를 가리켜서 말하였다.

萬國咸寧.
만국이 모두 편안하다.
乾爲君, 四海賴君德而寧.
건은 임금이 되니, 온 세상이 임금의 덕을 힘입어 편안하다.

심대윤(沈大允) 『주역상의점법(周易象義占法)』

首出庶物, 萬國咸寧, 此重釋元也. 獨重釋元者, 見乾元之特大也.
"만물 중에서 으뜸으로 나오니 만국이 모두 편안하다"는 '원'을 거듭 해석한 것이다. 유독 '원'을 거듭 해석한 것은 건원이 특별히 큼을 나타낸 것이다.

오치기(吳致箕) 「주역경전증해(周易經傳增解)」

聖人首出于庶物之上, 如乾道之變化而運用作爲萬國, 因以治平而咸得其寧. 乘龍御天之化至此成其功矣. 此一節言聖人之利貞也.
성인은 만물의 위로 으뜸으로 나오니, 건도가 변화하고 운용하여 만국을 이루고 이로써 태평하게 다스려 모두 편안하게 됨과 같다. 용을 타고 하늘을 다스리는 화함이 여기에 이르러 그 공업을 이루게 되는 것이다. 여기 한 절에서는 성인의 '리정(利貞)'을 말하였다.
〈以上諸節文勢觀之, 則此節恐或有脫句. ○ 自註.
이상의 모든 절은 글의 형세로 보면 여기의 절에는 탈락된 구절이 있는 것 같다. ○ 본인의 주석이다.〉

박문호(朴文鎬) 「경설(經說)·주역(周易)」

今易之家, 旣以象象附於逐卦逐爻之下, 而惟於乾則不然, 爲非古非今而進退無據, 豈廢禮存羊之意耶.

『금역』을 연구하는 학자들이 이미 「단전」과 「상전」을 괘와 효에 따라 그 밑에 붙이고 건괘에서만 그렇게 하지 않아, 옛날의 것도 오늘날의 것도 아님이 되어 진퇴에 근거가 없으니, 어찌 예(禮)는 없어져도 양(羊)은 보존[264]하려는 뜻이겠는가?

不云象傳曰, 而只曰象曰者, 是今易之失也. 然經文旣云象曰, 故程子依其辭, 以爲夫子從而釋之, 通謂之象. 實則是象之傳也, 不可直謂之象也. 程子本非不知此也. 故易說綱領中, 朱子亦嘗用程子此說.

"「단전」에서 말하였다[象傳曰]'라 하지 않고 "단에서 말하였다[象曰]"라고만 말한 것이 『금역』의 잘못이다. 그러나 경문에서 이미 '단왈(象曰)'이라 했기 때문에 정자는 그 말에 근거하여 공자가 경문을 따라 해석하고는 모두 '단'이라고 했다고 여겼던 것이다. 그런데 사실은 이는 '단'의 전[단전]이어서 바로 '단'이라 부를 수 없는 것이다. 정자도 본래 이것을 모르지 않았다. 그러므로 「역설강령」에서 주자도 역시 일찍이 정자의 이 주장을 채용했었다.

此圈上註, 是古易象傳篇題也. 故竝訓傳字, 而大全之人以古附今, 此註無所於歸. 故置之於此, 而其末加圈以別之, 後象文言之圈上註皆放此. 而其不言傳者, 皆蒙於此也.

이 권점[265] 위의 주석이 『고역』의 「단전」 편제이다. 그러므로 함께 '전(傳)'자를 풀이하였지만, 『주역대전』을 편찬한 이들이 『고역』의 「단전」을 『금역』에 붙이니, 이 주석[266]은 돌아갈 곳이 없게 되었다. 그러므로 여기에다[『금역』] 두고서, 그 끝에 권점을 더하여 나누었으니, 뒤에 「상전」과 「문언전」의 권점의 주석이 모두 이와 같다. 그런데 '전(傳)'을 말하지 않은 것은 모두 여기에 어두웠기 때문이다.

---

264) 『論語·八佾』: 공자가 말하기를 "사야 너는 그 양을 아까워하느냐, 나는 그 예를 아까워한다"라 하였다[子曰, 賜也, 爾愛其羊, 我愛其禮]. 자공이 희생을 쓸 양을 없애려 하자 공자가 자공에게 한 말로, 예를 보호하기 위해 형식일 뿐이라도, 옛 제도를 보존해야 한다는 뜻이다.

265) 『주역전의대전·원』 281쪽: 『본의』의 글에 있는 권점(○)을 말한다. 권점 아래 내용은 "此專以天道…"이다. 권점 이전은 「단전(象傳)」에 대한 글자 풀이를 하고 권점 이후는 「단전」의 내용에 대한 주석으로 나뉜다.

266) 『原本周易本義·象上傳上』: 소주, 象, 卽文王所繫之辭. 上者, 經之上篇. 傳者, 孔子所以釋經之辭也. 後凡言傳者, 放此.

傳義體例自別各爲一書, 實難合部, 而大全强合之, 未免有鑿枘予盾之弊. 如本義象象傳篇題無所歸, 則乃移置于大文之下, 加圈之, 上文失其地, 語皆無著落. 而上者經之上篇六字, 尤突兀無來歷, 故逐削而去之, 然則其中傳字獨有何著落, 而猶存之耶. 大全之粗疏有如是矣. 夫旣曰傳義大全, 則凡傳義中一字半句, 不可移動, 乃妄以己意, 削其句語, 逐滅本來面目, 使朱子家中奴, 復起而有言, 則且將何辭以對也.

『정전』과 『본의』의 체제는 본래 달라 각각 하나의 책이 되어서 실제로 합하기 어려운 것인데도 『주역대전』에서는 억지로 합했으니 앞뒤가 맞지 않는 폐단이 없을 수 없었다. 『본의』의 경우에는 「단전」과 「상전」의 편제는 귀속될 곳이 없게 되었으니, 이에 큰 글자[大文]의 아래로 옮기고 그 권점을 두었지만, 위의 글은 있을 곳을 잃고 말은 모두 붙일 곳이 없었다. 그리고 "상은 경의 상편이다[上者經之上篇]"[267]라는 말은 뜻밖에 내력이 없게 되었기 때문에 마침내 삭제하여 버렸다. 그렇다면 그 가운데 '전(傳)'자는 유독 어디 붙기에 여전히 남아 있는가? 『주역대전』의 거칠고 소략함이 이와 같다. 이미 『주역전의대전』이라고 했다면 『정전』과 『본의』 가운데 한 자나 반 구절도 이동할 수 없는데도, 함부로 자기 뜻대로 구절의 말을 삭제하여 마침내 본래의 형태를 없앴으니, 주자가 무덤에서 노하여 다시 일어나 말하게 한다면, 또 어떤 말로 대답할 것인가?

孔子旣以四德言之, 故朱子於此依其意, 亦以四德釋之. 至其末又明其非文王之舊者, 而曰竝行不悖, 其不終以爲四德可知也.

공자가 이미 네 가지 덕으로 말하였으므로 주자는 여기에서 그 뜻에 의거하여 역시 네 가지 덕으로 해석했다. 그 끝에서 또 그것이 문왕의 옛 것이 아니라고 밝히면서 "함께 행해지고 모순되지 않는다"라 하니, 그것을 끝내 네 가지 덕으로 여기지 않음을 알 수 있다.

이용구(李容九) 「역주해선(易註解選)」

乾道變化, 各正性命, 如粒粟生爲苗, 苗生花, 花結實, 又成粟一穗有百粒, 每粒箇箇完全.

"건도가 변화하여 각각 성명을 바르게 한다"는 것은 마치 한 낱알의 곡식에서 싹이 돋고, 싹에서 꽃이 피며, 꽃이 열매를 맺고, 또 곡식이 되어 하나의 이삭에 달린 백 개의 낱알이 낱알마다 완전한 것과 같다.

---

267) 『원본 주역본의』의 「십익」 중 「단전」의 경우에는 「단상전(彖上傳)」과 「단하전」으로 나누어 『주역』의 상경과 하경 편제를 맞추었다. 여기서 '상(上)'은 「단상전(彖上傳)」의 '상'이다.

天爲萬物之祖, 王爲萬邦之宗.
하늘은 만물의 조상이고 임금은 온 지방의 으뜸이다.

朱子曰, 孔子出類拔萃, 是首出庶物. 元亨利貞比之於穀, 穀生芽是元, 苗是亨, 穟是利, 成實是貞.
주자가 말하였다: 공자처럼 '무리에서 뛰어난 것'[268]이 "만물 중에서 으뜸으로 나온다"는 것이다. '원형리정'을 곡식에 비유할 수 있으니, 곡식에서 눈이 생겨나는 것이 '원'이고, 싹은 '형'이며, 이삭은 '리'이고, 열매가 익은 것은 '정'이다.

又曰, 梅蘂初生爲元, 開花爲亨, 結子爲利, 成熟爲貞.
또 말하였다: 매화의 꽃술이 처음 생기는 것은 '원'이 되고, 꽃이 피는 것은 '형', 열매를 맺는 것은 '리', 열매가 다 익는 것은 '정'이 된다.

游廣平曰, 文王之德, 自彊不息, 顔子三月不違仁也.
유광평이 말하였다: 문왕의 덕은 '스스로 힘쓰고 쉬지 않으며', 안자가 3개월간 인(仁)을 어기지 않는다[269]는 것이다.

乾乾不息, 便是伊周地位.
'힘쓰고 힘써 쉬지 않는 것'은 바로 이윤과 주공의 지위이다.

乾九三, 聖人之學, 坤六三, 賢人之學, 乾九三, 言誠, 坤六三, 言敬.
건괘 구삼효는 성인의 학문이고 곤괘 육삼효는 현인(賢人)의 학문이며, 건괘 구삼효는 성실[誠]을 말했고 곤괘 육삼효는 공경[敬]을 말하였다.

李隆山曰, 乾之九五, 堯舜之君, 坤之六五, 皐陶夔稷契之臣.
이융산이 말하였다: 건괘의 구오는 요·순 같은 임금이고, 곤괘의 육오는 고요·기·후직·설과 같은 신하이다.

吳氏曰, 草木繁者, 召南所謂朝廷旣治庶類蕃殖也. 賢人隱者, 洪範所謂百穀用不成俊民用微也.

---

268) 『孟子·公孫丑』.
269) 『論語·雍也』.

오씨가 말하였다: "초목이 무성하다"[270]는 것은 『시경‧소남』의 이른바 "조정이 이미 다스려져서 여러 가지 것들이 무성하게 번식한다"[271]는 말이다. "현자가 은둔한다"는 것은 『상서‧홍범』의 이른바 "온갖 곡식이 그 때문에 여물지 못하고, 준걸들이 그 때문에 미천해진다"[272]는 말이다.

이병헌(李炳憲) 『역경금문고통론(易經今文考通論)』

此一節, 孔子象辭. 後凡卦下之有象曰者, 倣此.

이 한 절은 공자의 '단(彖)'에 대한 설명이다. 뒤의 모든 괘에 있는 '단왈'이란 것이 이와 같다.

○ 大傳曰, 象者才也, 言乎象者也. 乾鑿度曰, 陽以七陰以八爲象. 荀九家曰, 陽稱大六爻純陽, 故曰大元者, 氣之始也.

「계사전」에서 "단(彖)은 재질이고[273] 상(象)을 말한 것이다.[274]"라 하였다. 『건착도』에서 "양은 7로써 음은 8로써 단을 삼는다"라 하였다. 순상(荀爽)의 『구가역(九家易)』에서 "양은 크고 여섯 효는 순수한 양이라 칭하므로 '대원(大元)'이라는 것은 기의 시작이다"라 하였다.

荀爽〈後漢人, 竝著九家易〉曰, 謂分爲六十四卦, 萬一千五百二十策, 皆受始於乾也, 猶萬物之生稟於天也. 正義〈唐孔穎達著〉曰, 品類之物流布成形, 此亨之道也. 六位六爻之位, 性者天生之質. 命者人所稟受, 若貴賤夭壽之屬是也. 大戴記本命篇曰, 分於道謂之命, 形於一謂之性, 化於陰陽象形而發謂之生化, 窮數盡謂之死, 故命者性之終也.

순상〈후한시대 사람이고 『구가역』을 함께 지었다〉이 "나누어서 64괘와 11,520책이 된다고 하는 것은 모두 건에서 받아서 시작한 것으로 만물의 생김이 하늘에서 품부 받은 것과 같다"라 하였다. 『주역정의』〈당나라 공영달이 지었다〉에서 "각종 부류의 사물들이 유행하여 형체를 이루니, 이것이 '형'의 도이다. 여섯 자리는 여섯 효의 자리이고, 본성은 하늘이 낳은 바탕이며, 명(命)은 사람이 품부 받은 것으로 귀하고 천하고 요절하고 장수하는 따위와 같은 것이 이것이다"라 하였다. 『대대예기‧본명』에서 "도에서 나뉜 것을 명이라 하고, 하나에서 형성된 것을 본성이라 하며, 음양의 형상에서 변화하여 드러난 것을 생식하고 화육하는

---

270) 『周易‧坤卦‧文言傳』: 天地變化, 草木蕃, 天地閉, 賢人隱.
271) 『詩經‧召南』: 朝廷旣治, 天下純被, 文王之化, 則庶類蕃殖.
272) 『書經‧洪範』: 百穀用不成, 乂用昏不明, 俊民用微.
273) 『周易‧繫辭傳』: 象者, 材也.
274) 『周易‧繫辭傳』: 象者, 言乎象者也. 爻者, 言乎變者也.

것이라 하고, 수를 궁구하여 다한 것을 죽음이라 하므로 명(命)이란 본성의 마침이다"라 하였다.

○ 按, 大哉乾元, 萬物資始, 乃統天. 十一字乃易經開卷第一義也. 夫象亦物也. 人知地上萬物受始乎乾元, 不知空間萬象, 亦受始乎乾元也. 人知乾元能統諸物, 不知乾元能統諸天也. 知此則知乾元之大矣. 乾元者, 體物不遺而不資於物者也. 自雲行雨施以下, 論天地萬物變化之象, 而與文言中乾元條 當參玩. 自此至篇終皆孔子作也.

내가 살펴보았다: "크도다! 건원이여, 만물이 의뢰하여 시작하니 이에 하늘을 통솔하도다"라는 말은 『주역』에서 책을 여는 첫 번째 뜻이다. 상(象)도 사물이다. 사람은 지상의 만물이 건원(乾元)에서 받아서 시작된 것임을 알지만, 공간 속의 모든 상(象)도 건원에서 받아서 시작된 것임을 모른다. 사람은 건원이 모든 사물을 통괄함을 알지만, 건원이 모든 하늘을 통괄함을 모른다. 이것을 알면 건원의 위대함을 아는 것이다. 건원이란 사물에게 몸체를 부여함에 빠뜨리지 않지만 사물에 의지하지도 않는다. "구름이 떠다니고 비가 내린다" 이하는 천지만물의 변화하는 상을 논하였는데, 「문언전」 가운데 '건원'조항과 함께 완미하여야만 한다. 여기서부터 편의 끝까지는 모두 공자가 지은 것이다.

象曰, 天行健, 君子以, 自彊不息.

「상전」에서 말하였다: 하늘의 운행이 굳건하니, 군자가 그것을 본받아 스스로 힘쓰고 쉬지 않는다.

‖ 中國大全 ‖

傳

卦下象解一卦之象, 爻下象解一爻之象. 諸卦皆取象以爲法. 乾道覆育之象至大, 非聖人莫能體, 欲人皆可取法也. 故取其行健而已, 至健固足以見天道也. 君子以自彊不息, 法天行之健也.

괘(卦) 아래의 상(象)은 한 괘의 상을 해석한 것이고, 효(爻) 아래의 상은 한 효의 상을 해석한 것이니, 모든 괘는 다 상을 취하여 본보기로 삼는다.[275] 건도의 덮어서 양육하는 상이 지극히 커서 성인이 아니면 몸소 행할 수 없으니, 사람들이 모두 취하여 본보기로 삼도록 하였다. 그러므로 그 운행의 굳건함을 취했을 뿐이니, 지극히 굳건하면 진실로 하늘의 도를 볼 수 있다. 군자가 그것을 본받아 스스로 힘쓰고 쉬지 않아 천행의 굳건함을 본받는다.

本義

象者, 卦之上下兩象, 及兩象之六爻, 周公所繫之辭也.

상(象)이란 괘의 위아래 두 개의 상 및 두 개의 상의 여섯 효이니, 주공이 붙인 글이다.[276]

---

275) 여기서 상(象)을 해석한 것이란 「상전」을 가리킨다. 따라서 괘 아래의 상을 해석한 것은 「대상전」을 의미하고 효 아래의 상을 해석한 것은 「소상전」을 의미한다.

276) 여기서 '괘 위아래의 두 상[兩象]'은 대상(大象) 즉 대성괘[상하 소성괘의 합]를 말한다. '두 상의 여섯 효'는 대성괘의 여섯 효이고, 여기에 주공이 말(爻辭)을 붙였다는 의미이다. 따라서 주자가 여기서 말하는 '상'은 「상전」이 아니다. 이것을 「대상전」과 「소상전」으로 혼동하기 때문에 해석하기 힘들다고 명대(明代) 채청(蔡淸, 1453~1508)은 『역경몽인(易經蒙引)』에서 말한다. "卦之上下兩象數字爲大象言, 及兩象之六爻周公所繫之辭也數字, 爲小象言. 本義云, 今人多解不通. 蓋今之所謂大象小象者, 乃大象傳小象傳也. 若論象之正義, 則此卦上乾下乾者, 卦之上下兩象也, 初九潛龍勿用至上九之亢龍有悔者, 兩象之

○ 天, 乾卦之象也. 凡重卦皆取重義, 此獨不然者, 天一而已. 但言天行, 則見其一日一周, 而明日又一周, 若重複之象, 非至健不能也. 君子法之, 不以人欲害其天德之剛, 則自强而不息矣.

하늘은 건괘의 상이다. 일반적으로 '거듭된 괘[重卦]'[277]는 모두 거듭된다는 뜻을 취했는데, 여기서만 그렇지 않은 것은 하늘은 하나이기 때문이다. 단지 하늘의 운행이라 말하면 하늘이 하루에 한 번 돌고 다음날 또 한 번 도는 중복되는 것과 같은 상을 볼 수 있으니, 지극히 굳건하지 않으면 할 수 없다. 군자가 이를 본받아 사람의 욕심으로 천덕의 굳셈을 해치지 않으면, 스스로 힘쓰고 쉬지 않을 것이다.

小註

朱子曰, 乾卦有兩乾, 是兩天也. 昨日行一天也, 今日行又一天也, 其實一天. 而行健不已, 此所以爲天行健也.

주자가 말하였다: 건괘(乾卦䷀)에는 두 개의 건괘(乾卦☰)가 있으니, 두 개의 하늘이다. 어제 하나의 하늘을 운행하고 오늘 또 하나의 하늘을 운행하지만 실은 하나의 하늘이다. 운행이 굳건하여 그치지 않은 것뿐이니, 이것이 하늘의 운행이 굳건한 까닭이다.

○ 天惟健, 故不息, 不可把不息做健.

하늘은 오직 굳건하기 때문에 쉬지 않으니, 쉬지 않음을 굳건함으로 여겨서는 안 된다.

○ 問, 健足以形容乾否? 曰, 可. 伊川曰健而无息之謂乾, 蓋自人而言, 固有一時之健, 有一日之健, 惟无息乃天之德.

물었다: 굳건함은 건을 형용하기에 충분합니까?
답하였다: 그렇습니다. 이천이 "굳건하면서 쉼이 없는 것을 건이라 한다"고 말한 것은, 사람의 입장에서 말한 것입니다. 본래 한 때의 굳건함이 있고, 하루의 굳건함이 있으니, 오직 쉼이 없는 것이 바로 하늘의 덕입니다.

○ 乾乾不息者體, 日往月來寒往暑來者用. 有體則有用, 有用則有體, 不可分先後說.

굳세고 굳세어 쉬지 않는 것은 본체[體]이고, 날이 가고 달이 오고 추위가 가고 더위가 오는

六爻周公所繫之辭也. 卦之上下兩象者, 分二體言二體各一象也, 及兩象之六爻周公所繫之辭者, 以兩象包有六爻, 其六爻周公所繫之辭, 只是兩象逐節之義, 故竝謂之象也."

277) 3획의 소성괘를 거듭하여 이루어진 6획의 대성괘가 '거듭된 괘[重卦]'이다.

것이 작용[用]이다. 본체가 있으면 작용이 있고 작용이 있으면 본체가 있으니, 선후로 나누어 말할 수 없다.

○ 問, 天運不息, 君子以自强不息.

물었다: "하늘의 운행이 쉬지 않는 것"과 "군자가 그것을 본받아 스스로 힘쓰고 쉬지 않는다"는 것은 무슨 뜻입니까?

曰, 非是說天運不息, 自家去赶逐, 也要學他如此不息, 只是常存得此心, 則天理常行而周流不息矣.

답하였다: 이것은 하늘의 운행이 쉬지 않으니, 자신이 쫓아가서 또한 그것이 이와 같이 쉬지 않음을 배워야 한다는 것이 아니라, 단지 이와 같은 마음을 항상 보존한다면, 하늘의 이치가 항상 행해지고 두루 흘러 쉬지 않는다는 것입니다.

○ 安定胡氏曰, 天者乾之形, 乾者天之用. 天形蒼然, 南極入地下三十六度, 北極出地上三十六度. 狀如倚杵, 其用則一晝一夜, 行九十餘萬里. 人一呼一吸爲一息, 一息之間, 天已行八十餘里. 人一晝一夜, 有萬三千六百餘息, 故天行九十餘萬里. 天之行健可知, 故君子法之, 以自强不息云.

안정호씨[278]가 말하였다: 하늘은 건의 형태이고, 건은 하늘의 작용이다. 하늘의 형체는 푸르고, 남극은 36도 땅 속에 들어가 있으며, 북극은 36도 땅 밖에 나와 있다. 그 모양이 기울어진 절구공이 같고, 그 작용은 하루 밤낮에 90만리 남짓을 운행한다. 사람이 숨을 한 번 들이쉬고 한 번 내쉬는 것이 한 호흡인데, 한 번 호흡하는 사이 하늘은 이미 80리 남짓을 운행한다. 사람이 하루 동안 13,600번 이상 호흡을 하므로 하늘은 90만리 남짓을 운행한다. 하늘의 운행이 굳셈을 알 수 있으므로 군자는 이를 본받아 "스스로 힘쓰고 쉬지 않는다"라 한다.

○ 廣平游氏曰, 至誠无息, 天行健也. 若文王之德之純是也. 未能无息而不息者, 君子

---

278) 호원(胡瑗, 993~1059): 송대 리학(理學)의 선구자로 알려져 있다. 자는 익지(翼之)이며, 강소성 해릉(海陵) 사람이다. 인의(仁義)와 예악(禮樂)을 중시했다. 저서로 『논어설(論語說)』・『주역구의(周易口義)』・『홍범구의(洪範口義)』・『춘추구의(春秋口義)』・『황우신락도기(皇祐新樂圖記)』 등이 있다. 그는 종률(鐘律)을 교정하여 종경(鐘磬)을 제작할 정도로 율려론과 천문이론에도 해박하였다. 본문의 내용도 당시의 최신 천문이론의 내용이다. 위에서 논한 '남극은 36도 땅 속에 들어가 있고, 북극은 36도 땅 밖에 나와 있다'는 말은 지구가 둥글다는 지원설(地圓說)을 근거로 북위 36도 내외에 있는 중국의 입장에서 보면, 보이는 북반구와 보이지 않는 남반부를 지칭한 말이다. "그 모양이 기울어진 절구공이 같고"란 말은 지구가 천체 속에 비스듬히 걸려있다는 뜻이다. "하루 밤낮 구만리 이상을 운행한다"는 말은 그의 이론이 지동설(地動說)의 입장인지는 확실치 않지만, 하늘[天體]이 운행하다는 말로써 지구가 한 번 자전하는 길이를 대신 말한 것이다. 요즘의 계산으로는 4만km가 넘는다.

之自强也. 若顔子三月不違仁是也.

광평유씨가 말하였다: 지극히 진실하여 쉼이 없는 것이 '하늘의 운행이 굳건함'이다. "문왕의 덕이 순수하다"[279]는 것이 여기에 해당한다. 쉼이 없을 수 없지만 쉬지 않는 것이 군자가 스스로 힘쓰는 것이다. 안자의 "석 달 동안 인을 떠나지 않았다"[280]는 것이 여기에 해당한다.

○ 建安丘氏曰, 自强者, 體下乾之象, 不息者, 體重乾之象.

건안 구씨가 말하였다: "스스로 힘쓴다"는 것은 하괘 건괘(乾卦䷀)의 상을 몸소 행하는 것[體行]이고, "쉬지 않는다"는 것은 거듭된 건괘(乾卦䷀)의 상을 몸소 행하는 것이다.

○ 雲峰胡氏曰, 上經四卦, 乾曰天行, 坤曰地勢, 坎曰水洊, 至離曰明兩作, 先體而後用也. 下經四卦, 震曰洊雷, 艮曰兼山, 巽曰隨風, 兌曰麗澤, 先用而後體也. 乾坤不言重, 異於六子也, 稱健不稱乾, 異於坤也. 然乾雖不言重, 而言天行, 則一日一周, 明日又一周, 而重之義, 已見於行之一字. 自强所以爲天德之剛, 或以人欲害之, 則息矣.

운봉호씨가 말하였다: 『주역·상경』의 네 괘에서, 건괘는 '하늘의 운행'이라 하고, 곤괘는 '땅의 형세'라 하고, 감괘는 '물이 거듭함'이라 하고, 리괘(離卦)에 이르러 '밝음이 둘이 되는 것'[281]이라 함은 본체를 먼저 말하고 작용을 뒤에 말한 것이다. 『주역·하경』의 네 괘에서, 진괘는 '거듭된 우레'라 하고, 간괘는 '겹쳐있는 산'이라 하고, 손괘는 '따르는 바람'이라 하고, 태괘는 '걸려있는 못'[282]이라 함은 작용을 먼저 말하고 본체를 뒤에 말한 것이다. 건괘·곤괘를 '거듭[重]'한다고 말하지 않은 것은 육자괘(六子卦)[283]와 다르고, 굳건하다[健]고 하고 건(乾)이라고 하지 않는 것은 곤괘(坤卦)와 다르다. 그러나 건에서 비록 '거듭'이라고는 말하지 않지만, 하늘의 운행을 말할 때에는 곧 하루 한 번 돌고 다음날 또 한 번 돌아서 '거듭'이라는 뜻이 이미 '운행[行]'이라는 말에 드러난다. 스스로 힘씀이 천덕(天德)의 굳셈이니, 혹 인욕으로 해치게 되면 그치게 된다.

○ 雙湖胡氏曰, 夫子六十四卦大象, 自釋伏羲一卦兩體之象. 象皆夫子所自取, 文王周公所未嘗有, 故與卦爻之辭, 絶不相關. 六十四卦皆著一以字, 以者所以體易而用之

---

279) 『詩經·維天之命』: 維天之命, 於穆不已, 於乎不顯. 文王之德之純.
280) 『論語·雍也』.
281) '乾曰天行, 坤曰地勢, 坎曰水洊, 至離曰明兩作'은 건·곤·감·리괘의 「대상전」의 말이다.
282) '震曰洊雷, 艮曰兼山, 巽曰隨風, 兌曰麗澤'은 진·간·손·태괘의 「대상전」의 말이다.
283) 팔괘 중에서 부모격인 건곤괘를 제외한 여섯 괘를 여섯 자식괘라 한다. 맏아들은 진괘(震卦☳), 둘째아들은 감괘(坎卦☵), 막내아들은 간괘(艮卦☶), 맏딸은 손괘(巽卦☴), 둘째딸은 리괘(離卦☲), 막내딸은 태괘(兌卦☱)이다.

也. 卽一以字, 示萬世學者用易之方, 不可不察也.

쌍호호씨가 말하였다: 공자의 육십사괘 「대상전」은 본래 복희가 그린 한 괘의 상하 두 몸체의 상을 해석한 것이다. 「대상전」은 모두 공자가 스스로 지은 것이고, 문왕과 주공 때에는 없던 것이기 때문에 괘효의 말과는 결코 상관이 없다. 육십사괘 「대상전」에는 모두 '이것을 본받아[以]'란 말이 붙어있으니, '이것을 본받아[以]'란 『주역』을 체득하고 활용하는 것이다. 즉 하나의 '이것을 본받아[以]'로 긴 세월 동안 학자들에게 『주역』을 활용하는 방법을 제시했으니 살피지 않을 수 없다.

‖韓國大全‖

조호익(曺好益) 『역상설(易象說)』

以字句絶, 非程傳意. 本義法之二字, 似釋以字.

'그것을 본받아[以]'로 구(句)를 끊는 것은 『정전』의 뜻이 아니다. 『본의』에 '이것을 본받아[法之]'라는 말은 '그것을 본받아[以]'라는 말을 해석한 것인 듯하다.

飛龍在天, 大人造也.

"나는 용이 하늘에 있다"라 함은 대인이 일함이다.

○ 造字不必如傳. 註胡氏說實看了.

'조(造)' 자는 『정전』과 같이 볼 필요가 없다. 소주에서 운봉호씨(雲峯胡氏)의 설명이 제대로 본 것이다.

김장생(金長生) 『경서변의(經書辨疑)-주역(周易)』

象, 傳, 卦下象, 爻下象.

상에 대해서 『정전』에서는 "괘 아래의 상, 효 아래의 상"이라 하였다.

卦下象乃大象, 天行以下, 爻下象乃小象, 潛龍以下.

괘 아래의 상은 바로 「대상전」으로 '하늘의 운행이[天行]' 이하이고, 효 아래의 상은 바로 「소상전」으로 '잠겨 있는 용[潛龍]' 이하이다.

本義, 卦之上下兩象, 及兩象之六爻.

『본의』에서 말하였다: 괘의 위아래 두 상 및 두 상의 여섯 효.

上下兩象, 指重乾而言也, 兩象六爻, 初九九二九三之類也. 周公所繫之辭, 指潛龍見龍乾乾或躍飛龍亢龍等語也.

'위아래의 두 상'은 건(乾☰)이 거듭된 것을 가리켜서 말했고, 두 상의 여섯 효는 초구·구이·구삼과 같은 부류이다. 주공이 붙인 말은 '잠겨있는 용'·'나타난 용'·'힘쓰고 힘씀'·'혹 뛰어오름'·'나는 용'·'끝까지 올라간 용' 등의 말을 가리킨다.

本義, 彖傳, 象傳.[284]

『본의』의 「단전」과 「상전」.

象傳, 自大哉, 至萬國咸寧, 象傳, 自天行, 至不可爲首.

『본의』에서 말하는 「단전」은 "크도다 … 만국이 모두 편안하다"까지이고, 「상전」은 "하늘의 운행 … 머리가 되어서는 안 된다"까지이다.

임영(林泳) 「독서차록(讀書箚錄)-주역(周易)」

傳, 難曰, 乾道覆育之象, 誠至大矣. 然無以見其至健, 惟其運轉流行, 健而無息, 乃至健之體, 乾之象也. 以天道言之, 亦其性情功用之最彰著處, 非次等小節也. 故孔子曰, 惟天爲大, 惟堯則之, 此言大也. 詩曰, 維天之命, 於穆不已. 於乎不顯. 文王之德之純, 此言健也. 言健, 豈下於言大, 而且此爲乾之象, 則言健者尤切也. 然而傳之意, 乃謂至大之象, 非聖人莫能體, 故姑取行健意. 若不足於行健者, 何耶.

『정전(程傳)』에 대해 논변하였다: 건도의 감싸서 양육하는 상(象)은 참으로 지극히 크다. 그러나 그 지극히 굳건함을 드러내지 않고, 오직 그 운전하고 유행하는 것이 굳건하면서 쉬지 않으니, 바로 지극히 굳센 몸체가 건의 상이다. 천도로 말한다면 또한 성정(性情)의 공용이 가장 뚜렷하게 드러나는 곳이니, 등급이 아래인 사소한 일이 아니다. 그러므로 공자는 "오직 하늘만이 위대한데, 오직 요임금이 본받았다"[285]고 했으니, 이것은 위대함을 말한 것이다. 『시경』에서 "하늘의 명령이 아! 심원하여 그치지 않는다. 아! 드러나지 않는가? 문왕이 더이 순수한이여"라 하니,[286] 이것은 굳건함을 말한 것이다. 굳건함을 말하는 것이 어찌 크다고 말하는 것보다 아래일 수 있으며, 또 이것이 건의 상이라면 굳건한 것이 더욱

---

284) 경학자료집성DB에는 건괘 「문언전」에 해당하는 것으로 분류했으나 내용에 따라 「대상전」으로 옮겨 바로 잡는다.
285) 『論語·泰伯』.
286) 『詩經·周頌』 維天之命.

절실하다. 그러나 『정전』의 뜻은 지극히 큰 상은 성인이 아니면 아무도 체득할 수 없기 때문에 굳건함을 운행하는 의미를 잠시 취했다는 것이다. 굳건함을 운행하기에 부족한 자들이라면 어떻게 해야 하겠는가?

曰, 覆育之象, 雖至大而無乾義. 夫子以天行爲乾象, 誠非俯就者. 觀程子之意, 蓋以天行是乾之一事, 不足以盡乾道之大, 故爲之說如此, 然言乾之象, 固莫如天行. 蓋至健之象, 於是最著, 則初非計較聖凡體法之難易, 而姑取其次, 令人可行也, 且有一義. 竊識于此, 天行固以天體運轉言. 然旣言天行, 則天道流行, 似亦在其中, 如人之行步, 固可謂人行, 人之行履, 亦可謂人行. 天體運轉, 則如人行步之行也, 天道流行, 如人行履之行也. 此主於, 固以運轉之體爲主. 天道流行, 與物爲體, 亦至著也, 則恐亦未可謂非其蘊也, 如言天運, 體之運轉, 固是天運, 道之運行, 亦天運也.

말하였다: 감싸서 양육하는 상은 비록 지극히 크지만 건의 뜻이 없다. 공자가 하늘의 운행을 건의 상으로 여긴 것은 진실로 억지로 따르는 것이 아니다. 살펴보자면, 정자의 의도는 하늘의 운행은 건(乾)에서 하나의 일이기 때문에 건도의 큼을 다하기에 부족하므로 그 설명이 이와 같지만, 건의 상을 말함에 진실로 하늘의 운행만한 것이 없다는 것이다. 지극히 굳건한 상은 여기에서 가장 잘 드러나니, 애초에 성인과 보통사람이 본받는 것의 쉽고 어려움을 비교하지 않고 잠시 차선책을 취하여 사람들이 행할 수 있게 한 것으로 또한 하나의 의미가 있다. 이것을 가만히 생각해보면 하늘의 운행은 실로 천체의 운행으로 말하였다. 그러나 이미 하늘의 운행을 말했다면 천도가 유행하는 것이 유사하게 또한 그 속에 있으니, 사람들이 걸어 다니는 것을 진실로 사람들의 통행이라고 할 수 있고, 사람들이 왕래하는 것도 사람들의 통행이라고 할 수 있는 것과 같다. 천도의 유행이 사물과 함께 형체가 되어 또한 지극하게 드러나는 것도 천도의 온축이 아니라고 말할 수는 없을 듯하니, 하늘의 운행을 말한다면, 형체의 운행이 진실로 하늘의 운행이고 도의 운행도 하늘의 운행이다.

周公所繫之辭以上, 皆象之經. 其下當言傳者〈古易象下有傳字.〉, 孔子所以釋經之辭, 而象下旣言後凡言傳者, 倣此, 故不重出. 或者不察乎此, 往往以象爲周公辭云.

『본의』에서 "주공이 붙인 글이다[周公所繫之辭]"라고 한 말의 앞부분은 모두 상(象)의 경(經)에 대한 것이다. 그['象'字] 아래 전(傳)이라고 해야 하는 것은〈『고역』에는 상(象) 아래에 '전(傳)'자가 있다.〉 공자가 경문을 해석한 말[상전]이기 때문이다. 그런데 단(象)의 아래에서 "뒤에서 전(傳)이라고 말한 것은 이와 같다"[287]고 이미 말했기 때문에 반복하지 않았던

---

287) 『原本周易本義 · 象上傳』: 小註, 象, 卽文王所繫之辭. 上者, 經之上篇. 傳者, 孔子所以釋經之辭也. 後凡言傳者, 放此.

것이다. 어떤 이들은 이것을 살피지 못하고 종종 「상전」을 주공의 설명[爻辭=經文]이라고 여긴다.

不以人欲害天德之剛, 則自彊而不息矣.

사람의 욕심으로 천덕의 굳셈을 해치지 않으면, 곧 스스로 힘쓰고 쉬지 않을 것이다.

難曰, 如此說, 則不以人欲害天德之剛 , 爲實下手處, 而自彊不息, 乃其效耳. 諸卦用象, 皆說實事, 未有輒言其效者, 恐不若直作實事說也.

논변하였다: 이와 같이 말한다면, "사람의 욕심으로 천덕의 굳셈을 해치지 않는 것"은 실제 착수하는 것이고 "스스로 힘쓰고 쉬지 않을 것이다"라는 것은 그 효과일 뿐이다. 모든 괘에서 상(象)을 활용함에 모두 실제의 일을 말하고, 그 효과를 느닷없이 말하는 경우가 없는 것은 아마도 바로 실제의 일로 말하는 것만 못하기 때문일 것이다.

曰, 小註朱子說第五條, 正說此意. 蓋所以發明自彊不息實下手處, 其開示亦切矣. 但先言經外意於自彊不息之前, 則自彊不息, 反爲其效, 終可疑耳.

말하였다: 소주(小註)에서 주자가 말한 다섯째 조항은 바로 이러한 뜻을 말한 것이다. "스스로 힘쓰고 쉬지 않는 것"이 실제 착수하는 것임을 드러내 밝힌 까닭에 게시한 것도 적절하다. 다만 "스스로 힘쓰고 쉬지 않는 것"에 앞서 경문 이외의 뜻을 먼저 말한다면, "스스로 힘쓰고 쉬지 않는 것"이 도리어 효과가 되어 끝내 미심쩍을 뿐이다.

小註胡安定說天行里數, 人呼吸之數, 未知出於何書. 而但以其說求之, 人之一息, 天行八十餘里, 則人一晝一夜, 有一萬三千六百餘息, 天行當爲一百八萬八千餘里, 其計之未精矣. 若一息, 天行六十六里, 則大約近之矣.

소주(小註)에서 안정호씨가 말한 하늘의 운행거리 수와 사람의 호흡 수가 어느 책에서 나왔는지 알 수 없다. 그러나 단지 그의 주장으로 계산해보면, 사람이 한 번 호흡하는 사이에 하늘이 팔십리 남짓을 운행하면, 사람이 하루 동안 13,600번 이상의 호흡을 하고 하늘은 1,088,000여리를 운행하니, 그 계산이 정밀하지 않다. 만약 한번 호흡에 하늘이 66리를 운행한다면 대략 비슷할 것이다.

游廣平說文王之德之純, 未可便謂天行健. 若曰至健无息者, 天行也, 自彊不息者, 君子之法乎天也.

유광평은 문왕의 덕이 순수하다고 바로 "하늘이 굳건하다"라 할 수 없다고 하였다. 만약 지극히 굳건하고 쉬지 않는 것이 하늘의 운행이라고 말한다면, 스스로 힘쓰고 쉬지 않는 것은 군자가 하늘을 본받는 것이다.

김도(金濤) 「주역천설(周易淺說)」

愚按, 本義下朱子所釋, 凡五[288]段, 胡安定以下諸儒所釋, 又凡五段也, 皆合於大象之義. 而朱子末段則曰, 如此不息常存此心, 則天理常行而周流不息, 廣平游氏則曰, 未能無息而不息者, 君子之自强, 而顔子三月不違仁是也, 愚於此說尤有所省發焉. 愚以爲自强不息者, 聖人之事, 而所謂君子則賢與聖之通稱也. 若使不息之君子得天位行天道, 則所施無不周徧, 而雲行雨施, 萬國咸寧矣. 中庸所謂天地位焉, 萬物育焉者, 卽此也, 而天下之太平不足言也. 此乃聖人之極功, 學者雖不可當之, 然以朱子存心之說, 游氏顔子不違仁之論, 叅而觀之, 則凡學者, 皆可以馴致矣. 周濂溪有言曰, 聖希天, 賢希聖, 士希賢. 爲士者, 苟能循序着力, 漸至於至誠無息之域, 則雖在側微, 而其德之盛, 可及於聖賢矣, 學者可不勉哉. 又曰, 世之不學者, 常曰聖本生知, 非學可至, 豈後世之所可及哉. 此則自畫者也. 甚者則或有侮聖言, 而悖於理者, 可憫也哉.

내가 살펴보았다:『본의』아래에서 주자가 해석한 것이 다섯 단락이고 안정호씨 이하 여러 학자들이 해석한 것이 또 다섯 단락인데, 모두 '대상(大象)'의 뜻에 합치된다. 그런데 주자는 끝 단락에서 "이와 같이 쉬지 않고 이 마음을 항상 보존한다면, 하늘의 이치가 항상 행해지고 두루 흘러 쉬지 않는다"[289]라 하였고, 광평유씨는 "쉼이 없을 수 없지만 쉬지 않는 것이 군자가 스스로 힘쓰는 것이고, 안자의 '3개월간 인을 떠나지 않는다'[290]는 것이 이것이다"라 하였으니, 나는 이 설명에서 더욱 깨닫는 것이 있었다. 나는 '스스로 힘써 쉬지 않는 것'은 성인의 일이고 이른바 군자는 현인과 성인을 통틀어서 부른 것으로 여겼다. 만약 쉬지 않는 군자가 하늘의 지위를 얻어 천도를 행하게 된다면, 베푸는 것이 두루 미치지 않음이 없어 "구름이 떠다니고 비가 내려 만국이 모두 편안하다"는 것이다. 『중용』에서 말하는 "천지가 제 자리에 편안하고 만물이 잘 자란다"[291]는 것은 이것을 가지고 천하의 태평을 말하기에는 부족하다. 이것은 바로 성인의 지극한 공덕이어서 배우는 자에게 해당할 수는 없겠지만, 마음을 보존하는 것에 대한 주자의 설명과 안자가 인을 떠나지 않는 것에 대한 유씨의 설명을 참고해서 보면, 배우는 자들도 모두 잘 따를 수 있을 것이다. 주렴계[292]가 "성인은 하늘

---

288) 『주역전의대전』 299-300쪽을 참고하면 주자가 해석한 곳은 다섯 곳이기 때문에 '四'를 '五'로 바로잡았다.
289) 『주역전의대전』을 참고할 때, 주자의 말은 "이것은 하늘의 운행이 쉬지 않아서 자신이 쫓아가고, 또한 그것이 이와 같이 쉬지 않음을 배워야 한다는 것이 아니라, 단지 이와 같은 마음을 항상 보존한다면, 하늘의 이치가 항상 행해지고 두루 흘러 쉬지 않는다는 것입니다非是說天運不息, 自家去赶逐, 也要學他如此不息, 只是常存得此心, 則天理常行而周流不息矣]"로 되어 있는데, 축약되면서 문장이 다소 다르게 변형되었다.
290) 『論語·雍也』.
291) 『中庸』.
292) 주돈이(周敦頤, 1017년~1073년): 자는 무숙(茂叔), 호는 염계(濂溪)이며 도주(道州, 湖南省 道營縣) 출생

과 같기를 희망하고, 현인은 성인이 되기를 희망하고, 선비는 현인이 되기를 희망한다"[293]라 하였다. 선비 된 자가 '지극히 진실하여 쉼이 없는[至誠無息]' 경지에 진실로 순서대로 진력하여 점차 이르게 되면, 미천한 곳에 있더라도 그 덕의 성대함은 성현에 미칠 수 있을 것이니, 배우는 자들이 힘쓰지 않을 수 있겠는가! 또 "세상에서 배우지 않은 자들이 언제나 '성인은 본래 태어날 때부터 알아[294] 배워서 이를 수 있는 것이 아니다. 그러니 어찌 후세에서 미칠 수 있겠는가!'라고 한다"라 하였다. 이는 곧 스스로 한계[295]를 짓는 자이다. 심한 경우에는 혹 성인의 말을 업신여기고 이치를 어기는 자가 있으니 걱정스럽구나!

이만부(李萬敷) 「역통(易統)·역대상편람(易大象便覽)·잡서변(雜書辨)」

傳曰, 乾道覆育之象至大, 非聖人莫能體, 欲人皆可取法也. 故取其行健而已, 至健固足以見天道也. 君子以自彊不息, 法天行之健也.

『정전』에서 말하였다: 건도의 덮어서 양육하는 상이 지극히 커서 성인이 아니면 몸소 행할 수 없으니, 사람들이 모두 취하여 본보기로 삼도록 하였다. 그러므로 그 운행의 굳건함을 취했을 뿐이니, 지극히 굳건하면 진실로 하늘의 도를 볼 수 있다. 군자가 그것을 본받아 스스로 힘쓰고 쉬지 않아 천행의 굳건함을 본받는다.

臣謹按, 乾道覆育雖至大, 只由健行以致其大. 君子之自彊不息者, 所以體天之健行也.

신이 삼가 살펴보았습니다: 건도의 감싸서 양육함이 지극히 크지만 굳건한 운행으로 말미암아 그 큼을 이루었을 뿐입니다. 군자가 스스로 힘쓰고 쉬지 않는 것은 하늘의 굳건한 운행을 체득했기 때문입니다.

本義曰, 天, 乾卦之象也. 凡重卦皆取重義, 此獨不然者, 天一而已. 但言天行, 則見其一日一周, 而明日又一周. 若重複之象, 非至健不能也. 君子法之, 不以人欲害其天德之剛, 則自彊而不息矣.

이다. 지방관으로서 각지에서 공적을 세운 후 만년에는 여산(廬山) 기슭의 염계서당(濂溪書堂)에 은퇴하였기 때문에 문인들이 염계선생이라 불렀다. 북송시대(960~1127)의 사마광(司馬光)·왕안석(王安石)과 동시대의 인물이다. 그는 당시 사상계를 대표하는 이른바 북송오자(北宋五子: 주돈이, 소옹, 장재, 정명도, 정이천)의 한 사람으로 정이천과 정명도 형제를 가르치기도 했다. 대표저서로『통서』와『태극도설』이 있다. 송명유학에서 '태극'을 철학적 명제로 제시한 공적이 있다.

293)『通書』.
294)『論語·述而』.
295)『論語·雍也』: 공자가 말하였다: 힘이 부족한 자는 중도에 그만두니 지금 너는 스스로 한계를 긋는 것이다 [子曰 : 力不足者, 中道而廢. 今女畫].

『본의』에서 말하였다: 하늘은 건괘의 상이다. 일반적으로 '거듭된 괘[重卦]'는 모두 거듭된다는 뜻을 취했는데 여기서만 그렇지 않은 것은 하늘은 하나이기 때문이다. 단지 하늘의 운행이라 말하면 하늘이 하루에 한 번 돌고 다음날 또 한 번 도는 중복되는 것과 같은 상을 볼 수 있으니 지극히 굳건하지 않으면 할 수 없다. 군자가 이를 본받아 사람의 욕심으로 천덕의 굳셈을 해치지 않으면, 스스로 힘쓰고 쉬지 않을 것이다.

臣謹按, 凡人之心, 纔有一毫人欲之萌, 則天理之存於我者, 便已間斷, 而其行必餒, 安得如天之健而不息乎. 本義, 以天德人欲對言, 其旨深矣.
신이 삼가 살펴보았습니다: 보통 사람의 마음은 겨우 조금만 인욕이 싹트면, 나에게 보존된 천리는 바로 끊어져서 그 행실은 반드시 잘못되니, 어찌 하늘의 굳건하고 쉬지 않음과 같을 수 있겠습니까? 『본의』에서 천덕과 인욕을 짝하여 말하였으니, 그 뜻이 깊습니다.

○ 又按, 大象之辭, 夫子自取一卦兩體之象而發之, 故與卦爻之辭不相關. 而至於某以之不同, 則蓋其事屬治平敎化者, 多言先王, 屬德行事業出處者, 多言君子. 是故言君子最多, 言先王次多. 言后與上, 則與言先王爲類. 言大人, 則與言君子爲類. 然君子上下之通稱也. 君子大人所以之事, 先王有未嘗不以然, 則六十四象之事, 豈有出王者御世之外者哉.
또 살펴보았습니다: 「대상전」의 말은 공자가 본래 한 괘인 두 몸체의 상을 가지고 설명한 것이기 때문에 괘사나 효사와는 상관이 없습니다. '아무가 그것을 본받아'가 같지 않은 것으로 말하자면, 그 일이 치국과 평천하의 교화에 속한 것은 선왕을 많이 말하고, 덕행과 사업의 출처에 속한 것은 군자를 많이 말한 것입니다. 이 때문에 군자를 가장 많이 말했고 선왕을 다음으로 많이 말했습니다. 임금[后]과 '지위 있는 재[上]'를 말한 것은 선왕을 말한 것과 같은 부류이고, 대인을 말한 것은 군자를 말한 것과 같은 부류입니다. 그러나 군자는 위아래의 통칭입니다. 군자와 대인이 본받아 하는 일을 선왕이 그렇게 하지 않은 적이 없었으니, 64개의 상에 대한 일이 어찌 임금이 세상을 다스리는 것과 무관하겠습니까?

이익(李瀷) 『역경질서(易經疾書)』

大象言卦名, 六十四卦, 惟乾異例.
「대상전」에서 괘의 이름을 말하였는데, 육십사괘에서 건괘만 예가 다르다.

按, 健古乾字, 健者 腱之誤也. 健乃性情, 何謂象也. 九三乾乾有健之義. 腱可以包健, 健不可以包腱也.

내가 살펴보았다: '건(健)'은 옛날에 '건(乾)'자였는데, '건(健)'은 건(健)의 오자이다. 굳건함
[健]은 성정(性情)인데 어째서 상(象)이라고 하는가? 구삼의 힘쓰고 힘씀에 굳건하대健]는
뜻이 있다. 건(健)이 굳건함을 포괄할 수 있으니, 굳건함이 건(健)을 포괄할 수는 없다.

권만(權萬)「역설(易說)」

天一日一周, 其行莫健健强有力也. 或曰, 伉也彊, 說文曰, 本作畺, 三, 其界畫也〈止〉.
三畫象單乾, 其上下兩圓圈, 亦象重乾兩天.

하늘은 하루에 한 번 도니, 그 운행이 매우 굳건하고 굳건하며 굳세게 힘이 있기 때문이다.
어떤 이는 "굳세대伉는 것은 굳건하다(彊)는 것인데, 『설문해자』에서는 '본래 강(畺)으로
되어 있고, 강(畺)에서 삼(三)은 그 경계를 그린 것이다'[296]라 하였다"라 하였다.〈어떤 이의
말은 여기까지이다.〉 3획(三畫)은 하나의 건(乾)을 상징하고, 그 위아래 두 개의 영역도
거듭된 건(乾) 두 하늘을 상징한다.

양응수(楊應秀)「곤괘강의(坤卦講義)·역본의차의(易本義箚疑)」

本義, 象者卦之上下兩象, 及兩象之六爻, 周公所繫之辭也.

『본의』에서 말하였다: 상(象)이란 괘의 위아래 두 상 및 두 상의 여섯 효이니, 주공이 붙인
글이다.

世之學者, 誤認此本義, 而以天行健君子以自强不息, 亦作周公所繫之辭看, 今引朱子
語錄以證之.

세상의 배우는 사람들이 여기의 『본의』를 오인하여 「상전」의 "하늘의 운행이 굳세니 군자
가 그것을 본받아 스스로 힘쓰고 쉬지 않는다"라는 말도 주공이 지은 효사로 보고 있으니,
이제 『주자어류』를 인용하여 증명하겠다.

語錄曰, 如元亨利貞, 乃文王所繫卦文之辭, 以斷一卦之吉凶. 此名, 彖辭, 彖斷也, 陸
氏音中語所謂彖之經也. 大哉乾元以下, 孔子之辭, 亦謂之彖, 所謂彖之傳也. 爻之辭,
如潛龍勿用, 乃周公所繫之辭, 以斷一爻之吉凶也. 天行健, 君子以, 自彊不息, 所謂大
象之傳, 潛龍勿用, 陽在下也, 所謂小象之傳, 皆孔子所作也.

『주자어류』에서 말하였다: 예를 들어 '원·형·리·정'은 바로 문왕이 괘의 그림을 설명한

---

296)『說文解字』: 畺, 界也. 从畕 ; 三, 其界畫也.

말로 한 괘의 길흉을 결정하는 것이다. 이것을 단사(彖辭)로 이름붙인 것은 단(彖)이 결단하는 것이기 때문이니, 육덕명의 「주역음의」297)에서 이른바 '단의 경'[彖經]이다. '위대하다, 건원이여' 이하는 공자의 말임에도 '단(彖)'이라 하니, 이른바 '단의 전'[「단전」]이다. 효(爻)의 말은 예를 들어 "잠겨있는 용이니 쓰지 말라"는 주공이 붙인 말로 한 효의 길흉을 결단한다. "하늘의 운행이 굳건하니 군자가 그것을 본받아 스스로 힘쓰고 쉬지 않는다"는 이른바 '대상의 전'[「대상전」]이고, "'잠겨있는 용이니 쓰지 말라'고 함은 양이 아래에 있기 때문이다"는 이른바 '소상의 전' [「소상전」]으로 모두 공자가 지은 것이다.298)

유정원(柳正源) 『역해참고(易解參攷)』
象曰.
「상전」에서 말하였다.

雙湖胡氏曰, 夫子六十四卦大象辭, 是釋伏羲卦, 當自爲一類. 三百八十四爻小象辭, 是釋周公爻, 當又自爲一類. 先儒釐正古易, 蓋有未盡處也.
쌍호호씨가 말하였다: 공자의 육십사괘「대상전」은 복희의 괘를 해석한 것이니, 본래 하나의 부류인 것이 당연하고, 삼백 팔십 사효의「소상전」은 주공의 효를 해석한 것이니, 또 저절로 하나의 부류인 것이 당연하나. 앞 시내 유학자들이『고역』을 징리하였지만, 부족한 곳이 있다.299)
〈案, 古易文王彖辭未嘗自爲一類. 孔子象辭亦同一例. 雙湖說恐矯枉過直.
내가 살펴보았다:『고역』에서는 문왕의 단사가 일찍이 스스로 하나의 부류가 된 적이 없었다. 공자의「상전」역시 같은 예이다. 쌍호의 주장은 아마도 잘못을 시정하려다 오히려 더 나쁘게 된 듯하다.〉

○ 平庵項氏曰, 卦有吉凶善惡, 而大象无不善者, 如剝與明夷. 人君无用陰剝陽之理, 則當自剝而厚下, 君子无用暗傷明之事, 則當自晦, 而莅衆. 凡此皆於凶中取吉也.
평암항씨가 말하였다: 괘에는 길흉(吉凶)과 선악(善惡)이 있는데,「대상전」에 선하지 않음이 없다는 것은 박괘(剝卦䷖)와 명이괘(明夷卦䷣)와 같다. 임금에게는 음을 쓰고 양을 깎아내는 이치가 없으니, 자신을 깎아내어 아래를 두텁게 하고, 군자에게는 어둠을 쓰고 밝음

---

297) 육덕명의『경전석문(經典釋文)·주역음의(周易音義)』를 말한다.
298)『주자어류』68권, 80조목 참조.
299)『周易會通·大象傳·附錄』: …. 夫子六十四卦大象辭, 是釋伏羲卦, 當自爲一類, 夫子三百八十四爻小象辭, 是釋周公爻, 當又自爲一類. 先儒釐正古易, 蓋有未盡處也. ….

을 상하게 하는 일이 없으니, 자신을 어둡게 하여 무리를 대한다.[300] 대체로 이것은 모두 흉한 가운데 길한 것을 취함이다.[301]

天行 [至] 不息.
하늘의 운행은 … 쉬지 않는다.

漢上朱氏曰, 史墨對趙簡子曰, 在易卦, 雷乘乾曰大壯. 觀此, 則雷在天上大壯之類, 有卦則有此象矣, 如曰君子以, 則孔子所繫也.
한상주씨가 말하였다: 사묵이 조간자에게 "역의 괘에서 우레[雷]가 하늘[乾]에 올라타고 있는 것을 대장괘(大壯卦䷡)라 합니다"[302]라 하였다. 이것을 본다면 우레가 하늘 위에 있는 '대장괘'와 같은 것은 괘가 있으면 이런 상이 있으니, 이를테면 "군자가 그것을 본받아"라 한 것은 공자가 붙인 말이다.[303]

○ 雙湖胡氏曰, 漢上說非是. 如雷如天等象, 往往古或有之, 卻未嘗有人將作大象如此齊整. 若謂有卦則有此象, 固是如此, 但雷在天上大壯一句之類, 既非文王又非周公, 將屬之誰作乎. 史墨三字, 但與易象意似而文又不同, 豈執此盡疑夫子大象. 或曰象述伏羲, 彖述文王, 而象在彖後者, 孔穎達謂象是孔子所述, 其肯先文王乎, 此論得矣.
쌍호호씨가 말하였다: 한상주씨의 주장은 잘못됐다. 예를 들어 우레나 하늘 등의 상(象)은 언제나 옛날에도 간혹 있었지만, 「대상전」을 지어 이와 같이 정리하려는 것은 일찍이 없었다. 괘가 있으면 이런 상이 있다고 말한다면 실로 이와 같겠지만, 단지 우레가 하늘 위에 있는 대장괘(大壯卦)라는 한 구절과 같은 것은 이미 문왕도 아니고 또 주공도 아니니, 누구에게 소속시켜 지었다고 하겠는가? 사묵이 옛 글자체로 적은 것은 단지 역상(易象)의 뜻과 비슷할 뿐이고 글이 또 같지 않으니, 어찌 이것을 가지고 공자의 「대상전」을 모두 의심하겠는가? 어떤 이가 상(象)은 복희를 계승하고 단(彖)은 문왕을 계승했다고 하였으나, 상이 단보다 뒤에 있는 것에 대해 공영달이 "「상전」은 공자가 지은 것인데 그가 기꺼이 문왕보다

---

300) 박괘 「대상전」: 산이 땅에 붙어 있는 것이 박(剝)이니, 윗사람이 보고서 아래를 두텁게 하여 집을 편안히 한다[山附於地剝, 上以厚下, 安宅]. 명이괘 「대상전」: 밝음이 땅 속으로 들어감이 명이(明夷)이니, 군자가 보고서 무리를 대할 때에 어둠을 써서 밝게 한다[明入地中, 明夷, 君子以, 莅衆, 用晦而明].

301) 『周易會通·大象傳·纂註』: 項氏曰, 卦有吉凶善惡, 而大象无不善者, 如剝與明夷. 人君无用陰剝陽之理, 則當自剝以厚下, 君子无用暗傷明之事, 則當自晦以莅衆. 凡此皆於凶中取吉也. ….

302) 『春秋左氏傳·召公』.

303) 『漢上易傳·叢說』: 史墨對趙簡子曰, 在易卦, 雷乘乾曰大壯. 觀此, 則雷在天上大壯之類, 有卦則有此象矣, 如曰君子以, 以非禮勿履, 則孔子所繫之大象也.

앞서려 하겠는가?"라고 하였다. 이 주장이 타당하다.304)

○ 梁山來氏曰, 天行健, 在天之健也, 自强不息, 在我之健也.
양산래씨가 말하였다: "하늘의 운행은 굳건하다"는 것은 하늘에서의 굳건함이고, "스스로 힘쓰고 쉬지 않는다"는 것은 자신에게 있는 굳건함이다.

○ 案, 乾道至大, 唯聖者能體之, 如堯之蕩蕩无名, 文王之純亦不已, 是也. 若以是取象, 則无以示人下學上達之方. 故只取其行健, 而曰自强不息. 自强者, 勉强之意也. 由是進進不已, 无所間斷, 則至誠之道, 初不外此矣. 구두부터 如堯之蕩蕩, 无名文王之純亦不已로 잘못.
내가 살펴보았다: 건도는 지극히 커서 성자(聖者)만이 체득할 수 있으니, 이를테면 요임금이 넓고도 넓어 무어라 이름붙일 길이 없고,305) 문왕의 순수함이 그치지 않는다306)는 것이 여기에 해당한다. 만약 이것으로 상을 취한다면 '아래에서 배워 위로 통달하는[下學上達]'307) 방법을 제시할 수 없다. 그러므로 다만 그 행실이 굳건한 것만 취해 "스스로 힘쓰고 쉬지 않는다"라 하였다. "스스로 힘쓴다"는 것은 부지런히 노력한다는 뜻이다. 이로부터 나아가고 나아가 그치지 않으면 중간에 끊어짐이 없으니, 지성(至誠)의 도는 애초부터 이것을 벗어나지 않는다.

本義, 卦之 [至] 之辭.
『본의』에서 말하였다: 괘의 … 글이다.

案, 此象上傳篇題也. 卦之上下兩象, 指乾上乾下四字而言, 兩象之六爻, 指六箇爻辭而言, 皆周公之辭也. 天行健以下, 卽孔子之傳也, 已見於象傳篇題.
내가 살펴보았다: 이것은 「상상전(象上傳)」편의 제목이다. 괘의 위아래 두 개의 상은 '건상

---

304) 호일계(胡一桂, 호 雙湖)의 『주역계몽익전(周易啓蒙翼傳)·상편』.

305) 『論語·泰伯』: 공자가 "위대하도다. 요가 임금 되심이! 높고도 크다. 하늘만이 위대하거늘, 오직 요임금이 그것을 본받으셨으니, 넓고도 넓어 무어라 이름 붙일 길이 없구나"라 하였다[子曰, 大哉. 堯之爲君也. 巍巍乎. 唯天爲大, 唯堯則之. 蕩蕩乎, 民無能名焉].

306) 『中庸』: 『시경』에서 "하늘의 명이 아! 심원하여 그치지 않는구나"라 하였으니, 하늘이 하늘인 까닭을 말한 것이고, "아, 드러나지 않는가! 문왕의 덕의 순수함이여"라 하였으니, 문왕이 문왕인 까닭은 순수함이 또한 그치지 않았기 때문임을 말한 것이다[詩云, 維天之命, 於穆不已. 蓋曰, 天之所以爲天也. 於乎不顯, 文王之德之純. 蓋曰, 文王之所以爲文也, 純亦不已].

307) 『論語·憲問』: 하늘을 원망하지 않고 사람을 허물하지 않으며, 밑으로 배워 위로 통달하니 나를 아는 사람은 하늘 뿐이다[不怨天, 不尤人, 下學而上達, 知我者, 其天乎].

건하(乾上乾下)'라는 네 글자를 가리켜서 말했고, 두 개의 상의 여섯 효는 여섯 개의 효사를 가리켜서 말했으니, 모두 주공의 말이다.308) "하늘의 운행은 굳건하다"는 말 이하는 공자의 전[상전]이니 이미 「단전」의 편제에서 설명했다.

不以 [至] 之剛.
사람의 욕심으로 ··· 굳셈을 해치지 않으면.

案, 以德言則曰剛, 以用力言則曰强. 人莫不有天德之剛, 而以人欲害之不得爲剛, 欲勝其人欲之私, 而復全天德之剛者, 非强不能也. 然其强在己, 豈由人乎哉. 故曰自强也. 丘氏以爲自强者, 體下乾之象, 恐不必獨取下乾.
내가 살펴보았다: 덕으로 말하면 '굳셈'이라 하고, 노력하는 것으로 말하면 '힘씀[强]'이라 한다. 사람에게 천덕의 굳셈이 있지 않은 적이 없지만 인욕으로 그것을 해쳐 굳셈이 될 수 없으니, 인욕의 사사로움을 이겨서 천덕의 굳셈을 다시 온전하게 하고자 하는 자는 힘씀이 아니면 할 수 없다. 그러나 그 힘씀은 자신에게 있는 것이지, 어찌 남에게 있는 것이겠는가!309) 그러므로 "스스로 힘쓴다"라 하였다. 구씨는 "스스로 힘쓴다"는 것을 하괘 건의 상을 체득하는 것으로 여겼는데, 하괘 건만을 취할 필요는 없을 듯하다.

小註安定說, 朱子曰, 天行健, 唯安定說得好.
소주(小註)에 있는 호안정의 주장에 대해 주자가 말하였다: "하늘의 운행은 굳건하다"는 것은 호안정의 주장만이 좋다.310)

○ 案, 安定說, 擧其大略而言之耳. 夫一息之間, 天行八十里, 則一萬三千六百息之間, 天當行一百八萬八千里. 鮑魯齋曰, 丹書言, 人之一晝一夜, 有一萬三千五百息, 一千一百二十五息311)乃應一時. 如此則安定言一萬三千六百息者, 擧成數也. 考靈曜云, 天如彈丸, 圓圍三百六十五度四分度之一, 一度二千九百三十二里, 千四百六十一分里之三百四十八周天, 百七萬一千里者, 是天圓圍之里數也. 此所謂一百七萬餘里與

---

308) 유정원은 '괘의 위아래 두 상[卦之上下兩象]'을 건괘의 상(☰)에 부기되어 있는 '건상건하(乾上乾下)' 네 글자를 가리킨다고 하고, '두 상의 여섯 효[兩象之六爻]'는 육효의 효사를 지칭한 것으로 모두 주공이 붙인 말이라는 뜻이다. 이런 관점은 '건상건하(乾上乾下)' 네 글자와 효사 모두 경문에 해당한다는 입장인데 다른 조선시대 학자들도 이와 같은 의견을 가진 이가 적지 않다.

309) 『論語·顔淵』.

310) 『周易傳義附錄·乾卦』: ○ 問, 天行健如何. 曰, 惟胡安定說得好.

311) 息: 경학자료집성DB와 영인본에 '里'로 되어 있으나 포노재의 『천원발미』를 참고하여 '息'으로 바로잡았다.

上一百八萬餘里不遠. 然朱子謂安定說得好者, 只取其能發明天行健之實也, 不必拘泥於幾時行幾里之說. 覽者詳之.

내가 살펴보았다: 안정호씨의 주장은 대략을 들어서 말한 것일 뿐이다. 한 번 호흡하는 동안에 하늘이 팔십리를 운행하면 만삼천육백번 호흡하는 동안에 하늘은 백팔만팔천리를 운행해야 한다. 포노재[312]가 "단서(丹書)에서 '사람이 하루 만삼천오백 번의 호흡이 있으니 천백이십오번의 호흡은 한 시진[두 시간]에 응하는 것이다. 이와 같다면 안정호씨가 만삼천육백번의 호흡이라 말한 것은 큰 수를 들은 것이다"라 하였다.[313] 『고령요(考靈曜)』[314]에서 "하늘은 탄환과 같고 원둘레는 '삼백육십오도 사분의 일'이고, 일도에 하늘이 '이천구백삼십이리 천사백육십일분의 삼백사십팔'을 돈다"라 하니, 백칠만천리란 하늘의 원둘레를 리(里)로 계산한 것이다. 이것은 앞에서 말한 백칠만 여리나 위의 백팔만 여리와 큰 차이가 없다. 그런데 주자가 호안정의 주장이 좋다고 한 것은 단지 그가 하늘의 운행은 굳건하다고 밝힌 내용을 취한 것일 뿐이니, 몇 시간에 몇 리를 갔다는 설명에 구애될 필요는 없다. 보는 사람이 자세히 살펴야 한다.

김상악(金相岳) 『산천역설(山天易說)』

象者, 伏羲卦之上下兩象, 及周公六爻所繫辭之象, 亦孔子所釋者也. 天者乾之象也, 其運動而不息者, 惟其健也. 自彊下乾象, 不息重乾象.

'상(象)'은 복희괘의 상하 두 상과 주공이 여섯 효에 붙인 말의 상에다가 공자가 해석한 것이다. 하늘[天]은 건의 상이고 그것이 운동하여 쉬지 않는 것이 굳건하다는 것일 뿐이다. '스스로 힘씀[自彊]'은 아래 건의 상이고 '쉬지 않음[不息]'은 거듭된 건의 상이다.

○ 此一節, 先儒以爲大象傳.
이 절을 선대의 학자들은 「대상전」으로 여겼다.

---

312) 포운룡(鮑雲龍, 1226~1296): 송말원초 때 휘주(徽州) 흡현(歙縣) 사람. 자는 경상(景翔)이고, 호는 노재(魯齋)이다. 경사(經史)에 정통했고, 특히 『주역(周易)』 특히 선천역학에 밝았다. 원나라가 들어서자 은거하여 학문과 강학에 힘썼다. 저서에 『천원발미(天原發微)』 등이 있다.

313) 『天原發微·玄渾』: 愚按, 丹書言人之一晝一夜, 有一萬三千五百息, 一千一百二十五息, 乃應一時如此, 則一萬三千五百六十息, 安定擧成數言.

314) 고령요(考靈曜): 『서경』 위서(緯書)의 하나이다. 『서경』의 위서로는 『상서위(尙書緯)』·『상서중후(尙書中侯)』·『선기령(璇璣鈐)』·『고령요(考靈曜)』·『형덕방(刑德放)』·제령험(帝命驗)·『운기수(運期授)』이다.

박윤원(朴胤源) 『경의(經義)·역경차략(易經箚略)·역계차의(易繫箚疑)』

此君子, 卽九三終日乾乾之君子, 乾乾是不息也.

여기서 군자는 곧 구삼의 "종일토록 힘쓰고 힘쓴다"는 군자이고, "힘쓰고 힘쓴다[乾乾]"는 쉬지 않는다는 것이다.

김귀주(金龜柱) 『주역차록(周易箚錄)』

本義, 象者, 卦之, 云云.

『본의』에서 말하였다: 상이란 괘의, 운운.

○ 按, 周公所繫之辭, 卽指爻辭, 潛龍勿用之文也. 蓋精言之, 則卦之上下兩象, 乃伏羲之畫, 而孔子以之作傳, 此節天行健以下是也. 兩象之六爻, 乃周公之爻辭, 而孔子以之作傳, 下節潛龍勿用, 陽在下以下是也. 然伏羲有畫無文, 而周公所繫兩象六爻之辭, 亦本於伏羲卦之上下兩象. 故通結之曰, 周公所繫之辭, 此當活看.

내가 살펴보았다: 주공이 붙인 말은 즉 효사를 가리킨 것으로 "잠겨있는 용이니 쓰지 말라"와 같은 글이다. 정밀하게 말하면 괘의 위아래의 상은 곧 복희씨가 그렸지만 공자가 그것으로 '전(傳)'을 지었으니, 이 절의 "하늘의 운행은 굳건하다" 이하가 그것이다. 두 상의 여섯 효는 바로 주공의 효사이고 공자가 이것으로 '전'을 지었으니, 아래 절의 "잠겨있는 용은 쓰지 말라"는 양이 아래에 있기 때문이다" 이하가 이것이다. 복희씨의 괘는 획은 있되 글이 없지만, 주공이 붙인 두 상의 여섯 효의 글 역시 복희씨가 그린 괘의 위아래 두 상에 근본한 것이기 때문에 통틀어서 끝맺기를 주공이 붙인 말이라고 한 것이니, 융통성 있게 보아야 한다.

天乾卦之象, 云云.

하늘은 건괘의 상으로, 운운

小註, 乾乾不已, 云云.

소주(小註)에서 말하였다: 힘쓰고 힘써 그치지 않는다, 운운.

○ 按, 此云乾乾不息者, 體就流行上言, 猶言吾道一以貫之也. 與冲漠無朕爲體, 流行不息爲用者, 自不同.

내가 살펴보았다: 여기서 말하는 "힘쓰고 힘써 쉬지 않는다"란 본체를 유행으로 말한 것이니, "나의 도는 하나의 이치가 모든 것을 꿰뚫고 있다"[315]는 말과 같다. 지극히 고요하여

---

315) 『論語·里仁』.

아무런 조짐도 없음[沖漠無朕]을 본체로 삼고, 유행하여 쉬지 않는 것[流行不息]을 작용으로 삼는 것과는 본래 같지 않다.

安定胡氏曰, 天者, 云云.
안정호씨가 말하였다: 하늘은, 운운.

○ 按, 程傳曰, 天者天之形體, 乾者天之性情. 此語攧撲不破316), 今曰天者乾之形, 乾者天之用, 則恐下語未穩. 蓋胡氏之意, 旣釋天行健三字, 則當曰天者天之體, 健者天之用. 是則以蒼蒼之形爲體, 而至健之氣爲用, 似無碍於程子之說矣.
내가 살펴보았다: 『정전』에서, "천(天)은 하늘의 형체이고 건(乾)은 하늘의 성정이다"라 하였다. 이 말은 확고부동하니, 지금 "하늘은 건의 형체이고 건은 하늘의 작용"이라 한다면 아마도 말이 온당하지 않을 듯하다. 호씨의 뜻은 이미 "하늘의 운행이 굳건하다"를 해석했으면, "하늘은 하늘의 몸체이고, 굳건함은 하늘의 작용이다"라 해야 한다는 것이다. 이것은 푸른 형체를 몸체로 삼고 지극히 굳건한 기를 작용으로 삼는 것이니, 정자의 주장에는 문제될 것이 없을 듯하다.

雙湖胡氏曰, 夫子, 云云.
쌍호호씨가 말하였다: 공자가, 운운.

○ 按, 六十四卦之象, 乃伏羲所自取, 而夫子以之作傳, 後人通謂之象也. 今云象皆夫子所自取者, 非矣.
쌍호호씨에 대해 내가 살펴보았다: 64괘의 상은 바로 복희씨가 스스로 취한 것이고, 공자가 이것에다 '전(傳)'을 지었으니, 뒷사람들이 통틀어서 '상(象)'이라 불렀다. 지금 '상'은 모두 공자가 스스로 취한 것이라고 말하는 것은 잘못된 것이다.

○ 又按, 六十四卦之名, 已立於伏羲畫卦之初. 如屯則取其上雲下雷之象, 蒙則取其上山下險之象, 此皆伏羲之所爲. 而孔子特作傳以發其意耳. 故乾卦本義曰, 見陽之性健, 而其成形之大者, 爲天, 故三奇之卦名之曰乾, 而擬之於天云云. 而係之伏羲畫卦之下, 或問此當於大象言之, 則答曰, 纔說此卦, 則便有此象了. 據此則六十四卦之象, 豈孔子所自取乎.
또 살펴보았다: 64괘의 이름은 복희씨가 괘를 그은 당초에 이미 확립된 것이다. 예를 들어 준괘(屯卦䷂)의 경우 위는 구름이고 아래는 우레의 상이고, 몽괘(蒙卦䷃)의 경우는 위는 산이고 아래는 험인 상(坎☵)을 취하였으니, 이는 모두 복희씨가 만든 것이다. 공자는 다만 '전(傳)'을 지어 그 뜻을 드러냈을 뿐이다. 그러므로 건괘『본의』에서 "양의 성질은 강건한데

---

316) 전박불파(攧撲不破): 넘어뜨리거나 쳐도 부서지지 않음을 말한다.

형태를 이룬 것 중에 큰 것이 하늘임을 알았기 때문에 세 기수로 된 괘를 '건(乾☰)'라 이름 붙이고, 그것을 하늘에 견주었다, 운운"이라 하였다. 복희씨가 그린 괘 아래에 연결시킨 것에 대해 어떤 사람이 묻기를, "이것은 '대상(大象)'에 해당하는 말입니까?"라 하니, 대답하기를, "이런 괘를 베풀자마자, 곧 이런 상이 있는 것이다."라고 하였다. 여기에 근거해 보면, 64괘의 괘상을 어찌 공자가 스스로 취한 것이겠는가?

天行以下, 云云. 小註進齋徐氏曰, 六爻云云.
'하늘의 운행' 이하는, 운운. 소주에서 진재서씨가 말하였다: 여섯 효는, 운운.
○ 按, 六陽皆變, 則雖云之坤, 然其無首則乃乾之無首也. 今謂坤無首者, 誤矣.
내가 살펴보았다: 여섯 양이 모두 변하면 비록 곤괘라 하지만 그 머리 없음은 바로 건괘의 머리가 없는 것이다. 지금 곤괘가 머리가 없다고 말하는 것은 잘못된 것이다.

서유신(徐有臣) 『역의의언(易義擬言)』

大象, 因已成之卦, 據已定之名, 言其名義不外乎卦象. 又示人以觀象用易之方, 此所謂推而行之謂之事業者, 自是一副孔子之易也. 卦名或有兼取卦德卦形, 而此則專以上下兩體立象, 故曰大象也. 然其象, 則不越乎天地間所恒有, 而人所可見可知者也. 其用則不出乎進德脩業之要, 禮樂刑政之術也. 君子大人者, 皆謂古昔聖賢已行之事也. 觀其稱先王, 則可反隅也.
'대상(大象)'은 이미 완성된 괘를 바탕으로 하고 정해진 이름에 근거하여 그 명의가 괘의 상을 벗어나지 않았음을 말한 것이다. 또 사람에게 상을 살펴서 『주역』을 활용하는 방도를 제시하였으니, 이것이 "미루어 행함을 사업이라 한다"[317]는 말이며, 이로부터 하나의 공자역(孔子易)이다. 괘의 이름은 혹 괘의 덕과 괘의 모양을 함께 취했지만, 이것은 곧 오로지 위아래 두 몸체로 상을 세웠기 때문에 '대상'이라 한다. 그러나 그 상은 천지 사이에 항상 존재하는 것을 초월하지 않았으니, 사람이 볼 수 있고 알 수 있는 것이다. 그것의 쓰임은 "덕을 기르고 학업을 닦는[進德脩業]" 요체와 "예악형정(禮樂刑政)"[318]의 방법을 벗어나지

---

317) 『周易·繫辭傳』: 이런 까닭으로 형이상의 것을 도(道)라 이르고, 형이하의 것을 기(器)라 이르고, 변화하여 마름질함을 변(變)이라 이르고, 미루어 행함을 통(通)이라 이르고, 들어서 천하의 백성에게 시행함을 사업(事業)이라 이른다.[是故, 形而上者, 謂之道, 形而下者, 謂之器. 化而裁之, 謂之變, 推而行之, 謂之通, 擧而措之天下之民, 謂之事業.]

318) 『禮記·樂記』: 예로써 사람들의 뜻을 이끌었으며, 음악으로써 사람들의 소리를 조화시켰으며, 정치로써 사람들의 행동을 통일했으며 형벌로써 사람들의 간사함을 예방하였다.[禮以導其志, 樂以和其聲, 政以壹其行, 刑以防其奸.]

않는다. '군자'와 '대인'이란 모두 옛날의 성현이 이미 실천한 행적들을 일컫는 것이다. '선왕(先王)'이라고 칭하는 것을 보면 나머지는 모두 짐작할 수 있다.

天行健, 君子以, 自彊不息.

하늘의 운행이 굳건하니 군자는 그것을 본받아 스스로 힘쓰고 쉬지 않는다.

健當作乾〈或云健作健, 古乾字, 杜撰難從〉. 天之健, 可見於東西轉運之行, 故曰天行乾乾者. 天之健, 故說卦曰, 乾健也. 彊所以爲健也, 凡彊者必健, 弱者必懦, 懦則不健也. 彊之由己, 故曰自彊. 自彊不息, 則君子之健, 如天之健也. 彊乾象, 不息重乾象.

'굳건함[健]'은 마땅히 '건(乾)'이어야 한다. 〈어떤 이는 "건(健)은 건(健)이니, 옛날의 건(乾)자이다"라고 하나, 날조된 말이니 따르기 어렵다.〉 하늘의 굳건함은 동서의 운행에서 볼 수 있기 때문에 하늘의 운행이 굳세고 굳세다고 하는 것이다. 하늘은 굳건하기 때문에 「설괘전」에서 "건(乾)은 굳건하다"[319]라 하였다. 힘씀[彊]은 굳건하게 되는 까닭이고, 보통 힘쓰는 자는 반드시 굳건하지만 약한 자는 반드시 나약하고, 나약하면 굳건하지 못하게 된다. 힘쓰는 것은 자기로부터 비롯되기 때문에 "스스로 힘쓴다"라고 한다. "스스로 힘쓰고 쉬지 않는다"는 곧 군자의 굳건함으로 하늘의 굳건함과 같다. 힘쓰는 것은 건괘(☰)의 상이고, 쉬지 않음은 건을 거듭한 상(☰)이다.

오희상(吳熙常) 「잡저(雜著)-역(易)」

易, 乾大象曰, 君子以, 自强不息. 本義釋之曰, 不以人欲害天德之剛, 則自强而不息, 此正好. 反復體究, 蓋剛則不屈, 健則不息, 剛與健實相須不有不屈之剛, 何以能健而不息乎. 人之不能侔天者無他, 以其有人欲之屈也. 程傳所釋, 恐差欠此義, 而本義實[320]有所發也. 若後人之引用此語者, 多不認取天德之得失, 在於理欲之幾. 只將勤勵不怠, 爲自强不息, 則又不啻淺矣.

『주역』건괘「대상전」에서 "군자가 그것을 본받아 스스로 힘쓰고 쉬지 않는다"라 하였다. 『본의』에서 이것을 해석하기를 "사람의 욕심으로 천덕의 굳셈을 해치지 않으면, 곧 스스로 힘쓰고 쉬지 않을 것이다"라 하였으니, 이것이 딱 좋다. 반복해서 자세히 살펴보면, 굳세면 굽어지지 않고 굳건하면 쉬지 않으나, 굳셈과 굳건함도 실상 모름지기 굽히지 않는 굳셈이 있지 않으면 어찌 굳건함으로써 쉬지 않을 수 있겠는가? 사람이 하늘을 따르지 않는 것은 다른 것이 아니라, 인욕(人慾)이 있어서 굽어지기 때문이다. 『정전』에서 해석한 것은 이러

---

319) 『周易·說卦傳』.

320) 實: 경학자료집성D에 '賓'으로 되어 있으나 경학자료집성 영인본을 참조하여 '實'로 바로잡았다.

한 뜻과는 차이가 있는 듯하지만,『본의』에서 충실히 밝혔다. 이 말을 인용하는 후대 사람들은 대부분 천덕을 간직하느냐 잃어버리느냐에 천리와 인욕의 기미에 있다는 것을 알지 못하고, 근면하고 나태하지 않는 것만을 '스스로 힘쓰고 쉬지 않음'으로 여기니, 이는 또한 천박한 생각일 뿐이다.

天之四德, 流行變化. 元之資始, 亨之流形, 繼之者善〈屬流行〉. 利之各正, 貞之保合, 成之者性〈屬變化〉. 亨利之交, 動靜之機也, 貞元之交, 闔闢之機也, 造化之妙, 皆出於此.
하늘의 네 가지 덕은 유행하여 변화한다. '원'에서 의뢰하여 시작하고 '형'에서 형체를 갖춤이 "이은 것이 선"[321]〈유행에 속한다.〉이고, '리'에서 각각을 바르게 하고 '정'에서 보전하고 합함이 "이룬 것이 성"〈변화에 속한다.〉이다. '형'과 '리'의 교제는 움직임과 고요함의 기틀이고 '정'과 '원'의 교제는 열리고 닫힘의 기틀이니, 조화의 오묘함은 모두 여기에서 나온다.

元包四德, 元是太拯也. 元亨陽, 利貞陰, 是兩儀也. 元亨利貞, 各專一事, 而剛柔相錯, 是四象也. '원'은 네 가지 덕을 포함하니, '원'은 크게 들어 올림이다. '원'·'형'은 양이고 '리'·'정'은 음이니, 이것이 양의(兩儀)이다. '원·형·리·정'이 각각 한 가지 일을 전담하여 굳셈과 부드러움이 서로 섞인 것이 사상(四象)이다.

강엄(康儼) 『주역(周易)』

本義, 象者 [止] 之辭.
『본의』에서 말하였다: 상(象)이란 … 의 말이다.

按, 古易亦以象傳爲一篇, 而本義釋之如此, 不釋傳字者, 已見象傳故也.
내가 살펴보았다:『고역』역시 「상전」을 하나의 편(篇)으로 하였고 『본의』도 이와 같이 해석하였지만, '전(傳)'자를 해석하지 않은 것은 이미 「단전」에서 '전'자에 대한 해석이 드러났기 때문이다.

○ 不言乾而言健, 朱子以爲當時下字時, 偶有不同, 必欲求說, 則穿鑿.〈見坤大象小註.〉
'건(乾)'이라 하지 않고 '굳건함[健]'이라 한 것은 주자가 당시 글을 쓸 때 우연히 같지 않음이 있었을 뿐이다. 반드시 설명을 구하고자 한다면 너무 깊이 파고드는 것이다.〈곤괘 「대상전」의 소주(小註)에 보인다.[322]〉

---

321)『周易·繫辭傳』: 이은 것이 선(善)이고, 이룬 것이 성(性)이다.[繼之者善也, 成之者性也.]

박문건(朴文健) 『주역연의(周易衍義)』

以, 用也. 健, 故不息.

'이(以)'는 쓴다는 것이다. 굳건하기 때문에 쉬지 않는다.

〈問, 象. 曰, 象者, 像其似也. 卦象者, 夫子像伏羲之畫, 爻象者, 夫子像周公之辭也. 像, 似之辭, 謂之象.

물었다: '상'이란 무엇입니까?

답하였다: '상'은 그 비슷한 것을 본뜬다는 것입니다. 괘의 '상'이란 공자가 복희씨가 그은 괘획을 본뜬 것이고, 효의 '상'은 공자가 주공의 효사를 본뜬 것입니다. '본뜬대像]'는 것은 비슷하다는 말이기에 '상'이라 하였습니다.〉

〈○ 問, 何不取重義. 曰, 健則自有重義, 本義備矣.

물었다: 어찌하여 거듭된다는 뜻을 취하지 않았습니까?

답하였다: 굳건하면 저절로 거듭된다는 뜻이 있으며 본래의 뜻이 갖추어져 있습니다.〉

〈○ 問, 卦象之用. 曰, 卦象之辭, 示勸戒之道也. 所遇者, 自當會意也.

물었다: 괘의 '상'의 쓰임은 무엇입니까?

답하였다: 괘의 '상'에 대한 말은 타이르고 깨우치는 도리를 나타낸 것입니다. 경우에 맞게 스스로 알아야 할 것입니다.〉

이지연(李止淵) 『주역차의(周易箚疑)』

自疆不息, 卽君子之孜孜, 爲善也. 小人之孜孜, 爲利, 不足以當此, 故曰, 君子以. 後之凡言君子者, 倣此.

"스스로 힘쓰고 쉬지 않는다"는 곧 군자의 힘씀으로 선을 위한 것이다. 소인의 힘씀은 이로움만 위한 것이어서 여기에 해당할 수 없기 때문에 "군자가 그것을 본받아[君子以]"라 하였다. 뒤에 나오는 모든 '군자'라는 말은 이와 같다.

---

322) 『周易傳義大全·元』 386쪽: 물었다: 「대상전」에서 건괘의 경우는 건(乾)이라 하지 않고 굳건함[健]이라 하고, 곤괘의 경우에는 순함[順]이라 하지 않고, 곤(坤)이라고 말한 것은 무엇 때문입니까? 답하였다: 단지 당시 글자를 쓸 때 우연히 같지 않음이 있었을 뿐입니다. 반드시 설명을 구하고자 한다면 너무 깊이 파고드는 것이니 이해해야 할 것을 도리어 어둡게 합니다.[問, 大象乾不言乾而言健, 坤不言順而言坤, 如何. 曰, 只是當時下字時, 偶有不同. 必欲求說, 則穿鑿, 卻反晦了當理會底.]

文者, 質之對也. 伏羲之卦畫爲質, 則文王之彖辭其文也. 彖辭爲質, 則周公之爻辭其文也. 爻辭爲質, 則孔子之言又其文也.

문채[文]는 바탕[質]과 대응된다. 복희씨의 괘획이 바탕이면 문왕의 단사는 그 문채이다. 단사가 바탕이면 주공의 효사는 그 문채이다. 효사가 바탕이면 공자의 말은 또 그 문채이다.

이항로(李恒老) 「주역전의동이석의(周易傳義同異釋義)」

象曰, 天行健.

「상전」에서 말하였다: 하늘의 운행은 굳건하다.

傳, 乾道至大, 非聖人莫能體, 欲人皆可取法也. 故取其行健而已.

『정전』에서 말하였다: 건도가 지극히 커서 성인이 아니면 체득할 수 없으니 사람들이 취하여 모두 본보기로 삼고자 하였다. 그러므로 그 운행의 굳건함을 취했을 뿐이다.

本義, 凡重卦皆取重, 此獨不然者, 天一而已. 但言天行, 則見其一日一周而明日又一周, 若重複之象.

『본의』에서 말하였다: 거듭된 괘[重卦]는 모두 거듭된다는 뜻을 취했는데, 이것만 오직 그렇지 않은 것은 하늘은 하나이기 때문이다. 단지 하늘의 운행이라 말하면 하늘이 하루에 한 번 돌고 다음날 또 한 번 도는 중복되는 상 같음을 볼 수 있다.

按, 諸卦大象, 皆言上下兩象〈如天地交泰, 電雷噬嗑之類〉. 重卦皆言重象〈如洊雷震, 兼山艮之類〉. 而獨於乾坤兩重卦, 旡兩天兩地, 故以天行循環, 言重天之象, 以地勢複疊, 言重地之象, 可以見聖人立言之精密.

내가 살펴보았다: 여러 괘의 「대상전」은 모두 위아래 두 개의 상을 말하였다. 〈예를 들어 하늘(乾)과 땅(坤)이 교제하여 태괘(䷊)가 되고, 번개와 우레가 만나 서합괘(䷔)와 되는 부류이다.〉 중괘(重卦)는 모두 거듭한 상을 말하였다. 〈예를 들어 우레가 연달은 진괘(䷲)나 겹쳐있는 산이 간괘(䷳)가 되는 부류이다.〉 그러나 유독 건괘와 곤괘 두 중괘만 두 개의 하늘과 두 개의 땅이 없으므로, 하늘의 운행이 순환함으로 거듭된 하늘의 상을 말하였고, 땅의 형세가 겹쳐짐으로 거듭된 땅의 상을 말하였으니, 성인의 말이 정밀함을 알 수 있다.

김기례(金箕澧) 「역요선의강목(易要選義綱目)」

象.

상(象).

著一卦之氣像也.

한 괘의 기상을 드러내었다.

天.

하늘.

乾之形體.

건(乾)의 형체이다.

行.

운행.

日月往來之度數也.

해와 달이 가고 오는 도수이다.

自彊不息.

스스로 힘쓰고 쉬지 않는다.

君子體天, 而不宜間斷, 言无有人欲之間其間.

군자가 하늘을 본받아서 잠깐이라도 끊어짐이 없는 것이니, 사람의 욕심이 그 사이에 끼어
듦이 없음을 말한 것이다.

박종영(朴宗永) 「경지몽해(經旨蒙解) · 주역(周易)」

易, 乾卦, 象曰, 天行健, 君子以, 自彊不息.

『주역 · 건괘 · 상전』에서 말하였다: 하늘의 운행은 굳건하니, 군자가 그것을 본받아 스스로
힘쓰고 쉬지 않는다.

程傳曰, 乾道覆育之象, 至大. 非聖人莫能體, 欲人皆可取法也. 故取其行健而已, 至健
固足以見天道也.

『정전』에서 말하였다: 건도가 덮어주고 양육하는 상이 지극히 커서 성인이 아니면 체득할
수 없으니 사람들이 모두 취하여 본보기로 삼고자 하였다. 그러므로 그 운행의 굳건함을
취했을 뿐이니, 지극히 굳건하면 진실로 하늘의 도를 볼 수 있다.

本義曰, 言天行, 則見其一日一周, 而明日又一周, 若重複之象, 非至健不能也. 君子法
之, 不以人欲害其天德之剛, 則自彊而不息矣.

『본의』에서 말하였다: 하늘의 운행이라 말하면 하늘이 하루에 한 번 돌고 다음날 또 한 번
돌아 중복되는 것과 같은 상을 볼 수 있으니 지극히 굳건하지 않으면 할 수 없다. 군자가
이를 본받아 사람의 욕심으로 천덕의 굳셈을 해치지 않으면, 곧 스스로 힘쓰고 쉬지 않을
것이다.

蓋天道本彊健, 其行循環不已, 無一息之間斷.

천도는 본래 강건하여, 운행이 순환하여 그치지 않으니, 한 순간도 멈추거나 끊어짐이 없다.

安定胡氏之言曰, 天者, 乾之形, 乾者, 天之用. 天形蒼然, 南極入地下三十六度, 北極出地上三十六度. 狀如倚杵, 其用則一晝一夜, 行九十餘萬里. 人一呼一吸爲一息, 一息之間, 天行已八十餘里. 人一晝一夜, 有萬三千六百餘息, 故君子法天之行, 以自彊不息云.

안정호씨가 말하였다: 하늘은 건의 형태이고, 건은 하늘의 작용이다. 하늘의 형체는 푸르고, 남극은 36도 땅 아래 있고, 북극은 36도 땅 위에 있다. 그 모양이 기울어진 절구공이 같고, 그 작용은 하루 밤낮에 90만 리 남짓을 운행한다. 사람이 숨을 한 번 들이쉬고 한 번 내쉬는 것이 한 호흡인데, 한 번 호흡하는 사이 하늘은 이미 80리 남짓을 운행한다. 사람이 하루 동안 13,600번 이상 호흡을 하므로 하늘은 90만리 남짓을 운행한다. 하늘의 운행이 굳셈을 알 수 있으므로 군자는 이를 본받아 스스로 힘쓰고 쉬지 않는다고 하는 것이다.

蓋天人一理也. 天以健行, 而成四時, 人以自彊, 而成百爲. 然則天下萬事未有不息, 而無成者也. 譬之於物, 則千仞雖高, 不息則可登矣, 萬里雖遠, 不息則可至矣. 以工夫而言, 則堯舜之聖焉而不息, 則可以期也. 顔曾之賢焉而不息, 則可以追也. 以至墳典之廣, 而融會貫通者, 不息也. 制行之衆, 而砥礪特達者, 不息也. 然則人之自彊不息之效, 不可涯量如此, 何憚而不爲哉. 凡厥嗜惰好懶, 習與成性, 到老無成, 下愚同歸者, 卽自暴自棄之類也. 豈天生物之理, 亶使然哉. 孟子曰, 盡其心者, 知其性矣, 知其性, 則知天矣, 若此輩人不能自彊, 皆不知天者也. 凡百君子其之謹, 閑邪存其誠, 然後功業可期. 此乃所以居業也, 進德脩業勉旃哉.

하늘과 사람은 하나의 이치이다. 하늘은 굳건하게 운행하여 사계절을 이루고, 사람은 스스로 힘써서 온갖 일을 이룬다. 그렇다면 천하의 모든 일은 쉬면 이루어지는 것이 없다. 사물에 비유하면 천 길이 비록 높으나 쉬지 않으면 오를 수 있고, 만 리 길이 비록 멀지만 쉬지 않으면 갈 수 있는 것과 같다. 공부로 말하면 요순과 같은 성인이라도 쉬지 않으면 그렇게 되기를 기대할 수 있고, 안자와 증자 같은 현인이라도 쉬지 않으면 따라갈 수 있다. 『분전(墳典)』323)의 광대함까지 깊게 이해하고 꿰뚫을 수 있는 것도 쉬지 않아서이며, 대중의 행동을 규정하여 백성에게 연마하게하고 규장(珪璋)만으로도 빙례(聘禮)를 완수할 수 있는 것도324) 쉬지 않아서이다. 그렇다면 사람이 스스로 힘쓰고 쉬지 않은 공효는 이와 같이 끝

---

323) 분전(墳典): 삼황오제(三皇五帝)의 사적을 담은 책이라 하여 『삼분(三墳)』과 『오전(五典)』으로 불리운다.

324) 『예기·표기』에 "성인이 대중의 행동을 규정하는 것은 자기를 기준으로 하지 않고 백성으로 하여금 권면하고 부끄럽게 하여 그 말을 행하도록 한다[聖人之制行也, 不制以己, 使民有所勸勉愧恥, 以行其言]"라

을 헤아릴 수 없는데, 어찌하여 꺼리고 행하지 않는가? 나태함과 게으름을 좋아하여, 습관이 본성이 된다면 늙도록 이룸이 없을 것이니, 어리석은 소인과 같은 자이다. 이것이 바로 자포자기하는 부류이니, 어찌 하늘이 만물을 낳는 이치가 진실로 그렇게 되게 한 것이겠는가? 『맹자』가 말하기를, "마음을 다하는 자는 본성을 아니, 본성을 알면 하늘을 안다"[325]라 하였는데, 이런 사람들이 스스로 힘쓸 수 없다면 모두 하늘을 모르는 자가 될 것이다. 모든 군자가 삼가는 마음으로 '간사함을 막고 그 정성을 보존함[閑邪存其誠]' 뒤에 공훈과 업적을 기대할 수 있다. 이것이 바로 '본업을 닦는 것[所以居業也]'이니 '덕을 기르고 학업을 닦는데[進德脩業]'에 힘써야 할 것이다.

심대윤(沈大允) 『주역상의점법(周易象義占法)』

重健者, 健而又健也. 天之行也, 卽於穆不已也. 自彊不息, 卽純亦不已也. 乾天道之誠也, 无妄人道之誠之也. 獨不言乾者, 明六十四卦皆乾之物也. 不獨乾爲乾也, 乾坤不言重體者, 明其與物无間也.

거듭 굳건하다는 것은 굳건하면서 또 굳건한 것이다. 하늘의 운행은 "깊고 원대하여 그치지 않는 것"[326]이다. "스스로 힘쓰고 쉬지 않는 것"은 순수하여 그치지 않음이다. 건(乾)은 천도의 정성이고, 거짓 없음[无妄]은 사람의 도리가 정성스러워지는 것이다. 유독 건(乾)이라 하시 않은 것은 64괘 모두가 건(乾)의 물건이니, 건괘(乾卦)만이 건(乾)이 아님을 밝힌 것이다. 건괘와 곤괘에서 '중첩된 몸체'임을 말하지 않은 것은 외물과 간격이 없음을 밝힌 것이다.

오치기(吳致箕) 「주역경전증해(周易經傳增解)」

天道至大, 无以形容, 故君子但取其至健之象. 以之遏人慾, 存天理, 自彊而不息也. 自彊, 體下乾之象, 不息, 體重乾之象, 如天行无一息之間斷也.

천도는 지극히 커서 형용할 수 없기 때문에 군자는 그 지극히 굳건한 상만을 취하였다. 사람의 욕심을 막는 것으로 하늘의 이치를 보존하는 것이 스스로 힘쓰면서도 쉬지 않는 것이다. "스스로 힘쓰다"는 아래 건의 몸체의 상이고, "쉬지 않는다"는 거듭된 건의 몸체의 상이니, 마치 하늘의 운행이 한 순간도 중단됨이 없는 것과 같다.

하였고, 『예기·빙의』에 "규장만으로도 빙례를 완수할 수 있다[圭璋特達, 德也]"라 하였다.
325) 『孟子·盡心』.
326) 『詩經·維天之命』.

○ 此卽孔子取一卦之象, 以示君子用易之道, 所謂大象傳也. 後皆倣此.

이것은 곧 공자가 취한 한 괘의 상으로 군자가 역(易)을 활용하는 방도를 제시한 것이니, 이른바 「대상전」이라는 것이다. 뒤의 것도 모두 이와 같다.

이진상(李震相) 『역학관규(易學管窺)』

象曰, 本義.

'상왈(象曰)'에 대한 『본의』의 의견.

乾上乾下, 周公所繫之辭, 而此之象曰, 乃孔子所繫之辭. 象者以下, 本大象篇題.

'건상건하(乾上乾下)' 네 글자는 주공이 붙인 말이지만, 여기서의 '상왈'은 공자가 붙인 말이다.[327] '상자(象者)' 이하는 본래 대상(大象)의 편제이다.

○ 小註, 安定說.

소주(小註)에서 호안정의 주장.

按, 考靈曜, 周天百七萬一千里, 而天行一周而過一度, 則又添得一度之爲二千九百三十二里有奇矣. 丹書言, 人一晝一夜有一萬三千五百息, 一千一百二十五息[328], 乃應一時云, 與此說有些不合.

내가 살펴보았다: 『고령요(考靈曜)』에서 "하늘의 한 바퀴는 백칠만천리인데, 하늘의 운행은 하루에 한 번 돌고 1도를 지나치니 또 1도에 해당하는 이천구백삼십이리와 나머지를 더 돌게 된다"[329]라 하였다. "『단서(丹書)』에서 "사람이 하루 만삼천오백번의 호흡이 있으니, 천백이십오번의 호흡은 한 시진[두 시간]에 응하는 것이다"라 했는데, 호안정의 주장과 조금 맞지 않는 부분이 있다.

---

327) 이진상의 주장은 '상왈'이라고 말은 공자의 「상전」을 뜻하고, 건괘가 시작하는 부분에 있는 건괘의 괘상(䷀)에 '건상건하(乾上乾下)'라는 네 글자는 주공이 붙였다는 뜻이다. 이런 의견은 유정원의 『역해참고(易解參攷)』에서 확인했다.

328) 息: 경학자료집성DB와 영인본에 '里'로 되어 있으나 포노재의 『천원발미』를 참고하여 '息'으로 바로잡았다.

329) 고대 동양의 천문학은 지구가 돈다는 지동설의 입장이 아니고, 지구는 움직이지 않고 하늘이 돈다는 천동설의 입장이다. 1년 동안 하늘이 지구를 한 바퀴 도는 시간은 365.25일 이라는 사실은 알고 있었지만 사실은 지구가 태양을 도는 1년간의 공전주기이다. 매일 1도를 지나친다는 것은 지구가 하루 1도씩 태양 주위를 공전하므로 지구 입장에서 보면 하늘이 한 바퀴 지구를 돌고 1도 더 도는 것으로 보인다. 이를 시운동(視運動)이라 한다. 그래서 『서경·요전』의 '기삼백(朞三百)'에서 채침이 주석하기를 "항상 하루 한 바퀴 돌고 1도를 지나친다[常一日一周而過一度]"고 하였다.

박문호(朴文鎬) 「경설(經說)·주역(周易)」

易文, 皆假設之辭, 比於孟子之譬喩, 詩經之興比, 尤爲難知. 吾平生讀易, 惟諸卦大象
之文, 最易知耳. 小象有傳而大象無傳者, 蓋本文已自明白直截, 無事乎復爲贊之故也.

『주역』의 글은 모두 가설로 한 말로『맹자』의 비유나『시경』의 흥(興)과 비(比) 보다 더욱
알기 어렵다. 내가 평생 읽은『주역』에서 모든 괘에 있는 대상(大象)의 글만이 가장 알기
쉬웠다. 소상(小象)에는 전(傳)이 있지만 대상(大象)에는 전(傳)이 없는 것[330]은 본문이 명
백하고 단순 명쾌하여 다시 찬술할 일이 없었기 때문이다.

大象是無經之傳, 而亦不無所本. 本註乾下乾上四字, 足以當大象之經, 諸卦放此.

대상(大象)은 경문으로 전해짐이 없지만, 또한 근본이 없는 것은 아니다. 본래의 주석인
'건상건하(乾上乾下)' 네 글자는 충분히 대상(大象)의 경문에 해당하니,[331] 모든 괘가 같다.

讀易之法, 異於他書. 他書一章之內, 意相貫通, 易則一卦之內, 爻各異義, 使讀者應接
不暇. 若推而長之, 無所不當, 此所以爲易也歟. [洵衡]

『주역』을 읽는 법은 다른 책과는 다르다. 다른 책은 한 단락 안에 뜻이 서로 관통하지만,
『주역』은 한 괘 내에 있는 효(爻)는 뜻이 각각 달라서 읽는 이로 하여금 그 효에 대응하기
바빠서 겨를이 없게 한다. 만약 유추하기를 오래하면 해당되지 않는 것이 없으니, 이것이
『주역』이 되는 까닭인가?

穆姜云云, 蓋以其世代之遠近, 而謂之, 孔子有取於此語也. 然左傳又何足信乎. 凡經
傳中, 此等處, 一以古文尙書之例, 斷之可也.

'목강' 운운 한 것은 그 세대의 멀고 가까움으로 말한 것이니, 공자가 이런 말에서 채택한
것이 있다. 그러나『춘추좌씨전』을 또 어찌 충분히 믿을 수 있는가? 보통 경전 가운데 이와
같은 것은 한결같이『고문상서』의 사례로써 판단할 수 있다.

---

330) 박문호의 주장은 두 가지로 생각할 수 있다. 하나는, "소상(小象)에는 전(傳)이 있다"는 말은 육효의 효사(爻
辭)마다 각각 「상전」이 있다는 뜻이고, "대상(大象)에는 전(傳)이 없다"는 말은 육효 전체를 나타내는
「상전」이 없다는 뜻이다. 또 하나는 '전(傳)'을 '붙이는 설명[繫辭]'으로 보고, "소상(小象)에는 전(傳)이
있다"는 말은 육효마다 주공이 효사[經文]를 붙였다는 것이다. "대상(大象)에는 전(傳)이 없다"는 말은
대상(大象), 즉 육효 전체에 대해 붙이는 설명[經文]이 없다는 것이다. 이어지는 문장과 연결해보면 후자가
설득력이 있다.

331) '건상건하(乾上乾下)' 네 글자를 대상(大象)에 대한 경문으로 보는 견해는 앞의 유정원의『역해참고(易解參
攷)』와 이진상의『역학관규(易學管窺)』의 의견과 비슷하다.

이병헌(李炳憲) 『역경금문고통론(易經今文考通論)』

此一節, 孔子卦下象辭. 後凡係象辭下者, 倣此.

이 일절은 공자가 괘 아래의 상(象)에 대해 한 말이다[상전]. 뒤에 나오는 모든 '단(象)' 아래에 관계된 말[단전]도 이와 같다.

○ 干寶〈晉人〉曰, 言君子通之於賢也.

간보〈진나라 사람〉가 말하였다: 군자를 말한 것은 현명함과 통한다.

公羊傳曰, 以者何, 行其意也.

『춘추공양전』[332]에서 말하였다: '이것으로[以]'는 무슨 뜻인가? 마음먹은 것을 실행하는 것이다.

---

332) 『春秋公羊傳·桓公』 14年.

潛龍勿用, 陽在下也.

"잠겨있는 용이니 쓰지 말아야 함"은 양이 아래에 있기 때문이다.

｜中國大全｜

傳

陽氣在下, 君子處微, 未可用也

양기가 아래에 있고, 군자가 미천한 곳에 있어서 쓸 수가 없다.

本義

陽, 謂九. 下, 謂潛.

양은 구를 말하고, 아래는 잠겨있음을 말한다.

小註

朱子曰, 潛龍兩字, 是初九之象, 勿用兩字, 是告占者之辭. 孔子作小象, 又釋其所以爲潛龍者, 以其在下也. 諸爻皆如此推測, 自分明.

주자가 말하였다: '잠겨있는 용[潛龍]'이라는 말은 초구의 상이고, '쓰지 않는다[勿用]'는 말은 점치는 자에게 알리는 말이다. 공자가 「소상전」을 짓고, 또 '잠겨있는 용'이라고 해석한 것은 그것이 아래에 있기 때문이다. 여러 효들은 모두 이와 같이 추측하면 저절로 분명해 진다.

○ 進齋徐氏曰, 陽釋龍字, 下釋潛字. 在下故潛, 潛故勿用

진재서씨가 말하였다: '양'을 '용'으로 해석하고, '아래'를 '잠겨있다[潛]'로 해석한다. 아래에 있으므로 잠겨있고, 잠겨있으므로 쓰지 않는다.

○ 雙湖胡氏曰, 小象於乾曰陽在下也, 於坤曰陰始凝也, 陰陽之稱始此. 蓋以六十四卦陰陽之初爻, 卽太極所生兩儀之一, 以爲諸卦通例. 陰陽之名一立, 而動靜健順剛柔奇偶小大尊卑變化進退往來之稱, 亦由是而著矣.

쌍호호씨가 말하였다: 건괘 「소상전」에서는 "양이 아래에 있다"라 하고, 곤괘에서는 "음이 처음으로 응결한다"[333]라 하였으니, 음양을 칭한 것이 여기서 비롯되었다. 육십사괘 중에 음과 양의 초효는 바로 태극이 낳은 양의(兩儀) 가운데 하나이니, 그것이 모든 괘에 통용되는 사례이다. 음양의 명칭이 한 번 세워지면 움직임과 고요함, 굳건함과 순함, 굳셈과 유약함, 홀과 짝, 작고 큼, 높고 낮음, 변(變)과 화(化), 나아감과 물러남, 감과 옴의 명칭이 역시 이로부터 드러난다.

○ 雲峰胡氏曰, 夫子於乾坤初爻, 揭陰陽二字, 以明易之大義. 乾初曰陽在下, 坤初曰陰始凝, 扶陽抑陰之意, 己見於言辭之表.

운봉호씨가 말하였다: 공자가 건곤의 초효에서 음양 두 자를 게시하여 『주역』의 큰 뜻을 밝혔다. 건괘 초효 「소상전」에서 "양이 아래에 있다"라 하고, 곤괘 초효에서 "음이 처음으로 응결한다"라 했으니, 양을 돕고 음을 억제하는 뜻이 이미 말 밖에 드러난 것이다.

┃韓國大全┃

임영(林泳) 「독서차록(讀書箚錄)-주역(周易)」

陽在下也.

양이 아래에 있기 때문이다.

傳, 君子處微.

『정전』에서 말하였다: 군자가 미천한 곳에 있다.

難曰, 傳於諸爻, 皆說作聖人事. 故於初九則謂聖人側微矣, 至此言君子處微, 何也.

논변하였다: 『정전』에서는 모든 효에 대해 성인의 일이라고 설명하였다. 그러므로 초구에서는 성인의 미천한 때라고 말했던 것인데, 여기에서는 군자가 미천한 곳에 있다고 한 것은 무엇 때문인가?

曰, 恐是通上下之君子.

---

333) 『周易 · 坤卦』: 初六象傳, 陰始凝也.

말하였다: 아마도 위아래로 통하는 군자일 것이다.

本義, 陽謂九, 下謂潛.

『본의』에서 말하였다: 양은 구를 말하고, 아래는 잠겨있음을 말한다.

難曰, 陽謂九, 則下爲初矣. 下謂潛, 則陽爲龍矣. 本義如此何耶.

논변하였다: 양을 구라 하면 아래는 초효이다. 아래를 잠겨있다고 하면 양은 용이다. 『본의』에서 어째서 이와 같이 말하였는가?

曰, 恐是互言.

말하였다: 아마도 상호보완적인 말인 듯하다.

이현익(李顯益) 「주역설(周易說)」

或曰, 曰下謂潛, 則當曰陽謂龍.

어떤 이가 말하였다: '아래[下]'라 한 것은 '잠겨 있는 것[潛]'을 말하니, 당연히 '양(陽)'이라 한 것은 '용'을 말한다.

徐氏謂陽釋龍字, 下釋潛字, 此似爲是, 此說似然. 然此爻文義, 只是謂潛龍勿用, 以其爲陽在下也, 而非所以直釋潛龍二字之義者. 則本義之以陽爲九, 無可疑也.

진재서씨는 '양이라 한 것을 '용'이라는 말로 해석하고, '아래'라 한 것을 잠겨 있는 것이라는 말로 해석하였으니, 이것이 옳은 듯하고 이 설명이 그럴 듯하다. 그러나 여기 초효의 글의 뜻은 단지 "잠겨 있는 용이니 쓰지 말라"라고 말한 것일 뿐이니, 그것은 양이 아래에 있기 때문이고, 잠겨 있는 용이라는 말의 의미를 직접 해석한 것이 아니다. 그렇다면『본의』에서 양을 구로 여긴 것은 의심의 여지가 없다.

권만(權萬) 「역설(易說)」

潛龍勿用, 見上, 陽在下, 言初爻之陽, 在一卦之下, 其應四, 亦在上卦之下.

"잠겨있는 용이니 쓰지 말라"는 그 설명이 앞에 있다. "아래에 있기 때문이다"는 초효의 양이 한 괘의 아래에 있고 호응하는 사효도 상괘의 아래에 있다는 말이다.

유정원(柳正源) 『역해참고(易解參攷)』

正義, 經言龍, 而象言陽者, 明經之稱龍, 則陽氣也.

『주역정의』에서 말하였다: 경문에서 '용'이라 하고 「상전」에서 '양'이라 한 것은 경문에서

칭한 '용'이 양기(陽氣)임을 밝힌 것이다.

김상악(金相岳)『산천역설(山天易說)』

下卦下也, 乾坤在六十四卦之首, 故乾初曰陽在下也, 坤初曰陰始凝也. 陰陽之名自此始矣, 三百八十四爻之互相往來, 推此可見.

'아래'는 괘의 아래이고, 건괘와 곤괘는 육십사괘의 앞에 있기 때문에 건괘 초효에서 "양이 아래 있기 때문이다"라 하고, 곤괘 초효에서 "음이 처음 응결한다"라 하였다. 음양의 이름이 여기에서 시작되었으니, 삼백팔십사효가 서로 왕래하는 것은 이것을 미루어 알 수 있다.

○ 此以下, 先儒以爲小象傳.
이 구절 이하는 선유들이 「소상전」으로 여겼다.

서유신(徐有臣)『역의의언(易義擬言)』

猶言, 龍者陽之象也, 潛者在下之象也, 在下故弗用也.
용은 양의 상이고 잠김은 아래에 있는 상이며, 아래에 있기 때문에 쓰지 않는다고 말하는 것과 같다.

강엄(康儼)『주역(周易)』

本義, 陽謂九, 下謂潛.
『본의』에서 말하였다: 양은 구라 하고, 아래[下]는 잠김이라 한다.

按, 陽在下之義, 以初九釋之, 則當云陽謂九, 下謂初. 以潛龍勿用釋之, 則當云陽謂龍, 下謂潛, 而本義云爾者, 蓋於二者之中, 各擧其一以互文也.
내가 살펴보았다: "양이 아래에 있다[陽在下]"라는 뜻은 초구로 해석한 것이니, 마땅히 양은 구라 하고 아래는 초(初)라고 해야 한다. "잠겨있는 용이니 쓰지 말라"로 해석하면 마땅히 양은 용이라 해야 하고 아래는 잠김[潛]이라 해야 하지만, 『본의』에서 언급한 것은 두 가지 가운데서 각각 그 하나를 들어서 상호보완적인 문장으로 말한 것이다.

박문건(朴文健)『주역연의(周易衍義)』

下謂初也.
아래[下]는 초효[初]라는 말이다.

오치기(吳致箕) 「주역경전증해(周易經傳增解)」

言隱潛而不用, 以其陽剛而在下也.

숨어 잠겨서 쓰지 않으며 양의 굳셈으로 아래에 있다는 말이다.

○ 此卽孔子所釋周公爻辭者也, 立言與大象傳不同, 而所謂小象傳也, 後皆倣此.

이는 곧 공자가 주공의 효사를 해석한 것인데, 말한 것이 「대상전」과 같지 않으니, 이른바 「소상전」334)이기 때문이다. 뒤도 모두 같다.

이병헌(李炳憲) 『역경금문고통론(易經今文考通論)』335)

潛龍勿用, 陽在下也.

"잠겨있는 용은 쓰지 말아야 함"은 양이 아래에 있기 때문이다.

無象曰者, 蒙上文也.

'상왈(象曰)'이 없는 것은 윗글에 이어진 것이기 때문이다.

見龍在田, 德施普也.

"나타난 용이 밭에 있음"은 덕의 베풂이 넓은 것이다.

終日乾乾, 反復道也.

"종일토록 힘쓰고 힘씀"은 도를 반복하는 것이다.

或躍在淵, 進無咎也.

"혹 뛰어오르기도 하고 못에 있기도 함"은 나아감에 허물이 없다는 것이다.

飛龍在天, 大人造也. 〈指聖人作.〉

"나는 용이 하늘에 있음"은 대인이 일함이다. 〈성인이 만든 것을 가리킨 것이다.〉

亢龍有悔, 盈不可久也.

"끝까지 올라간 용은 후회가 있음"은 가득차면 오래가지 못한다는 것이다.

用九, 天德不可爲首也.

용구(用九)는 천덕이 으뜸이 되어서는 안 된다는 것이다.

此六節, 孔子爻下象辭. 後凡係爻辭下者, 倣此.

이 여섯 절은 공자가 효 아래의 상(象)에 대해 한 말이다. 뒤에 나오는 모든 효에 관계된 말은 이와 같다.

---

334) 「상전」 가운데 괘사(卦辭) 즉 단사(彖辭)에 공자가 계사한 것은 「대상전」이라하고, 효사(爻辭)에 계사한 것을 「소상전」이라 한다. 그러나 십익(十翼)을 말할 때에는 이를 구분하지 않고 일괄해서 「상전」이라한다.

335) 이병헌은 「소상전」의 여섯 효를 전체적으로 묶어서 논하므로 효별로 구분하지 않는다.

見龍在田, 德施普也

"나타난 용이 밭에 있음"은 덕의 베풂이 넓은 것이다.

┃中國大全┃

傳

見于地上, 德化及物, 其施已普也.

지상에 나타나서 덕의 화(化)함이 만물에 미치니, 그 베풂이 이미 넓은 것이다.

小註

朱子曰, 九二君德已著, 至九五然後得其位耳.

주자가 말하였다: 구이는 임금의 덕이 이미 드러났으나, 구오에 이른 뒤에 그 자리를 얻을 수 있을 뿐이다.

○ 厚齋馮氏曰, 龍在田, 則雨澤膏潤之象, 故曰德施普也.

후재풍씨가 말하였다: "용이 밭에 있다"는 것은 비의 혜택으로 기름지고 윤택한 상이므로, "덕의 베풂이 넓은 것이다"라 하였다.

○ 盤澗董氏曰, 九二在下而云德施普者, 如日方升, 雖未中天而其光已無所不被矣.

반간동씨가 말하였다: 구이가 아래에 있는데도 "덕의 베풂이 넓은 것이다"라고 말한 것은 마치 막 떠오른 해가 아직 중천에 있지 않을지라도 햇빛은 이미 비추지 않는 곳이 없는 것과 같다.

○ 雲峰胡氏曰, 小象提出一德字, 見九二之所謂大人者, 以德言非以位言也.

운봉호씨가 말하였다: 「소상전」에 제시한 '덕'이라는 말에서 구이의 이른바 대인은 덕으로 말한 것이지 자리로 말한 것이 아님을 알 수 있다.

○ 山齋易氏曰, 初之陽在下者, 陽氣潛伏而未出於地. 二之德施普者, 陽氣著見於地而普及於物. 此二爻地道也.

산재역씨가 말하였다: 초효의 "양이 아래에 있다"라는 것은 양기가 잠복하고 있어 땅위로 나오지 않은 것이다. 이효의 "덕의 베풂이 넓은 것이다"라는 것은 양기가 땅위로 드러나서 널리 만물에 미치는 것이다. 여기에서의 이효는 땅의 도이다.

▎韓國大全▎

권만(權萬) 「역설(易說)」

德在中者, 德二爲下卦之中. 施普, 言在下卦德已普, 上應於五, 其施益普. 若單言下卦之二而已, 則非普也. 〈以下缺.〉

덕이 마음[中]에 있는 것이니, '덕'은 이효가 하괘의 가운데[中]인 것이다. "베풂이 넓다"는 하괘에 있는 덕이 이미 넓고, 위로 오효와 호응하여 그 베풂이 더욱 넓어졌다는 말이다. 하괘의 이효만 말했을 뿐이라면 넓은 것이 아니다. 이하는 원문이 빠졌다.

김상악(金相岳) 『산천역설(山天易說)』

龍見而在田, 則出潛離隱, 有雨澤普施之德也.

용이 나타나서 밭에 있으면 잠겨있고 숨어있는 데에서 벗어나니, 비의 혜택이 널리 베풀어지는 덕이 있다.

서유신(徐有臣) 『역의의언(易義擬言)』

猶言, 龍者龍之德也, 見者德之施也, 在田者施之普也, 天下之田, 故曰普也. 龍潛大澤, 而雷雨之施於田者, 已普矣. 君子不離耕稼, 而德敎之及於天下者, 已博矣.

용은 용의 덕이고 나타난 것은 덕의 베풂이며, 밭에 있다는 것은 베풂이 넓은 것으로 천하의 밭이기 때문에 '넓다'라 말하는 것과 같다. 용은 큰 못에 잠겨있고 우레를 동반한 비가 밭에 내리는 것은 이미 넓다는 것이다. 군자가 경작지를 떠나지 않고도 덕의 가르침이 천하에 미치는 것이니, 이미 넓은 것이다.

오치기(吳致箕) 「주역경전증해(周易經傳增解)」

剛中之德著顯, 而厥施普遍也.

굳세고 알맞은 덕이 드러나서 그 베풂이 널리 펴진 것이다.

박문건(朴文健) 『주역연의(周易衍義)』

普博也, 身與德俱著者也.

보(普)는 '넓다[博]'는 뜻으로 자신과 덕이 갖추어 드러난 것이다.

〈問, 德施普. 曰, 志在濟人而所守中德, 故其施也普矣.

물었다: "덕의 베풂이 넓다"는 무슨 뜻입니까?

답하였다: 뜻이 다른 사람들을 구제하는데 있으면서 중도의 덕을 지키는 것이기 때문에 그 베풂 또한 넓은 것입니다.〉

終日乾乾, 反復道也

정전 "종일토록 힘쓰고 힘씀"은 반복하기를 도로써 하는 것이다.
본의 "종일토록 힘쓰고 힘씀"은 도를 반복하는 것이다.

┃中國大全┃

傳

進退動息, 必以道也.
나아가고 물러나고 움직이고 멈춤을 반드시 도로써 한다.

本義

反復, 重複踐行之意.
"반복하다"는 거듭하여 실천한다는 뜻이다.

小註

程子曰, 反復道也, 言終日乾乾, 往來皆由於道也. 三位在二體之中, 可進而上, 可退而下, 故言反復.
정자가 말하였다: "반복하기를 도로써 한다"는 것은 '종일토록 힘쓰고 힘쓰며' 왕래가 모두 도를 따르는 것을 말하였다. 삼효의 자리는 상하 두 몸체의 중간에 있어서, 나아가 올라갈 수 있고, 물러나 내려올 수 있기 때문에 '반복한다'라고 했다.

○ 進齋徐氏曰, 反復往來, 必由乎道, 動循天理, 雖危而安也.
진재서씨가 말하였다: 반복하고 왕래하기를 반드시 도를 따르며, 움직임에 천리를 따르면 비록 위태로우나 안전하다.

○ 廣平游氏曰, 釋終日乾乾行事之時, 而曰反復道何也. 蓋君子之行事, 雖汲汲皇皇, 而易簡之理未嘗離也, 亦行其所无事而已. 九三在下體之上, 將離人而天矣, 故有反復道之象. 若夫聖人作而萬物覩, 則天德之所爲, 確乎其能事而己矣. 雖有爲而未嘗爲, 反復不容言矣.

광평유씨가 말하였다: "종일토록 힘쓰고 힘쓴다"는 일을 행할 때에 대한 해석인데, 또 "반복하기를 도로써 한다"라고 말한 것은 어째서인가? 그 이유는 군자가 일을 할 때 비록 조급하고 허둥지둥함이 있을지라도 쉽고 간편한 이치를 떠난 적이 없으니, 또한 『맹자』에서 말한 "자연스러운 것을 행하다"[336]일 뿐이다. 구삼은 하체의 위에 있으니, 사람을 떠나서 하늘로 가기 때문에 도를 반복하는 상이 있다. "성인이 나타남에 만물이 바라본다"[337]의 경우는 천덕이 행한 것으로, 확고하게 성인의 능사일 뿐이다. 비록 훌륭한 일을 했을지라도 의도적으로 한 적이 없으니, '반복'이란 말이 용납되지 않는다.

韓國大全

임영(林泳) 「독서차록(讀書箚錄)-주역(周易)」

反復道也.

도를 반복하는 것이다.

小註, 程子說三居二體之中, 可進可退, 故云反復. 竊意乾有乾而又乾之義, 故云反復. 此以卦體言, 雖亦一義, 似非正解.

소주(小註)에서 정자는 "삼효는 두 몸체의 중간에 있어서, 나아갈 수 있고 물러날 수 있으므로 '반복한다'라고 했다"라 하였다. 나의 생각으로는 건에는 힘쓰고 또 힘쓴다는 의미가 있기 때문에 '반복한다'라 하였다. 정자의 주장은 괘체(卦體)로 말한 것이니, 비록 하나의 뜻은 있을지라도 올바른 해석은 아닌 듯하다.

游廣平說易簡无事之義, 推衍不緊.

광평 유씨가 간이하고 자연스럽다는 의미를 설명한 것은 부연한 것이 긴요하지 않다.

---

336) 『孟子·離婁』. 여기서 '무사(無事)'는 '억지로 행하지 않는 자연스러운 부작위(不作爲)', 혹은 '자연스러운 일', '무위(無爲)의 일' 정도로 볼 수 있다.

337) 『周易·乾卦·文言傳』.

유정원(柳正源) 『역해참고(易解參攷)』

正義, 反之與復, 皆合其道. 反謂進反. 在上也, 處下卦之上, 能不驕逸, 是反能合道也. 復謂[338]從上倒覆而下. 居上卦之下, 能不憂懼, 是復能合道也.

『주역정의』에서 말하였다: "반복하는 것이다"에서 반(反)하고 복(復)하는 것이 모두 도에 합한다. 반(反)하는 것은 나아갔다가 돌아오는 것이다. 위에 있어도 하괘의 위에 있어 교만하고 방자하지 않을 수 있으니, '되돌아와서[反]' 도에 합할 수 있는 것이다. 복(復)하는 것은 위에서 거꾸로 뒤집혀서 내려오는 것이다. 상괘의 아래에 있어 근심하지 않을 수 있으니, '회복해서[復]' 도에 합할 수 있는 것이다.

○ 案, 本義小註三段, 皆是程傳之意, 是纂註時, 失照管處. 後多有如此者, 不得盡辨, 覽者詳之.

내가 살펴보았다: 『본의』 소주(小註)의 세 단락은 모두 정자의 뜻인데도 주석을 편집할 때 살피지 못한 부분이다. 뒤에도 이런 곳이 허다하여 모두 변별할 수 없으니, 보는 사람이 상세히 살펴야 한다.

김상악(金相岳) 『산천역설(山天易說)』

反復往來, 必由其道, 故雖危而无咎也.

반복하여 왕래함에 반드시 그 도를 따르기 때문에 위태하나 허물이 없다.

김귀주(金龜柱) 『주역차록(周易箚錄)』

小註廣平游氏曰, 釋終日, 云云.

소주에서 광평유씨가 말하였다: '종일'을 … 으로 해석하다, 운운.

○ 按, 行其所無事云云, 恐不襯貼.

내가 살펴보았다: "무사한 바를 행한다" 운운으로 설명한 것은 부합하지 않은 듯하다.

本義, 反復重複, 云云.

『본의』에서 말하였다: 반복은 중복이니, 운운.

○ 按, 反復有二義, 程子所謂可進而上, 可退而下者一義也, 以陽爻居陽位, 有乾惕之象者又一義也. 然本義之意, 則恐主下說.

---

338) 『주역정의』 원문에는 '謂'자가 있다. '謂'를 넣어서 새겼다. 또 '復'도 '覆'이나 '復'으로 새겼다.

내가 살펴보았다: '반복'에는 두 가지 뜻이 있으니, 정자가 말한 "나아갈 수 있으면 나아가고, 물러날 수 있으면 물러간다"라는 것이 하나의 뜻이고, "양효로써 양의 자리에 머물러 힘쓰고 두려워하는 상이 있다"라는 것이 또 하나의 뜻이다. 그러나 『본의』의 뜻은 뒤의 말을 주장하는 것 같다.

서유신(徐有臣) 『역의의언(易義擬言)』

反復道, 亦天一周之象也.

'도를 반복하는 것'은 역시 하늘이 한번 도는 상이다.

박문건(朴文健) 『주역연의(周易衍義)』

反復猶言還復, 進脩而復道者也.

'반복(反復)'은 돌아가 회복한다고 말한 것과 같으니, 점차로 닦아서 도를 회복하는 것이다.

이항로(李恒老) 「주역전의동이석의(周易傳義同異釋義)」

傳, 進退動息, 必以道也.

『정전』에서 말하였다: 나아가고 물러나고 움직이고 멈춤은 반드시 도로써 한다.

本義, 反復, 重複踐行之義.

『본의』에서 말하였다: '반복'은 거듭하여 실천한다는 뜻이다.

按, 重複踐行四字, 襯貼乾乾之釋.

내가 살펴보았다: "거듭하여 실천한다"는 말은 "힘쓰고 힘쓴대[乾乾]"와 딱 합치되게 해석하였다.

심대윤(沈大允) 『주역상의점법(周易象義占法)』

反復或進德, 或修業也.

'반복'은 혹 덕을 기르는 것이거나 혹 학업을 닦는 것이다.

오치기(吳致箕) 「주역경전증해(周易經傳增解)」

言健而又健, 反復修道也.

굳건하고 또 굳건하여 도를 닦음을 반복함을 말한 것이다.

或躍在淵, 進无咎也.

"혹 뛰어오르기도 하고 못에 있기도 함"은 나아감에 허물이 없다는 것이다.

中國大全

傳

量可而進, 適其時則无咎也.

할 수 있는지 헤아려서 나아가고, 때에 적당하면 허물이 없다.

本義

可以進而不必進也

나아갈 수는 있지만 반드시 나아가는 것은 아니다.

小註

徂徠石氏曰, 爻辭但云或躍无咎. 夫子加進字, 以斷其疑也.

조래석씨가 말하였다: 효사에서 단지 "혹 뛰어오르기도 하고", "허물이 없다"라 했는데, 공자가 '나아가다[進]'는 말을 더하여 의심을 결단했다.

▌韓國大全▐

박지계(朴知誡) 「차록(箚錄)-주역건괘(周易乾卦)」

進能无咎而已, 則不必進之意, 亦在其中. 此時乃舜, 禹之避位, 周文之三分天下, 有其二也. 舜, 禹可以進, 而周文不必進也. 若以不得位者言之, 則明諸書亦進之之道也. 明道行狀曰, 先生進將覺斯人, 退將明諸書, 不幸早世, 皆不及焉. 嗚呼. 明道五十後下世, 可以明諸書, 而不爲者, 可以進而不必進之意也. 張子曰, 諸儒囂然, 急知後世, 創艾其弊, 默養吾誠, 亦此意.

나아가도 허물이 없을 뿐이면, 반드시 나아가려는 것은 아니라는 의미가 그 속에 있다. 이런 때에는 바로 순임금과 우임금이 자리를 피하고, 주나라 문왕이 천하를 삼등분하여 그중 둘을 가진 때이다. 순임금과 우임금은 나아갈 수 있지만, 문왕은 반드시 나아간 것은 아니다. 만약 지위를 얻지 못한 자로 말하면 여러 책에서도 나아가는 방도를 밝혔을 것이다. 「정명도339)의 행장」에서 "선생은 나아가서 사람들을 깨우치려다가 물러나 여러 책에서 밝히려 했으나, 불행히도 일찍 세상을 등져 모두 할 수 없었다"340)라 하였다. 오호라! 정명도는 오십세 후에 세상을 떠났다. 여러 책에서 밝힐 수 있었지만 하지 않는 것은 나아갈 수 있으되 반드시 나아간 것이 아니라는 뜻이다. 장자(張子)341)는 "유학자들이 시끄럽게 떠들면서 후세에 알려지는 것에 급급하지만, 그 폐단을 두려워하여 묵묵히 나의 성(誠)을 기른다"342)라 하였으니, 역시 이런 뜻이다.

---

339) 정명도(程明道, 본명은 정호. 1032~1085): 송나라의 유학자. 낙양(하남성) 사람. 이름은 호(顥), 자는 백순(伯淳), 휘(諡)는 순공(純公), 명도는 그의 호. 아우 이천(伊川)과 함께 이정자(二程子)라고 일컬어진다. 북송오자(北宋五子)의 한 명. 그의 철학은 기(氣)의 철학에 속하며, 전통적인 음양이기(陰陽二氣)의 철학에 새로운 해석을 추가하여 우주(宇宙)의 본성과 사람의 성(性)이 본래 동일한 것이라고 주장했다. 그의 저서『정성서』(定性書)와『식인편』(識仁篇)은 그의 학설을 보다 새롭게 하였다. 그의 학설은 주자(朱子)에게 전승되었고, 그의 직관적 방법은 육구연(陸九淵)의 심학(心學)의 발생에 기여했다.

340)『二程文集‧明道先生行狀』: 先生進將覺斯人, 退將明之書, 不幸早世, 皆未及也.

341) 장재(張載, 1020~1077): 북송 봉상(鳳翔) 미현(郿縣) 사람. 자는 자후(子厚)고, 호는 횡거선생(橫渠先生)이며, 시호는 명공(明公)이다. 북송오자의 한명이다. 그는『주역』과『중용』을 정밀히 탐구하여 신유학의 기초를 세웠다. 기일원론(氣一元論)은 왕정상(王廷相), 왕부지(王夫之), 대진(戴震) 등에 의해 계승 발전되었고, 인성론(人性論)은 주희(朱熹)에 의해 계승 발전되었다. 저서에『정몽』(正蒙)과『횡거역설(橫渠易說)』,『경학이굴(經學理窟)』,『장자전서(張子全書)』가 있다.

342)『張載集‧與趙大觀書』.

임영(林泳) 「독서차록(讀書箚錄)-주역(周易)」

進无咎也.

나아감에 허물이 없다.

難曰, 或躍在淵, 乃進退未定之象, 此專以進言, 何也.

논변하였다: '혹 뛰어오르거나 못에 있으면'이란 나아가고 물러남이 정해지지 않은 상인데 여기에서 오로지 나아가는 것으로 말한 것은 무엇 때문인가?

曰, 能審於進退, 不自輕如此, 則雖進亦无咎也. 蓋象傳之釋爻辭也, 有推原其象理而言者, 初與上是已, 有正說其事者, 三與五是已, 有就其施用而言者, 二與此爻是已.

말하였다: 나아가고 물러남을 살펴 이와 같이 스스로 가볍게 하지 않을 수 있으면 비록 나아가더라도 허물이 없다. 「상전」이 효사를 해석함에 상(象)의 이치의 근원을 추리하여 말함이 있으니 초효와 상효가 그것이고, 일을 바르게 말함이 있으니 삼효와 오효가 그것이며, 베풀어 씀에 대해 말함이 있으니 이효와 사효가 그것이다.

本義, 難曰, 象言進无咎, 而本義謂不必進, 何耶.

『본의』에 대해 논변하였다: 「상전」에서는 "나아가도 허물이 없다"라 하였는데, 『본의』에서 "반드시 나아가는 것이 아니다"라 한 것은 무엇 때문인가?

曰, 此乃雖進, 亦无咎之義, 非不可不進之辭. 故進雖无咎, 不進亦無妨耳.

말하였다: 이것은 곧 비록 나아가도 역시 허물이 없다는 뜻이지, 나아가지 않을 수 없다는 말이 아니다. 그러므로 나아가도 허물이 없지만 나아가지 않아도 무방하다.

이현익(李顯益) 「주역설(周易說)」

或曰, 象言進無咎, 則是謂當進. 而本義言不必進, 似與象不同.

어떤 이가 말하였다: 「상전」에서 "나아가도 허물이 없다는 것이다"라 한 것은 나아감이 당연함을 이른 것이다. 그런데 『본의』에서는 "반드시 나아가는 것이 아니다"라 했으니, 「상전」과 다른 듯하다.

此說似然, 然此恐當看大義. 爻旣曰或躍在淵, 曰或, 象又曰進無咎, 曰無咎, 則其義本以進者爲必耳. 本義說, 無可疑也.

이 설명이 그럴 듯하지만 이것은 큰 뜻으로 봐야 할 것 같다. 효에서 이미 "혹 뛰어오르기도 하고 못에 있기도 한다"라 하여 '혹'이라고 하고, 「상전」에서 또 "나아가도 허물이 없다는 것이다"라 하여 "허물이 없다"고 하니, 그 뜻은 본래 나아가는 것이 필요하다고 여기는 것일 뿐이다. 『본의』의 주장은 의심의 여지가 없다.

유정원(柳正源) 『역해참고(易解參攷)』

進无咎.

나아감에 허물이 없다는 것이다.

案, 進, 下句釋當作假使進之意, 傳義皆同.

내가 살펴보았다: '나아감'은 아래 글의 해석에서 '가령 나아갈지라도'의 뜻으로 해야 한다고 했으니, 『정전』과 『본의』 모두 같다.

김상악(金相岳) 『산천역설(山天易說)』

進者, 勉之之辭也.

'나아간다[進]'는 노력한다는 말이다.

김귀주(金龜柱) 『주역차록(周易箚錄)』

本義, 可以進, 云云.

『본의』에서 말하였다: 나아갈 수 있지만, 운운.

小註徂徠石氏曰, 爻辭, 云云.

소주에서 조래석씨가 말하였다: 효사는, 운운.

○ 按, 夫子所謂進无咎, 蓋言時當進則進, 亦无咎而已, 非所以斷其疑也. 若是斷其疑, 則文言又何云, 或之者疑之也耶.

내가 살펴보았다: 공자가 말한 "나아가도 허물이 없다"라는 것은 나아가야 할 때면 나아가도 역시 허물이 없을 뿐임을 말한 것이지, 그 의심을 결단하는 것이 아니다. 만약 그 의심을 결단하는 것이었다면, 「문언전」에서 또 어떻게 "의혹이란 의심하는 것이다"라고 하였겠는가?

박제가(朴齊家) 『주역(周易)』

本義, 可以進而不必進也. 帶愼重說可進而不進, 則時至而不躍矣.

『본의』에서 "나아갈 수 있지만 반드시 나아가는 것이 아니다"라 하였다. 신중함을 더하여 나아갈 수도 있지만 나아가지 않는다는 말은 때가 되어도 뛰어오르지 않겠다는 것이다.

徂徠石氏曰, 爻辭但云或躍无咎, 夫子加進字, 以斷其疑.

조래석씨가 말하였다: 효사에서 단지 "혹 뛰어오르기도 하고", "허물이 없다"라 했는데, 공자가 '나아가다[進]'는 말을 더하여 의심을 결단했다.

案, 此夫子解躍以進, 非加進字以斷疑. 如斷疑, 則不或而常躍矣. 經文曰, 字重在或躍, 不在在淵. 在淵是常事, 不消用力. 說志欲進而時尙未洽, 故或躍. 如本義, 可以進而不必進, 則不躍矣. 如徂徠, 斷疑之說, 則必常躍矣. 此或進者, 非爲邪離群, 乃欲及時, 故夫子取其及時, 行道之心, 而曰无咎.

내가 살펴보았다: 여기서 공자가 뛰어올라 나아가는 것으로 해석한 것은 '나아가다[進]'는 말을 보태 의심을 결단한 것이 아니다. 만약 의심을 결단한다면 '혹'이 아니라 '항상 뛰어오르거나'였을 것이다. 경문에서 "말의 중요함을 '혹 뛰어오르거나'에 두고 '못에 있다'에 두지 않았으니, '못에 있다'는 것은 일상적인 일이어서 힘쓸 필요가 없다"라 했다. 뜻은 나아가고자 하지만 때가 되지 않았기 때문에 '혹 뛰어오르거나'라고 한 것이다. 『본의』처럼 나아갈 수 있지만 반드시 나아가는 것이 아니라면 뛰어오르지 않는 것이다. 조래석씨처럼 "의심을 결단한다"라는 말이라면 반드시 항상 뛰어오르는 것이다. 여기에서 '혹(或)'이나 '나아가다[進]'는 것은 '간사함을 행하거나 무리를 떠남'이 아니라 바로 '때에 이르고자 함'이기 때문에, 공자가 그 때에 이르러 도를 행하는 마음을 취하여 "허물이 없다"라 하였다.

서유신(徐有臣) 『역의의언(易義擬言)』

自潛而躍爲進也, 非謂自四更進也.

잠긴 데에서 뛰어오르는 것이 나아가는 것이지, 사효에서 다시 나아가는 것을 말하는 것은 아니다.

박문건(朴文健) 『주역연의(周易衍義)』

躍而試進, 故其進也爲无咎.

뛰어 올라서 시험 삼아 나아가기 때문에 그 나아감 또한 허물이 없게 된다.

심대윤(沈大允) 『주역상의점법(周易象義占法)』

進无咎, 可爲則爲也.

"나아가도 허물이 없다"란 할 수 있으면 하는 것이다.

오치기(吳致箕) 「주역경전증해(周易經傳增解)」

隨時處宜, 故進而无咎也.

때를 따라 적절하게 처신하므로 나아가더라도 허물이 없다.

이진상(李震相) 『역학관규(易學管窺)』

進無咎.

나아감에 허물이 없다.

或躍而實在淵, 進之无咎者也. 常躍而離淵, 則豈得无咎. 本義, 不必進, 亦量可之義.

혹 뛰어오르지만 사실은 못에 있는 것이니, 나아감에 허물이 없다는 것이다. 항상 뛰어올라 못을 떠난다면 어찌 허물이 없겠는가? 『본의』에서 "반드시 나아가는 것이 아니다"라 하였는데, 이 또한 가능한지를 헤아린다는 뜻이다.

飛龍在天, 大人造也.

정전 "나는 용이 하늘에 있음"은 대인의 일이다.

본의 "나는 용이 하늘에 있음"은 대인이 일함이다.

‖中國大全‖

傳

大人之爲, 聖人之事也.

대인이 하는 것은 성인의 일이다.

小註

雲峰胡氏曰, 二之施, 以德言, 五之造, 兼德與位言. 有其德无其位, 不敢作禮樂, 卽所謂造也

운봉호씨가 말하였다: 이효의 '베풂[施]'은 덕으로 말했고, 오효의 '일[造]'은 덕과 자리를 겸해서 말했다. 덕은 있으나 자리가 없으면 감히 예(禮)와 악(樂)을 만들 수 없으니, 곧 이른바 '일[造]'이다.

本義

造, 猶作也

조(造)는 일함[作]과 같다.

小註

進齋徐氏曰, 大人造者, 聖人作也. 龍以飛而在天, 猶大人以作而居位. 大人釋龍字, 造釋飛字.

진재서씨가 말하였다: '대인이 일함'이란 성인이 하는 것이다. 용이 날아서 하늘에 있음은 대인이 일어나 자리에 머무는 것과 같다. 대인은 용(龍)자로 해석하고, 조(造)는 비(飛)자로 해석한다.

韓國大全

조호익(曹好益) 『역상설(易象說)』

造字不必如傳. 註胡氏說實看了.

'조(造)' 자는 『정전』과 같이 볼 필요가 없다. 소주에서 운봉호씨(雲峯胡氏)의 설명이 제대로 본 것이다.

박지계(朴知誡) 「차록(箚錄)-주역건괘(周易乾卦)」

中庸曰, 非天子, 不議禮, 不制度, 不考文, 作乃議禮制度考文之事也. 若以不得位者言之, 則孔子之作春秋刪詩書定禮樂, 朱子之註釋先哲群書, 皆大人造也. 孔·朱雖未乘龍御天, 其所造作, 猶乾道之變化也, 可以首出庶物, 萬國咸寧也.

『중용』에서 "천자가 아니면 예(禮)를 논의하지 않고 제도를 만들지 않으며 글을 상고하지 않는다"[343]라 했는데, 짓는 것은 지위 있는 자가 예를 논의하고 제도를 만들고 글을 상고하는 일이다. 만약 지위를 얻지 못한 자로 말하면 공자가 『춘추』를 짓고 『시경』과 『서경』을 정리하며 예악을 정한 것이나, 주자가 앞선 시대의 학자들의 책들을 주석한 것이 모두 대인이 지은 것이라 할 수 있다. 공자·주자가 비록 용을 타고 하늘을 다스리지는 못했지만, 그들이 지은 것은 건도의 변화와 같아 "만물 중에서 으뜸으로 나오니 만국이 모두 편안하다"라 할 만하다.

유정원(柳正源) 『역해참고(易解參攷)』

正義, 造, 爲也, 唯大人能爲之.

『주역정의』에서 말하였다: '일함(造)'은 '일을 하는 것[爲]'이니, 대인만이 할 수 있는 것이다.

---

343) 『中庸』.

김상악(金相岳) 『산천역설(山天易說)』

造, 猶作也.

조(造)는 일함[作]과 같다.

김귀주(金龜柱) 『주역차록(周易箚錄)』

傳, 大人之爲, 云云.

『정전』에서 말하였다: 대인이 하는 것은, 운운.

小註雲峰胡氏曰, 二之施, 云云.

소주에서 운봉호씨가 말하였다: 이효의 베풂은, 운운.

○ 按, 不敢作禮樂云云, 語恐無當程傳. 雖以爲字解造字亦是泛說, 非指作禮樂等事也.

내가 살펴보았다: "감히 예(禮)와 악(樂)을 짓지 못한다" 운운한 것은, 『정전』에 해당하지 않을 듯하다. '위(爲)'자를 '조(造)'자로 해석하더라도 일반적으로 말한 것이지 예(禮)와 악(樂) 등의 일을 하는 것을 가리킨 것이 아니다.

서유신(徐有臣) 『역의의언(易義擬言)』

聖人作爲也.

성인이 하는 행위이다.

박문건(朴文健) 『주역연의(周易衍義)』

造成也, 位與德俱至者也.

일함[造]은 이루는 것[成]이니, 자리와 덕이 함께 도달한 것이다.

심대윤(沈大允) 『주역상의점법(周易象義占法)』

造, 朱子曰, 作也.

조(造)를 주자는 '일함[作]'이라 했다.

오치기(吳致箕) 「주역경전증해(周易經傳增解)」

言聖人作, 而位乎天位也.

성인이 일어나서 하늘 자리에 있음을 말했다.

亢龍有悔, 盈不可久也.

"끝까지 올라간 용은 후회가 있음"은 가득차면 오래가지 못한다는 것이다.

‖中國大全‖

傳

盈則變, 有悔也.

가득차면 변하여 후회가 있다.

小註

進齋徐氏曰, 盈, 謂陽極. 不可久, 謂陰生. 以盈釋亢字, 不可久釋有悔字. 人知其不可久而防于未亢之先, 則有悔者无悔矣.

서재진씨가 말하였다: '가득 참'은 양이 극에 달했음을 이르고, '오래가지 못함'은 음이 생겨남을 이른다. '가득 참'으로써 '끝까지 올라간[亢]'을 풀었고, '오래가지 못함'으로써 '후회가 있다[有悔]'를 풀었다. 사람이 오래가지 못함을 알아서 끝까지 올라가기 전에 먼저 방어한다면, 후회가 있게 될 자가 후회가 없게 될 것이다.

○ 雲峰胡氏曰, 乾上九, 陽之盈. 盈則必消, 故不可久. 坤上六, 陰之虛. 虛則必息, 故稱龍焉.

운봉호씨가 말하였다: 건괘 상구는 양이 가득 찼다. 가득차면 반드시 줄어들기 때문에 오래가지 못한다. 곤괘의 상육은 음이 비어있다. 비면 반드시 자라기 때문에 용이라고 칭하였다.

‖韓國大全‖

김상악(金相岳) 『산천역설(山天易說)』

天道虧盈, 故不可久也.

천도는 줄어들고 가득차기 때문에 오래가지 못한다.

김귀주(金龜柱) 『주역차록(周易箚錄)』

傳, 盈則變, 云云.

『정전』에서 말하였다: 가득 차면 변하고, 운운.

小註進齋徐氏曰, 盈謂, 云云.

소주에서 진재서씨가 말하였다: 가득함은 … 라 한다, 운운.

○ 按, 盈不可久四字, 皆就亢龍上言其理耳. 不知其理而欲其久也, 則必至於有悔. 象傳之意蓋如此, 今直以不可久爲有悔者, 恐失本旨.

내가 살펴보았다: "가득차면 오래가지 못한다"는 말은 모두 '끝까지 올라간 용[亢龍]'에 대해 그 이치를 말한 것뿐이다. 그 이치를 모르고 오래 하고자 한다면 반드시 후회에 이를 것이다. 「상전」의 뜻이 이와 같은데, 지금 다만 오래 할 수 없음을 후회가 있는 것으로 여긴 것은 본래의 뜻을 잃은 것 같다.

雲峰胡氏曰, 乾上九, 云云.

운봉호씨가 말하였다: 건괘 상구는, 운운.

○ 按, 虛則必息, 故稱龍云云, 恐未瑩. 當曰陰極, 故稱龍戰也.

내가 살펴보았다: "비면 반드시 자라므로 용이라고 칭한다" 운운한 것은 분명하지 못한 것 같다. 음이 극에 달하였기 때문에 "용이 싸운다[龍戰]"[344]라 한 것이라고 하여야 한다.

서유신(徐有臣) 『역의의언(易義擬言)』

陰陽以六爲盈也. 陽盈將爲姤, 陰盈將爲復, 故曰不可久也.

음양은 여섯을 가득 찬 것으로 여긴다. 양이 차면 장차 구괘(䷫)가 되며 음이 차면 장차

---

344) 『周易·坤卦』: 上六, 龍戰于野, 其血, 玄黃.

복괘(䷗)가 되기 때문에 "오래가지 못한다"라 한다.

박문건(朴文健) 『주역연의(周易衍義)』

至於盈滿, 則必當虧損也.

가득 참에 도달하면 반드시 줄어들어 손상된다.

오치기(吳致箕) 「주역경전증해(周易經傳增解)」

言盈極致悔, 不可長久也.

끝까지 가득차면 뉘우침에 이르러 오래갈 수 없음을 말했다.

用九, 天德不可爲首也.

용구(用九)는 천덕(天德)이 으뜸이 되어서는 안 된다.

‖中國大全‖

傳

用九, 天德也. 天德陽剛, 復用剛而好先, 則過矣.

용구는 천덕이다. 천덕은 양으로서 굳센데 다시 굳셈을 써서 앞서기를 좋아한다면, 지나친 것이다.

小註

東萊呂氏曰, 乾者, 萬物之首, 非有心於首萬物也, 雖爲首而實未嘗爲首也. 老子竊窺无首之義而曰, 後其身而身先, 居其後乃所以致其先, 跡雖不爲首, 心實爲首也, 觀此可知老易公私之辨.

동래여씨가 말하였다: 건은 만물의 으뜸이나 만물의 으뜸에 마음을 두지 않고, 비록 으뜸이나 실제는 으뜸이 된 적이 없다. 노자가 가만히 ‘머리 없음[无首]’의 뜻을 생각하여 “자신을 뒤로 물리려는데 도리어 자신이 앞선다”[345]라고 말했는데, 이는 뒤에 머무는 것이 곧 앞에 이를 수 있는 방법으로, 자취는 비록 으뜸이 아니나 마음은 실제 으뜸이다. 이것을 관찰해 보면 노자와 『주역』에 공사(公私)의 분별이 있음을 알 수 있다.

本義

言陽剛不可爲物先, 故六陽皆變而吉.

양(陽)의 굳셈은 사물에 앞서서는 안 되기 때문에 여섯 양이 모두 변하여야 길하다는 말이다.

---

345) 『道德經』.

○ 天行以下, 先儒謂之大象, 潛龍以下, 先儒謂之小象, 後放此.

'하늘의 운행[天行]' 이하는 선유들이 「대상전」이라 했고, '잠겨 있는 용[潛龍]' 이하는 선유들이 「소상전」이라 했다. 뒤도 이와 같다.

小註

朱子曰, 乾爲萬物之始, 故天下之物, 无不資之以始. 但其六爻有時而皆變, 故有群龍无首之象. 而君子體之, 則當謙恭卑順, 不敢爲天下先耳. 非謂天德不可爲首也, 又非謂乾不爲首也. 乾不爲首, 則萬物何所資始, 而誰爲首乎.

주자가 말하였다: 건은 만물의 시작이므로 천하의 사물 중에 건으로 바탕을 삼아 시작하지 않는 것이 없다. 다만 여섯 효가 때로는 모두 변하는 경우가 있기 때문에 여러 용들이 머리 없는 상이 있다. 군자가 이를 체득하면 마땅히 겸손하고 공손하며 낮추고 순종하여 감히 천하에 앞장서지 않는다. 이는 천덕이 으뜸이 될 수 없음을 말하는 것이 아니고, 또 건(乾)이 으뜸이 될 수 없음을 말하는 것도 아니다. 건이 으뜸이 될 수 없다면 만물이 어디에서 의뢰하여 시작하겠으며 누가 머리가 될 수 있겠는가?

○ 進齋徐氏曰, 六爻皆用九, 則乾變之坤. 九者, 剛健之極, 天之德也. 天德不可爲首, 指卦變言, 卽坤无首之義, 非謂乾剛有所不足也. 善用九者, 物極必變, 剛而能柔, 不爲物先, 用坤道也.

진재서씨가 말하였다: 여섯 효가 모두 용구이면 건은 곤으로 변한다. 구(九)는 강건함이 지극하니 하늘의 덕이다. "천덕은 으뜸이 되어서는 안된다"는 괘의 변을 가리켜서 말한 것이니, 곧 곤이 머리가 없다는 뜻이지 건의 굳셈에 부족함이 있다고 말하는 것이 아니다. 구(九)를 쓰기를 잘한다는 것은 사물이 극에 달하면 반드시 변하니, 굳세면서 부드러울 수 있어 사물에 앞서지 않고 곤의 도(道)를 쓰는 것이다.

○ 雲峰胡氏曰, 經言无首, 傳言不可爲首, 爲人之用九者言也. 易存乎用, 用易存乎人.

운봉호씨가 말하였다: 경문에서 '머리 없음'이라 하고 「상전」에서 "으뜸이 되어서는 안 된다"라 한 것은 구(九)를 쓰는 사람을 위하여 말한 것이다. 『주역』은 활용함에 달려있고, 『주역』을 활용함은 사람에게 달려있다.

┃韓國大全┃

박지계(朴知誡) 「차록(箚錄)-주역건괘(周易乾卦)」

上文言見群龍無首, 明天運自然之占也. 此則以人事言也, 言人之有天德者, 不可爲物先也. 孟子曰, 舜自耕稼陶漁, 以至爲帝, 無非取於人, 此乃天德不可爲物先之象也. 其爲帝則好問而好察邇言, 此則九五不首之象也. 傳說曰, 事不師古, 以克永世, 非說攸聞, 此則九三不首之象也. 孔 · 朱之述而不作, 九二不首之象也. 顔子之以能問於不能, 以多問於寡, 初九不首之象也. 他凡用九, 皆此類也. 蓋不首, 卽坤卦先迷後得之道也. 以乾德而行坤道, 剛柔兼全, 陽資於陰而益盛, 何吉如之. 如顔子之能與多乃天德也, 而義理無窮, 雖天德之聖賢, 亦有不知不能處. 人各有一能, 雖衆人亦有能知聖人之不知處, 故以能問於不能. 問於不能, 乃坤陰衆人之事也. 而資其能者益多, 此所以爲吉也. 若凶人 則不然, 急於物我之分, 必欲自是其已, 而恥屈於物. 甚者, 是非成法, 而變亂先聖師之訓, 以爲自高之資, 此則凶人之尤者也.

앞의 글에서 '여러 용의 머리 없음을 본 것'이라 한 것은 하늘의 운행이 저절로 그렇다는 점(占)에 대해 밝힌 것이다. 이것은 곧 사람의 일로써 말했으니, 사람 중에서 천덕을 가진 자는 사물의 앞이 되어서는 안 된다는 말이다. 맹자는 "순임금이 밭 갈고 곡식 심으며 그릇 굽고 물고기 잡을 때로부터 황제가 되어서까지 남에게서 취하지 않은 것 없었다"[346]라 하였으니, 이것이 바로 천덕은 사물의 앞이 되어서는 안 된다는 상(象)이다. 그가 황제가 되어서는 "묻기를 좋아하고 주변의 말을 듣기를 좋아 했다"[347]는 것이니, 이것은 곧 구오가 앞이 되지 않는 상이다. 부열(傅說)[348]이 "일을 할 때 옛 것에서 배우지 않고도 오래도록 할 수 있는 것은 제가 들은 바가 아닙니다"[349]라 하니, 이것은 구삼이 머리 없는 상이다. 공자와 주자의 '옛 것을 서술하되 창작하지 않는 것'[350]은 구이가 앞이 되지 않는 상이다. 안자의 '능력이 있으면서 능력이 없는 이에게 묻고, 많이 있으면서 적게 가진 이에게 묻는 것'[351]은

---

346) 『孟子 · 公孫丑』.
347) 『中庸』.
348) 부열(傅說): 한미한 신분으로 은나라 고종(高宗: 무정(武丁))이 등용한 명재상으로 은나라를 중흥시켰다. 그에 대한 기록은 『서경』에 있다. 『맹자』에 의하면 그는 판축(版築)일을 하다가 등용되었다고 하니 요즘으로 보면 건설 노동자였던 셈이다.
349) 『書經 · 說命』.
350) 『論語 · 述而』.
351) 『論語 · 泰伯』.

초구가 앞이 되지 않는 상이다. 다른 구(九)의 쓰임도 모두 이와 같은 부류이다. 앞이 되지 않는 것은 곧 곤괘의 "먼저 하면 혼미하고 뒤에 하면 얻게 된다"[352]는 도이다. 건의 덕으로 곤의 도를 실행하면 굳셈과 부드러움을 함께 온전히 하여 양(陽)이 음(陰)을 바탕으로 삼아 더욱 왕성하게 되니, 어찌 이와 같이 길하지 않겠는가? 예를 들어 안자의 '능력'과 '많음'은 바로 천덕이어서 의리가 끝이 없으니, 천덕을 지닌 성현이라도 능하지 못함을 알지 못하는 곳이 있다. 사람은 각자 하나의 능력을 가지고 있어서 보통 사람일지라도 성인이 알지 못하는 것을 알 수 있는 것이 있기 때문에 능력이 있지만 능력이 없는 사람에게 묻는다. 능력이 없는 사람에게 묻는 것은 바로 곤음(坤陰)과 보통 사람의 일인 것이다. 능력 있는 사람에게 힘입음은 더욱 많을 것이니, 이 까닭에 길하게 된다. 흉악한 사람이라면 그렇지 않으니, 자신과 남의 구분에 급급하여 반드시 자신이 스스로 옳다고 하려 해도 남에게 치욕과 굴욕을 당한다. 심할 경우 이루어진 법에 대해 시비를 하고 앞서 있는 성현과 스승의 가르침을 문란하게 하는 것으로 자신을 높이는 계기로 삼으니, 이는 곧 흉악한 사람 중에서 더욱 심한 자이다.

임영(林泳) 「독서차록(讀書箚錄)-주역(周易)」

天德不可爲首也.

천덕(天德)이 으뜸이 되어서는 안 된다는 것이다.

小註, 朱子說, 非謂天德不可爲首也. 此語與經文正相反, 而其義極精, 不可泛看, 細玩上下文義則自瞭然矣. 蓋天德者, 乾剛之道也, 乾剛之道, 固爲萬物之始, 爲始則爲首矣. 如此則天德正爲物之首矣, 乃天德之本體然也. 然乾剛之道, 雖本體如此, 其用之變, 不可純於剛而常爲物首. 故又有不可爲首之理, 此則天德之用也. 且以君道言, 則首出足臨, 乃君道之本體, 此則天德之可爲首也. 然而君道不可自恃其首出足臨之資, 而有獨御區宇之心, 故必貴乎下濟, 是乃君道之用, 卽天德不可爲首之義也. 天德自有兩義, 而用九乃陽之變, 故於此亦用天德之用耳, 朱子說自分明. 蓋曰非謂天德本不可爲首, 謂其用之變, 當如此也.

소주(小註)에서 주자는 "천덕이 으뜸이 되어서는 안 된다는 것을 말한 것이 아니다"라 하였다. 이 말은 경문과 정반대지만 그 뜻은 극히 정밀하니, 건성으로 봐서는 안 되고 위아래 글의 뜻을 세밀하게 완미하면 저절로 분명해진다. 천덕이란 건의 굳센 도(道)이고 건의 굳센 도는 실로 만물의 시작이니, 시작이 되면 머리가 되기 때문이다. 이와 같다면 천덕은

---

352) 坤卦 卦辭: 先迷, 後得, 主利.

바로 만물의 머리이니, 바로 천덕의 본체가 그런 것이다. 그러나 건의 굳센 도는 본체가 이와 같지만 그 작용의 변화[變]가 굳셈에 순수하여 항상 만물의 머리가 되어서는 안 되기 때문에 또 으뜸이 되어서는 안 되는 이치가 있으니, 이는 곧 천덕의 작용이다. 또 임금의 도로 말하면, 으뜸으로 나와서 충분히 군림함이 바로 임금의 도의 본체이니, 이는 곧 천덕이 머리가 될 수 있는 것이다. 그러나 임금의 도는 으뜸으로 나와 충분히 군림하는 자질을 스스로 믿고 혼자 온 세상을 다스리겠다는 마음이 있어서는 안 되기 때문에 반드시 아래로 구제하는 것을 귀하게 여기니, 이것이 바로 임금의 도의 작용이고 곧 천덕은 으뜸이 되어서는 안 된다는 것이다. 천덕에는 본래 두 가지 뜻이 있는데, 용구는 바로 양(陽)의 변화[變]이기 때문에 여기서는 역시 천덕의 작용으로 사용할 뿐이다. 주자의 주장은 본래 분명했으니, "천덕(天德)이 으뜸이 되어서는 안 된다"고 말한 것이 아니라, 그 작용의 변화가 이와 같아야 한다고 말한 것이다.

유정원(柳正源) 『역해참고(易解參攷)』

正義, 九是天之德也. 天德剛健, 當以柔和接下, 不可更懷尊剛爲物之首, 故云天德不可爲首也.

『주역정의』에서 말하였다: 구는 하늘의 덕이다. 천덕은 강건하니 유순함으로 아래를 대해야 하고 높고 굳셈을 생각하여 사물의 으뜸이 되어서는 안 되기 때문에, "천덕이 으뜸이 되어서는 안 된다는 것이다"라 하였다.

○ 案, 用九天德者, 過剛之德也. 剛之過而變柔, 故不可爲首. 若謂陽剛之德不可爲物之首, 則不成義理.

내가 살펴보았다: 용구의 천덕이란 굳셈이 지나친 덕이다. 굳셈이 지나치면 부드러움으로 변하기 때문에 으뜸이 되어서는 안 된다는 것이다. 만약 양의 굳센 덕이 사물의 으뜸이 될 수 없다고 말한다면 의리가 이루어 질 수 없다.

本義, 先儒. 〈案, 指孔穎達.〉

『본의』에서 말하였다: 선유(先儒)들은. 〈생각하건대 공영달을 가리킨다.〉

김상악(金相岳) 『산천역설(山天易說)』

剛而能柔, 不爲物先, 故不可爲首也. 象傳曰, 首出庶物, 卦之靜而動也, 用九曰, 不可爲首, 爻之動而靜也.

굳세지만 부드러울 수 있는 것은 사물의 앞이 아니기 때문에 으뜸이 되어서는 안 된다는 것이다. 「단전」에서 "만물 중에서 으뜸으로 나온다"라 하니, 괘가 고요하지만 움직이는 것이고, 용구에서 "으뜸이 되어서는 안 된다"라 하니, 움직이지만 고요한 것이다.

서유신(徐有臣) 『역의의언(易義擬言)』[353]

爲首, 如爲仁爲善, 不可爲首, 言不可爲六陽之至剛也. 故變而之坤以藏其剛也.

으뜸이 됨은 어짊[仁]이 되고 착함[善]이 되는 것과 같고, 으뜸이 되어서는 안 됨은 여섯 양의 지극한 굳셈이 되어서는 안 된다는 말이다. 그러므로 변해서 곤괘(坤卦☷)가 되어 굳셈을 감춘다.

박문건(朴文健) 『주역연의(周易衍義)』

天之德, 剛之道也. 不可爲首, 言剛不可以爲物先, 變其剛則吉也.

하늘의 덕은 굳센 도이다. 으뜸이 되어서는 안 됨은 굳셈이 사물에 앞서서는 안 된다는 말이니, 그 굳셈이 변하면 길한 것이다.

〈問, 天德天則. 曰, 天德, 以体言, 天則, 以用言. 天德, 以剛言, 天則, 以柔言.

물었다: 천덕과 하늘의 법칙은 무엇입니까?

답하였다: 천덕은 본체로 말한 것이고, 하늘의 법칙은 작용으로 말한 것입니다. 천덕은 굳셈으로 말한 것이고, 하늘의 법칙은 부드러움으로 말한 것입니다.〉

심대윤(沈大允) 『주역상의점법(周易象義占法)』

乾之道, 語其大, 則統貫六合, 而語其德, 則不爲偏私, 主首也.

건(乾)의 도는 그 큼을 말하면 육합(六合)을 통괄하여 관통하고, 그 덕을 말하면 치우쳐서 사사롭지 않고 으뜸을 위주로 한다.

오치기(吳致箕) 「주역경전증해(周易經傳增解)」

天道循環, 終而復始. 故不可爲首也.

천도는 순환하여 끝마치고 다시 시작한다. 그러므로 머리가 되어서는 안 된다.

---

353) 경학자료집성DB에는 누락되었으나, 경학자료집성 영인본을 참고하여 기재하였다.

이진상(李震相) 『역학관규(易學管窺)』

用九, 天德.

용구는 천덕.

德實爲首, 而不可自以爲首. 聖人之謙虛好問, 取人爲善, 不作聰明, 不矜聖智, 是也.

덕이 차있으면 으뜸이 되지만, 스스로 으뜸으로 여겨서는 안 된다. 성인은 겸허하고 묻기를 좋아하여, 남에게서 취하여 선(善)을 실천하며 총명한 척 하지 않고 성인의 지혜를 자랑하지 않음이 이것이다.

文言曰, 元者善之長也, 亨者嘉之會也, 利者義之和也, 貞者
事之幹也.

「문언전」에서 말하였다: 원(元)은 선(善)의 으뜸이고, 형(亨)은 아름다움의 모임이며, 리(利)는 의로
움의 화합이고, 정(貞)은 사물의 근간이다.

中國大全

傳

它卦, 象象而已. 獨乾坤, 更設文言, 以發明其義. 推乾之道, 施於人事, 元亨利
貞, 乾之四德, 在人, 則元者, 衆善之首也, 亨者, 嘉美之會也, 利者, 和合於義
也, 貞者, 幹事之用也.

다른 괘는 「단전」과 「상전」뿐인데, 오직 건괘와 곤괘만이 다시 「문언전」을 두어 그 뜻을 밝혔다.
건의 도를 미루어 사람의 일에 시행하니, '원·형·리·정'은 건의 네 가지 덕인데 사람에 있으면
'원'은 여러 선의 으뜸이고, '형'은 아름다움의 모임이고, '리'는 의로움의 조화로운 합함이고 '정'은
일을 주관하는 쓰임이다.

小註

縉雲馮氏曰, 以長釋元義, 以會釋亨義, 以和釋利義, 以幹釋貞義.

진운풍씨가 말하였다: 으뜸으로 '원'의 뜻을 풀이했고, 모임으로 '형'의 뜻을 풀이했고, 화합
으로 '리'의 뜻을 풀이했으며, 근간으로 '정'의 뜻을 풀이했다.

○ 平菴項氏曰, 在事之初爲元, 善之衆盛爲嘉, 衆得其宜爲義, 義所成立爲事, 一理而
四名也.

평암항씨가 말하였다: 일에 있어서 처음은 '원'이고, 선이 모여서 왕성하면 아름다움이고,
여럿이 그 마땅함을 얻으면 의로움이고, 의로움이 성립된 것이 일이니, 이치는 하나인데 이
름이 넷이다.

○ 臨川吳氏曰, 夫子於此, 釋元亨利貞四字, 而分爲四德, 後人因之, 以配春夏秋冬, 仁義禮智, 皆推廣而言之也.

임천오씨가 말하였다: 공자가 여기에서 '원·형·리·정' 넉자를 해석하여 네 가지 덕으로 나누었는데, 뒤 사람이 이에 따라 '춘·하·추·동'과 '인·의·예·지'를 배열한 것은 모두 미루어 넓혀서 말한 것이다.

本義

此篇, 申彖傳象傳之意, 以盡乾坤二卦之蘊, 而餘卦之說, 因可以例推云.

이편은 「단전」과 「상전」의 뜻을 거듭 설명하여 건괘 곤괘 두 괘의 깊은 뜻을 다 밝혔으니, 나머지 괘의 설명도 이 예로 미루어 말할 수 있다.

○ 元者, 生物之始, 天地之德, 莫先於此. 故於時爲春, 於人則爲仁, 而衆善之 長也. 亨者, 生物之通, 物至於此, 莫不嘉美. 故於時爲夏, 于人則爲禮, 而衆美 之會也. 利者, 生物之遂, 物各得宜, 不相妨害. 故於時爲秋, 於人則爲義而得其 分之和. 貞者, 生物之成, 實理具備, 隨在各足. 故於時爲冬, 於人則爲智, 而爲 衆事之幹, 幹, 木之身而枝葉所依以立者也.

'원(元)'은 생물의 시작이니 천지의 덕에서 이것보다 앞서는 것이 없다. 그러므로 시절로는 '봄'이고, 사람에게 있어서는 '인(仁)'으로 여러 선 가운데 으뜸이다. '형(亨)'은 생물의 형통함이니 만물이 이에 이르면 아름답지 않음이 없다. 그러므로 시절로는 '여름'이고, 사람에게 있어서는 '예'이며 모든 아름다움의 모임이다. '리(利)'는 생물의 성취이니 만물이 각각 마땅한 바를 얻어서 서로 방해하지 않는다. 그러므로 시절로는 '가을'이고, 사람에게 있어서는 '의(義)'로 그 분수의 화합을 얻는다. '정(貞)'은 생물의 완성이니 적실한 이치를 갖추어, 있는 곳을 따라 각각 만족한다. 그러므로 시절로는 '겨울'이고, 사람에게는 '지(智)'로 모든 사물의 근간이 된다. 근간은 나무의 몸통으로 가지와 잎이 이에 의지하여 서게 되는 것이다.

小註

或問, 元者善之長.

혹자가 물었다: '원은 선의 으뜸'이란 무엇 입니까?

朱子曰, 元亨利貞皆善也, 而元乃爲四者之長, 是善端初發處也.

주자가 답하였다: '원형리정(元亨利貞)'이 모두 선이지만, '원'은 네 가지 덕 중의 으뜸으로, 선의 단서가 처음 나타나는 곳입니다.

又曰, 萬物之生, 天命流行, 自始至終, 無非此理. 但初生之際, 淳粹未散, 尤易見耳. 只如元亨利貞皆是善, 而元則爲善之長, 亨利貞皆是那裏來. 仁義禮智亦皆善也, 而仁則爲萬善之首, 義禮智皆從這裏出耳.

또 답하였다: 만물이 생겨남은 천명이 유행하는 것이니, 시작부터 끝까지 이런 이치가 아님이 없습니다. 다만 처음 생겨날 즈음에 순수하고 흩어지지 않아서 더욱 쉽게 알 수 있을 뿐입니다. 예를 들면 '원형리정'이 모두 선(善)이나 '원'이 선의 으뜸이고 '형ㆍ리ㆍ정'은 모두 그 속에서 나옵니다. '인의예지(仁義禮智)'도 모두 선이나 '인'이 모든 선의 으뜸이며, 의ㆍ예ㆍ지가 모두 이 속에서 나올 뿐입니다.

又曰, 仁是惻隱之母, 惻隱是仁之子. 又仁包義禮智三者, 仁是長兄, 管屬得義禮智. 故曰元者善之長.

또 답하였다: '인'은 측은함의 어머니이고 측은함은 '인'의 자식입니다. 또 '인'은 '의ㆍ예ㆍ지' 세 가지를 포함하니, '인'이 맏형으로서 '의ㆍ예ㆍ지'를 관장합니다. 그러므로 '원은 선의 으뜸'이라고 합니다.

○ 春秋傳, 記穆姜所誦之語, 謂元者體之長, 覺得體字較好, 是一體之長也.

『춘추좌씨전』에 기록된 목강이 암송한 글 가운데 '원은 몸체[體]의 으뜸'[354]이라 했는데, '체(體)'자를 비교적 잘 이해한 것으로 이것은 일체의 으뜸이란 것이다.

○ 亨者嘉之會, 萬物到此, 皆盛大長茂, 无不好者, 故曰嘉之會. 嘉是美, 會是聚, 无不盡美處是亨. 蓋自春至夏, 便是萬物暢茂, 物皆豊盈咸遂其美. 然若只一物如此, 他物不如此, 又不可以爲會. 須是合聚來皆如此 方謂之會.

'형(亨)은 아름다움의 모임'이란 만물이 여기에 이르면 모두 성대하고 무성하게 되어 아름답지 않은 것이 없으므로 '아름다움의 모임'이라 한다. 가(嘉)는 아름다움이고 회(會)는 모이는 것이니, 아름다움을 다하지 않음이 없는 것이 '형(亨)'이다. 봄에서 여름까지는 만물이 번창하고 무성해져 사물 모두 풍성하고 가득해져 함께 아름다움을 이룬다. 그러나 만약 어떤 물건은 이렇고 다른 물건은 이렇지 않으면 또 모임[會]이 될 수 없다. 반드시 합쳐지고 모여져서 모두 이와 같아야 비로소 모임[會]이라 한다.

---

354) 『春秋左氏傳』襄公 九年: 姜曰, 亡. 是於周易曰, 隨, 元ㆍ亨ㆍ利ㆍ貞, 無咎. 元, 體之長也. 亨, 嘉之會也. 利, 義之和也. 貞, 事之幹也.

○ 義有箇分至, 如親其親長其長, 則是義之和. 如不親其親而親他人之親, 便是不和. 如君臣父子各得其宜, 此便是和處, 安得謂之不利. 如君不君, 臣不臣, 父不父, 子不子, 此便是不和, 安得謂之利.

의로움[義]에는 분수와 지극함이 있으니, 예컨대 '자기 어버이를 어버이로 섬기고 자기 어른을 어른으로 대접함'[355]과 같은 것이 의로움[義]의 화합이고, 자기 어버이를 어버이로 섬기지 않고 타인의 어버이를 어버이로 섬기는 것은 화합하지 않는 것이다. 예컨대 군신과 부자가 각각 그 마땅함을 얻으면 이것이 바로 화합하는 것이니 어찌 이롭지 않다고 하겠으며, '군주가 군주답지 않고 신하가 신하답지 않고 어버이가 어버이답지 않고 자식이 자식답지 않으면',[356] 이는 화합하지 않는 것이니, 어찌 이롭다고 할 수 있겠는가?

又曰, 義之分別, 似乎无情, 卻是要順, 乃和處. 蓋嚴肅之氣, 義也, 而萬物不得此, 不生, 乃是和. 利是那義裏面, 生出來底. 凡事處置得合宜, 利便隨之, 所以云利者義之和. 蓋是義便兼得利, 若只理會利, 卻是從中間半截做下去, 遺了上面一截(義)底.

또 말하였다: 의로움의 분별은 무정함과 같아서 오히려 순응해야만 곧 화합하는 것이다. 엄숙한 기운은 의로움[義]인데, 만물이 이것을 얻지 못하면 생기지 못하니, 바로 이것이 화합함이다. 이로움[利]은 의로움의 속에서 생겨난다. 모든 일을 합당하게 처리하면 이로움은 따라오기 때문에 '이로움은 의로움의 화합'이라고 말한다. 의로움은 곧 이로움을 겸해야 하는데, 이로움만 이해한다면 중간에서 그 아래 부분만 이해하는 것이고 위 부분은 누락하는 것이다.

○ 孔子只說義之和爲利, 不去利上求利. 只義和處便是利.

공자는 단지 의로움[義]의 화합이 이로움[利]이라 했으니, 이로움에서 이로움을 구하지 않음이다. 단지 의로움의 화합이 바로 이로움이다.

又曰, 義者, 得宜之謂. 處得其宜, 不逆了物, 卽所謂利.

또 말하였다: 의로움이란 마땅함을 얻음을 말한다. 처한 곳이 마땅함을 얻으면 사물을 거스르지 않으니, 곧 이로움이라고 한다.

○ 貞者事之幹, 伊川說貞字, 只以爲正, 恐未足以盡貞之義, 須是說正而固. 然亦未推得到知上, 看得來合是如此. 知是那黙運事變底一件物事, 所以爲事之幹.

'정은 사물의 근간[貞者事之幹]'에서 이천이 '정(貞)'자를 설명하기를 단지 '바름[正]'이라고

---

355) 『孟子·離婁』: 人人親其親, 長其長而天下平.
356) 『論語·顏淵』.

여겼는데, 이는 '정(貞)'의 의미를 충분히 다 나타내지 못한 것 같으니 '바르고 굳세대[正而固]'라고 설명해야 한다. 그러나 또한 헤아려도 '지혜'에 도달할 수 없지만, 내가 보기에 마땅히 이와 같아야 한다. '지혜'는 일의 변화에 묵묵히 움직이는 하나의 일인 까닭에 사물의 근간이 되는 것이다.

又曰, 正字也有固字意思, 但不分明, 終是欠闕. 正是孟子所謂, 知斯二者弗去是也. 知斯是正意, 弗去是固意, 貞固是固得恰好. 如尾生之信, 是不貞之固. 須固得好, 方是貞.
또 말하였다: 바르다는 '정(正)'자는 또 굳다는 '고(固)'자의 뜻이 있으나, 다만 분명하지 않으면 그 뜻이 마침내 부족하게 된다. '정(正)'은 『맹자·이루』의 이른바 "이 두 가지를 알아서 떠나지 않는다"는 것이 이것이다. "이것을 안대[知斯]"는 것은 '바르다'의 뜻이고, "떠나지 않는대[弗去]"는 '굳다'의 뜻이니 "바르고 굳대[貞固]"라고 해야 진실로 적절하다. 예를 들어 '미생의 믿음'[357]과 같은 것은 바르지 않은 굳음이다. 모름지기 굳음을 잘해야 비로소 '정(貞)'이다.

問, 又有所謂不可貞者, 是如何?
물었다: 또 이른바 "고집하여서는 안 된다"[358]란 말이 있는데, 이것은 무엇입니까?
曰, 也是這意思, 只是不可以爲正而固守之.
답하였다: 또한 이러한 뜻이니, 단지 바르게 여겨 굳게 지켜서는 안 된다는 것입니다.

韓國大全

조호익(曺好益) 『역상설(易象說)』

文言曰, 利者, 義之和也.
『문언전』에서 말하였다: 이로움[利]은 의로움[義]이 화합하는 것이다.

[357] 미생지신(尾生之信): 미생이 여자와 다리 아래서 만나기로 약속했는데, 마침 소나기가 내려 물이 불었으나 여자는 오지 않았다. 그래도 미생은 약속장소를 고집하며 물이 이르러도 떠나지 않고, 기둥을 안고 죽었다는 고사가 있다. 융통성 없이 신의만 지키는 것을 일컫는 말이다. 『사기(史記)·소진열전(蘇秦列傳)』을 참조할 것.
[358] 『주역』 경문에 '불가정(不可貞)'이 나오는 곳은 고괘(蠱卦) 구이효사와 수괘(隨卦) 단사이다.

傳, 和合於義者, 謂事合於義者, 爲利也.

『정전』에서 말한 '의로움[義]에 화합하는 것'이란, 일이 의로움[義]에 합하는 것이 이로움[利]이 됨을 말한 것이다.

박지계(朴知誡) 「차록(箚錄)-주역건괘(周易乾卦)」

文言曰, 元者, 善之長也, 云云.

「문언전」에서 말하였다: 원(元)은 선의 으뜸이고, 운운.

本義曰, 此篇, 申彖傳象傳之意, 以盡乾坤二卦之蘊, 而餘卦之說, 因可以例推云.

『본의』에서 말하였다: 이 편은 「단전」과 「상전」의 뜻을 거듭 설명하여 건괘 곤괘 두 괘의 깊은 뜻을 다 밝혔으니, 나머지 괘의 설명도 이 예로 미루어 말할 수 있다.

彖傳, 以天及聖人之功效著於事物者而言, 大象, 以天及聖人之行跡著於形象者而言. 至於此篇, 則以天及聖人之性情蘊於內者爲言, 其於象傳所言, 則相爲本末者也. 其於大象所言, 則相爲內外者也. 餘卦則雖不言其蘊, 然其言功效如此, 則其本可推, 其言形象如此, 則其內可推. 故曰餘卦之說, 可因以例推云.

「단전」은 하늘과 성인의 공효(功效)가 사물에 드러난 것으로 말하고, 「대상전」은 하늘과 성인의 행적이 형상으로 드러난 것으로 말하였다. 이 편에 이르러서는 하늘과 성인의 성정(性情)이 안에 온축된 것으로 말하였으니, 「단전」에서 말한 것과는 서로 본말이 되고, 「대상전」에서 말한 것과는 서로 내외가 된다. 나머지 괘에서는 비록 온축된 것을 말하지는 않았지만, 그 공효를 언급한 것이 이와 같으니, 그 근본을 미루어볼 수 있다. 그 형상을 언급한 것이 이와 같다면, 그 내적인 것에 대해서도 미루어볼 수 있을 것이다. 그러므로 나머지 괘의 설명도 이 예로 미루어 말할 수 있다고 하였다.

本義曰, 貞者, 生物之成, 實理具備, 隨在各足. 故於時爲冬, 於人爲智, 而爲衆事之幹, 幹, 木之身而枝葉所依以立者也.

『본의』에서 말하였다: '정(貞)'은 생긴 만물의 완성이니 적실한 이치를 갖추어, 있는 곳을 따라 각각 만족한다. 그러므로 시절로는 '겨울'이고, 사람에게는 '지(智)'로 모든 사물의 근간이 된다. 근간은 나무의 몸통으로 가지와 잎이 이에 의지하여 서게 되는 것이다.

貞者, 生物所以成之理也. 始之通之遂之之道, 於其生物, 皆有形跡, 而及其生物之成, 則無他形跡. 但有理備而已, 是理著之跡則爲冬. 朱子曰, 東西南可見, 而背不可見. 春夏秋生物, 而冬不生物, 蓋謂無生物之跡也. 雖無生物之跡, 而實理具備, 春夏秋所生之枝葉, 有所依附而立也. 是理在人則爲智, 智者知也. 發見之跡, 則知衆理而宰萬事也.

정(貞)은 생긴 만물이 완성되는 이치이다. 시작하고 형통하고 성취하는 도는 생긴 만물에 모두 자취를 남기지만, 생긴 만물이 완성되는 데 이르러서는 다른 자취가 없다. 단지 이치만 갖추고 있을 뿐이니, 이러한 이치가 드러나는 자취가 겨울이 된다. 주자는 "동쪽·서쪽·남쪽은 볼 수 있지만, 북쪽[359]은 볼 수가 없다"고 하였다. 봄·여름·가을에는 만물이 생겨나지만 겨울에는 만물이 생겨나지 않으니, 생겨난 만물의 자취가 없다. 비록 생겨난 만물의 자취가 없지만, 적실한 이치를 갖추어 봄·여름·가을에 생겨난 가지와 잎이 이에 의지하여 서게 되는 것이다. 이러한 이치가 사람에게 있어서는 지혜[智]가 되는데, 지혜는 앎[知]이다. 발현되는 자취는 모든 이치를 알아서 모든 일을 주재한다.

孔子曰, 仁者, 人也, 親親爲大. 義者, 宜也, 尊賢爲大. 親親之殺, 尊賢之等, 禮所生也. 故思修身, 不可以不事親, 思事親, 不可以不知人, 思知人, 不可以不知天. 朱註曰 親親之殺, 尊賢之等, 皆天理也, 故又當知天. 蓋以知天, 智之大者也. 必先知天, 然後 天理等殺之節文, 有所依附而立也. 雖然, 仁義禮皆有親親尊賢及等殺之形跡, 而智獨 無跡, 但能上達乎天理而已, 故孔子曰, 人莫我知也. 蓋謂上達之無形跡也. 譬如冬無 生物之形跡, 而但有理足而已. 智旣眞知天理之不容已, 則又能修身以道, 修道以仁, 此四德之循環也. 終而始者, 乃新舊變易之交也. 舊者旣終, 則新者始焉. 革舊變新之 功, 必因終與始. 是以, 聖人設敎, 先使小子務其近者小者而養其德性, 則仁之本實立 焉. 行之而著其所當然, 習矣而察其所以然, 則近小之學成終焉. 於是乎進于大學, 則 因其已著之理而益窮之, 至於豁然貫通, 則萬物之所當然與所以然之理, 無不著矣, 而 其爲知識, 極其遠大矣. 以是已著之理, 誠之於意, 正之於心, 修之於身, 則仁之本末華 實, 無所不具, 而大人遠大之道備矣. 革小成大之道, 其在貞元終始之間乎. 雖然, 徒有 大人之智及, 而仁未到大人之躬行, 則亦非大人也.

공자는 "인(仁)은 사람다움이니, 친한 사람을 사랑하는 것이 가장 크다. 의(義)는 합당함이니, 어진 이를 높이는 것이 가장 크다. 친한 사람을 사랑하는 단계와 어진 이를 높이는 등급에서 예(禮)가 발생한다. 그러므로 수신(修身)을 생각함에 부모를 섬기지 않을 수 없고, 부모 섬기는 것을 생각함에 다른 사람을 알지 않을 수가 없으며, 다른 사람을 아는 것을 생각함에 하늘을 알지 않을 수 없다"[360]고 하였는데, 주자는 주석에서 "친한 사람을 사랑하는 단계와 어진 이를 높이는 등급이 모두 천리이다. 그러므로 또한 마땅히 하늘에 대해서도 알아야 한다"라고 하였다. 하늘을 알기 때문에 지혜 중에서도 가장 큰 것이다. 반드시 먼저 하늘을 알아야 그런 뒤에 천리의 단계와 등급의 절문(節文)이 의지하여 서게 됨이 있다.

---

359) 배(背)는 북(北)과 통용된다.

360) 『中庸』: 仁者人也, 親親爲大. 義者宜也, 尊賢爲大. 親親之殺, 尊賢之等, 禮所生也. 在下位不獲乎上, 民不可得而治矣. 故君子不可以不修身. 思修身不可以不事親. 思事親, 不可以不知人. 思知人, 不可以不知天.

비록 그렇지만 인(仁)·의(義)·예(禮)는 모두 친한 사람을 사랑하고 어진 이를 높이는 것 및 등급과 단계의 자취가 있지만, 지혜만이 홀로 자취가 없어서 다만 위로 천리에 통달할 수 있을 따름이다. 그러므로 공자는 "사람들이 나를 알아주지 않는다"361)라고 하였다. 이 말은 위로 통달하는 것이 자취가 없음을 말한다. 예컨대, 겨울에는 생긴 만물의 자취가 없고, 단지 이치로만 충족함이 있다. 지혜가 이미 진실로 천리가 멈추지 않음을 알았다면, 또한 도로써 자신을 수양할 수 있고, 인(仁)으로써 도를 연마할 수 있어서 이러한 네 가지 덕이 순환하게 된다. 끝나고 다시 시작한다는 것은 곧 옛 것과 새것이 바뀌어 교차하는 것이다. 옛 것이 이미 끝나면, 새 것이 시작된다. 옛 것을 바꾸어 새것으로 변화시키는 공(功)은 반드시 끝맺음과 시작함에 따르게 되어 있다. 이 때문에 성인이 가르침을 베푼 것이 어린이로 하여금 우선적으로 가까이에 있는 것과 사소한 것들에 힘써서 그들의 덕성을 배양하도록 한 것이니, 인(仁)의 본질이 실제로 서게 된다. 그것을 실천하여 소당연362)을 드러내고, 그것을 익혀서 소이연363)을 관찰한다면, 가깝고 사소한 것들에 대한 배움이 완성되어 끝맺게 된다. 이에 『대학(大學)』에 나아가 이미 드러난 이치를 통해서 더욱 궁구하여 활연관통364) 한 데에 이르게 되면 만물의 소당연과 소이연의 이치가 드러나지 않는 것이 없게 되어 그 지식을 이룸도 지극히 원대하게 된다. 이렇게 이미 드러난 이치로 뜻[意]을 진실하게 하고, 마음[心]을 바르게 하며, 몸[身]을 수양을 하면, 인(仁)의 본말이 결실을 맺게 되어 갖추어지지 않은 것이 없게 되어 대인의 원대한 도리가 갖추어진다. 작은 것을 바꾸어 큰 것을 이루는 도리는 정(貞)에서 원(元)으로 종(終)에서 시(始)로의 사이에 있다. 비록 그렇지만 한갓 대인의 지혜는 이르는 것이 있지만, 인(仁)이 대인의 궁행(躬行: 몸소 실천함)에 이르지 못하였다면, 이것 또한 대인은 아니다.

天地生物之心, 雖出於冬至子之半, 而必待春之寅, 然後生物之令, 始而新焉. 故孔子曰, 行夏之時. 智之爲大人之知識, 譬如冬至子半之天心也. 仁未到大人之躬行, 譬如未及乎寅之春也. 孔子曰, 文莫吾猶人也, 躬行君子, 則吾未之有得焉. 聖賢敎人之一語, 無非叅造化之妙也.

천지가 만물을 생겨나게 하는 마음은 비록 동지 자반(子半)에서 나오지만 반드시 봄의 인(寅)을 기다린 이후에야 만물을 생겨나게 하는 이치[令]가 시작하여 새롭게 된다. 그러므로 공자는 "하(夏)나라 때의 달력을 시행한다"라고 하였다.365) 지혜가 대인의 지식이 되는 것은

---

361) 『論語·憲問』: 子曰, 莫我知也夫. 子貢曰, 何爲其莫知子也. 子曰, 不怨天, 不尤人, 下學而上達, 知我者, 其天乎.

362) 소당연(所當然): 마땅히 해야만 하는 이치로서 도덕법칙이다.

363) 소이연(所以然): 우주가 생성되는 이치로서 자연법칙이다.

364) 활연관통(豁然貫通): 앞이 훤히 트여 시원한 모양이다.

비유하자면, 동지 자반의 천심(天心)과 같다. 인(仁)이 대인이 몸소 행하는데 이르지 못한다는 것은 아직 봄의 인(寅)에 미치지 못한 것과 같다. 공자는 "학문의 경우 내가 남만 못하겠는가마는 군자의 도리를 몸소 실천하는 것에 있어서 나는 아직 부족하다"366)라고 했다. 성현이 사람들을 가르쳤던 말이 조화의 오묘한 이치를 본뜨지 않은 것들이 없다.

○ 或疑, 以天言之, 元亨利貞, 體也, 春夏秋冬, 用也. 以人言之, 仁義禮智, 體也, 愛宜理通, 用也. 故朱子於小學題辭曰, 元亨利貞, 天道之常, 仁義禮智, 人性之綱. 此則以天人之體, 譬竝言之也. 至於本義, 則以四時比竝於仁義禮智之體, 何前後之不同也.
어떤 이가 의심하였다: 하늘로 말한다면, 원·형·이·정은 본체[體]가 되고, 춘·하·추·동은 작용[用]입니다. 사람으로 말한다면, 인·의·예·지는 본체가 되고, 애(愛)·의(宜)·리(理)·통(通)은 작용입니다. 그러므로 주자는 『소학제사(小學題辭)』에서 "원형리정은 천도의 항상적인 도리이고, 인의예지는 인성의 으뜸이다"라고 하였습니다. 이것은 곧 하늘과 인간의 본체로써 비유하여 함께 언급한 것입니다. 『본의』에서는 사계절로써 인의예지의 본체까지를 비유하여 함께 언급하였는데, 어떻게 앞뒤가 다를 수 있습니까?

曰, 若以在人者, 比於在天, 則其爲體同也, 其爲用也亦同矣. 若專以天德言之, 則賦人以仁義禮智之體, 亦天之用也. 元亨利貞之體, 流行發用, 而爲四時之氣, 氣以成形, 而後仁義禮智之理亦賦焉, 則人之有此四德之體者, 乃四時之功用也. 天之四時, 人之四德, 雖有在天在人之分, 實無彼此之殊, 故本義竝擧而明之也.
답하였다: 만약 사람에게 있는 것으로 하늘에 있는 것을 비유한다면, 그 본체가 됨과 그 작용이 됨도 동일합니다. 만약 오로지 하늘의 덕으로 말한다면, 사람에게 부여된 인의예지의 본체는 또한 하늘의 작용입니다. 원형리정의 본체가 널리 퍼져 작용을 드러내어 사계절의 기(氣)가 되고, 기(氣)는 모양을 이루고, 그러한 뒤에 인의예지의 이치가 또한 부여된다면, 사람에게 이러한 네 가지 덕의 본체가 있는 것은 곧 사계절의 공용(功用)이 됩니다. 하늘에 있는 사계절과 사람에 있는 네 가지 덕이 비록 하늘에 있고 사람에 있는 구분이 있지만, 실제로는 이것과 저것에 차이가 없습니다. 그러므로 『본의』에서는 함께 들어서 밝혔습니다.

○ 此四者, 言天德之自然也. 下四條, 言君子法之, 不以人欲害天德之剛.

---

365) 『論語·衛靈公』: 顔淵問爲邦. 子曰, 行夏之時, 乘殷之輅, 服周之冕, 樂則韶舞. 放鄭聲, 遠佞人. 鄭聲淫, 佞人殆.

366) 『論語·述而』: 子曰, 文莫吾猶人也. 躬行君子, 則吾未之有得.

이 네 가지는 하늘의 덕의 자연적인 것을 말하였다. 아래의 네 조목은 군자가 그것을 본받아 인욕으로써 하늘의 덕의 굳셈을 해치지 못한다는 말이다.

임영(林泳) 「독서차록(讀書箚錄)-주역(周易)」

文言, 難曰, 卦有掛義, 爻有效義, 彖有斷義, 象卽像也. 文言者, 何謂耶.

「문언전」에 대해 논변하였다: 괘에는 걸린다[掛]는 뜻이 있고, 효에는 본받는다[效]는 뜻이 있으며, 단(彖)에는 단정하는[斷] 뜻이 있고, 상(象)은 본뜬다[像]는 것입니다. 문언이라는 것은 무엇을 뜻합니까?

曰, 此無所稽, 恐只是成文之言.

답하였다: 여기에는 관련된 것이 없으니, 아마도 단지 문장을 이루는 말[言]일 것입니다.

傳, 難曰, 發明其義下, 恐宜有此字而無之, 何耶.

『정전』에 대해 논변하였다: "그 뜻을 밝혔다[發明其義]" 아래에 아마도 마땅히 '차(此)'자가 있어야 하는데 없는 것은 어째서입니까?

曰, 上文統言乾坤, 而下只言推乾之道, 其間須有此字之類, 乃更分曉, 傳文簡約, 往往有如此處耳.

답하였다: 앞의 문장은 건곤에 대해서 통괄하여 말하고, 뒤에서는 단지 건의 도를 미루어 언급한 것입니다. 그 사이에는 반드시 '차(此)'자의 부류가 있어야 더욱 분명해지는데, 『정전』의 문장이 간략하여 종종 이와 같이 생략한 곳도 있는 것입니다.

難曰, 利者, 和合於義, 似與經義小異, 何耶.

논변하였다: 리(利)는 의로움에 화합한다고 하는데, 경문의 뜻과는 조금 차이가 있는 듯한데, 무엇 때문입니까?

曰, 此恐是賺連經下文和義說也. 本義已正之矣.

답하였다: 이 말은 아마도 아래 경문에 나온 의(義)에 화합한다고 한 설명까지도 함께 연결했기 때문입니다. 『본의』에서는 이미 그것을 바로잡았습니다.

小註, 平菴項氏說, 以四德在人者相因爲說固好. 然仁義禮智, 隨感便發, 又自有不相因處, 雖不相因, 仁之理包含貫通乎義禮智間, 亦不害爲一理而四名也.

소주에 나온 평암항씨의 설은 네 가지 덕이 사람에게 있어서는 서로 연유한다고 설명하는데, 이 설은 진실로 옳다. 그러나 인의예지는 감응에 따라 곧 발현하게 되고, 또한 본래 서로 연유하지 않는 점도 포함되어 있다. 비록 서로 연유하지 않지만, 인(仁)의 이치는 의·예·

지를 포함하고 관통하는 것도 포함되어 있으니, 또한 하나의 이치가 4개의 명칭으로 되었다고 해도 무방하다.

臨川吳氏說, 仁爲元禮爲亨義爲利, 已見於經, 獨智之爲貞, 深玩, 似有此意而未有明言矣. 吳氏以仁義禮智之配四德, 爲皆出於後人推廣則誤矣.
임천오씨는 인(仁)이 원(元)이 되고, 예(禮)가 형(亨)이 되며, 의(義)가 리(利)가 된다고 말하는데, 이것은 이미 경문에 보인다. 오직 지(智)가 정(貞)이 된다는 것에 대해 깊이 생각해 보면, 이러한 뜻이 있는 것 같지만 확실하게 말한 것은 없다. 임천오씨가 인의예지는 네 가지 덕에 짝한다고 한 말은 모두 후인들이 추론한 설명에서 도출되었다고 여겼으니, 이것은 잘못된 것이다.

이현익(李顯益) 「주역설(周易說)」

文言, 初九, 本義曰, 龍德, 聖人之德也. 乾卦六爻, 文言, 皆以聖人明之, 有隱顯而無淺深也.
「문언전」초구의 『본의』에서 말하였다: '용덕(龍德)'은 성인의 덕인데 건괘 여섯 효를 「문언전」에서 모두 성인으로 밝혔으니, 숨고 드러남은 있지만 깊고 얕음은 없다.

語類曰, 乾一卦, 皆聖人之德, 非是自初九以至上九漸漸做來.
『주자어류』에서 말하였다: 건괘는 모두 성인의 덕을 뜻하니, 초구로부터 상구에 이르기까지 점진적으로 나아간 것이 아니다.

又曰, 文言六爻, 皆以聖人明之, 如所謂忠信進德, 修辭立誠, 在聖人則安而行之也. 此則以乾之六爻, 皆作聖人事也.
또 말하였다: 「문언전」의 여섯 효는 모두 성인이 밝힌 것이니, '진실과 믿음 · 덕을 기름'과, '말을 바르게 함 · 정성을 세움' 같은 것은 성인은 그렇게 하지 않더라도 저절로 행해지는 것이다. 이곳에서는 건의 여섯 효를 모두 성인에 대한 일로 보았다.

유정원(柳正源) 『역해참고(易解參攷)』

文言.
문언.
正義, 文言者, 是夫子第七翼也. 乾坤易之門, 其餘諸卦, 皆從乾坤而出. 義理深奧, 故特作文言, 以開釋之.

『주역정의』에서 말하였다: 문언은 공자가 지은 일곱 번째 날개[翼]에 해당한다. 건곤은 역의 문이고, 그 나머지 괘들은 모두 건·곤괘로부터 나왔으니, 뜻과 이치가 매우 심오하기 때문에 「문언전」을 특별히 지어서 풀이하였다.

厚齋馮氏曰, 錯雜彖象之言以文之, 故曰文言.

후재풍씨가 말하였다: 「단전」과 「상전」의 말들을 섞어서 문장을 기록했기 때문에 문언(文言)이라고 말한다.

梁山來氏曰, 依文以言其理, 亦有文之言辭也.

양산래씨가 말하였다: 문장으로써 그 이치를 말하고, 또한 문장의 언사도 포함되어 있다.

傳, 小註, 臨川說.

『정전』 소주에서 임천오씨의 설명.

案, 孔子釋元亨利貞, 分爲四德, 又言體仁·合禮·和義·幹事, 推廣文王言外之意, 恐不可謂後人推廣之也.

내가 살펴보았다: 공자가 '원형리정'을 해석하여 네 가지 덕으로 나누었는데, 체인(體仁)·합례(合禮)·화의(和義)·간사(幹事)를 배열한 것은 문왕이 말하지 않은 뜻을 미루어 넓혀서 말한 것이니, 아마도 후대 사람들이 미루어 넓힌 것이라고 말할 수 없을 듯하다.

本義, 此篇 [至] 推云.

『본의』에서 말하였다: 이 편은 … 미루어서 말할 수 있다.

案, 此文言傳篇題也.

내가 살펴보았다: 이는 「문언전」 편의 제목이다.

김상악(金相岳) 『산천역설(山天易說)』

文言釋經文之辭, 卽天道而言人事者也, 故略象數而主義理. 天之所以生成萬物, 皆爲善道, 而元爲四德之首, 故爲善之長也. 物之有美者, 无不畢具, 故爲嘉之會也. 物之得宜者, 不相妨害, 故爲義之和也. 物之成遂者, 實理具備, 故爲事之幹也.

「문언전」에서 경문을 풀이한 말은 천도에 나아가 인사를 말한 것이므로 상수(象數)는 생략하고, 의리를 위주로 하였다. 하늘이 만물을 생성한 까닭이 모두 선한 도가 되지만, 원(元)이 네 가지 덕의 으뜸이 되기 때문에 선의 으뜸이 된다. 만물이 아름다움을 갖춘 것은 빠진 것이 없기 때문에 아름다움의 모임이 된다. 만물이 합당함을 얻은 것은 서로 방해하지 않기 때문에 의로움의 화합이 된다. 만물이 성취한 것은 실리가 갖추어지기 때문에 사물의 근간이 된다.

김귀주(金龜柱) 『주역차록(周易箚錄)』367)

傳, 他卦彖象, 云云.

『정전』에서 말하였다: 다른 괘는 「단전」과 「상전」, 운운.

小註, 縉雲馮氏曰, 以長, 云云.

소주에서 진운풍씨가 말하였다: 으뜸으로, 운운.

○ 按, 此說旣無所發明, 而只擧下一字, 反覺局促無味.

내가 살펴보았다: 이 말은 이미 밝힌 것이 없는데다 단지 한 글자씩 들었을 뿐이니, 도리어 형국이 좁아져 글의 맛이 없어졌음을 알겠다.

平菴項氏曰, 在事云云.

평암항씨가 말하였다: 일에 있어서는, 운운.

○ 按, 此釋四德, 亦泛而不叶.

내가 살펴보았다: 이것은 네 가지 덕을 해석한 것으로 또한 범범하여 적절하지 않다.

臨川吳氏曰, 夫子, 云云.

임천오씨가 말하였다: 공자가, 운운.

○ 按, 夫子旣分元亨利貞, 爲四德, 則春夏秋冬仁義禮智之意, 已在其中. 非後人因此, 而强配之也.

내가 살펴보았다: 공자가 이미 '원형리정'을 나누어 네 가지 덕으로 삼으니, '춘하추동'과 '인의예지'의 뜻이 이미 그 속에 있다. 뒤 사람들이 '원형리정'을 바탕으로 '춘하추동'과 '인의예지'를 억지로 배정한 것이 아니다.

元者, 生物之始, 云云.

'원(元)'은 만물이 생기는 시작으로, 운운.

小註, 貞者, 事之幹, 云云.

소주에서 말하였다: '정(貞)'은 일의 근간으로, 운운.

○ 按, 正如孟子正字, 恐是貞字之誤, 或正字下脫固字.

내가 살펴보았다: '정(正)'은 『맹자』에서 말하는 '정(正)'자와 같은데, 아마 '정(貞)'자의 오자이거나 혹 '정(正)'자 아래 '고(固)'자가 누락된 듯하다.368)

---

367) 경학자료집성DB에서는 건괘 「상전」에 해당하는 것으로 분류했으나, 내용에 따라 본 자리인 「문언전」 1절로 옮겼다. 김귀주의 뒤 부분에 이어지는 「문언전」 2~6절도 마찬가지이다.
368) 주자가 소주에서 '정(貞)'을 '바를 정(正)'으로만 해석한 정이천을 비판하는 내용인데, 김귀주는 이 '정(正)'이

박제가(朴齊家) 『주역(周易)』

文言.

문언.

先儒謂文飾也, 言辭也.

선대 유학자들은 문(文)은 꾸밈, 언(言)은 말이라고 하였다.

案恐是文王之言也. 兼釋爻辭, 而只曰文者, 統於文王也.

내가 살펴보았다: 아마도 이것은 문왕의 말인 것 같다. 효사까지도 함께 해석했는데도 단지 문(文)이라고 말한 것은 문왕으로 통섭되기 때문이다.

서유신(徐有臣) 『역의의언(易義擬言)』

繫辭曰, 爻有等, 故曰物, 物相雜, 故曰文, 文不當, 故吉凶生焉.

「계사전」에서 말하였다: 효가 등급이 있으므로 사물[物]이라 하고, 사물이 서로 섞이므로 무늬[文]라 하고, 무늬가 마땅하지 못하므로 길흉이 나오는 것이다.[369]

竊疑, 曰物曰文, 古之易也, 而此其文之言也歟.

내가 생각해보았다: 사물[物]이라 하고, 무늬[文]라 한 것은 고대의 『역』에 해당하는데, 이 분장은 그 문(文)에 대한 말일 것이다.

又按, 左傳穆姜筮遇艮之八, 而曰, 是於周易曰, 隨, 元亨, 利貞无咎. 元, 體之長也, 亨, 嘉之會也, 利, 義之和也, 貞, 事之幹也, 體仁足以長人, 嘉德足以合禮, 利物足以和義, 貞固足以幹事, 與今文言同. 此時襄公九年丁酉, 而後二十二年庚戌孔子生, 然則夫子之前, 已有此文字也. 丘氏以此謂是隨彖之辭, 而夫子以隨卦不足以盡四德之大, 故削其辭, 而移附於乾. 愚恐其考據未詳也. 文言蓋古易之辭, 而孔子述之也. 穆姜所誦, 初非隨彖, 乃是周易中一副文字, 論釋元亨利貞吉凶悔吝等之義例, 當爲諸卦之通釋, 豈獨爲隨彖之辭, 又安知卽此非所謂文言乎.

『맹자』의 '정(正)'의 뜻과 같은 것으로 보고 있다. 주자는 "'정(正)'은 『맹자·이루』의 이른바 '이 두 가지를 알아서 떠나지 않는다'는 것이 이것이다. '이것을 안다'는 것은 '정(正)'의 뜻이고, 떠나지 않는다는 '고(固)'의 뜻이니 '바르고 굳대貞固'라고 해야 진실로 적절하다正是孟子所謂, 知斯二者弗去是也. 知斯是正意, 弗去是固意, 貞固是固得恰好"고 하였다. 김귀주는 인용문 첫 자인 '정(正)'자가 '정(貞)'자의 오자(誤字)이거나 혹 '고(固)'자가 누락되었을 것이라고 주장한다.

369) 『易·繫辭』: 易之爲書也, 廣大悉備, 有天道焉, 有地道焉, 有人道焉. 兼三材而兩之, 故六, 六者, 非它也, 三才之道也. 道有變動, 故曰爻, 爻有等, 故曰物, 物相雜, 故曰文, 文不當, 故吉凶生焉.

또 내가 살펴보았다: 『좌전』에서는 목강(穆姜)이 점을 쳐서, 간(艮)의 팔(八)이 나왔는데, "이것은 『주역』에 '수(隨)는 크게 형통하니, 곧게 하는 것이 이롭고 허물이 없다'라고 하였다. 원(元)은 몸체의 으뜸이고, 형(亨)은 아름다움의 모임이며, 리(利)는 의로움의 화합이고, 정(貞)은 사물의 근간이다. 인(仁)을 체현하면 사람들의 으뜸이 될 수 있고, 아름다운 모임은 예(禮)에 부합할 수 있고, 만물을 이롭게 하면 도의와 조화될 수 있고, 성실하고 견고하면 일을 주관할 수 있다."[370]라고 하였으니, 이곳의 문장과 동일하다. 이러한 점을 쳤던 시기는 양공(襄公) 9년인 정유(丁酉)년이고, 그 후 양공 22년인 경술(庚戌)년에 공자가 태어났으니, 그렇다면 공자 이전에도 이미 이러한 기록들이 있었던 것이다. 구씨는 이러한 기록을 수(隨)괘에 연결된 말이라고 하였는데, 공자는 수괘(隨卦)로는 사덕의 큼을 설명하기에 부족하다고 생각했기 때문에, 그 말을 잘라내어 건괘에 붙인 것이다. 내 생각에는 그 근거가 분명하지는 않다. 「문언전」은 아마도 『고역』에 나온 말을 공자가 계승하여 서술한 것 같다. 목강이 읊었던 것은 애초에 수(隨)에 딸려 있던 것이 아니니, 곧 『주역』 중의 일부 문자를 이용하여 원형리정과 길흉회린 등의 의미와 용례를 해석한 것으로서 마땅히 나머지 괘에 대한 통석이 되니, 어떻게 유독 수(隨)에 딸려 있던 말이라고 할 수 있겠는가? 또한 어떻게 이것이 「문언전」을 말한 것이 아니라는 것을 알 수 있겠는가?

元者, 善之長也, 亨者, 嘉之會也, 利者, 義之和也, 貞者, 事之幹也.

원(元)은 선(善)의 으뜸이고, 형(亨)은 아름다움의 모임이며, 리(利)는 의로움의 화합이고, 정(貞)은 사물의 근간이다.

善, 謂元也, 而元亨利貞, 皆善也, 故元爲衆善之統長也. 嘉, 謂亨也, 而元亨利貞, 皆嘉也, 故亨爲衆嘉之要會也. 利, 屬於義, 而和, 則分劑調合也, 故曰義之和也. 貞, 屬於事, 而幹, 則建立成就也, 故曰事之幹也.

선은 으뜸을 말하는데, 원형리정은 모두 선이다. 그러므로 원은 모든 선을 통솔하는 우두머리가 된다. 아름다움은 형통을 뜻하는데, 원형리정은 모두 아름다움이다. 그러므로 형통은 모든 아름다움이 모인 것에 해당한다. 이로움은 의로움에 속하니, 조화롭게 된다면 고르게 되고 조화를 이룬다. 그러므로 의로움의 화합이라고 말한다. 바름은 일에 속하니, 근간이 된다면 건립이 되고 성취가 된다. 그러므로 일의 근간이라고 말한다.

강엄(康儼) 『주역(周易)』

---

370) 『左傳·襄公』: 穆姜薨於東宮. 始往而筮之, 遇艮之八☰☰☰☰. 史曰, 是謂艮之隨☰☰☰☰. 隨, 其出也. 君必速出. 姜曰, 亡. 是於周易曰, 隨, 元亨利貞, 無咎. 元, 體之長也. 亨, 嘉之會也. 利, 義之和也. 貞, 事之幹也. 體仁足以長人, 嘉德足以合禮, 利物足以和義, 貞固足以幹事.

本義, 此篇申彖傳, 云云.

『본의』에서 말하였다: 이 편은 「단전」의 뜻을 거듭 풀이한 것이다, 운운.

按, 此篇指文言而言. 古易文言, 亦爲一篇, 故本義云云, 而但不釋文言之義. 蔡節齋曰, 文, 餙也, 言, 辭也. 文釋彖象之辭, 以盡彖象之意.

내가 살펴보았다: 『본의』의 '이 편'은 「문언전」을 가리켜 말한 것이다. 『고역(古易)』에서는 「문언전」도 또한 하나의 편이 된다. 그러므로 『본의』에서 그처럼 말했던 것이다. 다만 『본의』에서는 '문언'의 뜻에 대해서는 풀이하지 않았는데, 채절재는 "문(文)은 문식을 한다는 뜻이고, 언(言)은 말을 뜻한다. 「문언전」에서는 「단전」과 「상전」의 말을 문식해서 풀이하여 단(彖)과 상(象)의 의미를 다 드러낸 것이다"라고 했다.

박문건(朴文健) 『주역연의(周易衍義)』

會, 會合也. 幹, 木幹也. 元之爲仁, 大也. 亨之爲禮, 通也. 利之爲義, 宜也. 貞之爲智, 正也. 此言道之大原, 出於天也.

'회(會)'는 회합한다는 뜻이다. '간(幹)'은 나무의 줄기를 뜻한다. '원(元)'은 어짊이 되므로 크다. '형(亨)'은 예가 되므로 통한다. '리(利)'는 의로움이 되므로 합하다. '정(貞)'은 지혜가 되므로 올바르다. 이것은 도의 큰 근원이 하늘로부터 나온 것을 말한다.

〈問, 文言. 曰, 夫子旣述彖象二傳, 而又有餘意, 故更說其義, 而飾其辭也. 彖象則釋易之辭, 而文言則說易之辭也. 看下文六子曰之辭以例推矣, 與係辭傳中子曰等處同. 文言者, 夫子所文之言也.

물었다: '문언(文言)'이라는 것은 무엇입니까?

답하였다: 공자는 이미 「단전」과 「상전」이라는 두 전을 조술하였는데, 또한 남은 뜻이 있기 때문에 다시금 그 의미를 설명하여 그 말을 더 보탠 것입니다. 「단전」과 「상전」은 『주역』의 말을 풀이한 것이고, 「문언전」은 『주역』의 말을 설명한 것입니다. 아래에 나온 여섯 개의 '자왈(子曰)'이라는 기록을 그 용례에 따라 추론해보니, 「계사전」에서 '자왈' 등으로 기록된 것과 용례가 같습니다. '문언'이라는 것은 공자가 기록한 말을 뜻합니다.〉

〈問, 乾坤獨有文言, 何. 曰, 乾坤六爻之義, 大矣廣矣故也. 若諸卦一二爻之文言, 則雜出於係辭傳中.

물었다: 건과 곤에만 유독 「문언전」의 기록이 있는 것은 무슨 이유입니까?

답하였다: 건곤 육효의 뜻은 크고도 광대하기 때문입니다. 나머지 괘들의 한두 효에 대한 「문언전」과 같은 형식의 말들은 「계사전」 중에 뒤섞여 나옵니다.〉

〈問, 元者以下. 曰, 仁者, 大也, 故元爲衆善之尊, 禮者, 通也, 故亨爲衆美之合, 義者, 宜也, 故利爲處物之和, 智者, 正也, 故貞爲成物之幹.

물었다: 원(元)이라는 것으로부터 그 이하는 무슨 뜻입니까?

답하였다: 인(仁)은 크기 때문에 원(元)이 모든 착함 중에서도 존귀한 것이 됩니다. 예(禮)는 통하는 것이기 때문에 형(亨)은 모든 아름다움을 합한 것입니다. 의(義)는 합당함이기 때문에 리(利)는 사물에 처하여 조화를 이루는 것입니다. 지(智)는 올바름이기 때문에 정(貞)이라는 것은 사물의 근간이 되는 것입니다.〉

〈問, 利之爲義. 曰, 人之所利者, 不出乎天理之宜也.

물었다: 이로움이 의로움이 된다는 것은 무슨 뜻입니까?

답하였다: 사람이 이롭게 여기는 것은 천리의 합당함을 벗어나지 않습니다.〉

〈問, 貞之爲智. 曰, 智體圓而用方, 不方則流矣.

물었다: 바름이 지혜가 된다는 것은 무슨 뜻입니까?

답하였다: 지혜의 본체는 둥글고 쓰임은 모가 있으니, 모나지 않는다면 다른 곳으로 흘러가게 됩니다.〉

김기례(金箕澧)「역요선의강목(易要選義綱目)」

文言.

문언.

天子釋文王所係四德之意, 惟乾坤二卦在.

문왕이 매달아 놓은 사덕의 뜻이 오직 건곤 두 괘에 있다는 것을 천자가 풀이한 것이다.

심대윤(沈大允)『주역상의점법(周易象義占法)』

善者, 道之全體, 而成其性者也. 大學曰止於至善. 元亨利貞, 皆善也, 而元以貫之, 故曰長. 亨者, 衆善之會而盛也, 故曰嘉之會. 義者, 中以爲利也, 故曰利者義之和. 貞者, 變通而保其終也, 故曰事之幹. 朱子曰, 幹, 木之枝葉所依而立者也.

선은 도의 전체이며, 그 본성을 이루는 것이다. 『대학』에서는 "지극한 선에 머문다"[371]고 했다. 원·형·이·정은 모두 선이지만, 원(元)은 그것들을 꿰고 있기 때문에 으뜸이라고

---

371) 『大學·經一章』: 大學之道, 在明明德, 在親民, 在止於至善.

말한다. 형(亨)은 모든 선이 모여서 융성하게 된 것이기 때문에 아름다운 모임이라고 말한다. 의(義)는 중을 이로움으로 삼기 때문에 이로움은 의로움의 화합이라고 말한다. 정(貞)은 변통을 하여 그 마침을 보존하는 것이기 때문에 일의 근간이라고 말한다. 주자는 "근간은 나무의 가지와 잎이 이에 의지하여 서게 되는 것이다"라고 했다.

〈經傳言義爲利者多矣, 而莫如此至切也. 義者與人同利也. 有損己利人, 損人利己之時, 而隨時而十, 然後乃爲義也. 下一和字, 言意始圓.

경전에서 의(義)가 이로움이 된다고 말한 것이 많지만, 이처럼 지극히 간절하게 표현된 것은 없다. 의는 남들과 그 이로움을 함께 하는 것이다. 때에 따라 자기 것을 덜어내어 남을 이롭게 하기도 하고, 남의 것을 덜어내어 자신을 이롭게 하는 때도 있는데, 때에 따라서 열배를 한 이후에야 의가 된다. 하나의 화(和)자를 쓴 것은 그 뜻이 애초부터 원만한 것을 말한다.〉

오치기(吳致箕) 「주역경전증해(周易經傳增解)」

此一節夫子以元亨利貞分爲四德, 以申象傳之義也.

이 한 구절은 공자가 원·형·리·정을 나누어서 사덕(四德)으로 삼고, 이로써 「단전」의 뜻을 거듭 설명한 것이다.

○ 文言者, 孔子於彖象作傳之後, 猶有未盡, 故依文而言其理, 申明其蘊者也. 乾坤爲易之本, 故獨於二卦, 立言特異之也.

「문언(文言)」은 공자가 「단전」과 「상전」을 지은 이후에 미진했던 점이 있었기 때문에, 그 문장에 의거하여 그 이치를 말하고 온축된 의미를 거듭 밝혔다. 건곤은 『주역』의 근본이 되므로 유독 두 괘에 대해서만 이러한 말을 기록하여 특별하게 만들었다.

박문호(朴文鎬) 「경설(經說)·주역(周易)」

別以子曰, 表孔子之辭, 此竊恐不然. 繫辭中所稱子曰非一, 而皆非有所別耳. 且傳者卽孔子也, 而此云爾者, 豈指其以傳附經之人歟. 然則凡十翼中子曰, 亦是後人所加, 如彖曰象曰之例耶. 更詳之.

별도로 '자왈(子曰)'이라고 하여, 공자의 말을 나타냈다고 하는데, 이것은 내가 생각하기에 그렇지 않은 것 같다. 「계사전」 중에 '자왈(子曰)'로 지칭하는 것은 한 가지가 아니니, 모두 구별하는 바가 있는 것이 아닐 뿐이다. 또 전(傳)이라는 것은 곧 공자에 해당하는데, 이곳에서 그렇게 언급한 자가 어찌 전(傳)을 경(經)에 붙인 자이겠는가? 그렇다면 십익(十翼)에 나오는 '자왈(子曰)'은 또한 후대인들이 가탁한 것으로서 단왈(彖曰), 상왈(象曰) 등의 용례와 같은 것이겠는가? 다시 자세히 살펴보아야 한다.

言乾之用, 程子於文言首節, 以施於人事言之, 自此以下, 則又以爲說出乾之用, 然自初至末, 莫非聖人之事也. 本義分爲六節者, 甚當. 凡係文法文勢等處, 一從朱子可也.
건의 쓰임이라고 말하는데, 정자는 「문언」의 첫 구절에 대해 인사에 베푼다는 것으로써 언급을 하고, 이로부터 그 이하에 대해서는 또한 설명을 하며 건의 쓰임에서 나온 것이라고 하였다. 그러나 초구로부터 끝까지는 성인의 일이 아닌 것이 없다. 『본의』에서 나누어서 여섯 개의 절로 삼은 것이 매우 합당하다. 문법 및 문장의 흐름 등으로 본다면, 주자의 설을 한결같이 따르는 것이 옳다.

君子體仁, 足以長人.

군자가 인을 체득함이 남의 어른이 되기에 충분하다.

｜中國大全｜

傳

體法於乾之仁, 乃爲君長之道, 足以長人也. 體仁, 體元也, 比而效之謂之體.

건의 '인'을 체득하고 본받음이 바로 군장(君長)의 도이니, 남의 어른이 될 수 있다. 인을 체득함은 '원(元)'을 체인하는 것이니, 견주어 본받는 것을 체득이라 한다.

小註

朱子曰, 體仁如體物相似. 人在那仁裏做骨子, 仁是箇道理, 須是有這箇人, 方體得他, 做箇骨子. 比而效之之說, 卻覺不是.

주자가 말하였다: '인을 체득함[體仁]'은 '사물의 근간[體物]372)과 서로 비슷하다. 사람은 '인'으로 골자를 삼고, '인'은 도리이니, 모름지기 사람이 있어야 비로소 '인'을 체득하여 골자로 삼을 수 있다. '견주어 본받는 것[比而效之]'이라는 말은 도리어 옳지 않은 것 같다.

○ 問, 伊川解體仁長人, 作體乾之仁, 看來在乾爲元, 在人爲仁, 只應就人上說.
曰, 然. 君子行此四德, 則體仁是君子之仁也.

물었다: 이천은 '인을 체득함[體仁]'과 '남의 어른[長人]'을 건의 '인'을 체득함으로 해석하니, 이것으로 보건대 건에서는 '원'이고 사람에서는 '인'이 되는 것은 단지 사람에 대한 말입니까?
답하였다: 그렇습니다. 군자는 네 가지 덕을 행하니, '인을 체득함'은 군자의 '인'입니다.

---

372) 『中庸』: 子曰, 鬼神之爲德, 其盛矣乎. 視之而弗見, 聽之而弗聞, 體物而不可遺. 여기의 '체물(體物)'에 대해 주자는 '猶易所謂幹事'라 하여 「문언전」의 '간사(幹事)' 즉 '일의 근간'으로 보고 있다. 본문의 '체물'도 주자의 의견이므로 『중용』의 주자 주석과 그 맥락이 같다고 본다.

○ 東萊呂氏曰, 仁者人也, 合而言之道也. 只爲人不能合, 故必比而效之. 執柯伐柯, 其則不遠, 比而效之之謂也.

동래여씨가 말하였다: '인(仁)'은 사람이니 합해서 말하면 도이다.[373] 다만 사람은 합할 수 없으므로 반드시 견주어서 본받는다. "도끼자루를 잡고 도끼자루 감을 베니, 그 법칙이 멀지 않도다"[374]라는 것은 "견주어서 본받는다"는 것을 말한다.

○ 進齋徐氏曰, 體者, 以身法之也. 仁乃天地生物之心, 君子能體之以身, 則念念皆仁, 而有博施濟衆之功, 故足以長人. 如克長克君之類是也.

진재서씨가 말하였다: 체득이란 몸으로 그것을 본받는 것이다. '인'은 곧 천지가 만물을 낳는 마음이니, 군자가 몸으로 이를 체득할 수 있으면, 생각마다 모두 '인'하여 널리 베풀고 대중을 구제하는 공이 있으므로 "남의 어른이 되기에 충분하다". 예컨대 "어른 노릇 잘하고 군주 노릇 잘하고"[375]와 같은 부류가 이것이다.

○ 廣平游氏曰, 仁爲衆善之首, 故足以長人. 猶萬物發育乎春, 而震爲長子也.

광평유씨가 말하였다: '인'은 여러 선의 으뜸이므로 "남의 어른이 되기에 충분하다". 만물이 봄에 발육하고 진괘(☳)가 맏아들이 되는 것과 같다.

韓國大全

임영(林泳)「독서차록(讀書箚錄)-주역(周易)」

君子體仁.

군자가 인(仁)을 체득함이.

傳以仁爲乾之仁, 故其釋體仁, 有比效之說. 朱子直以仁爲人性之仁, 故以體仁爲與體物相似, 當以朱子說爲正, 東萊進齋, 則皆從傳意爲說者耳.

---

373) 『孟子·盡心』.
374) 『詩經·伐柯』.
375) 『詩經·皇矣』.

『정전』에서는 인(仁)을 건(乾)의 인으로 여기기 때문에 '인을 체득함'에 대한 해석에는 견주어서 본받는다는 설명이 포함되어 있다. 주자는 단지 인을 인성(人性)의 인(仁)으로 여겼기 때문에 '체인(體仁)'을 '체물(體物)'과 서로 유사하다고 여겼으니, 마땅히 주자의 설명을 옳은 것으로 삼아야 하고, 동래와 진재의 경우는 모두 『정전』의 뜻에 따라서 주장을 했을 뿐이다.

游廣平說, 以震爲長子, 爲長人之證, 太巧矣. 若春之震爲長子, 而夏之離爲中子, 兌坎亦爲長中而必以配秋冬, 則此說可通, 不然, 未可以爲證也.
유광평의 설에서는 진(☳)을 맏아들로 여겨서 윗사람[長人]에 대한 증거로 삼았는데, 너무 교묘한 설명이다. 만약 봄의 진(☳)이 맏아들이 되고 여름의 리(☲)가 둘째 아들이 되며, 태(☱)와 감(☵) 또한 장(長)과 중(中)이 되어 반드시 가을과 겨울에 짝을 이루게 된다면, 이 설은 통용될 수 있다. 그렇지 않다면, 증거로 삼을 수가 없다.

유정원(柳正源) 『역해참고(易解參攷)』
體仁.
인(仁)을 체득함이.

案, 程子曰, 仁者渾然, 與天地萬物爲一體. 夫吾身自吾身, 天地萬物自天地萬物, 其所謂渾然一體者何也. 竊謂天地間渾全涵育者, 只是生生之理也. 逼挾充塞者, 只是生生之氣也. 萬物之生於天地間者, 雖有飛潛動植之異, 聲色臭味之殊, 而无非此理之所寓, 此氣之所鍾也. 唯人之靈理, 得其全氣, 得其正合, 此理氣而爲心, 心之爲物, 沖融溫粹惻怛慈良, 全是天地間生生之本來材具, 而以其在人, 故名之以仁, 夫是仁也, 不出乎腔子之裏, 而含具天地萬物爲體, 不離乎方寸之間, 而貫徹天地萬物爲用, 血氣灌注, 无毫髮之空闕, 脈息貫通, 无頃刻之停歇. 仁道之所以爲大者然也. 然人固有是心, 心固有是仁, 不待體行而自无不仁之人, 所謂天地萬物一體者, 无量大自在矣.
내가 살펴보았다: 정자는 "인(仁)이라는 것은 혼연하여 천지만물과 일체가 된다"라고 했다. 내 몸은 내 몸이고, 천지만물은 천지만물인데, 혼연하여 일체가 된다는 것은 무슨 말인가? 가만히 생각해 보면, 천지사이에는 완전하게 하며 기르는 것은 낳고 낳는 리(理)뿐이다. 궁핍하고 막힌 것은 단지 낳고 낳는 기(氣)이다. 만물이 천지 사이에서 낳고 낳는 것은 비록 날고 잠기고 움직이고 멈추는 차이가 있고, 소리·색깔·냄새·맛 등의 차이가 있다고 하더라도, 이 리에서 벗어나는 것이 없고, 이 기가 낳지 않은 것이 없다. 오직 사람의 신령한 리만이 그 온전한 기를 얻고, 그 바름을 얻으며, 이러한 리기가 합하여 마음[心]이 되니, 마

음 된 것이 충융(沖融)·온수(溫粹)·측달(惻怛)·자량(慈良)하여 온전히 천지 사이의 낳고 낳음을 본래 갖추고 있는 것이다. 그런데 그것이 사람에 있기 때문에 인(仁)이라고 명명하니, 이 인은 뱃속을 벗어나는 것은 아니지만 천지 만물을 포함하여 본체[體]로 삼고, 마음을 떠나지 않지만 천지만물을 관통하여 작용[用]으로 삼으니, 혈기가 흐름에 작은 틈도 없고, 혈맥이 관통함에 잠시의 멈춤도 없다. 인도(仁道)가 위대한 이유가 이와 같은 것이다. 그러나 사람은 이러한 마음을 본래 가지고 있고, 마음에는 이러한 인이 본래 있어서 몸소 실천하지 않더라도 어질지 않은 사람이 자연 없으니, 천지만물과 일체라고 하는 것은 헤아릴 수 없이 큰 것이 저절로 있다.

文言之必欲體法於元, 以仁爲體者, 何也. 夫人之所稟乎天地生生之妙, 而以爲一身之主者, 潔淨純粹圓備无欠, 而唯其氣稟所拘, 物欲所蔽, 无以盡本然之體. 存乎腔子者, 或有昏昧之時, 由乎方寸者, 亦多闕齾之處, 譬如一膜之上, 猶有手足之痿痺, 一肚之中, 尙有肝膽之楚越也, 則況可望其天下一家中國一人, 而盡其仁道之大也哉. 此不可以任其固有, 而必待乎人之體行者明矣. 然則其體之也, 將奈何. 仁道雖大, 而只從其大處求之, 則便以天地萬物認作吾心, 茫茫蕩蕩全无交涉, 終日言仁, 而不出乎釋氏之委身飼虎, 沒世爲仁, 而不越乎墨子之无父兼愛, 其所謂同天地而貫萬物者, 卽一无主宰无情意之天地萬物也. 其爲不仁, 豈有甚於此哉.

「문언전」이 원(元)에서 몸소 본받고자 하였던 것인데, 인(仁)을 본체로 삼은 것은 어째서인가? 사람은 천지가 낳고 낳는 오묘한 이치를 품수 받아 한 몸의 주인으로 삼은 것이 청결하고 순수하며 완비되어 조금의 흠도 없지만, 오직 기를 품수 받은 것에 구애되고 물욕에 가려져서 그 본연의 본체를 극진히 하지 못한다. 뱃속에 보존된 것은 간혹 혼매한 때가 있고, 마음에서 나온 것은 또한 빈 곳이 많다. 비유하자면 한 꺼풀 위에도 오히려 손과 발의 저림과 마비가 있고, 하나의 배 속에도 오히려 간과 쓸개가 초나라와 월나라 같은 경우가 있으니, 하물며 천하를 한 집처럼 만들고 모든 사람을 한 사람처럼 하여 그 인도(仁道)의 위대함을 극진히 하기를 바랄 수 있겠는가? 이것은 본래 가지고 있는 것에만 맡길 수 없고, 반드시 사람이 몸소 실천함을 통해야만 한다는 것이 분명하다. 그렇다면 '체득한다'는 것은 어떻게 해야 하는 것인가? 인도(仁道)가 비록 크다고 하더라도 단지 큰 곳만을 좇아 찾는다면 곧 천지만물로 내 마음을 인식하는 것은 아득하고 요원하게 되어 전혀 나와는 관련이 없게 되니, 종일토록 인(仁)을 말하더라도 석가가 자신의 몸을 던져 호랑이를 먹이는 것에서 벗어나지 못하며, 평생토록 인을 실천한다고 해도 묵자의 부모도 모르는 겸애의 학설을 뛰어넘지 못하니, 천지와 같아지고 만물을 관통한다는 것은 곧 한 점 주재(主宰)도 없고 정의(情意)도 없는 천지만물에 해당한다. 그 불인(不仁)함이 어찌 이보다 심한 것이 있겠는가?

西銘推極仁體之大, 而必從一吾字爲之樞領, 則仁者, 不過吾心所有愛之之理也. 須就吾身上識得溫, 然愛人利物之心, 方是仁體, 而親切體認端的推擴, 氣稟不能拘之內, 己私不能誘之外, 冲瀜和粹之體渾全无闕, 惻怛慈詳之用普徧无滯, 則吾之所得於天地間生生之本來材具者, 充得方盡, 而廓然大公, 皇皇四達, 體之所存, 方與天地同大, 而用之所行, 方與萬物相貫, 仁者之渾然, 與天地萬物爲一體者, 是也. 此與夫程朱門下諸公, 或有以天地萬物一體爲仁者, 其主客之勢, 虛實之分, 豈可同年而語哉? 此又體仁者, 所當知也. 程朱說此體字, 不同, 一以效法身行言之, 一以主宰幹骨言之, 然體仁到熟時, 自覺二說之不相妨礙矣.

『서명』은 인체(仁體)의 거대함을 미루어 극진히 하였는데, 반드시 '나'라고 하는 오(吾)자를 따르는 것으로 요지를 삼았으니, 인(仁)이라는 것은 곧 내 마음이 가지고 있는 사랑하는 이치에 불과할 뿐이다. 반드시 내 몸에서 인식한 것을 익혀야 하는데, 사람을 사랑하고 만물을 이롭게 하는 마음이 곧 인체(仁體)이고, 자세하게 몸으로 인식하는 단서를 미루어 넓히면 품수 받은 기질이 내면을 구속하지 못하고, 사사로운 것이 외면을 유혹할 수 없으니, 충융(冲瀜)하고 화수(和粹)한 본체가 온전하여 틈이 없고, 슬퍼하고 자상한 작용이 두루 퍼져 막힘이 없다면, 내가 천지로부터 부여받은 낳고 낳는 본래 갖추어진 것이 가득하여 극진하게 되고 크고 넓어 공정하며 성대하고 성대하여 두루 통하니, 본체의 보존된 것이 천지와 더불어 그 거대함을 함께 하고 작용의 시행이 만물과 서로 관통하여 인(仁)의 혼연함이 천지만물과 일체가 된다는 것이 바로 이것이다. 이는 정자와 주자의 문하에 있는 여러 학자들이 간혹 천지만물이 일체라는 것으로 인(仁)을 삼은 것이 있는 것과는 그 주객의 형세와 허실의 구분이 어찌 같은 시기에 한 말이라 할 수 있겠는가? 이 또한 인(仁)을 체득해야 한다는 것을 마땅히 알 수 있는 바이다. 정자와 주자가 이 '체(體)'자를 설명한 것이 같지 않은데, 한편으로는 법을 본받고 몸소 실천하는 것으로써 말한 것이며, 다른 한편으로는 주재와 골간이 되는 것으로 말한 것이다. 그러나 인(仁)을 체득하여 순숙(純熟)한 때에 이르면, 저절로 두 설명이 서로 방해되지 않음을 깨닫게 된다.

김귀주(金龜柱) 『주역차록(周易箚錄)』[376]

傳, 體法於仁, 云云.

『정전』에서 말하였다: 인을 체득하고 본받아서, 운운.

小註, 東萊呂氏曰, 仁者, 云云.

소주에서 동래여씨가 말하였다: 인이란, 운운.

○ 按, 孟子所謂仁也者, 人也, 合而言之, 道也者. 蓋謂仁者, 所以爲人之理. 以此理合人身而言之, 則所謂道也云爾, 非謂人合之也, 又非比而效之之謂也. 伐柯伐柯, 猶有彼此之別, 故謂之比而效之, 則可, 若仁, 則乃在我者, 有何比而效之者耶. 呂說非但與本義相背, 亦不合於程傳之旨矣.

내가 살펴보았다: 『맹자』에서 이른바 "인(仁)이란 사람이니 합해서 말하면 도(道)이다"[377]라고 하는 것은 '인(仁)'이라는 것은 사람이 되는 이치이기 때문이다. 이 이치를 인신(人身)과 합해서 말하면 이른바 도라고 한 것일 뿐이지 사람 자체를 합한 것을 이름이 아니며, 또 '견주어 본받음[比而效之]'을 이른 것도 아니다. "도끼자루를 잡고 도끼자루 감을 벰이여"[378]라고 함은 그래도 이쪽과 저쪽의 구별이 있으므로 '견주어 본받음'이라 해도 괜찮지만, 인(仁)의 경우는 곧 나에게 있는 것이니, 어찌 "견주어서 본받음"이 있겠는가? 동래여씨의 주장은 『본의』와 서로 어긋날 뿐 아니라, 『정전』의 뜻과도 부합하지 않는다.

進齋徐氏曰, 體者, 云云.

진재서씨가 말하였다: 체득이란, 운운.

○ 按, 此說以程傳意看, 則亦粗通.

내가 살펴보았다: 이 주장을 『정전』의 뜻으로 보면 또한 대략 통한다.

박제가(朴齊家) 『주역(周易)』

體仁.

인(仁)을 체득한다.

本義以仁爲體, 小注不是將仁來爲我之體, 我之體便都是仁也.

『본의』에서는 인(仁)을 몸체로 삼고, 소주에서는 인(仁)을 나의 몸체로 삼은 것이 아니라 나의 몸체가 곧 인(仁)이라고 하였다.

又曰, 體仁如體物相似. 人在那仁裏做骨子.

또 말하였다: '인을 체득함[體仁]'은 '사물의 근간[體物]'과 서로 비슷하다. 사람은 이러한 인(仁)을 골자(骨子)로 삼는다.

又曰, 仁爲我之骨, 我以之爲體.

또 말하였다: 인(仁)이 나의 뼈가 되고, 나는 그것을 몸체로 삼는다.

---

377) 『孟子·盡心』.
378) 『詩經·伐柯』.

蓋寂極說到矣. 程傳自平順, 毋論我做仁骨, 仁做我骨, 其初必須比而效之. 若說是天生骨子, 生知之聖, 則君子以下, 無學知之望矣.

아마도 이것이 가장 좋은 설명인 것 같다. 『정전』은 저절로 평이하고 순조로우니, 내가 인(仁)의 뼈를 만드는 것인지, 인(仁)이 나의 뼈를 만드는 것인지를 막론하고, 애초에 반드시 나란히 하여 본받아야 한다. 만약 하늘이 뼈를 만들어 줌에 태어날 때부터 아는 성인이라고 말했다면, 군자 이하는 배워서 아는 희망이 없을 것이다.

서유신(徐有臣) 『역의의언(易義擬言)』

體仁長人, 君子之元也. 何以守位. 曰仁善之長, 故足以長人也.

어짊을 실천하여 남의 우두머리가 된다는 것은 군자의 으뜸이다. 그런데 어떻게 자리를 지킬 수 있는가? 말하자면 어짊은 선의 우리머리이므로 남의 우두머리가 될 수 있다.

심대윤(沈大允) 『주역상의점법(周易象義占法)』

元於時爲春, 於行爲木, 於人爲仁. 仁者, 生發暢達之道也, 忠恕是也. 己之所欲推以施諸人曰忠, 己之所不欲勿以加諸人曰恕. 忠恕者, 人道之綱也. 夫學所以爲己也. 成己仁也. 人之欲利己者性也. 利己存乎利物, 安身存乎安人, 故必爲忠恕以利人與物, 然後乃利於己也. 忠恕以爲人, 乃所以爲己也. 君子小人之性同, 道者, 擧其性者也. 性同而道亦同, 故人莫不有忠恕. 中庸曰, 人之爲道而遠人, 不可以爲道. 言聖人之與人同道也. 子貢曰, 賢者識其大者焉, 不賢者識其小者焉, 莫不有文武之道. 言文武與不賢者同道也. 隨其忠恕之所及, 而利害之於己與人一致, 而无分也, 利生焉. 隨其忠恕之所不及, 而害生焉. 其忠恕及於一尺, 則利有一尺焉, 一尺以外皆害也. 其忠恕及於十尺, 則利有十尺焉, 十尺以外皆害也. 利之謂善, 害之謂惡.

원(元)은 사계절에서는 봄이 되고, 오행에서는 나무가 되며, 사람에서는 어짊이 된다. 어짊은 생겨나 펼쳐져서 통달하는 도이니, 충서(忠恕)가 이것이다. 자신이 바라는 것을 미루어서 남에게 베푸는 것을 충(忠)이라고 하며, 자신이 바라지 않는 것을 남에게 더하지 않는 것을 서(恕)라고 부른다. 충서라는 것은 사람 도리의 강령이다. 배움은 자신을 이루는 방법이고, 자신을 이루는 것은 어짊이다. 사람이 자신을 이롭게 하려는 것은 본성이며, 자신을 이롭게 하는 것은 남을 이롭게 하는 데에 달려 있고, 자신을 편안하게 만드는 것은 남을 편안하게 만드는데 달려 있다. 그러므로 충서로써 사람과 만물을 이롭게 한 이후에야 자신도 이롭게 할 수 있다. 충서로써 남을 대하는 것은 곧 자신을 위하는 방법이다. 군자와 소인의 본성은 같으니, 도라는 것은 그 본성을 통솔하는 것이다. 본성이 같고 도 또한 동일하게 때문에 사람들 중에는 충서를 갖추지 않은 자가 없다. 『중용』에서는 "사람이 도를 행하면서 사람을 멀리한다면, 도라고 할 수 없다"[379]라고 했다. 이 말은 성인과 일반인은 도를 같이한다는 뜻이다. 자공은 "현명한 자는 그 중에서도 큰 것을 알고, 현명하지 못한 자는 그 중에서도 작은 것을 아니, 문왕과 무왕의 도를 갖추지 않은 자가 없다"[380]라고 했으니, 이 말은 문왕, 무왕과 현명하지 못한 자도 도를 같이한다는 뜻이다. 그 충서(忠恕)가 미치는 것에 따라 이로움과 해로움이 본인과 타인에게 일치하여 구분이 없다면, 이로움이 생겨난다. 그 충서가 미치지 못하는 것에 따라서 해로움이 생겨난다. 충서를 일척(尺)에 미치게 되면 이로움도 일척이 있게 되고, 일척 밖에는 모두 해로움이 된다. 충서를 십척에 미치게 되면 십척 이외에는 모두 해로움이 된다. 이로움을 선함이라고 하고 해로움을 악함이라고 하였다.

小人其忠恕, 或不能及於其妻子, 而與天下爭利, 利不可得, 而害不可勝, 勞焉愁焉愧焉危焉, 幸而得目前一時之利, 終以大禍, 適以害天下, 而受天下之害, 此之謂惡. 大人忠恕, 及于四海, 天與人歸利, 盡天下而人不爭, 身安而无害, 心泰而无憂, 能全其利, 盡其性, 此之謂至善. 是其道同, 而有大小善惡之分, 爲其小者爲小人, 爲其大者爲大人. 凡求利者, 不由忠恕, 无他術也. 是故人莫不求利焉, 則人莫不爲忠恕也. 但於其所愛而止耳, 於其物而止耳, 是以鮮有全其性者也. 中庸曰, 人莫不飮食也, 鮮能知味也.

소인의 충서는 간혹 자신의 처자식에게도 미치지 못하는데, 천하와 더불어 그 이로움을 다투니, 이로움을 얻지 못하고 그 해로움도 이루 말할 수 없게 되어, 수고롭게 되고 근심하게 되며 모욕을 당하고 위태롭게 되는데, 요행히 목전에 한 때의 이로움을 얻게 되더라도, 끝내는 큰 화가 미쳐서 마침내 천하를 해롭게 하고 천하의 해로움을 받게 되니, 이것을 악이라고 말한다. 대인의 충서는 사해에 미치고, 하늘과 사람이 그 이로움에 귀의하여 온 천하에 두루 미쳐서 사람들이 다투지 않으니, 자신은 안존하게 되고 해가 없으며, 마음은 태평하게 되어 근심이 없으며, 그 이로움을 온전히 하고 그 본성을 다하게 되니, 이것을 지극한 선이라고 말한다. 이것은 곧 도는 같지만, 대소와 선악의 구분이 있어서 작은 것은 소인이 되고, 큰 것은 대인이 되는 것이다. 이로움을 구하는 것이 충서에서 말미암지 않는다면, 다른 방도가 없다. 이러한 까닭으로 사람이 이로움을 구하지 않는 자가 없으면 사람이 충서를 시행하지 않는 경우가 없게 된다. 다만 애착하는 것에 대해서만 그칠 뿐이며, 사물에 대해서만 그칠 뿐이니, 이 때문에 그 본성을 온전히 하는 자가 드물다. 『중용』에서는 "사람들 중에 음식을

---

379) 『中庸』: 子曰, 道不遠人, 人之爲道而遠人, 不可以爲道.
380) 『論語 · 子張』: 衛公孫朝問於子貢曰, 仲尼焉學, 子貢曰, 文武之道, 未墜於地, 在人. 賢者識其大者, 不賢者識其小者. 莫不有文武之道焉. 夫子焉不學, 而亦何常師之有.

먹지 않는 자가 없지만, 그 맛을 아는 자가 드물다"[381]라고 말한다.

亨於時爲夏, 於行爲火, 於人爲禮. 禮者, 盛長宣著之道也, 節文是也. 節, 限節也. 文, 賁餙也. 夫仁以推施而无節焉, 則視天下之父猶己之父, 視天下之子猶己之子, 則是无父无子也. 視卑猶尊, 視不肖猶賢, 則是无貴无賤也. 此賊其性, 以賊天下也, 不成爲仁矣. 必以禮節之辨其等殺, 而厚薄焉, 以禮文之修其制度儀章, 而奢儉得中焉. 然後仁乃通而行矣. 子曰, 克己復禮爲仁. 〈節, 指之也, 文, 益之也.〉

형(亨)은 사계절에서는 여름이 되고, 오행에서는 불이 되며, 사람에서는 예가 된다. 예는 융성하게 하며 장성하게 하고 나타내며 드러나게 하는 도이니, 절문(節文)이 바로 여기에 해당한다. 절(節)은 제한한다는 뜻이며, 문(文)은 수식을 더한다는 뜻이다. 인(仁)으로써 미루어서 베풂에 절제함이 없다면, 세상의 부모들을 자신의 부모처럼 여기게 되고 천하의 자식들을 자신의 자식처럼 여기게 된다. 이것은 부모가 없고 자식이 없는 것이다. 비천한 자 보기를 오히려 존귀한 사람 보듯 하고, 불초한 자 보기를 오히려 현명한 자처럼 본다면, 이것은 귀천의 등급이 없는 것이다. 이것은 그 본성을 해쳐서 천하를 해치는 것이며, 어짊을 완성하는 것이 아니다. 반드시 예절로써 그 등급에 따른 차등을 변별하여 두텁고 엷은 차이가 있게 하고, 예법과 문식(文飾)으로써 그 제도와 의례 등을 다듬어야 사치함과 검소함이 알맞음을 얻게 된다. 그런 이후에야 어짊이 소통되어 시행된다. 공자는 "자신을 이겨서 예를 회복하는 것이 어짊이다"[382]라고 했다. 〈절(節)은 마디로 나눈 것이고, 문(文)은 더하는 것이다.〉

利於時爲秋, 於行爲金, 於人爲義, 義者, 成就裁斷之道也, 義者宜也. 夫仁以推施, 而已偏厚於人, 而損於己, 无以治奸軌[383], 而除頑嚚, 此偏枯之災也. 是賊其性, 而喪其利也, 不成爲仁矣. 必以義制之强毅明決, 內以勝己之邪, 外以祛人之奸, 裁斷得宜, 合乎中, 而致其和, 能收其實利, 而亦以實利利天下, 然後仁乃成而利矣. 法言曰, 於仁也柔, 於義也剛. 凡天下之利, 莫如爲義也. 子思子曰, 仁義, 所以利之也. 夫偏利人, 則无利, 偏利己, 則不利, 必執其兩端而量度之, 節文裁斷而得其中, 然後爲能盡善而全其性者也. 禮義者, 所以爲中庸也. 〈夏秋居四時之中, 故禮義爲夏, 而萬物畢長, 大小長短不齊而禮生焉, 秋而收其材實, 而剛其藁葉, 取中庸也, 舍得宜而義生焉.〉

이(利)는 사계절에서는 가을이 되고, 오행에서는 쇠가 되며, 사람에서는 의로움이 된다. 의

---

381) 『中庸』: 人莫不飮食也, 鮮能知味也.
382) 『論語·顔淵』: 顔淵問仁. 子曰, 克己復禮爲仁. 一日克己復禮, 天下歸仁焉. 爲仁由己, 而由人乎哉.
383) 軌: 경학자료집성DB에는 '軓'으로 되어 있으나, 경학자료집성 영인본을 참조하여 '軌'로 바로잡았다.

는 성취하고 재단하는 도가 되니, 의는 마땅함을 뜻한다. 어짊을 미루어 베풀어서 이미 사람들에게는 두루 두텁게 펼치고, 자신에게서는 덜어내어 간사함을 다스리며 완악하고 어리석음을 제거하지 못하면, 이것은 한 부분만 메마르는 재앙이 된다. 이것은 본성을 해치고, 그 이로움을 잃게 하니, 어짊을 완성하는 것이 아니다. 반드시 의로써 제재하여 강인하게 하고 명쾌하게 해야만 안으로는 자신의 간사함을 이길 수 있고, 바깥으로는 사람들의 간사함을 제거할 수 있어서 재단한 것이 합당함을 얻어 중에 합치되고, 그 조화를 지극히 완성하여 보존한 이로움을 거둬들일 수 있고, 보존한 이로움으로써 천하를 이롭게 한 이후에야 어짊도 완성되어 이롭게 된다. 양웅384)의 『법언』에서는 "어짊에 대해서는 부드러우며, 의로움에 대해서는 강인하다"라고 했다. 천하의 이로움이라는 것은 의로움만한 것이 없다. 자사는 "어짊과 의로움은 이롭게 하는 방도이다"라고 했다. 남들에게만 치우쳐서 이롭게 한다면 이로움이 없게 되고, 자신에게만 치우쳐서 이롭게 한다면 이롭지 않게 된다. 반드시 양 끝을 잡고서 헤아려서 절문과 재단으로써 그 알맞음을 얻은 이후에야 선함을 다할 수 있고, 본성을 온전하게 할 수 있다. 예의라는 것은 중용을 이루는 것이다. 〈여름과 가을은 사계절의 중간에 위치한다. 그러므로 예의가 여름이 되어 만물이 모두 생장하게 되며, 대소·장단이 가지런하지 않아 예가 생겨난다. 가을이 되어 그 재목과 열매는 거둬들이고 마른 잎은 숙살하니 중용을 얻은 것인데, 얻고 버리는 것이 마땅하여 의가 생겨난다.〉

貞於時爲冬, 於行爲水爲土, 於人爲知爲信, 知者, 象冬之陽氣潛行乎重泉, 不見不測, 而象水之流行不滯也. 信者, 象冬之外无華餙, 內有堅實, 而象土之靜重不動也. 夫土形之太極也. 水先天之物, 而四行之先生者也. 土無專位通行于四行之中, 而氣在四行之先, 數在四行之後, 從水之先生而爲舍焉. 故水土配合无間而爲萬物之基, 故水土同生于申, 而旺于子, 墓于辰也. 信无知, 不成爲信, 知无信, 不成爲知, 知信配合无間而爲衆善之基, 是以春爲四時之長, 冬爲四時之基也. 夫信以守之, 知以行之, 正以居之, 權以通之, 然後乃能恒久而堅固, 故謂之貞. 貞者, 終始之道也. 夫仁禮義, 非知信, 則无以爲基, 禮義知信, 非仁, 則无以爲主. 信者, 誠實而有守也, 知者, 變通而趣時者也. 體仁, 仁以爲體也. 長人能利人, 則人歸服也. 裁斷得中, 而能與物同其實利, 故能和也. 信則民任而化之知則民服而從之, 故能幹事也. 春秋傳, 穆姜已言此段, 蓋古語而夫子取之也.

정(貞)은 사계절에서는 겨울이 되고, 오행에서는 물과 흙이 되며, 사람에서는 지혜와 믿음이

---

384) 양웅(揚雄: BC.53~18): 전한(前漢)의 학자로서 자는 자운(子雲)이며, 어릴 때부터 배우기를 좋아해 많은 책을 읽었으며, 사부(辭賦)에 뛰어났다. 저서로는 각 지방의 언어를 집성한 『방언(方言)』, 『역경(易經)』에 기본을 둔 『태현경(太玄經)』, 『논어』의 문체를 모방한 『법언(法言)』, 『훈찬편(訓纂篇)』 등이 있다.

되니, 지혜라는 것은 겨울의 양기가 중천(重泉)에서 잠행하여 나타나지 않고 헤아릴 수 없는 형상화하였고, 물이 유행하여 지체됨이 없는 것을 형상화하였다. 믿음은 겨울이 겉으로는 화려한 꾸밈이 없지만 안으로는 견고하고 보존함이 있음을 형상화하였고, 흙이 고요하고 무거워 움직이지 않음을 형상화한 것이다. 흙은 태극을 형상화하였다. 물은 선천의 사물이고, 사행(四行) 중에 먼저 태어났다. 흙은 정해진 자리가 없이 사행 속에서 두루 통행하고, 기(氣)는 사행보다 앞서 있지만 그 수(數)는 사행의 뒤에 있으니, 먼저 생겨난 물에 따라서 멈추게 된다. 그러므로 물과 흙은 서로 배합됨에 틈이 없어서 만물의 기틀이 된다. 따라서 물과 흙은 신(申)에서 생겨나서 자(子)에서 왕성하게 되며 신(辰)에서 숨는다. 믿음에 지혜가 없다면 믿음을 완성할 수 없고, 지혜에 믿음이 없다면 지혜를 완성할 수 없으니, 지혜와 믿음은 서로 배합됨에 틈이 없어서 모든 선함의 기틀이 된다. 그러므로 봄은 사계절의 어른이 되고, 겨울은 사계절의 기틀이 된다. 믿음으로써 지키고, 지혜로써 시행하며, 바름으로써 머물고, 권도(權道)로써 회통하니, 그렇게 된 이후에야 항상되고 오래되며 견고할 수 있다. 그러므로 정(貞)이라고 말하였다. 정(貞)은 처음과 마침의 도이다. 인(仁)・예(禮)・의(義)는 지(知)와 신(信)이 아니면 기틀을 세울 것이 없게 되고, 예(禮)・의(義)・지(知)・신(信)은 인(仁)이 아니면 중심으로 삼을 것이 없게 된다. 믿음은 성실히 보존하여 고수함이 있는 것이다. 지혜는 변통을 하여 시의에 따르는 것이다. '체인(體仁)'은 인(仁)을 몸체로 삼는 것이다. 남의 우두머리가 되어 남을 이롭게 할 수 있다면, 사람들이 돌아와 회복하게 된다. 재단한 것이 중을 얻어서 사물들과 더불어 그 보존된 이로움을 함께 할 수 있기 때문에 화합을 이룰 수 있다. 믿음이 있게 되면 백성들이 책임을 지고 조화를 이루게 되고, 지혜롭게 되면 백성들이 회복하여 따르게 된다. 그러므로 일의 근간이 될 수 있다. 『춘추전』에서 목강(穆姜)은 이미 이러한 말들을 했었는데,[385] 아마도 이것은 고대의 기록을 공자가 취하여 기록한 것 같다.

---

385) 『左傳・襄公』: 穆姜薨於東宮. 始往而筮之, 遇艮之八􀀀􀀀. 史曰, 是謂艮之隨􀀀􀀀. 隨, 其出也. 君必速出. 姜曰, 亡. 是於周易曰, 隨, 元亨利貞, 無咎. 元, 體之長也. 亨, 嘉之會也. 利, 義之和也. 貞, 事之幹也. 體仁足以長人, 嘉德足以合禮, 利物足以和義, 貞固足以幹事.

嘉會, 足以合禮.

모임을 아름답게 함이 예에 합하기에 충분하다.

中國大全

傳

得會通之嘉, 乃合於禮也. 不合禮則非理, 豈得爲嘉, 非理, 安有亨乎.

모으고 통하는[會通] 아름다움을 얻어야 예에 합치된다. 예에 합치되지 않으면 이치가 아니니 어찌 아름다울 수 있겠으며, 이치가 아니면 어찌 형통할 수 있겠는가?

小註

雷氏曰, 嘉美合于中而其德充實, 然後動與禮合.

뇌씨가 말하였다: 아름다움이 중도에 합치되고 그 덕이 충실한 뒤에 행동거지와 예가 합치된다.

韓國大全

임영(林泳) 「독서차록(讀書箚錄)-주역(周易)」

嘉會合禮.

모임을 아름답게 함이 예에 합한다.

小註雷氏說以嘉美合於中, 解嘉會未是.
소주에서 뇌씨는 아름다움이 중도에 합치된다고 설명했는데, 가회(嘉會)에 대한 해석으로
는 옳지 않다.

유정원(柳正源) 『역해참고(易解參攷)』

嘉會.
모임을 아름답게 함이

梁山來氏曰, 嘉會者, 嘉美聚于一身也. 禮之升降·進退·辭讓·授受·往來·酬酢,
未有單行, 獨坐而行, 然其聚會必至善恰好, 皆天理人情自然之至, 而无不嘉美焉, 此
之謂嘉. 嘉美會聚, 則動容周旋, 无不中禮, 自有以合乎天理之節文, 人事之儀則矣.
양산래씨가 말하였다: '모임을 아름답게 함'은 한 몸에 모인 것을 아름답게 함이다. 예에 있
어서 오르고 내리며, 나아가고 물러나며, 사양을 하고, 주고받으며, 왕래를 하고, 서로 술잔
을 주고받음이 홀로 행하는 것은 없다. 홀로 앉아 행하더라도 그 모임이 반드시 지극히 선하
고 좋아야만 모두 천리와 인정의 자연스러운 지극함이어서 아름답게 하지 않음이 없으니,
이것을 아름답게 함[嘉]이라고 부른다. 모임을 아름답게 한다면, 사람의 행동이 예에 맞지
않는 것이 없어서 저절로 전리의 절문(節文)과 인사의 의칙(儀則)에 합하는 것이 있다.

김귀주(金龜柱) 『주역차록(周易箚錄)』[386]

傳, 得會通, 云云.
『정전』에서 말하였다: 모으고 통함을 얻어야, 운운.

小註, 雷氏曰, 嘉美, 云云.
소주에서 뇌씨가 말하였다: 아름다움이, 운운.

○ 按, 此云嘉美合於中, 非嘉會之義.
내가 살펴보았다: 여기에서 "아름다움이 중도에 합한다"라 한 것은 아름다운 모임이라는 뜻
이 아니다.

---

386) 경학자료집성DB에서는 건괘 「상전」에 해당하는 것으로 분류했으나, 내용에 따라 본 자리인 「문언전」 1절로
옮겼다. 김귀주의 뒤 부분에 이어지는 「문언전」 2~6절도 마찬가지이다.

서유신(徐有臣) 『역의의언(易義擬言)』

嘉會合禮, 君子之亨也. 觀其會通以行其典禮, 衆嘉之所會, 不可以苟合也.

모임을 아름답게 하여 예에 합한다는 것은 군자의 형통이다. 그 회통함을 살펴서 전례와 예법에 따라 시행하니, 모든 아름다움을 모으는 것은 구차하게 합해서는 안 된다.

利物, 足以和義.

사물을 이롭게 함이 의로움에 화합하기에 충분하다.

┃中國大全┃

傳

和於義, 乃能利物, 豈有不得其宜而能利物者乎.

의로움에 화합하여야 만물을 이롭게 할 수 있으니, 어찌 그 마땅함을 얻지 않고 물건을 이롭게 할 수 있겠는가?

小註

程子曰, 陰爲小人, 利爲不善, 不可一槪論. 夫陰助陽以成物者, 君子也, 其害陽者, 小人也. 夫利和義者善也, 其害義者不善也.

정자가 말하였다: 음은 소인이고 '이로움[利]'는 선(善)하지 않다고 일률적으로 논할 수 없다. 음으로서 양을 도와 사물을 이루는 자는 군자이고, 양을 해치는 자는 소인이다. 이로움이 의로움과 화합하는 것은 선이고, 의로움을 해치는 것은 불선(不善)이다.

又曰, 義安處便爲利.

또 말하였다: 의로움이 편안한 경지가 바로 이로움이다.

○ 朱子曰, 利物足以和義, 覺見他說得糊塗. 如何喚做和合於義. 此句都說不切.

주자가 말하였다: "사물을 이롭게 함이 의로움에 화합하기에 충분하다"에 대한 정자의 설명은 애매모호하다는 것을 알 수 있다. 어떻게 "의로움에 화합한다"라고 말할 수 있는가? 이 구절의 말은 모두 부적절하다.

○ 問, 程子曰, 義安處便是利, 只是當然而然便安否?

曰, 是. 也只萬物各得其分便是利, 便是義之和處. 程子當初此處解得未親切, 不似這語卻親切, 正好去解利者義之和處.

물었다: 정자가 "의로움이 편안한 곳이 바로 이로움이다"라고 한 말은 단지 마땅히 그렇게 되어야 할 것이 그렇게 된 것이 곧 편안하다는 것입니까?

답하였다: 그렇습니다. 또한 다만 만물이 각각의 분수를 얻는 것이 바로 이로움이고, 의로움이 조화하는 곳입니다. 정자는 당초 이 부분의 해석이 적절하지 못했고 이 말도 적절하지 않은 듯하니, "이롭다는 것은 의로움이 조화하는 곳이다"로 해석하는 것이 딱 좋습니다.

○ 毅齋沈氏曰, 義與利, 自人心言之, 則義爲天理, 利爲人欲. 自天理言之, 則利者義之宜, 義者利之理. 公天下之利, 則擧天下萬物各正其性命矣.

의재심씨가 말하였다: 의로움과 이로움은 사람의 마음으로 말한 것이니, 의로움은 하늘의 이치이고 이로움은 사람의 욕심이다. 하늘의 이치로 말하면 '이로움은 의로움의 마땅함'이고, '의로움은 이로움의 이치'이다. 천하의 이로움을 공적으로 하면 온 천하 만물이 각각 그 성명(性命)을 바르게 할 것이다.

| 韓國大全 |

임영(林泳) 「독서차록(讀書箚錄)-주역(周易)」

利物和義.

사물을 이롭게 함이 의로움에 화합한다.

傳, 難曰: 自君子體仁以下辭義爲一例, 體仁嘉會利物貞固, 爲實下手處. 長人合禮和義幹事, 乃其功效歸趣耳. 傳謂和於義, 乃能利物, 則豈不爲倒置經意耶.

『정전』에 대해 논변하였다: 군자가 인(仁)을 체득한다는 것 이하 말의 뜻은 하나의 용례가 되니, 인을 체득하고 모임을 아름답게 하며, 사물을 이롭게 하고, 곧고 굳셈은 실제 착수하는 곳이 됩니다. 남의 어른이 되고, 예에 합하며, 의에 화합하고, 사물의 근간이 되는 것은 곧 그 공효가 되돌아가는 곳일 뿐입니다. 『정전』에서는 의에 화합이 되어야만 이에 사물을 이롭게 할 수 있다고 했으니, 어찌 경문의 뜻을 뒤바꾸지 않았다고 하겠습니까?

曰, 傳釋上文利者義之和, 以和合於義爲言, 則是賺連此段而說者也. 其釋此段, 又以和於義, 乃能利物爲言, 則此又賺連上文而說者也. 恐皆非本指, 大概經文此一節內, 又自有二節, 上一節, 言四德在人之體段, 下一節, 言君子體行四德之功用, 前後襯貼, 條理固極分明. 但亦只是各就其德, 各發其義耳. 非如後世訓詁之文, 逐字逐句模擬爲言者也. 當各隨本指而玩其義, 不宜比對湊合, 反致互累而相迷也. 本義此節, 尤爲該暢, 讀者精察乎此, 則其不能無疑於傳文者, 自當氷釋矣.

답하였다: 『정전』에서는 앞 문장에 나온 "리(利)라는 것은 의(義)에 화합함이다"라고 한 말을 해석하며, 의에 화합한다고 설명하였으니, 이것은 이 단락과 연결해서 설명한 것입니다. 이 단락을 설명하면서 또 의에 화합해야만 사물을 이롭게 할 수 있다고 말했으니, 이 또한 앞 문장과 연결해서 설명한 것입니다. 그러나 아마도 이러한 설명들은 모두 본래의 뜻이 아니고, 대체로 경문의 이 한 구절 안에 또 그 자체로 두 개의 구절이 있어서 앞의 한 구절은 네 가지 덕이 사람에게 있어서 본체가 된다는 것을 말하고, 뒤의 한 구절은 군자가 네 가지 덕을 몸소 실천했을 때의 공용(功用)을 말하니, 앞뒤가 부합하여 조리가 본래 매우 분명합니다. 다만 또한 각각 그 덕에 나아가 각각 그 의미를 드러냈을 뿐입니다. 후세에 훈고를 하는 문장이 글자나 구절 하나하나에 따라 비교하여 말한 것과는 같지 않습니다. 마땅히 각각 본래의 뜻에 따라 그 의미를 완미해야 하고, 비교하고 대조하고 취합해서는 안 되며, 반대로 서로 엮어서 풀이하게 되면 서로 그 뜻이 어지럽게 됩니다. 『본의』에서는 이 구절에 대해 더욱 자세히 풀이하였으니, 읽는 사람들이 이것의 뜻을 정미하게 살펴본다면, 『정전』의 문장에 대해 의혹을 품지 않을 수 없었던 것이 저절로 해결될 것입니다.

小註, 朱子說, 覺得他說得糊塗, 程子當初此處解得不親切.
소주에서 주자의 설명은 정자의 설명이 애매모호하여 정자가 당초에 이곳을 적절하지 못하게 해석했다고 생각했다.

按, 程傳以文義求之, 固已不能無疑, 如上文所論矣. 而此說直就事理上剖析, 極精切矣. 蓋以義安處爲利, 則義外無利而利與義爲一串物事矣. 以利爲和合於義, 則是利爲一事, 義爲一事, 而特以其能和合者爲美也. 如此則義外有利矣. 夫利固有與義爲對者, 乃人自利之私心也. 如孟子何必曰利之利是已, 易中言利, 乃天人事物自然順適之利, 與義爲一, 非相對者也.

내가 살펴보았다: 『정전』을 문장의 뜻으로 살펴본다면, 진실로 이미 의문이 없을 수가 없으니, 앞 문장에서 논의한 것과 같다. 그러나 이 설명은 직접적으로 사리에 따라 분석한 것으로서 매우 정미하고 적절하다. 대체로 의(義)가 편안한 곳을 리(利)로 삼으면 의(義) 밖에 리(利)가 없어서, 리(利)와 의(義)가 하나로 꿰뚫어 있는 대상이 된다. 리(利)를 의(義)에 화합한다고 하면 리(利)가 하나의 대상이 되고 의(義)도 하나의 대상이 되는데, 다만 화합할

수 있음을 좋게 여긴 것이다. 이와 같이 되면 의(義) 밖에 리(利)가 있게 된다. 리(利)는 진실로 의(義)와 상대되는 점이 있으니, 바로 사람들이 제 스스로를 이롭게 하려는 사심(私心)이다. 마치 맹자가 "하필이면 이익을 말하십니까?"[387]라고 했을 때의 리(利)에 해당하는데, 『주역』에서 말하는 리(利)는 하늘과 사람 및 모든 사물들이 자연히 따르게 되는 리(利)여서 의(義)와 하나가 되고, 서로 상대되는 것은 아니다.

유정원(柳正源) 『역해참고(易解參攷)』

利物.

사물을 이롭게 함이.

案, 董子曰, 正其誼, 不謀其利, 蓋君子唯當正其義而已, 不當預謀其利. 有謀利之心, 則是有所爲而爲之, 非正其誼矣. 今夫利物, 雖異於自利, 然若先有利物之心, 則不得以和義. 文言之意, 卻倒言之以明其和義, 故能利物也.

내가 살펴보았다: 동중서는 "의론을 올바르게 하고, 이로움을 도모하지 않는다"라고 하였으니, 군자는 마땅히 그 의(義)를 올바르게 할 뿐이며, 마땅히 그 이익을 미리 도모해서는 안된다. 이익을 도모하는 마음이 있다면 이것은 이유가 있어 그렇게 하는 것이지, 그 의론을 바르게 하는 것은 아니다. 지금 사물을 이롭게 함이 비록 스스로를 이롭게 하는 것과는 다르지만, 사물을 이롭게 하려는 마음을 먼저 가지고 있으면 의에 부합할 수 없다. 「문언전」의 뜻은 단지 그것을 말하여 의에 화합함을 밝혔기 때문에 사물을 이롭게 할 수 있는 것이다.

김귀주(金龜柱) 『주역차록(周易箚錄)』[388]

傳, 和於義乃能, 云云.

『정전』에서 말하였다: 의로움에 화합해야 이에 … 할 수 있다, 운운.

○ 按, 和於義乃能利物, 語勢似倒.

내가 살펴보았다: "의로움에 화합해야 물건을 이롭게 할 수 있음"은 말의 형세가 거꾸로 된 듯하다.

小註, 子曰, 利物, 云云.

---

387) 『孟子·梁惠王』: 孟子對曰, 王何必曰利, 亦有仁義而已矣.

388) 경학자료집성DB에서는 건괘 「상전」에 해당하는 것으로 분류했으나, 내용에 따라 본 자리인 「문언전」 1절로 옮겼다. 김귀주의 뒤 부분에 이어지는 「문언전」 2~6절도 마찬가지이다.

소주에서 주자가 말하였다: 물건을 이롭게 하고, 운운.

○ 按, 此云說得糊塗, 蓋指程傳所云和於義之語也. 蓋經文和義之云, 言和其義也, 非謂和於義也. 和於義, 和其義, 語意自別.

내가 살펴보았다: 여기서 설명이 모호하다고 하는 것은 『정전』에서 말한 "의로움에 화합한다[和於義]"는 말을 가리킨 것이다. 대개 경문에서 '화의(和義)'라는 말은 "의로움을 조화롭게 한다[和其義]"라는 말이지 "의로움에 화합한다[和於義]"를 말하는 것이 아니다. "의로움에 화합한다"와 "의로움을 조화롭게 한다"는 것은 서로의 말뜻이 본래 다르다.

○ 毅齋沈氏曰, 義與利, 自人心言之, 則義爲天理, 利爲人欲. 自天理言之, 則利者義之宜, 義者利之理. 公天下之利, 則擧天下萬物, 各正其性命矣.

의재심씨가 말하였다: 의로움과 이로움은 사람의 마음으로부터 말한 것이니, 의로움은 하늘의 이치이고 이로움은 사람의 욕심이다. 하늘의 이치로 말하면 이로움은 의로움의 마땅함이고, 의로움은 이로움의 이치이다. 천하의 이로움을 공적으로 하면 온 천하의 만물이 각각 그 성명(性命)을 바르게 할 것이다.

毅齋沈氏曰, 義與利, 云云.

의재심씨가 말하였다: 의로움과 이로움은, 운운.

○ 按, 義利分言, 則相對爲天理人欲, 合言則都是天理. 今以人心天理對說, 未知何謂義之爲義. 只是一箇宜, 而今云義之宜, 有若義外更有所謂宜者然, 甚未安. 利之理之云亦謬. 萬物各正性命, 乃天道之所爲, 而今作人事說, 良可異也.

내가 살펴보았다: '의로움과 이로움[義利]'은 나누어서 말하면 서로 대적하여 천리(天理)와 인욕(人欲)이고, 합하여 말하면 모두 천리이다. 지금 인심과 천리로 대적하여 말하였으니, 어떻게 의로움이 의로움이 된다고 말하는지 알 수 없다. 단지 이것은 하나의 '마땅함[宜]'인데, 지금 의로움의 마땅함[義之宜]이라 하여 '의로움[義]' 밖에 다시 '마땅함[宜]'이라는 것이 있는듯하니, 매우 온당치 못하다. 이로움의 이치라고 말하는 것도 잘못이다. 만물이 각각 성명을 바르게 함은 곧 천도가 하는 것인데, 지금 사람의 일로 설명하니 참으로 괴이하다.

서유신(徐有臣) 『역의의언(易義擬言)』

利物和義, 君子之利也. 理財正辭禁民爲非, 曰義是爲利物也.

사물을 이롭게 하여 의로움에 조화가 되는 것은 군자의 이로움이다. 재화를 다스리고 말을 올바르게 하여 백성들로 하여금 잘못을 하지 못하도록 금지하니, 의로움이 사물을 이롭게 하는 것이 됨을 말한 것이다.

貞固, 足以幹事.

정전 바르고 굳셈으로 일을 주관하기에 충분하다.

본의 바르고 굳셈389)이 일의 근간이 되기에 충분하다.

| 中國大全 |

傳

貞固, 所以能幹事也.

바르고 굳세므로 일을 주관할 수 있다.

小註

東萊呂氏曰, 世人多謂疏通者能幹事, 貞固者不能幹事. 此蓋錯認朴拙爲貞固耳. 殊不知世所謂疏通者, 雖能取辨目前, 然不貞不固, 終必敗事. 故惟貞固者爲能幹事也.

동래여씨가 말하였다: 세상 사람들은 대부분 막히지 않고 통하는 사람이 일을 잘 주관하고, 바르고 굳센 사람은 일을 잘 주관할 수 없다고 말한다. 이는 질박하고 옹졸한 것을 바르고 굳센 것으로 착각한 것이니, 이는, 세상에서 말하는 막히지 않고 통하는 사람은 비록 눈앞의 일은 잘 처리하지만, 바르지 않고 굳세지 않으면 끝내 반드시 실패한다는 것을 모른 것이다. 그러므로 오직 바르고 굳센 자만이 일을 잘 주관할 수 있다.

本義

以仁爲體, 則无一物不在所愛之中, 故足以長人. 嘉其所會, 則无不合禮, 使物

---

389) '정고(貞固)'를 주자의 풀이를 따라 '바르고 굳셈'으로 하였다. 그러나 문맥에 따라 '정(貞)'을 곧다· 바르다· 바르고 곧다 등으로 풀이하고, '고(固)'를 단단하다· 견고하다· 굳다 등으로 풀이했다.

各得其所利, 則義无不和. 貞固者, 知正之所在而固守之, 所謂知而弗去者也.
故足以爲事之幹.

인(仁)으로 체(體)를 삼으면 한 물건도 사랑하는 가운데 있지 않음이 없으므로 남의 어른이 되기에
충분하다. 모이는 바를 아름답게 하면 예와 합치되지 않는 것이 없으니, 만물로 하여금 그 이로운
것을 얻게 한다면 의로움이 화합하지 않음이 없을 것이다. 바르고 굳세다[貞固]는 것은 바름이 있는
곳을 알아서 굳세게 지키는 것이니, 이른바 "알아서 떠나지 않는다"[390]는 것이다. 그러므로 일의 근
간이 되기에 충분하다.

小註

朱子曰, 體仁, 不是將仁來爲我之體, 我之體, 便都是仁也.
주자가 말하였다: '인'을 체득하는 것은 '인'이 와서 나의 몸체가 되는 것이 아니고, 나의 몸체
가 모두 '인'인 것이다.

又曰, 本義云以仁爲體者, 猶言自家一箇身體元來都是仁.
또 말하였다: 『본의』에서 '인'을 몸체로 한다고 한 것은, 자기의 하나의 신체가 원래 모두
'인'이라고 말한 것과 같다.

又曰, 本義說以仁爲體, 似不甚分明, 然也只得恁地說.
또 말하였다: 『본의』에서 '인'을 몸체라고 한 것은 매우 분명하지 않은 듯하나, 또한 이렇게
말할 수 있을 뿐이다.

○ 嘉會足以合禮, 嘉, 美也, 會是集齊底意思. 許多嘉美一時鬪湊到此, 故謂之嘉會.
嘉其所會, 便動容周旋无不中禮. 人之修爲, 便處處皆要好, 不特是只要一處好而已.
須是動容周旋皆中乎禮可也, 故曰嘉會. 就亨者嘉之會觀之, 嘉字是實, 會字是虛. 嘉
會足以合禮, 則嘉字卻輕, 會字卻重.
"모임을 아름답게 함이 예에 합하기에 충분하다[嘉會足以合禮]"에서 '가(嘉)'는 아름다움이
고, '모임[會]'은 일시에 모인다는 뜻이다. 허다한 아름다움이 일시에 다투듯 여기에 모이므
로 '모임을 아름답게 함[嘉會]'이라 했다. 그 모임을 아름답게 하면 곧 일상생활의 행동거지
[動容周旋][391]가 예(禮)에 맞지 않음이 없게 된다. 사람이 수양을 함은 곳곳마다 모두 좋게

---

390) 『孟子·離婁』: 仁之實, 事親是也, 義之實, 從兄是也, 智之實, 知斯二者弗去是也, 禮之實, 節文斯二
者是也.

하고자 함이니, 단지 일부만 좋게 하고자 할 뿐만이 아니라, 모름지기 일상생활의 언행이 모두 예에 맞아야 하므로 '모임을 아름답게 함[嘉會]'이라 하였다. '형통함은 아름다움의 모임[亨者嘉之會]'의 입장에서 보면, '아름다움[嘉]'이란 글자는 실질적[實]이고 '모임[會]'이란 글자는 형식적[虛]이나, "모임을 아름답게 함이 예에 합하기에 충분하다[嘉會足以合禮]"에서는 '아름다움[嘉]'이란 글자가 도리어 가볍고, '모임[會]'이란 글자가 중요하다.

又曰, 嘉會雖是有禮後底事, 然這意思卻在禮之先. 嘉其所會時, 未說到那禮在, 然能如此, 則便能合禮. 利物時, 未說到和義在, 然能使物各得其利, 則便能和義.
또 말하였다: '모임을 아름답게 함[嘉會]'은 비록 예를 갖춘 뒤의 일이지만, 이런 뜻은 도리어 예를 갖추기 전에 있다. '그 모임을 아름답게 하는' 때에는 예가 있다고 말하지 않지만, 이와 같이 할 수 있다면 곧 예에 합치될 수 있다. 물건을 이롭게 하는 때는 의로움에 화합하는데 있다고 말하지 않지만, 만물이 각각 이로움을 얻게 된다면 이것이 곧 의로움에 화합할 수 있는 것이다.

○ 義自然和, 不是義外別討箇和. 使物各得其宜, 何利如之. 如此, 便是以和義. 這利字是好底. 如孟子所謂戰國時利, 是不好底, 這箇利, 如那未有仁而遺其親, 未有義而後其君之利.
의로움은 저절로 화합하니 의로움의 밖에서 별도로 화합을 구할 수 있는 것이 아니다. 만물이 각각 마땅함을 얻게 된다면, 이로움이 어떻겠는가? 이와 같은 것이 곧 의로움에 화합하는 것이니, 이 '이롭다[利]'는 글자가 좋다. 맹자가 말하는 전국시대의 이로움[392] 같은 것은 좋은 것이 아니니, 사물을 이롭게 함[利物]의 이로움은 "인(仁)하면서 어버이를 버리는 자는 있지 않고, 의로우면서 군주를 뒷전으로 하는 자는 없다"[393]에서의 이로움과 같은 것이다.

又曰, 利物足以和義, 此句最難看. 老蘇論此, 謂慘殺爲義, 必以利和之. 如武王伐紂義也, 若徒義, 則不得天下之心, 必散財發粟, 而後可以和其義. 若如此說, 則義在利之外, 分截成兩叚了. 看來義之爲義, 只是一箇宜. 其初則甚嚴, 如男正位乎外, 女正位乎內, 直是有內外之辨. 君尊於上, 臣恭於下, 尊卑大小, 截然不可犯, 似若不和之甚. 然能使之各得其宜, 則其和也孰大于是. 至于天地萬物无不得其所, 亦只是利之和爾. 此

---

391) 『孟子·盡心』: 動容周旋中禮.

392) 『孟子·梁惠王』: 王曰, 何以利吾國. 大夫曰, 何以利吾家. 士庶人曰, 何以利吾身. 上下交征利而國危矣.

393) 『孟子·梁惠王』. 주자는 이 부분을 '인과 의가 일찍이 이롭지[利] 않은 적이 없다는 것을 말한 것'이라고 주석했다.

只是就義中便有一箇和. 旣曰, 和者義之和, 却說利物足以和義, 蓋不如此, 不足以和
其義也.

또 말하였다: "사물을 이롭게 함이 의로움에 화합하기에 충분하다"는 이 구절은 가장 이해하
기 어렵다. 노소(老蘇)394)는 이를 논하여 "참혹하게 죽임[慘殺]도 의로움이지만, 반드시 이
로움에 화합해야 하니, 예컨대 무왕이 주(紂)를 정벌한 것이 의로움이다. 만약 의롭기만 하
다면 천하의 마음을 얻을 수 없으니, 반드시 재물과 곡식을 나누어 준 뒤에 의로움에 화합할
수 있다"395)라 하였다. 이와 같이 말한다면 의로움이 이로움의 밖에 있는 것이니, 두 가지로
나뉜다. 내가 보건대, 의로움이 의로움이 되는 것은 다만 마땅하면 된다. 이는 애초에 매우
엄격하여, 예컨대 "남자는 밖에서 자리를 바르게 하고, 여자는 안에서 자리를 바르게 하
여"396) 바로 내외의 분별이 있는 것과, 군주는 위에서 존귀하고 신하는 아래에서 공손하여
높고 낮고 크고 작음이 분명하게 범할 수 없는 것은, 매우 화합하지 못하는 듯하지만, 각각
그 마땅함을 얻게 한다면 화합함이 어느 것이 이보다 크겠는가? 천지만물이 제자리를 얻지
않음이 없는 경지는 또한 이로움의 화합일 뿐이며, 단지 의로움 가운데에 하나의 화합이
있는 것이다. 이미 '화합은 의로움의 화합'이라 하고 도리어 "사물을 이롭게 함이 의로움에
화합하기에 충분하다"라 한 것은 이와 같지 않으면 그 의로움에 화합하기에 부족하기 때문
이다.

○ 貞固, 足以幹事, 幹如木之幹, 事如木之枝葉. 貞固者正而固守之. 貞固在事, 是與
立箇骨子, 所以爲事之幹. 欲爲事而非此之貞固, 便植立不起, 自然倒了.

"바르고 굳셈이 일의 근간이 되기에 충분하다"에서 '근간'은 나무의 줄기와 같고, '일'은 나무
의 가지와 잎과 같다. '바르고 굳셈'이란 바르게 해서 굳세게 지키는 것이다. '바르고 굳셈'은
일에서는 골격을 세우는 것과 같아서 일의 근간이 된다. 일을 하고자 하매 이것을 바르고
굳게 하지 않으면 일어설 수 없어서 저절로 무너지게 된다.

問, 貞固二字與體仁, 嘉會, 利物似不同. 曰, 屬北方者, 便著用兩字, 方能盡之.
물었다: '정고(貞固)'는 '체인(體仁)'ㆍ'가회(嘉會)'ㆍ'리물(利物)'과는 같지 않은 듯합니다.
답하였다: 북방에 속하는 것은 이 글자를 사용하여야 다 설명 할 수 있습니다.

---

394) 노소(老蘇): 소순(蘇洵, 1009~1066)이다. 북송시대 미주(眉州) 미산(眉山) 사람으로 자는 명윤(明允)이고,
호는 노천(老泉)이다. 두 아들, 즉 소식(蘇軾, 1036~1101), 소철(蘇轍, 1039~1112)과 더불어 삼소(三蘇)라
불리며 부친인 소순을 노소(老蘇)라 한다.
395) 『朱子語類』六十八卷 百二十三條目.
396) 『周易ㆍ家人卦』「象傳」.

○ 問, 文言四德一段. 曰, 元者善之長以下四句, 說天德之自然. 君子體仁, 足以長人以下四句, 說人事之當然. 元只是善之長, 萬物生理皆始于此, 衆善百行皆統于此, 故於時爲春, 於人爲仁, 亨是嘉之會, 此句自來說者多不明. 嘉, 美也. 會, 猶齊也. 嘉會, 衆美之會, 猶言齊好也. 春天發生萬物, 未大故齊. 到夏時, 洪纖高下, 各各暢茂. 蓋春方生育, 至此乃无一物不暢茂. 其在人, 則禮儀三百, 威儀三千, 事事物物, 大大小小, 一齊到恰好處, 所謂動容周旋皆中禮, 故於時爲夏, 於人爲禮, 周子遂喚作中.

물었다: 「문언전」의 네 가지 덕에 대한 단락은 어떤 뜻입니까?

답하였다: "원은 선의 으뜸이다" 아래의 네 구절은 천덕의 저절로 그러함에 대해 말하였습니다. "군자가 인을 체득함이 남의 어른이 되기에 충분하다" 아래의 네 구절은 인사의 당연함에 대해 말하였습니다. '원(元)'은 단지 선의 으뜸이고 만물이 생기는 이치[生理]가 모두 여기에서 시작합니다. 여러 선들과 온갖 행동 모두가 여기서 통괄되므로 시절로는 봄이고, 사람에게는 인(仁)입니다. '형(亨)'은 모임의 아름다움인데 이 구절은 본래부터 설명하는 것이 많으나 분명하지 않습니다. 가(嘉)는 아름다움[美]이고, 회(會)는 모이다[齊]와 같으니, 가회(嘉會)는 여러 아름다움의 모임으로 함께 모여 아름답다는 말과 같습니다. 봄에 만물을 발생하지만 아직 성대하지 않기 때문에 모이고, 여름에 이르러 만물이 크거나 작거나 높거나 낮거나 간에 각각 번창하니, 봄에 바야흐로 나서 자라고 여름에 이르러서는 한 사물이라도 번성하지 않은 물건이 없습니다. 사람에게 있어서는 예의 삼백 가지와 위의 삼천 가지의 크고 작은 모든 사물이 한결같이 알맞은 곳에 이르니, 이른바 '일상생활의 행동거지가 모두 예에 알맞음'입니다. 그러므로 시절로는 여름이고 인사(人事)에 있어서는 예에 해당하여 주렴계는 이를 '중(中)'이라고 불렀습니다.[397]

利者爲義之和, 萬物至此, 各遂其性, 事理至此无不得宜, 故於時爲秋, 於人爲義. 貞者乃事之幹, 萬物至此, 收斂成實, 事理至此, 无不的正, 故於時爲冬, 於人爲智, 此天德之自然. 其在君子所當從事於此者, 則必體仁乃足以長人, 嘉會足以合禮, 利物足以和義, 貞固足以幹事, 此四句倒用上面四箇字, 極有力. 體者以仁爲體. 蓋仁爲我之骨, 我以之爲體. 仁皆從我發出, 故无物不在所愛, 所以能長人.

'리(利)'는 의로움의 화합입니다. 만물은 이에 이르러 각각 그 본성을 이루고, 사물의 이치는 여기에 이르러 마땅함을 얻지 않음이 없으므로 시절로는 가을이고 인사(人事)에 있어서는 의로움입니다. '정(貞)'은 곧 일의 근간이니 만물은 이에 이르러 수렴되고 실질이 이루어지며, 사물의 이치는 이에 이르러 분명하고 바르지 않음이 없으므로 시절로는 겨울이고 인사

---

397) 『周子全書』: 仁義中正, 同乎一理者也. 而析爲體用, 誠若有未安者. 然仁者, 善之長也. 中者, 嘉之會也. 義者, 利之宜也. 正者, 貞之體也.

(人事)에 있어서는 지(智)입니다. 이것은 천덕이 저절로 그러함으로 군자에게 있어서 마땅히 따라야 할 일이니, 반드시 "인을 체득함이 남의 어른이 되기에 충분하다"와 "모임을 아름답게 함이 예에 합하기에 충분하다"와 "사물을 이롭게 함이 의로움에 화합하기에 충분하다" 및 "바르고 굳셈이 일의 근간이 되기에 충분하다", 이 네 구절은 앞에 말한 넉자를 뒤집어 응용한 것이니, 매우 힘이 있습니다. '체(體)'는 인을 본체로 삼은 것입니다. 인은 나의 뼈대이고 나는 그것을 몸체로 삼습니다. 인은 모두 나로부터 나오기 때문에 무엇이든 사랑하지 않는 물건이 없으니, 이 때문에 남의 어른이 될 수 있는 것입니다.

嘉會足以合禮者, 須是美其所會也. 欲其所會之美, 當美其所會. 蓋其厚薄親疏尊卑大小相接之體, 各有節文, 无不中節, 則所會皆美, 所以能合於禮也. 利物足以和義者, 使物物各得其利, 則義无不和. 蓋義是斷制裁制之物, 若似不和. 然惟義能使事物各得其宜, 不相妨害, 自无乖戾, 而各得其分之和, 所以爲義之和也. 貞固足以幹事者, 貞, 正也, 知其正之所在, 固守而不去, 故足以爲事之幹. 幹事, 言事之所依以立, 蓋正而能固, 萬事依此而立, 在人則是智, 至靈至明, 是是非非, 確然不可移易, 不可欺瞞, 所以能立事也. 幹, 如板築之有楨幹. 今人築墻必立一木於中爲骨, 俗謂之'夜叉木', 无此則不可築. 橫曰楨, 直曰幹, 无是非之心, 非知也. 知得是是非非之正, 堅固確守不可移易, 故曰'智', 周子則謂之'正'也.

"모임을 아름답게 함이 예에 합하기에 충분하다"란 모름지기 그 모인 바가 아름다운 것입니다. 그 모이는 바가 아름다워지려면 당연히 그 모이는 바를 아름답게 해야 합니다. 두텁고 얕으며, 가깝고 멀며, 높고 낮으며, 작고 큰 것이 서로 만나는 몸체가 각각의 절도와 문채가 있고, 절도에 맞지 않음이 없으면 모이는 바가 모두 아름다우니, 이 때문에 예에 합치될 수 있는 것입니다. "사물을 이롭게 함이 의로움에 화합하기에 충분하다"란 각각의 사물로 하여금 이로움을 얻게 한다면 의로움에 화합하지 않음이 없을 것입니다. 의로움은 판단하고 제재하는 부류라서 화합하지 않는 것과 유사하나, 오직 의로움만이 사물로 하여금 마땅함을 얻게 하고 서로 방해하지 않아서, 저절로 어긋남이 없고 각각 분수의 화합을 얻기 때문에 의로움의 화합함이 되는 것입니다. "바르고 굳셈이 일의 근간이 되기에 충분하다[貞固, 足以幹事]"에서의 '정(貞)'은 바름[正]입니다. 바름의 소재를 알고 굳게 지켜 떠나지 않으므로 사물의 근간이 되기에 충분합니다. 사물의 근간이란 사물이 의지하여 설 수 있게 하는 것을 말하니, 바르고 굳게 해야 만사가 이에 의지하여 확립될 수 있습니다. 사람에게 있어서 이 지혜는 지극히 영통하고 지극히 밝아서 시시비비를 가리고 바꿀 수 없을 만큼 확고하여 속일 수 없으니, 이 때문에 일을 확립할 수 있는 것입니다. 근간이란, 판축(板築)으로 담장을 세울 때 기둥이 있어야 하는 것과 같습니다. 요즈음 사람들이 담장을 지을 때 반드시 가운데에 나무 하나를 세워 골격을 만드는데, 세속에서는 이를 야차목(夜叉木)이라 부릅니다. 이

것이 없으면 건축할 수 없으니, 가로를 정(楨)이라 하고 세로를 간(幹)이라 합니다. 시비를
가리는 마음이 없으면 지혜가 아닙니다. 시시비비의 바름을 알고 이를 견고하고 확실하게
지켜 바꿀 수 없기 때문에 지(智)라고 하였는데, 주렴계는 이를 바름[正]이라고 하였습니다.

○ 雲峯胡氏曰, 元亨利貞, 釋彖分而二之, 一陰一陽之謂也. 文言分而四之, 四時五行
之謂也. 前四句, 程傳從人事上說, 本義兼天人說. 蓋前四句天德之自然, 而未嘗不在
於人. 後四句人事之當然, 乃人之所以全其天.
운봉호씨가 말하였다: '원형리정'을 「단전」에서 둘로 나누어 풀이한 것은 '일음일양'을 이르
고, 「문언전」에서 넷으로 나누어 풀이한 것은, 사시와 오행을 이른다. 앞의 네 구절[398]에
대해서 『정전』은 인사의 관점에서 말했고, 『본의』는 하늘과 사람을 겸해서 말했다. 앞의
네 구절은 천덕이 저절로 그러하여 사람에게 있지 않은 적이 없는 것이고, 뒤 네 구절[399]은
인사의 당연한 것이니 곧 사람이 하늘을 온전히 여기는 까닭이다.

又曰, 體仁有以存諸中, 嘉會則美見乎外, 利物有以方乎外, 而貞固有以守于中. 前四
句, 善以理言, 而嘉會則言用. 義以理言, 而幹事則爲用. 禮者, 仁之著, 智者, 義之藏
也. 後四句, 體仁, 長人, 貞固, 幹事, 由理以及用, 嘉會, 合禮, 利物, 和義, 則由用以及
理也.
또 말하였다: 인을 체득하면 중심에 보존할 수 있고, 모임을 아름답게 하면 아름다움이 밖으
로 드러나며, 물건을 이롭게 하면 밖이 방정할 수 있고, 바르고 굳으면 중도를 지킬 수 있다.
앞의 네 구절에서 선은 이치를 말한 것이니, 모임을 아름답게 함[嘉會]은 쓰임을 말한 것이
며, 의로움은 이치를 말한 것이니 일의 근간은 쓰임이 된다. '예(禮)'는 인이 드러남이고,
지(智)는 의로움이 간직되는 것이다. 뒤의 네 구절에서 인을 체득함[體仁]과 남의 어른이
됨[長人], 바르고 굳셈[貞固]과 일의 근간이 됨[幹事]은 이치로 말미암아 쓰임에 미친 것이
고, 모임을 아름답게 함[嘉會]과 예에 합당함[合禮], 사물을 이롭게 함[利物]과 의로움에 화
합함[和義]은 쓰임으로 말미암아 이치에 미친 것이다.

○ 雙湖胡氏曰, 在乾爲元亨利貞, 在君子爲仁義禮智, 雖不言智, 而貞固者智之事也.
非智及安能貞固. 此仁智交接, 卽貞下起元之義也.
쌍호호씨가 말하였다: 건에 있어서는 '원형리정'이고 군자에 있어서는 '인의예지'이다. 비록
지(智)를 말하지 않았지만 '바르고 굳셈[貞固]'은 지(智)의 일이다. 지(智)가 아니면 어찌 바

---

398) 元者善之長也, 亨者嘉之會也, 利者義之和也, 貞者事之幹也.
399) 君子, 體仁足以長人, 嘉會足以合禮, 利物足以和義, 貞固足以幹事.

르고 굳셈에 미칠 수 있겠는가? 이는 인(仁)과 지(智)가 서로 맞닿아 있는 것이니, 곧 바름[貞] 다음에 원(元)이 일어나는 뜻이다.

韓國大全

박지계(朴知誡) 「차록(箚錄)-주역건괘(周易乾卦)」

貞者, 天德之正也. 在人則心之正理也. 人欲害之, 則雖見正理, 而不能有之於心, 故法天而貞且固也. 其用則知正理而固守之, 故足以幹萬事.

정(貞)은 하늘의 덕의 바름이다. 사람에게 있으면 마음의 바른 이치이다. 인욕으로 그것을 해치면, 비록 올바른 이치를 보더라도 그것을 마음에 보존할 수 없으므로 하늘을 본받아서 곧고 또한 견고해야 한다. 그 작용에 있어서는 올바른 이치를 알아서 그것을 견고하게 지키기 때문에 모든 일들을 주관할 수 있다.

○ 仁義禮貞, 天德之自然也. 體仁合禮和義貞固, 法天德之體也. 長人嘉會利物幹事, 法天德之用也. 雖然, 以人言之, 仁智藏於心之方寸中, 體爲主, 故先用力於體. 禮義形於身之所履及行事之跡, 用爲主, 故先用力於用. 先乎用則足以達於體, 故曰, 嘉會足以合禮, 利物足以和義. 先乎體則足以達於用, 故曰, 體仁足以長人, 貞固足以幹事.

인(仁)·의(義)·예(禮)·정(貞)은 하늘의 덕의 자연적인 것이다. 인을 체현하고 예에 합하며, 의에 조화롭고 곧고 굳셈은 하늘의 덕의 본체를 본받는 것이다. 사람들의 우두머리가 되고, 모임을 아름답게 하며, 사물을 이롭게 하고, 사물의 근간이 되는 것은 하늘의 덕의 작용을 본받는 것이다. 비록 그렇지만 사람으로 말한다면, 인과 지는 마음속에 숨어 있어서 본체를 위주로 하므로 먼저 본체에 대해 힘써야 하며, 예와 의는 몸을 움직이거나 일을 시행하는 자취 속에 드러나서 작용을 위주로 하므로 먼저 작용에 대해 힘써야 한다. 작용을 우선으로 하면, 본체에 대해서도 통달할 수 있으므로 "모임을 아름답게 하여 예에 합할 수 있고, 사물을 이롭게 하여 의에 조화될 수 있다"고 말한다. 본체를 우선으로 하면, 작용에 대해서도 통달할 수 있으므로 "인을 체득하여 사람들의 우두머리가 될 수 있고, 바르고 굳셈이 일을 주관할 수 있다"고 말한다.

用力之或先乎體, 或先乎用者, 無非法天象也. 天之象, 詳在河圖, 河圖四生數之居內,
體之象也. 四成數之居外, 用之象也. 而陽先陰後, 陽唱陰隨, 故人之所當用力者, 唯在
四奇數而已. 雖然, 一與三在內而主乎體, 亦非用力之地, 聖人之則河圖也. 析四方之
合, 以爲乾坤坎离, 補四隅之空, 以爲震兌巽艮. 四合卽四成數也, 四空卽四成數之間
位也. 若其四生數, 則聖人未嘗則而象之, 蓋以無功用之形跡可象者, 而但爲八象之體
也. 智仁之體卽一與三, 亦無形跡, 無可依據用力之地. 故體仁之工, 唯在禮上, 克己復
禮爲仁. 貞固之工, 唯在義上, 精義入神爲智. 此說雖似安排, 莫非造化自然之妙, 其先
後始終, 如先天橫圖及圓圖右方之序而已.

힘을 쓸 때 어떤 것은 본체를 우선하고, 어떤 것은 작용을 우선하는 것은 하늘의 상(象)을
본받지 않은 것이 없다. 하늘의 상은 「하도(河圖)」에 상세히 나와 있으니, 「하도」에 나온
4개의 생수(生數)가 안쪽에 배치된 것은 본체의 상이다. 4개의 성수(成數)가 바깥쪽에 배치
된 것은 작용의 상이다. 그런데 양이 먼저 하고 음이 뒤에 하며, 양이 선창하고 음이 따르기
때문에 사람들이 마땅히 힘써야 할 것은 오직 4개의 기수(奇數)일 뿐이다. 비록 그렇지만,
1과 3은 안쪽에 있으면서 본체를 위주로 하지만, 또한 힘을 쓸 수 있는 상황이 아니니, 성인
이 「하도(河圖)」를 본뜬 것이다. 사방의 합을 쪼개서 건(☰)·곤(☷)·감(☵)·리(☲)로 삼
고, 네 귀퉁이의 빈 곳을 보완하여 진(☳)·태(☱)·손(☴)·간(☶)으로 삼았다. 사방의 합
은 4개의 성수이고, 네 귀퉁이의 빈 곳은 4개의 성수 사이에 위치한다. 4개 생수의 경우에는
성인이 본받아서 상으로 삼지 않았으니, 상으로 삼을 수 있는 공용(功用)의 자취가 없어서
단지 여덟 상의 본체로 삼았다. 지(智)와 인(仁)의 본체는 1과 3이니, 또한 자취가 없어서
의지하여 힘을 쓸 곳이 없다. 그러므로 인을 체득하는 일은 오직 예(禮)에 있어서 자신의
욕심을 억제하여 예를 회복하는 것이 인이 된다. 바르고 굳센 공부는 오직 의(義)에 있으니,
의를 정미하게 하여 입신(入神)의 경지에 도달하는 것이 지(智)이다. 이러한 설명은 비록
인위적으로 분배한 것 같지만, 조화로운 자연의 오묘한 이치가 아닌 것이 없으니, 그 선후와
시종은 「선천횡도(先天橫圖)」와 「선천원도(先天圓圖)」 오른쪽의 차례와 같을 뿐이다.

詳玩四象八卦先後之序, 則學者爲先用力之地, 唯在禮與義理. 而後世異端如陸學之
流, 以禮爲細碎小節, 以義理之在物者, 爲淺近支離而有所不屑焉. 務必爲幽深怳惚艱
難阻絶之論, 而乃謂道必如此然後可得, 是豈與論天行哉. 嗚呼, 旣不知希聖, 焉能希
天乎.

사상과 팔괘의 선후의 순서를 자세히 살펴보면, 학자들이 우선적으로 힘써야 할 상황은 오
직 예(禮)와 의(義)의 이치에 있다. 후세에 육상산의 학문과 같은 이단의 무리들은 예를
대수롭지 않은 것으로 여기고, 사물에 있는 의리를 천박하고 자질구레한 것으로 여겨서 달
갑게 여기지 않은 점이 있다. 이러한 학문에 힘쓰게 된다면, 반드시 그윽하고 깊고 황홀하며

어렵고 막힌 논의를 하는데 힘써 곧 도리를 반드시 이처럼 한 이후에야 얻을 수 있다고 말할 것이니, 어찌 그들과 함께 하늘의 운행을 논의하겠는가? 아! 이미 성인을 본받아야 할 줄을 모르고 있는데, 어떻게 하늘을 본받을 수 있겠는가?

임영(林泳) 「독서차록(讀書箚錄)-주역(周易)」

貞固, 幹事.

바르고 굳셈이 일의 근간이 된다.

本義小註朱子說第二條, 嘉會雖是有禮後底事, 然這意思卻在禮之先.

『본의』 아래 소주에서 주자의 설명 가운데 제 2조에서는 '모임을 아름답게 하는 것'은 비록 예가 갖춰진 뒤의 일이지만, 그 의미는 예보다 앞에 놓이게 된다고 말했다.

竊意, 禮是天之所秩, 嘉會乃君子之所行, 故曰, 嘉會是有禮後事, 但此所謂嘉會, 其意卻不指遵禮而言, 方說嘉會未說到禮, 故曰, 這意思卻在禮之先也.

내가 살펴보았다: 예는 하늘이 질서를 세운 것이고, 모임을 아름답게 하는 것은 군자가 행하는 것이다. 그러므로 모임을 아름답게 하는 것은 예가 갖춰진 뒤의 일이지만, 이곳에서 '모임을 아름답게 함'이라는 것은 그 의미가 예에 따르는 것을 가리켜 말한 것이 아니며, 모임을 아름답게 함에 대해 설명할 때에도 예에 대한 언급을 하지 않았던 것이다. 그러므로 그 의미가 예보다 앞서 놓이게 된다고 말했다.

第五說, 仁皆從我發出, 未詳. 若曰, 萬善皆從我發出, 則是矣. 然與下句, 故無物不在所愛者, 猶未甚切着, 未可知也.

다섯 번 째 설명에서는 "인(仁)이 모두 나로부터 나온다"고 했는데, 설명이 상세하지 못하다. 만약 모든 선(善)이 모두 나로부터 발산되어 나온다면, 이것은 옳다. 그러나 아래 구문에서 "그러므로 사물 중에 사랑하는 바에 놓이지 않는 것이 없다"라고 한 말과 연관시키면, 오히려 맞아떨어지지 않는데, 확실히 알 수는 없다.

幹, 如板築之有楨幹, 此與本義幹木之身不同, 當以本義爲正, 而此又爲一義耳. 蓋木身之幹, 板築之幹, 以釋幹事, 其義皆通. 但木身謂幹, 乃天然本有之物名, 與板築之幹, 必待人功造作而後, 方有其物有其名者, 其先後固有間矣. 本義先取木身之義, 其以此也歟.

간(幹)은 판축(板築)[400]에 필요한 나무 기둥[楨幹]과 같은 것인데, 이것은 『본의』에서 간

---

400) 판축(板築): 판자와 판자 사이에 흙을 넣고 다지는 일을 가리킨다.

(幹)을 나무 몸통으로 풀이한 것과 다르니, 마땅히 『본의』의 뜻을 올바른 것으로 삼아야 하고, 이곳의 풀이는 또한 하나의 뜻이 될 뿐이다. 대체로 나무 몸통의 줄기[幹]와 판축(板築)에서의 간(幹)으로 간사(幹事)를 풀이한다면, 그 의미는 모두 통용이 된다. 다만 나무 몸통을 간(幹)이라고 하는 것은 자연적으로 본래부터 있던 사물의 명칭이 되고, 판축(板築)에서의 간(幹)은 반드시 사람의 공정 과정을 거친 이후에야 그 물건도 생기고, 그 명칭도 생겨나는 것과는 본래 그 선후에 차이가 있다. 『본의』에서 먼저 나무 몸통의 뜻을 취했던 것도 바로 이러한 이유 때문일 것이다.

胡雲峯說中外理用之分, 似太規規, 恐非本來蘊義也. 然蓋皆有意, 當更詳察.
호운봉은 중(中)과 외(外), 리(理)와 용(用)의 구분을 설명하였는데, 이것은 너무나도 천착한 설명이며, 아마도 본래 함축된 뜻은 아닌 것 같다. 그러나 그 속에도 모두 의미가 있으니, 마땅히 자세히 살펴보아야 한다.

심조(沈潮) 「역상차론(易象箚論)」

文言, 貞固幹事.
「문언전」에서 말하였다: 바르고 굳셈이 일의 근간이 되기에 충분하다.

貞者, 事之幹, 幹取諸正直而堅固.
정(貞)은 일의 근간이니, 근간은 정직에서 취하여 견고하다.

유정원(柳正源) 『역해참고(易解參攷)』

貞固.
바르고 굳셈

梁山來氏曰, 固者, 堅固不搖, 乃貞之恒久工夫也. 蓋事有未定, 必欲其正, 事之旣正, 必守其正, 貞而又固, 故足以幹事.
양산래씨가 말하였다: 굳셈[固]은 견고하여 흔들리지 않으니, 곧 바름[貞]을 오래 유지시키는 공부이다. 일에 정해지지 않음이 있으면 반드시 바름을 정해야 하고, 일이 이미 바르게 되었다면 반드시 그 바름을 지켜야 하니, 바르고 또 굳세기 때문에 일의 근간이 되기에 충분하다.

○ 案, 仁義禮知, 如卦爻之生出次第. 心如太極, 仁義如太極之生兩儀, 仁義禮知如兩儀之生四象, 惻隱羞惡辭讓是非如四象之生八卦. 仁之寬柔溫裕, 義之發剛強毅, 禮之齊莊中正, 知之文理密察, 如八卦之生十六也.

내가 살펴보았다: 인의예지는 괘의 효가 생겨나는 순서와 같다. 마음[心]은 태극과 같고, 인과 의는 태극이 양의(兩儀)를 낳은 것과 같으며, 인의예지는 양의가 사상(四象)을 낳은 것과 같고, 측은·수오·사양·시비는 사상이 팔괘(八卦)를 낳은 것과 같다. 인의 관대함[寬]·부드러움[柔]·온유함[溫]·넉넉함[裕]과 의의 나타남[發]·강인함[剛]·강함[强]·굳셈[毅]과 예의 가지런함[齊]·씩씩함[莊]·중정함과 지의 문채[文]·조리[理]·세밀함[密]·살핌[察]은 8괘가 16괘를 낳는 것과 같다.

김귀주(金龜柱) 『주역차록(周易箚錄)』[401]

本義, 以仁爲體, 云云.

『본의』에서 말하였다: 인(仁)을 체(體)로 삼으면, 운운.

小註, 子曰, 體仁, 云云.

소주에서 주자가 말하였다: 인을 체득하고, 운운.

○ 按, 我之體便都是仁, 此說固好. 然終不如上註人在那仁裡做箇骨子云云之爲尤切耳.

내가 살펴보았다: "나의 몸체가 바로 인(仁)이다"라는 이 말은 진실로 좋다. 그러나 마침내 위에서 주석한 "사람은 인을 골자로 삼는다" 운운하는 것이 더욱 적절한 것만 못하다.

嘉會足以合禮, 云云.

모임을 아름답게 함이 충분히 예에 합하며, 운운.

○ 按, 禮儀三百, 威儀三千之, 散在事物者, 乃嘉之所會. 就此禮儀三百, 威儀三千上, 一一行得無處不中, 此便是嘉其所會. 嘉之會嘉字, 以禮之功用而言, 嘉其所會嘉字, 以人之修爲而言, 朱子之意, 蓋恐如此.

내가 살펴보았다: '예의 삼백 가지와 위의 삼천 가지'[402]가 사물에 산재했다는 것이 곧 아름다움이 모인 것이다. 예의 삼백과 위의 삼천에 나아가 하나하나의 행동이 중도에 맞지 않음이 없는 것, 이것이 곧 '그 모임을 아름답게 함'이다. '아름다움의 모임[嘉之會]'에서 '아름다움[嘉]'은 예의 공용으로 말한 것이고, '그 모임을 아름답게 함[嘉其所會]'에서 아름다움[嘉]은 사람이 수양함으로 말한 것이니 주자의 뜻이 대강 이와 같을 것이다.

---

401) 경학자료집성DB에서는 건괘 「상전」에 해당하는 것으로 분류했으나, 내용에 따라 본 자리인 「문언전」 1절로 옮겼다. 김귀주의 뒤 부분에 이어지는 「문언전」 2~6절도 마찬가지이다.

402) 『中庸』.

義自然和, 云云.

의로움[義]이 저절로 화합[和]하게 된다, 운운.

○ 按, 亦只是利之和利字, 恐是義字之誤.

내가 살펴보았다: 또한 다만 '이로움의 화합[利之和]'에서 '리(利)'자는 '의(義)'자의 오자인 듯하다.

問, 文言四德, 云云.

물었다: 「문언전」의 네 가지 덕은, 운운.

○ 按, 仁爲我之骨, 與在仁裡做骨子之說, 當互看. 蓋自彼言, 自我言, 雖若不同, 而其實一意也. 在人則是智以下說, 得正固之意極分明. 蓋至靈至明是是非非, 卽所謂知正之所在也, 確然不可移易, 卽所謂固守之也. 知正之所在, 是心上之知, 固守之, 是心上之行, 而同爲智之事矣. 板築楨幹之云, 與本義不同, 而兩說皆通.

내가 살펴보았다: "인(仁)은 나의 뼈대이다"와 "인으로 뼈대를 삼는다"는 두 주장을 서로 비교하여 살펴보아야 한다. 저기로[彼]부터 말하는 것과 나로[我]부터 말하는 것은 다른 듯하지만 사실은 같은 뜻이기 때문이다. '사람에 있어서는 이 지혜[在人則是智]' 이하의 글은 바르고 굳은 뜻이 매우 분명하다. 그것은 지극히 영통하고 지극히 밝아 옳은 것은 옳다고 그른 것은 그르다 하는 것이니, 곧 이른바 바름의 소재를 아는 것이고, 확실하여 움직일 수 없는 것은 곧 이른바 굳게 지키는 것이다. 바름[正]이 있는 곳을 아는 것은 마음으로 아는 것이고, 그것을 굳게 지키는 것은 마음으로 행동하는 것이니, 똑같이 지혜의 일이 되는 것이다. 널빤지로 건축할 때 기둥이 있어야 한다는 비유는 『본의』와 다르지만, 두 설은 모두 통한다.

雲峯胡氏曰, 元亨, 云云.

운봉호씨가 말하였다: '원형'은, 운운.

○ 按, 體仁·嘉會·利物·貞固, 皆是不分內外, 而公共說. 今以內外言者, 固涉破碎, 而以理言, 以用言, 由理及用, 由用及理等語, 卻不成說話. 夫理之爲名, 通體用皆可言. 今只曰理, 則何以見其爲體, 而又只曰用, 則所謂用者, 理耶氣耶, 未可知也.

내가 살펴보았다: 인을 체득함[體仁]·모임을 아름답게 함[嘉會]·물건을 이롭게 함[利物]·바르고 굳셈[貞固]은 모두 안과 밖을 구분하지 않고 공통적으로 말했다. 지금 안과 밖으로 말하는 것은 진실로 너무 세분화한 것이고, 이치[理]로 말하고 작용[用]으로 말하고 이치로부터 작용에 미치고 작용으로부터 이치에 미친다는 등의 말도 어불성설이다. 이치라는 이름은 본체와 작용[體用]을 통합하여 말할 수 있다. 지금 단지 '이치'라고만 말하면 어떻게 그 본체를 볼 수 있겠으며, 또 '작용'이라고만 말하면 작용이라는 것이 리(理)인지 기(氣)인지 알 수 없을 것이다.

雙湖胡氏曰, 在乾, 云云.

쌍호호씨가 말하였다: 건에 있어서, 운운.

○ 按, 非智及安能貞固云云, 似以貞固爲行, 而上面借一智字, 以明行本於知. 若如此
說, 則貞固何足爲智之事乎. 仁智交接貞下起元, 亦於此章文義無所當.

내가 살펴보았다: "지혜가 아니면 어찌 바르고 굳셈에 미칠 수 있는가" 운운하였는데, 이는
'바르고 굳셈[貞固]'을 행실로 여긴 듯하다. 그리하여 앞에 있는 '지(智)' 한 글자를 빌려서
행함이 지혜에 근본함을 밝혔다. 그러나 이와 같이 말한다면 '바르고 굳셈'이 어찌 '지혜'의
일이 되기에 충분하겠는가? '어짊[仁]'과 '지혜'가 서로 맞닿아 '정(貞)' 다음에 '원(元)'이 일어
난다는 말 역시 이 문장의 뜻과는 해당사항이 없다.

서유신(徐有臣) 『역의의언(易義擬言)』

貞固幹事, 君子之貞也. 和[403]至至之, 知終終之, 是爲貞固也.

곧고 굳세어 사물의 근간이 된다는 것은 군자의 곧음이다. 이를 데를 알아서 이르고, 마칠
데를 알아서 마치니, 이것은 곧 곧고 굳셈이 된다.

박문건(朴文健) 『주역연의(周易衍義)』

體仁則人仁无二也. 固, 剛固之謂也. 此言道之大用, 由於人也.

어짊을 체득하면, 사람과 어짊은 둘이 아니다. '고(固)'는 강고하게 만든다는 뜻이다. 이것은
도의 큰 쓰임이 사람으로부터 비롯된다는 사실을 말하였다.

〈問, 元爲衆善之尊, 故所以尊於人, 亨爲衆美之合, 故所以合於禮歟. 曰, 然.

물었다: 원(元)은 모든 선들 중에서도 으뜸이 된다고 했습니다. 그러므로 남들보다 존귀하
게 되는 것이며, 형(亨)은 모든 아름다움을 합한 것이라고 했습니다. 그렇기 때문에 예에도
합하는 것입니까?

답하였다: 그렇습니다.〉

〈問, 體仁以下. 曰, 體仁利物, 體其仁利其物也. 嘉會貞固, 嘉之會, 貞而固也. 長人合
禮, 長於人合禮也. 和義幹事, 和其義幹其事也. 所處皆仁, 則長人, 所履皆嘉, 則合
禮, 所行皆利, 則和義, 所守皆貞, 則幹事.

물었다: 어짊을 체득하는 것으로부터 그 이하의 말은 무슨 뜻입니까?

---

403) 知: 경학자료집성DB에는 '和'로 되어 있으나 경학자료집성 영인본에 근거하여 '知'로 바로잡았다.

답하였다: 어짊을 체득하는 것과 만물을 이롭게 하는 것은 어짊을 몸소 실천하고, 사물을 이롭게 한다는 뜻입니다. 모임을 아름답게 하고 곧고 굳음은 아름다운 모임이 곧고 굳음을 뜻합니다. 장인(長人)과 합례(合禮)는 남들의 우두머리가 되고, 예에 합한다는 뜻입니다. 화의(和義)와 간사(幹事)는 그 의를 조화롭게 하고, 그 일의 근간이 된다는 뜻입니다. 대처하기를 모두 어짊으로써 한다면, 남의 우두머리가 될 수 있습니다. 실천하기를 모두 아름다운 것으로써 한다면, 예에 합하게 됩니다. 시행하는 것이 모두 이롭다면, 의에 화합하게 됩니다. 지키는 것이 모두 곧다면, 일의 근간이 됩니다.〉

〈問, 此是穆姜之釋隨象之辭也, 而夫子何取於此. 曰, 乾道與人性一而已, 故於此取之, 蓋隨不足以當之也.
물었다: 이것은 목강(穆姜)이 수(隨)괘의 단사를 풀이한 말인데, 공자는 어찌하여 이곳에서 그 말을 채택하여 기록 했습니까?
답하였다: 건의 도는 사람의 본성과 동일할 뿐입니다. 그러므로 여기에서 그 의미를 채택한 것이니, 수(隨)괘로는 그에 걸맞게 설명하기 부족하기 때문입니다.〉

이항로(李恒老)「주역전의동이석의(周易傳義同異釋義)」

按, 諺解, 傳會ㅣ嘉홈이 本義當曰홈을 嘉홈이 而諺解同釋恐失
내가 살펴보았다:『언해』에『정전』에 대해서 '모임이 아름다움'이라고 했으니,『본의』에 대해서는 마땅히 '좋아함을 아름답게 함'이라고 해야 하는데,『언해』에 동일하게 해석하였으니 아마도 잘못인 것 같다.

○ 朱子曰: 於乾當言元, 於人當言仁.
주자가 말하였다: '건'에 대해서는 마땅히 '원(元)'이라고 해야 하며, '사람'에 대해서는 마땅히 '인(仁)'이라고 해야 한다.
按, 傳三乃字二能字, 非所以解足以之義, 本義三則字三旡不字, 解足以之義, 讀者當細玩.
내가 살펴보았다:『정전』에는 세 개의 '내(乃)'자가 나오고 두 개의 '능(能)'자가 나오는데, 이것은 '족이(足以)'의 뜻을 풀이한 것이 아니다.『본의』에서는 세 개의 '즉(則)'자가 나오고, 세 개의 '무불(旡不)'이라는 글자가 나오는데, 이것은 '족이(足以)'의 뜻을 풀이한 것이다. 읽는 사람들은 마땅히 자세히 살펴보아야 한다.

君子, 行此四德者. 故曰乾元亨利貞.

군자는 이 네 가지 덕을 실천하는 사람이다. 그러므로 "건(乾)은 크게 형통하고 곧음이 이롭다"고 하였다.

‖中國大全‖

傳

行此四德, 乃合於乾也.

이 네 가지 덕을 행하여야 건도에 합치된다.

本義

非君子之至健, 无以行此. 故曰乾元亨利貞.

군자의 지극한 굳건함이 아니면 이것을 행할 수 없다. 그러므로 "건은 크게 형통하고 곧음이 이롭다"라고 한 것이다.

○ 此第一節, 申象傳之意. 與春秋傳所載穆姜之言不異, 疑古者已有此語, 穆姜稱之, 而夫子亦有取焉. 故下文別以子曰表孔子之辭. 蓋傳者欲以明此章之爲古語也.

이는 제 1절이니 「단전」의 뜻을 거듭 설명하였다. 『춘추좌씨전』에 실린 목강의 말과 다르지 않으니, 아마도 옛날에 이미 이런 말이 있어서 목강이 인용하였고 공자도 이것을 취한 듯하다. 그러므로 아래 글에 별도로 '자왈(子曰)'로써 공자의 말임을 표시하였으니, 이는 전하는 자가 이 장이 옛날 말임을 밝히고자 하였기 때문일 것이다.

小註

或問, 乾元亨利貞, 猶言性仁義禮智. 朱子曰, 此語甚稳當. 又曰, 乾元亨利貞, 他把乾字當君子.

어떤 이가 물었다: "건은 원형리정이다"라 말하는 것은 "성(性)은 인의예지이다"라고 말하는 것과 같습니까?

주자가 답하였다: 그 말이 매우 타당합니다.

또 답하였다: 건은 원형리정이니 건(乾)을 잡아 지키면 군자에 해당합니다.

○ 隆山李氏曰, 曰'乾道變化', 又曰'君子行此四德'者, 謂之道者, 統而言之. 謂之德者, 分而言之. 然要其極則一也.

융산이씨가 말하였다: "건도가 변하고 화한다"라고 하고, 또 "군자는 이 네 가지 덕을 행한다"고 하였는데, 이를 도(道)라고 하는 것은 통괄해서 말한 것이고, 덕이라고 말한 것은 나누어서 말한 것이다. 그러나 그 끝을 강구해보면 한 가지이다.

○ 雲峰胡氏曰, 天行健, 天之乾也. 君子行此四德, 君子之乾也.

운봉호씨가 말하였다: 하늘의 운행이 굳셈은 하늘의 건(乾)이고, 군자가 이 네 가지 덕을 행함은 군자의 건이다.

○ 建安丘氏曰, 六卜四卦象辭曰元亨利貞者, 乾坤屯隨臨无妄革也. 如坤元亨利牝馬之貞, 屯隨之大亨貞, 臨无妄革之大亨以正, 皆只是大亨而利與正. 獨乾謂之四德者, 非夫子所自取也. 按左氏傳襄公九年, 穆姜往東宮, 筮之遇艮之隨. 至二[404]十二年而孔子始生, 上距穆姜十四年. 穆姜之時已誦隨彖之辭曰, 元, 體之長也. 亨嘉之會也. 利, 義之和也. 貞, 事之幹也. 體仁足以長人, 嘉會足以合禮, 利物足以和義, 貞固足以幹事. 其言比今文言, 纔易數字, 則知四德之論, 蓋古有是言, 非出于孔子明矣. 特夫子繫易之時, 見此四字所該甚大, 隨卦不足以盡之, 故削其辭而附于乾. 然元亨利貞, 在乾可以四德言, 他卦只當本文王之意, 而釋之也.

건안구씨가 말하였다: 육십사괘의 단사(彖辭) 가운데 '원형리정'이라고 말한 것은, 건괘 · 곤괘 · 준괘 · 수괘(隨卦) · 임괘 · 무망괘 · 혁괘이다. 예를 들어 곤괘의 "크게 형통하니 암말의 곧음이 이롭다[元亨利牝馬之貞]"와 준괘 · 수괘(隨卦)의 "크게 형통하고 곧다[大亨貞]"와 임괘 · 무망괘 · 혁괘의 "크게 형통하니 바르다[大亨以正]"의 경우는 모두 단지 크게 형통하

---

404) 二: 원문에 '二'자가 없으나 공자의 탄생이 양공 22년임에 의거하여 '二'자를 보충하였다.

고 이롭고 바르다는 것이다. 오직 건괘에서만 네 가지 덕이라고 한 것은 공자가 독자적으로
취한 것이 아니다. 『춘추좌씨전』을 살펴보니 양공 9년(기원전 564년)에 목강이 동궁에 가
점을 쳐서 간괘(艮卦䷳)가 수괘(隨卦䷐)로 변한 괘를 만났다.[405] 양공 22년에 공자가 태어
났으니, 위로 목강이 점친 때와 14년 차이인데, 목강의 시절에 이미 수괘(隨卦)의 점사(占
辭)를 암송하여 아래와 같이 말하였다. "원(元)은 몸체의 으뜸이고, 형(亨)은 아름다움의
모임이며, 리(利)는 의로움의 화합이고, 정(貞)은 사물의 근간이다. 인(仁)을 체현하면 사람
들의 으뜸이 될 수 있고, 아름다운 모임은 예(禮)에 부합할 수 있고, 만물을 이롭게 하면
도의와 조화될 수 있고, 성실하고 견고하면 일을 주관할 수 있다." 이 말을 지금의 「문언전」
과 비교해 보면 겨우 몇 글자만 바뀌었을 뿐이다. 그렇다면 옛날에 이미 네 가지 덕으로
논한 것이 있었음을 알 수 있으니 공자에게서 나온 것이 아님이 분명하다. 다만 공자가 『주
역』에 말을 붙일 때, 이 네 글자가 포함하는 것이 매우 크나 수괘(隨卦)로서는 그 뜻을 다
드러내기에 부족함을 알았기 때문에 그 말을 정리하여 건괘에 붙였다. 건괘에 있어서는 원
형리정을 네 가지 덕으로 말할 수 있으나, 다른 괘들은 당연히 문왕의 뜻에 근본하여 해석해
야 한다.

○ 節齋蔡氏曰, 文, 飾也. 言, 辭也. 文釋彖象之辭, 以盡彖象之意. 乾坤居衆卦之首,
故特詳之, 而餘卦可以類推也.
절재채씨가 말하였다: 문(文)은 장식이고, 언(言)은 말이다. 「문언전」은 단사(彖辭)와 상사
(象辭)를 해석하여 단과 상의 뜻을 다 드러내었다. 건괘와 곤괘는 모든 괘의 앞에 있으므로
특히 상세하게 말했으니, 이것으로 나머지 괘들을 유추할 수 있다.

○ 雙湖胡氏曰, 朱子謂孔子十翼專用義理, 發揮經言. 竊意, 彖象繫辭說卦雜卦專言
象數, 乃用易之括例, 唯乾坤文言純以義理發之. 其次則序卦, 只用卦名, 發其次序之
義, 而不及象數也.
쌍호호씨가 말하였다: 주자는 "공자의 십익이 전적으로 의리만 이용하여 경전의 말을 나타
냈다"[406]고 하였다. 내가 살펴보건대, 「단전」·「상전」·「계사전」·「설괘전」·「잡괘전」은
전적으로 상수(象數)만을 말하였으니 곧 역을 활용하는 범례이고, 건괘와 곤괘의 「문언전」

---

405) 본괘인 중산간괘(重山艮卦)에서 육이효만 불변이고 나머지 효들이 변하여 택뢰수괘(澤雷隨卦)로 변한
괘이다. 이 경우에는 지괘(之卦)인 수괘(隨卦) 육이효의 효사로 점(占)의 길흉을 판단한다. 다섯 효가
변하고 한 효만 불변일 경우 지괘의 불변효로 점친다.

406) 『周易·述旨』: 위대하신 공자여! 만년에 이 책을 좋아하여 가죽 책 끈이 이미 끊어지니, 팔색(八索)을
모두 들었다. 이에 「단전」·「상전」 등 「십익」을 지어서 오로지 의리를 가지고 경문의 말을 나타내었다[大哉
孔子, 晩好是書, 韋編旣絶, 八索以祛. 乃作彖象, 十翼之篇, 專用義理, 發揮經言].

만이 순수하게 의리로 밝혔다. 그 다음 「서괘전」은 괘의 이름으로 괘 순서의 의미를 밝혔을 뿐이고, 상수는 언급하지 않았다.

○ 陸氏明德曰, 周易經, 文王周公所作也, 傳, 孔子所作也. 司馬談論六家[407]要指, 引天下殊塗而同歸, 一致而百慮, 謂之易大傳. 班固謂孔子晚而好易, 讀之韋編三絶, 而爲之傳. 傳, 卽十翼也. 前漢六經與傳皆別行, 至後漢諸儒作註, 始合經傳爲一爾. 今王弼註本首卷題曰周易上經, 乾傳, 餘卷亦有泰傳噬嗑傳咸傳夬傳豊傳之名, 蓋弼所用者鄭氏本. 鄭氏旣合象傳象傳于經, 故合題之耳.

육덕명이 말하였다: 『주역』의 경문은 문왕과 주공이 지은 것이고, 「역전(易傳)」은 공자가 지은 것이다.[408] 사마담이 육가(六家)의 요지(要旨)를 논하면서 "천하의 길은 다르나 돌아갈 곳은 같고, 이치는 하나이나 생각은 백가지이다"[409]를 인용하여 「역대전」에 있는 말이라 하였다. 반고는 공자가 만년에 『주역』을 좋아해서 가죽 끈이 세 번 끊어질 정도로 읽고서 「역전」을 지었다고 말하였다. 「역전」은 곧 십익(十翼)이다. 전한시대의 육경은 「역전」과는 모두 별개로 운용되었으나, 후한시대에 이르러 여러 유학자들이 주석을 지어서 비로소 『역경』과 『역전』을 합해서 하나로 만들었을 뿐이다. 지금 왕필 주석본 1권 제목에 『주역상경』, 「건전」이라 하고, 나머지 권에 역시 「태전」·「서합전」·「함전」·「쾌전」·「풍전」의 이름이 있는데, 이는 왕필이 이용한 책이 정현이 지은 책이기 때문이다. 정현은 이미 「단전」과 「상전」을 경문에 합했으므로 제목을 합하였을 뿐이다.

○ 漢上朱氏曰, 魏高貴鄕公, 問博士淳于俊曰, 今彖象不連經文, 而註連之何也. 俊對曰, 鄭康成合彖象于經者, 欲使學者尋省易了. 孔子恐其與文王相亂, 是以不合. 則鄭未註易經之前, 彖象不連經文矣.

한상주씨가 말하였다: 위나라 고귀향공이 역학박사 순우준에게 "지금 「단전」과 「상전」이 경문에 붙어있지 않으니, 주석을 붙이면 어떠한가?"라고 물었다. 순우준이 대답하기를 "정강성이 「단전」과 「상전」을 경문에 붙인 것은 배우는 사람들이 찾기 쉽게 하고자함입니다. 공자는 그의 해석이 문왕의 경문과 서로 섞이는 것을 두려워하여 붙이지 않았습니다"라고 말하였다.[410] 이로 보아 정강성이 역경에 주석하기 전에는, 「단전」과 「상전」이 경문에 붙어있지 않았다.

---

407) 家: 『주역전의대전』에 '經'으로 되어 있으나 『사기』 130권에 근거하여 '家'로 바로잡았다.
408) 『經典釋文·周易音義』.
409) 『周易·繫辭傳』: 天下同歸而殊塗, 一致而百慮.
410) 『魏書·高貴鄕公紀』.

○ 東萊呂氏曰, 漢上謂王弼以文言附于乾坤二卦, 按淳于俊爲鄭康成合象象於經, 不言合象象文言於經, 則朱氏之說是也.

동래여씨가 말하였다: 한상주씨는 "왕필이 「문언전」을 건·곤 두 괘에 붙였다"고 했다. 내가 살펴보니, 순우준은 "정강성이 「단전」과 「상전」을 경에 합했다"라 하고, 「단전」과 「상전」 및 「문언전」을 경에 합했다고 말하지 않았으니, 한상주씨의 말이 옳다.

┃韓國大全┃

권근(權近) 『주역천견록(周易淺見錄)』

文言, 元者善之長也 [止] 故曰乾元亨利貞.

「문언전(文言傳)」에서 말하였다: 원은 선의 으뜸이다 … 그러므로 건(乾)은 크게 형통하고, 곧음이 이롭다라 하였다.

在天爲元亨利貞, 在人爲仁義禮智. 自君子體仁以下, 言其在人者也. 君子行此四德者, 故曰乾元亨利貞者, 在人者合乎在天者也. 言君子所行之德, 卽是乾之四德也, 所以合天人而一之也. 仁禮義易其名, 而貞則不曰智, 而以爲貞固, 是兼五常之信以言之也. 天道旣貞而復元, 自無息也. 在人者, 須當戒以知正而固守, 然後自强不息, 可合於乾道矣. 智主知, 而此主行言, 故以貞固言之. 若智雖足以知正, 而信或不能固守, 則人欲蔽之, 而天理或息矣, 豈能合於乾德乎. 閑邪存其誠, 以心而言, 修辭立其誠, 以事而言, 內外交相養也. 以心而言, 則實理其所固有, 故曰存, 以事而言, 則實德在所當勉, 故曰立. 存者, 因其本然而守之也, 立者, 盡其當然而致之也.

하늘에 있어서는 '원·형·리·정'이 되고 사람에 있어서는 인(仁)·의(義)·예(禮)·지(智)가 된다. "군자는 인을 체득하다" 이하의 글은 그것이 사람에게 있음을 말한 것이다. "군자는 이 네 가지 덕을 실천하는 사람이다. 그러므로 건은 '원·형·리·정'이라 한다"는 것은 사람에게 있는 것이 하늘에 있는 것과 합치된다는 뜻이다. 군자가 실천하는 덕이 바로 건의 네 가지 덕이므로 하늘과 사람이 합하여서 하나가 되는 까닭을 말하였다. '인·예·의'로 이름을 바꾸면서 '정(貞)'을 '지(智)'라 하지 않고, '바르고 굳다[貞固]'라고 한 것은 오상(五常)의 '믿음[信]'을 겸해서 말한 것이다. 천도가 '정(貞)'이 되고 나서 '원'으로 복귀함은 본래 쉼이 없기 때문이다. 사람에게 있다함은 '바름[正]'을 알아서 굳게 지킨 뒤에 스스로 힘쓰고 쉬지 않아 건도에 합치할 수 있음을 경계한 것이다. '지혜[智]'는 앎을 위주로 하지만 여기서는 실천을 위주로 말하므로 "바르고 굳다[貞固]"라고 하였다. 만일 '지혜'가 '바름'을 알기에 충분하지만, '믿음[信]'을 굳게 지킬 수 없다면, 인욕이 그것을 가려 천리가 멈추게 되니, 어찌 건의 덕에 합치할 수 있겠는가! "간사함을 막고 그 정성을 보존한다"는 것은 마음으로 말한 것이고 "말을 바르게 하고 그 정성을 세운다"는 것은 일로 말한 것이니, 안과 밖이 서로 양육한다는 뜻이다. 마음으로 말하면 실제의 이치는 본래 가지고 있는 것이므로 '보존한다[存]'라 하였고, 일로 말하면 실제의 덕은 권면해야함에 있으므로 '세운다[立]'라 하였다. '보존한다'는 것은 본래 그러한 것을 바탕으로 지키는 것이고, '세운다'는 것은 마땅히 그렇게 해야 할 것을 극진히 하여 이르도록 하는 것이다.

임영(林泳) 「독서차록(讀書箚錄)-주역(周易)」

君子, 行此四德.
군자는 이러한 네 가지 덕을 실천한다.

小註, 節齋說以文飾釋文言之文, 未知果是也.
소주에서 절재의 설명에서 '문식(文飾)'이라는 말로 「문언(文言)」의 '문(文)'자를 풀이하였는데, 과연 옳은지는 알지 못하겠다.

유정원(柳正源) 『역해참고(易解參攷)』

君子行此.
군자가 이것을 실천한다.

正義, 四德與天同功, 非聖人不可. 唯云君子者, 但易之爲道, 廣爲垂法, 若限尙聖人, 恐不逮餘下, 故總云君子.
『주역정의』에서 말하였다: 네 가지 덕이 하늘과 그 공(功)을 같이 함은 성인이 아니면 할 수 없다. 군자라고 말한 것은 다만 역의 도가 광대하게 그 법칙을 내려주는 것이지만 성인으로 한정한다면 그 아래로 미치지 못할까 염려하였기 때문에 총괄하여 군자라고 말하였다.
○ 案, 朱子嘗謂仁義禮知, 孔門未嘗備言, 至孟子而始備言之. 今以仁義禮知, 分配元亨利貞, 則四德之目, 自夫子已言, 而至於惻隱羞惡恭敬是非四端, 至孟子而始說得詳備. 如後天雖發於文王, 而連山之易, 已有後天之象.
내가 살펴보았다: 주자는 인의예지에 대해 공자 문하의 제자들은 갖추어서 말한 적이 없고,

맹자에 이르러 비로소 갖추어 말하였다고 하였다. 지금 인·의·예·지를 원·형·리·정에 분배한다면, 네 가지 덕의 조목은 공자로부터 이미 말해왔고, 측은·수오·공경·시비의 사단에 있어서는 맹자에 이르러 비로소 자세히 설명하였다. 마치 후천(後天)이 비록 문왕으로부터 출발하였지만 연산의 역이 이미 후천의 상(象)을 가지고 있었던 것과 같다.

本義, 穆姜之言.〈見隨卦辭本義小註.〉
『본의』에서 말하였다: 목강의 말.〈수괘(隨卦)의 괘사에 대한『본의』의 소주에 보인다.〉
漢上朱氏曰, 左襄公二十二年, 孔子生, 上距穆姜二十六年. 穆姜時, 雖已誦乾卦文言, 然以今易攷之, 刪改者二, 增益者六, 則古有是言, 孔子文之爲信然矣.
한상주씨가 말하였다:『춘추좌씨전』양공(襄公) 22년에 공자가 태어났다고 하니, 위로 목강과는 26년의 차이가 있다. 목강 당시에 비록 이미 건괘「문언전」의 내용을 말하였으나, 지금의『주역』으로 따져보면, 산정(刪定)하여 고친 것이 두 곳이고, 더하여 보탠 것이 여섯 곳이니, 고대에 이러한 말이 있었더라도 공자가 그 글을 지었다는 것이 신빙성이 있다.

○ 雙湖胡氏曰, 左氏生夫子之後, 尊信夫子春秋. 始爲之傳, 謂易有取於左傳乎. 抑左傳有取於易也. 又況左傳所載, 當時語其事, 則彷彿其文多出於自爲, 穆姜爲人, 淫慝迷亂, 安得自知其過, 而有此正大之言. 是左氏作爲明矣. 至若占辭多取諸八物, 亦非當時史氏語, 實左氏本夫子大象而文之也.
쌍호호씨가 말하였다: 좌씨는 공자보다 뒤에 태어났고, 공자의『춘추』를 존숭하여 믿어서 비로소 그 전(傳)을 지었으니,『주역』이『춘추좌씨전』에서 취한 것이 있는 것인가? 그렇지 않으면『춘추좌씨전』이『주역』에서 취한 것이 있을 것이다. 또 더욱이『춘추좌씨전』에 기록된 것이 당시에 그 일을 언급했다면, 그 문장이 대부분 스스로 지어낸 것이라고 봐도 무방하다. 목강의 사람됨은 음란하고 미혹되었는데, 어떻게 그 과실을 스스로 알아 이러한 공명정대한 말을 할 수 있었겠는가? 이것은 좌씨가 기록한 것이 분명하다. 그리고 점사(占辭)와 같은 경우 대부분 팔물(八物: 팔괘)에서 취했으니, 또한 당시 사관의 말이 아니며, 실상 좌씨가 공자의「대상전」에 근본해서 기록한 것이다.
○ 案, 左氏浮夸, 誠如雙湖說, 然隨處白撰若是之煩多, 況又所論卦象有說卦所不言者, 如震車坎和之類甚多, 此則左氏何所本乎. 蓋自連山歸藏以來, 必多有古人取象者, 而夫子繫易之時, 參以己意, 文之說之. 如克己復禮, 出門如賓, 亦是夫子取先民之語, 則此何獨不然也. 本義旣以古有此語, 夫子取之爲斷.
내가 살펴보았다: 좌씨의 자질구레한 말은 진실로 쌍호호씨의 설명과 같다. 그런데 곳곳에 근거 없이 지어낸 글이 이처럼 번잡하게 많고, 더구나 또 괘의 상을 논한 것에는「설괘전」에서 언급하지 않은 것도 있으니, 가령 '진(☳)은 수레이고 감(☵)은 화합함'[411]이라고 하는

부류들이 매우 많은데, 이러한 것은 좌씨가 어디에 근거한 것인가? 대체로 연산(連山)과 귀장(歸藏) 이래로 반드시 옛날 사람들이 상(象)을 취한 것이 많았을 것인데, 공자가 『주역』을 엮을 때에 자신의 뜻을 덧붙여서 기록하고 설명한 것이다. "자기의 욕심을 극복하고 예를 회복한다"[412]와 "문을 나서면 큰손님을 맞이하듯 하라"[413]는 말과 같은 것이 또한 공자가 선대(先代) 사람들의 말을 취한 것이라면, 여기에서는 어찌 유독 그렇게 하지 않았겠는가? 『본의』에서는 고대에 있었던 이 말을 공자가 취하였다고 판단했다.

案, 不容更有他說.
내가 살펴보았다: 더 이상 다른 말이 필요 없다.

김상악(金相岳) 『산천역설(山天易說)』

仁統四德, 故曰體. 禮義施之於物, 故曰合, 曰和. 知貫乎四者, 故曰貞固. 元之爲仁, 亨之爲禮, 利之爲義, 皆一, 而惟貞固, 兼知信, 知以知之, 信以守之, 所以能幹事. 五性之合知信, 猶五行之合水土也.

인(仁)은 네 가지 덕을 통솔하므로 본체라고 말한다. 예(禮)와 의(義)는 사물에 베풀어지는 것이므로 합한다[合]라고 말하고, 화합[和]이라고 말한다. 지(知)는 이러한 네 가지를 관통하므로 바르고 굳음이라고 말한다. 원(元)이 인(仁)이 되고, 형(亨)이 예가 되고, 리(利)가 의(義)가 됨은 모두 하나씩이지만 오직 바르고 굳음만은 지(知)와 신(信)을 겸비하니, 지(知)로써 알고 신(信)으로서 지키기 때문에 일을 주관할 수 있다. 오성(五性: 仁義禮智信) 중에 지(知)와 신(信)을 합하는 것은 오행 중에 수(水)와 토(土)를 합하는 것과 같다.

○ 此第一節, 申象傳之義.
이것은 제 1절로서 「단전」의 뜻을 거듭 밝혔다.

---

411) 진거감화(震車坎和)에 관해서는 『焦氏易林注·乾之第一』에 "坎爲孤, 一陽居五, 民皆歸初, 故曰孤凡. 坎爲憂疑, 故曰恨惑, 曰憂惶. 艮爲蓋, 震爲車"와 『焦氏易林注·師之第七』에 "坎數五, 震木, 故曰五材. 坎爲和爲合, 震爲時, 卦數四, 故曰四時"에서 보인다. 이 밖에 『國語·晉語』에서도 "公子亲筮之, … 震, 車也"라는 구절에서도 보인다.

412) 『論語·顔淵』: 顔淵問仁, 子曰, 克己復禮爲仁, 一日克己復禮, 天下歸仁焉, 爲仁由己, 而由人乎哉. 顔淵曰, 請問其目. 子曰, 非禮勿視, 非禮勿聽, 非禮勿言, 非禮勿動. 顔淵曰, 回雖不敏, 請事斯語矣.

413) 『論語·顔淵』: 仲弓問仁, 子曰, 出門如見大賓, 使民如承大祭, 己所不欲勿施於人, 在邦無怨, 在家無怨. 仲弓曰, 雍雖不敏, 請事斯語矣.

김귀주(金龜柱) 『주역차록(周易箚錄)』[414]

此第一節, 申象傳, 云云.

이 제 1절은 「단전」을 거듭 설명한 것이다, 운운.

小註, 隆李氏曰, 曰乾道, 云云.

소주에서 융산이씨가 말하였다: '건도'라 하고, 운운.

○ 按, 道亦有分言者, 德亦有統言者, 非以統言故謂之道, 分言故謂之德也. 當曰乾道是統言, 四德是分言也.

내가 살펴보았다: '도(道)'도 나누어 말한 것이고, '덕(德)'도 통괄하여 말한 것이니, 통괄하여 말하였기 때문에 '도'라고 하고, 나누어 말하였기 때문에 '덕'이라고 한 것이 아니다. 건도(乾道)는 통합하여 말한 것이고, 네 가지 덕[四德]은 나누어 말한 것이라고 해야 한다.

雙湖胡氏曰, 朱子, 云云.

쌍호호씨가 말하였다: 주자가, 운운.

○ 按, 胡說似不解朱子之意. 朱子蓋謂易之爲易, 本以卜筮, 而孔子十翼, 不專用占辭, 皆以義理發揮之云爾, 非謂十翼中不言象數也. 然則彖·象·繫辭·說卦·雜卦, 是就象數中, 以義理言者, 序卦, 是就發其次序中, 以義理言者也, 夫何疑乎.

내가 살펴보았다: 호씨의 주장은 주자의 뜻을 이해하지 못한 것 같다. 주자는 『주역』이 『주역』이 되는 이유를 점치는 것을 근본[415]으로 하지만, 공자의 「십익」은 전적으로 점사를 사용하지 않고 모두 의리를 나타내었을 뿐[416]이라고 말한 것이지, 「십익」 가운데 상과 수를 말하지 않았다는 것은 아니다. 그렇다면 「단전」·「상전」·「계사전」·「설괘전」·「잡괘전」은 상(象)과 수(數) 속에서 의리를 말하였고, 「서괘전」은 순서 속에서 드러내어 의리를 말한 것이니, 어찌 의심할 것인가?

서유신(徐有臣) 『역의의언(易義擬言)』

元亨利貞, 乃君子之所行者, 故聖人繫乾之辭曰: 乾元亨利貞. 聖人作易之意, 必以君子所行者爲之辭, 而敎人則之耳, 非以玄遠杳茫人不可識者而爲易也. 乾卦如此, 則餘

---

414) 경학자료집성DB에서는 건괘 「상전」에 해당하는 것으로 분류했으나, 내용에 따라 본 자리인 「문언전」 1절로 옮겼다. 김귀주의 뒤 부분에 이어지는 「문언전」 2~6절도 마찬가지이다.

415) 『周易大全·易說綱領』: 역은 본래 복서하는 책이대易, 本卜筮之書].

416) 『周易大全·五贊·述旨』: 위대하신 공자여! 만년에 이 책을 좋아하여 가죽 책 끈이 이미 끊기시니, 팔색(八索)을 모두 들었다. 이에 「단전」·「상전」 등 「십익」을 지어서 오로지 의리를 가지고 경문의 말을 나타냈대大哉孔子, 晚好是書, 韋編既絶, 八索以袪. 乃作彖象, 十翼之篇, 專用義理, 發揮經言].

卦可知也. 是所謂初率其辭, 而揆其方, 旣有典常, 苟非其人, 道不虛行者也.

원형리정은 곧 군자가 행하는 것이다. 그러므로 성인이 건(乾)에 결부시켜 말을 하여, "건(乾)은 크게 형통하고 곧음이 이롭다"고 한 것이다. 성인이 역을 만들었던 의도는 반드시 군자가 시행하는 것으로써 말을 해서 사람들로 하여금 그것을 본받도록 했을 뿐이니, 묘하고 애매한 말을 하여 사람들이 알아듣지 못하는 것으로 역을 만든 것이 아니다. 건괘가 이와 같다면, 나머지 괘들에 대해서도 알 수 있다. 이것은 이른바 "애초에 그 말에 따라서 그 방도를 헤아릴 수 있으니, 이미 일정한 법도가 있는 것이며, 진실로 그에 걸맞은 사람이 아니라면, 그 도는 헛되이 시행되지 않는다."[417]라는 말에 해당한다.

박문건(朴文健) 『주역연의(周易衍義)』

四德, 卽元亨利貞, 在人則爲仁義禮智之性者也. 此一節結上文兩節之意.

네 가지 덕이라는 것은 원·형·리·정이니, 사람에게 있어서는 인·의·예·지의 성(性)이 된다. 이곳 한 절은 앞 문장 두 절의 뜻을 결론 맺은 것이다.

○ 此申象傳之別義, 前言乾元, 此言人性者, 以見天人一而已.

이 문장은 「상전」의 다른 뜻을 풀이한 것인데, 앞에서는 건원이라고 하고, 이곳에서는 사람의 본성을 언급했는데, 이를 통해 하늘과 사람이 동일하다는 뜻을 드러냈다.

〈問, 君子以下. 曰, 君子行此四德, 故易曰乾元亨利貞, 必曰乾元亨利貞者, 示君子之則而行之也.

물었다: 군자라고 한 것부터 그 이하는 무슨 뜻입니까?

답하였다: 군자는 이러한 네 가지 덕을 행합니다. 그러므로 『주역』에서는 "건(乾)은 크고 형통하며 이롭고 곧다"고 한 것인데, 반드시 "건(乾)은 크고 형통하며 이롭고 곧다"고 한 것은 군자가 본받아 시행함을 보여준 것입니다.〉

오치기(吳致箕) 「주역경전증해(周易經傳增解)」

此一節言四德之功用, 而終言君子行此四德, 乃合於乾也. 體仁, 言體法乾之仁也. 長人, 言克君克長也. 嘉會, 如經禮三百曲禮三千, 无非嘉美之聚會也. 合禮, 言合于節文儀則也. 利物, 言處物得其利宜也. 和義, 言各得當然之分, 而无所乖戾也. 貞固, 言知正之所在, 而固守之, 所謂知斯不去者也. 幹事, 言事皆立而有幹也. 餘見本義.

---

417) 『易·繫辭』: 初率其辭, 而揆其方, 旣有曲常. 苟非其人, 道不虛行.

이 한 구절은 사덕의 공용(功用)에 대해서 언급하였고, 끝에서 군자가 이러한 사덕을 행하여 건에 합치된다고 말하였다. 인을 체득하는 것은 건의 인을 몸소 본받음을 말한다. 남의 어른이라는 것은 임금이 되고 우두머리가 됨을 말한다. 모임을 아름답게 한다는 것은 예를 들어 경례(經禮) 삼백 가지와 곡례(曲禮) 삼천 가지 중에는 아름다운 것이 모이지 않음이 없다는 뜻이다. 예에 합한다는 것은 절문과 의칙에 합치됨을 말한다. 사물을 이롭게 한다는 것은 사물에 처하여 그 이로움과 합당함을 얻는다는 뜻이다. 의로움에 화합한다는 것은 각각 마땅한 분수를 얻어서 어그러짐이 없다는 뜻이다. 바르고 굳세다는 것은 올바름이 있는 곳을 알고서 굳게 지키는 것을 말하니, 이른바 이것을 알아서 떠나가지 않는다는 뜻이다. 일을 주관한다는 것은 일이 모두 성립되어 근간을 갖추고 있음을 말한다. 나머지 설명은 『본의』에 보인다.

이병헌(李炳憲) 『역경금문고통론(易經今文考通論)』

此蓋魯穆姜引釋隨卦繇辭之語, 而孔子取之, 略加增訂裁以爲經, 亦猶取繇辭爲經之例也. 隨卦之元亨利貞, 不過大亨貞, 而乾之元亨利貞, 獨得四德之名, 乾元之元, 又包四德之意. 此又孔子作經之大義也. 然抑又有一說焉. 左傳旣經劉歆僞亂, 其所載易中諸語, 不可盡信. 如引季札聘魯時, 語曰見易象與春秋, 而後知周公之德也. 易象春秋果何關於周公邪. 歆奪孔子之經, 與之周公者, 將以爲居攝阿衡地也. 無乃此或以孔子之言, 反作穆姜之所引歟, 亦未可知也. 歆變亂六藝之籍, 皆爲周公之經. 先儒以元亨利貞配仁義禮智春夏秋冬木火金水, 實本鄭玄中庸注而言. 鄭注禮用今文, 必有所本耳. 正義以貞配信, 可證水土之同宮, 而信之配貞, 尤爲妥當. 以上敍象之餘意. 〈按, 五行生成配合數, 亦本於緯及鄭氏之說.〉

이 기록은 노나라 목강(穆姜)이 인용하여 수괘(隨卦)의 요사(繇辭)[418]를 풀이한 말인데, 공자가 이 말을 취하여 간략히 글자를 더하고 바로잡아서 경문으로 삼았고, 또한 요사를 취하여 경문으로 삼은 예와 같다. 수괘의 원형이정은 '크게 형통한 바름'에 불과하고, 건괘의 원형이정은 유독 사덕의 명칭을 모두 얻었으니, '건원'의 '원'은 또한 사덕의 뜻을 포함하고 있다. 이것이 또한 공자가 경문을 지은 대의에 해당한다. 그러나 또한 다른 학설이 있다. 『좌전』은 유흠(劉歆)의 위작에 의해 혼란스럽게 되었는데, 그 속에 수록된 『주역』에 대한 여러 말들은 모두 믿을 수가 없다. 예를 들어 계찰(季札)이 노나라를 방문했을 때, 그는 역상(易象)과 『춘추』를 보았고, 이후에야 주공의 덕을 알았다고 했다. 역상과 『춘추』가 과연 어떻게 주공과 관련되겠는가? 유흠이 공자가 지은 경문을 탈취하여 주공에게 결부시킨

---

418) 요사(繇辭): 점쳐서 얻은 글.

것은 섭정을 하는 대신의 자리로 삼고자 한 것이다. 이것은 혹시 공자의 말을 반대로 목강이 인용한 말로 한 것이 아니겠는가? 이 또한 확실히 알 수 없다. 유흠은 육예(六藝)의 전적을 어지럽게 바꾸어서 모두 주공이 만든 경전으로 삼았다. 선대 유학자들이 원형이정을 인의예지와 춘하추동 및 목화금수로 생각했는데, 이것은 실제로 『중용』에 대한 정현의 주석에 근본하여 말한 것이다. 정현의 『예기』에 대한 주석은 금문(今文)에 따른 것이므로, 분명 근본으로 삼았던 것이 있다. 『정의』에서는 정(貞)을 신(信)에 배열하였으므로, 수(水)와 토(土)가 동궁(同宮)이 됨을 증명할 수 있으니, 신(信)이 정(貞)에 짝하는 것은 더욱 타당한 설명이다. 이상은 「단전」의 남은 의미를 서술하였다. 〈내가 살펴보았다: 오행이 생성하고 배합하는 수 또한 위서(緯書)와 정현의 주장에 근거한 것이다.〉

初九曰, 潛龍勿用, 何謂也. 子曰龍德而隱者也, 不易乎世, 不成乎名, 遯世无悶, 不見是而无悶, 樂則行之, 憂則違之, 確乎其不可拔, 潛龍也.

초구에서 "잠겨있는 용이니 쓰지 말아야 한다"고 한 것은 무슨 말인가? 공자가 말하였다. "용의 덕을 가지고 있으면서 은둔한 자이니 세상을 따라 변하지 않으며 명성을 이루려 하지 않고 세상에 은둔해도 고민하지 아니하며, 옳음을 알아주지 않아도 고민하지 않고, 즐거우면 행하고 근심스러우면 떠나서, 뜻이 확고하여 뽑을 수 없는 것이 '잠겨있는 용'이다"

║ 中國大全 ║

傳

自此以下, 言乾之用, 用九之道也. 初九陽之微, 龍德之潛隱, 乃聖賢之在側陋也. 守其道, 不隨世而變, 晦其行, 不求知於時. 自信自樂, 見可而動, 知難而避, 其守堅不可奪, 潛龍之德也.

이로부터 아래는 건(乾)의 쓰임을 말하였으니, 구(九)를 쓰는 도이다. 초구는 양이 미약하니, 용의 덕이 잠겨 숨은 것으로, 성현이 미천할 때이다. 그 도를 지켜 세상을 따라 변하지 않고, 그 행동을 감추어 당시에 알아주기를 구하지 않는다. 스스로 믿고 즐거워하면서 가능함을 보고 움직이고 어려운 것을 알아 피하여, 그 지킴이 견고하여 빼앗을 수 없으니, 잠겨있는 용의 덕이다.

小註

程子曰, 樂則行之, 憂則違之, 樂與憂皆道也, 非己之私也.
정자가 말하였다: 즐거우면 행하고 근심스러우면 떠나서, 즐거움과 근심이 모두 도(道)에 맞는 것이지 자기의 사사로움이 아니다.

○ 朱子曰, 伊川說乾之用, 乾之時, 乾之義, 難分別, 到了時似用, 用似義.
주자가 말하였다: 이천이 '건의 쓰임과 건의 때와 건의 의(義)'를 말했는데, 분별하기 어려우

니, 결국 때가 쓰임 같고 쓰임이 의와 같다.

○ 問, 時與義. 曰, 夏日冬日, 時也. 飮湯飮水, 義也. 許多名目, 須是逐一理會過, 少間見得一箇, 卻有一箇著落. 不爾, 都只恁地鶻突過.

물었다: 때와 의(義)가 무엇입니까?

답하였다: 여름과 겨울 같은 것이 때이고, 겨울에는 따뜻한 물을 마시고 여름에는 시원한 물을 마시는 것[419]이 의(義)입니다. 허다하게 많은 이름이 있더라도, 모름지기 하나씩 이해하고 지나가야 하니, 잠시 하나를 보게 되면 바로 하나의 종적이 있게 되는 것입니다. 그렇지 않으면 모두 그렇게 얼떨결에 지나갑니다.

本義

龍德, 聖人之德也, 在下, 故隱. 易謂變其所守. 大抵乾卦六爻, 文言, 皆以聖人明之, 有隱顯而无淺深也.

'용덕(龍德)'은 성인의 덕인데, 아래에 있으므로 숨은 것[隱]이다. '역(易)'은 그 지키는 것을 바꿈을 말한다. 건괘 여섯 효를 「문언전」에서 모두 성인으로 밝혔으니, 숨고 드러남은 있지만 깊고 얕음은 없다.

小註

朱子曰, 潛龍勿用何謂也以下, 大槪各就他要說處便說, 不必言專說人事天道.

주자가 말하였다: "잠겨있는 용은 쓰지 말라는 무슨 말인가" 이하는 대개 설명할 필요가 있는 부분을 말한 것이니, 반드시 인사와 천도만을 전적으로 말한 것은 아니다.

○ 確乎其不可, 非專爲退遯不改其操也. 憂樂行違, 時焉而已. 其守无自而可奪, 如富貴不淫, 貧賤不移之意.

'확고하여 뽑을 수 없는 것'이라는 것은 전적으로 물러나서 숨고 그 지조를 고치지 않는 것만은 아니다. 즐거우면 행하고 근심스러우면 떠나니, 이는 때를 따르는 것일 뿐이다. 그 지킴은 언제 어디서든 빼앗을 수 없으니, 마치 부귀해도 음란하지 않고 빈천해도 지조를

---

419) 『孟子·告子』: 冬日則飮湯, 夏日則飮水.

바꾸지 않는다는 뜻과 같다.

○ 問, 文言六爻, 皆以聖人明之, 有隱顯而无淺深, 如所謂忠信進德, 脩辭立誠, 在聖人分上如何.
曰, 在學者則勉强而行之, 在聖人則不然, 安而行之也.
물었다: 「문언전」의 여섯 효는 모두 성인이 밝힌 것이니, 숨고 드러남이 있으나 깊고 얕음은 없는데, 「문언전」에서 말한 '진실과 믿음 ㆍ 덕을 기름'과, '말을 바르게 함·정성을 세움' 같은 것은 성인의 분수에 있어서 어떤 것입니까?
답하였다: 배우는 자들은 노력하여 행하고, 성인은 그렇게 하지 않더라도 저절로 행해지는 것입니다.

又問, 本義, 釋庸言庸行, 以爲盛德之至, 釋閑邪存誠, 以爲无斁亦保, 是此意否. 曰, 謹信存誠, 是裏面工夫无迹. 忠信進德, 脩辭居業, 外面事, 微有迹. 在聖人分位, 皆做得自別. 又曰, 乾一卦, 皆聖人之德, 非是自初九以至上九漸漸做來. 蓋聖人自有見成之德, 所居之位有不同爾. 德无淺深, 而位有高下也.
또 물었다: 『본의』에서 '평상시의 말과 평상시의 행동'을 성대한 덕의 지극함으로 해석하고, '간사함을 막고 정성을 보존함'을 싫어함이 없어도 보전하는 것으로 해석하는 데 이것이 그 뜻입니까?
답하였다: '삼가고 미덥게 하고 정성을 보존함'은 내면의 공부이니 자취가 없고, '진실과 믿음, 덕을 기름, 말을 바르게 하고 본업을 닦음'은 바깥의 일이니 약간의 자취가 있습니다. 성인의 신분과 지위에서 모두 본래 다를 수 있습니다.
또 답하였다: 건괘 한 괘는 모두 성인의 덕이니, 초구에서 상구까지 점점 덕이 올라가는 것이 아닙니다. 성인은 본래 드러나고 이루어진 덕이 있으나 머무는 자리에 같지 않음이 있을 뿐이니, 이는 덕에는 깊고 얕음이 없으나 자리에는 높고 낮음이 있기 때문입니다.

○ 廣平游氏曰, 龍德而隱, 故不易乎世. 不易乎世者, 用捨在我, 故遯世无悶. 不成乎名者, 非譽不在物, 故不見是而无悶.
광평유씨가 말하였다: 용의 덕이 숨어 있기 때문에 세상에 따라 변하지 않는다. 세상에 따라 변하지 않는 자는 쓰거나 버림이 나에게 달려있기 때문에 세상에 은둔해도 고민하지 않고, 명예를 이루려 하지 않는 자는 비난과 칭찬이 외물에 달려있지 않기 때문에, 옳음을 인정받지 못해도 고민하지 않는다.

○ 雲峯胡氏曰, 樂行憂違, 卽所謂用舍无與於己, 行藏安于所遇, 聖人之事也

운봉호씨가 말하였다: 즐거우면 행하고 근심스러우면 떠나는 것은 곧 이른바 '쓰고 버리는 것이 나와 상관없는 것'420)이며, 행하고 은둔하는 것이 만나는 상황에 편안한 것은 성인의 일이다.

○ 進齋徐氏曰, 遯世无悶者, 安土樂天也. 樂行憂違, 最說出潛龍意思. 初九備聖人之德, 從容无礙, 日用之間, 无非此道之流行. 意苟順適與物无忤, 則不私其有, 庶同于人, 陽之舒也. 此樂則行之之意也. 少有拂逆, 我心不快, 則超然順避, 不失於己, 陰之翕也. 此憂則違之之意也. 樂行憂違雖不凝滯於物, 而所以立己者, 蓋確乎其不可拔, 非守道之固者能之乎, 此其所以爲潛龍也.

진재서씨가 말하였다: "세상에 은둔해도 고민하지 않는다"는 것은, 머문 곳을 편안히 여기고 천성을 즐기는 것이다. 즐거우면 행하고 근심스러우면 떠나는 것은 '잠겨있는 용'의 의미를 가장 잘 설명한 것이다. 초구는 성인의 덕을 갖추어 넉넉하여 막힘이 없고 일상생활에도 이 도가 유행하지 않음이 없다. 뜻이 진실로 순조롭게 나아가 사물과 거스름이 없다면 소유를 사사롭게 하지 않아 거의 다른 사람과 같게 하는 것이 양(陽)의 펴짐이다. 이것이 즐거우면 행한다는 뜻이다. 조금이라도 거스름이 있어서 내 마음이 유쾌하지 않으면 초연하게 순순히 피하여 자기를 잃지 않는 것이 음(陰)의 닫힘이다. 이것이 근심스러우면 떠난다는 뜻이다. 즐거우면 행하고 근심스러우면 떠남이, 비록 사물에 얽매이지 않지만 자기를 세우게 되는 까닭은 확고하여 뽑을 수 없기 때문이니, 도를 굳게 지키는 자가 아니면 그렇게 할 수 있겠는가! 이것이 잠겨있는 용이 되는 까닭이다.

韓國大全

박지계(朴知誡) 「차록(箚錄)-주역건괘(周易乾卦)」

初九, 云云.

초구, 운운.

---

420) 『논어·술이』에 나오는 '用之則行, 舍之則藏'에 대한 윤돈의 주석 '用舍无與於己, 行藏安于所遇'이다.

龍德, 謂聖人之行此四德者也. 隱非避世晦跡也, 位在下賤, 所行唯在田漁. 鄙事非大
人之事業, 故大人之德, 潛隱莫顯也. 有陽剛之龍德, 故不易乎世, 隱故不成大人之名,
不易乎世, 則世與我而相違, 故遯世. 不成乎名, 則世莫知爲大人, 故不見是. 不見是而
無悶, 則大人之體已備, 潛龍之象也. 然止於無悶而已, 則是龜蛇也, 非龍德也. 亦必有
樂行憂違之志, 然後大人之體用備矣. 執此三者之志而確不可拔, 勿用之行也. 君子行
此四德, 則宗廟之美, 百官之富, 雖無窮也, 人不得其門而入, 焉知其美富乎. 人所見
者, 止於三者而已, 故以是稱之.

초구에서 말한 용의 덕은 성인이 이러한 네 가지 덕을 실천하는 것을 말한다. 은둔은 세상을
피해 자취를 감췄다는 것이 아니라, 낮고 천한 곳에 위치하여 하는 일이 오직 사냥하거나
물고기를 잡는 것이다. 비루한 일은 대인이 하는 사업이 아니므로 대인의 덕이 잠겨 있고
숨어 있어서 드러나지 않는 것이다. 굳센 양은 용의 덕을 가지고 있기 때문에 세상에 따라
변하지 않고, 은둔하기 때문에 대인의 명성을 이루지 않는 것이다. 세상에 따라 변하지 않는
다면 세상과 내가 서로 위배되기 때문에 세상을 피한다. 명성을 이루지 않는다면 세상이
내가 대인임을 알지 못하기 때문에 인정을 받지 못한다. 인정을 받지 못하더라도 고민이
없다면 대인의 본체가 이미 갖추어진 것이니, 이것이 잠룡의 상이다. 그러나 단지 고민이
없는데 그칠 뿐이라면, 이것은 거북이나 뱀과 같은 것이지 용의 덕은 아니다. 또한 반드시
즐거운 세상이라면 시행하고, 근심스러운 세상이라면 떠난다는 뜻을 가지고 있은 후에 대인
의 본체와 작용이 갖추어진다. 이러한 세 가지의 뜻을 가지고 있으면서 확고하여 뽑아낼
수 없는 것이 쓰지 않음[勿用]을 실천하는 것이다. 군자가 이러한 네 가지 덕을 실천한다면,
종묘의 아름다움과 백관(百官)의 풍부함이 비록 무궁무진하더라도 사람들은 그 문으로 들
어갈 수 없으니, 어떻게 그 아름답고 풍부함을 알 수 있겠는가? 사람들이 보게 되는 것은
단지 이러한 세 가지에 지나지 않을 뿐이다. 그러므로 이것으로써 지칭하였다.

○ 嗚呼, 當此大通之世, 尙有龍德而不見是, 況當末世而不易乎世, 則焉有見是之理
乎. 見是於末世者, 皆其變所守取媚悅者也.

아! 그렇게 크게 통하는 세상에서도 오히려 용의 덕을 가지고 있었지만 인정을 받지 못했는
데, 하물며 말세에 처하여 세상에 따라 변화되지 않는다면 어떻게 인정을 받는 이치가 있겠
는가? 말세에 인정을 받는 자들은 모두 지키던 것을 바꿔서 아첨을 취한 자들이다.

유정원(柳正源) 『역해참고(易解參攷)』

梁山來氏曰, 不易乎世者, 邪世不能亂也. 不成乎名者, 務實不務名也. 事有快樂于心
者, 則奮然而行之, 忘食忘寢之類, 是也. 事有不逆于心者, 則順適而背之, 伐木絕糧之

類, 是也. 拔者, 擢也, 舉而用之也. 不可拔, 卽勿用也, 言堅確不可舉用也.

양산래씨가 말하였다: "세상을 따라 변하지 않는다"는 것은 난세도 그를 어지럽게 할 수 없다는 것이다. "명성을 이루려 하지 않는다"는 것은 실질에 힘쓰고, 명성에 힘쓰지 않음이다. 일이 마음에 기쁘고 즐거운 것이 있으면 꿋꿋이 실천하여 먹는 것도 잊고 자는 것도 잊는 부류가 바로 이것이며, 일이 마음에 거슬리지 않는 것이 있으면 맞으면 따르지만 맞지 않으면 '나무를 베고, 양식이 끊어진'[421] 부류가 바로 이것이다. '발(拔)'은 발탁함이니 들어서 쓰는 것이다. "뽑을 수 없다"고 한 것은 곧 쓸 수 없다는 것이니, 견고하고 확실하여 등용하여 쓸 수 없음을 말한다.

○ 案, 世亂而不易其守, 何曾枉尺而直尋, 跡晦而不成其名, 何嘗衒玉而求售哉. 用舍无與於己, 毀譽不動乎中, 安土樂天, 不怨不尤, 時可樂則斯可行矣. 時可憂則斯可違矣, 素位行焉. 其守確然者, 乃潛龍之德也. 德者, 實理之得於己者也.

내가 살펴보았다: 세상이 어지러워도 그 지키는 것을 바꾸지 않으니, 어찌 한 자를 굽혀서 여덟 자를 곧게 하는 일이 있으며, 자취를 감추고 그 명성을 이루지 않는데, 어찌 옥을 과시하여 팔리기를 구할 수 있겠는가? 쓰여지고 버려짐[用舍]이 자신과 상관이 없다면 비방과 칭찬이 내 마음을 움직이지 못하고, 처지에 편안하고 천명을 즐거워하며 하늘을 원망하지도 남을 탓하지도 않아서 즐거워할 만한 때면 이에 행하고, 근심스러워할 만한 때면 이에 떠나니, 처지에 따라 실천하는 것이다. 그 지키는 것이 확고한 것은 바로 잠겨 있는 용의 덕이다. 덕은 실리(實理)가 내게 얻어진 것이다.

김상악(金相岳) 『산천역설(山天易說)』

龍德, 聖人之德, 隱潛也, 龍德而隱者, 側微而不顯也. 不易乎世者, 志未變也. 不成乎名者, 行未著也. 遯世无悶, 不怨天也. 不見是而无悶, 不尤人也. 故以道之行違爲憂樂也.

용의 덕은 성인의 덕으로서 숨어서 잠겨 있는 것이니, 용의 덕을 가지고 있지만 숨는 것은 미천한 곳에 있으면서 드러나지 않는 것이다. 세상에 따라 변하지 않음은 그 뜻이 변하지 않았다는 것이다. 명성을 이루지 않음은 행동이 드러나지 않았다는 것이다. 세상에 은둔해도 고민하지 않음은 하늘을 원망하지 않는 것이다. 옳음을 알아주지 않아도 고민하지 않음

---

421) '나무를 베고, 양식이 끊어진' 것에 관한 이야기는 본래 『사기·공자세가』에 나온다. 그 내용은 공자가 천하를 주유할 때 송나라에서 사마인 환퇴가 나무를 베어 공자를 헤치려고 했던 일과 공자가 진나라로 갈 때 7일 간 양식이 떨어져 제자들과 함께 고생을 했던 고사이다.

은 남을 탓하지 않는 것이다. 그러므로 도를 행하거나 세상을 떠나감으로써 근심과 즐거움
을 삼는다.

김귀주(金龜柱) 『주역차록(周易箚錄)』

初九曰, 潛龍勿用, 何謂云云.

초구에서 "잠겨있는 용은 쓰지 말라"고 한 것은 무슨 말인가? 운운.

○ 按, 樂行憂違, 以其志操而言, 若以迹論, 則只潛隱不用而已.

내가 살펴보았다: 즐거우면 행하고 근심스러우면 멀리하는 것은 지조로써 말한 것이고, 자
취로 논한다면 단지 잠기고 숨어서 쓰지 않을 뿐이다.

本義, 龍德聖人, 云云.

『본의』에서 말하였다: 용의 덕을 지닌 성인이, 운운.

小註, 廣平游氏曰, 龍德, 云云.

소주(小註)에서 광평유씨가 말하였다: 용의 덕은, 운운.

○ 按, 用捨在我, 用捨字, 猶言出處當活看. 然遯世無悶, 只是不見知而不悔之意, 非
必以出處在我, 故遯世無悶也.

내가 살펴보았다: "쓰거나 버리는 것[用捨]은 나에게 달렸다"에서 '용사(用捨)'라는 글자는
'출처(出處)'를 살려서 보아야 한다고 말하는 것과 같다. 그러나 "세상에 은둔해도 고민하지
않는다"는 것은 단지 알아주지 않아도 후회하지 않는다는 뜻이지, 반드시 출처가 나에게
있기 때문에 "세상에 은둔해도 고민하지 않는다"는 것은 아니다.

進齋徐氏曰, 遯世, 云云.

진재서씨가 말하였다: 세상에 은둔하고, 운운.

○ 按, 意苟順適與物無忤, 少有拂逆, 我心不快等說, 語得憂樂字太局促, 不似聖賢氣
象. 蓋天下有道, 便是樂, 天下無道, 便是憂, 恐當如是看.

내가 살펴보았다: "뜻이 진실로 순조롭게 나아가 사물과 거스름이 없다면", "조금이라도 거
스름이 있어서 내 마음이 유쾌하지 않으면"[422]등의 말은 '근심과 즐거움[憂樂]'의 뜻을 매우
협소하게 말하여 성현의 기상과 같지 않다. 천하에 도가 있으면 곧 즐겁고, 천하에 도가
없으면 곧 근심스러우니, 이와 같이 보아야 할 것이다.

---

422) 「문언전」 제 1절 소주에서 인용한 말이다.

서유신(徐有臣) 『역의의언(易義擬言)』

龍德而隱者也者, 乾而初九也. 其道之體, 與世不同, 故不肯枉尺而徇世, 寧遯世而无悶, 身之藏也. 其道之用爲俗所駭, 故不肯衒玉而求名, 寧不見是而无悶, 德之隱也. 潛吾所樂, 吾則爲之, 用吾所憂, 吾則勿之, 確然无所撓奪, 是爲乾之初九也.

용의 덕을 갖췄지만 숨어있다는 말은 건(乾)의 초구에 해당한다. 그 도의 본체가 세상과 다르기 때문에 한 척을 굽혀서 세상에 따르기보다는 차라리 세상을 피해 숨되 근심하지 않는 것이니, 자신의 몸을 숨기는 것이다. 그 도의 쓰임에 세속이 놀라기 때문에 옥을 팔아서 명성을 구하기보다는 차라리 인정을 받지 못하더라도 걱정하지 않는 것이니, 덕을 숨기는 것이다. 잠기는 것은 내가 즐기는 것이니 내가 그것을 하며, 쓰임은 내가 근심하는 것이니 내가 그것을 하지 않는다. 확고하여 흔들리거나 빼앗기는 것이 없으니, 이것은 건(乾)의 초구가 된다.

강엄(康儼) 『주역(周易)』

傳, 乾之用.

『정전』에서 말하였다: 건의 쓰임.

按, 語類曰, 凡說經, 若移易得, 便不是本義. 伊川乾之時乾之義, 覺得不親切. 聖人只是敷演其義.

내가 살펴보았다: 『어류』에서 "경전을 설명하면서 만약 옮기거나 바꿀 수 있다면 곧 본래의 뜻이 아니다. 이천은 건의 때와 건의 의(義)를 구별하였는데, 그 설명이 들어맞지 않는다고 생각된다. 성인은 그 의미를 부연하여 설명한 것일 뿐이다"라고 말했다.

박문건(朴文健) 『주역연의(周易衍義)』

易, 謂易其所以守己也. 拔, 謂拔其所以立己也.

'역(易)'은 자신을 지키는 것들을 바꾼다는 뜻이다. '발(拔)'은 자신을 성립시킨 것들을 뽑아 버린다는 뜻이다.

〈問, 龍德. 曰, 龍德, 陽德也, 君子之德也.

물었다: 용의 덕은 무엇입니까?

답하였다: 용의 덕은 양의 덕이니, 군자의 덕입니다.〉

〈○ 問, 樂則行之, 憂則違之. 曰, 釋疑而有可樂, 則行之, 致疑而有可憂, 則違之, 行違者, 出處之謂也.

물었다: "즐거우면 시행하고 근심스러우면 떠난다"는 무슨 뜻입니까?

답하였다: 의혹을 풀고 즐거울 만한 점이 있다면 시행하고, 의문이 생겨서 근심스러워할 만한 점이 있다면 떠난다는 뜻이니, 시행하고 떠난다는 것은 나아가고 그친다는 뜻입니다.〉

이지연(李止淵) 『주역차의(周易箚疑)』

龍德而隱以下六句, 卽形容君子之隱德也, 非必謂初爻上有此許多曲折, 其上五爻倣此.

'용의 덕을 가지고 있으면서 은둔한 자'로부터 그 이하의 여섯 구절은 곧 군자의 은덕을 형용한 것이니, 반드시 초효에 이러한 곡절이 있다는 말은 아니다. 위의 다섯 효 또한 이와 같다.

심대윤(沈大允) 『주역상의점법(周易象義占法)』

乾有純一不雜之體, 至誠无息之義, 故夫子以聖德明之也. 中庸曰"强哉矯, 國无道至死不變, 遯世不見知而不悔, 其默足以容" 論語曰"卷而懷之" 初九之謂也. 樂則行之, 志不忘天下也. 憂則違之, 明哲保身也. 不易乎世, 不爲時俗所溺也. 不成乎名, 不爲隨俗而求譽也. 君子爲萬世之中庸, 而不顧一時之利鈍, 故能爲此至難之事也. 〈君子其道則物與同利也. 其學則立身安民之術也. 不可舍之而趨時, 亦所不能也, 故无悶也.〉

건(乾)은 순전하고 한결같아 잡되지 않은 몸체를 가지고 있고, 지극히 성실하고 그침이 없는 의로움을 가지고 있으므로 공자가 성인의 덕으로써 밝혔다. 『중용』에서는 "강하구나, 나라에 도가 없어서 죽음에 이르렀는데도 변하지 않으니, 세상을 피해 있는데 알아주지 않아도 후회하지 않으니, 그 침묵은 용납되기에 충분하다"[423]라고 했고, 『논어』에서는 "거둬서 숨긴다"[424]라고 했으니, 초구를 말한 것이다. 즐거운 세상이면 행하는 것은 그 뜻이 천하를 잊지 않는 것이다. 근심스러우면 떠나는 것은 명철하게 자신을 보존하는 것이다. 세상에 따라 바꾸지 않는 것은 세속에 의해 빠져들지 않는 것이다. 명성을 이루지 않는 것은 세속에 따라서 명예를 구하지 않는 것이다. 군자는 만세의 중용을 시행하고, 일시의 이로움을 돌아보지 않는다. 그러므로 이처럼 지극히 어려운 일들을 행할 수 있는 것이다. 〈군자의 도는

---

423) 『中庸』: 故君子和而不流, 强哉矯. 中立而不倚, 强哉矯. 國有道不變塞焉, 强哉矯. 國無道至死不變, 强哉矯.

『中庸』: 君子依乎中庸, 遯世不見知而不悔, 唯聖者能之.

『中庸』: 是故居上不驕, 爲下不倍. 國有道其言足以興, 國無道其默足以容. 詩曰, 旣明且哲, 以保其身. 其此之謂與.

424) 『論語 · 衛靈公』: 子曰, 直哉史魚, 邦有道, 如矢, 邦無道, 如矢. 君子哉蘧伯玉, 邦有道, 則仕, 邦無道, 則可卷而懷之.

만물이 그 이로움을 함께 한다. 군자의 학문은 자신을 세우고 백성들을 편안하게 만드는 방법이다. 그것을 버리고 세속을 따라서는 안 되고, 또한 그렇게 할 수도 없는 것이기 때문에 근심하지 않는다.〉

오치기(吳致箕) 「주역경전증해(周易經傳增解)」[425]

此一節申言初九之象也. 龍德而潛隱者, 乃聖賢之在側陋也. 不隨世而易其心, 不務名而求其成. 雖遯于世不獲于人而无悶, 心有所快樂則行之, 心有所怫逆則違之, 確守此志而不可拔者, 乃潛龍之德也.

이 한 구절은 초구의 상을 거듭해서 말하였다. '용의 덕을 가지고 은둔한 것'이란 성현(聖賢)이 미천한 때에 있는 것이다. 세상을 따라 그 마음을 변하지 않는다는 것은, 이름을 알리려 노력하지 않고 성취함을 추구하지 않는다는 것이다. 비록 세상에 은둔하여 사람들에게 주목받지 못해도 고민하지 않고, 마음이 즐거우면 행하고 답답하고 거슬리면 떠나서, 이 뜻을 확고히 지켜서 뽑을 수 없는 것이니, 이는 '잠겨 있는 용'의 덕이다.

이병헌(李炳憲) 『역경금문고통론(易經今文考通論)』

王弼〈魏人〉曰, 不易, 不爲世俗所移易.

왕필〈위(魏)나라 사람이다〉이 말하였다: '불역(不易)'은 세속에 따라 바뀌지 않는다는 뜻이다.

鄭曰拔, 移也.

정현이 말하였다: '발(拔)'자는 이동한다는 뜻이다.

按, 樂則行之, 雖一事之微合于心, 則行之. 自此以下, 再敍爻象之意.

내가 살펴보았다: 즐거운 세상이라면 행한다고 했으니, 비록 미미한 사안이라도 마음에 합치되면 곧 행하는 것이다. 이 문장부터 그 이하의 내용들은 효상(爻象)의 뜻을 거듭 서술하였다.

---

425) 경학자료집성DB에서는 건괘 초구에 해당하는 것으로 분류했으나, 내용에 따라 이 자리로 옮겼다.

九二曰, 見龍在田利見大人, 何謂也. 子曰, 龍德而正中者也,
庸言之信, 庸行之謹, 閑邪存其誠, 善世而不伐, 德博而化.
易曰, 見龍在田利見大人, 君德也.

구이에서 "나타난 용이 밭에 있으니 대인을 보는 것이 이롭다"라고 한 것은 무슨 말인가? 공자가
말하였다:"용의 덕으로 딱 알맞은 자이다. 평상시의 말을 미덥게 하고, 평상시의 행동을 삼가며,
간사함을 막고 정성을 보존하여 세상을 좋게 만들고도 자랑하지 않으니, 덕이 넓어서 교화한다.
『주역』에서 '나타난 용이 밭에 있으니 대인을 보는 것이 이롭다'고 하였으니, 이는 임금의 덕이다."

中國大全

傳

以龍德而處正中者也. 在卦之正中, 爲得正中之義. 庸信庸謹, 造次必於是也.
旣處无過之地, 則唯在閑邪, 邪旣閑則誠存矣. 善世而不伐, 不有其善也, 德博
而化, 正己而物正也, 皆大人之事, 雖非君位, 君之德也.

용의 덕으로 딱 가운데인 자리에 처한 자이다. 하괘의 딱 가운데 자리에 있으니 바르고 알맞은 뜻을
얻은 것이다. 평상시의 말을 미덥게 하고, 평상시의 행동을 삼간다는 것은 잠깐 동안이라도[426] 반드
시 이와 같이 하는 것이다. 이미 허물이 없는 데에 처했으면 오직 간사함을 막을 뿐이니, 간사함을
이미 막았다면 정성이 보존된다. "세상을 좋게 만들고도 자랑하지 않는다"는 것은 좋은 일을 독차지
하지 않는 것이며, "덕이 넓어서 교화한다"는 것은 자신을 바르게 함에 남이 바르게 되는 것이니,
모두 대인의 일이다. 비록 임금의 지위는 아니나 임금의 덕이다.

小註

程子曰, 閑邪則誠自存, 如人有室, 垣墻不脩, 不能防冠, 冠從東來逐之則復有自西入,
逐得一人, 一人復至, 不如脩其垣墻, 則冠自不至, 故欲閑邪也.

---

426) 『論語·里仁』: 造次必於是.

정자가 말하였다: 간사함을 막았다면 정성은 저절로 보존된다. 예컨대 사람이 방이 있어도 담장을 수리하지 않으면 도둑을 막을 수 없어, 동쪽으로 들어오는 도둑을 쫓으면 다시 서쪽으로 들어오는 도둑이 있을 것이고, 한 사람을 쫓으면 또 한 사람이 다시 들어오는 것과 같으니, 담장을 수리하여 도둑이 스스로 들어오지 못하게 하는 것만 못하다. 그러므로 간사함을 막고자 하는 것이다.

○ 敬是閑邪之道. 閑邪存其誠, 雖是兩事, 然亦只是一事, 閑邪則誠自存矣. 天下有一箇善一箇惡, 去善卽是惡, 去惡卽是善.

'경'은 간사함을 막는 도이다. '간사함을 막고 정성을 보존함'은 비록 두 가지 일이나, 또한 한 가지 일일 뿐이니 간사함을 막으면 정성은 저절로 보존되는 것이다. 천하에는 하나의 선과 하나의 악이 있으니, 선을 버리면 곧 악이고, 악을 버리면 곧 선이다.

○ 閑邪則誠自存, 而閑其邪者, 乃在於言語飲食進退與人交接之際而已矣.

간사함을 막으면 정성은 저절로 보존되는데, 간사함을 막는다는 것은 말하고 먹고 마시는 일상생활과 나아가고 물러가며 남과 더불어 교제하는 즈음에 있을 뿐이다.

○ 閑邪則誠自存, 不是外面捉一箇誠, 將來存著. 今人外面役役於不善中, 尋箇善來存著, 如此則豈有入善之理. 只是閑邪則誠自存, 閑邪更著甚工夫. 但惟是動容貌整思慮, 則自然生敬, 敬只是主一也.

간사함을 막으면 정성은 저절로 보존된다는 것은, 밖에서 하나의 정성을 잡아 들여와서 보존하려는 것이 아니다. 요즘 사람들은 밖에서 불선(不善)을 힘쓰다가 선을 찾아와서 보존하려 하니, 이와 같이 한다면 어찌 선에 들어갈 리가 있겠는가? 단지 간사함을 막으면 정성이 저절로 보존되는 것이니, 간사함을 막았다면 다시 무슨 공부를 해야 할까? 단지 용모를 단정히 하고[427] 생각을 정돈하면 저절로 경이 생길 것이니, 경은 단지 한 가지에 전념하는 것이다.[428]

○ 閑邪則固一矣, 然主一則不消言閑邪.

간사함을 막으면 진실로 한 가지에 전념할 수 있다. 그러나 한 가지에 전념하면 간사함을 막는다는 것을 구태여 말할 필요가 없다.

○ 或問, 閑邪則固一矣, 主一則更不消言閑邪. 朱子曰, 只是覺見邪在這裏, 要去閑他,

---

427) 『論語・泰伯』: 君子所貴乎道者三, 動容貌, 斯遠暴慢矣, 正顔色, 斯近信矣, 出辭氣, 斯遠鄙倍矣.
428) 『論語集註』: 敬者, 主一無適之謂.

則心便一了, 所以說道閑邪則固一矣. 旣一則邪便自不能入, 便更不消說又去閑邪.

어떤 이가 물었다: "간사함을 막으면 진실로 한 가지에 전념할 수 있다. 그러나 한 가지에 전념하면 간사함을 막는다는 것을 굳이 말할 필요가 없다"는 것은 무슨 뜻입니까?

주자가 말하였다: 다만 간사함이 이 속에 있다는 것을 알고 그것을 막아버린다면 마음은 곧 전념할 수 있기 때문에 "간사함을 막으면 진실로 한 가지에 전념할 수 있다"고 말하는 것입니다. 이미 전념한다면 간사함은 저절로 들어올 수 없으니, 또 가서 간사함을 막는다고 다시 말할 필요가 없습니다.

本義

正中, 不潛而未躍之時也. 常言亦信, 常行亦謹, 盛德之至也. 閑邪存其誠, 无斁亦保之意. 言君德也者, 釋大人之爲九二也.

'딱 알맞음[正中]'은 잠기지도 않고 뛰어오르지 않는 때이다. 평상시의 말도 믿음이 있고 평상시의 행동도 삼감이 있으니, 덕의 성함이 지극하다. '간사함을 막고 그 정성을 보존함'은 싫어함이 없더라도 보존한다는 뜻이다. 임금의 덕이라고 말한 것은 대인이 구이가 됨을 해석한 것이다.

小註

朱子曰, 庸言庸行, 盛德之至, 到這裏不消恁地, 猶自閑邪存誠, 便是无斁亦保, 雖无厭斁亦當保也. 保者, 持守之意.

주자가 말하였다: 평상시의 말과 평상시의 행동이 덕의 성대함에 지극하면, 이에 이르러 굳이 그렇게 하지 않아도 오히려 저절로 간사함을 막고 정성을 보존하게 되니, 바로 싫어함이 없더라도 보전하는 것이다. 비록 싫어함이 없을 때라도 마땅히 보전해야 한다. 보전한다는 것은 잡아 지킨다는 뜻이다.

○ 乾之九二, 處得其中, 都不著費力, 常言旣信, 常行旣謹, 但用閑邪怕他入來. 若九三剛而不中, 過高而危, 故有乾乾之戒.

건괘의 구이는 가운데 자리에 있어서 전혀 힘쓰지 않아도 평상시의 말이 이미 미덥고 평상시 행동을 이미 삼간다. 그런데도 '간사함을 막음'을 쓰는 것은 다만 간사함이 들어올까 걱정해서이다. 구삼의 경우는 굳세나 가운데 자리가 아니어서 지나치게 높아 위태하기 때문에 "힘쓰고 힘쓴다[乾乾]"는 경계가 있다.

○ 兩處說箇君德, 却是要發明大人卽是九二. 孔子怕人道別箇大人, 故互相發

두 곳에서 임금의 덕을 말한 것은, 대인이 바로 구이임을 밝히고자 한 것이다. 공자는 사람들이 별도의 대인을 말할까 걱정하였기 때문에 두 곳에서 서로 밝힌 것이다.

○ 龍德正中以下皆君德, 言雖不當君位, 却有君德, 所以也做大人. 伊川却說得這箇大人做兩樣.

"용의 덕으로 딱 알맞다" 이하는 모두 임금의 덕이니, 비록 임금의 자리에 해당되지 않으나 도리어 임금의 덕이 있기 때문에 또한 대인이 될 수 있는 것이다. 이천도 이러한 대인을 두 가지 형태로 설명했다.

○ 蘭氏廷瑞曰, 邪自外入, 故閑之, 誠自我有, 故存之.

난정서가 말하였다: 간사함은 밖에서 들어오기 때문에 막는다고 했고, 정성은 본래 나에게 있기 때문에 보존한다고 했다.

○ 西溪李氏曰, 天理人欲, 不兩存. 苟閑得一分人欲, 便存得一分天理. 又曰, 聖人之學正心誠意, 便是治國平天下底事. 信謹之始, 便要善世不伐, 德博而化, 蓋君德權輿於此矣.

서계이씨가 말하였다: 천리와 인욕은 둘 모두 보존할 수 없으니, 인욕의 일부를 막을 수 있으면, 곧 천리의 일부도 보존될 수 있다.

또 말하였다: "마음을 바르게 하고 뜻을 정성스럽게 한다"는 성인의 학문이 곧 나라를 다스리고 천하를 공평히 다스리는 일이다. 미더움과 삼감[信謹]의 시작이 바로 "세상을 좋게 만들어도 자랑하지 않고, 덕이 넓어서 교화하는 것"이니, 임금의 덕은 여기에서 시작된다.

○ 西山眞氏曰, 易以二五爲中, 故九二曰龍德正中. 九五曰飛龍在天, 皆以得中故也. 初則勿用, 三則危, 四則或, 上則悔. 夫乾天德聖人之事也. 必以中爲貴, 以不中爲戒, 則天下之至善, 豈有過於中者乎.

서산진씨가 말하였다: 『주역』은 이효와 오효를 알맞음[中]으로 여긴다. 그러므로 구이에서 "용의 덕으로 딱 알맞다"고 했고, 구오에서 "나는 용이 하늘에 있다"고 한 것은 모두 알맞음을 얻었기 때문이다. 초효에서는 '쓰지 말라'라 하고, 삼효에서는 '위태하다'라 하고, 사효에서는 '때로는'이라 하고, 상효에서는 '후회한다'고 하였다. 건은 하늘의 덕으로 성인의 일이다. 반드시 알맞음[中]을 귀하게 여기고 알맞음이 아님을 경계로 삼는다면 곧 천하의 지극한 선(善)이니, 어찌 알맞음[中]보다 지나침이 있겠는가?

○ 厚齋馮氏曰, 易者, 理學之宗, 而乾坤二卦, 又易學之宗也. 子思孟子言誠者天之道, 先儒謂誠敬者聖學之源, 皆出于此.

후재풍씨가 말하였다: 역(易)은 이학(理學)의 근간이고, 건곤 두 괘는 또한 역학의 근간이다. 자사와 맹자가 "정성[誠]은 하늘의 도이다"[429]라 한 것과, 선유들이 정성과 공경이 성학(聖學)의 근원이라 한 것이 모두 여기에서 나온 것이다.

○ 隆山李氏曰, 乾畫一實則誠, 坤畫--虛則生敬. 故乾九二言誠, 坤六二言敬. 誠敬二字, 始于包犧心畫, 而實天地自然之理也.

융산이씨가 말하였다: 건의 획인 양[—]은 채워 있으니 성[誠]이고, 곤의 획인 음[--]은 비워 있으니 경[敬]이 생긴다. 그러므로 건괘 구이는 성을 말했고, 곤괘의 육이는 경을 말했다. 성과 경 두 글자는 복희씨가 마음으로 그은 획에서 비롯되니, 진실로 천지자연의 이치이다.

┃韓國大全┃

김장생(金長生) 『경서변의(經書辨疑)-주역(周易)』

九二曰, 見龍在田.

구이에서 말하였다: 나타난 용이 밭에 있다.

本義, 无斁亦保.

『본의』에서 "싫어함이 없더라도 보전한다"라 하였다.

中庸章句曰, 射〈詩作斁〉, 厭也, 言厭怠而不敬也.

『중용장구』에서 말하였다: '역(射)'〈『시경』에는 '싫어할 역[斁]'자로 되어 있다〉은 싫어함[厭]이니, 싫어하고 태만하여 공경하지 않는다는 말이다.

◐ 小註, 朱子曰, 庸言庸行, 盛德之至, 到這裏不消恁地, 猶自閑邪存誠, 便是無斁亦保. 雖無厭斁亦當保也. 保者, 持守之意.

소주(小註)에서 주자가 말하였다: 평상시의 말과 평상시의 행동이 덕의 성대함에 지극하면, 이에 이르러 굳이 그렇게 하지 않아도 오히려 저절로 '간사함을 막고 정성을 보존'하게 되니,

---

429) 『中庸』.

바로 싫어함이 없더라도 보전하는 것이다. 비록 싫어함이 없을 때라도 마땅히 보전[保]해야 한다. 보전한다[保]는 것은 잡아 지킨다는 뜻이다.

◗ 退溪曰, 厭斁, 猶言忌憚. 常人之情, 若有人點檢吾所爲, 則於其心必有忌憚, 而保其所守. 聖人, 則非有忌憚, 而亦克自保也.

퇴계가 말하였다: '싫어함[厭斁]'은 꺼림[忌憚]이라는 말과 같다. 보통사람의 심정은 자기의 행위를 점검하는 사람이라면 그 마음에 반드시 꺼리는 것이 있어야 지킬 것을 보전한다. 그러나 성인은 꺼리는 것이 있어서 스스로 보전할 수 있는 것이 아니다.

◗ 愚按, 朱子說與退溪說不同, 退溪恐誤.

내가 살펴보았다: 주자의 말과 퇴계의 말이 같지 않은데, 퇴계의 말이 틀린 것 같다.

이익(李瀷) 『역경질서(易經疾書)』

庸言之信, 有餘不敢盡也. 庸行之謹, 不足不敢不勉也. 此爲閑邪節度, 如是則邪安得入. 邪不得入, 則誠自存矣. 九四曰, 上下無常, 非爲邪也, 防其躁進之心也. 九二旣有正中龍德, 故或慮不免急於施爲, 以是爲戒.

"평상시의 말을 미덥게 한다"는 것은 말을 남겨두어 감히 다하지는 못하는 것이다. "평상시의 행동을 삼간다"는 것은 부족함이 있으면 감히 힘쓰지 아니하지 못하는 것이다. 이것이 간사함을 막는 절도가 되니, 이와 같이 하면 간사함이 어떻게 들어올 수 있겠는가? 간사함이 들어오지 못하면 정성[誠]은 저절로 보존이 된다. 구사에서 "오르고 내림에 일정함이 없음은 간사함이 되지 않는다"라고 한 것은 조급하게 나아가려는 마음을 막는 것이다. 구이는 이미 바르고 알맞음과 용의 덕이 있기 때문에 혹시라도 베푸는 일에 조급함을 벗어나지 못할 것을 염려하여 이러한 말로써 경계를 삼았다.

善世, 易世也, 德博, 成名也.

"세상을 좋게 만든다[善世]"는 것은 세상을 바꾸는 것이며, "덕이 넓다[德博]"는 것은 명성을 이루는 것이다.

九二, 言信行謹, 至於存誠, 至九三, 則忠信便是行謹, 故所以進德也. 修辭立誠, 便是言信存誠, 故所以居業也. 忠信則行顧言矣, 修辭立誠則言顧行矣. 居者, 有之也. 德可自進, 業必興乎人, 修辭立誠, 方可以居之也.

구이에서는 말을 미덥게 하고 행동을 삼가는 것으로부터 정성[誠]을 보존하는 데에까지 이르고, 구삼에 이르면 진실과 믿음은 곧 행동을 삼가는 것이기 때문에 덕을 기르는 것이다.

말을 바르게 하고 정성을 세움은 곧 말을 미덥게 하고 정성을 보존하는 것이기 때문에 본업을 수행하는 것이다. 진실과 믿음은 행동이 말을 되돌아보는 것이고, 말을 바르게 하고 정성을 세움은 말이 행동을 되돌아보는 것이다. '수행한다'는 뜻의 거(居)는 가지고 있는 것이다. 덕이 스스로 나아갈 수 있다면 본업은 반드시 사람들에게 흥하게 되고, 말을 바르게 하고 정성을 세우면 그것을 가지고 있을 수 있다.

심조(沈潮)「역상차론(易象箚論)」

閑邪存誠.
간사함을 막고 정성을 보존하여.

二陰位也, 故容有邪思, 以陽居之, 故能閑之.
이효는 음의 자리이기 때문에 수용함에 간사한 생각이 있을 수 있는데, 양이 그 자리에 있기 때문에 막을 수가 있다.

유정원(柳正源)『역해참고(易解參攷)』

括蒼龔氏曰, 在田, 所以善世居下體之中, 所以不伐也.
괄창공씨가 말하였다: "밭에 있다"는 것은 세상을 좋게 하는 까닭이며, 하체(下體)의 가운데에 있기 때문에 자랑하지 않는다.

○ 案, 庸平常也. 平常之言, 猶且信焉, 无一言之不信也. 平常之行, 猶且謹焉, 无一行之不謹也. 不信不謹者, 由其邪, 不能閑故也. 唯口耳目, 手足動靜, 投間抵隙, 爲厥心病. 一心之微, 衆欲攻之, 閑之之道无他, 以實心行實事而已. 无一事无理之事, 何事而不用誠, 无一處无理之處, 何處而不用誠乎.
내가 살펴보았다: '용(庸)'은 평상시를 뜻한다. 평상시의 말을 또 미덥게 해야 하니, 한마디 말이라도 미덥지 않음이 없어야 한다. 평상시의 행동을 또한 삼가야 하니, 한 가지 행동이라도 삼가지 않음이 없어야 한다. 미덥지 못하고 삼가지 못하는 것은 간사함에서 비롯된 것을 막지 못했기 때문이다. 오직 입·귀·눈과 손·발·동·정이 마음을 파고들고 틈에 끼어들어서 마음의 병이 된다. 마음의 미약한 곳을 여러 욕심이 공격을 하니, 그것을 막는 도리는 다른 것이 없고, 실심(實心)으로 실사(實事)를 행할 뿐이다. 어떤 일이라도 이치가 없는 일은 없으니, 어찌 일을 하면서 정성을 다하지 않을 것이며, 어떤 대처일지라도 이치가 없는 대처는 없으니, 어찌 대처하면서 정성을 다하지 않겠는가?

김상악(金相岳)『산천역설(山天易說)』

以龍德而處內乾之中, 爲得正中之義. 言信者, 以其中也, 行謹者, 以其正也. 正則邪自閑矣, 中則誠自存矣. 所以善世而不伐, 德博而化. 言君德者, 明其非君位也. 九二不得君位, 爲時所舍, 故利見位天德之大人以行其德.

용의 덕으로 내괘인 건(☰)의 가운데에 있는 것이 정중(正中)을 얻었다는 뜻이다. 말을 미덥게 하는 것은 중(中)으로써 하는 것이며, 행동을 삼가는 것은 정(正)으로써 하는 것이다. 바르면 간사함이 저절로 없어지고, 마음에 있으면 진실함이 저절로 보존된다. 따라서 세상을 좋게 만들고도 자랑하지 않고, 덕을 널리 펼쳐 교화시킨다. 임금의 덕이라고 말한 것은 임금의 자리가 아님을 밝힌 것이다. 구이는 임금의 자리를 얻지 못하여 버려지는 때가 되기 때문에 하늘의 덕을 가진 대인의 자리에 있는 사람이 그 덕을 행하는 것을 보는 것이 이롭다.

○ 誠敬者, 聖學之源, 自有乾坤, 卽具此理, 所以乾九二言誠, 坤六二言敬, 故曰天地設位, 易行乎其中, 只是敬也, 敬則无間斷.

성(誠)과 경(敬)은 성인 학문[聖學]의 근원이니, 본래 건곤을 갖추게 되면 이러한 이치를 갖추게 되기 때문에 건괘의 구이에서 성에 대해서 말하고, 곤괘의 육이에서 경을 언급하였다. 그러므로 "천지가 자리를 갖추고, 역이 그 가운데에서 유행한다"[430]라고 한 것은 이것이 경이니, 경은 끊어져 중단됨이 없다.

김귀주(金龜柱)『주역차록(周易箚錄)』

本義, 正中不潛, 云云.

『본의』에서 말하였다: 딱 알맞음[正中]은 잠기지도 않고, 운운.

小註, 龍德正中以下, 云云.

소주(小註)에서 용의 덕으로 딱 알맞음 이하는, 운운.

○ 按, 程傳解此節, 則固以九二爲大人. 而其他爻辭傳, 及學聚問辨下, 皆作兩樣說, 故朱子之言如此. 蓋無論九二九五, 皆以當爻爲大人, 而利見者乃占者也. 至若有見龍飛龍之德, 而利見同德者, 則自當別爲一例矣. 伊川則每於九二九五, 不以當爻爲大人, 而卻尋箇同德者喚[431]做大人, 此所謂兩樣也.

내가 살펴보았다: 이 절에 대한 『정전』의 해석은 진실로 구이를 대인으로 삼았는데, 다른

---

430) 『易·繫辭』: 子曰, 易其至矣乎. 夫易, 聖人所以崇德而廣業也. 知崇禮卑, 崇效天, 卑法地. 天地設位, 而易行乎其中矣. 成性存存, 道義之門.

431) 喚: 경학자료집성DB에는 '噢'로 되어 있으나 경학자료집성 영인본을 참조하여 '喚'으로 바로잡았다.

효사의 『정전』과 "배워서 모으고 물어서 분변하다" 아래의 설명은 모두 '두 가지 형태'로 말했기 때문에 주자의 말이 이와 같다. 구이와 구오를 막론하고 모두 해당하는 효를 대인으로 삼지만, 보는 것이 이로운 자는 곧 점치는 자이다. '나타난 용[見龍]'과 '나는 용[飛龍]'의 덕이 있고서 같은 덕을 가진 자를 봄이 이로운 것은 응당 별도로 하나의 사례가 된다. 이천은 매번 구이와 구오에서 해당 효를 대인으로 삼지 않았고, 도리어 같은 덕을 가진 자를 찾아서 대인으로 삼았으니, 이것이 이른바 '두 가지 형태'[432]라는 것이다.

西溪李氏曰, 天理, 云云.

서계이씨가 말하였다: 하늘의 이치는, 운운.

○ 按, 正心誠意是治平之本, 今謂之治平之事者, 極未瑩. 信謹之始, 便要善世不伐, 德博而化云者尤未安. 聖人之信謹, 蓋是盛德之至. 未善世博化時, 亦信謹, 已善世博化時. 亦信謹, 旣無初終之可言, 而又非有所爲而爲者. 若如李說, 則聖人言行, 本有不信不謹, 而自某時始下工夫耳已, 非聖人之事. 而方其始之之際, 已有善世博化之意, 此乃所謂言語必信, 非[433]以正行也, 又豈聖人之心哉. 後節君子進德修業欲及時云者, 亦言旣進德修業而當九四之位, 則當隨時而進退耳. 然朱子猶恐讀[434]者誤看了, 乃曰君子本非有此心, 意可見矣. 末叚君德權輿於此云云, 亦未穩. 龍得正中以下五事, 正是君德, 但未及君位耳, 奚但權輿而已哉.

내가 살펴보았다: 바른 마음과 정성스런 뜻은 태평시대의 근본인데, 지금 태평시대의 일이라고 말하는 것은 매우 분명하지 않다. '믿음과 삼감'의 시작은 곧 '좋은 세상을 만들어도 자랑하지 않고, 덕이 넓어서 교화시킴'이라고 말하는 것은 더욱 적절하지 않다. 성인의 '믿음과 삼감'은 성덕(盛德)이 지극해서이니 좋은 세상이나 덕이 넓어서 교화하는 때가 아니더라도 또한 '믿음과 삼감'이고, 이미 '좋은 세상을 만들고 덕이 넓어서 교화하는' 때에도 '믿음과 삼감'이니, 이미 말할 만한 처음과 끝이 없고, 또 목적이 있어서 그렇게 하는 것이 아니다. 만약 이씨의 말대로라면 성인의 언행이 본래 불신(不信)과 불근(不謹)이 있어서 어떤 때로부터 시작한 공부에 불과할 뿐이니 성인의 일이 아니다. 시작할 즈음에 이미 '좋은 세상을 만들고 덕이 넓어 교화하는' 의도가 있다면, 이는 이른바 "언어를 반드시 미덥게 하는 것이 행실을 바르게 하려고 해서가 아니니",[435] 또 어찌 성인의 마음이겠는가! 뒷 구절의 '군자가 덕을 기르고 학업을 닦아 때에 미치고자 함'이라는 것도 이미 '덕을 기르고 학업을 닦았으나'

---

432) 정이천이 대인을 두 가지 형태로 설명한다는 '양양(兩樣)'설은 『주역전의대전·원』 326쪽에 보이고, 『정전』의 구이효의 대인에 대한 주석은 263쪽에 보인다.

433) 非: 경학자료집성DB에 '欲'으로 되어있으나, 『맹자』 원문을 참조하여 '非'로 바로잡았다.

434) 讀: 경학자료집성DB에 '瀆'으로 되어있으나, 문맥을 살펴 '讀'으로 바로잡았다.

435) 『孟子·盡心』.

구사의 자리에 해당하면 마땅히 때에 따라 나아가고 물러날 뿐임을 말한 것이다. 그러나 주자는 오히려 읽는 사람이 잘못 이해할까 두려워하여 이에 "군자가 본래 이런 마음을 가지지 않았다"라 하니 주자의 뜻을 알 수 있다. 끝 단락에 "임금의 덕은 여기에서 시작한다" 운운했는데, 역시 온당하지 않다. "용이 딱 알맞음을 얻어" 이하 다섯 가지 일[436]은 바로 임금의 덕을 지녔으나 임금의 지위에 미치지 못했을 뿐인데, 어찌 단지 시작일 뿐이겠는가!

西山眞氏曰, 易以, 云云.
서산진씨가 말하였다: 역(易)으로, 운운.
○ 按, 乾之六爻, 皆聖人之事. 以時位言, 則或中或不中, 而以德言, 則初無中不中之可論. 今云, 聖人之事, 以中爲貴, 以不中爲戒[437], 又云, 天下至善, 豈有過於中者, 則是乃以德之中不中爲言, 恐誤矣.
내가 살펴보았다: 건괘의 여섯 효는 모두 성인의 일이다. 때와 자리로 말하면 어떤 효는 중(中)을 얻었고 어떤 효는 중을 얻지 못했으니[不中], 덕으로 말하면 애초에 논할 만한 중(中)·부중(不中)이 없다. 그런데 지금 "성인의 일은 중을 귀하게 여기고 중이 아님을 경계함"이라하고, 또 "천하의 지극한 선이 어찌 중을 넘는 자가 있겠는가?"라 하는데, 이는 곧 덕이 중인지 중이 아닌지를 가지고 말한 것이니, 잘못된 듯하다.

隆山李氏曰, 乾畫, 云云.
융산이씨가 말하였다: 건괘의 획이, 운운.
○ 按, 此說深有意義. 然其云虛則生敬, 恐少差. 程子亦嘗言生敬, 而其意蓋謂人能動容貌整思慮, 則自然生敬云爾, 所以言敬之方也. 若以虛敬對言, 則敬而後方虛, 非虛而後生敬也.
내가 살펴보았다: 이 주장은 매우 의미가 있다. 그러나 "비워 있으니 경이 생긴다"는 말은 좀 잘못된 듯하다. 정자도 일찍이 경이 생긴다고 말한 적이 있는데, 그 뜻은 용모를 움직임에 사려를 단정히 하면 저절로 경이 생긴다고 말한 것일 뿐이니, 경의 방도를 말한 것이다. 비움과 경을 짝하여 말한다면 경의 상태가 된 뒤에야 비워지지, 비운 뒤에 경이 생기는 것은 아니다.

---

436) 다섯 가지 일이란, '庸言之信· 庸行之謹· 閑邪存其誠· 善世而不伐· 德博而化'이다.
437) 戒: 경학자료집성DB에 '我'로 되어있으나, 『주역전의대전』을 참조하여 '戒'로 바로잡았다.

서유신(徐有臣) 『역의의언(易義擬言)』

龍德而正中者也者, 乾而九二也. 信謹閑存, 剛實在中之象也. 善世而不伐, 德施普之
象也. 德博而化, 則其旣聖矣乎, 君德也者, 有其德而無其位也.

용의 덕으로 바르고 알맞다는 것은 건(乾)의 구이를 뜻한다. 믿고 삼가며 막고 보존하는
것은 굳세고 성실함이 그 안에 있는 상(象)이다. 세상을 좋게 만들고도 자랑하지 않는 것은
덕을 두루 펼치는 상이다. 덕을 넓게 펼쳐 교화한다면 이미 성인이라고 할 수 있는데, 임금
의 덕이라고 한 것은 그 덕을 갖췄지만 그 지위가 없다는 뜻이다.

오희상(吳熙常) 「잡저(雜著)-역(易)」

文言, 九二言誠, 坤六二言敬, 乾畫實, 坤畫虛, 實爲誠, 虛生敬. 自伏羲心畫, 已有此
象, 乃天然自然之理, 後來多少聖賢, 發揮出來.

「문언전」 건의 구이에서는 성을 언급했고, 곤의 육이에서는 경을 언급했는데, 건의 획은
가득 차 있고, 곤의 획은 비어 있으니, 차 있는 것은 성이 되고, 비어 있는 것은 경이 된다.
복희의 심획(心畫)으로부터 이미 이러한 상(象)이 있었으니, 이것은 곧 천연의 자연스러운
이치이며, 이후에 여러 성현들이 그 의미를 드러내었다.

박문건(朴文健) 『주역연의(周易衍義)』

閑邪於外, 存誠於內.

외적으로는 간사함을 막고, 내적으로는 정성을 보존한다.

〈問, 先儒以陽居陽位, 陰居陰位爲正, 何如. 曰, 中則正矣, 何必陽居陽位, 陰居陰位
之謂也.

물었다: 선대 유학자들은 양이 양의 위치에 있고, 음이 음의 위치에 있는 것이 올바른 것이
라고 하였는데, 왜 그렇습니까?

답하였다: 가운데에 있으면 바른 것이니, 어찌 반드시 양이 양의 위치에 있고, 음이 음의
위치에 있는 것만 뜻하겠습니까?〉

〈問, 庸言之信庸行之謹. 曰, 常言常行, 无不信謹, 則所以謂正中可知矣. 庸言以下,
見龍之實, 善世以下, 利見之本.

물었다: 평상시 말의 믿음과 평상시 행동의 삼감이란 무슨 뜻입니까?

답하였다: 일상에서의 말과 일상에서의 행동에 믿음이 있고 삼간다면, 이른바 정중에 해당
한다는 것을 알 수 있습니다. 용언(庸言) 이하의 말은 나타난 용의 실질이 되고, 선세(善世)

이하의 말들은 봄이 이롭다는 근본이 됩니다.〉

이지연(李止淵) 『주역차의(周易箚疑)』

龍德而正中者, 猶云正當其中, 非謂中正也. 善世者, 陽之爲也. 不伐者, 居於陰位之故也.

용의 덕을 가지고 있으면서 바로 가운데 있다는 것은 바로 그 가운데에 해당한다는 뜻이지, 중정함을 말하는 것이 아니다. 세상을 좋게 하는 것은 양의 행위이다. 자랑하지 않는 것은 음의 자리에 거하기 때문이다.

심대윤(沈大允) 『주역상의점법(周易象義占法)』

中者, 无過不及偏倚也. 庸者, 平常也, 庸者, 謙之謂也. 凡言行不及則不若於人, 過則高絶於人. 不若於人, 則爲天下所侮, 高絶於人, 則爲天下所猜. 夫偏利人而不求利乎己, 謂之過. 得虛名而喪實利, 天下之人貌敬, 而心不願, 猜忌嚴憚而不親附, 終不可用於天下, 絶物而喪性. 若艮之九三, 是已.[438] 偏利己而害乎人, 謂之不及, 小人之私欲是也. 君子行其中庸, 无過无不及, 不高不下, 與天下和合, 而同其利焉, 中也和也庸也謙也, 異名而同功者也. 中庸曰, 庸德之行, 庸言之謹, 有所不足, 不敢不勉, 有餘不敢盡, 言言行不敢不及, 而亦不敢過, 不以取侮而見猜也. 君子事業可以高大, 言行不可以高絶也. 事業不高, 无以服衆, 言行不謙, 无以親人, 故不索隱行恠, 釣奇以自高, 亦不隨流同汚媚世而苟容, 故能隨乎天下而用天下, 同乎天下而服天下. 中庸曰, 生乎今之世, 欲反古之道, 災及其身者也. 言古今異時, 能隨時而中庸, 和同光塵而終能大化天下也. 不同則不信, 不信則不從, 不從則不化也. 中庸曰, 君子之道, 闇然而日章. 言中庸之道, 同乎愚夫愚婦, 无名可稱, 而終能參乎天地也. 夫言行有過有偏, 然後有名稱焉. 无過无偏, 則无可指名. 然可以同天下, 而成大業, 名垂萬世矣.

중(中)은 지나치거나 미치지 못하는 치우침이 없는 것이다. 용(庸)은 평상시를 뜻하며 겸손함을 뜻한다. 언행이 미치지 못하면 남만 못하게 되고, 지나치게 되면 남보다 매우 뛰어나게 된다. 남만 못하게 되면 천하의 사람들에게 업신여김을 당하고, 남보다 매우 뛰어나게 되면 천하 사람들에게 시기를 당한다. 남을 이롭게 하는데 치우치고, 자신을 이롭게 하는 것을 구하지 않는 것을 지나치다고 말한다. 헛된 명성을 얻어도 실리를 잃어버린 것으로서 천하의 사람들이 겉으로는 공경하지만, 마음으로는 자신보다 뛰어난 자를 바라지 않아서 시기하고 꺼려하며 친근하게 대하지 않으니, 끝내는 천하에 사용될 수가 없고, 사물을 잃고 본성을

---

438) 已: 경학자료집성DB에는 '己'로 되어 있으나, 경학자료집성 영인본을 참조하여 '已'로 바로잡았다.

잃게 된다. 간괘(艮卦)의 구삼과 같은 경우가 이에 해당한다. 자신을 이롭게 하는데 치우쳐서 남을 해롭게 하는 것을 미치지 못한 것이라고 부르며, 소인의 사욕이 바로 여기에 해당한다. 군자가 중용을 시행함에는 지나침도 없고 미치지 못함도 없으며, 높이지도 않고 낮추지도 않아서, 천하의 모든 사람들과 화합을 하여 그 이로움을 함께 하니, 중(中)이 되고, 화(和)가 되며, 용(庸)이 되고, 겸(謙)이 되는데, 명칭은 다르지만 그 공은 같다. 『중용』에서는 "평상의 덕을 시행하고, 평상의 말을 삼가며, 부족한 점이 있거든 감히 노력하지 않음이 없고, 남음이 있거든 감히 다하지 않는다"[439]라고 했으니, 언행을 감히 미치지 못하게 하지 않고, 또한 감히 지나치게 하지도 않아서 업신여김과 시기를 당하지 않는다는 뜻이다. 군자의 사업은 높고 크게 할 수 있지만, 언행은 뛰어나게 해서는 안 된다. 사업이 높지 않으면 대중들을 굴복시킬 수 없고, 언행이 겸손하지 못하면 사람들과 친해질 수 없다. 그러므로 숨겨져 있는 것을 찾아내어 괴이한 짓을 하거나, 기이한 일을 찾아내어 제 스스로를 높이거나, 또한 조류를 따라 추잡함을 함께 하지 않으며, 또한 세상에 아첨하여 구차하게 용납하지 않는다. 그러므로 천하에 따르면서도 천하를 사용할 수 있고, 천하와 함께 하면서도 천하를 굴복시킬 수 있다. 『중용』에서는 "오늘날에 태어나서 옛날의 도리만을 반추하고자 한다면, 재앙이 그 자신에게 미칠 것이다"[440]라고 했다. 옛날과 오늘날은 시의가 다르기 때문에 시의에 따라서 중용을 발휘하여 세상과 조화를 이루며 구제할 수 있어야만 끝내 천하를 크게 변화시킬 수 있다는 뜻이다. 함께 하지 않으면 믿지 않고, 믿지 않으면 따르지 않으며, 따르지 않으면 변화가 되지 않는다. 『중용』에서는 "군자의 도는 어둡더라도 날로 밝아진다"[441]라고 했으니, 중용의 도는 어리석은 부부와 함께 하여 지칭할 만한 명성이 없지만 끝내 천지에 참여할 수 있게 된다는 뜻이다. 언행에 지나침도 있고 편벽됨도 있은 뒤에야 명성이 있게 된다. 지나침도 없고 편벽됨도 없다면, 일컬을 만한 명성이 없다. 그러나 천하를 함께 할 수 있고 대업을 이룰 수 있다면, 그 명성은 영원히 떨치게 된다.

忠恕, 實利也, 中庸, 實名也. 若夫私欲之利, 偏過之名, 近小而有禍, 且又爲利則喪名, 爲名則喪利, 不可兼焉. 名亦利也. 喪名而利亦喪, 喪利而名亦喪, 是二人者所尙, 不同而其終歸於喪性一也. 惟忠恕之利, 中庸之名, 始若小難而終能遠大而長久, 且又兼有而无禍焉. 子曰, 仁者先難而後獲. 且天下之事, 未有不勞而得者, 彼邪欲之利, 偏過之

---

439) 『中庸』: 君子之道四, 丘未能一焉. 所求乎子, 以事父未能也. 所求乎臣, 以事君未能也. 所求乎弟, 以事兄未能也. 所求乎朋友, 先施之未能也. 庸德之行, 庸言之謹, 有所不足, 不敢不勉, 有餘不敢盡. 言顧行, 行顧言, 君子胡不慥慥爾.

440) 『中庸』: 子曰, 愚而好自用, 賤而好自專, 生乎今之世反古之道, 如此者, 災及其身者也.

441) 『中庸』: 詩曰, 衣錦尙絅. 惡其文之著也. 故君子之道, 闇然而日章. 小人之道, 的然, 而日亡. 君子之道, 淡而不厭, 簡而文, 溫而理, 知遠之近, 知風之自, 知微之顯, 可與入德矣.

名, 其極慮苦心, 危懼而艱難, 亦且數倍於忠恕中庸者矣. 忠恕中庸, 雖始若少勞而費然, 心安而體胖, 未有危懼艱苦愁愧僥倖之患矣, 而其爲名利, 不啻萬倍於彼矣. 九二有其道, 而无其位, 故曰君德也. 庸言之信, 庸行之謹, 言行之中庸也. 閑邪存其誠, 心情之中庸也. 善世而不伐, 德博而化, 事業之中庸也.

충서는 실제적인 이익이고, 중용은 실제적인 명성이다. 만약 사욕에 따른 이로움이나, 편벽되고 지나침을 통해 얻은 명성이라면 머지않아 재앙이 있게 되고, 또한 이로움을 추구하면 명성을 잃고, 명성을 추구하면 이로움을 잃게 되어, 둘을 겸비할 수가 없다. 명성 또한 이로움에 해당한다. 명성을 잃으면 이로움도 잃고, 이로움을 잃으면 명성도 잃는다. 이 두 가지는 사람들이 숭상하는 것이지만 함께 하지 못하여 끝내는 본성을 잃는 지경에 귀결된다는 점에서 동일한 것이다. 오직 충서의 이로움과 중용의 명성과 같은 경우, 애초에 작은 어려움이 있지만 결국 원대하고 장구하게 되며, 또한 겸비하여 재앙이 없게 된다. 공자는 "어진 사람은 먼저 어려움을 행하고 이후에 얻는다"[442]라고 했다. 또한 천하의 일이라는 것은 수고롭지 않고서 얻는 것이 없는데, 앞서 언급한 것처럼 사욕에 따른 이로움과 치우치고 편벽된 명성은 골똘히 생각하고 마음을 쓰더라도 위태롭고 두려워서 괴롭게 되며, 또한 충서와 중용에 대한 것보다 여러 배의 노력이 필요하게 된다. 충서와 중용은 비록 시작할 때 작은 노력이 필요하지만, 마음이 편안하고 몸이 펴지게 되어, 위태롭고 걱정하며, 고통스러우며 부끄럽고 요행을 바라는 등의 우환이 없으니, 명성과 이로움을 시행하더라도 앞서 언급한 명성이나 이로움보다 만 배가 많은 것에 그치지 않는다. 구이는 그 도는 가지고 있지만, 그 지위는 없다. 그러므로 임금의 덕이라고 말하였다.[443] 평상시의 말을 믿게끔 하고, 평상시의 행동을 삼가는 것은 언행을 중용에 맞게끔 하는 것이다. 간사함을 막고 성실함을 보존하는 것은 심정을 중용에 맞게끔 하는 것이다. 세상을 좋게 하고도 자랑하지 않고, 덕을 널리 펼쳐 교화한다는 것은 사업을 중용에 맞게끔 하는 것이다.

박문호(朴文鎬) 「경설(經說)·주역(周易)」

正中, 謂正當乎中也, 非謂正與中也. 以此觀之, 則九二本義所云中正, 蓋亦此義也, 或其字乙歟.

'정중(正中)'은 바로 가운데에 해당한다는 뜻이지, 바르고 가운데에 있다는 뜻이 아니다. 이를 통해 살펴보면, 구이의 『본의』에서 말한 '중정(中正)'이라는 것은 아마도 또한 이러한

---

442) 『論語·雍也』: 樊遲問知. 子曰, 務民之義, 敬鬼神而遠之, 可謂知矣. 問仁, 曰, 仁者先難而後獲, 可謂仁矣.
443) 임금의 지위는 갖고 있지 않지만, 임금의 덕은 갖고 있다는 뜻이다.

뜻인데, 혹 그 글자가 뒤바뀐 것이다.

오치기(吳致箕) 「주역경전증해(周易經傳增解)」[444]

此一節申言九二之象也. 二居內卦之中, 而當不潛而未躍之時, 乃龍德而處正中者也. 常言亦信, 則旡一言之不信. 常行亦謹, 則旡一行之不謹. 閑外邪之入而存吾誠, 則旡一念之不誠. 善世之俗而不伐, 其功德施之博, 而自有感化, 此乃君德也. 君德, 言雖不居君位, 已有其德也.

이 한 절은 구이의 상을 거듭해서 말하였다. 이효는 내괘의 가운데 있으면서 잠기지도 않고 뛰어오르지도 않는 때에 해당되니, 용의 덕으로 바르고 가운데에 있는 자이다. 평소의 말이라도 믿음직스럽다면 어떤 말이라도 믿지 못할 것이 없다. 평소의 행실이라도 조심스럽다면 어떤 행실이라도 조심스럽지 않을 것이 없다. 밖으로부터 들어오는 간사함을 막아 나의 정성[誠]을 보존하면 어떤 생각이라도 정성스럽지 않을 것이 없다. 좋은 세상을 만들어도 자랑하지 않고 그 공덕의 베풂이 넓어지면 저절로 감화됨이 있으니, 이것이 바로 임금의 덕이다. 임금의 덕은 임금의 자리에 있지 않더라도 이미 그 덕이 있다는 말이다.

이병헌(李炳憲) 『역경금문고통론(易經今文考通論)』

孔子之所稱易, 單指繇辭也. 必合孔子之象象, 而後方明爲經之義.

공자가 지칭하는 '역(易)'이라는 것은 단지 요사(繇辭)를 가리킨다. 반드시 공자의 「단전(彖傳)」과 「상전(象傳)」에 부합된 이후에야 경문의 뜻을 밝힐 수 있다.

---

444) 경학자료집성DB에서는 건괘 구이에 해당하는 것으로 분류했으나, 내용에 따라 이 자리로 옮겼다.

九三曰, 君子終日乾乾夕惕若厲无咎, 何謂也. 子曰, 君子進德脩業, 忠信所以進德也, 脩辭立其誠, 所以居業也. 知至至之, 可與幾也, 知終終之, 可與存義也. 是故居上位而不驕, 在下位而不憂. 故乾乾, 因其時而惕, 雖危无咎矣.

구삼에서 "군자가 종일토록 힘쓰고 힘써 저녁까지도 두려워하면 위태로우나 허물이 없다"라고 한 것은 무슨 말인가? 공자가 말하였다. "군자가 덕을 기르고 학업을 닦으니 진실과 믿음이 덕을 기르는 것이고, 말을 바르게 하고 그 정성을 세움이 본업을 수행하는 것이다. 다다를 곳을 알아서 다다르므로 더불어 기미를 알 수 있고, 끝마침을 알고 마치므로 더불어 의를 보존 할 수 있다. 이러므로 높은 자리에 있어도 교만하지 않고 낮은 자리에 있더라도 근심하지 않기 때문에 힘쓰고 힘써 때에 따라 두려워하면 비록 위태로우나 허물이 없는 것이다."

中國大全

傳

三居下之上, 而君德已著, 將何爲哉. 唯進德脩業而已. 內積忠信所以進德也, 擇言篤志所以居業也. 知至至之, 致知也, 求知所至而後至之. 知之在先, 故可與幾, 所謂始條理者知之事也. 知終終之, 力行也, 旣知所終, 則力進而終之. 守之在後, 故可與存義, 所謂終條理者聖之事也. 此學之始終也, 君子之學如是. 故知處上下之道而无驕憂, 不懈而知懼, 雖在危地而无咎也.

구삼은 하괘의 위에 있어 군주의 덕이 이미 드러났으니, 장차 무엇을 할 것인가? 오직 '덕을 기르고 학업을 닦을' 뿐이다. 안으로 진실과 믿음을 쌓는 것이 덕을 기르는 것이고, 말을 바르게 하고 뜻을 돈독히 하는 것이 본업을 닦는 것이다. "다다를 곳을 알아서 다다른다"는 것은 앎을 이루는 것으로, 다다를 곳을 알기를 구한 뒤에 다다르는 것이다. 아는 것이 먼저이기 때문에 "더불어 기미를 알 수 있다"고 한 것이니, 이른바 '조리를 시작한다는 것은 지혜의 일'[445]이라고 한 것이다. '마칠 곳을 알고 마치는 것'은 힘써 행하는 것으로, 이미 마칠 곳을 알면 힘써 나아가 마쳐야 하는 것이다. 지키는

---

445) 『孟子・萬章』: 始條理者, 智之事也, 終條理者, 聖之事也.

것은 아는 것보다 뒤에 있기 때문에 '더불어 의로움을 보존 할 수 있는 것'이니, 이른바 '조리를 끝마침은 성인의 일'446)이라고 한 것이다. 이것이 학문의 시작과 끝으로 군자의 배움이 이와 같다. 그러므로 아래와 위에 처한 도리를 알아 교만하거나 근심하지 말고, 게을리 하지 않고 두려워 할 줄을 알면 비록 위태로운 처지에 있더라도 허물이 없는 것이다.

小註

程子曰, 忠信爲基本, 所以進德也. 辭脩誠意立, 所以居業也. 此乃乾道, 由此二句可至聖人也.

정자(명도)가 말하였다: '진실과 믿음'은 기본이니 '덕을 기르는 것'이고, '말을 바르게 하고 정성된 뜻을 세우는 것'은 '본업을 수행'하는 것이다. 이것이 곧 건도이니, 이 두 구절로 말미암아 성인에 이를 수 있다.

○ 脩辭立其誠, 不可不子細理會. 言能脩省言辭, 便是要立誠. 若只是脩飾言辭爲心, 只是爲僞也. 若脩其言辭, 正爲立己之誠意, 乃是體當自家敬以直內義以方外之實事. 道之浩浩, 何處下手, 惟立誠才有可居之處, 有可居之處則可脩業. 終日乾乾大事小事, 只是忠信所以進德, 爲實下手處, 脩辭立其誠, 爲實脩業處.

"말을 바르게 하고 그 정성을 세운다"는 것을 자세하게 이해하지 않으면 안 된다. 언사를 가려하고 성찰하는 것은 곧 정성을 세우고자 함을 말한 것이다. 만약 언사를 꾸미는 것에 마음을 쓴다면 이것은 단지 속이는 것이다. 만약 그 언사를 가려하면 바로 자신의 정성스러운 뜻이 서게 되니, 이는 자신의 '경(敬)'으로써 안을 곧게 하고, 의로써 밖을 방정하게 하는'447)의 진실한 일을 체인(體認)하는 것이다. 넓고 큰 도를 어디에서 착수 할 것인가? 오직 정성을 세우면 비로소 의거할 곳이 있게 되니, 의거할 곳이 있게 되면 학업을 닦을 수 있다. 종일토록 힘쓰고 힘쓴 크고 작은 일에서 단지 "진실과 믿음은 덕을 기르는 것"이 진실한 착수처가 되고, "말을 바르게 하고 그 정성을 세운다"는 것이 진실로 학업을 닦는 곳이 된다.

○ 知至則當至之, 知終則遂終之, 須以知爲本. 知之深, 則行之必至, 无有知之而不能行者. 只是知得淺, 飢而不食烏喙, 人不蹈水火, 只是知. 人爲不善, 只爲不知. 知至而至之, 知幾之事, 故可與幾. 知終而終之, 故可與存義. 知至是致知, 博學・明辨・審問・慎思, 皆致知, 知至之事. 篤行便是終之. 如始條理, 終條理, 因其始條理, 故能終

---

446) 『孟子・萬章』: 始條理者, 智之事也, 終條理者, 聖之事也.
447) 『周易・坤卦・文言傳』: 君子敬以直內, 義以方外.

條理, 猶知至卽能終之.

다다를 곳을 알면 마땅히 다다르고, 마칠 곳을 알면 마침내 마치는 것은 모름지기 앎을 근본으로 삼는다. 아는 것이 깊으면 행실이 반드시 닿고, 아는 것이 없으면 행할 수 없는 것이다. 다만 앎이 얕지만 배가 고파도 오훼(烏喙)[448]는 먹지 않고[449] 사람이 물과 불에 들어가지 않는[450] 것이 앎이다. 사람이 착하지 못하면 알 수가 없다. 다다를 곳을 안 뒤에 다다르는 것은 기미를 아는 일이므로 더불어 기미를 알 수 있는 것이다. 마칠 곳을 안 뒤에 마칠 수 있으므로 더불어 의로움을 보존할 수 있다. 다다를 곳을 아는 것은 앎을 이루는 것이고, 널리 배우고 밝게 분별하며 자세히 물으며 신중히 생각하는 것[451]모두 앎을 이루는 것으로 다다를 곳을 아는 일이다. 독실하게 행동하면 바로 마치는 것이다. 예를 들어 조리의 시작이나 조리의 마침은 그 조리의 시작으로 인하기 때문에 조리를 마칠 수 있는 것이니, 다다를 곳을 아는 것은 곧 마칠 수 있는 것과 같다.

○ 知至至之主知, 知終終之主終. 知至至之, 如今學者且先知有至處, 便從此至之, 是可與幾也. 非知幾, 安能先識至處. 知終終之, 知學之終處而終之. 然後可以守義.
 '다다를 곳을 알아서 다다르는 것'은 앎을 위주로 한 것이고, '마칠 곳을 알아서 마치는 것'은 마침을 위주로 한 것이다. '다다를 곳을 알아서 다다르는 것'이라 함은 예를 들어 지금의 배우는 자들이 또 다다를 곳이 있음을 먼저 알아서 곧 이에 따라 다다르니 이것이 '더불어 기미를 아는 것'이다. 기미를 알지 못하면 어떻게 다다를 곳을 먼저 알 수 있겠는가? '마칠 곳을 알아서 마치는 것'이라함은 배움이 마칠 곳을 알아서 마치는 것이다. 그런 뒤에야 의로움을 지킬 수 있다.

○ 朱子曰, 程傳云內積忠信, 是實心, 擇言篤志, 是實事, 擇言, 是脩辭, 篤志, 是立誠. 明道論脩辭立其誠, 所以居業, 說得來洞洞流轉. 若伊川以篤志解立其誠, 便緩了. 又曰, 伊川說內積忠信, 積字說得好.
주자가 말하였다: 『정전』에서 말하는 "마음속으로 진실과 믿음을 쌓는다"는 것은 마음을 진실하게 하는 것이고, '말을 바르게 하고 뜻을 돈독히 하는 것'은 일을 진실하게 하는 것이며, '말을 바르게 하는 것'은 말을 조심해서 하는 것이고, '뜻을 돈독히 하는 것'이라는 것은 정성을 세우는 것이다. 정명도가 '말을 바르게 하고 정성을 세움은 본업을 수행하는 것'이라 하였

---

448) 오훼(烏喙): 부자(附子)의 별칭으로 독성이 강한 뿌리이다.
449) 『史記 · 蘇秦列傳』 卷69.
450) 『河南程氏遺書』 卷15.
451) 『中庸』: 博學之, 審問之, 愼思之, 明辨之, 篤行之.

으니, 설명한 것이 환하게 통하나 이천이 '뜻을 돈독히 하는 것[篤志]'을 "정성을 세운다"고 해석한 것은 좀 느슨하다.

또 말하였다: 이천이 말한 "마음속으로 진실과 믿음을 쌓는다"에서 '쌓는다[積]'는 글자는 적절한 표현이다.

○ 知至至之主知, 知終終之主終. 蓋上句則以知至爲重, 而至之二字爲輕, 下句則以知終爲輕, 而終之二字爲重.

'다다를 곳을 알아서 다다르는 것'은 앎을 위주로 한 것이고, '마칠 곳을 알아서 마치는 것'은 마침을 위주로 한 것이다. 앞 구절은 '다다를 곳을 아는 것[知至]'을 무겁게 여기고, '다다른다[至之]'는 두 글자는 가볍게 여겼으며, 뒤 구절은 '마칠 곳을 아는 것[知終]'을 가볍게 여기고, '마친다[終之]'라는 두 글자를 무겁게 여겼다.

本義

忠信, 主於心者, 无一念之不誠也. 脩辭, 見於事者, 无一言之不實也. 雖有忠信之心, 然非脩辭立誠, 則无以居之. 知至至之, 進德之事, 知終終之, 居業之事, 所以終日乾乾而夕猶惕若者, 以此故也. 可上可下, 不驕不憂, 所謂无咎也.

'진실과 믿음'은 마음으로 주장하는 것이니, 한 생각도 정성이 없을 수 없고, '말을 바르게 함'은 일에서 나타나는 것이니, 한 마디 말도 진실 되지 않을 수 없다. 비록 진실과 믿음의 마음이 있더라도 말을 바르게 하고 정성을 세우지 않으면, 머물 곳이 없다. '다다를 곳을 알아서 다다르는 것'은 덕을 기르는 일이고, '마칠 곳을 알아서 마치는 것'은 본업을 수행하는 일이므로 '종일토록 힘쓰고 힘써 저녁까지도 오히려 두려워하는 것'은 이 때문이다. 위로 오를 수도 있고 아래로 내려올 수도 있으며, 교만하지 않고 근심하지 않는 것이 이른바 "허물이 없다"는 것이다.

小註

朱子曰, 進德脩業四箇字, 煞包括道理, 最可玩味.

주자가 말하였다: '덕을 기르고 학업을 닦는 것'이라는 말은 모든 도리를 총괄하니, 이 말의 뜻을 가장 완미할 만하다.

○ 忠信所以進德, 忠信只是實其心之發. 然從知上來, 吾心知得是非端的是如此, 此心便實, 實便忠信. 吾心以爲實然, 從此做去, 卽是進德處, 修辭立誠, 又是進德事.

'진실과 믿음은 덕을 기르는 것'이니, 진실과 믿음은 단지 그 마음이 드러나는 것을 진실하게 하는 것이다. 그러나 앎을 따라서 내 마음이 옳고 그름이 분명하게 이와 같다는 것을 안다면 이 마음이 곧 진실이고, 진실이 곧 진실과 믿음이다. 내 마음이 진실로 그렇다고 여겨 이를 따라 행하면 곧 이것이 덕을 기르는 곳이고, 말을 바르게 하고 정성을 세우는 것 또한 덕을 기르는 일이다.

問, 立誠不就制行上說, 而特指修辭, 何也. 曰, 人不誠處, 多在言語上. 又曰, 人多將言語做沒緊要, 容易說出來. 若一一要實, 這工夫自是大. 忠信進德, 便是見得修辭立誠底許多道理. 修辭立誠, 便要立得這忠信. 若口不擇言, 逢事便說, 只這忠信亦被汨沒動盪, 立不住了.

물었다: "정성을 세운다"는 것이 행동을 제어하는 것으로 말한 것이 아니고, 단지 "말을 바르게 한다"는 것을 가리키는 것은 무슨 까닭입니까?

답하였다: 사람이 정성스럽지 않은 것은 대부분 말하는데 달려있습니다.

또 답하였다: 사람들은 대부분 말을 할 때 긴요함이 없이 쉽게 말을 합니다. 만약 일일이 진실하면 그 공부는 저절로 커지게 될 것입니다. '진실과 믿음 및 덕을 기르는 것'이 곧 '말을 바르게 하고 정성을 세우는' 허다한 도리라는 것을 알 수 있습니다. 말을 바르게 하고 정성을 세우려면 그 '진실과 믿음'을 세워야 합니다. 만약 입으로 하는 말을 바르게하지 않고 일을 당하여 바로 말을 한다면, 단지 그 '진실과 믿음' 역시 빠지고 동요되어 세워지지 않을 것입니다.

○ 忠信是知得到眞實極至處, 修辭立誠是做到眞實極至處. 若不是眞實知得, 進箇甚麼. 前頭黑窣窣地, 如何進得去. 旣知得, 若不眞實去做, 那箇道理也只懸空在這裏, 无箇安泊處, 所謂忠信也只是虛底道理而已.

'진실과 믿음'은 앎이 진실하게 지극한 곳에 이르는 것이고, '말을 바르게 하고 정성을 세움'은 진실하게 지극한 곳에 이르도록 노력하는 것이다. 만약 진실하게 알지 못한다면 어느 곳으로 나아가려 할 때에 앞이 어둡고 불안할 것이니, 어떻게 나아갈 수 있겠는가? 이미 알았더라도 진실하게 하지 않는다면, 그 도리가 다만 허공에 걸린 채 여기에 있어 안돈할 곳이 없을 것이니, 이른바 '진실과 믿음'도 다만 공허한 도리일 뿐이다.

忠信進德修辭立誠居業, 工夫之條件也, 知至至之可與幾, 知終終之可與存義, 工夫之功程也. 忠信與修辭立誠, 便是材料下面, 知至知終, 惟有實了, 方會如此. 大抵以忠信爲本, 忠信只是實, 若無實, 如何會進. 如播種相似, 須是實有種子下在泥中, 方會日日見發生. 若把箇空殼下在裏面, 如何會發生. 卽是空道理, 須是實見得. 若徒將耳聽過,

將口說過, 濟甚事. 忠信所以爲實者, 且如孝, 須實是孝, 方始那孝之德一日進一日. 如
弟, 須實是弟, 方始那弟之德一日進一日. 若不實, 卻自无根了, 如何會進. 今日覺見恁
地去, 明日便漸能熟. 明日方見有一二分, 後日便見有三四分, 意思自然覺得不同. 立
其誠, 誠依舊便是上面忠信. 脩辭是言語照管得到, 那裏面亦須照管得到. 居業是常常
如此, 不少間斷. 德是得之于心, 業是見之于事. 進德是自覺得意思, 日强似一日, 日振
作似一日, 不是外面事, 只是自見得意思不同.

'진실과 믿음이 덕을 기르는 것이고, 말을 바르게 하고 정성을 세우는 것이 본업을 닦는 것'
은 공부의 조건이고, '다다를 곳을 알아서 다다르므로 더불어 기미를 알 수 있고, 마칠 곳을
알고 마치므로 더불어 의로움을 보존 할 수 있는 것'은 공부의 과정이다. '진실과 믿음' 및
'말을 바르게 하고 정성을 세우는 것'이 재료이고, 뒤에 나오는 '다다를 곳을 아는 것'과 '마칠
곳을 아는 것'은 결실이 있어야만 비로소 이와 같이 된다. 진실과 믿음을 근본으로 삼으니,
진실과 믿음은 알맹이[實]이다. 만약 알맹이가 없으면 어떻게 전진할 수 있는가? 마치 파종
하는 일과 서로 비슷하여, 반드시 알맹이가 있는 종자를 흙 속에 심어야 비로소 날마다 생겨
나는 것을 볼 수 있다. 만약 빈 껍질을 그 속에 심는다면 어떻게 생겨나겠는가? 즉, 이것은
공허한 도리[空殼]이니, 모름지기 알맹이[實: 忠信]를 알아야 한다. 만약 한낮 귀로 듣고 그
냥 흘러 보내거나 말하는 것에 불과하다면, 어떤 일을 이룰 수 있겠는가? '진실과 믿음'이
알맹이가 되는 까닭은, 예컨대 효도[孝]의 경우 모름지기 알맹이가 효도이어야 비로소 효도
의 덕이 매일 매일 나아가게 되고, 공경[弟]의 경우 알맹이가 공경이어야 비로소 공경의 덕
이 매일 매일 나아가게 되는 것이다. 만약 알맹이가 없다면 저절로 근거할 곳이 없을 것이
니, 어떻게 나아갈 수 있겠는가? 오늘은 이렇게 깨달아 가고 내일은 점점 익숙해지고, 내일
비로소 일부분이 있음을 알 수 있으면 그 다음 날 또 일부분이 있음을 알 수 있으니, 매일
매일의 뜻이 같지 않음을 저절로 알 수 있다. '그 정성을 세우는 것'에서 '정성[誠]'은 변함없
이 위에 있는 '진실과 믿음'이다. '말을 바르게 하는 것[脩辭]'은 말과 글을 관리하는 것이고,
그 곳도 모름지기 관리해야 한다. '본업을 닦는 것[居業]'은 항상 이와 같은 것이니, 조그마한
틈에도 끊어짐이 없다. 덕은 마음에서 얻어지는 것이고 본업은 일을 통해 볼 수 있다. '덕을
기르는 것'은 생각이 매일을 하루 같이 힘쓰고, 매일을 하루 같이 진작시킨다는 것을 스스로
깨닫는 것이니, 밖으로 들어난 일이 아니고 단지 생각이 같지 않다는 것을 저절로 알 수
있다.

又曰, 忠信二字, 與別處說不同. 且如破金甌, 燒廬舍, 持三日糧, 示士卒必死, 无還心,
如此方會厮殺. 忠信便是有這心, 如此方會進德.

또 말하였다: '진실과 믿음'이라는 말은 다른 곳에서 말한 것과는 같지 않다. 또 예를 들어
"솥을 깨뜨리고 집을 불사르고 삼일분의 식량만 지니게 하여 병사들에게 필사적인 전의를

보이니 아무도 마음을 돌리는 자가 없었다"452)는 경우처럼, 이와 같이 하여야 비로소 싸울 줄 아는 것이니, '진실과 믿음'은 바로 이런 마음이 있는 것이다. 이와 같아야 비로소 덕을 기를 수 있다.

又曰, 忠信便是意誠處, 如惡惡臭如好好色, 直是事事物物皆見得如此, 純是天理, 則德日進, 不成只如此了卻. 脩辭立誠, 就事上理會. 脩辭便是立誠, 如今人持擇言語, 丁一確二, 一者是一字, 一句是一句, 便是立誠. 若還脫空亂語, 誠如何立.

또 말하였다: '진실과 믿음'은 뜻이 정성스러운 곳이니, 예컨대 "악을 싫어하기를 나쁜 냄새를 싫어하듯이 하며, 선을 좋아하기를 예쁜 이성(異性)을 좋아하듯이 한다"453)는 것이다. 단지 모든 일이 매사에 모두 이와 같음을 깨달아 천리에 순수하다면 덕이 날마다 길러질 것이다. 덕이 길러지지 않는 것은 이와 같이만 하고 그만두어서일 뿐이다. '말을 바르게 하고 정성을 세우는 것'은 일을 통하여 이해할 수 있다. '말을 바르게 하는 것'은 곧 '정성을 세우는 것'이니, 예를 들어 요즘 사람이 언어를 가려 써서 확실하게 이 한 자는 이 한 자이고, 이 한 구절은 이 한 구절이 되게 한다면 이것이 곧 '정성을 세우는 것[立誠]'이다. 만약 다시 온통 공허하고 어지럽게 말한다면, '정성'을 어떻게 세울 수 있겠는가?

又曰, 脩辭立誠, 只于平日語默之際, 以氣上驗之, 思與不思, 而發意味自別. 明道所謂, 體當自家敬以直內義以方外之實事者, 只觀發言之平易躁妄, 便見其德之厚薄所養之淺深矣.

또 말하였다: '말을 바르게 하고 정성을 세움'은 단지 평상시 말하고 침묵하는 사이에서 기(氣)로 징험할 수 있으니, 생각하고 발설하는 것과 생각하지 않고 발설하는 것은 저절로 의미가 다르다. 정명도가 말한 '스스로 공경으로써 안을 곧게 하고 의로움으로써 밖을 방정하게 하는 실질적인 일들을 몸소 깨닫는 것'454)이라는 것은, 단지 말을 할 때 평범하고 쉬운지 조급하고 경망한지를 살펴보면, 그 덕의 두텁고 얕음과 그 덕의 길러짐의 깊고 얕음을 알 수 있는 것이다.

問, 脩辭立誠與閑邪存誠相似否. 曰, 他地位自別, 閑邪存誠不大叚用力, 脩辭立誠大叚著氣力.

---

452) 항우(項羽)의 파부침주(破釜沈舟)에 대한 고사이다. 『史記·項羽本紀』: 項羽乃悉引兵渡河, 皆沈船, 破釜甑, 燒廬舍, 持三日糧, 以示士卒必死, 無一還心.

453) 『大學』: 所謂誠其意者, 毋自欺也, 如惡惡臭, 如好好色, 此之謂自謙. 故君子必愼其獨也.

454) 『河南程氏遺書』卷1.

물었다: '말을 바르게 하고 정성을 세움'은 '간사함을 막고 정성을 보존함'과 서로 비슷합니까?
답하였다: 그 수준이 본래 다르니, '간사함을 막고 정성을 보존함'은 그다지 노력하지 않아도
되고, '말을 바르게 하고 정성을 세움'은 대단한 힘을 쏟아야 합니다.

○ 問, 進德只一般說, 至脩業, 卻又言居業何也. 曰, 脩業居業二者, 只是一意, 如逐日
脩作是脩, 常常爲此是守. 業如屋宇, 未脩則當脩之, 旣脩則居之. 進德是要日新又新,
業卻須著居, 脩業便是要居他. 進如日知其所亡, 只管進前去, 居如月无忘其所能, 只
管日日恁地做.
물었다: '덕을 기르는 것'은 한 가지로 말했는데, '학업을 닦는 것'에 이르러서는 도리어 '본업
을 닦는 것'이라고 말하는 이유는 무엇입니까?
답하였다: '수업(脩業)과 거업(居業)' 두 가지는 단지 하나의 뜻이니, 예를 들어 날마다 수양
하는 것이 '수(脩)'이며, 항상 이것을 하는 것이 지킴입니다. '업(業)'은 집[屋]과 같아서 아직
수리하지 않았으면 마땅히 수리하여야 하고, 이미 수리했다면 머무르는 것입니다. '덕을 기
르는 것'은 날마다 새롭게 해야 하고 '업'은 모름지기 머무르는 것이니, '학업을 닦는 것'은
곧 거기에 머물고자 하는 것입니다. '기르는 것[進]'은 '날마다 모르는 것을 알아감'[455]과 같
아서 오로지 앞으로 나아가고, '머무는 것[居]'은 다달이 할 수 있는 것을 잊지 않는 것과
같아서 오로지 매일 매일 그렇게 하는 것입니다.

○ 忠信是始, 脩辭立誠是終, 知至至之是忠信進德之事, 知終終之是居業之事. 人之
所以一脚前進, 一脚退後, 只是不曾[456]眞實做, 如何得進. 忠信進德與知至至之, 可與
幾也, 這幾句都是去底字. 脩辭立誠與知終終之, 可與存義, 都是住底字. 進德是日日
新, 居業是日日如此. 進德是營度方架這屋相似, 居業是據見成底屋居之. 知至是知得
到至處, 至之謂意思也隨他到那處, 這便可與理會幾微處. 知終是知得到終處, 終之謂
意思也隨他到那裏, 這裏便可與存義. 可與幾是見得前面這箇道理, 便能日進向前去.
存義是守這箇義, 只是這箇道理, 常常在這裏, 可是心肯意肯之義. 譬如昨日是无奈何
勉强去爲善, 今日是心肯意肯要去爲善. 可與幾可與存義, 是旁人說, 與可與立可與權
之可與同.
'진실과 믿음'은 시작이고, '말을 바르게 하고 정성을 세움'은 마침이며, '다다를 곳을 알아서
다다르는 것'은 진실과 믿음으로 덕을 기르는 일이고, '마칠 곳을 알아서 마치는 것'은 본업

455) 『論語·子張』: 子夏曰, 日知其所亡, 月無忘其所能, 可謂好學也已矣.
456) 曾: 경학자료집성DB와 영인본에 '會'로 되어있으나, 『주자어류』69권 56조목과 조선시대 현종본(1665간행)
『주역』을 참조하여 '曾'으로 바로잡았다.

에 충실한 일이다. 사람이 한 걸음 전진하거나 한 걸음 후퇴하는 것은 단지 진실로 간 적이 없는 것이니 어떻게 전진할 수 있겠는가? '진실과 믿음은 덕을 기르는 것이고', '다다를 곳을 알아서 다다르므로 더불어 기미를 알 수 있고', '마칠 곳을 알아서 마치므로 더불어 의를 보존 할 수 있다'는 이 몇 구절은 모두 '간다[去]'는 뜻이고, '말을 바르게 하고 그 정성을 세움', '마칠 곳을 알아서 마치므로 더불어 의를 보존 할 수 있다'는 것은 모두 '머무른다[住]'는 뜻이다. '덕을 기르는 것'은 매일매일 새로워지는 것이고, '본업에 충실하는 것'은 매일 매일이 이와 같은 것이다. '덕을 기르는 것'은 설계하고 측량하여 집을 짓는 것과 비슷하고, '본업에 충실한 것'은 완성 된 집에 터 잡아 머무는 것이다. "다다를 곳을 안다"는 다다를 곳을 아는 것이니 '다다른다'는 것은 생각이 또한 그 이를 곳을 따름을 말하는 것이다. 이것이 더불어 기미를 아는 것이다. "마칠 곳을 안다"는 마칠 곳을 아는 것이니, '마친다'는 것은 생각이 또한 그곳에 이르는 것을 따름을 말하는 것이다. 이것이 곧 더불어 의로움을 보존[存義]할 수 있는 것이다. "더불어 기미를 알 수 있다"는 앞 서 있는 도리를 알 수 있어서 곧 매일 앞으로 전진 할 수 있다. "의로움을 보존한다"는 의로움을 지키는 것으로 단지 그 도리가 항상 여기에 있다. 가(可)는 마음으로 하고자 하는 뜻이니, 비유하면 어제는 어쩔 수 없어 억지로라도 선을 하다가 오늘은 마음이 내켜서 선을 하려고 하는 것이다. '더불어 기미를 아는 것[可與幾]'과 '더불어 의로움을 보존하는 것[可與存義]'은 사람에 의거하여 말한 것으로, '더불어 설 수 있고[可與立]'와 '더불어 권도를 행할 수 있고[可與權]'457)의 '더불어 할 수 있다[可與]'와 같은 뜻이다.

又曰, 知至至之, 主在至上, 知終終之, 主在終上. 至是要到那處, 而未到之辭, 如去長安, 未到長安, 卻先知道長安在那裏, 從後行去, 這便是進德之事. 進德只管要進去, 便是要至之, 未做到那裏, 先知得如此, 所以說可與幾. 進字貼著那幾字, 至字又貼著那進字. 終則只是要守, 業今日如此, 明日又如此, 所以下箇居字. 終者只這裏終, 居字貼著那存字, 終字又貼著那居字. 德是就心上說, 義是那業上底道理.

또 말하였다: "다다를 곳을 알아서 다다르는 것"은 '다다른다'에 주안점이 있고, "마칠 곳을 알아서 마친다"는 '마친다'에 주안점이 있다. '다다른다'는 것은 요컨대 도착지에 도착하고자 하나 아직 도착하지 않았다는 말이니, 예를 들자면 장안(長安)에 가고자 하는데 아직 장안에 도착하지 않은 것과 같다. 이는 먼저 장안이 어디에 있는지 알고 난 뒤에 따라서 가는 것이니, 이것이 곧 '덕을 기르는' 일이다. '덕을 기름'은 오로지 나아가야만 하는 것이니, 다다

---

457) 『論語 · 子罕』: 공자가 말하였다: 더불어 함께 배울 수는 있어도 더불어 도에 나갈 수 없고, 더불어 도에 나아가도 더불어 설 수 없으며, 더불어 설 수 있어도 더불어 권도를 행할 수 없다[子曰 : 可與共學, 未可與適道,可與適道, 未可與立, 可與立, 未可與權].

르고자 하나 아직 거기에 다다르기 전에 먼저 이와 같음을 알기 때문에 "더불어 기미를 안다"고 말한다. '기르다[進]'는 '기미[幾]'와 밀접하고, '다다른다[至]'는 또 '기르다'와 밀접하다. 마침[終]은 단지 지켜야만 하고, '본업[業]'은 오늘 이와 같고 내일 또 이와 같기 때문에 '머문다[居]'를 쓴다. '마침[終]'은 여기서 마치는 것이고, '머문다[居]'는 '보존한다[存]'와 밀접하며, '마침'은 또 '머문다'와 밀접하다. 덕은 마음으로 말하는 것이고 의로움은 본업상의 도리이다.

問, 終字至字其義相近, 如何. 曰, 這處人都作兩段衰將去, 所以難得分曉, 須分作四截說. 知至是知得到處, 知終是終其到處, 至之是須著行去到那處, 終之是定要守到那處, 上兩箇知字卻一般. 遺書所謂知至至之主知也, 知終終之主終也, 均一知也. 上卻主知, 下卻主終, 要得守, 故如此.

물었다: '마친다'와 '다다른다'의 뜻이 서로 비슷한 것은 왜 그렇습니까?

답하였다: 여기에서 사람들이 모두 두 단락으로만 간주하기 때문에 분명하게 이해하기 어려우니, 모름지기 네 마디로 나누어 말해야 합니다. '다다를 곳을 아는 것'이란 도착할 곳을 아는 것이고, '마칠 곳을 아는 것'은 마치는 곳을 아는 것이며, '다다른다'는 것은 그 도착처로 나아가는 것이고, '마친다'는 것은 그것을 반드시 지킨다는 것이니, 위의 두 개의 '아는 것[知]'은 동일한 것입니다. 『하남정씨유서(河南程氏遺書)』에서 말하는[458] "다다를 곳을 알아서 다다르는 것은 앎을 위주로 한 것이고, 마칠 곳을 알아서 마치는 것은 마침을 위주로 한 것이다"는 모두 하나의 '아는 것[知]'이지만, 전자는 '아는 것[知]'을 위주로 하고, 후자는 '마치는 것[終]'을 위주로 하여 지키고자 하므로 이와 같습니다.

○ 忠信脩辭, 且大綱說所以進德脩業之道. 知至知終, 則又詳其始終工夫之序如此. 忠信心也, 脩業事也. 然蘊于心者所以見于事, 脩于事者所以養其心, 此聖人之學所以爲內外兩進, 而非判然二事也. 知至則知其道之所止, 至之乃行矣, 而驗其所知也. 知終則見其道之極致, 終之乃力行, 而期至于所歸宿之地也. 知而行, 行而知二者交相警發, 而其道日益光明, 終日乾乾, 又安有一息之間哉.

'진실과 믿음' 및 '말을 바르게 하는 것'은 대체로 덕을 기르고 본업을 닦는 도의 큰 기준을 말한 것이다. "다다를 곳을 안다"와 "마칠 곳을 안다"는 또 시작하고 마치는 공부의 순서가 이와 같음을 상세히 한 것이다. '진실과 믿음'은 마음공부이고, '학업을 닦는 것'은 일하는 공부이다. 그러나 마음에 온축된 것은 일에서 드러나는 것이고, 일을 통해 수양하는 것은 그 마음을 수양하는 것이다. 이것이 성인의 학문이 안과 밖 두 갈래로 나아가나, 두 가지 일로 뚜렷하게 구분되는 것이 아닌 이유이다. '다다를 곳을 안다[知至]'는 그 도가 그칠 곳을

---

458) 『河南程氏遺書』: 知至至之, 主知, 知終終之, 主終.

아는 것이고, '다다른다는 것[至之]'은 곧 행동하는 것이니, 자기가 아는 것을 징험하는 것이다. 마칠 곳을 아는 것[至終]은 곧 그 도의 극치를 아는 것이고, 마치는 것[終之]은 힘써 행동하는 것이니, 돌아가 머물 곳에 이르기를 기약하는 것이다. 알면서 행동하는 것과 행동하면서 아는 것 두 가지는 서로 경각심을 유발하여, 그 도가 날마다 더욱 밝게 빛나고 "종일토록 힘쓰고 힘쓰는" 것이니, 또 어찌 한 순간이라도 멈출 수 있겠는가?

○ 體无剛柔, 位有貴賤. 因他這貴賤之位, 隨緊慢說, 有那難處, 有那易處. 九三處一卦之盡, 所以說得如此. 九二位正中, 便不恁地.
몸체에는 굳셈과 부드러움이 없으나, 자리에는 귀하고 천함이 있다. 그 귀하고 천한 자리로 말미암아 긴박함과 여유를 따라 말하면 어려운 곳도 있고 쉬운 곳도 있다. 구삼은 하괘가 끝나는 자리에 처하였기 때문에 이와 같이 말하는 것이고, 구이는 딱 가운데 자리라서 곧 이와 같지 않다.

○ 乾卦分明是先見得這個透徹, 便一直做將去. 如忠信所以進德, 至可與存義, 也都是徑前做去, 有勇猛嚴厲·斬截剛果之意. 須是見得, 方能恁地, 更著力不得. 坤卦則未到這地位, 敬以直內義以方外, 未免緊貼把捉, 有持守底意.
건괘는 분명히 먼저 이것을 투철하게 볼 수 있어서 곧바로 한 길로 나아가는 것이다. 예를 들어 '진실과 믿음이 덕을 기르는 것'에서부터 '의로움을 보존함'까지는 모두 곧바로 앞으로 나아가 용맹하며 엄격하고, 결단력과 굳센 결행의 뜻이 있다. 모름지기 이것을 알아야 비로소 그렇게 할 수 있으니, 그렇지 않으면[459] 다시 힘을 쓸 수가 없다. 곤괘는 아직 그 지위에 이르지 않아서 '경(敬)으로써 안을 곧게 하고, 의로써 밖을 방정하게 하는 것'이니, 이는 긴밀하게 꽉 붙들고 잡아 지키는 뜻에서 벗어나지 못한 것이다.

又曰, 忠信所以進德, 是乾健工夫. 蓋是剛健粹精, 兢兢業業, 日進而不自已, 如活龍然, 精彩氣燄自有不可及者. 直內外方, 是坤順工夫. 蓋是固執持守, 依文按本底做將去, 所以爲學者事也. 忠信進德脩辭立誠, 與敬以直內義以方外, 分屬乾坤, 蓋取健順二體. 脩辭立誠, 自有剛健主立之體, 敬義便有靜, 順之體. 進脩便是箇篤實, 敬義便是個虛靜, 故曰陽實陰虛.
또 말하였다: '진실과 믿음이 덕을 기르는 것'은 굳건한 건괘(乾卦)의 공부이다. 이것은 강건하고 순수 정밀하여, 항상 조심하며 삼가서 날마다 나아가 스스로 그침이 없으니, 마치 살아

있는 용과 같아 뛰어난 기세를 절로 미칠 자가 없다. '경(敬)으로써 안을 곧게 하고, 의로써 밖을 방정하게 하는 것'은 순한 곤괘(坤卦)의 공부이다. 이것은 굳게 잡아 지켜서 형식에 의거하고 근본을 살펴 나아가는 것이니 배우는 사람들이 행하는 일이다. '진실과 믿음, 덕을 기름, 말을 바르게 하고 정성을 세움'과 '경(敬)으로써 안을 곧게 하고, 의로써 밖을 방정하게 하는 것'은 건괘와 곤괘에 나뉘어 속하는데, 굳건함과 순함의 두 몸체에서 취한 것이다. '말을 바르게 하고 정성을 세움'은 본래 강건함을 주장하고 확립하는 몸체가 있고, '경(敬)으로써 안을 곧게 하고, 의로써 밖을 방정하게 하는 것'은 고요함과 순함이 있는 몸체가 있으니, '덕을 기르고 학업을 닦음'은 곧 독실한 것이고, '경(敬)으로써 안을 곧게 하고, 의로써 밖을 방정하게 하는 것'은 비어서 고요한 것이므로 "양은 가득차고 음은 비어 있다"라고 말한다.

又曰, 乾卦連格物致知誠意正心都說了. 坤卦只有後面一節, 只是一個持守柔順貞固, 循規蹈矩, 依而行之. 又曰, 乾是聖人道理, 自然而然, 坤是賢人道理, 便有用力處.
또 말하였다: 건괘는 '격물·치지·성의·정심'을 아울러 모두 설명하였고, 곤괘는 단지 '성의·정심'만으로 설명하였다. 이는 유순함으로 지켜 바르고 곧음이니, 법도와 규범을 따르고 거기에 맞게 행동하는 것이다.
또 말하였다: 건괘는 성인의 도리로서 저절로 그러한 것이고, 곤괘는 어진 사람의 도리로서 노력함이 있어야 한다.

○ 厚齋馮氏曰, 此言進德脩業忠信辭誠, 知至知終, 以明終日乾乾夕惕若之實也. 君德著于二, 君位尊於五, 自三以往, 无非養其德業之日. 而在上下之間, 處之尤難, 進脩惕厲求无過, 以合於道, 可也. 接上卦, 故可以進, 終下卦, 故可以居.
후재풍씨가 말하였다: 이것은 '덕을 기르고', '학업을 닦고', '진실하고 미더우며', '말을 바르게 하고', '정성을 세우며', '다다를 곳을 알고', '마칠 곳을 아는' 것을 말하여 '종일토록 힘쓰고 힘써 저녁까지도 두려워하면'의 실상을 밝힌 것이다. 임금의 덕은 이효에 드러나고 임금의 지위는 오효에서 존귀하니, 삼효로부터 그 이후는 그 덕과 본업을 수양하는 날이 없지 않다. 그러나 위아래의 사이에서 처지가 더욱 어려워 '덕을 기르고, 학업을 닦고 두려워하고 위태함'으로 허물이 없게 되기를 구하여 이로써 도에 합치하여야 한다. 상괘(上卦)에 연결되기 때문에 나아갈 수 있고, 하괘(下卦)의 끝이므로 머물 수 있다.

○ 雲峯胡氏曰, 忠信主於心, 脩辭見於事. 主於心是德, 見於事是業. 進者日新而不已, 居者一定而不易. 曰至曰幾, 皆進字意, 曰終曰存, 皆居字意.
운봉호씨가 말하였다: '진실과 믿음'은 마음을 위주로 한 것이고, '말을 바르게 함'은 일에서

드러난다. 마음을 위주로 하는 것은 덕이고, 일에서 드러나는 것은 본업이다. '기른대[進]'는 것은 매일 매일 새롭게 하여 멈추지 않는 것이고, '머문대[居]'는 것은 한번 정하여 바꾸지 않는 것이다. '다다른대[至]'라 하고 '기미[幾]'라 하는 것은 모두 '기른대[進]'의 뜻이며, '마친 대[終]'라 하고 '보존한대[存]'라 하는 것은 모두 '머문대[居]'의 뜻이다.

○ 臨川吳氏曰, 居上在下, 釋厲字, 以下體言, 則三居上畫, 故曰上位. 以二體言, 則三 在下卦, 故曰下位. 不驕不憂, 釋无咎之義也.

임천오씨가 말하였다: "높은 자리에 머물고 낮은 자리에 있다"는 것은 '위태하다[厲]'를 해석한 것이니, 아래 몸체[下體]로 말하면 삼효가 맨 위의 획에 있으므로 높은 자리라 했고, 두 개의 몸체[上下卦]로 말하자면, 삼효는 하괘에 있으므로 낮은 자리에 있다고 했다. "교만하지 않고 근심하지 않는다"는 "허물이 없다"는 뜻을 해석한 것이다.

韓國大全

임영(林泳) 「독서차록(讀書箚錄)-주역(周易)」460)

九三曰.

구삼에서 말하였다.

傳, 三居下之上 [止] 修業而已.

『정전』에서 말하였다: 구삼은 하괘의 위에 있어 … 학업을 닦을 뿐이다.

難曰, 九三重剛而不中, 故有乾乾惕厲之象. 進德修業, 乃乾惕之實事也, 若曰君德已 著, 將何爲哉. 惟進德修業而已, 則恐不然矣. 曰, 君子之進德修業, 豈待君德已著, 無 他所爲, 而後爲之耶. 非但不得經旨義理, 亦未安也.

논변하였다: 구삼은 굳셈을 중첩하고 알맞음을 얻지 못했으므로 힘쓰고 힘써 두려워하는 상이 있다. 덕을 기르고 학업을 닦는 것은 힘쓰고 두려워하는 실질적인 일이다. "임금의 덕이 이미 드러났으니 무엇을 할 것인가? 오직 덕을 기르고 학업을 닦는 것뿐이다"라 말한다면, 그렇지 않은 것 같다. "군자가 덕을 기르고 학업을 닦는다"라 말한다면, 어찌 임금의

---

460) 경학자료집성DB에서는 건괘 구삼에 해당하는 것으로 분류했으나, 내용에 따라 이 자리로 옮겼다.

덕이 드러나 달리 할 일이 없게 되기를 기다린 다음에 하겠는가? 경의 뜻과 의리를 얻지 못할 뿐 아니라 역시 온당하지 않다.

不懈而知懼.

게을리 하지 않고 두려워할 줄 안다.

難曰, 此言乾乾時惕之義. 乾乾時惕, 盡包一節進修之義. 傳於此無歸重總要之辭, 亦太歇後矣.

논변하였다: 여기에서는 "힘쓰고 힘써 때에 맞추어 두려워한다"는 뜻을 말하였다. "힘쓰고 힘써 때에 맞추어 두려워한다"는 구절은 덕을 기르고 학업을 닦는다는 한 구절의 뜻을 모두 포함하였다. 『정전』은 이것에 대해 중요한 것을 돌이켜 꿰는 말이 없으니, 또한 끝의 말을 크게 줄여버렸다.

本義, 小註, 朱子說.

『본의』 소주(小註)에서의 주자의 설명.

第二條, 忠信進德, 便是見得修辭立誠底許多道理.

둘째 조항, '진실과 믿음', '덕을 기름'이 곧 '말을 바르게 하고 정성을 세우는' 허다한 도리라는 것을 알 수 있다.

今按, 見後固忠信, 以忠信爲見得, 未知如何. 竊詳其意, 亦非謂忠信, 故能見得也. 蓋謂忠信, 則便見修辭以下道理也, 不必可疑耳.

지금 내가 살펴보았다: 안 뒤에 진실과 믿음을 확고하게 하니, 진실과 믿음으로 깨달아 안다는 것이 무엇인지 모르겠다. 생각하건대 그 뜻을 상세하게 하는 것도 진실과 믿음을 말하는 것이 아니기 때문에 깨달아 알 수 있다. 진실과 믿음이라 하는 것은 말을 바르게 하는 것 이하의 도리를 나타내니, 굳이 의심할 필요가 없다.

第三條, 條件功程.

셋째 조항, 공부의 조건과 공정.

今按, 忠信進德修辭立誠, 爲一時事, 而無次第, 故以條件言. 知至至之, 知終終之 爲始終事, 而有次第, 故以功程言. 厚齋馮氏說, 自君德著於二以下, 迂回而失正意, 無可取者.

내가 살펴보았다: 진실·믿음·덕을 기름·말을 바르게 함·정성을 세움은 한 때의 일이고 순서가 없으므로 조건으로 말했다. '다다를 곳을 알아서 다다르는 것'과 '마칠 곳을 알아서 마치는 것'은 일의 시작과 끝이고 순서가 있으므로 공정으로 말했다. 후재풍씨의 설명은 임금의 덕이 이효에서 드러난다는 이하는 우회하는 것으로 올바른 뜻을 잃어서 택할 것이 없다.

이현익(李顯益) 「주역설(周易說)」

曰, 忠信所以進德, 這忠信, 如反身而誠, 如惡惡臭, 如好好色底地位, 是主學者而言. 在聖人則爲至誠, 忠信不足以言也.

『주자어류』에서 말하였다: "진실과 믿음이 덕을 기르는 것이다"라고 하였으니, 이 진실과 믿음은 "자신에게 돌이켜서 진실하게 된다"[461]는 것과 같으며, '나쁜 냄새를 싫어하듯이 하고 예쁜 이성을 좋아하듯이 하는'[462] 경지와 같으니, 이것은 배우는 자를 위주로 말한 것이다. 성인에 있어서는 지성(至誠)이 되니, 진실과 믿음은 말할 것이 못된다.

又曰, 頃見某人言, 乾卦是聖人事, 坤卦是賢人事, 某不見得如此, 如初九子曰云云. 也可以做聖人事, 及至九三, 便說得勞攘, 只做得學者事.

또 말하였다: 근래 어떤 사람이 말한 것을 보니, 건괘는 성인에 대한 일이며, 곤괘는 어진 사람에 대한 일이라고 했는데, 그 사람은 이와 같은 설명을 보지 못한 것이다. 예를 들어 초구에서 '자왈(子曰)' 운운한 것은 또한 성인에 대한 일로 볼 수 있다고 하더라도, 구삼에 이르러서는 곧 노력하고 제거하는 것들에 대한 설명은 다만 배우는 자에 대한 일인 것과 같다.

又曰, 乾皆聖人事, 坤皆賢人事, 恁地斷殺說不得, 如乾初九, 似說聖人矣. 九三學聚問辨則不然, 上九又說賢人在下位, 則又指五爲賢矣. 看來聖人不恁地死殺說, 只逐義隨事說道理而已. 此則不以乾卦皆作聖人事也. 未知當從何說, 然程傳之以舜事釋爻, 朱子嘗非之, 而其以乾卦作聖人事, 與程傳無異, 則上項諸說, 皆非定論, 然若語類則或是初年說, 或是記錄之差, 而本義之說亦如此, 未可知也.

또 말하였다: 건괘는 모두 성인에 대한 일이고 곤괘는 모두 어진 사람에 대한 일이라고 했는데, 이처럼 단정해서 말할 수 없다. 예를 들어 건괘 초구와 같은 것은 성인에 대한 말이라고 할 수 있다. 그러나 구삼의 배우고, 모으며, 묻고 변별함은 그렇지 않으며, 상구에서는 또 어진 사람이 아랫자리에 있다고 했으니, 또 오효가 어진 사람이 됨을 가리킨다. 살펴보면, 성인이 융통성 없게 말하지 않았고, 이것은 단지 그 의미와 사안에 따라서 도리를 설명한 것일 뿐이라고 했으니, 이곳에서는 건괘를 모두 성인에 대한 일로 여기지 않았다. 따라서 마땅히 어떤 설명에 따라야 하는지 모르겠다. 그러나 『정전』에서는 순임금에 대한 일로 효를 풀이했는데, 주자는 그 내용을 비판하였고 건괘를 성인에 대한 일로 간주한 것은 『정전』과 차이가 없으니, 앞 항목의 여러 설명들은 모두 정론이 아니다. 그러나 『주자어류』의 설명

---

461) 『孟子·盡心』: 孟子曰, 萬物皆備於我矣. 反身而誠, 樂莫大焉. 强恕而行, 求仁莫近焉.
462) 『大學』: 所謂誠其意者, 毋自欺也, 如惡惡臭, 如好好色, 此之謂自謙, 故君子必愼其獨也.

과 같은 것들은 간혹 초년의 설도 있고, 기록을 할 때 착오도 있는데,『본의』의 설명이 또한 이와 같으니, 알지 못하겠다.

更詳之, 又有一條曰, 大抵易卦文辭, 本只是各着本卦本爻之象, 明吉凶之占, 當如此耳, 非是就聖賢地位說道理也. 故乾六爻, 自天子以至於庶人, 自聖人以至於愚不肖, 筮或得之, 義皆有取, 但純陽之德, 剛健之至, 若以義推類之, 則爲聖人之象, 而其六位之高下, 又有似聖人之進退, 故文言因潛見躍飛自然之文, 而以聖人之跡, 各明其義, 位有高下而德無淺深也.

다시금 상세히 살펴보니, 또 한 조목에서 말하였다: 대체적으로『주역』에 있는 괘의 글들은 본래 각각 본괘와 본효의 상에 따라 길흉의 점을 밝힌 것이니, 마땅히 이와 같을 뿐이며, 성현의 지위에 나아가 도리를 설명한 것이 아니다. 그러므로 건괘의 여섯 효는 천자로부터 서인에 이르기까지, 성인으로부터 어리석거나 불초한 자에 이르기까지, 점을 쳐서 혹 얻게 되면 그 의미를 모두 취할 수 있다. 다만 순전한 양의 덕이나 강건의 지극함 등을 의미로 유추해보면, 성인의 상이 되고, 여섯 자리의 높고 낮음은 또한 성인의 진퇴와 흡사한 면이 있다. 그러므로「문언전」에서는 잠겨있다[潛]·나타나다[見]·뛰어 오르다[躍]·날다[飛] 등의 자연적인 글들에 의거하였고, 성인의 자취로써 각각 그 의미를 밝혀서 지위에는 높고 낮음의 차이가 있지만, 덕에는 얕고 깊은 차이가 없다고 하였다.

以此觀之, 朱子之意, 欲以乾象與六爻爲通上下聖凡言, 以文言爲專主聖人言. 此正所謂孔子之易, 非文王之易者. 然則文言初九本義之說, 蓋依本文之意釋之, 故如此耳, 不必疑也. 〈更詳上項朱子諸說, 亦以文言言, 則如此說亦不得, 未知果如何.〉

이로써 살펴보면, 주자의 뜻은 건괘의 상(象)과 여섯 효는 상하 및 성인과 보통 사람을 통괄하여 말한 것으로 보고,「문언전」은 오로지 성인을 위주로 말한 것으로 보고자 한 것이다. 이것이 바로 공자의『주역』이며, 문왕의『주역』은 아니라는 것이다. 그렇다면「문언전」의 초구에 대한『본의』의 설명은 아마도 본문의 뜻에 따라서 풀이를 한 것이기 때문에 이처럼 해설되었던 것일 뿐이니, 의심할 필요는 없다. 〈다시 자세히 살펴보니, 앞 항목에 대한 주자의 여러 설들이 또한「문언전」의 기록을 가지고 말한 것이라면, 이와 같이 주장할 수 없을 듯한데, 과연 어떠한지 알지 못하겠다.〉

이익(李瀷)『역경질서(易經疾書)』

忠信進德, 莫如倫常, 故夫子又推說, 君臣父子兄弟朋友之道結之云, 庸德之行, 庸言之謹, 有所不足不敢不勉, 有餘不敢盡, 言顧行, 行顧言, 君子胡不慥慥爾, 慥慥者, 乾乾也, 此爲進德節度, 日乾夕惕, 當於中庸求之.

진실과 믿음으로 덕에 나아가는 것은 윤상(倫常)⁴⁶³⁾만한 것이 없다. 그러므로 공자는 또한 그 설명을 미루어서, 군신·부자·형제·붕우에 대한 도리로써 결론을 맺고, "평상의 덕을 실천하고, 평상의 말을 삼가며, 부족한 것이 있다면 감히 힘쓰지 않음이 없고, 남겨두어 감히 다하지 않으며, 말이 행동을 돌아보고, 행동이 말을 돌아보니, 군자가 어찌 독실하지 않겠는가?"⁴⁶⁴⁾라고 했던 것이다. 조조(慥慥)는 "힘쓰고 힘쓴다"는 뜻이니, 이것은 곧 덕으로 나아가는 절도가 되며, "종일토록 힘쓰고 힘써 저녁까지도 두려워한다"는 뜻이므로 마땅히 『중용』에서 그것을 구해야 한다.

知至至之, 幾之事, 知終終之, 存義之事, 始於幾而終於存義. 義者, 進退久速當其可, 故雖進修及時必使天下利見, 雖懷寶捨藏必樂而无憫, 莫非日乾夕惕條目功程也. 九三在進與止之間, 故以幾爲言, 而戒之以危厲也.

'다다를 곳을 알아서 다다름'은 기미에 대한 일이고, '마칠 곳을 알아서 마침'은 의리를 보존하는 일이니, 기미에서 시작하여 의리를 보존하는 데에서 끝나는 것이다. 의(義)는 나아가고 물러나며 오래되고 신속함이 그 옳음에 합당한 것이다. 그러므로 비록 덕을 기르고 학업을 연마하더라도 때에 이르러서는 반드시 천하 사람들로 하여금 대인을 만나봄을 이롭게 하도록 만들어야 하고, 비록 보화를 품고 버리고 감추더라도, 반드시 즐거워하며 근심함이 없어야 하니, "종일토록 힘쓰고 힘써 저녁까지도 두려워한다"는 조목의 일이 아닌 것이 없다. 구삼은 나아가고 멈추는 사이에 있기 때문에, 기미로써 말하고 위태로움으로써 경계하였다.

유정원(柳正源) 『역해참고(易解參攷)』

脩辭立誠.

말을 바르게 하고 정성을 세움이.

案, 忠信積於中, 則符采驗於外, 當有自然而脩, 自然而立者矣. 今日修辭立誠者, 猶若內歉於忠信之實, 而外加財處之功, 用意於修之立之, 何也. 用意脩辭, 則辭不幾巧, 用意立誠, 則誠不近僞耶.

내가 살펴보았다: 진실과 믿음이 안에 쌓이면 문채가 밖으로 드러나게 되어 자연스럽게 바

---

463) 윤상(倫常): 인간의 도덕윤리(道德倫理)와 강상질서(綱常秩序)를 가리킨다.

464) 『中庸』: 庸德之行, 庸言之謹, 有所不足, 不敢不勉, 有餘不敢盡. 言顧行, 行顧言, 君子胡不慥慥爾.

르게 되고 자연스럽게 세워지는 것이 있다. 지금 "말을 바르게 하고 정성을 세운다"고 한 것은 안으로 진실과 믿음의 실질이 부족하여 밖으로 헤아려서 처리하는 공력을 더하는 것처럼 보이는데, 바르게 하고 세우는데 마음을 쓰는 것은 어째서인가? 말을 바르게 하는데 마음을 쓰면 말이 교묘함에 가까워지지 않겠으며, 정성을 세움에 마음을 쓰면 정성이 거짓에 가까워지지 않겠는가?

曰, 內之忠信愈積, 則外之修爲愈篤, 此其表裏无間, 自不得不然也. 除非聖人之不待思勉, 吐辭爲經外, 雖其誠心好善, 進進不已之君子一有言辭, 不經於心, 不折於理, 而擅出於口者, 則鄙悖躁妄, 禮壞樂崩, 无以著腳安身立其忠信之實事. 故顔氏之克己爲仁, 不過曰非禮勿言, 曾子將死之言, 亦不越乎辭氣上工夫, 則於此可見.

답하였다: 안으로 진실과 믿음이 쌓일수록 밖으로 바르게 함도 더욱 독실하게 되니, 이것은 그 겉과 속이 틈이 없어서 저절로 그렇게 하지 않을 수가 없는 것이다. 성인처럼 힘쓸 것을 생각하지 않아도 내뱉는 말이 모두 경(經)의 말이 된다면 몰라도, 비록 그 마음을 정성스럽게 하고 선을 좋아하여 나아가고 나아가 그치지 않는 군자일지라도 말이 마음을 경유하지 않고 이치에 부합하지 않고서 입에서 제멋대로 나오는 것이 하나라도 있게 되면, 추저분하고 조급하여 절도가 없어서 예악이 붕괴되어 두 발로 서서 몸을 편히 하며 그 진실과 믿음의 실사(實事)를 드러낼 방법이 없다. 그러므로 안연은 자신을 이기는 것으로 인(仁)을 삼았으니, "예가 아니라면 말하지 말라"[465]고 한 것에 불과할 뿐이며, 증자는 장차 죽음을 맞이하여 한 말이 또한 말과 낯빛에 대한 공부를 벗어나지 않았으니,[466] 여기에서 알 수 있다.

哭死而哀, 非爲生者也, 經德不回, 非以干祿也, 豈可謂騖外爲人之學哉. 苟能十分慅慅, 發之言語之間者, 无非片片赤心所自來者, 則此是修辭立誠之道, 而符采之著外者也. 於乎, 小人之厭然自揜, 用意非不深也, 措辭非不美也, 而若使忠信之君子觀之, 則其爲詖淫邪遁之實, 如見肺肝, 此與脩其忠信之辭, 立其忠信之道者, 何啻千里之遠也? 然則其所謂脩者, 豈用意可修, 其所謂立者, 豈用意可立? 君子之於此, 亦非全无所用其心, 而唯其所用者異也. 今以修之立之, 乃疑其用意, 則不亦過乎.

"죽음을 곡하며 슬퍼함은 산 사람에게 들리게 하기 위해서가 아니며, 떳떳한 덕을 행하고 사악하지 않음은 녹을 구하고자 해서가 아니다"[467]라고 했으니, 어찌 외적인 것에 힘쓰는

---

465) 『論語·顏淵』: 顏淵問仁. 子曰, 克己復禮爲仁. 一日克己復禮, 天下歸仁焉. 爲仁由己, 而由人乎哉. 顏淵曰, 請問其目. 子曰, 非禮勿視, 非禮勿聽, 非禮勿言, 非禮勿動. 顏淵曰, 回雖不敏, 請事斯語矣.

466) 『論語·泰伯』: 曾子言曰, 君子所貴乎道者三, 動容貌, 斯遠暴慢矣, 正顏色, 斯近信矣, 出辭氣, 斯遠鄙倍矣.

467) 『孟子·盡心』: 孟子曰, 堯舜, 性者也, 湯武, 反之也. 動容周旋中禮者, 盛德之至也. 哭死而哀, 非爲生

것이 남을 위한 학문이라고 할 수 있겠는가? 만일 실로 정성스럽게 언어로 표출한 것이 진실한 마음에서 비롯되지 않은 것이 없다면, 이것이 말을 바르게 하고 정성을 세우는 도여서 문채가 밖으로 드러나는 것이다. 아! 소인이 자신의 잘못을 느껴 자신의 좋지 않은 점을 숨기니, 생각을 씀이 깊지 않은 것이 아니고 말을 함이 아름답지 않은 것이 아니지만, 진실과 믿음이 있는 군자로 하여금 살펴보게 한다면, 그 편파적이고 음란하며 부정하고 꾸밈이 되는[468] 실상이 폐와 간을 보는 것과 같으니, 이는 그 진실하고 미더운 말을 바르게 하고 그 진실하고 미더운 도를 세우는 것과 어찌 다만 천리(千里)의 차이만 있는 것일 뿐이겠는가? 그렇다면 이른바 바르게 한다는 것이 어찌 생각을 써서 바르게 할 수 있으며, 그 이른바 세운다는 것이 어찌 생각을 써서 세울 수 있는 것이겠는가? 군자가 여기에 또한 전혀 그 마음을 쓰는 바가 없는 것은 아니지만, 그 쓰는 것이 다를 뿐이다. 이제 바르게 하고 세우는 것으로 그 생각을 쓰는 것으로 의심한다면 또한 지나치지 않겠는가?

傳, 小註, 朱子說明道 [至] 其誠.
『정전』의 소주에서 주자가 '명도가 … 그 정성을'이라고 한 설명.
〈案, 卽上程子說第二段也. 朱子又曰, 明道所謂脩辭, 但是非禮勿言.
내가 살펴보았다: 곧 위의 정자가 설명한 제 2단이다. 주자가 또 말하기를 "명도의 이른바 '말을 바르게 하고'는 다만 예가 아니면 말하지 말라는 것이다"라고 하였다.〉

本義, 小註, 朱子說持擇 [至] 確二.
『본의』의 소주에서 주자가 "가려 써서 … 명백하고 확실하다"라고 한 설명.
〈案, 一作揀擇言語的一確, 二言一箇二箇逐處亭當堅確.
내가 살펴보았다: 일설에는 언어를 가려 쓰는 명백하고 확실함이라고 하였으니, 한 개 두 개 처한 곳에 따라 타당하여 견고하고 확실함을 말한다.〉

김상악(金相岳)『산천역설(山天易說)』

進德修業, 釋乾乾之義. 忠信, 心也, 修業, 事也. 蘊於心, 所以見於外, 修於事, 所以養其心也. 至在於先, 故可與幾, 終在於後, 故可與存義也. 居上而不驕, 所以不至於有悔, 在下而不憂, 所以雖危无咎矣.

者也. 經德不回, 非以干祿也. 言語必信, 非以正行也. 君子行法, 以俟命而已矣.
468)『孟子・公孫丑』: 何謂知言. 曰, 詖辭知其所蔽, 淫辭知其所陷, 邪辭知其所離, 遁辭知其所窮, 生於其心, 害於其政, 發於其政, 害於其事. 聖人復起, 必從吾言矣.

'덕을 기르고 학업을 닦음'은 "힘쓰고 힘쓴다"는 뜻을 풀이한 것이다. 진실과 믿음은 마음이고, 학업을 닦음은 일이다. 마음에 온축하기 때문에 밖으로 드러나는 것이고, 일을 닦기 때문에 그 마음을 기르는 것이다. 다다를 곳이 앞에 있기 때문에 더불어서 기미를 알 수 있고, 끝마침이 뒤에 있기 때문에 더불어서 의로움을 보존할 수 있다. 윗자리에 있으면서 교만하지 않음은 후회에 이르지 않는 방법이고, 아랫자리에 있으면서 근심하지 않음은 비록 위태롭지만 허물이 없게 되는 방법이다.

○ 至者, 外乾之至也. 終者, 內乾之終也. 居上位者, 三居下卦之上也. 在下位者, 三居上卦之下也.
다다를 곳은 외괘인 건(☰)이 다다르는 것이다. 끝마침은 내괘인 건(☰)이 마친다는 것이다. 윗자리에 있다는 것은 삼효가 하괘의 위에 있다는 뜻이다. 아랫자리에 있다는 것은 삼효가 상괘의 아래에 있다는 뜻이다.

조유선(趙有善) 『경의(經義)-주역본의(周易本義)』
文言.
문언.

知至至之, 知終終之.
다다를 곳을 알아서 다다르고, 마칠 곳을 알아서 마친다.

本義, 知至, 屬之進德, 知終, 屬之居業. 程子說亦如此. 然忠信非知之事, 語意不甚襯貼, 窃意忠信修辭, 以內外言, 知至知終, 以知行言, 恐不必分屬. 忠信, 進德也, 有知行, 修辭居業, 亦有知行. 但分屬之說, 已有程朱定論, 不敢妄意, 姑爲記疑, 以備思辨.
『본의』에서는 "다다를 곳을 안다"는 것은 덕을 기름에 포함시켰고, "마칠 곳을 안다"는 것을 본업을 수행함에 포함시켰다. 정자의 설명 또한 이와 같다. 그런데 진실과 믿음이라는 것은 지(知)에 해당하는 일이 아니다. 어의(語意)에 매우 부합하지 못하니, 내가 생각하기에 진실·믿음과 말을 바르게 함은 내외(內外)로써 말한 것이고, 다다를 곳을 아는 것과 마칠 곳을 안다는 것은 지행(知行)으로써 말한 것이니, 아마도 분별하여 귀속시킬 필요는 없을 것 같다. 진실과 믿음은 덕을 기르는 것이니, 지행(知行)을 포함한다. 말을 바르게 하고, 본업을 수행하는 것도 지행(知行)을 포함한다. 다만 나누어서 귀속시키는 설명이 이미 정자와 주자의 정론에 있으니, 감히 내 뜻대로 할 수 없기 때문에 잠시 이곳에 의문점을 기록하여 사변(思辨)을 갖춰둔다.

김귀주(金龜柱) 『주역차록(周易箚錄)』

本義, 忠信主於心, 云云.

『본의』에서 말하였다: '진실과 믿음'은 마음에서 주장하고, 운운.

○ 按, 知至至之, 進德之事, 貼忠信而言, 知終終之, 居業之事, 貼修辭立誠而言. 忠信與知至至之, 疑若不倫. 然蓋知至是知得那到處, 至之是行去那到處, 而忠信乃眞實知得, 眞實行去者也. 小註朱子說, 釋忠信處, 或以眞實知得而言, 或以眞實行去而言, 要當兼兩意看.

내가 살펴보았다: 다다를 곳을 알아서 다다르는 것은 덕을 기르는 일로 진실·믿음과 관련하여 말한 것이고, 마칠 곳을 알아서 마치는 것은 본업을 수행하는 일로 말을 바르게 하고 정성을 세움과 관련하여 말한 것이다. '진실과 믿음'과 '다다를 곳을 알아서 다다르는 것'은 서로 같지 않은 듯하다. 그러나 대체로 '다다를 곳을 아는 것'은 도달할 곳을 아는 것이고, '다다른다'는 것은 도달할 곳에 가는 것이며, 진실과 믿음은 진실로 아는 것이고 진실로 행하는 것이다. 소주(小註)에서 진실과 믿음을 풀이한 주자의 주장은 진실로 아는 것으로 말하기도 하고, 진실로 행하는 것으로 말하기도 하였으니, 요컨대 두 가지 의미를 겸해서 보아야 한다.

小註, 忠信是始, 云云.

소주(小註)에서 말하였다: '진실과 믿음'은 시작이고, 운운.

○ 按, 程子曰, 知至至之主知, 知終終之主終. 而朱子爲釋其意曰, 上句以知至爲重, 而至之二字爲輕, 下句以知終爲輕, 而終之二字爲重. 此註則曰, 知至至之主在至上, 知終終之主在終上. 其釋下句, 則前後說無異, 而其釋上句, 則前後說不同, 何也. 蓋程傳以知至至之爲致知之事, 朱子從其意而解之, 故曰知至爲重. 本義以知至至之爲進德之事. 故此註亦曰, 主在至上. 兩說各有攸當, 而意實相通, 不可執此而疑彼也.

내가 살펴보았다: 정자는 "다다를 곳을 알아서 다다르는 것은 '앎'을 위주로 하고, 마칠 곳을 알아서 마치는 것은 '마침'을 위주로 한다"[469]라 하였는데, 주자는 그 뜻을 해석하여 "앞 구절은 '다다를 곳을 아는 것[知至]'을 중하게 여기고 '다다른다[至之]'는 두 글자는 가볍게 여기며, 뒤의 구절은 '마칠 곳을 아는 것[知終]'을 가볍게 여기고 '마친다[終之]'는 두 글자는 중하게 여긴다"라 하였다. 또 이 주석에서 "다다를 곳을 알아서 다다르는 것은 주안점이 '다다름[至]'에 있고, 마칠 곳을 알아서 마치는 것은 주안점이 '마침[終]'에 있다"라 하였다. 뒤 구절의 해석은 주자의 앞뒤 말과 같지만, 앞 구절의 해석이 앞뒤 말과 같지 않은 것은 어째

---

[469] 『河南程氏遺書』: 知至至之, 主知, 知終終之, 主終.

서인가? 『정전』은 "다다를 곳을 알아서 다다르는 것"을 앎을 이루는 일로 여기고, 주자는 그 뜻을 따라 해석했기 때문에 '다다를 곳을 아는 것[知到]'을 중하게 여겼다. 『본의』는 '다다를 곳을 알아서 다다르는 것'을 '덕을 기르는 일'로 여기기 때문에 여기의 주석에서도 "주안점이 '다다름[到]'에 있다"고 말한 것이다. 두 설은 각각 마땅한 바가 있어 뜻이 실제로 서로 통하니, 이것만을 고집하여 저것을 의심해서는 안 된다.

乾卦分明是, 云云.

건괘는 분명히, 운운.

○ 按, 上註言修辭立誠, 大段着氣力, 此則以忠信立誠, 謂更着力不得, 何也. 蓋以修辭立誠對閑邪存誠, 則閑邪而誠自存, 便是不大段用力, 修辭要立誠, 便是大段着氣力. 以乾之忠信立誠對坤之直內方外, 則忠信立誠, 皆是聖德日新, 自然不已之事, 更不須言着力. 直內方外, 是賢人固執持守之功, 未免有着力底意, 所以兩說有不同也. 大抵無論閑邪存誠, 忠信立誠, 卻都是工夫上事, 在學者則無非着力, 在聖人則別無着力. 朱子或就學者分上泛說, 或就聖人分上極至說, 如是看, 則所言雖或有不同觸處, 皆通無不洒然矣.

내가 살펴보았다: 위의 주석에서 '말을 바르게 하고 정성을 세움'에 큰 힘을 써야 된다고 말하고, 여기서는 '진실과 믿음 및 정성을 세움'에 다시 힘 쓸 수 없다고 한 것은 무엇 때문인가? '말을 바르게 하고 정성을 세움'과 '사악함을 막고 정성을 보존함'을 대비해 보면, 사악함을 막으면 정성은 저절로 보존되니 큰 힘을 쓰지 않지만, 말을 바르게 하려면 정성을 세워야만 하니 큰 힘을 써야 한다. 건괘의 '진실과 믿음'·'정성을 세움'을 곤의 '경으로써 안을 곧게 하고 의로써 밖을 방정하게 하는 것'과 대비해 보면, '진실과 믿음'·'정성을 세움'은 모두 성인의 덕이 매일 매일 새로워져 저절로 그칠 수 없는 일이니, 다시 힘써야 된다고 말할 필요가 없다. 그러나 '경으로써 안을 곧게 하고 의로써 밖을 방정하게 하는 것'은 어진 이가 굳게 잡아 지키는 공효로 꼭 힘을 써야 하는 뜻을 면할 수 없기 때문에 두 주장에 다른 점이 있는 것이다. '사악함을 막고 정성을 보존하고', '진실과 믿음' 및 '정성을 세움'은 모두 공부의 일이니, 배우는 자들에 있어서는 힘쓰지 않을 수 없지만, 성인에 있어서는 별도로 힘 쓸 필요가 없다. 주자는 혹 배우는 사람의 입장에서 평범하게 말하거나 혹 성인의 입장에서 높은 경지로 말하였으니, 이와 같이 보면 말한 것이 비록 닿은 곳이 다르지만, 모두 통하여 후련하지 않음이 없다.

厚齋馮氏曰, 此言, 云云.

후재풍씨가 말하였다: 여기서 … 말하여, 운운.

○ 按, 求無過, 以合於道, 恐非文義. 聖人當九三地位, 進德修業而已, 則自然旡咎, 非求無過, 以合於道也.

내가 살펴보았다: "허물없기를 구하여 도(道)에 합치된다"는 것은 글의 뜻이 아닌듯하다. 성인이 구삼의 지위에 당하여 덕을 기르고 학업을 닦을 뿐이면 저절로 허물이 없게 될 것이니, 허물없기를 구하지 않아도 도에 합치 될 것이다.

서유신(徐有臣) 『역의의언(易義擬言)』

脩辭者, 言必忠信也. 立誠者, 行必忠信也. 始以忠信而進德, 終以忠信而居業也. 知至至之者, 精也. 知終終之者, 一也. 至謂至於九三也. 終謂終於上九也. 與, 以也. 幾者, 義之始也. 義者, 幾之終也. 上位者, 下卦之上也. 不驕者, 不以已至自足也. 下位者, 上卦之下也. 不憂者, 不以不終爲懼也. 進德知至, 終日乾乾之象也. 居業知終, 夕惕若之象也. 因其時者, 日夕相因, 無少間斷也.

말을 바르게 한다는 것은 말을 함에 반드시 진실과 믿음에 따른다는 것이다. 정성을 세운다는 것은 행동을 함에 반드시 진실과 믿음에 따른다는 것이다. 시작에는 진실과 믿음으로 덕을 기르고, 마침에는 진실과 믿음으로 본업을 수행한다. 다다를 곳을 알아서 다다른다는 말은 정미함에 해당한다. 마칠 곳을 알아서 마친다는 것은 한결같음에 해당한다. 다다름은 구삼에 다다른다는 뜻이다. 마침은 상구에서 마친다는 뜻이다. '여(與)'는 '이(以)'이다. 기미는 의로움의 시작을 뜻한다. 의로움은 기미의 마침을 뜻한다. 윗자리는 하괘의 위를 뜻한다. 교만하지 않음은 이미 이르렀음에도 자족하지 않는다는 뜻이다. 아래 자리라는 것은 상괘의 아래를 뜻한다. 근심하지 않음은 끝맺지 못하는 것을 걱정으로 삼지 않는다는 뜻이다. 덕으로 나아가며 다다를 곳을 아는 것은 종일토록 힘쓰고 힘쓰는 상(象)이다. 본업을 수행하고 마칠 곳을 안다는 것은 저녁까지도 두려워하는 상이다. 그 때에 따른다는 것은 종일토록 하고 저녁까지 함이 서로 따르게 되어 조금도 끊어짐이 없는 것이다.

강엄(康儼) 『주역(周易)』

九三曰 [止] 雖危无咎矣.

구삼에서 말하였다: … 비록 위태롭지만 허물이 없다.

本義, 脩辭 [止] 不實也.

『본의』에서 말하였다: 말을 바르게 하다 … 채우지 않는다.

按, 本義釋脩辭, 而便說見於事, 且不別釋立誠何也. 蓋言與事, 自是相須底, 有言必有事, 有事必有言, 此所以釋脩辭而兼言事者也. 至於立誠, 亦无別般工夫, 只是脩辭處, 便是立誠, 故孔子曰言忠信. 溫公論誠, 謂行之自不妄語. 始明道, 亦曰脩省言辭, 便長要立誠, 而朱子稱其說得來洞洞, 流轉若伊川以篤志解立誠, 則朱子以爲便緩丁, 觀此則脩辭立誠不可作兩件事明矣.

내가 살펴보았다: 『본의』에서는 말을 바르게 한다는 것에 대해서 풀이했는데, 다시금 일에 나타난다고 설명하였다. 그런데 또한 별도로 정성을 세운다는 것에 대해서 풀이하지 않은 것은 무슨 이유인가? 말과 일은 그 자체로 서로 연관된 것이니, 말이 있게 되면 반드시 일도 있게 되고, 일이 있게 되면 반드시 말도 있게 되니, 이것이 바로 말을 바르게 한다는 것을 풀이하며 함께 일에 대해서도 언급한 이유이다. 정성을 세우는 것도 또한 별도의 공부가 있는 것이 아니고, 단지 말을 바르게 하는 것이 곧 정성을 세우는 것이다. 그러므로 공자는 "말은 진실하고 미덥게 하라"[470]고 말하였다. 온공(溫公)은 정성을 논의하면서, "실천하는 것은 함부로 말을 하지 않는 것으로부터 시작한다"고 했다. 애초에 명도(明道) 또한 "말을 바르게 하고 성찰하려면 곧 정성을 세워야만 한다"고 했는데, 주자는 그 주장이 널리 퍼질 것이라고 했다. 이천(伊川)에 이르러서는 뜻을 돈독히 한다는 것으로써 정성을 세운다는 것을 풀이했는데, 주자는 완전하다고 여겼다. 이를 통해 살펴본다면, 말을 바르게 하고 정성을 세우는 것은 별개의 두 가지 일이 아니라는 사실이 분명하다.

박문건(朴文健) 『주역연의(周易衍義)』

居, 處也. 知德之所至而至之, 則可與知幾, 知業之所終而終之, 則可與存義, 知幾則无危, 存義則无過.

'거(居)'는 처한다는 뜻이다. 덕이 다다를 곳을 알아서 다다른다면 더불어서 기미를 알 수 있고, 일이 마칠 곳을 알아서 마친다면 더불어서 의로움을 보존할 수 있는 것이니, 기미를 알면 위태로움이 없게 되고, 의로움을 보존하면 과실이 없다.

〈問, 修居之不同. 曰, 脩辭立誠, 則知其可脩之業而居之.

물었다: 바르게 하는 것과 수행하는 것은 다른 것입니까?

답하였다: 말을 바르게 하고 성실함을 세운다면, 바르게 할 만한 일을 알아서 수행하게 됩니다.〉

〈問, 知至至之, 知終終之. 曰, 知其至而至之, 知其終而終之, 是可謂之德業也. 若不當至而至之, 不當終而終之, 不可謂之德業也. 是故, 知至而至者, 乃知幾也, 知終而終

---

470) 『論語 · 衛靈公』: 子張問行. 子曰, 言忠信, 行篤敬, 雖蠻貊之邦, 行矣. 言不忠信, 行不篤敬, 雖州里, 行乎哉. 立則見其參於前也, 在輿則見其倚於衡也, 夫然後行. 子張書諸紳.

者, 乃存義也. 曰, 於德言至, 於業言終, 何. 曰, 德在先, 故言至, 業在後, 故言終.

물었다: '다다를 곳을 알아서 다다름'과 '마칠 곳을 알아서 마침'은 무슨 뜻입니까?

답하였다: 그 다다를 곳을 알아서 다다르고 그 마칠 데를 알아서 마친다는 뜻이니, 이것을 이른바 덕과 일이라고 할 수 있습니다. 만약 마땅히 다다르지 말아야 하는데, 다다르고 마땅히 마치지 말아야 하는데 마친다면, 이것을 덕과 일이라고 할 수 없습니다. 이 때문에 다다를 곳을 알아서 다다르는 것은 곧 기미를 아는 것이고, 마칠 곳을 알아서 마치는 것은 곧 의로움을 보존하는 것입니다.

물었다: 덕에 대해서는 다다른다고 말하고, 일에 대해서는 마친다고 말한 것은 무엇 때문입니까?

답하였다: 덕은 앞에 있는 것이기 때문에 다다른다고 말하였고, 일은 뒤에 있는 것이기 때문에 마친다고 말하였습니다.〉

〈問, 居上位而不驕, 在下位而不憂. 曰, 知幾存義, 則進居上位而不驕, 退在下位而不憂也.〉

〈물었다: "윗자리에 거하지만 교만하지 않고, 아랫자리에 거하지만 걱정하지 않는다"는 무슨 뜻입니까?

답하였다: 기미를 알고 의를 보존하면, 나아가서 윗자리에 거하더라도 교만하지 않고, 물러나서 아랫자리에 거하더라도 걱정하지 않는다는 뜻입니다.〉

〈問, 因其時而惕. 曰, 雖終日乾乾, 每因日夕惕懼之時而惕懼焉, 則不患其不爲君子矣.

물었다: "때에 따라 걱정한다"는 무슨 뜻입니까?

답하였다: 비록 종일토록 힘쓰고 힘쓰더라도, 매번 저녁이 되어서 걱정하고 조심해야 할 때에 따라 걱정하고 조심한다면, 군자가 되지 못할 것을 걱정하지 않게 됩니다.〉

이지연(李止淵) 『주역차의(周易箚疑)』

進德居業, 則言行可知, 況有見幾之明, 其於保身何有. 雖在下卦之上, 而屈於上卦之下, 故不驕, 雖在上卦之下, 而隣於中德之君子, 故不憂.

덕에 나아가고 본업을 수행한다면 언행을 알 수 있으니, 하물며 기미의 밝음을 볼 수 있다면, 자신을 보존하는데 있어서 무슨 어려움이 있겠는가? 비록 하괘의 위에 있지만 상괘의 아래에서 굽히고 있기 때문에 교만하지 않고, 비록 상괘의 아래에 있지만 알맞은 덕을 가진 군자를 이웃으로 삼기 때문에 걱정하지 않는다.

심대윤(沈大允) 『주역상의점법(周易象義占法)』

三四離於下, 而未至於上, 且進德且修業也. 忠信, 篤於內也. 修辭立其誠, 信於外也. 知至至之, 見幾而知其所至而至之也, 知之事也. 知終終之, 守義而知其所終而終之也, 仁之事也. 知者權, 仁者正, 權以行事, 正而立道, 權故可與幾而成務, 正故可與存義而得中也. 是以德業竝崇也. 中庸曰, 道竝行而不相悖.

구삼과 구사는 아래에서는 떨어졌지만 아직은 위에 도달한 것이 아니며, 또한 덕에 나아가고 또한 학업을 닦는다. 진실과 믿음은 내적으로 돈독히 하는 것이다. 말을 바르게 하고 정성을 세우는 것은 외적으로 믿게끔 하는 것이다. 다다를 곳을 알아서 다다르는 것은 기미를 보고서 다다를 곳을 알아서 다다르는 것이니, 지혜에 대한 일이다. 마칠 곳을 알아서 마치는 것은 의로움을 지켜서 마칠 곳을 알아서 마치는 것이니, 어짊의 일이다. 지혜는 권도(權道)를 뜻하고, 어짊은 바름을 뜻하니, 권도를 발휘하여 일을 시행하고, 올바르게 하여 도를 세운다. 권도를 발휘하기 때문에 기미를 알아서 그 노력을 이룰 수 있고, 바르기 때문에 의로움을 보존하는데 참여하여 중을 얻을 수 있다. 이 때문에 덕과 학업을 모두 높일 수 있다. 『중용』에서는 "도를 함께 시행하여 서로 어그러지지 않는다"[471]라고 했다.

박문호(朴文鎬) 「경설(經說)·주역(周易)」

乾乾以不懈釋之者, 乾道每日一周無一息之停, 不懈者莫乾若也. 今又重言, 則其不懈又何如哉.

'건건'을 나태하지 않다는 뜻으로 풀이한 것은 건의 도는 매일 한 차례 순환을 하여 한 번이라도 멈춰서 쉬는 법이 없으니, 나태하지 않은 것을 하늘처럼 할 수 있는 것이 없기 때문이다. 지금 다시 '건건'이라고 거듭해서 말했으니, 나태하지 않음이 또한 어떻겠는가?

오치기(吳致箕) 「주역경전증해(周易經傳增解)」[472]

此一節申言九三之象也. 盡己之謂忠, 以實之謂信, 而爲進德之基. 擇言之謂修辭, 篤行之謂立誠, 而爲居業之事. 知其所當至, 而必欲至之, 則可與明此進德之幾. 知其所當終, 而必欲終之, 則可與存此居業之義. 以之居上高而不驕, 以之在下卑而不憂, 故雖危, 而无咎矣.

이 일절은 구삼의 상을 거듭 말한 것이다. 자기의 마음을 다 하는 것을 '진실[忠]'이라 하고,

---

471) 『中庸』: 萬物竝育而不相害, 道竝行而不相悖, 小德川流, 大德敦化, 此天地之所以爲大也.
472) 경학자료집성DB에서는 건괘 구삼에 해당하는 것으로 분류했으나, 내용에 따라 이 자리로 옮겼다.

성실한 것을 '믿음[信]'이라 하니 덕을 기르는 기반이다. 선택해서 말하는 것을 '말을 바르게 함[修辭]'이라 하고, 행실을 돈독하게 하는 것을 '정성을 세움[立誠]'이라 하니, 본업을 수행하는 일이다. 마땅히 다다를 곳을 알아 반드시 다다르고자 하니, 이 덕을 기르는 기미를 더불어 밝힐 수 있을 것이다. 마땅히 마칠 곳을 알아서 반드시 마치고자 하니, 이 본업을 수행하는 의를 더불어 보존할 수 있을 것이다. 이렇게 하여 위로 높은 자리에 있더라도 교만하지 않고, 아래로 낮은 곳에 있더라도 근심하지 않기 때문에 위태하나 허물이 없다.

이병헌(李炳憲) 『역경금문고통론(易經今文考通論)』

程傳曰, 知至至之, 致知也, 始條理之事也. 知終終之, 力行也. 終條理之事也.
『정전』에서 말하였다: 다다를 곳을 알아서 다다르는 것은 앎을 완성하는 것이니, 조리(條理)를 시작하는 일에 해당한다. 마칠 곳을 알아서 마치는 것은 힘써 행하는 것이니, 조리를 마치는 일에 해당한다.

按, 知至知終屬知, 至之終之屬行.
내가 살펴보았다: 다다를 곳을 알고 마칠 곳을 아는 것을 앎에 소속시키고, 다다르고 마치는 것을 실천에 포함시켰다.

王曰, 居下體之上, 在上體之下, 知夫終始, 故不驕不憂也.
왕씨가 말하였다: 하체의 위에 거하고 상체의 아래에 있으니, 마침과 시작을 알기 때문에 교만하지 않고 근심하지 않는다.

九四曰, 或躍在淵无咎, 何謂也. 子曰 上下无常, 非爲邪也,
進退无恒, 非離群也. 君子進德修業, 欲及時也. 故无咎.

구사에서"혹 뛰어 오르거나 못에 있으면 허물이 없다"라고 한 것은 무슨 말인가? 공자가 말하였다.
"오르고 내림에 일정함이 없음은 간사함이 되지 않고, 나아가고 물러남에 일정함이 없음은 무리를
떠남이 아니다. 군자가 덕을 기르고 학업을 닦음은 때에 미치고자 함이다. 그러므로 허물이 없다."

┃中國大全┃

傳

或躍或處, 上下无常, 或進或退, 去就從宜, 非爲邪枉, 非離群類. 進德修業, 欲
及時耳, 時行時止, 不可恒也. 故云或. 深淵者, 龍之所安也, 在淵, 謂躍就所安.
淵在深而言躍, 但取進就所安之義. 或, 疑辭, 隨時而未可必也. 君子之順時, 猶
影之隨形, 可離, 非道也.

혹 뛰어오르기도 하고 머물러 있기도 하여 오르내림에 일정함이 없고, 혹 나아가기도 하고 물러나기
도 하여 거취에 마땅함을 따름은 간사하게 굽히는 것이 아니며, 자기 무리를 떠나려는 것이 아니다.
덕을 기르고 학업을 닦는 것은 때에 미치고자 할 뿐이니, 때에 맞게 행하고 때에 맞게 멈추어 일정하
게 해서는 안 되기 때문에 '혹(或)'이라고 말한 것이다. 깊은 못은 용이 편안히 있는 곳이니, '못에
있음'은 용이 뛰어 편안한 곳으로 나아감을 말한다. 못은 깊은데도 뛰어 오른다고 말함은 다만 편안
한 곳으로 나아가는 뜻을 취한 것이다. '혹(或)'은 결정하지 않았다는 말이니, 때를 따라서 하되 꼭
그렇게 되고자 하지 않는 것이다. 군자가 때를 따름은 그림자가 형체를 따르는 것과 같으니, 떠날
수 있으면 도(道)가 아니다.[473]

---

473) 『中庸』: 道也者, 不可須臾離也, 可離, 非道也.

本義

內卦, 以德學言, 外卦, 以時位言. 進德修業, 九三備矣, 此則欲其及時而進也.

내괘에서는 덕성과 학문을 말하고, 외괘에서는 시기와 지위를 말하였다. 덕을 기르고 학업을 닦는 것은 구삼에서 자세하게 설명했으니, 여기에서는 좋은 때를 만나 나아가고자 함이다.

小註

或問, 九四進德脩業欲及時如何.

어떤 이가 물었다: 구사에서 "덕을 기르고 학업을 닦음은 때에 미치고자 함이다"는 무슨 뜻입니까?

朱子曰, 君子進德脩業, 非但爲一身, 亦欲有爲于天下. 及時, 是及時而進. 蓋進德脩業, 九三已備, 此則欲及時以進耳.

주자가 답하였다: 군자가 덕을 기르고 학업을 닦는 것은 단지 자신만을 위해서가 아니라 천하에 큰일을 하려는 것입니다. '급시(及時)'는 좋은 때를 만나 나아감입니다. 덕을 기르고 학업을 닦는 것은 구삼에서 이미 자세하게 설명했으니, 여기에서는 좋은 때를 만나 나아가고자 할 따름입니다.

又曰, 上下无常, 進退无恒, 非爲邪枉, 非離群類. 隨時而變, 動靜不失其宜, 乃進德修業之實也.

또 답하였다: 오르고 내림에 일정함이 없고, 나아가고 물러남에 일정함이 없음은 바르지 않은 것이 아니고, 무리를 떠나려는 것도 아닙니다. 때에 따라 변화함에 동정이 그 마땅함을 잃지 않으니, 곧 덕을 기르고 학업을 닦는 것의 실질입니다.

○ 九四中不在人, 則進而至乎九五之位, 亦无嫌矣. 但君子本非有此心, 故云或躍, 而此又以非爲邪也等語釋之.

구사는 "가운데로는 사람에 있지 않다"[474]는 말은 나아가서 구오의 지위에 이르더라도 또한 의심할 것이 없습니다. 다만 군자는 본래부터 이러한 마음을 가지고 있지 않기 때문에 '혹 뛰어 오르거나'라고 말하고, 또 여기에서 '간사함이 되지 않음' 등의 말로 풀이했습니다.

○ 問, 內卦以德學言, 外卦以時位言. 曰, 雖言德學, 而時位亦在其中, 非德學何以處

---

[474] 『周易·乾卦·文言傳』: 九四, 重剛而不中, 上不在天, 下不在田, 中不在人, 故或之, 或之者, 疑之也, 故无咎.

時位.

물었다: "내괘에서는 덕성과 학문을 말하고, 외괘에서는 시기와 지위를 말하였다"는 것은 무엇입니까?

답하였다: 비록 덕성과 학문을 말하더라도 시기와 지위도 그 안에 포함되어 있는 것이니, 덕성과 학문이 아니면 어떻게 시기와 지위에 대처할 수 있겠습니까?

○ 雲峯胡氏曰, 三四皆以進德脩業言者, 重剛不中, 皆危疑之時也. 自昔聖賢處此, 惟有進德脩業而已, 況二爻在上下進退之間, 乾道變化之際, 於進退而識其幾, 知時者也, 於變化而見其妙, 知道者也. 所謂窮理盡性以至於命也, 進脩之要, 孰大乎此.

운봉호씨가 말하였다: 삼효와 사효에서 모두 '덕을 기르고 학업을 닦는 것'으로 말한 것은 거듭된 강인함이 중(中)이 되지 못하여 모두 위태롭고 의혹이 있는 때가 되기 때문이다. 예로부터 성현이 이런 상황에서는 오직 덕을 기르고 학업을 닦을 뿐이다. 더구나 두 효가 올라가거나 내려가거나 나아가고 물러나는 사이에 있고, 건도가 변화하는 시기에 있으니, 나아가고 물러남에 기미를 아는 것은 때를 아는 것이며, 변화에서 그 묘함을 아는 것은 도를 아는 것이다. 이른바 "이치를 연구하고 본성을 극진히 하여 천명에 이른다"[475]는 것이 덕을 기르고 학업을 닦는 것의 요점이니 어느 것이 이보다 크겠는가?

°

|韓國大全|

조호익(曺好益) 『역상설(易象說)』

九四曰, 進退无恒, 非離群也.

구사에서 말하였다: 나아가고 물러남에 일정함[恒]이 없음은 무리를 떠남이 아니다.

愚按, 離群, 猶異衆之義.

내가 살펴보았다: '무리를 떠남[離群]'은 대중[衆]과 달리한다는 뜻과 같다.

---

475) 『周易·說卦傳』: 昔者聖人之作易也, 幽贊於神明而生蓍, 參天兩地而倚數, 觀變於陰陽而立卦, 發揮於剛柔而生爻, 和順於道德而理於義, 窮理盡性以至於命.

이익(李瀷) 『역경질서(易經疾書)』

九四象不言龍, 故曰非離群也. 此謂雖以人事取譬, 而非離於龍群, 與坤之猶未離其類相照, 謂坤六未離馬類也. 上下, 以四與初言, 進退, 以躍與潛言, 龍之躍而未至於天, 頗費辛苦, 不進則退, 及在天然後, 方遊動自裕, 此不但龍, 凡鷹鴟之屬皆然, 在下必須皱翼, 旣高方聳肩直翅而已, 莊周所謂風之積也不厚, 則負大翼也無力, 是也. 物浮於氣, 如魚浮於水.

구사의 상에서는 용을 말하지 않았다. 그러므로 무리를 떠나는 것이 아니라고 말한다. 이것은 비록 사람의 일로써 비유를 들었지만 용의 무리를 떠나는 것이 아니라는 것은 곤(坤)에서 "아직 그 부류를 떠나지 않는다"[476]고 한 말과 서로 대조가 되니, 곤괘의 여섯 효가 아직 말의 부류를 떠나지 않는다는 것을 말한다. '상하'는 사효와 초효를 말한 것이고, '진퇴'는 뛰어오르거나 잠겨있는 것으로써 용의 도약을 말하지만 하늘에는 이르지 못하니, 많은 고생을 하더라도 나아가지 못한다면 물러나고, 하늘에 도달한 이후에야 비로소 여유롭게 노니는 것이다. 이것은 단지 용만이 아니라, 매나 솔개 등의 부류들도 모두 그렇다. 아랫자리에 있으면 반드시 날갯짓을 해야 하고, 이미 높은 곳에 있다면 어깨를 펴서 날개를 펼치고 있으면 될 뿐이다. 장자가 "바람이 세게 불지 않으면 크게 날갯짓을 할 때 힘이 없다"[477]고 한 말이 그것이다. 사물이 기(氣)에 뜬다는 것은 물고기가 물 위로 뜨는 것과 같다.

九二之言信行謹, 將欲九三之進德居業也. 所謂忠信, 卽行謹也. 修辭立誠, 卽言信也. 九四之進德修業, 欲及時也, 已指九五利見也. 欲爲而未至其意, 未嘗息也. 自九二至此, 一意歸宿都輳向九五一步趨一步, 君子兼善之心, 可見.

구이에서는 "말을 믿게 하고, 행동을 삼간다"고 말했는데, 이것은 구삼에서 말한 덕을 기르고 본업을 수행한다는 것을 이루고자 한 것이다. 진실과 믿음은 곧 행동을 삼간다는 것이다. 말을 바르게 하고 정성을 세우는 것은 곧 말을 믿게 한다는 것이다. 구사의 덕을 기르고 학업을 닦는 것은 때에 이르게끔 하고자 한 것이니, 이미 구오에 나오는 "보는 것이 이롭다"는 것을 가리키는 것이다. 하고자 하지만 그 뜻에 이르지 못했다면 쉰 적이 없다. 구이로부터 이곳에 이르기까지 한결같이 돌아갈 곳인 구오를 향하여 한 발 한 발 나아가는 것에서 군자가 선(善)을 겸비한 마음을 볼 수 있다.

---

476) 『易·坤卦』: 陰疑於陽必戰. 爲其嫌於无陽也, 故稱龍焉, 猶未離其類也, 故稱血焉. 夫玄黃者, 天地之雜也, 天玄而地黃.

477) 『莊子·逍遙遊』: 風之積也不厚, 則其負大翼也無力, 故九萬里, 則風斯在下矣.

유정원(柳正源) 『역해참고(易解參攷)』

正義, 上而欲躍, 下而欲退, 是无常也. 意在於公, 非是爲邪也.

『주역정의』에서 말하였다: 위로 올라가 도약하려고 하고, 아래로 내려가 물러나려고 하니, 이것은 일정함[常]이 없다. 뜻이 공평함에 있다면, 이것은 간사함이 되지 않는다.

○ 張氏曰, 上與進, 釋躍義, 下與退, 釋在淵意. 无常无恒, 釋或義. 非爲邪, 非離群, 釋无咎義.

장씨가 말하였다: 올라가고 나아가는 것은 '약(躍)'자의 뜻을 풀이한 말이고, 내려가고 물러나는 것은 못에 있는 뜻을 풀이한 것이다. 일정함[常]이 없고 항상됨[恒]이 없다는 말은 '혹(或)'자의 뜻을 풀이한 것이다. 사악함이 되지 않고, 무리를 떠나지 않는다는 말은 허물이 없다는 뜻을 풀이한 것이다.

○ 西山眞氏曰, 乾卦皆聖人之事, 而九三九四, 皆以進德脩業爲言, 蓋德不進則退, 業不脩則壞. 故堯兢兢, 舜業業, 周公坐而待朝, 孔子終日不食, 凡以此也. 然則學者其不自力哉.

서산진씨가 말하였다: 건괘는 모두 성인의 일인데, 구삼과 구사에서는 모두 "덕을 기르고 학업을 닦는다"는 말을 하였으니, 덕을 기르지 않는다면 퇴보하게 되고, 학업을 닦지 않는다면 무너진다. 그러므로 요임금은 항상 전전긍긍했고, 순임금은 항상 부지런했으며, 주공은 앉아서 아침을 기다렸고,[478] 공자는 하루 종일 음식도 먹지 않았으니,[479] 모두 이러한 이유 때문이다. 그렇다면 배우는 사람들이 자기 스스로 힘쓰지 않을 수 있겠는가!

○ 梁山來氏曰, 在田者, 安于下, 在天者, 安于上, 有常者也. 進而爲飛, 退而爲見, 有恒者也. 九四之位, 逼九五矣. 以上進爲常, 則覬覦而心邪矣. 今或躍或處, 上下无常而非爲邪也. 以下退爲常, 則離群而德孤. 今去就從宜, 進退无常而非離群也.

양산래씨가 말하였다: '밭에 있음'은 아랫자리에서 편안히 있는 것이고, '하늘에 있음'은 윗자리에서 편안히 있는 것이니 항상됨이 있는 것이다. 나아가면 날아가게 되고, 물러나면 나타나게 되어 일정함이 있는 것이다. 구사의 위치는 구오를 핍박하는 자리이다. 위로 나아가는 것을 항상됨으로 삼는다면, 분수에 넘치는 것을 바라고 마음이 사특하게 된다. 지금 뛰어오르기도 하고 머물기도 하니, 오르고 내림에 항상됨[常]이 없어서 사특함이 되지 않는다. 아래로 물러나는 것을 항상됨[恒]으로 삼는다면, 무리를 떠나고 덕도 외로워진다. 지금 합당함

---

478) 『書經·太甲』: 伊尹, 乃言曰先王, 昧爽丕顯, 坐以待旦, 旁求俊彦, 啓迪後人, 無越厥命以自覆.

479) 『書經·衛靈公』: 子曰, 吾嘗終日不食, 終夜不寢, 以思, 無益, 不如學也.

에 따라 거취를 결정하여 나아가고 물러나는 데에 일정하지 않으니, 무리를 떠나지 않는 것이다.

○ 案, 已近乎天位, 而无嫌於上, 故曰非爲邪也. 已出乎人位, 而每安於退, 故曰非離群也.
내가 살펴보았다: 이미 하늘의 자리에 가까워져서 올라가는 데에 혐의가 없기 때문에 "간사함이 되지 않는다"고 말한다. 이미 사람의 자리에서 벗어나 매번 물러남을 편안히 여기기 때문에 "무리를 떠남이 아니다"고 말한다.

傳. 〈案, 傳末本有恒胡登反四字.〉
전. 〈내가 살펴보았다: 『정전』의 끝에 본래 '항호등반(恒胡登反)' 4글자가 있다.〉

김상악(金相岳) 『산천역설(山天易說)』

上下進退, 釋或躍之義. 非爲邪者, 九四之剛也. 非離群者, 上下皆乾也. 自內卦進爲外卦, 其位益尊, 其德益盛. 故曰進德修業. 進修及時, 則不以退而在淵爲所安矣. 來氏知德註云, 上進釋躍字義, 下退釋淵字義, 无常无恒, 釋或字義, 非爲邪, 非離群, 釋无咎義.
오르고 내림과 나아가고 물러남은 "혹 뛰어오른다"는 뜻을 풀이한 말이다. '간사함이 되지 않음'은 구사의 굳셈이다. '무리를 떠남이 아님'은 위아래가 모두 굳건하다는 뜻이다. 내괘에서 나아가서 외괘가 되어 그 자리가 더욱 높을수록 그 덕이 더욱 성대하다. 그러므로 "덕을 기르고 학업을 닦는다"고 말한다. 기르고 닦아서 때에 이르게 되면 물러나 못에 있는 것을 편안함으로 여기지 않는다. 래지덕의 『주역집주』에서 말하기를 "올라가고 나아감은 '뛰어오른다'는 뜻의 '약(躍)'자를 풀이한 말이며, 내려가고 물러난다는 '못[淵]'이라는 글자를 풀이한 말이고, 항상됨이 없고 일정함이 없음은 '혹(或)'자의 뜻을 풀이한 말이며, 간사함이 되지 않고 무리에서 떠남이 아닌 것은 '허물이 없다'는 뜻을 풀이한 것이다"라고 했다.

김귀주(金龜柱) 『주역차록(周易箚錄)』

本義, 內卦以德學言, 云云.
『본의』에서 말하였다: 내괘는 덕과 학문으로 말하였다, 운운.

○ 按, 內外卦六爻, 皆有時位, 而但內卦時位, 或當潛隱, 或當危厲, 皆未可進用, 則只

言其進德修業之事而已. 至於外卦時位, 則漸可進用, 而德學已備於內卦, 故於此專以
時位言也.

내가 살펴보았다: 내괘와 외괘의 여섯 효에 모두 때와 자리가 있는데, 다만 내괘의 때와
자리는 혹 잠기거나 숨는 것에 해당하거나 혹 위태하고 두려움에 해당하여 모두 나아가 쓸
수 없으니, 오직 덕을 기르고 학업을 닦는 일이라고 말하였다. 외괘의 때와 자리에서는 점차
나아가 쓸 수 있고, 덕과 학문은 이미 내괘에 갖추어져 있기 때문에 여기서는 오르지 때와
자리로 말하였다.

박제가(朴齊家) 『주역(周易)』

或躍在淵.

혹 뛰어 오르거나 못에 있다.

傳, 在淵, 謂躍就所安, 淵在湥而言躍, 但就進就所安之義.

『정전』에서 말하였다: 연못에 있다는 것을 뛰어올라 편안한 곳으로 나아갔다고 하는데, 연
못은 깊은 곳에 있기 때문에 뛰어오른다고 말한 것이니, 단지 편안한 곳으로 나아간다는
뜻이다.

案, 在淵, 是本來所安, 無容更說, 躍, 就躍, 是欲及時之事, 如潛龍何嘗言就潛之象耶.

내가 살펴보았다: 연못에 있다는 것은 본래부터 편안한 곳이니, 다른 설명이 필요 없다. 뛰
어오른다는 것은 도약한다는 뜻이니, 이것은 때에 알맞게 하고자 하는 일이다. 예를 들어
잠겨있는 용과 같은 경우에는 어떻게 일찍이 잠기는 곳으로 나아가는 상(象)을 말할 수 있
겠는가?

서유신(徐有臣) 『역의의언(易義擬言)』

上下, 高卑之位, 進退, 出處之事. 上謂四, 下謂初. 進謂躍, 退謂潛. 有潛龍焉, 有躍龍
焉, 是无常恒也. 當潛而遽躍, 當躍而猶潛, 均是爲邪, 均是離群, 苟其潛躍, 當於時宜,
則非爲邪, 非離群也. 若九四者, 乃德進業脩, 及時而躍者, 故无咎也.

상하는 높고 낮은 지위를 뜻하고, 진퇴는 나아가고 물러나는 일을 뜻한다. 상은 구사를 뜻하
고, 하는 초구를 뜻한다. 나아감은 뛰어오름을 뜻하고, 물러남은 잠기는 것을 뜻한다. 잠겨
있는 용이 있고 뛰어오르는 용이 있는데, 이것은 일정함과 항상됨이 없는 것이다. 잠겨 있어
야 할 때인데 급작스럽게 뛰어오르고, 뛰어올라야 할 때인데 여전히 잠겨 있다면, 이 모두는

간사함이 되고, 또한 무리에서 떠나는 것이 되니, 진실로 잠겨 있고 뛰어오름을 마땅한 때에 하게 된다면, 간사함이 되지 않고 무리에서도 떨어지지 않게 된다. 구사와 같은 자는 덕을 기르고 학업을 닦음이 때에 미쳐서 뛰어오르게 되기 때문에 허물이 없다.

강엄(康儼) 『주역(周易)』

傳, 在淵謂 [止] 所安之義.

『정전』에서 말하였다: 연못에 있다 … 편안히 여기는 의로움.

按, 躍與在淵, 是二義, 而程傳云躍就所安, 則似以或躍在淵作一義, 且淵在深而言躍以下語意, 亦不曉然, 當更詳之.

내가 살펴보았다: 뛰어오른다는 것과 연못에 있다는 것은 두 개의 뜻이 되는데, 『정전』에서는 뛰어올라서 편안히 여기는 곳으로 나아간다고 했으니, 아마도 혹은 뛰어올라서 연못에 있다는 것을 하나의 의미로 여긴 것 같다. 또한 연못은 깊은 곳에 있는데 뛴다고 말했다고 한 말부터 그 이하의 말은 또한 그 의미가 불분명하니, 마땅히 자세히 살펴보아야 한다.

박문건(朴文健) 『주역연의(周易衍義)』

試其進而先躍者, 君子之進脩也.

나아가기를 시험하여 앞서 뛰어오르는 것은 군자가 나아가고 닦는 일이다.

〈問, 上下无常, 進退无恒. 曰, 四志在初而有疑, 故或下或上, 或進或退, 然欲下者, 行正而非爲邪也, 欲進者, 爲遇而非離群也.

물었다: "오르고 내림에 일정함이 없고, 나아가고 물러남에 항상됨이 없다"는 무슨 뜻입니까? 답하였다: 사효의 뜻은 초효에 있어서 의혹이 생깁니다. 그러므로 혹은 내려가기도 하고 혹은 올라가기도 하며, 혹은 나아가기도 하고 혹은 물러나기도 하는데, 내려가고자 하는 것은 올바름을 시행하는 것이니, 간사함이 되지 않고 나아가고자 함에 합치되어 무리를 떠나지 않습니다.〉

〈問, 進德脩業, 欲及時也. 曰, 君子欲及進脩之時, 而進脩焉, 則是與時偕行者也, 故爲无咎.

물었다: "덕을 기르고 학업을 닦음은 때에 미치고자 함이다"라는 것은 무슨 뜻입니까? 답하였다: 군자가 기르고 닦는 시기에 미쳐서 기르고 닦고자 한다면, 이것은 때와 더불어서 함께 시행하는 것입니다. 그러므로 허물이 없게 됩니다.〉

이지연(李止淵) 『주역차의(周易箚疑)』

欲及時之時字, 以九三行成於內而名立於外之時也.

"때에 미치고자 한다[欲及時]"고 할 때의 '시(時)'자는 구삼이 내적으로 행실을 완성하고, 외적으로 명성을 세우는 때[時]이다.

박종영(朴宗永) 「경지몽해(經旨蒙解)·주역(周易)」[480]

程傳曰, 上下无常, 或進或退, 去就從宜, 非爲邪枉, 非離群類, 進德脩業, 欲及時耳. 時行時止, 不可恒也.

『정전』에서 말하였다: 오르내림에 일정함이 없고, 혹 나아가기도 하고 물러나기도 하여 거취에 마땅함을 따름은 간사하게 굽히는 것이 아니며, 자기 무리를 떠나려는 것이 아니다. 덕을 기르고 학업을 닦는 것은 때에 미치고자 할 뿐이니, 때에 맞게 행하고 때에 맞게 멈추어 일정하게 해서는 안 된다.

本義曰, 內卦以德學言, 外卦以時位言. 進德脩業, 九三備矣. 此則欲及時而進也.

『본의』에서 말하였다 : 내괘에서는 덕성과 학문으로 말하고, 외괘에서는 시기와 지위로 말하였다. 덕을 기르고 학업을 닦는 것은 구삼에서 자세하게 설명했으니, 여기에서는 때에 맞게 나아가고자 함이다.

胡雲峯之言曰, 主於心是德, 見於事是業. 進者日新而不已, 居者一定而不易. 曰至曰幾, 皆進字意, 曰終曰存, 皆居字意.

호운봉이 말하였다: 마음에서 위주로 하는 것은 덕이고, 일에서 드러나는 것은 본업이다. '기른다[進]'는 것은 매일 매일 새롭게 하여 멈추지 않는 것이고, '머문다[居]'는 것은 한번 정하여 바꾸지 않는 것이다. '다다른다[至]'라 하고 '기미[幾]'라 하는 것은 모두 '기른다[進]'의 뜻이며, '마친다[終]'라 하고 '보존한다[存]'라 하는 것은 모두 '머문다[居]'의 뜻이다.

然則程朱及胡氏之說備矣. 無容妄贅已見, 而若其發明極致, 推廣餘意, 於剖釋蘊奧, 亦不爲無助. 大凡人之有德者, 苟無忠信而導之, 則德無由自進矣. 德是爲體而忠信是用, 必也體用相資, 表裡互應. 忠以待物, 信以處事, 著於外者無虧欠, 則存乎內者益充實, 日新又新, 其進日無窮矣. 脩辭立其誠者, 言者身之文也, 若專尙其文脩飾辭令, 則夷攷不掩, 易歸虛假, 故必務誠意. 而應之庸言之言, 庸行之謹, 閑邪存其誠, 然後功業

---

480) 경학자료집성DB에서는 건괘 구삼에 해당하는 것으로 분류했으나, 내용에 따라 이 자리로 옮겼다.

可期, 此乃所以居業也. 進德修業欲及時者, 難得者時也, 易失者時也. 君子之進德脩業, 非獨爲一身而已, 亦欲有爲於天下而兼濟也. 豈可優游歲月, 失其進脩之時, 末乃有晦吝而無救, 所以欲脩時者此也.

그렇다면 정자와 주자 및 호운봉의 설명이 잘 갖추어져 있다. 군말을 허용하지 않음이 이미 드러나고, 만약 그 극치를 밝혀서 남은 뜻을 미루어 넓히면, 온축된 것을 해석함에 역시 도움이 없을 수 없다. 대체로 덕이 있는 사람의 경우에 진실과 믿음이 없는데도 이끌어 주었다고 덕이 저절로 길러졌을 이치가 없다. 덕은 본체가 되고 진실과 믿음은 작용이 되어 반드시 체용이 서로 바탕이 되고 겉과 속이 호응한다. 진실로 사물을 받아드리고 믿음으로 일을 처리하여 밖으로 드러난 것에 흠결이 없으면 안으로 보존되는 것은 더욱 진실해져서 매일 매일 새롭게 하여 그 기른 날이 끝이 없게 된다. "말을 바르게 하고 그 정성을 세운다"는 것은, 말이란 몸의 문채인데 만약 오르지 문장을 꾸미고 의사소통만 숭상하면, 살펴서 가릴 수 없어 쉽게 가식적으로 돌아갈 수 있으니 반드시 참된 뜻에 힘써야 한다는 것이다. 그리고 평상시 언어에서의 말과 평상시 행동에서의 조심함에 호응하여, '간사함을 막고 그 성성을 보존'한 후에 공적을 기대할 수 있는 것은 이것이 바로 '본업'이기 때문이다. '덕을 기르고 학업을 닦는 것은 때에 이르고자 함'에서 얻기 어려운 것도 때이고 잃기 쉬운 것도 때이다. 군자가 덕을 기르고 학업을 닦는 것은 단지 일신만을 위한 것이 아니고 역시 천하에 의미 있는 행위를 하고 함께 제도하고자 하는 것이다. 어찌 우유부단하게 세월을 보내어 덕을 기르고 학업을 닦는 때를 놓쳐서, 끝내 후회함이 있고 구제함이 없어서야 되겠는가? 때에 맞게 학업을 닦고자하는 것은 이 때문이다.

심대윤(沈大允)『주역상의접법(周易象義占法)』

九四取之左右, 而逢其源也.
구사는 좌우에서 취하여도 그 근원을 만난다.

오치기(吳致箕)「주역경전증해(周易經傳增解)」[481]

此一節, 申言九四之象也. 有上而无下, 則是乃爲邪之心也, 有進而无退, 則是乃離群之志. 而以其上下進退, 无常无恒, 故曰非爲邪, 非離群也. 然君子之進德修業, 豈徒然哉. 欲以及乎, 可進之時而進, 故无咎矣. 上與進乃躍之象也, 下與退乃在淵之象也, 无常无恒, 乃或之義也, 非爲邪非離群, 乃无咎之義也.

---

481) 경학자료집성DB에서는 건괘 구사에 해당하는 것으로 분류했으나, 내용에 따라 이 자리로 옮겼다.

이 일절은 구사의 상을 거듭 말한 것이다. 올라감은 있고 내려감이 없다면 이것이 바로 간사한 마음이고, 나아감은 있고 물러남이 없다면 이것이 바로 무리를 떠나려는 뜻이다. 오르내림과 나아가고 물러남에 일정함이 없으므로 간사함이 되지 않고 무리를 떠남이 아니라고 한다. 그러나 군자가 덕을 기르고 학업을 닦음이 어찌 한갓 그런 것이겠는가? 만나고자 나아갈 수 있는 때여서 나아가기 때문에 허물이 없다. 오르고 나아가는 것은 바로 뛰어오르는 상이고, 내려가고 물러나는 것은 못에 있는 상이며, 일정함이 없는 것은 '혹'의 뜻이며, 간사함이 되지 않고 무리를 떠남이 아님은 바로 허물이 없다는 뜻이다.

이병헌(李炳憲) 『역경금문고통론(易經今文考通論)』

程傳曰, 時行時止, 不可恒也. 〈亦在上體之下, 下體之上.〉

『정전』에서 말하였다: 때에 따라 행하고 때에 따라 멈춰서 항상할 수 없다. 〈이 또한 상체의 아래에 있고, 하체의 위에 있기 때문이다.〉

九五曰, 飛龍在天利見大人, 何謂也. 子曰, 同聲相應, 同氣
相求, 水流濕, 火就燥, 雲從龍, 風從虎. 聖人作而萬物觀, 本
乎天者, 親上, 本乎地者, 親下, 則各從其類也.

구오에서 "나는 용이 하늘에 있으니, 대인을 보는 것이 이롭다"고 한 것은 무슨 말인가? 공자가
말하였다: "같은 소리는 서로 응하며 같은 기운은 서로 구해서 물은 젖은 곳으로 흐르고 불은 마른
곳으로 나아가며, 구름은 용을 좇고 바람은 범을 따른다. 성인이 나타남에 만물이 바라보니, 하늘에
근본한 것은 위와 친하고, 땅에 근본한 것은 아래와 친하니, 각기 그 부류를 따른다."

┃中國大全┃

傳

人之與聖人, 類也. 五以龍德升尊位, 人之類莫不歸仰, 況同德乎. 上應於下, 下
從於上, 同聲相應, 同氣相求也. 流濕, 就燥, 從龍, 從虎, 皆以氣類. 故聖人作而
萬物皆觀, 上旣見下, 下亦見上. 物, 人也. 古語云人物物論, 謂人也. 易中, 利見
大人, 其言則同, 義則有異, 如訟之利見大人, 謂宜見大德中正之人則其辨明,
言在見前, 乾之二五, 則聖人旣出, 上下相見, 共成其事, 所利者見大人也, 言在
見後. 本乎天者, 如日月星辰, 本乎地者, 如蟲獸草木. 陰陽, 各從其類, 人物莫
不然也.

보통사람과 성인은 같은 부류이다. 구오가 용의 덕으로 높은 지위에 오르니, 사람들이 모여들어 우러
러 보지 않는 이가 없는데, 하물며 덕이 같음에랴! 위는 아래에 응하고 아래는 위를 따르니, "같은
소리는 서로 응하며 같은 기운은 서로 구해서 물은 젖은 곳으로 흐르며 불은 마른 곳으로 나아가며
구름은 용을 좇으며 바람은 범을 따른다"는 것은 모두 기운이 같기 때문이다. 그러므로 성인이 나타
남에 만물이 모두 바라보니, 위에서 이미 아래를 보고 아래에서도 위를 본다. 물(物)은 사람인데,
옛말에 '인물(人物)'이라하고, '물론(物論)'이라 했으니, 여기의 물(物)은 사람을 말한 것이다. 『주
역』에 나오는 "대인을 보는 것이 이롭다"는 말은 같으나, 서로 뜻은 다르다. 예컨대 송괘(訟卦)의
"대인을 보는 것이 이롭다"는 마땅히 큰 덕을 가진 중정한 사람을 만나보면 쟁송하는 일의 분별이
명백하게 될 것임을 이르니, 만나보기 이전을 말하고, 건괘의 구이와 구오는 성인이 이미 출현한 다

음에 윗자리의 성인과 아랫자리의 성인이 서로 만나 함께 일을 이루니, 이로운 것은 대인을 보는 것이므로 만나 본 이후를 말한 것이다. '하늘에 근본한 것'은 해·달·별들과 같은 것이고, '땅에 근본한 것'은 벌레·짐승·초목과 같은 것이다. 음양이 각기 그 부류를 따르니, 사람과 만물이 그렇지 않음이 없다.

小註

程子曰, 雲從龍風從虎, 龍陰物也, 出來則濕氣蒸然自出, 如濕物在日中, 氣亦自出. 雖木石之微, 感陰氣, 尙亦有氣, 則龍之興雲不足怪, 虎行處則風自生.

정자가 말하였다: "구름은 용을 좇고 바람은 범을 따른다"고 하는 것은, 용은 음에 해당하는 동물이니, 그것이 나타나면 습한 기운이 김처럼 저절로 나오는 것이 마치 습한 생물이 한낮에 있으면 그 기운이 또한 저절로 나오는 것과 같다. 나무·돌과 같은 미물이라도 음기에 감응하여 오히려 기운을 가지고 있으니, 용이 구름을 일으키는 것이 괴이하게 여길 것이 못 되며, 범이 가는 곳에는 바람이 저절로 불게 되는 것이다.

○ 動植之物, 有得天氣多者, 有得地氣多者, 本乎天者親上, 本乎地者親下. 然要之, 雖木植亦兼五行之性在其中, 只是偏得土之氣, 故重濁也.

동·식물 중에는 하늘의 기운을 많이 받은 것도 있고, 땅의 기운을 많이 받은 것도 있다. 하늘에 근본한 것은 위와 친하고, 땅에 근본한 것은 아래와 친하다. 그러나 요컨대, 나무라도 오행의 성질을 겸비하고 있다. 다만 흙의 기운만을 치우쳐 받았기 때문에 무겁고 탁한 것이다.

本義

作, 起也, 物, 猶人也. 覩, 釋利見之意也. 本乎天者, 謂動物, 本乎地者, 謂植物, 物各從其類. 聖人, 人類之首也. 故興起於上則人皆見之.

작(作)은 일어남이고, 물(物)은 사람과 같다. 도(覩)는 "보는 것이 이롭다"의 뜻을 해석한 것이다. '하늘에 근본한 것'은 동물을 말한 것이고, '땅에 근본한 것'은 식물을 말한 것이니, 만물이 각각 그 부류를 따르는 것이다. 성인은 인류의 으뜸이므로 위에서 흥기하면 사람들이 모두 그를 본다.

小註

朱子曰, 夫子于此數句, 只是解飛龍在天利見大人, 覩字分明是解見字. 聖人作, 便是飛龍在天, 萬物覩, 便是人見之.

주자가 말하였다: 공자는 이 몇 구절에서 다만 "나는 용이 하늘에 있으니 대인을 보는 것이 이롭다"를 해석하였으니, 도(覩)자는 견(見)자를 해석한 것이 분명하다. 성인이 일어났다는 것은 곧 나는 용이 하늘에 있음이며, 만물이 바라봄은 곧 사람들이 그를 본다는 뜻이다.

○ 天下所患无君, 不患无臣. 有如是君, 必有如是臣, 雖使而今无, 少間也必有出來. 雲從龍風從虎, 只怕不是眞箇龍虎, 若是眞箇龍虎, 必生風致雲也.

천하의 일은 임금이 없음을 근심하고, 신하가 없음을 근심하지 않는다. 이러한 임금이 있다면, 반드시 이러한 신하가 있으니, 지금은 없더라도 얼마 안 되어 반드시 출현하게 된다. 그러나 '구름이 용을 좇고 바람이 범을 따름'은 단지 진짜 용과 범이 아닐 경우를 두려워함이다. 만약 진짜 용과 범이라면, 반드시 바람을 일으키고 구름을 만들 것이다.

○ 本乎天者親上, 凡動物首向上, 是親乎上, 人類是也. 本乎地者親下, 凡植物本向下, 是親乎下, 草木是也. 禽獸首多橫生. 所以无智, 此本康節說.

"하늘에 근본한 것은 위와 친하다"는 말은, 모든 동물은 머리를 위로 향하고 있으니, 이것이 '위와 친함'이며, 사람이 여기에 해당한다. "땅에 근본한 것은 아래와 친하다"는 말은, 모든 식물은 뿌리를 밑으로 향하고 있으니, 이것이 바로 '아래와 친함'이며, 초목이 여기에 해당한다. 금수는 머리가 대부분 가로로 생겨나기 때문에 무지하다. 이는 소강절의 주장에 근거한 것이다.

○ 臨川吳氏曰, 鶴鳴而子和, 雄鳴而雌應, 一雞鳴而衆雞皆鳴, 同聲相應也. 日火之精而取火于日, 月水之精而取水於月, 磁石, 鐵之母, 而可以引鍼, 同氣相求也. 濕者下地, 故水之流趨之, 燥者乾物, 故火之然就之. 龍興則致雲, 雲從龍也. 虎嘯則風生, 風從虎也. 凡此六者, 皆同類相感召, 聖人與人亦同類, 故作于上而萬物咸覩之. 又曰, 先以聲氣水火雲風六句爲比, 而後言聖人作則人利見之, 又以動植之親上親下, 喩利見者之親聖人亦然, 諄諄言之, 而又以各從其類一句總結上文九句也.

임천오씨가 말하였다: 학이 울면 새끼가 화답하고,[482] 수컷이 울면 암컷이 호응하며, 한 마리의 닭이 울면 여러 닭들이 모두 우는 것이 '같은 소리는 서로 호응함'이다. 해는 불의 정기이니 해에서 불을 취하고, 달은 물의 정기이니 달에서 물을 취하며, 자석은 쇠의 모태이니 그것으로 바늘을 끌어당길 수 있는 것이 '같은 기운은 서로 구함'이다. '습(濕)'은 땅 밑의 축축한 곳이기 때문에 물이 흘러들어가고, '조(燥)'는 마른 물건이기 때문에 불이 타들어간

---

482) 『周易・中孚卦』: 九二, 鳴鶴在陰, 其子和之, 我有好爵, 吾與爾靡之.

다. 용이 나타나면 구름을 일으키는 것이, 구름이 용을 좇음이고, 범이 울부짖으면 바람이 생겨나는 것이, 바람이 범을 따름이다. 이러한 여섯 가지는 모두 같은 부류끼리 서로 감응하여 부르는 것이니, 성인과 보통사람도 같은 부류이기 때문에 성인이 위에서 일어나면, 만민이 모두 그를 우러러본다.

또 말하였다: 앞에서는 성(聲)・기(氣)・수(水)・화(火)・운(雲)・풍(風)이라는 여섯 구절로 비유하고, 뒤에서는 성인이 일어나면 사람들이 보는 것이 이롭다고 말하였으며, 또한 동・식물이 각각 위・아래에 친근하다는 것으로써 보는 것이 이로운 자가 성인을 가까이 함도 그렇다고 비유하였다. 정성스럽게 말하고 또한 "각각 그 부류를 따른다"라는 구절로써 앞의 아홉 구절을 결론지었다.

○ 雲峯胡氏曰, 九五只是釋利見二字, 蓋大人之所以爲大者, 已釋於九二. 九二閑邪存誠, 德博而化, 五之飛龍在天 則至誠之變化者也.

운봉호씨가 말하였다: 구오에서 "보는 것이 이롭다[利見]"의 두 글자만 해석한 것은 대체로 대인이 대(大)가 되는 이유를 이미 구이에서 풀이했기 때문이다. "구이는 간사함을 막고 성(誠)을 보존하여 덕을 넓게 펼쳐 교화한다"[483]고 하였으니, 구오의 "나는 용이 하늘에 있다"는 것은 곧 지극한 정성이 변화한 것이다.

○ 雙湖胡氏曰, 夫子之贊乾九五如此. 後乎有若之贊夫子曰, 麒麟之於走獸, 鳳凰之於飛鳥, 泰山之於丘垤, 河海之於行潦, 類也. 聖人之於民, 亦類也, 正相似. 只是譬喩作義理說, 而或者以乾統八卦取象釋之, 穿鑿甚矣.

쌍호호씨가 말하였다: 공자가 건괘 구오를 찬미한 것이 이와 같다. 훗날 유약(有若)이 공자를 찬미하여 말하기를 "기린이 들짐승에 대해서와, 봉황이 날짐승에 대해서와, 태산이 구릉과 언덕에 대해서와, 강과 바다가 도랑물에 대해서 같은 부류이다. 성인이 백성에 대해서도 또한 같은 부류이다"[484]고 했는데, 바로 이것과 서로 유사하다. 이는 단지 비유를 통해 의리를 설명한 것인데, 어떤 이는 건괘가 팔괘를 통괄하는 상(象)을 취하여 해석하니, 너무 천착한 것이다.

‖韓國大全‖

유정원(柳正源) 『역해참고(易解參攷)』

正義, 本受氣於天者, 是動物. 天體運動, 亦運動, 是親附於上也. 本受氣於地者, 是植物. 地體凝靜, 亦不移動, 是親附於下也.

『주역정의』에서 말하였다: 본래 하늘에서 기를 받은 것이 동물이다. 천체가 운동하고 동물도 운동하니 하늘에 가깝다. 본래 땅에서 기를 받은 것이 식물이다. 지체가 고요하게 멈추어 있고 식물도 옮겨 움직이지 않으니 땅에 가깝다.

○ 案, 天道尙左, 而日月星辰左旋, 本乎天者, 親上也. 地道尙右, 而萊蓏藤葛右縈, 本乎地者, 親下也.

내가 살펴보았다: 하늘의 도는 왼쪽을 숭상하여 해·달·별들은 왼쪽으로 선회를 하니, 하늘에 근본한 것들은 위와 친근하다. 땅의 도는 오른쪽을 숭상하여 박·등나무·칡들은 오른쪽으로 넝쿨이 감겨 올라가니, 땅에 근본한 것들은 아래와 친근하다.

김상악(金相岳) 『산천역설(山天易說)』

此專言氣類感應之理, 釋利見之義.

여기에서는 기(氣)의 같은 부류가 감응하는 이치를 전적으로 말하여 "보는 것이 이롭다[利見]"는 뜻을 풀이하였다.

○ 同聲相應, 如鶴鳴子和之類是也. 同氣相求, 如陽求於陰, 陰求於陽之類是也. 水潤下者, 必就卑濕之地, 火炎上者, 必就高燥之木也. 龍水中之物, 雲水氣之成形者也, 故龍興則雲必從之. 虎西方之獸, 風陰物之用事者也, 故虎嘯則風亦從之. 聖人, 卽大人也. 萬物覩, 卽利見也. 本乎天者, 謂外卦也. 本乎地者, 謂內卦也. 凡氣類之屬乎陽者, 皆親上, 形類之屬乎陰者, 皆親下也. 蓋同聲相應者, 雷風相薄也. 同氣相求者, 山澤通氣也. 流濕就燥者, 水火不相射也. 本乎天本乎地者, 天地定位也.

같은 소리가 서로 호응함은 어미 학이 울면 새끼 학이 화답하는 것과 같은 종류가 여기에 해당한다. 같은 기운이 서로 구함은 양이 음에서 구하고, 음이 양에서 구하는 것과 같은 종류가 여기에 해당한다. 물이 아래로 흐르는 것은 반드시 낮고 습한 땅으로 나아가는 것이며, 불이 위로 타오르는 것은 반드시 높고 건조한 나무로 나아가는 것이다. 용은 수중 생물이고, 구름은 물의 기운이 형체를 만든 것이므로 용이 일어나면 구름도 반드시 그에 따른다. 호랑이는 서쪽 방위에 해당하는 짐승이고, 바람은 음에 속하는 사물이 작용하는 일이므로 호랑이가 울부짖으면 바람 또한 그에 따른다. 성인은 곧 대인이다. 만물이 우러러봄은 곧 보는 것이 이롭다는 뜻이다. 하늘에 근본한 것은 외괘를 말한다. 땅에 근본한 것은 내괘를 말한다. 기(氣)의 종류가 양에 속하는 것은 모두 위와 친하고, 형체의 종류가 음에 속하는 것은 모두 아래와 친하다. 같은 소리가 서로 호응함은 우레와 바람이 서로 부딪친다는 뜻이다. 같은 기가 서로 구함은 산과 못이 기운을 소통한다는 뜻이다. 습한 곳으로 흐르고 건조한 곳으로 나아감은 물과 불이 서로 싸우지 않는다는 뜻이다. 하늘에 근본하고, 땅에 근본한다는 말은 천지가 자리를 정한다는 뜻이다.[485]

김귀주(金龜柱) 『주역차록(周易箚錄)』

傳, 人之與聖人, 云云.

『정전』에서 말하였다: 보통 사람과 성인은, 운운.

○ 按, 言在見前, 言在見後, 蓋程傳不取占辭, 只作義理說, 故其言如此. 若以本義意看, 則乾之二五利見大人, 亦言在見前也.

살펴보았다: 만나보기 이전을 말하고, 만나본 이후를 말한 것은 『정전』이 점사(占辭)로 여기지 않고 의리로만 주장하기 때문에 이와 같이 말한 것이다. 『본의』의 뜻으로 본다면 건괘의 구이와 구오의 "대인을 보는 것이 이롭다"도 보기 전을 말한 것이다.

小註, 程子曰, 雲從龍, 云云.

소주(小註)에서 정자가 말하였다: 구름은 용을 좇고, 운운.

○ 按, 爻辭本義曰, 龍陽物也, 程子於此乃曰, 龍陰物也, 兩說似相戾然. 蓋龍之性剛健好動, 變化不測, 以是言, 則謂之陽物, 固可也. 而龍之所處, 不離水澤, 以是言, 則謂之陰物, 亦可也. 大抵動物飛者爲陽, 走者爲陰, 而以魚獸相對, 則獸爲陽, 而魚爲陰. 龍之爲物, 以魚類, 而能飛所以爲陰物, 而亦爲陽物也. 然以大分言, 則終是陰爲主矣.

내가 살펴보았다: 효사에서 『본의』는 "용은 양의 동물이다"[486]라 했고 정자는 여기에서 "용은 음의 동물이다"라 하니, 두 주장이 서로 어긋나는 것 같다. 용의 본성은 강건하고 움직이기를 좋아하여 변화를 예측할 수 없으니, 이것으로 말하면 양의 동물이라고 말하는 것이 진실로 맞다. 그러나 용이 머무는 곳이 못의 물을 떠날 수 없으니, 이것으로 말하면 음의

---

485) 『易·說卦』: 天地定位, 山澤通氣, 雷風相薄, 水火不相射, 八卦相錯. 數往者順, 知來者逆, 是故易逆數也.

486) 『周易本義』 乾卦 初九: 初九者 … 龍陽物也.

동물이라고 말하는 것 역시 맞다. 일반적으로 동물에서 날아다니는 것은 양이고 뛰어 다니는 것은 음이지만, 물고기와 짐승을 서로 비교하면 짐승은 양이고 물고기는 음이다. 용이란 동물은 물고기 종류이지만 날 수 있기 때문에, 음의 동물이면서 또한 양의 동물이다. 그러나 크게 나누어 말하면 끝내 음을 위주로 하는 동물이다.

動植之物, 有得, 云云.
동물과 식물 중에 … 를 얻은 것도 있다, 운운.
○ 按, 木植兼有五行之性, 蓋以細分言. 若以大分言, 則木植只有木之性, 後來人物同具五常之論, 蓋未察此矣.
내가 살펴보았다: 나무와 식물이 오행의 본성을 겸비했다는 것은 세분해서 말한 것이다. 크게 나누어서 말한다면 나무와 식물은 나무의 본성일 뿐이다. 뒤에 사람과 사물이 오상(五常)을 함께 갖추었다는 논의는 이것을 살피지 못한 것이다.

本義, 作起也, 云云.
『본의』에서 말하였다: '나타남[作]'은 일어남이다, 운운.
○ 按, 程傳, 以本乎天者爲日月星辰, 本乎地者爲虫獸草木, 本義, 以本乎天者爲動物, 本乎地者爲植物. 兩說皆通, 而本義說較密. 動物兼人獸而言, 禽獸首皆橫中, 而終是首近上而尾近下, 如猩猩, 則有時乎頭卻向上, 此皆可以親上論也. 小註引康節說, 只以人類謂親上, 雖覺分明, 然禽獸則於親上親下之間, 無所歸着, 是甚難處. 然則動物字, 兼人獸看者, 恐不失大意.
내가 살펴보았다:『정전』은 하늘에 근본한 것이 일월성신(日月星辰)이고 땅에 근본한 것이 벌레와 짐승과 초목이라 여겼고,『본의』는 하늘에 근본한 것은 동물이고 땅에 근본한 것은 식물이라 여겼다. 두 주장이 모두 통하지만,『본의』의 주장이 비교적 자세하다. 동물은 사람과 짐승을 겸하여 말했다. 날짐승과 길짐승의 머리는 모두 가로이지만 끝내 머리는 위와 가깝고 꼬리는 아래와 가깝다. 예를 들어 성성이는 때때로 머리가 위로 향하니, 이것은 모두 위와 친하다고 논할 수 있다. 소주(小註)에서 소강절의 주장을 인용하여 단지 인류가 위와 친하다고 한 것은 비록 분명하게 알겠지만, 금수는 위와 친하고 아래와 친한 사이에서 귀착할 곳이 없으니, 매우 어려운 것이다. 그렇다면 동물(動物)이란 글자로 사람과 짐승을 겸하여 본다는 것은 아마도 큰 뜻을 잃지 않은 것 같다.

서유신(徐有臣) 『역의의언(易義擬言)』

聲同者, 必相應, 氣同者, 必相求, 故水必流于濕, 火必就于燥, 雲與龍相從, 風與虎相隨, 物理當然之則也. 於是乎聖人作爲, 而萬物觀感, 稟於天者, 則親於上, 生於地者, 則親於下, 各從其類, 各順其則, 而无一物不得其所者也. 此其爲見大人之利也.

소리가 같은 것들은 반드시 서로 호응하게 되어 있고, 기운이 같은 것들은 반드시 서로를 구하게 되어 있다. 그러므로 물은 반드시 습한 곳으로 흘러가고, 불은 반드시 건조한 곳으로 번져가며, 구름과 용이 서로 따르고, 바람과 범이 서로 따르는 것은 사물의 이치에 따르면 당연한 법칙이 된다. 이때에 성인이 나타나면 만물이 우러러보며 감응하게 되니, 하늘로부터 부여받은 것들이라면 위로 친근하고, 땅으로부터 생겨난 것들이라면 아래로 친근하게 된다. 각각 그 부류에 따르며, 각각 그 법칙에 순응하여, 하나의 사물이라도 제 자리를 얻지 못하는 것이 없다. 이것이 바로 대인을 보는 이로움이 된다.

竊按, 陰陽雖二物, 而本是一氣, 是故五行同氣也, 五音同聲也. 相應相求之妙, 可見也. 水坎也, 濕坤土也, 火離也, 燥乾金也, 二氣之性, 陰濕陽燥, 五行之質, 土濕金燥. 坎陽入坤中, 水流濕也, 離陰麗乾中, 火就燥也. 雲艮也, 龍震也, 風巽也, 虎兌也. 兵書八陣, 艮爲雲, 兌爲虎. 本乎天親上, 本乎地親下者, 貴賤位剛柔斷也. 各從其類者, 方以類聚, 物以群分也.

내가 살펴보았다: 음양은 비록 둘이지만, 본래는 하나의 기운이니, 이러한 까닭으로 오행은 모두 기운을 같이 하는 것이고, 오음은 소리를 같이 하는 것이다. 서로 호응하고 서로 구하는 묘한 이치를 볼 수 있다. 물은 감(坎)이니 습하고, 곤(坤)은 토(土)가 되며, 불은 리(離)이니 건조하고, 건(乾)은 금(金)인데, 두 기운의 성질은 음은 습하고 양은 건조하며, 오행의 질은 토(土)는 습하고 금(金)은 건조하며 감(坎)인 양이 곤(坤)으로 들어가는 것이니, 물은 습한 곳으로 흐르게 된다. 리(離)인 음은 건(乾) 안으로 붙게 되어, 불은 건조한 곳으로 번지는 것이다. 구름은 간(艮)이고, 용은 진(震)이며, 바람은 손(巽)이고, 범은 태(兌)이다. 『병서(兵書)』에 팔진(八陣)이 있으니, 간(艮)은 구름이 되고, 태(兌)는 범이 된다. 하늘에 근본한 것들은 위로 친하고, 땅에 근본한 것들은 아래로 친한데, 이것은 귀천에 따른 지위 및 강유에 따른 구분이다. 각각 그 부류에 따르니, 방향은 종류로써 모아지고 사물은 무리로써 나누어진다.

박문건(朴文健) 『주역연의(周易衍義)』

親上者, 日月之麗天是也. 親下者, 草木之麗土是也. 此申明同聲相應同氣相求之義也.

위와 친하다는 것은 해와 달이 하늘에 걸려 있는 것을 뜻한다. 아래와 친하다는 것은 초목이 땅에 붙어 있는 것을 뜻한다. 이것은 같은 소리가 서로 호응하고, 같은 기운이 서로 구한다는 뜻을 거듭 밝힌 것이다.

〈問, 雲從龍. 曰, 龍陽物也, 興則蒸然而雲生.

물었다: "구름이 용을 좇는다"는 무슨 뜻입니까?

답하였다: 용은 양에 해당하는 동물이니, 흥기하게 되면 김이 나게 되어 구름이 생깁니다.〉

〈問, 風從虎. 曰, 虎陰物也, 嘯則凜然而風生. 曰, 流濕就燥, 從龍從虎, 皆同氣相求者歟. 曰, 然.

물었다: "바람이 호랑이를 따른다"는 무슨 뜻입니까?

답하였다: 호랑이는 음에 해당하는 동물이니, 울부짖으면 차갑게 되어 바람이 생깁니다.

물었다: 습한 곳으로 흐르고 건조한 곳으로 번지며, 용을 좇고 범을 따르는 것은 모두 같은 기운이 서로 구한다는 것입니까?

답하였다: 그렇습니다.〉

〈雲陰而龍陽, 則何謂同氣. 口, 坎之爲雲雨, 陽在中也. 曰, 虎屬陽爻, 則何謂陰物. 曰, 虎者陰物之剛者也.

물었다: 구름은 음에 해당하고, 용은 양에 해당하는데, 왜 같은 기운이라고 말합니까?

답하였다: 감(坎)이 구름과 비가 되는 것은 양이 가운데 있기 때문입니다.

물었다: 호랑이는 양의 효에 속하는데, 왜 음에 해당하는 동물이라고 말합니까?

답하였다: 호랑이는 음에 해당하는 동물 중에서도 굳센 것입니다.〉

이지연(李止淵) 『주역차의(周易箚疑)』

乾之一卦, 以純體之陽, 不分剛柔, 只以同德相應, 則一二三以下卦之同體相應, 四五六以上卦之同體相應, 所謂本乎天親上, 本乎地親下.

건이라는 한 괘는 순수한 몸체의 양으로써 굳셈과 부드러움을 구분하지 않고, 단지 같은 덕으로 서로 호응을 하니, 첫 번째, 두 번째, 세 번째의 효는 하괘의 같은 몸체로서 서로 호응하고, 네 번째, 다섯 번째, 여섯 번째의 효는 상괘와 같은 몸체로서 서로 호응을 하니, 이른바 하늘에 근본한 것은 위와 친하고, 땅에 근본한 것은 아래와 친하다는 뜻이다.

김기례(金箕澧) 「역요선의강목(易要選義綱目)」

雲從龍, 風從虎.

구름은 용을 좇고 바람은 범을 따른다.

指九五大人得在下之大人, 竝指九二.
구오의 대인이 아래에 있는 대인을 얻은 것을 가리키니, 모두 구이를 가리킨다.

심대윤(沈大允) 『주역상의점법(周易象義占法)』

九五, 乾道之成, 而有大有大明大同之義, 盡性命之正, 而與天地合德, 所謂天下至誠
者也. 天下之人物, 莫不盡其性全其利, 感化而遷善, 同躋于熙皞之域. 同聲相應, 同氣
相求, 言感應而變化也. 水流濕, 火就燥, 言各得其所也. 雲從龍, 風從虎, 言陶化天下
而作成之, 賢德出而贊襄也. 此言聖人之與民同類, 而能使之如此也. 聖人作而萬物
覩, 覩著見也. 言聖人之德及於萬物, 而莫不遂其性, 顯其用也, 如物盛于午, 而言相見
乎离也. 本乎天者, 動物也. 本乎地者, 植物也. 言動植之物, 各得其所, 而從其類也.
此章言民物之感化繁殖, 下文言天地鬼神之不違也. 〈知者處上, 愚者在下, 百姓昭明,
黎民時雍也.〉

구오는 건도를 이루니, 대유(大有)·대명(大明)·대동(大同)의 뜻을 포함하고 있고, 성명
(性命)의 올바름을 다하여 천지와 함께 그 덕을 합하니, 이른바 천하의 지극히 정성스러운
자를 말한다. 천하의 사람과 사물들 중에 그 본성을 다하고 그 이로움을 온전히 하지 않는
것이 없어서, 감화하여 선한 곳으로 옮겨가서 태평한 지경에 함께 도달한다. 같은 소리가
서로 호응하고, 같은 기운이 서로 구하는 것은 감응하여 변화한다는 뜻이다. 물이 습한 곳으
로 흐르고 불이 건조한 곳으로 번지는 것은 각각 제 자리를 얻는다는 뜻이다. 구름이 용을
좇고 바람이 호랑이를 따르는 것은 천하를 감화시켜서 이루도록 만들고, 현명한 덕을 갖춘
자가 나타나서 돕는다는 뜻이다. 이것은 성인이 백성과 더불어 그 부류를 함께 하며, 그들로
하여금 이처럼 만들 수 있다는 뜻이다. 성인이 나타나자 만물이 우러러 보는 것은 그 드러남
에 대해서 우러러본다는 뜻이니, 곧 성인의 덕이 만물에게 미쳐서 그 본성을 이루지 못하는
것이 없게끔 하는 것으로 그 쓰임을 드러냄이니, 마치 만물이 오(午)에서 융성하고 "리(離)
에서 서로 나타난다"[487]고 한 말과 같다. 하늘에 근본한 것들은 동물에 해당한다. 땅에 근본
한 것들은 식물에 해당한다. 동물과 식물이 각각 그 자리를 얻어서 그 부류에 따른다는 뜻이
다. 이 장은 백성과 만물이 감화하여 번식한다는 뜻이고, 아래 문장은 천지와 귀신이 어기지
않는다는 뜻이다. 〈지혜로운 자가 윗자리에 있고, 어리석은 자가 아랫자리에 있어서 백성들
이 환하게 되어 모든 백성들이 이에 화목하게 된다.〉[488]

---

487) 『易·說卦』: 帝出乎震, 齊乎巽, 相見乎離, 致役乎坤, 說言乎兌, 戰乎乾, 勞乎坎, 成言乎艮.
488) 『書·虞書』: 克明俊德, 以親九族, 九族旣睦, 平章百姓, 百姓昭明, 協和萬邦, 黎民於變時雍.

박문호(朴文鎬)「경설(經說)·주역(周易)」

萬物覩, 程子以上下交覩釋之. 然以利見之語觀之, 下見上之意較多, 諺解得之矣.

"만물이 우러러본다"는 것에 대해 정자는 상하가 서로 우러러본다는 뜻으로 풀이를 했다. 그러나 보는 것이 이롭다는 말로써 살펴본다면, 아래에서 위를 바라본다는 뜻이 비교적 합당하니, 『언해』가 맞다.

古語云, 人物物論謂人, 言古語或稱人物或稱物論之物字, 皆謂人也.

옛말에 "인물(人物)과 물론(物論)이라고 하는 것들은 사람을 말한다"라고 하였는데, 고대의 말 중에 간혹 인물(人物)이라고 지칭하고, 물론(物論)이라고 지칭할 때의 물(物)자는 모두 사람을 가리키는 말이다.

本乎天者, 程子以日月星辰釋之, 本義則以動物釋之. 蓋日月星辰, 皆天之一也, 不可竝數於世間之萬物, 本義之釋, 恐是矣.

"하늘에 근본한다"는 것에 대해 정자는 해·달·별들로 풀이를 했고, 『본의』에서는 동물로 풀이했다. 해·달·별들은 모두 하늘의 일부이고, 세상에 존재하는 만물을 포함시킬 수가 없으므로 『본의』의 해석이 아마도 옳은 것 같다.

陽在下也, 易之象象文言傳, 多爲韻語, 此也字上一字是也. 文象周象亦往往用此例, 或有一節之中自相爲韻者, 又或有上下節相照爲韻者耳.

"양이 아래에 있다"라고 했는데, 『주역』의「단전」·「상전」·「문언전」에서는 대부분 압운의 어구를 맞추니, 이곳의 '야(也)'자와 위의 '일(一)'자가 그것이다. 문왕의 단사와 주공의 상사도 또한 때때로 이러한 용례에 따르니, 간혹 한 구절 속에 그 자체로 상대적인 압운을 맞춘 것도 있고, 또한 앞뒤의 구절에서 서로 대조가 되어 압운이 되는 것도 있다.

오치기(吳致箕)「주역경전증해(周易經傳增解)」[489]

此一節申言九五之象也. 同聲相應, 如雄唱而雌和, 山鳴而谷應之類也. 同氣相求, 如日爲火精而取火于日, 月爲水精而取水于月之類也. 濕者汗下, 故水流而趨之, 燥者乾爍, 故火炎而就之. 雲者水氣, 故龍興而雲生, 風者陰氣, 故虎嘯而風烈. 此特以一物之相親而言也. 唯聖人爲萬物之首, 而萬物之親聖人, 如日月星辰親乎輕淸之天而在上, 山川草木親乎重濁之地而在下. 然則以九五之德位, 宜其利見同類之大人, 共成其事也.

---

489) 경학자료집성DB에서는 건괘 구오에 해당하는 것으로 분류했으나, 내용에 따라 이 자리로 옮겼다.

이 일절은 구오의 상을 거듭 말했다. "같은 소리는 서로 호응한다"는 예를 들어 수컷이 부르면 암컷이 화답하고 산이 울면 계곡이 호응하는 부류이다. "같은 기운은 서로 구한다"는 예컨대 해는 불의 정수(精髓)여서 해에서 불을 취한 것이고, 달은 물의 정수여서 달에서 물을 취한 부류이다. 축축한 것은 아래로 내려가므로 물이 흘러가고, 마른 것은 건조하므로 불이 타오른다. 구름은 물의 기운이므로 용이 일어나고 구름이 생기며, 바람은 음의 기운이므로 범이 울고 바람이 맹렬하다. 이는 다만 사물이 서로 친한 것으로 말했다. 오직 성인이 만물의 으뜸인데도 만물이 성인과 친한 것은 마치 일월성신이 가볍고 맑은 하늘과 친하여 위에 있고, 산천초목이 무겁고 탁한 땅과 친하여 아래에 있는 것과 같다. 그렇다면 구오의 덕의 자리는 마땅히 같은 부류의 대인을 보는 것이 이로우니, 그 일을 함께 이루기 때문이다.

이병헌(李炳憲) 『역경금문고통론(易經今文考通論)』

鄭曰, 作, 起也.
정현(鄭玄)이 말하였다: '작(作)'은 일어난다는 뜻이다.

虞翻〈吳人, 世傳孟氏學云〉曰, 覩, 見也.
우번(虞翻)〈오(吳)나라 사람으로 맹씨의 학문을 전수한 자라고 한다.〉이 말하였다: '도(覩)'자는 본다는 뜻이다.

陸續〈吳人〉曰, 聖人制作, 萬物咸見之矣.
육속(陸續)〈오(吳)나라 사람이다.〉이 말하였다: 성인이 제작함에 만물이 모두 그것을 본다.

姚配中〈晚清人〉曰, 親上親下, 陰陽各以其類從也.
요배중(姚配中)〈만청(晚清) 때의 사람이다.〉이 말하였다: 위와 친하고, 아래와 친한 것은 음양이 각각 그 부류를 따르기 때문이다.

按, 水流濕火就燥以下, 皆以同氣相求者也. 如男女陰陽, 每以異類而相感應, 不可不知也. 惟九五一爻, 位天德, 主一卦.
내가 살펴보았다: "물이 습한 곳으로 흐르고, 불이 건조한 곳으로 번진다"는 말로부터 그 이하의 구문들은 모두 "같은 기운은 서로 구한다"는 것에 해당한다. 예를 들어 남녀와 음양은 매번 다른 부류로써 서로 호응한다는 것을 알지 않으면 안 된다. 오직 구오의 한 효만이 하늘의 덕에 머물면서, 한 괘를 주관한다.

上九曰, 亢龍有悔, 何謂也. 子曰, 貴而无位, 高而无民, 賢人
在下位, 而无輔. 是以動而有悔也.

상구에서 "끝까지 올라간 용이니 후회가 있다"는 것은 무슨 말인가? 공자가 말하였다. "귀하지만
지위가 없으며, 높지만 백성이 없으며, 어진 사람이 아랫자리에 있으나 도와주는 사람이 없다. 이러
므로 움직이면 후회가 있다"

中國大全

傳

九居上而不當尊位. 是以无民无輔, 動則有悔也.

구(九)가 위에 있으나 존귀한 지위에 해당하지 않는다. 그러므로 백성이 없고 도와주는 사람이 없으
니, 움직이면 후회가 있다.

本義

賢人在下位, 謂九五以下. 无輔, 以上九過高志滿, 不來輔助之也.

"어진 사람이 아랫자리에 있음"은 구오 이하를 말한다. "도와 주는 사람이 없음"은 상구가 지나치게
높고 뜻이 교만하기 때문에 와서 도와주지 않는 것이다.

○ 此第二節, 申象傳之意.

이는 제 2절이니, 「상전(象傳)」의 뜻을 거듭 설명하였다.

小註

誠齋楊氏曰, 六龍之首, 故曰貴高. 自四以下皆從九五, 故曰无輔.

성재양씨가 말하였다: 여섯 마리 용 가운데 우두머리이기 때문에 "귀하고 높다"고 하였다. 사효 이하의 효들은 모두 구오를 따르기 때문에 "도와주는 사람이 없다"고 하였다.

○ 進齋徐氏曰, 爻辭, 但言有悔而夫子以動釋之, 蓋吉凶悔吝生乎動也.
진재서씨가 말하였다: 효사에서는 단지 "후회가 있다"고 말했는데, 공자가 움직임으로써 해석한 것은 길흉회린(吉凶悔吝)이 '움직임'에서 생겨나기 때문이다.

○ 臨川吳氏曰, 貴, 釋九之爲龍, 高, 釋上之爲亢. 无位者, 陽不得陽位也, 无民者, 純陽无陰也. 九三之賢在下, 而敵體不應, 是无輔也, 此所以動而有悔也. 然亢者天時, 有悔者人事, 識時善處者, 雖亢而能不動 則亦不至于有悔矣.
임천오씨가 말하였다: '귀함[貴]'은 구(九)가 용이 됨을 해석한 것이고, '높음[高]'은 상(上)이 '끝까지 올라감[亢]'을 해석한 것이다. '자리가 없음[无位]'은 양이 양의 자리를 얻지 못했기 때문이고, '백성이 없음[无民]'은 순수한 양이라서 음이 없기 때문이다. 구삼의 어진 사람이 아래에 있어서 대적하는 몸체로 호응하지 못하니, 이것이 '돕는 사람이 없음[无輔]'이며, 움직이면 후회가 있게 되는 이유이다. 그러나 '끝까지 올라감[亢]'이라는 것은 하늘의 때이고 '후회가 있음[有悔]'은 사람의 일이니, 때를 알고 대처하기를 잘하는 자가 비록 끝까지 올라가더라도 움직이지 않을 수 있다면, 또한 '후회가 있는' 지경에는 이르지 않을 것이다.

韓國大全

이현익(李顯益) 「주역설(周易說)」

賢人在下位, 本義作九五以下, 而臨川吳氏, 專作九三. 動而有悔, 亦動輒有悔之意, 而吳氏謂不動, 則不至於有悔. 且以无民, 爲純陽無陰, 純陽無陰, 何獨上九, 而以純陽無陰, 爲無民耶.
"어진 사람이 아랫자리에 있다"는 것에 대해 『본의』에서는 구오 이하라고 하였는데, 임천오씨는 오로지 구삼이라고 하였다. "움직이면 후회가 있다"는 것 또한 움직여 문득 후회가 있게 된다는 뜻이지만, 임천오씨는 움직이지 않으면 후회가 있는데 이르지는 않는다고 하였다. 또 "백성이 없다"는 것을 순전한 양으로 음이 없다고 여겼는데, 순전한 양으로 음이 없다

면 어찌 유독 상구에서만 순전한 양으로 음이 없는 것을 "백성이 없다"라는 뜻으로 삼을
수 있겠는가?

유정원(柳正源) 『역해참고(易解參攷)』

上九 [至] 悔也

상구는 … 후회가 있다.

程子曰, 貴而无位, 乃爵祿之位, 非陰陽之位.

정자가 말하였다: '귀하지만 지위가 없다'는 것은 곧 벼슬과 녹봉의 지위이지 음양의 지위가
아니다.

○ 厚齋馮氏曰, 尊於一卦之上, 而无九五之位, 極於一卦之上, 而无初九之民, 賢人在
下位, 謂九二應五, 而不應上. 蓋位者, 九五之位, 民者, 九五之民, 賢人者, 九五之輔,
過五有亢. 故應有悔. 然用靜吉用作凶, 苟能謹守靜處, 不交物涉害, 雖凶其如予何.
孔子以動一辭, 發明爻辭占外之意. 然則不動, 則雖亢而悔可无矣.

후재풍씨가 말하였다: 한 괘의 맨 위에서 귀하지만 구오의 지위가 없고, 한 괘의 맨 위에
다다랐지만 초구의 백성이 없다. "어진 사람이 아랫자리에 있음"은 구이가 구오에 호응하고
상구에 호응하지 않는 것이다. '지위'는 구오의 지위이고, '백성'은 구오의 백성이며, '어진
사람'은 구오를 도와주는 사람이니, 오효 자리를 지나 끝까지 올라갔기 때문에 호응함에 후
회가 있다. 그렇다면 고요함을 쓰면 길하고 움직임을 쓰면 흉하니, 진실로 삼가 지키고 고요
하게 머물러서 남과 어울려 해로움을 받지 않으면 비록 흉하지만 그가 나를 어떻게 하겠는
가? 공자는 '움직인다'는 뜻의 동(動)자 한 마디 말로 효사의 점 밖의 뜻을 드러내 밝혔다.
그렇다면 움직이지 않는다면 비록 끝까지 올라갔더라도 후회가 없을 것이다.

김상악(金相岳) 『산천역설(山天易說)』

以陽之貴, 居六龍之首, 故曰貴高, 賢人, 指三之君子也. 以上之高亢而不下, 故无輔.

양의 귀함으로 여섯 용의 우두머리에 위치하였기 때문에 귀하고 높으며, 어진 사람은 삼효
의 군자를 가리킨다. 상효가 높이 끝까지 올라가서 내려가지 않았기 때문에 도와주는 자가
없다.

○ 悔者, 陰陽之過也. 復之一陽, 反于下, 則曰无祗悔. 乾之六陽, 窮於上, 則曰動而
有悔. 此第二節, 申象傳之義.

후회는 음양이 지나친 것이다. 복괘(復卦)의 한 양이 아랫자리로 되돌아가면 곧 "후회에 이르지 않는다"[490]라고 말한 것이다. 건괘의 여섯 양은 상구에서 궁하니, 움직이면 후회가 있다고 말한 것이다. 이는 제 2절이니, 「상전(象傳)」의 뜻을 거듭 설명하였다.

김귀주(金龜柱) 『주역차록(周易箚錄)』

此第二節, 申象傳, 云云.

이는 제 2절이니, 「상전」의 뜻을 거듭 설명하였다, 운운.

小註, 臨川吳氏曰, 貴釋, 云云.

소주(小註)에서 임천오씨가 말하였다: 귀함은 … 을 해석한 것이고, 운운.

○ 按, 純陽無陰, 乾六爻皆同, 奚獨上九一爻耶. 蓋四以下皆從九五, 固爲無輔之象, 而亦爲無民之象, 恐當如是釋之. 識時善處者, 初不至於亢, 非亢而不動也.

내가 살펴보았다: 순수한 양이고 음이 없는 것은 건괘 여섯 효가 모두 같은데, 어찌 상구 한 효 뿐이겠는가? 사효 이하가 모두 구오를 따르니, 진실로 도움이 없는 상이고 또 백성이 없는 상이므로, 당연히 이와 같이 해석해야 할 듯하다. 때를 알아서 잘 대처하는 자는 애초에 끝까지 오르는 데는 이르지 않으니, 끝까지 올라가서 움직이지 않는 것이 아니다.

서유신(徐有臣) 『역의의언(易義擬言)』

居五之上, 故曰貴曰高也. 居卦之外, 故曰无位曰无民也. 賢人, 謂九三也. 不相應, 故曰无輔也. 動而有悔, 震无咎存乎悔之意也.

구오의 위에 있기 때문에, 존귀하다고 말하고 높다고 말하였다. 괘의 바깥쪽에 있기 때문에 지위가 없고 백성이 없다고 말하였다. 어진 사람은 구삼을 말한다. 서로 호응하지 않기 때문에 도와주는 자가 없다고 말하였다. 움직여 뉘우침이 있다는 것은 움직여 허물이 없게 함은 뉘우침에 있다[491]는 뜻이다.

박문건(朴文健) 『주역연의(周易衍義)』

賢人, 謂九三也.

---

490) 『易·繫辭』: 子曰, 顔氏之子, 其殆庶幾乎. 有不善, 未嘗不知, 知之, 未嘗復行也. 易曰, 不遠復, 无祇悔, 元吉.

491) 『易·繫辭』: 是故列貴賤者存乎位, 齊小大者存乎卦, 辨吉凶者存乎辭, 憂悔吝者存乎介, 震无咎者存乎悔.

어진 사람은 구삼을 말한다.

○ 此申象傳之衍義.

이것은 「상전」의 해설에 대해서 거듭 설명한 것이다.

〈問, 貴高. 曰, 高居亢, 貴處上, 故曰貴高. 曰, 无位, 何. 曰, 无九五之天位也.

물었다: 귀함과 높음은 무슨 뜻입니까?

답하였다: 높아져서 끝까지 올라간 곳에 거하고, 귀하여 위에 거처하기 때문에 귀함과 높음이라고 말합니다.

물었다: 자리가 없다고 한 것은 왜입니까?

답하였다: 구오의 하늘 자리가 없기 때문입니다.〉

〈問, 无民. 曰, 不遇而過之也.

물었다: "백성이 없다"는 무슨 뜻입니까?

답하였다: 합치하지 못하고 지나친 것입니다.〉

〈問, 无輔. 曰, 處盈, 故不輔.

물었다: "도움이 없다"는 무슨 뜻입니까?

답하였다: 가득 참에 처했기 때문에 돕지 않는 것입니다.〉

〈問, 其動. 曰, 心有憂懼, 故動, 動與困上六動悔之動同義, 危而動, 故人不與也.

물었다: 움직인다는 것은 무슨 뜻입니까?

답하였다: 마음에 근심과 걱정이 있기 때문에 움직입니다. 움직인다는 것은 곤괘(困卦)의 상육에서 움직이면 후회가 있다고 했을 때[492]의 움직인다는 것과 같은 뜻이니, 위태로워서 움직이는 것입니다. 그러므로 사람들이 참여하지 않습니다.〉

이지연(李止淵) 『주역차의(周易箚疑)』

動而有悔之動, 非變動之動, 乃進動之動也. 善其動而變, 則无咎.

"움직이면 후회가 있다[動而有悔]"고 할 때의 '동(動)'은 변동이라고 할 때의 '동(動)'이 아니니, 곧 "나아가 움직인다[進動]"고 할 때의 '동(動)'에 해당한다. 그 움직임을 좋게 하여 변화하게 되면, 허물이 없다.

---

492) 『易 · 困卦』: 上六, 困于葛藟, 于臲卼, 曰動悔有悔, 征吉.

심대윤(沈大允) 『주역상의점법(周易象義占法)』

上九, 非无龍德, 而以不能中和謙庸, 性氣高亢, 不能和同於天下, 故有悔也.

상구는 용의 덕이 없는 것은 아니지만, 중용과 조화로써 겸손하고 평상심을 가질 수 없어서 본성의 기운이 높이 끝까지 올라가 천하에 조화롭게 동화할 수 없다. 그러므로 후회가 있다.

〈不能晦明而下濟, 則人皆憚而尤无助我者也. 獨專天下之善, 非善之善者也.

어둠을 밝히고 아래로 구제할 수 없다면, 사람들이 모두 꺼리고 더욱이 자신을 돕는 자가 없게 된다. 유독 천하의 선함만을 전적으로 하는 것은 선함 중에 최고로 선한 것은 아니다.〉

오치기(吳致箕) 「주역경전증해(周易經傳增解)」[493]

此一節, 申言上九之象也. 在乎上, 故曰貴曰高, 非君非臣, 故曰无位. 純陽无陰, 故曰无民, 下无正應, 故曰无輔. 高貴如此, 而无位无民无輔, 則乃離群孤立者也. 如是而動, 必有悔矣.

이 한 구절은 상구의 상(象)을 거듭 말한 것이다. 꼭대기에 있기 때문에 귀하다고 하고 높다고 하였으며, 임금도 아니고 신하도 아니기 때문에 "지위가 없다"고 하였다. 순수한 양이라 음이 없기 때문에 "백성이 없다"고 했으며, 아래에 정응(正應)이 없기 때문에 "도와주는 사람이 없다"고 했다. 이와 같이 고귀하지만 지위와 백성과 도움이 없으면 곧 무리를 떠나 고립된 자가 된다. 이와 같은 데에도 움직인다면 반드시 후회가 있을 것이다.

이병헌(李炳憲) 『역경금문고통론(易經今文考通論)』

在上故貴, 不當位故無位, 無陰故無民. 三陽德正別體在下, 故曰賢人在下位, 兩陽無應, 故曰無輔. 〈述虞荀語.〉

윗자리에 있기 때문에 존귀하고, 그 지위에 해당하지 않기 때문에 지위가 없으며, 음이 없기 때문에 백성이 없다. 세 양의 덕이 바르면서 다른 몸체로 아래에 있기 때문에 어진 사람이 아랫자리에 있다고 말했으며, 두 양이 서로 호응함이 없기 때문에 도와주는 사람이 없다고 말하였다. 〈우번과 순구가의 말을 조술하였다.〉

---

493) 경학자료집성DB에서는 건괘 상구에 해당하는 것으로 분류했으나, 내용에 따라 이 자리로 옮겼다.

潛龍勿用, 下也.

"잠겨있는 용이니 쓰지 말 것"은 아래에 있기 때문이다.

‖中國大全‖

傳

此以下, 言乾之時. 勿用, 以在下, 未可用也.

이 이하는 건(乾)의 때를 말하였다. "쓰지 말라"는 것은 아래에 있어서 쓸 수가 없기 때문이다.

小註

雲峰胡氏曰, 陽在下也, 以氣言, 此曰下也, 以人言.

운봉호씨가 말하였다: '양이 아래에 있음'[494]은 기(氣)로써 말한 것이고, 여기에서 '아래'라고 말한 것은 사람의 지위를 가지고 말한 것이다.

‖韓國大全‖

조호익(曺好益) 『역상설(易象說)』

朱子曰, 似用.

주자가 말하였다: '쓰임[用]'과 같다.

---

494) 『周易 · 乾卦 · 象傳』: 潛龍勿用, 陽在下也.

김상악(金相岳) 『산천역설(山天易說)』

此章以下, 以人事明之. 勿用者, 初之居下而无位也.

이 장 이하는 사람의 일을 밝혔다. "쓰지 말라"는 것은 초효가 아래에 있어서 지위가 없기 때문이다.

서유신(徐有臣) 『역의의언(易義擬言)』

潛隱之時也. 下, 降也. 遜卑之意, 與陽在下之下不同.

잠기고 숨어 있는 시기를 뜻한다. 하(下)는 내려간다는 뜻이다. 피해서 낮춘다는 뜻은 양이 아래에 있다고 했을 때의 하(下)와는 다른 의미이다.

박문건(朴文健) 『주역연의(周易衍義)』

下, 在下也.

아래라는 것은 아랫자리에 있다는 뜻이다.

見龍在田, 時舍也.

정전 "나타난 용[見龍]이니 밭에 있음"은 때에 맞게 그침이다.
본의 "나타난 용[見龍]이니 밭에 있음"은 때가 그침이다.

║中國大全║

傳

隨時而止也.

때에 맞게 멈추는 것이다.

本義

言未爲時用也.

때에 맞춰 쓰임이 되지 못함을 말한 것이다.

小註

厚齋馮氏曰, 舍與出舍于郊之舍同 適止於位 非久安也.
후재풍씨가 말하였다: 그침[舍]은 나아가 교외에서 그친다고 했을 때의 그침[舍]과 같으니, 다만 지위에서 멈추는 것이며 오래도록 안주하는 것은 아니다.

○ 臨川吳氏曰, 龍之在田, 猶在下位, 未爲時用也.
임천오씨가 말하였다: 용이 '밭에 있다'는 것은 '아래 지위에 있다'는 말과 같으니, 때에 맞춰 쓰임이 되지 못한 것이다.

▎韓國大全▎

조호익(曺好益) 『역상설(易象說)』

按, 舍上聲, 捨同.

내가 살펴보았다: '사(舍)'는 상성(上聲)이니, 버린다는 뜻인 '사(捨)'와 같다.

유정원(柳正源) 『역해참고(易解參攷)』

時舍也.

때에 알맞게 그침이다.

梁山來氏曰, 舍, 止息也. 出潛離隱, 止息于田也.

양산래씨가 말하였다: '사(舍)'는 머물러 휴식함이다. 잠긴 곳에서 나오고 숨은 곳을 떠나 밭에 머물러 휴식함이다.

本義, 未爲時用.

『본의』에서 말하였다: 때에 맞춰 쓰임이 되지 못한다.

案, 象言德施普也, 而此言未爲時用. 蓋陽氣著見於地上, 萬物敷榮其施普也, 而猶在地上, 未及乎天, 姑未爲時用也.

내가 살펴보았다: 「상전」에서는 "덕의 베풂이 넓은 것이다"라고 했는데, 여기에서는 때에 맞춰 쓰임이 되지 못한다고 했다. 양기가 지상에 나타나 만물이 두루 그 베풀음의 혜택을 입지만, 아직은 지상에 머물러 있고 하늘에 도달하지 못했기 때문에 우선 때에 맞춰 쓰임이 되지 못하는 것이다.

김상악(金相岳) 『산천역설(山天易說)』

時舍, 謂未得君位也.

'때가 그침이다'는 것은 아직 임금의 지위를 얻지 못함을 말한다.

○ 易以時位言, 而時統一卦, 故多言於下卦, 而上卦亦有言者, 位辨上下, 故皆言於上卦, 而初二絶无言者. 此其通例, 而乾居卦首, 故二言時五言位.

『주역』을 때와 자리로써 말하자면, 때는 한 괘를 통괄하므로 대부분 하괘에서 말하지만 상괘에서도 말하는 경우가 있고, 자리는 상하를 변별하므로 모두 상괘에서 말하고 초효와 이효에서는 절대로 말하는 경우가 없다. 이것은 일반적인 통례에 따른 것이니, 건괘는 모든 괘의 첫머리에 있기 때문에 이효에서는 때를 말하고 오효에서는 자리를 말한다.

김귀주(金龜柱) 『주역차록(周易箚錄)』

本義, 言未爲時用, 云云.

『본의』에서 말하였다: 때에 맞춰 쓰임이 되지 못함을 말한 것이다, 운운.

小註, 厚齋馮氏曰, 舍與, 云云.

소주(小註)에서 후재풍씨가 말하였다: 그침[舍]은, 운운.

○ 按, 此說從程傳意釋之. 若以本義意言, 則舍字當作捨矣.

내가 살펴보았다: 이 설명은 『정전』의 뜻에 따라 해석한 것이다. 만약 『본의』의 뜻으로 말하면, '사(舍)'자는 마땅히 버린다는 '사(捨)'로 써야 한다.

박제가(朴齊家) 『주역(周易)』

時舍.

때에 맞게 그친다.

傳, 隨時而止也, 本義, 未爲時用也, 乃用舍之舍.

『정전』에서 때에 맞게 멈춘다고 했고, 『본의』에서는 때에 맞춰 쓰임이 되지 못한다고 했으니, 곧 쓰임과 그침이라고 할 때의 그친다는 뜻이다.

厚齋馮氏曰, 與出舍於郊之舍同, 從程傳說, 然終不如本義, 確於井无禽之小象, 亦曰與此異, 然恐不異.

후재풍씨가 말하였다: "교외로 나가서 머문다"[495]라고 할 때의 사(舍)와 같다고 하는데, 이것은 『정전』의 주장에 따른 것이지만, 결국 『본의』의 뜻과는 다르다. 정괘(井卦)의 초육 소상(小象)에서 말하는 "우물에 짐승이 없다"[496]는 것을 확인하고 또한 이것과는 다르다고 말하지만, 아마도 다르지 않을 것이다.

---

495) 『孟子·梁惠王』: 景公悅, 大戒於國, 出舍於郊. 於是始興發補不足. 召大師曰, 爲我作君臣相說之樂, 蓋徵招角招是也. 其詩曰, 畜君何尤, 畜君者, 好君也.

496) 『易·井卦』: 象曰, 井泥不食, 下也, 舊井无禽, 時舍也.

서유신(徐有臣) 『역의의언(易義擬言)』

未奮庸之時也. 舍, 施也. 時用其德施也.

아직 평상시에 대해서 힘쓰지 못한 시기에 해당한다. '사(舍)'자는 베푼다는 뜻이다. 때로 그 덕을 사용하여 베푼다는 의미이다.

강엄(康儼) 『주역(周易)』

見龍 [止] 時舍也.

나타난 용 … 때가 그침이다.

按, 井卦初六象傳, 曰井泥不食, 下也. 舊井无禽, 時舍也. 叶韻與此回[497].

내가 살펴보았다: 정괘(井卦)의 초육「상전」에서는 "우물에 진흙이 있어 먹지 않음은 아래에 있기 때문이고, 옛 우물에 짐승이 없음은 시간이 흘러 버려진 것이다"[498]라고 했는데, 운을 맞춘 것이 이곳과 같다.

박문건(朴文健) 『주역연의(周易衍義)』

言未爲時用也.

때에 맞춰 쓰임이 되지 못함을 말한 것이다.

〈問, 時舍. 曰, 二五敵應而无相得之義, 又九二中正自守而无苟合之志, 故爲時所舍也. 蓋出而未遇者也.

물었다: "때에 맞게 멈춘다"는 무슨 뜻입니까?

답하였다: 이효와 오효는 대등하게 상응하여 서로 얻는 뜻이 없고, 또 이효는 중정하여 제 스스로 지키며 구차하게 합하려는 뜻이 없습니다. 그러므로 때에 따라 멈추게 되니, 나아갔으나 아직 합치하지 못한 것입니다.〉

이항로(李恒老) 「주역전의동이석의(周易傳義同異釋義)」

見龍在田, 時舍也.

나타난 용이 밭에 있음은 때에 맞게 그침이다.

[傳] 隨時而止也.

---

497) 同: 경학자료집성DB에는 '回'로 되어 있으나 경학자료집성 영인본을 참조하여 '同'으로 바로잡았다.

498) 『易·井卦』: 象曰, 井泥不食, 下也, 舊井无禽, 時舍也.

『정전』에서 말하였다: 때에 맞게 멈추는 것이다.

[本義] 言未爲時用也.

『본의』에서 말하였다: 때에 맞춰 쓰임이 되지 못함을 말한다.

按, 井初六象傳曰, 舊井无禽, 時舍也. 傳義同以爲時所棄釋之. 夫見龍在田與舊井无禽, 其義略同. 龍當行天而反在田, 井宜養物而反不食, 此皆不爲世用故也. 彼此異釋无意義, 故本義只得從井傳之例.

내가 살펴보았다: 정괘(井卦)의 초육 「상전」에서는 "옛 우물에 짐승이 없음은 시간이 흘러버려진 것이다"[499]라고 했는데, 『정전』과 『본의』에서는 모두 때에 의해 버려지는 것으로 해석했다. 나타난 용이 밭에 있다는 것과 옛 우물에 짐승이 없는 것은 그 의미가 대략 동일하다. 용은 마땅히 하늘에서 행동해야 하는데 반대로 밭에 있고, 우물은 마땅히 생물을 길러야 하는데 반대로 마시지 못하니, 이것은 모두 세상에서 사용이 되지 않기 때문이다. 두 괘에 대해 해석이 다른 것은 특별한 뜻이 없다. 그러므로 『본의』에서는 단지 정괘에 나온 『정전』의 용례에 따랐다.

심대윤(沈大允) 『주역상의점법(周易象義占法)』

不能大行於時, 故曰時舍. 井之初九, 亦曰時舍.

그 때에 크게 시행할 수 없기 때문에, 때가 그친다고 하였다. 정(井)괘의 초구에서도 또한 "시간이 흘러 버려진 것이다"라고 말했다.[500]

---

499) 『易·井卦』: 象曰, 井泥不食, 下也, 舊井无禽, 時舍也.
500) 『易·井卦』: 象曰, 井泥不食, 下也, 舊井无禽, 時舍也.

終日乾乾, 行事也.

"종일토록 힘쓰고 힘씀"은 일을 행함이다.

║中國大全║

傳

進德修業也.

군자가 덕을 기르고 학업을 닦는 것이다.

小註

雲峯胡氏曰, 行所當行也.

운봉호씨가 말하였다: 마땅히 행할 것을 행하는 것이다.

║韓國大全║

김상악(金相岳) 『산천역설(山天易說)』

行, 進德修業之事也.

행함은 덕을 기르고 학업을 닦는 일이다.

서유신(徐有臣) 『역의의언(易義擬言)』

進脩之時也. 行事者, 進脩也.

기르고 닦는 시기를 뜻한다. 일을 행한다는 것은 기르고 닦는 것을 뜻한다.

或躍在淵, 自試也.

"혹 뛰어 오르거나 못에 있음"은 스스로 시험하는 것이다.

‖中國大全‖

傳

隨時自用也.

때에 따라 스스로 쓰는 것이다.

本義

未遽有爲, 姑試其可.

갑자기 일을 할 수 없어서 우선 가능한 지를 시험하는 것이다.

小註

厚齋馮氏曰, 試, 如書試可乃已之試, 四位近五, 未遽有爲也.

후재풍씨가 말하였다: '시험하다[試]'는 『서경』에서 '가능한지 불가능한지를 시험해 보고 그만두다'[501]라고 할 때의 '시(試)'와 같으니, 사효는 자리가 오효와 가까워 갑자기 행동할 수 없는 것이다.

---

501) 『書經·堯典』: 僉曰, 於, 鯀哉. 帝曰, 吁, 咈哉, 方命圮族. 岳曰, 异哉, 試可乃已. 帝曰, 往欽哉. 九載績用弗成.

‖韓國大全‖

유정원(柳正源) 『역해참고(易解參攷)』

自試也.

스스로 시험하는 것이다.

梁山來氏曰, 非試之德, 試其時也.

양산래씨가 말하였다: 덕을 시험함이 아니라 그 때를 시험함이다.

○ 案, 姑試之, 未可遽也. 可進則進, 可退則退.

내가 살펴보았다: 우선 시험하는 것이지 갑자기 하는 것이 아니다. 나아갈 만하면 나아가고, 물러날 만하면 물러난다.

김상악(金相岳) 『산천역설(山天易說)』

自試其可.

스스로 가능한지를 시험한다.

서유신(徐有臣) 『역의의언(易義擬言)』

進而自試之時也. 試者, 少用之也. 自試, 其所進脩, 何如也.

길러서 스스로를 시험하는 시기를 뜻한다. 시험한다는 것은 조금 사용한다는 뜻이니, 기르고 닦은 것이 어떠한지 스스로 시험하는 것이다.

박문건(朴文健) 『주역연의(周易衍義)』

躍者, 自試其可進也.

뛰어오른다는 것은 스스로 나아가도 되는지를 시험하는 것이다.

심대윤(沈大允) 『주역상의점법(周易象義占法)』

言始能自由而試用, 不專係乎人也.

애초에 자기 스스로 쓰임을 시험할 수 있는 것이지, 전적으로 타인에게 달려 있지 않음을 말한다.

飛龍在天, 上治也.

"나는 용이 하늘에 있음"은 위에서 다스림이다.

┃中國大全┃

傳

得位而行, 上之治也.

지위를 얻어 행하니, 윗사람의 다스림이다.

本義

居上以治下.

윗자리에 있으면서 아래를 다스림이다.

小註

臨川吳氏曰, 上謂在天, 居上而治下也.

임천오씨가 말하였다: 윗자리는 '하늘에 있음'을 말하니, 높은 자리에 거하여 아래를 다스리는 것이다.

┃韓國大全┃

김상악(金相岳) 『산천역설(山天易說)』

上天位而治下也.

천위(天位)에 올라 천하를 다스린다.

서유신(徐有臣) 『역의의언(易義擬言)』

居尊位致化理之時也. 上, 君上也. 治, 明治也.

존귀한 지위에 거하여 교화의 도리를 완성하는 시기에 해당한다. 상(上)은 군주를 뜻한다. 치(治)는 밝게 다스린다는 뜻이다.

박문건(朴文健) 『주역연의(周易衍義)』

言居上以治之也.

위에 거하여 다스림을 말한다.

이항로(李恒老) 「주역전의동이석의(周易傳義同異釋義)」

飛龍在天, 上治也.

'나는 용이 하늘에 있음'은 위에서 다스림이다.

傳, 得位而行, 上之治也.

『정전』에서 말하였다: 지위를 얻어서 행하는 것은 위에서 다스림이다.

本義, 居上而治下.

『본의』에서 말하였다: 위에 거하여 아래를 다스리는 것이다.

按, 治傳以效言, 義以事言, 例上行事自試則言效遽, 例下天下治則言效複, 平聲讀恐是.

내가 살펴보았다: '치(治)'는 『정전』에서 '효(效)'의 뜻으로 풀이했고, 『본의』에서는 '일[事]'의 뜻으로 풀이했는데, 위에서 일을 시행하며 스스로를 시험한다는 것에 대해서는 '효거(効遽)'를 언급했고, 아래에서 천하를 다스린다는 것에 대해서는 '효복(効複)'을 언급했으니, 평성으로 읽는 것이 아마도 옳은 것 같다.

심대윤(沈大允) 『주역상의점법(周易象義占法)』

言居上而主治也.

위에 있으면서 다스림을 위주로 함을 말한다.

박문호(朴文鎬) 「경설(經說)·주역(周易)」

上治也, 以他經推之, 傳義當各有音訓, 而大全者不可專從一家, 故叅取傳義, 一從董呂之例云.

"위에서 다스린다"고 했는데, 다른 경문으로 추론해보면 『정전』과 『본의』는 각각의 음훈이 있고, 『대전』은 전적으로 하나의 학설만을 따를 수 없으므로 『정전』과 『본의』을 참고하고, 한결같이 동해(董楷)와 여조겸(呂祖謙)의 예를 따랐다.[502]

---

502) 『주역전의대전·범례』에 "경문(經文)의 문자 가운데 음을 달아야 할 것이 있으면, 지금 천태동씨(天台董氏)의 예(例)를 따라 여씨(呂氏)의 음훈(音訓)을 참고해서 곧바로 그 아래에 붙였다[經中文字, 有當音者, 今從天台董氏例, 參考呂氏音訓, 直附其下]"라고 하였다.

．．．

亢龍有悔, 窮之災也.

"끝까지 올라간 용이니 후회가 있음"은 궁함의 재앙이다.

．．．

┃中國大全┃

傳

窮極而災至也.

궁함이 극에 달하여 재앙이 닥친 것이다.

小註

臨川吳氏曰, 窮謂亢, 災謂有悔.

임천오씨가 말하였다: '궁(窮)'은 '항(亢)'을 말하고, '재(災)'는 "후회가 있음[有悔]"을 말한다.

┃韓國大全┃

김상악(金相岳) 『산천역설(山天易說)』

亢, 所以爲窮, 悔, 所以爲災. 初曰下也, 二曰時舍也, 三曰行事也, 四曰自試也, 五曰上治也, 上曰窮之災也. 自下而上, 皆有次序, 而用九曰天下治也, 因上治而言也.

'끝까지 올라감[亢]'은 궁하게 되는 이유이고, '후회'는 재앙이 되는 이유이다. 초효에서는 "내려간다"고 하고, 이효에서는 "때에 맞게 그친다"고 하고, 삼효에서는 "일을 행한다"고 하고, 사효에서는 "스스로 시험하는 것이다"고 하고, 오효에서는 "위에서 다스림이다"고 하고, 상효에서는 "궁함의 재앙이다"라고 하였다. 아래로부터 위로 올라감이 모두 그 순서가 있고, 구를 씀[用九]에서는 "천하가 다스려짐이다"고 하였으니, 위에서 다스림으로 인하여 말하였다.

서유신(徐有臣) 『역의의언(易義擬言)』

亢, 窮極之時也.

끝까지 올라감은 궁극에 도달한 시기를 뜻한다.

박문건(朴文健) 『주역연의(周易衍義)』

〈問, 窮之災. 曰, 滿則必損, 故有窮極之災者也.

물었다: 궁함의 재앙이란 무슨 뜻입니까?

답하였다: 가득차면 반드시 덜게 되므로 궁극에 달한 재앙이 있게 됩니다.〉

이지연(李止淵) 『주역차의(周易箚疑)』

自潛龍勿用下也, 至亢龍有悔窮之災也, 言時與位也.

"잠긴 용을 쓰지 않는 것은 아래에 있기 때문이다"라는 말부터 "끝까지 올라간 용이니 후회가 있는 것은 궁함의 재앙이다"라고 한 말까지는 때[時]와 자리[位]를 설명하였다.

乾元用九, 天下治也.

"건원(乾元)이 구를 씀[用九]"은 천하가 다스려짐이다.

▌中國大全▌

傳

用九之道, 天與聖人同, 得其用, 則天下治也.

양을 쓰는 방법은 하늘과 성인이 같으니, 그 씀을 얻으면 천하가 다스려진다.

小註

隆山李氏曰, 四德獨擧一元何也. 元亨利貞, 同出于元, 如循環然, 乾道之終, 則一元復用矣.

융산이씨가 말하였다: 네 가지 덕 중에 유독 일원(一元)만을 거론한 이유는 무엇인가? 원형리정(元亨利貞)은 모두 원(元)으로부터 나와 순환하는 것과 같으니, 건도(乾道)의 끝에 일원(一元)이 다시 쓰이게 되는 것이다.

本義

言乾元用九, 見與他卦不同, 君道剛而能柔, 天下无不治矣.

'건원의 양을 씀'이라고 말한 것은 다른 괘와 같지 않음을 나타낸 것이니, 임금의 도가 강하면서 부드러울 수 있으면 천하가 다스려지지 않음이 없을 것이다.

○ 此第三節, 再申前意.

이는 제 3절이니, 앞의 뜻을 거듭 설명하였다.

小註

或問, 乾元用九, 天下治也.

어떤 이가 물었다: "건원이 구를 씀은 천하가 다스려짐이다"는 무슨 말입니까?

朱子曰, 九是天德健中, 便自有順, 用之則天下治, 如下文乃見天則, 則便是天德. 與上文見群龍无首, 又別作一樣看.

주자가 답하였다: '구(九)'는 하늘의 덕이 '굳건하며 중도에 맞아'[503] 저절로 순함을 가지고 있습니다. 이것을 사용하면 천하가 다스려지는 것이 마치 아래 문장에서 '이에 하늘의 법칙을 본다'[504]라고 한 말과 같으니, 곧 이것이 하늘의 덕입니다. 위의 문장에서 말한 '여러 용이 머리가 없음을 보니'[505]고 했던 말은 또한 별도로 살펴보아야 합니다.

○ 雲峯胡氏曰, 乾元用九, 與他卦不同者, 蓋一百九十二爻, 皆用九各有所指, 乾之用九 則獨以剛而能柔, 人君治天下之道, 當如是也, 所以與他卦不同.

운봉호씨가 말하였다: 건원이 구를 씀은 다른 괘와 같지 않음을 나타낸 것이라는 것은 192효가 모두 양을 써서 각각 가리키는 바가 있지만, 건이 구를 씀이 유독 강건하면서도 부드러울 수 있으니, 임금이 천하를 다스리는 도리가 마땅히 이와 같아야 하기 때문에 다른 괘와 다른 것이다.

┃韓國大全┃

윤동규(尹東奎) 『경설(經說)-역(易)』

乾, 文言, 上治與天下治, 語勢恐有輕重. 上治, 人君有九五之龍德, 而始升九五之正位, 化猶未洽於天下, 故曰上治, 又曰乃位乎天德. 天下治者, 化行俗美, 萬物各得其所, 如萬物資始於乾元, 而各正性命, 故曰天下治, 又曰乃見天則.

건괘 「문언전」의 '위에서 다스림[上治]'과 '천하가 다스려짐[天下治]'은 어세(語勢)에 아마도

---

503) 『周易・乾卦・文言傳』: 乾元者, 始而亨者也, 利貞者, 性情也. 乾始能以美利, 利天下, 不言所利, 大矣哉. 大哉乾乎, 剛健中正純粹精也.

504) 『周易・乾卦・文言傳』: 乾元用九, 乃見天則.

505) 『周易・乾卦』: 用九, 見群龍, 无首, 吉.

경중의 차이가 있는 듯하다. '위에서 다스림'은 임금이 구오로서 용의 덕을 가지고 있어서 비로소 구오의 바른 자리에 올라갔지만, 교화가 아직은 천하에 두루 미치지 못했기 때문에 '위에서 다스림'이라고 하였고, 또 "곧 하늘의 덕에 자리한다"라고 하였다. '천하가 다스려짐' 은 교화가 행해지고 풍속이 아름다워 만물이 각각 제 제자리를 얻은 것이 만물이 건원(乾元)에서 의뢰하여 시작하여 각각 그 성명(性命)을 바르게 하는 것과 같다. 그러므로 "천하가 다스려짐'"이라고 하고, 또 "곧 하늘의 법칙을 본다"라고 하였다.

김상악(金相岳) 『산천역설(山天易說)』

剛而能柔, 則天下治矣.

강건하면서도 부드러울 수 있으면 천하가 다스려진다.

○ 此以用九之道, 言人事天道, 而分先後, 所以聖人用此道, 而致天下之治. 天以此道, 垂則於人也.

여기에서는 '구를 쓰는[用九] 도를 가지고 사람의 일과 하늘의 도를 말하여 앞·뒤를 나누었으니, 이 때문에 성인이 이 도를 사용해서 천하의 다스림을 이루는 것이다. 하늘은 이 도로써 사람들에게 법칙을 내려준다.

○ 此第三節, 再申前意.

이는 제 3절이니, 앞의 뜻을 거듭 설명하였다.

김귀주(金龜柱) 『주역차록(周易箚錄)』

雲峰胡氏曰, 乾元, 云云.

운봉호씨가 말하였다: 건원의, 운운.

○ 按, 乾元用九與他卦不同者, 蓋他卦六爻皆變, 則占之卦象辭, 而乾卦六爻皆變, 則以見群龍無首占之, 此所以不同也. 此云百九十二爻各有所指者, 恐未瑩.

내가 살펴보았다: "건원이 구를 씀은 다른 괘와 같지 않다"는 것은, 다른 괘는 여섯 효가 모두 변하면 변한 괘[之卦]의 단사로 점(占)을 치지만, 건괘는 여섯 효가 모두 변하면 "여러 용을 보되 머리가 됨이 없다"는 것으로 점을 치니, 이것이 같지 않은 까닭이다. 여기서 192 효가 각각 가리키는 바가 있다고 한 것은 명쾌하지 않은 듯하다.

서유신(徐有臣) 『역의의언(易義擬言)』

治道丕變垂拱無爲之時也. 乾元統六爻, 六爻用九, 乾元用九也. 乾變爲坤而萬物成焉, 故天下治也.

다스림의 도리가 이전의 악행을 타파하여, 가만히 있으면서 인위적인 행동을 하지 않는 시기에 해당한다. 건원은 육효를 통솔하니, 육효가 구를 씀은 건원이 구를 쓰는 것이 된다. 건이 변화하여 곤이 되고, 만물이 완성되었기 때문에 천하가 다스려진다.

강엄(康儼) 『주역(周易)』

乾元 [止] 治也.

건원 … 다스린다.

本義, 言乾元 [止] 不同.

『본의』에서 말하였다: 건원이라고 말한다 … 같지 않다.

按, 他卦亦皆用九用六, 而此必言乾元用九者, 以乾卦爲君道, 剛而能柔, 在君道爲尤大, 故必稱乾元以見, 與然506)卦不同.

내가 살펴보았다: 다른 괘에서도 또한 모두 용구와 용육이라고 했는데, 이곳에서는 반드시 건원의 용구라고 한 것은 건괘는 임금의 도가 되고, 굳세면서도 부드러울 수 있는 것은 임금의 도에 있어서 더욱 크기 때문에 반드시 건원이라 일컬어서 그 뜻을 드러낸 것이니, 다른 괘와는 다르다.

박문건(朴文健) 『주역연의(周易衍義)』

此申象傳之正義.

이는 「상전」의 올바른 뜻에 대해서 거듭 설명한 것이다.

〈問, 天下治. 曰, 示之以柔道, 故天下自治也.

물었다: 천하가 다스려진다는 것은 무슨 뜻입니까?

답하였다: 부드러운 도로 보여주기 때문에 천하가 저절로 다스려집니다.〉

심대윤(沈大允) 『주역상의점법(周易象義占法)』

忠恕在我曰仁, 施人曰德. 乾元, 仁也, 用九, 德也. 合言乾元用九者, 明其爲一事, 而有內外終始也. 中庸曰, 合內外之道也.

충·서가 나에게 있는 것을 인이라 말하고, 남에게 베푸는 것을 덕이라고 말한다. 건원은

---

506) 他: 경학자료집성DB에는 '然'으로 되어 있으나, 경학자료집성 영인본을 참조하여 '他'로 바로잡았다.

인이고, 구를 씀은 덕이다. 합쳐서 '건원이 구를 씀'이라고 말한 것은 한 가지 일을 시행하여 안과 밖, 시작과 마침을 가진다는 것을 밝혔다. 『중용』에서는 "내외의 도를 합한다"[507]라고 말했다.

오치기(吳致箕) 「주역경전증해(周易經傳增解)」

此節, 再申爻辭之旨也. 下, 言在下也. 舍者, 止也, 時舍, 言隨時而止, 退在臣位也. 行事, 謂進德修業也. 試, 謂試其可進與否而不遽進也. 上治, 謂居上而治下也. 窮言其亢, 而災言有悔也. 天下治者, 言乾君之道剛而能柔, 則天下无不治也.

이 절은 효사의 뜻을 다시 거듭 설명한 것이다. '하(下)'는 아래에 있음을 말하고, '사(舍)'는 머무름이니, '시사(時舍)'는 때에 따라 머무름이니, 물러나 신하의 자리에 있음을 말한다. '일을 행함[行事]'은 "덕을 기르고 학업을 닦는 것"을 말한다. '시(試)'는 나아갈 만한지 아닌지를 시험하고 갑자기 나아가지 않음을 말한다. '위에서 다스림[上治]'은 위에 거처하면서 아래를 다스림을 말한다. '궁함[窮]'은 끝까지 간 것을 말하고, '재앙'은 후회가 있음을 말한다. '천하가 다스려짐'은 건괘의 임금의 도가 강건하면서도 부드러울 수 있으면 천하가 다스려지지 않음이 없음을 말한다.

이병헌(李炳憲) 『역경금문고통론(易經今文考通論)』

王曰, 此一章全以人事明之也. 舍, 通舍也.

왕씨가 말하였다: 이곳 한 장은 전적으로 사람의 일로써 밝혔다. '사(舍)'자는 통한다는 뜻이다.

按, 舍有釋放之意, 此與管子舍之謂德之舍同. 天下治, 如乘六龍以馭天也.

내가 살펴보았다: '사(舍)'자에는 풀어준다는 뜻도 있으니, 여기에 나온 글자는 『관자』에서 사(舍)를 덕(德)이라고 했을 때의 사(舍)와 동일하다. 천하가 다스려진다는 것은 여섯 용을 타고 하늘을 날아다니는 것과 같다.

---

507) 『中庸』: 誠者, 非自成己而已也, 所以成物也. 成己, 仁也. 成物, 知也. 性之德也, 合外內之道也, 故時措之宜也.

潛龍勿用, 陽氣潛藏.

"잠겨있는 용은 쓰지 말 것"은 양의 기운이 잠겨 감추어짐이다.

‖中國大全‖

傳

此以下, 言乾之義. 方陽微潛藏之時, 君子亦當晦隱, 未可用也.

이 이하는 건괘의 뜻을 말하였다. 양이 미약하여 잠기고 감추어질 때는 군자도 숨어있으면서 나서지 않아야 한다.

小註

或問, 程易乾之用, 乾之時, 乾之義, 看來恐可移易說. 朱子曰, 凡說經若移易得, 便不是本意. 看此三段, 只是聖人反復贊詠乾之德耳. 如上文潛龍勿用下也, 便卽是此段陽氣潛藏, 便是首段龍德而隱者也, 聖人反覆發明以示人耳.

어떤 이가 물었다: 『정전(程傳)』에서는 건의 쓰임, 건의 때, 건의 뜻에 대해 설명했는데, 바꿔서 설명할 수 있을 듯합니다.

주자가 답하였다: 경전을 설명하면서 만약 옮기거나 바꿀 수 있다면 곧 본래의 뜻이 아닙니다. 이 세 단락을 살펴보면, 단지 성인이 건의 덕을 반복하여 찬미한 것일 뿐입니다. 예를 들어 위 문장에서 "잠룡은 쓰지 말라는 것은 아래에 있기 때문이다"라고 한 것은 곧 이 단락의 "양기가 잠겨 숨은 것"과 같은 뜻이며, 곧 첫 단락의 "용의 덕을 가지고 숨어 있는 자"와 같은 뜻이니, 성인이 반복하여 사람들에게 보여준 것일 뿐입니다.

問, 聖人於文言, 只把做道理說.曰, 有此氣, 便有此理.

물었다: 성인은 「문언전」에 대해서 단지 도리만을 설명했습니까?

답하였다: 이러한 기운이 있으면, 곧 이러한 이치가 있는 것입니다.

○ 厚齋馮氏曰, 孔子釋潛, 曰隱, 曰下, 曰藏. 隨事制義 无不可也.

후재풍씨가 말하였다: 공자는 '잠(潛)'자를 해석하여 '은(隱)'이라 하고, '하(下)'라 하고, '장(藏)'이라고 했다. 각각 일에 따라 의미를 맞추는 것이니 옳지 않은 것이 없다.

‖韓國大全‖

김상악(金相岳) 『산천역설(山天易說)』

此章以下, 以陽道明之, 陽之在下, 所以潛藏.

이 장 이하는 양의 도로써 밝힌 것이니, 양이 아랫자리에 있기 때문에 잠기고 감춰지는 것이다.

○ 陽之始動者, 在乾爲初九, 在坤爲復卦, 於時爲冬至. 故陽氣潛藏於下, 未見於外也.

양이 처음 움직이는 것이 건괘에서는 초구가 되고 곤괘에서는 복괘(復卦)가 되며, 때에 있어서는 동지가 되기 때문에 양기가 아래에 잠기고 숨겨져 밖으로 드러나지 않는다.

김귀주(金龜柱) 『주역차록(周易箚錄)』

傳, 此以下, 言乾之義, 云云.

『정전』에서 말하였다: 이 이하는 건괘의 뜻을 말하였다, 운운.

小註, 或問, 程易, 云云.

소주에서 어떤 이가 물었다: 『정전』에서, 운운.

○ 按, 答說移易得, 便不是本意云者, 指凡說經而言. 蓋謂凡說經之道, 若移易, 則固不是本意. 而此三叚, 則卻只是一意, 不必分用時義看云爾. 非謂程易所言亦不可移易, 如凡說經之例也. 若以不可移易意看, 則看此三叚以下, 只見其可移易之意, 而未見其不可移易之意耳. 且朱子嘗曰, 伊川說乾之用, 乾之時, 乾之義, 難分別. 到了, 時似用, 用似義. 據此則蓋不以程易所言爲鐵定 不可移易者, 可知也. 경전을 설명하는 도리는 만약 옮기거나 바꿀 수 있다면

내가 살펴보았다: 주자의 대답에서 "곧 본래의 뜻이 아니다"라고 한 것은, 경전을 설명하는 것을 가리켜서 말한 것이니, 경전을 설명하는 도리는 만약 옮기거나 바꿀 수 있다면 진실로 본래의 뜻이 아니다. 이 세 단락[乾之用, 乾之時, 乾之義]은 단지 하나의 뜻이니, 굳이 쓰

임[用]과 때[時]와 의미[義]를 나누어 볼 필요가 없다. 『정전』에서 말한 것이 또한 옮기거나 바꿀 수 없다는 것을 말하는 것이 아니라, 일반적으로 경전을 설명하는 사례가 그런 것이다. 옮기거나 바꿀 수 없다는 뜻으로 보면 이 세 단락 이하는 단지 그것을 옮기거나 바꿀 수 있다는 뜻을 볼 수 있을 뿐이고, 옮기거나 바꿀 수 없다는 뜻은 볼 수 없다. 또 주자는 일찍이 "이천이 '건의 쓰임과 건의 때와 건의 의(義)'를 말했는데, 분별하기 어려우니, 결국 때가 쓰임 같고 쓰임이 의와 같다"[508]고 하였다. 이것에 근거하면 『정전』에서 말한 것을 철칙으로 삼아 바꿀 수 없다고 여긴 것이 아님을 알 수 있다.

厚齋馮氏曰, 孔子釋潛, 云云.

후재풍씨가 말하였다: 공자가 '잠(潛)'을 해석하여, 운운.

○ 按, 曰隱曰下曰藏, 只是互言以廣其義, 恐非隨事制義也.

내가 살펴보았다: '은(隱)'이라 하고 '하(下)'라 하고 '장(藏)'이라고 한 것은 단지 상호보완적으로 말하여 그 의미를 넓힌 것이니, 일에 따라 의미를 만든 것은 아닌 듯하다.

서유신(徐有臣) 『역의의언(易義擬言)』

潛德不用, 微陽藏伏之象.

잠겨 있는 덕을 사용하지 않는 것은 미약한 양의 기운이 숨어 있고 엎드린 상(象)에 해당한다.

---

508) 『朱子語類』 69卷 1條目: 文言上不必大故求道理, 看來只是協韻說將去. "潛龍勿用, 何謂也"以下, 大槪各就他要說處便說, 不必言專說人事·天道. 伊川說"乾之用"·"乾之時"·"乾之義", 也難分別. 到了, 時似用, 用似義.

見龍在田, 天下文明.

"나타난 용이 밭에 있음"은 천하가 문채로 밝아짐이다.

中國大全

傳

龍德見於地上, 則天下見其文明之化也.

용의 덕이 지상에 나타나면 천하가 그 문명의 교화를 입는다.

本義

雖不在上位, 然天下已被其化.

비록 윗자리에 있지 않지만, 천하가 이미 그 교화를 입는다.

小註

厚齋馮氏曰, 文謂物之鮮榮, 明謂化之光顯.

후재풍씨가 말하였다: 문(文)은 만물이 뚜렷하게 드러남이고, 명(明)은 교화가 밝게 드러남을 말한다.

○ 龜山楊氏曰, 樂則行之, 憂則違之, 孔顔之所同, 天下文明, 則孔子而已.

귀산양씨가 말하였다: "즐거우면 행하고 근심스러우면 떠난다"[509]고 한 것은 공자와 안연이 같지만, 천하를 문채로 밝힌 이는 공자에게만 해당할 뿐이다.

---

509) 『周易・乾卦・文言傳』: 初九曰, 潛龍勿用, 何謂也. 子曰, 龍德而隱者也, 不易乎世, 不成乎名, 遯世无悶, 不見是而无悶, 樂則行之, 憂則違之, 確乎其不可拔, 潛龍也.

∥韓國大全∥

유정원(柳正源) 『역해참고(易解參攷)』

天下文明.

천하가 문채로 밝아짐이다.

正義, 陽氣在田, 始生萬物, 故天下有文章而光明也.

『주역정의』에서 말하였다: 양기가 밭에 있어 비로소 만물을 낳기 때문에 천하에 문채가 드러나고 밝게 빛난다.

○ 梁山來氏曰, 以此爻變離, 故以文明言之.

양산래씨가 말하였다: 이 효가 변하면 리(☲)이기 때문에 '문채로 밝아진다[文明]'는 것으로 말하였다.

김상악(金相岳) 『산천역설(山天易說)』

陽德見於地上, 故天下文明.

양의 덕이 지상으로 드러나기 때문에 천하가 문채로 밝아진다.

○ 凡卦五爲君, 故九五曰乃位乎天德, 九二曰天下文明. 天德, 卽剛健也, 文明, 離象也. 離配于乾, 故同人曰文明以健, 大有曰剛健而文明.

괘에서 오효는 임금이 되므로 구오에서 "곧 하늘의 덕에 자리함이다"고 말하고, 구이에서는 "천하가 문채로 밝아짐이다"고 말하였다. 하늘의 덕은 곧 강건함이고, 문채로 밝음은 리(☲)의 상이다. 리(☲)는 건(☰)과 짝하기 때문에 동인괘(☲☰)에서는 "문채로 밝아져 굳건하다"고 말하고,510) 대유괘(☰☲)에서는 "강건하고 문채로 밝아진다"고 말하였다.511)

---

510) 『易·同人卦』: 象曰, 同人, 柔得位得中而應乎乾, 曰同人. 同人曰, 同人于野, 亨, 利涉大川, 乾行也. 文明以健, 中正而應, 君子正也. 唯君子爲能通天下之志.

511) 『易·大有卦』: 象曰, 大有, 柔得尊位大中, 而上下應之, 曰大有. 其德剛健而文明, 應乎天而時行, 是以元亨.

서유신(徐有臣) 『역의의언(易義擬言)』

陽氣發見於地上, 文明及物之象.

양의 기운이 지상으로 발현되어 문채로 밝아짐이 만물에 미치는 상(象)에 해당한다.

박문건(朴文健) 『주역연의(周易衍義)』

〈問, 天下文明. 曰, 天下文明者, 德博而化也, 在下而有君德者也.

물었다: "천하가 문채로 밝아진다"는 무슨 뜻입니까?

답하였다: 천하가 문채로 밝아진다는 것은 덕이 넓어서 교화가 된다는 뜻이니, 아랫자리에 있지만 임금의 덕을 갖추고 있는 자입니다.〉

終日乾乾, 與時偕行.

"종일토록 힘쓰고 힘씀"은 때에 따라 함께 행하는 것이다.

‖中國大全‖

傳

隨時而進也.

때에 따라 나아가는 것이다.

本義

時當然也.

때가 당연한 것이다.

小註

臨川吳氏曰, 行卽行事之行, 時當如此, 故曰, 與時偕行.

임천오씨가 말하였다: '행(行)'이라는 것은 곧 '일을 시행한다'[512]라고 했을 때의 '행한다'에 해당한다. 때의 당연함이 이와 같기 때문에 '때에 따라 함께 행한다'라고 말한다.

---

512) 『周易·乾卦·文言傳』: 潛龍勿用, 下也, 見龍在田, 時舍也, 終日乾乾, 行事也.

▌韓國大全▐

유정원(柳正源) 『역해참고(易解參攷)』

與時偕行.

때에 따라 함께 행하는 것이다.

王氏曰, 與天時俱不息.

왕씨가 말하였다: 하늘의 때와 함께 쉬지 않는다.

○ 梁山來氏曰, 天之健, 終日不息, 九三之進修, 亦偕行而不息.

양산래씨가 말하였다: 하늘의 굳건함은 종일토록 쉬지 않으니, 구삼이 덕을 기르고 학업을 닦음도 함께 행하여 쉬지 않는다.

김상악(金相岳) 『산천역설(山天易說)』

陽道之行, 必與時偕.

양의 도가 행함은 반드시 때와 함께 한다.

서유신(徐有臣) 『역의의언(易義擬言)』

下卦將終, 與時偕行之象, 與時偕行者, 終也. 乾道乃革者, 始也. 故象曰大明終始也.

하괘가 장차 마치려고 하여 때에 따라 함께 시행하는 상(象)이니, 때에 따라 함께 시행한다는 것은 마침을 뜻한다. 하늘의 도가 곧 변혁한다는 것은 시작함을 뜻한다. 그러므로 「단전」에서는 "마침과 시작을 크게 밝힌다"고 말한다.

박문건(朴文健) 『주역연의(周易衍義)』

〈問, 與時偕行. 曰, 君子當乾乾之時, 而乾乾焉, 則是與時偕行者也.

물었다: "때에 따라 함께 행한다"는 무슨 뜻입니까?

답하였다: 군자는 힘쓰고 힘써야 할 때를 당해서 힘쓰고 힘쓴다면, 이것은 때와 함께 행하는 것이 된다는 뜻입니다.〉

或躍在淵, 乾道乃革.

"혹 뛰어오르거나 못에 있음"은 건도(乾道)가 곧 변혁함이다.

中國大全

傳

離下位而升上位, 上下革矣.

아랫자리를 떠나 윗자리로 올라가니, 상하가 변혁된다.

本義

離下而上, 變革之時.

아랫자리를 떠나 윗자리로 올라가니, 변혁의 시기이다.

小註

林氏栗曰, 初潛龍勿用而四乃革者, 言革潛爲躍也.

임율이 말하였다: 초효에서 "잠긴 용이니 쓰지 말라"[513]고 했는데, 사효에서 "곧 변혁함이다"라고 한 것은 잠겨있음을 변혁하여 뛰어오르게 된다는 말이다.

---

513) 『周易・乾卦』: 初九, 潛龍勿用.

▌韓國大全▐

김상악(金相岳) 『산천역설(山天易說)』

內卦爲陽, 外卦爲陰, 故曰乾道乃革.

내괘는 양이 되고 외괘는 음이 되기 때문에 "건도가 곧 변혁함"이라고 하였다.

서유신(徐有臣) 『역의의언(易義擬言)』

上卦旣始, 乾道變改之象, 三偕行而四乃革也. 離潛而躍, 卽其一變, 譬如齊變而至魯也. 龍春分登天, 秋分入海, 其躍必在立春, 天候變革之際也.

상괘가 이미 시작하여 하늘의 도가 변화하고 바뀌는 상(象)이니, 삼효가 함께 시행하고 사효가 곧 변혁하는 것이다. 떠나고 잠겨 있고 뛰어오르는 것은 곧 하나의 변화이니, 예컨대 제나라가 변화하여 노나라에 이르는 것과 같다.[514] 용은 춘분 때 하늘로 오르고, 추분 때 바다로 들어가니, 뛰어오르는 시기는 반드시 입춘에 있으므로 기후가 변혁하는 때에 해당한다.

박문건(朴文健) 『주역연의(周易衍義)』

龍之在淵, 陽之處陰, 剛而用柔者也.

용이 연못에 있다는 것은 양이 음에 처한 것이고, 강하지만, 부드러움을 사용하는 것이다. 〈問, 九四何以用柔. 曰, 剛則相疑, 柔則相信, 故試進而用柔也. 試而躍者, 驗己之可進也.

물었다: 구사는 어찌하여 부드러움을 사용합니까?

답하였다: 굳세면 서로 의심하게 되고, 부드러우면 서로 믿게 되므로 시험 삼아 나아가며 부드러움을 사용합니다. 시험하고 뛰어오른다는 것은 자신이 나아가도 되는지를 시험하는 것입니다.〉

심대윤(沈大允) 『주역상의점법(周易象義占法)』

以位則離下而上, 以德則能變化, 以治則能化天下, 故曰革.

지위로 말하면 아랫자리를 떠나서 위로 올라가는 것이고, 덕으로 말하면 변화를 할 수 있으며, 다스림으로 말하면 천하를 교화할 수 있다. 그러므로 '변혁'이라고 말했다.

---

514) 『論語·雍也』: 子曰, 齊一變, 至於魯, 魯一變, 至於道.

飛龍在天, 乃位乎天德.

"나는 용이니 하늘에 있음"은 곧 하늘의 덕에 자리함이다.

中國大全

傳

正位乎上, 位當天德.

위에서 자리를 바로 하였으니, 지위가 하늘의 덕에 합당하다.

本義

天德, 卽天位也, 蓋唯有是德, 乃宜居是位. 故以名之.

하늘의 덕은 곧 하늘의 자리이니, 오직 이 덕이 있어야 이 지위에 있을 수 있다. 그러므로 하늘의 덕이라고 명명하였다.

小註

單氏曰, 乾六爻皆天德也, 而五爲天位, 此天德之有位者也.

단씨가 말하였다: 건괘의 여섯 효는 모두 하늘의 덕에 해당하고, 오효는 하늘의 자리가 된다. 이는 하늘의 덕에 자리가 있다는 뜻이다.

▌韓國大全▌

유정원(柳正源) 『역해참고(易解參攷)』

天德.

하늘의 덕.

晦齋李先生曰, 乾之六爻, 何者, 非天德乎. 五爲天位, 乃天德之得位者.

회재 이선생이 말하였다: 건괘의 여섯 효가 어느 것인들 하늘의 덕이 아니겠는가? 그러나 오효는 하늘의 자리[天位]가 되니, 곧 하늘의 덕을 지닌 자가 지위를 얻은 것이다.

김상악(金相岳) 『산천역설(山天易說)』

五爲天位, 九爲陽德, 故曰乃位乎天德.

오효는 하늘의 자리[天位]가 되고, 구(九)는 양의 덕이 되기 때문에 "곧 하늘의 덕에 자리함"이라고 하였다.

서유신(徐有臣) 『역의의언(易義擬言)』

九五, 天德之位, 有是德, 有是位, 位乎天德之象. 初潛四躍而五乃飛, 而位乎天德也.

구오는 하늘 덕의 자리이니, 이러한 덕을 가지고 있고 이러한 지위를 가지고 있으니, 하늘 덕에 자리하는 상(象)이다. 초효는 잠겨 있고, 사효는 뛰어오르며, 오효는 곧 날아서 하늘 덕에 위치한다.

박문건(朴文健) 『주역연의(周易衍義)』

〈問, 天德. 曰, 天之德剛之道也. 有是德而有是位, 故名其天位, 而謂之天德也.

물었다: 하늘의 덕이란 무엇입니까?

답하였다: 하늘의 덕은 굳센 도입니다. 이러한 덕을 가지고 있고 이러한 자리를 가지고 있기 때문에, 하늘 자리라고 이름 붙이고, 하늘의 덕이라고 말합니다.〉

이항로(李恒老) 「주역전의동이석의(周易傳義同異釋義)」

按, 乾卦中正之位, 惟九五一爻而已. 上下諸爻, 或中而非正, 或正而非中, 他卦雖有九五, 亦非純陽, 然則六十四卦三百八十四爻之中, 惟此爻爲大中至正之極, 天德天位卦德, 皆以一中字爲標準, 過些不得, 不及些不得, 雖於不中不正之爻, 若有從中時中之義則吉, 雖居中正之爻, 而若有過中離中之象則凶, 學易者當潛玩之, 乃位之乃字, 極有味.

내가 살펴보았다: 건괘에서 중정한 자리는 오직 구오 한 효뿐이다. 상하의 여러 효들은 어떤 것은 가운데이지만 바르지 못하고, 혹 어떤 것은 바르지만 가운데에 있지 못하며, 다른 괘에도 비록 구오가 있지만, 또한 순전한 양이 아니다. 그렇다면 육십사개의 괘와 삼백팔십사개의 효 중에서 오직 이 효만이 큰 가운데와 지극한 바름의 극치이다. 하늘의 덕과 하늘의 자리와 괘의 덕은 모두 하나의 '중(中)'자를 표준으로 삼는데, 지나쳐서도 안 되고 미치지 못하여서도 안 된다. 비록 중정하지 못한 효라고 하더라도 때에 맞게 하는 뜻이 있으면 길하고, 비록 중정한 효에 거하더라도 중을 지나치거나 중에서 떨어지는 상(象)이 있게 되면 흉하게 된다. 역을 배우는 자들은 마땅히 깊이 새겨야 한다. '내위(乃位)'의 '내(乃)'자에는 지극한 뜻이 포함되어 있다.

심대윤(沈大允) 『주역상의점법(周易象義占法)』

言有是德有是位也.
이러한 덕을 갖추고 이러한 지위를 갖추었음을 말한다.

박문호(朴文鎬) 「경설(經說)·주역(周易)」

曰正位乎上, 曰位當天德, 各自爲句.
"위에서 자리를 바르게 한다"고 말하고, "지위가 천덕에 합당하다"고 말하는데, 각각 그 자체로 구절이 된다.

亢龍有悔, 與時偕極.

"끝까지 올라간 용이니 후회가 있음"은 때와 함께 궁극에 도달한 것이다.

▌中國大全▌

傳

時旣極, 則處時者亦極矣.

때가 이미 궁극에 이르면 때에 처하는 자도 끝에 도달하게 된다.

小註

隆山李氏曰, 時行則偕行可也, 時極則偕極, 是爲不知變.

융산이씨가 말하였다: 행할 수 있는 때에 아울러 행하는 것은 괜찮지만, 궁극에 달한 때에 아울러 궁극에 달하는 것은 변화를 알지 못하는 것이다.

○ 進齋徐氏曰, 乾以德明爻, 初曰德之隱, 二曰德之中, 三四皆曰進德, 五曰位乎天德, 獨上不言德者, 過中非德, 亢則有悔, 故不言德.

진재서씨가 말하였다: 건괘는 덕으로써 효를 밝혔으니, 초구에서는 덕의 감춤을 말하고, 구이에서는 덕의 적중함을 말하고, 구삼과 구사에서는 모두 덕을 기름에 대해 말하고, 구오에서는 천덕에 자리함에 대해 말하였는데, 상구에서만 덕에 대해 말하지 않은 것은 중정에서 벗어난 것은 덕이 아니며, 끝까지 올라가면 후회가 있기 때문에 '덕'을 언급하지 않은 것이다.

▌韓國大全▌

김상악(金相岳) 『산천역설(山天易說)』

以陽之亢, 處卦之終也.

양이 끝까지 올라감으로써 괘의 끝에 처했다.

○ 龍之爲物, 春分而升于天, 秋分而蟄于淵. 以四德配四時, 則春夏爲元亨, 秋冬爲利貞, 而龍之亢在秋之時, 故曰與時偕極. 九三居內乾之上, 以剛得正, 故能進德修業. 上九居外乾之終, 剛而不正, 故惟知進而不知退, 所以得時則同, 而有行極之異.

용이란 동물은 춘분 때에 하늘로 올라가고, 추분 때에 연못에 숨는다. 네 가지 덕을 사계절에 배분한다면, 봄·여름은 원(元)·형(亨)이 되고, 가을·겨울은 리(利)·정(貞)이 되며, 용이 끝까지 올라감은 가을철에 놓이기 때문에 "때와 함께 궁극에 도달한 것이다"라고 말한다. 구삼은 내괘인 건괘의 위에 있고, 굳셈으로써 바름을 얻었기 때문에 덕을 기르고 학업을 닦을 수 있다. 상구는 외괘인 건괘의 끝에 있고, 굳세지만 바르지 못하기 때문에 오직 나아가는 것만 알고 물러날 줄은 모르니, 이 때문에 때[時]를 얻은 것은 같지만 궁극을 행한다는 차이점이 있다.

김귀주(金龜柱) 『주역차록(周易箚錄)』

傳, 時旣極, 則云云.

『정전』에서 말하였다: 때가 이미 궁극에 이르면, 운운.

小註, 進齋徐氏曰, 乾以德, 云云.

소주에서 진재서씨가 말하였다: 건괘는 덕으로, 운운.

○ 按, 上九固不言德, 然以聖人處亢之道而言, 則亦是德也.

내가 살펴보았다: 상구는 진실로 덕을 말하지 않았지만, 성인이 끝까지 오름에 대처하는 도(道)로 말하면 역시 덕이다.

서유신(徐有臣) 『역의의언(易義擬言)』

居於卦上, 與時偕極之象, 時極而偕極, 故亢而悔也.

괘의 위에 머물러 있어서 때와 함께 궁극에 달하는 상(象)이니, 때가 궁극에 도달하여 함께 궁극에 도달한다. 그러므로 끝까지 올라가 후회하게 된다.

박문건(朴文健) 『주역연의(周易衍義)』

〈問, 與時偕極. 曰, 盈則必虧, 時極而亦極者也.
물었다: "때와 함께 궁극에 도달했다"는 무슨 뜻입니까?
답하였다: 가득차면 반드시 이지러지게 되니, 때가 궁극에 달하고도 또한 궁극에 달한 것입니다.〉

이지연(李止淵) 『주역차의(周易箚疑)』

自潛龍勿用陽氣潛藏, 至亢龍有悔與時偕極, 言乾之義也.
"잠긴 용을 쓰지 말라는 것은 양기가 잠겨 있고 숨어 있기 때문이다"라는 말부터 "끝까지 올라간 용이니 후회가 있다는 것은 때와 함께 궁극에 달한 것이다"라는 말까지는 건(乾)의 뜻을 설명한 말이다.

乾元用九, 乃見天則.

"건원(乾元)이 구를 씀[用九]"은 곧 하늘의 법칙을 보는 것이다.

‖中國大全‖

傳

用九之道, 天之則也, 天之法則, 謂天道也. 或問, 乾之六爻, 皆聖人之事乎. 曰
盡其道者, 聖人也. 得失則吉凶存焉, 豈特乾哉. 諸卦皆然也.

구를 쓰는 도리는 하늘의 법칙이니, 하늘의 법칙이란 천도를 말하는 것이다. 어떤 이가 물었다. "건
괘의 여섯 효가 모두 성인의 일입니까?" 대답하였다. "그 도리를 다하는 자는 성인이다. 잘하고 잘못
함에 따라 길흉이 있는 것이니, 어찌 유독 건괘만 그렇겠는가? 모든 괘가 그렇다."

本義

剛而能柔, 天之法也.

강하면서 부드러울 수 있는 것이 하늘의 법이다.

○ 此第四節, 又申前意.

이는 제 4절이니, 또한 앞의 뜻을 거듭 설명하였다.

小註

○ 臨川吳氏曰, 剛柔適中, 天之則也, 則者, 理之有限節而无過无不及者也.

임천오씨가 말하였다: 굳셈과 부드러움이 알맞은 것이 하늘의 법이다. '법'이란 제한과 절도

가 있어서 지나침과 모자람이 없는 리(理)이다.

又曰, 夫子于文言傳, 釋一彖六爻已竟, 又申繹象傳至再, 以見象爻之辭義理无窮, 蘊奧難盡. 然獨于乾卦如此者, 蓋以六十四卦之首卦, 故特致詳. 此下重釋象爻七節, 則與坤卦相似云.

또 말하였다: 공자는 「문언전」에서 하나의 단사와 여섯 효사에 대한 설명을 이미 끝내고, 「상전(象傳)」을 다시 풀이하여 단사와 효사의 의리가 무궁하고 깊고 다 표현하기 어려운 오묘한 이치를 드러내었다. 그러나 유독 건괘에서만 이와 같이 한 것은 64괘의 첫 번째 괘에 해당하기 때문에 특별히 자세하게 설명한 것이다. 이하 문장에서 단사(象辭)와 효사(爻辭)를 다시 해석한 것이 일곱 구절이니, 곤괘에 대한 풀이와 유사하다.

○ 雙湖胡氏曰, 文言釋六爻凡三節, 第一節似以德言, 惟上爻又似說位. 第二節初似說位, 二似說時位, 三以上又似說用. 第三節卻全似說時, 亦各有分別, 要之朱子所謂聖人學易, 只管體出許多意思說者, 尤得之.

쌍호호씨가 말하였다: 「문언전」에서는 여섯효에 대해 풀이한 것이 모두 세 절이다. 첫 번째 절에서는 덕을 말한 듯한데 오직 상효만 자리에 대해 말하였다. 두 번째 절에서는 초효는 자리를 설명한 듯하고, 이효는 때와 자리를 설명한 듯하며, 삼효 이상에서는 또 쓰임을 설명한 듯하다. 세 번째 절에서는 전적으로 때를 설명한 듯하니 대략 구별된다. 요컨대 주자가 말한 "성인이 역을 배우면서 한결같이 몸소 많은 뜻을 보여주었다."[515]라고 하였으니, 그 설명이 더욱 그것을 깨달은 것이다.

韓國大全

조호익(曺好益) 『역상설(易象說)』

傳, 得失指上爻, 惟上爻不盡道.

『정전』에서 말하는 '득실(得失)'은 상효(上爻)를 가리킨 것으로, 상효가 그 도리를 다하지

---

515) 『朱子語類·卷第六十五·易一·綱領上之上·陰陽』: 賀孫問, 乾卦文言聖人所以重疊四截說在此, 見聖人學易, 只管體出許多意思. 又恐人曉不得, 故說以示敎. 曰, 大意只管怕人曉不得, 故重疊說在裏, 大抵多一般, 如云陽在下也, 又云下也.

못하는 것이다.

김상악(金相岳) 『산천역설(山天易說)』

天垂象以示用, 故人能見之.

하늘이 상(象)을 드리워서 쓰임[用]을 보여주었기 때문에 사람들이 볼 수 있다.

○ 此第四節, 又申前意.

이는 제 4절이니, 또한 앞의 뜻을 거듭 설명하였다.

김귀주(金龜柱) 『주역차록(周易箚錄)』

此, 第四節, 又申前意, 云云.

이는 제 4절이니, 또한 앞의 뜻을 거듭 설명하였다, 운운.

小註, 臨川吳氏曰, 剛柔, 云云.

소주(小註)에서 임천오씨가 말하였다: 굳셈과 부드러움이, 운운.

○ 象爻七節, 七字, 當是六字之誤.

임천오씨가 말한 "단사와 효사를 … 일곱 구절이다"에서 '일곱'자는 마땅히 '여섯'자의 오자(誤字)이다.

雙湖胡氏曰, 文言, 云云.

쌍호호씨가 말하였다: 「문언전」에서, 운운.

○ 按, 此說, 說得太分別, 卻少融活之味.

내가 살펴보았다: 이 설명은 너무 분별하여 오히려 살아있는 맛이 줄었다.

서유신(徐有臣) 『역의의언(易義擬言)』

六陽皆用其剛, 天之至健至剛之象, 可見於此矣. 變而之坤, 天之剛而能柔之象, 亦可見於此矣. 故曰乃見天則, 用九然後乃見也.

여섯 개의 양이 모두 그 강함을 사용하니, 하늘의 지극히 강건하고 굳센 상(象)을 여기에서 볼 수 있다. 변화하여 곤이 되니, 하늘의 강함이 부드러워 질 수 있는 상을 또한 여기에서 볼 수 있다. 그러므로 곧 하늘의 법칙을 본다고 말하니, 구(九)를 쓴 이후에야 곧 볼 수 있다.

박문건(朴文健) 『주역연의(周易衍義)』

天之則, 剛而能柔之法也.

하늘의 법칙은 굳세면서도 부드러울 수 있는 법칙이다.

○ 此再申象傳之正義.

이는 다시 「상전」의 바른 뜻을 거듭 설명하였다.

오치기(吳致箕) 「주역경전증해(周易經傳增解)」[516]

此節, 又申爻辭之旨, 而詠歎也. 潛藏, 言陽氣在下也, 文明, 言雖在下位, 而天下已被其德化也. 偕行, 言時可進修, 故與時偕而行進修之事也, 乃革, 言革初九之潛而升九四之躍也. 天德, 言有是德, 而居天位也, 偕極, 言同時之極, 而處之亦極也, 天則, 言剛而能柔, 乃天之法也.

이 절은 또 효사의 뜻을 거듭 밝힌 것으로 감탄하는 것이다. '잠장(潛藏)'은 양기가 아래에 있다는 말이고, '문명(文明)'은 아래에 있지만 천하가 이미 그 덕화(德化)를 입었다는 말이다. '해행(偕行)'은 때가 '덕을 기르고 학업을 닦을 수'있는 시기이므로 때에 따라 기르고 닦는 일을 행한다는 말이고, '내혁(乃革)'은 초구의 잠김을 변혁하여 구사의 도약으로 오른 것이다. '천덕'은 이런 덕이 있어서 하늘의 자리에 있음을 말한 것이며, '해극(偕極)'은 동시에 끝에 이른 것으로 처지 역시 끝에 있다는 말이고, '천칙(天則)'은 굳세지만 부드러울 수 있으니, 바로 하늘의 법이라는 말이다.

이진상(李震相) 『역학관규(易學管窺)』

文言.

문언.

乃見天則.

하늘의 법칙을 본다.

定軒李丈言, 獨於用九言天則者, 以其剛而能柔也. 凡剛而過剛, 柔而過柔, 皆爲失, 則乾以純剛忽變, 得純柔之體, 始見其剛, 而能柔, 故曰乃見天則. 小象中諸則字, 當以此

例推.

정헌이장(定軒李丈)이 말하기를 "오직 구를 쓰는 것에 대해서만 하늘의 법칙을 언급한 것은 강인하면서도 부드러울 수 있기 때문이다"라고 했다. 강인한데 강인함이 지나치고, 부드러운데 부드러움이 지나치면, 모두 잃음이 되니, 건은 순전한 강인함으로 갑작스럽게 변화하여 순전한 부드러움의 몸체를 얻게 되니, 처음에는 그 강인함을 나타내지만 부드러울 수 있다. 그러므로 하늘의 법칙을 본다고 말하였다. 「소상전」에 나오는 '칙(則)'자들은 마땅히 이러한 용례에 따라서 추론해야 한다.

通按, 乾之爲卦, 統七卦, 而包萬象. 故言日夕而非爲離也, 言雲雨而非爲坎也, 言風虎而非爲巽艮也, 言淵龍而非爲兌震也. 先儒往往倒推至以文明屬之離, 萬國屬之坤, 恐皆未安. 左傳乾爲大爲國. 更按文言, 不主象數, 多說義理, 而亦或有暗合處.

통괄적으로 살펴보았다: 건괘는 일곱 괘를 통합하고, 만 가지 형상을 포용한다. 그러므로 날과 저녁이라고 말하지만 리괘가 되지 않으며, 구름과 비라고 말하지만 감괘가 되지 않으며, 바람과 호랑이라고 말하지만 손괘와 간괘가 되지 않으며, 연못의 용이라고 말하지만 태괘와 진괘가 되지 않는다. 선대 유학자들은 종종 거꾸로 추론하여 문명을 불에 소속시키고, 만국을 땅에 소속시켰는데, 아마도 이 모든 설명들은 적합하지 않은 것 같다. 『좌전』에서는 건이 큼이 되며, 나라가 된다고 했다. 재차 「문언전」을 살펴보면, 상수(象數)를 위주로 하지 않고 대부분 의리에 대해 설명하고 있는데, 또한 간혹 암암리에 맞아떨어지는 경우가 있다.

이병헌(李炳憲) 『역경금문고통론(易經今文考通論)』

王曰, 此一章全說天氣以明之也.

왕씨가 말하였다: 이 한 장은 전적으로 하늘의 기운을 설명하여 그 뜻을 밝혔다.

乾元者, 始而亨者也.

건원은 시작하여 형통한 것이다.

中國大全

傳

又反覆詳說, 以盡其義. 旣始則必亨, 不亨則息矣.

또한 반복하여 상세히 말해서 그 뜻을 다 표현하였다. 이미 시작하면 반드시 형통하니, 형통하지 못하면 끝나고 만다.

本義

始則必亨, 理勢然也.

시작하면 반드시 형통함은 이치와 형세가 그런 것이다.

韓國大全

유정원(柳正源) 『역해참고(易解參攷)』

始而亨.

시작하여 형통한 것이다.

梁山來氏曰, 始而亨者, 言物方資始之時, 已亨通矣. 蓋出乎震, 則必齊乎巽, 見乎離,勢之必然也. 若不亨通, 則生意必息, 品物不能流形矣. 是始者, 元也, 亨之者, 亦元也.
양산래씨가 말하였다: '시작하여 형통한 것이다'는 것은 만물이 의뢰하여 시작하는 때에 이미 형통함을 말한다. 진(☳)에서 나오면 반드시 손(☴)에서 가지런해지고 리(☲)에서 드러남은 형세가 반드시 그런 것이다.[517] 만약 형통하지 못하면 생겨나게 하는 뜻은 반드시 멈추고 만물도 형체를 갖추지 못할 것이다. 시작하는 것은 원(元)이고, 형통하게 하는 것도 원이다.

김상악(金相岳) 『산천역설(山天易說)』

乾元資始, 而品物流形, 所以始而亨也. 象傳性命以賦與言, 文言性情以稟受言. 美者, 亨之嘉會也. 天道之利萬物非一事, 故不言其利, 所以爲大.
건원(乾元)은 그것에 만물이 의뢰하여 시작하고, 만물의 형체가 이루어지기 때문에 시작하여 형통하다. 「단전」에서는 성명(性命)을 부여하는 것으로 말하였고, 「문언전」에서는 성정(性情)을 품수 받는 것으로 말하였다. 아름다움은 형통하여 그 모임을 아름답게 만든다는 것이다. 하늘의 도가 만물을 이롭게 하는 것은 한 가지 일만이 아니기 때문에 그 이로움을 말하지 않았으니, 이 때문에 큼이 된다.

○ 始者, 元也. 美利者, 亨也. 利天下者, 利也. 不言所利者, 貞也. 蓋四德本一理, 夫子或分而言之, 以盡其用, 或合而言之, 以著其體, 其實則一而已.
시작함은 원(元)이다. 아름다운 이로움은 형(亨)이다. 천하를 이롭게 함은 리(利)이다. 이익을 말하지 않는 것은 정(貞)이다. 네 가지 덕은 본래 하나의 이치인데, 공자가 나누어 말하여 그 쓰임을 다 드러내기도 하고, 합하여 말하여 그 본체를 드러내기도 하는데, 그 실질은 하나일 뿐이다.

윤행임(尹行恁) 『신호수필(薪湖隨筆)·역(易)』

始卽元也, 變元謂始者, 旣曰乾元, 則雖不言元, 而言始則自可知其乾元也.
시작이 곧 원(元)인데, 원을 바꿔서 시작이라고 한 것이다. 이미 건원(乾元)이라고 말했다면, 비록 원을 말하지 않고 시(始)를 말해도 그 자체로 건원임을 알 수 있다.

---

517) 『易·說卦』: 萬物, 出乎震, 震, 東方也. 齊乎巽, 巽, 東南也, 齊也者, 言萬物之潔齊也. 離也者, 明也, 萬物, 皆相見, 南方之卦也, 聖人, 南面而聽天下, 嚮明而治, 蓋取諸此也.

利貞者, 性情也.

이로움과 곧음은 건의 성정이다.

‖中國大全‖

傳

乾之性情也. 旣始而亨, 非利貞, 其能不息乎.

건의 성정이다. 이미 시작하여 형통하니, 이로움과 곧음이 아니면 끝나지 않을 수 있겠는가.

小註

程子曰, 元亨者, 只是始而亨者也, 謂始初發生大槪一例亨通也. 及到利貞, 便是各正性命.

정자가 말하였다: 원형(元亨)은 단지 시작하여 형통하다는 것이니, 처음에 발생하여 대개 일률적으로 형통하게 된다는 것이다. 리정(利貞)에 이르면, 각각 성명(性命)을 바르게 하게 된다.

○ 性情猶言資質體叚, 亨毒化育皆利也. 不有其功, 常久而不已者, 貞也, 詩曰, 維天之命 於穆不已, 貞也.

성정은 바탕과 몸체를 말하는 것과 같으니, 완성하고 화육하면 모두가 이롭게 된다. 그 공적을 차지하지 않고 항상 지속하여 그치지 않는 것을 곧음이라고 하니, 『시경』에서 "하늘의 명이 아! 깊고 원대하여 그치지 않으니"[518]라고 한 말은 곧 곧음에 해당한다.

○ 利貞者性情也, 言利貞便是乾之性情.

---

518) 『詩經·維天之命』: 維天之命, 於穆不已. 於乎不顯, 文王之德之純. 假以溢我, 我其收之. 駿惠我文王, 曾孫篤之.

이로움과 곧음이 성정이라는 것은 이롭고 곧음이 곧 건의 성정이라는 것을 말한다.

○ 朱子曰, 明道云, 不有其功, 常久而不已者, 貞也, 此語說得好. 不有其功, 言化育之 无跡處爲貞.

주자가 말하였다: 명도가 "그 공적을 차지하지 않지만, 항상 지속되어 그치지 않는 것이 곧 음이다"라고 하였는데, 이 설명이 매우 좋다. 공적을 차지하지 않음은 만물이 화육함에 자취 를 남김이 없는 것이 곧음이라는 것을 말한다.

本義

收斂歸藏, 乃見性情之實.

수렴하고 돌아가 감춤에서 성정의 실질을 볼 수 있다.

小註

朱子曰, 利貞者, 性情也, 是乾之性情. 始而亨時, 是乾之發作處, 共是一箇性情到, 那 利貞處, 一箇有一箇性情, 百穀草木皆有箇性情了. 元亨方是他開花結子時, 到這利貞 時方見他底性情, 就這上看乾之性情便見得, 這是利貞誠之復處.

주자가 말하였다: "이로움과 곧음은 성정이다"라는 것은 건의 성정(性情)이다. 시작하여 형 통한 때는 건이 시작하는 때이니 모두 하나의 성정이고, 리정(利貞)에 이르러서는 하나에 하나의 성정이 있어서 모든 곡식과 초목이 모두 각각의 성정을 가지고 있는 것이다. '원형'은 그것이 개화하여 결실을 맺는 때이고, '리정'의 때에 이르게 되면 그 성정을 볼 수 있다. 여기에 나아가 건의 성정을 보면 이것이 '리정'이며 성이 회복되는 곳임을 알 수 있다.

○ 問利貞者性情也. 曰, 此性情如言本體元亨是發用處, 利貞是收斂歸本體處, 如春 時發生, 到夏長茂條達, 至秋結子有箇收斂撮聚底意思. 但未堅實, 至冬方成, 在秋雖 是已實漸欲脫去其本之時, 然受氣未足便種不生, 故須到冬方成. 人只到秋冬疑若不 見生意, 不知都已收斂在內, 如一株樹有千子結寔各其生理, 却將其子種之, 便可成千 株樹. 剝卦碩果不食正是此義, 於此見得生生不窮之意. 天地大德曰生, 天地別无句當, 只是生而已. 這箇道理, 直是自然, 无安排, 聖人亦只是見得此機緘, 而發明出來耳.

물었다: "이로움과 곧음은 건의 성정이다"라는 말은 무슨 뜻입니까?

답하였다: 여기에서 말한 성정은 곧 본체를 말하는 것이고, 원형은 쓰임을 드러냄을 말합니다. 리정(利貞)은 수렴하여 본체로 귀의하는 곳입니다. 예를 들어 봄에는 만물이 발생하고, 여름에 이르러 자라나 무성해지며, 가을에 이르러 결실을 맺어 각각 수렴됨이 있다는 뜻과 같습니다. 다만 아직 견실하지 못하여 겨울에 이르러서야 완성이 되니, 가을에는 비록 이미 결실이 생겨서 점차 본체에서 이탈하려고 하는 때이지만, 기운을 받아들임이 아직 부족하여 땅에 심더라도 생장할 수 없습니다. 그러므로 겨울에 이르러야만 드디어 완성이 되는 것입니다. 가을과 겨울에는 생장하는 뜻이 나타나지 않는 듯하나, 이는 이미 그 안으로 수렴됨을 알지 못하는 것입니다. 예컨대 한 그루의 나무에는 천여 개의 열매가 생기는데, 각각 생장하는 이치를 가지고 있어서 그 열매를 심으면, 곧 천여 그루의 나무를 만들 수 있습니다. 박괘(剝卦)에서 "큰 열매가 먹히지 않는다"[519]고 한 것이 바로 이 뜻이니, 여기에서 낳고 낳아 다함이 없다는 뜻을 알 수 있습니다. "천지의 큰 덕을 낳음이라 한다"[520]라고 하는데, 천지는 별도로 처리하는 일이 없고, 단지 낳기만 할 뿐입니다. 이러한 이치는 그저 저절로 그렇게 되어 안배함이 없으니, 성인도 이러한 시작과 끝을 살펴보고 밝힐 뿐입니다.

○ 建安丘氏曰, 乾以一元之氣運轉于六虛之中, 始而終, 終而始, 其生出者, 元也, 其歸宿者, 貞也, 而亨利乃其間之功用耳. 析而四之則爲四時, 合而兩之則爲陰陽, 貫而一之 則渾然一元之氣也.
건안구씨가 말하였다: 건(乾)은 일원(一元)의 기운으로 육허(六虛) 안에서 운행하여, 시작되면 끝을 맺고 끝을 맺으면 다시 시작한다. 그 생겨남이 원(元)이고, 그 돌아감이 정(貞)이며, 형(亨)과 리(利)는 곧 그 사이에 있는 공용(功用)일 뿐이다. 이것을 나누어서 넷으로 만들면 사계절이 되고, 합하여 둘로 만들면 음양이 되며, 꿰어서 하나로 만들면 혼연한 일원(一元)의 기운이 된다.

○ 雲峯胡氏曰, 夫子於文言旣分元亨利貞而四之, 至此又如釋彖分而二之者也. 元亨萬物之出機, 其出也生意發, 見於外. 利貞萬物之入機, 其入也生意斂藏于內. 故, 乾之性情乃可於此而見之. 乾性情只是一健字, 健者乾之性, 而情其著見者也. 且性情竝言, 昉于此. 釋彖曰性命, 此則曰性情, 言性而不言命, 非知性之本, 言性而不言情, 非知性之用也.
운봉호씨가 말하였다: 공자는 「문언전」에서 이미 원형리정(元亨利貞)을 나누어 네 개로 만들었는데, 여기에서는 또한 단사(彖辭)에서 풀이한 것처럼 둘로 나누었다. '원형(元亨)'은

---

519) 『周易·剝卦』: 上九, 碩果不食, 君子得輿, 小人剝廬.
520) 『周易·繫辭傳』: 天地之大德曰生, 聖人之大寶曰位.

만물이 기미를 드러내는 것이니, 그 나타남은 낳는 뜻이 발현하여 외부로 드러나는 것이다. '리정(利貞)'은 만물이 기미를 거두어들이는 것이니, 그 거두어들임은 낳는 뜻을 안으로 감추는 것이다. 그러므로 하늘의 성정을 여기에서 볼 수 있다. 하늘의 성정은 건(健)에 해당할 따름이니, 건(健)이라는 것은 하늘의 성(性)이며, 정(情)은 그것이 드러난 것이다. 또한 성정을 아울러 말한 것이 여기에서 비롯되었다. 단사(彖辭)에서는 '성명(性命)'521)이라고 말하고 여기에서는 '성정(性情)'이라고 했다. '성(性)'이라고만 말하고 '명(命)'을 말하지 않은 것은 성(性)의 근본을 아는 것이 아니며, '성(性)'이라고만 말하고 '정(情)'을 말하지 않은 것은 성(性)의 작용을 아는 것이 아니다.

‖韓國大全‖

김귀주(金龜柱) 『주역차록(周易箚錄)』

傳, 乾之性情也, 云云.

『정전』에서 말하였다: 건의 성정(性情)이다, 운운.

小註, 性情猶言, 云云.

소주(小註)에서 말하였다: 성정은 … 말하는 것과 같다, 운운.

○ 按, 維天之命, 於穆不已, 乃天道之流行, 當爲元亨, 而今謂之貞者. 蓋於穆不已, 固是天道之流行, 而其於穆不已者, 亘萬古而常久不易, 故指其流行而言, 則當屬元亨, 指其常久不易而言, 則當屬於貞, 言各有攸當也.

내가 살펴보았다: "하늘의 명이 아! 깊고 원대하여 그치지 않으니"는 바로 천도의 유행이니, '원형'이 되어야 하는데 이제 '정'이라고 말한다. "아! 깊고 원대하여 그치지 않으니"는 진실로 천도의 유행이지만 "아! 깊고 원대하여 그치지 않으니"라는 것은 아주 오랜 옛날부터 오래도록 변하지 않는 것이기 때문에, 유행을 가리켜서 말하면 '원형'에 속해야 하고, 오래도록 변하지 않는 것을 가리켜서 말하면 '정'에 속해야 하니, 말에 제각기 타당한 것이 있다.

本義, 收斂歸藏, 云云.

『본의』에서 말하였다: 수렴하고 돌아가 감춘다, 운운.

○ 按, 乾之性情, 以四德統言, 則元亨利貞之體是性, 元亨利貞之用是情. 分言, 則利貞見性, 元亨見情. 而文言, 言利貞者性情也者, 蓋乾之元亨, 雖生育萬物, 然姑未收斂成質, 無以見其性情之實, 故必於利貞處言之. 如一株樹開花結子時, 非無性情, 而未及收斂, 無以見其實到, 他成熟脫落時, 方見得一箇性情之實耳. 然此性情字, 只是大綱恁地說, 不必挿入動靜體用意看. 本義之意, 蓋恐如此.

내가 살펴보았다: 건의 '성정(性情)'을 네 가지 덕으로 통괄해서 말하면 '원형리정(元亨利貞)'의 본체가 성(性)이고, '원형리정'의 작용이 '정(情)'이다. 나누어서 말하면 '리정'은 성에서 드러나고 '원형'은 '정'에서 드러난다. 「문언전」에서 "리정은 성정이다"라고 말한 것은 건의 '원형'이 비록 만물을 낳아 기르지만 수렴해서 바탕이 되지 못하여, 그 '성정'의 실질을 볼 수 없기 때문에 반드시 '리정'인 곳에서 말하였다. 예를 들어 한 그루의 나무에 꽃이 피고 열매를 맺을 때에도 '성정'이 없지 않지만, 거두어들이기 전에는 그 열매를 볼 수 없고 그것이 잘 익어 떨어질 때 비로소 하나의 성정의 열매를 볼 수 있을 뿐이다. 그러나 이 '성정'이란 말은 단지 대강만 그렇게 말한 것이니 반드시 동정(動靜)과 체용(體用)의 뜻을 삽입하여 볼 필요는 없다. 『본의』의 뜻이 아마 이와 같을 것이다.

小註, 問利貞者性情, 云云.

소주에서 "물었다: '이로움과 곧음은 건의 성정이다'라는 말은 무슨 뜻입니까?", 운운.

○ 按, 如言本體, 本體字, 猶言本來形體. 與上註程子說資質體段同意, 非如冲漠無朕理之本體之謂也.

내가 살펴보았다: 본체를 말하는 것과 같으니, '본체'란 글자는 '본래의 형체'라고 말하는 것과 같다. 위의 주석에서 정자가 '바탕[資質]'·'몸체[體段]'라고 말한 것과 같은 뜻이니, '광활하게 비어서 조짐이 없는 것은 이치의 본체를 이른다'는 것과는 같지 않다.

雲峰胡氏曰, 夫子, 云云.

운봉호씨가 말하였다: 공자는, 운운.

○ 按, 健者乾之性以下, 非所以解此節性情字. 此節性情字, 只是大綱說. 觀於程朱之論, 可以默會, 不必如是分析看.

내가 살펴보았다: "굳건함은 하늘의 성이며" 이하의 글은 이 구절의 '성정'이란 글자를 해석한 것이 아니다. 이 구절의 '성정'이란 글자는 단지 대강을 말한 것뿐이다. 정자와 주자의 주장으로 보면 묵묵히 깨달을 수 있는 것이지, 반드시 이와 같이 분석해서 볼 필요는 없다.

서유신(徐有臣) 『역의의언(易義擬言)』

始而亨, 亦性情, 利貞, 亦始而利貞, 互文也. 然到利貞時, 益見性情之全體也.

시작하여 형통함은 또한 성정에 해당하고, 이로움과 곧음도 시작하여 이롭고 곧게 되는 것이니, 상호보완적인 문장이다. 그런데 이롭고 곧은 시기에 도달해야만 더욱이 성정의 전체를 볼 수 있다.

박문건(朴文健) 『주역연의(周易衍義)』

萬物資始, 乾之始也. 品物流形, 乾之亨也. 各正性命, 乾之性也. 保合大和, 乾之情也.

만물이 의지하여 시작하는 것이 건의 시작이다. 만물이 형체를 갖추는 것이 건의 형통함이다. 각각 성명(性命)을 바르게 하는 것이 건의 본성이다. 큰 조화를 보존하여 화합하는 것이 건의 실정이다.

〈問, 利, 何爲乾之性, 貞, 何爲乾之情. 曰, 利之而後能貞, 此乃各正性命, 而後能保合大和者也.

물었다: 이로움이 어떻게 건(乾)의 본성이 되며, 바름이 어떻게 건의 실정이 됩니까?

답하였다: 이롭게 한 이후에야 곧을 수 있으니, 이것은 곧 각각 그 성명(性命)을 바르게 한 이후에야 큰 조화를 보존하여 화합할 수 있는 것입니다.〉

이지연(李止淵) 『주역차의(周易箚疑)』

乾之性, 健也, 但其始而亨而已, 則無以見其健也, 及其收斂於利, 歸藏於貞, 貞爲復元之本, 然後可以見其性情之實也.

건의 본성은 강건함인데, 다만 그 시작은 '형'일 뿐이니 그 강건함을 볼 수 없고, '리'에서 수렴되고 '정'에서 보존됨에 이르러서, '정'이 다시 '원'의 근본이 된 이후에야 성정의 실질을 볼 수 있다.

이항로(李恒老) 「주역전의동이석의(周易傳義同異釋義)」

按, 傳連上二句釋. 義就此一句釋. 蓋元亨是性情之用, 利貞是性情之實, 是以於利貞言性情, 猶成之者性也.

내가 살펴보았다: 『정전』에서는 위의 두 구절에 연결해서 해석했고, 『본의』에서는 한 구절에 대해서 해석했다. 원(元)과 형(亨)은 성정의 쓰임이고, 리(利)와 정(貞)은 성정의 실질이니, 이 때문에 리(利)와 정(貞)에 대해서 성정이라고 말하였으니, '이룬 것이 성(性)'이라고

한 것과 같다.[522]

심대윤(沈大允) 『주역상의점법(周易象義占法)』

始而亨, 明有元必有亨也. 利者, 天人之性情也. 兼言貞者, 明有利必有貞, 正然後乃利也.
시작하여 형통함은 원(元)이 있으면 반드시 형(亨)도 있게 됨을 밝혔다. 리(利)는 하늘과 사람의 성정이다. 함께 정(貞)까지도 언급한 것은 리(利)가 있으면 반드시 정(貞)도 있게 되니, 올바르게 된 이후에야 이롭게 됨을 밝혔다.

---

522) 『易·繫辭』: 一陰一陽之謂道. 繼之者善也, 成之者性也.

乾始, 能以美利, 利天下, 不言所利, 大矣哉.

건의 시작이 아름다운 이로움으로 천하를 이롭게 할 수 있기 때문에 굳이 이로움을 말하지 않았으니, 크도다!

▌中國大全▌

傳

乾始之道, 能使庶類生成, 天下蒙其美利, 而不言所利者, 蓋无所不利, 非可指名也. 故贊其利之大曰大矣哉.

건(乾)의 시작하는 도가 여러 종류를 낳고 만들어 천하가 그 아름다운 이로움을 입으나 이로운 바를 말하지 않는 것은 이롭지 않은 바가 없어서 지목하여 이름 지을 수 없기 때문이다. 그러므로 그 이로움의 큼을 칭찬하여 '크도다'라고 말하였다.

本義

始者, 元而亨也, 利天下者, 利也, 不言所利者, 貞也. 或曰, 坤利牝馬則言所利矣.

시작한다는 것은 크고 형통함이고, 천하를 이롭게 함은 이로움이며, 이로운 것을 말하지 않음은 곧음이다. 어떤 사람이 말하기를 "곤괘에서 암말의 곧음이 이롭다고 한 것은 이로운 것을 말한 것이다"라 하였다.

小註

朱子曰, 不言所利, 是說得不似坤時利牝馬之貞, 但說利貞而已.

주자가 말하였다: "이로운 것을 말하지 않았다"는 것은 곧 곤괘의 때에 "암말의 곧음이 이롭다"[523]는 것과는 같지 않으니, 여기에서는 단지 '이롭고 곧음'에 대해서만 설명했을 뿐이다.

問, 程易, 謂无所不利故不言利, 如何. 曰, 是也. 乾則无所不利, 坤只利牝馬之貞, 則
有利不利矣.

물었다: 『정전(程傳)』에서 "이롭지 않은 것이 없기 때문에 이로움에 대해서 말하지 않았다"
고 이른 것은 어떻습니까?

답하였다: 이 말은 옳습니다. 건은 곧 이롭지 않은 것이 없고, 곤은 단지 암말의 곧음이 이로
우니, 이로운 것도 있고 이롭지 않은 것도 있는 것입니다.

○ 節齋蔡氏曰, 不言所利, 此所以爲大也. 如言利建侯, 利涉大川, 則言所利矣.

절재채씨가 말하였다: "이로운 것을 말하지 않았다"고 했는데, 이것이 곧 큰 것이 되는 이유
이다. 예컨대 "제후를 세움이 이롭다"524)고 말하거나 "큰 내를 건넘이 이롭다"525)라고 말한
다면, 이로운 것을 말한 것이 된다.

○ 雲峯胡氏曰, 言乾始能以美利利天下, 利字已在元字中, 不言所利大矣哉. 貞字又
在元字中, 前猶卽四德而二之, 此則又合而一之. 曰乾元者始而亨 始者元, 亨者亦元
也, 以見元與亨一也. 利貞者性情也, 夫子于乾利貞必合而言之, 以見利與貞一也. 至
此則又渾乎乾始之元, 又可見元亨利貞之一矣.

운봉호씨가 말하였다: "건(乾)의 시작이 아름다운 이로움으로 천하를 이롭게 할 수 있다"고
하는 것은 리(利)자가 이미 원(元)자 가운데 있는 것이고, "이로운 것을 말하지 않는다"라는
것은 정(貞)자가 또한 원(元)자 안에 있는 것이다. 앞에서는 오히려 사덕(四德)을 둘로 나
누었다가 여기에서는 다시 합쳐서 하나로 만들었다. "건원(乾元)은 시작하여 형통한 것이
다"라고 말한 것은 시작하는 것도 원(元)이고, 형통한 것도 원(元)이니 원(元)과 형(亨)이
한 가지임을 알 수 있다. "리정(利貞)이 성정이다"라는 것은 공자가 건(乾)의 리정에 대해
서는 반드시 합하여 말을 했기 때문에 리(利)와 정(貞)이 하나임을 나타낸 것이다. 여기에
이르게 된다면 또한 건이 시작하는 원(元)과 합할 수 있으니, 또한 원형리정이 하나임을
알 수 있다.

---

523) 『周易·坤卦』: 坤, 元, 亨, 利牝馬之貞. 君子有攸往, 先迷, 後得主, 利. 西南得朋, 東北喪朋. 安貞吉.
524) 『周易·屯卦』: 屯, 元亨, 利貞, 勿用有攸往, 利建侯.
525) 『周易·需卦』: 需, 有孚, 光亨, 貞吉, 利涉大川.

‖韓國大全‖

조호익(曺好益) 『역상설(易象說)』

不言所利.

이로운 바를 말하지 않았다.

本義, 不言所利, 謂泯然無迹, 猶明道不有其功之語.

『본의』에서 "이로운 바를 말하지 않았다"는 것은 전혀 자취가 없음을 말하니, 정명도가 말한 "그 공을 차지하지 않는다"[526]는 말과 같다.

유정원(柳正源) 『역해참고(易解參攷)』

乾始 [至] 矣哉.

건의 시작이 … 크도다!

案, 乾始无所不利, 故不言所利, 然朱子引明道不有其功之語, 而曰化育之无迹處爲貞, 似是此不言所利之意也. 又論謙卦, 言天地生萬物, 而不言所利, 事業功勞於我何有. 蓋乾道變化, 品物生成而其化工之妙, 寂然无爲, 窅然无迹, 是所謂不言所利者也.

내가 살펴보았다: 건(乾)의 시작은 이롭지 않음이 없기 때문에 이로움을 말하지 않았다. 그런데 주자는 명도의 "그 공(功)을 차지하지 않는다"는 말을 인용하여 "화육(化育)의 자취가 없는 곳이 정(貞)이 된다"고 하였는데, 아마도 이것은 이롭다는 뜻을 말하지 않은 것인 듯하다. 또 겸괘(謙卦)에 대해 논하면서 "천지가 만물을 낳았다고 말하고 이로움을 말하지 않았으니 사업과 공로가 나에게 무슨 상관이 있겠는가?"라고 하였다. 건도(乾道)가 변화하고 만물이 만들어지는데 그 변화의 오묘한 이치는 고요하여 움직임이 없고 심오하여 자취가 없으니, 이것이 이른바 "이로움을 말하지 않는다"라는 것이다.

김귀주(金龜柱) 『주역차록(周易箚錄)』

本義, 始者, 元而亨, 云云.

『본의』에서 말하였다: 시작은 크고 형통함이고, 운운.

○ 按, 不言所利, 何以見其爲貞. 蓋不言所利, 則無所不利, 無所不利, 則一矣. 一者

所謂貞也.

내가 살펴보았다: 이로운 바를 말하지 않았는데 어떻게 '곧음[貞]'이 됨을 알 수 있겠는가? 이로운 바를 말하지 않았으니 이롭지 않은 것도 없고, 이롭지 않은 것도 없으니 한결같다. 한결같은 것이 이른바 '정(貞)'이다.

小註, 雲峯胡氏曰, 言乾始, 云云.

소주에서 운봉호씨가 말하였다: 건의 시작이 … 라 하였다, 운운.

○ 按, 乾元者, 始而亨. 利貞者, 性情兩段, 固已分四德而二之矣. 乾始能以美利一段, 亨字包在始字中, 貞字包在利字中. 又統一段而言, 則首尾乾始字大矣字, 倂包四德在其中, 而渾乎一元矣. 如是看方有意味, 胡氏說錯雜不可曉.

내가 살펴보았다: '건원(乾元)'이란 시작하여 형통한 것이다. '리정'은 '성정(性情)'의 두 부분으로 진실로 네 가지 덕을 나누었다가 둘로 한 것이다. "건의 시작이 아름다운 이로움으로"라는 한 단락 안에 '형(亨)'자는 '시(始)'자 속에 포함되고, '정(貞)'자는 '리(利)'자 속에 포함되어 있다. 또 한 단락을 통괄해서 말하면 처음과 끝이 '건시(乾始)'와 '대의(大矣)'로 그 속에 네 가지 덕이 함께 포함되어 하나의 '원'에 온전하다. 이와 같이 보면 비로소 의미가 있으니, 호씨의 주장은 뒤섞여서 이해할 수 없다.

서유신(徐有臣) 『역의의언(易義擬言)』

言元利而不提亨貞, 猶錯擧春秋, 四時可該也. 乾始者, 乾元之始而亨也. 美利者, 乾元之始而利也. 元則亨, 亨則利, 利則貞, 此其性情之自然, 故天下之物无所不利, 而未可以指言所利也. 乾元之始, 大矣哉, 亨利貞, 皆由始而大也, 是故屯隨无妄革之象曰大亨貞, 曰大亨以正, 蓋謂亨與貞, 皆大也, 大由於元也.

원(元)과 리(利)만 말하고, 형(亨)과 정(貞)을 제시하지 않은 것은 봄과 가을만을 제시하더라도 사계절을 뜻하는 것으로 이해할 수 있는 경우와 같다. 건의 시작이라는 것은 건원이 시작하여 형통하다는 뜻이다. 아름다운 이로움이라는 것은 건원이 시작하여 이롭다는 뜻이다. 시작하면 형통하게 되고, 형통하면 이롭게 되며, 이롭게 되면, 바르게 되니, 이것은 성정의 자연스러움이다. 그러므로 천하의 사물 중에 이롭지 않은 것이 없으니, 이로운 것을 지목해서 언급할 수 없다. 건원의 시작은 매우 크다고 했는데, 형(亨)·리(利)·정(貞)이 모두 시작함으로부터 커진 것이다. 이러한 까닭으로 준(屯)·수(隨)·무망(无妄)·혁(革)괘의 단전에서, 크게 형통하고 바르며, 크게 형통하길 바름으로써 한다고 했다. 형(亨)과 정(貞)이 모두 크고, 그 큼은 원(元)으로부터 비롯된다.

강엄(康儼)『주역(周易)』

乾始 [止] 大矣哉.

건의 시작 … 크도다!

傳, 贊其利之大曰大矣哉.

『정전』에서 말하였다: 그 이로움이 큼을 칭찬하여 크다고 말했다.

按, 大矣哉, 恐亦贊乾元也. 蓋乾元者, 天德之大始, 故能亨能利能貞, 則不言所利之貞, 卽乾元之所爲也. 雖承不言所利, 而稱大矣哉, 其意實歸重於乾元也. 然程傳旣如此, 何敢妄論.

내가 살펴보았다: "크도다"라는 말은 아마도 또한 건원에 대해서 칭찬한 것 같다. 건원이라는 것은 하늘 덕의 큰 시작이다. 그러므로 형통할 수 있고 이로울 수 있으며 곧을 수 있는데, 이로운 곧음을 언급하지 않은 것은 곧 건원의 행위이기 때문이다. 비록 "이로운 것을 언급하지 않았다"라는 말을 이어서, "크도다"라고 칭찬하지만, 그 의미는 실제로 건원에게 그 중점이 돌아가고 있다. 그러나 『정전』의 뜻이 이미 이와 같으니, 어찌 감히 함부로 논의를 하겠는가!

박문건(朴文健)『주역연의(周易衍義)』

乾始, 贊乾道之大始也. 所利, 坤象所謂後得喪朋之類是也.

건의 시작은 건도의 큰 시작을 돕는다는 뜻이다. 이로운 것은 곧 곤괘의 「단전」에서 말한 이후에 얻고 벗을 잃는다는 부류가 이것이다.[527]

〈問, 不言所利, 何曰止. 曰, 元亨利貞, 而更不言所利者, 與他卦不同, 蓋乾道至大, 无所不包故也. 曰, 不言吉凶, 何以趨舍. 曰, 逆天道則凶, 順天道則吉.

물었다: 이로운 것을 언급하지 않았다고 했는데, 왜 그친다고 말했습니까?

답하였다: 원형리정이라고 하고, 다시금 이로운 바를 언급하지 않은 것은 다른 괘와는 다릅니다. 대체로 건의 도는 지극히 커서, 포함하지 않는 것이 없기 때문입니다.

물었다: 길흉을 언급하지 않았는데, 왜 좇거나 멈추는 것입니까?

답하였다: 하늘의 도를 거스르면 흉하게 되고, 하늘의 도에 따르면 길하게 됩니다.〉

〈○ 問, 大矣哉. 曰, 先曰始而後曰大者, 亦贊乾道之辭.

---

527) 『易·坤卦』: 彖曰, 至哉坤元, 萬物資生, 乃順承天. 坤厚載物, 德合无疆, 含弘光大, 品物咸亨. 牝馬地類, 行地无疆, 柔順利貞. 君子攸行, 先迷失道, 後順得常. 西南得朋, 乃與類行, 東北喪朋, 乃終有慶. 安貞之吉, 應地无疆.

물었다: "크도다!"는 무슨 뜻입니까?

답하였다: 먼저 시작한다고 말하고, 이후에 크다고 한 것은 건도를 극찬한 말입니다.〉

김기례(金箕澧) 「역요선의강목(易要選義綱目)」

乾始能以美利利天下, 不言所利.

건의 시작이 아름다운 이로움으로써 천하를 이롭게 하기 때문에 이로움을 말하지 않았다.

利貞之利字, 卽收斂歸藏之意, 蓋利者坤之道, 陰主利, 故乾道雖利不言.

바름이 이롭다고 할 때의 '리(利)'자는 곧 수렴하고 돌아가 보존한다는 뜻이니, 이로움이라는 것은 곤의 도이고, 음이 이로움을 주관한다. 그렇기 때문에 건도가 비록 이롭지만 언급하지 않았다.

심대윤(沈大允) 『주역상의점법(周易象義占法)』

此獨重釋元也. 美利, 至善之利, 明與私欲之利有辨也. 不言所利, 言天之氣化也. 天委功於地, 君子推功於下.

이것은 유독 원(元)을 거듭 설명하였다. 아름다운 이로움은 지극한 선함의 이로움이니, 사욕에 따른 이로움과는 구별되는 점이 있음을 밝혔다. 이로움을 말하지 않은 것은 하늘의 기운이 조화됨을 말한다. 하늘은 그 공을 땅에 맡기고, 군자는 그 공을 아래로 미룬다.

오치기(吳致箕) 「주역경전증해(周易經傳增解)」[528]

此節復申象傳之意也. 乾以資始, 故曰始也, 資始萬物而咸亨, 故曰始而亨也. 各正性命, 故曰利貞者性情也. 乾始者, 承上文而言也, 美利, 言美大之功業也, 不言所利, 謂功業之美不可形言也. 蓋元亨利貞分之, 則爲四德, 而合之則一理, 故於此又合而言也. 大矣者, 贊美之辭.

이 절은 「단전」의 뜻을 거듭 밝힌 것이다. 건에 의뢰하여 시작하므로 '시작[始]'이라 하고, 이를 바탕으로 만물이 시작하여 다 형통하므로 "시작하여 형통하다"라 하였다. 각각의 성명(性命)을 바르게 하므로 "리(利)와 정(貞)은 성정(性情)이다"라 하였다. '건으로 시작한다[乾始]'는 것은 위의 문장을 이어서 말한 것이고, "아름다운 이로움"은 아름답고 큰 공덕의 업적을 말한 것이며, "이로운 것을 말하지 않았다"는 것은 공덕의 업적의 아름다움을 말로

---

528) 경학자료집성DB에서는 건괘 상구에 해당하는 것으로 분류했으나, 내용에 따라 이 자리로 옮겼다.

다 표현할 수 없을 정도임을 이른 것이다. '원형리정'은 나누면 네 가지 덕이고 합하면 하나의 이치이므로 여기서는 합해서 말했다. "크다"는 것은 찬미하는 말이다.

박문호(朴文鎬) 「경설(經說)·주역(周易)」

不言所利, 本義末或說, 卽程傳之意也.

"이로움을 언급하지 않았다"고 하는데, 『본의』에서는 끝에 혹설(或說)을 언급하였으니, 이것은 『정전』의 뜻이다.

大哉, 乾乎, 剛健中正純粹精也.

정전 위대하다, 건이여! 강건하고 중정하고 순수함이 정미함이다.
본의 위대하다, 건이여! 강건하고 중정함이 순수하여 정미하다.

| 中國大全 |

本義

剛, 以體言, 健, 兼用言. 中者, 其行无過不及, 正者, 其立不偏, 四者, 乾之德也. 純者, 不雜於陰柔, 粹者, 不雜於邪惡, 蓋剛健中正之至極, 而精者, 又純粹之至極也. 或疑乾剛无柔, 不得言中正者, 不然也. 天地之間, 本一氣之流行而有動靜爾. 以其流行之統體而言, 則但謂之乾而无所不包矣, 以其動靜分之然後, 有陰陽剛柔之別也.

굳셈은 몸체로써 말하였고, 강건은 쓰임을 겸하여 말하였다. 알맞음[中]은 그 행실이 지나치거나 미치지 못함이 없는 것이다. 바름[正]은 서있음이 치우치지 않은 것이니, 강(剛)·건(健)·중(中)·정(正) 네 가지는 하늘의 덕이다. 순(純)은 부드러운 음에 섞이지 않음이고, 수(粹)는 사악함이 섞이지 않음이다. 강건은 중정함이 지극한 것이요, 정미함은 또 순수함이 지극한 것이다. 어떤 이는 "건(乾)은 강하기만 하고 부드러움이 없으니 중정하다고 말할 수 없다"고 의심하는데, 이는 그렇지 않다. 천지 사이에는 본래 한 기운이 유행하여 움직임과 고요함이 있을 뿐이다. 유행을 통괄하는 몸체를 가지고 말하면 다만 하늘[乾]이라고만 말해도 포함되지 않음이 없고, 움직임과 고요함으로 나눈 뒤에야 음(陰)과 양(陽), 강(剛)과 유(柔)의 구별이 있다.

小註

或問, 所謂流行之統體, 指乾道而言耶. 朱子曰, 大哉乾元, 萬物資始, 乾道變化, 各正性命, 只乾便是氣之統體, 物之所資始, 物之所正性命, 豈非无所不包. 但自其氣之動而言則爲陽, 自其氣之靜而言則爲陰. 所以陽常兼陰, 陰不得兼陽, 陽大陰小, 陰必附陽, 皆此意也.

어떤 이가 물었다: 유행을 통괄하는 몸체라는 것은 하늘의 도를 가리켜서 말한 것입니까? 주자가 말하였다: "위대하구나. 건원(乾元)이여, 만물이 의뢰하여 시작하고 하늘의 도가 변하고 화하여 각각 성명(性命)을 올바르게 한다"529)라는 것은 단지 하늘은 곧 기를 통괄하는 몸체로 만물이 의뢰하여 시작하고 만물이 성명(性命)을 바르게 하는 것이니, 어찌 모두 포함하는 것이 아니겠습니까? 다만 기의 움직임에서 말하면 양이 되고, 기의 고요함에서 말하면 음이 됩니다. 양은 항상 음을 겸하고 있지만, 음은 양을 겸할 수가 없으니, 양이 크고 음이 작으며, 음은 반드시 양에 붙어 있어야 한다는 것은 모두 이러한 의미입니다.

○ 剛健中正, 爲其嫌于不中正, 所以說箇中正. 陽剛自是全體, 豈得不中正. 近趙善譽說乾只是剛底一邊, 坤只是柔底一邊. 某說與他道聖人做一部易, 如何卻將兩箇偏底物事放在劈頭, 如何不討箇混淪底放在那裏, 今注中便是破他說.

"강건하고 중정하다"는 말은 중정하지 않다고 의심을 받을까 보아서 중정을 설명한 것이다. 양강(陽剛)은 그 자체로 온전한 몸체인데, 어찌 중정이 아닐 수 있겠는가? 근래에 조선예(趙善譽)530)가 건(乾)은 단지 강한 쪽이고, 곤(坤)은 단지 부드러운 쪽이라고 말하였다. 내가 그와 더불어, "성인이 『주역』을 지을 때 왜 두 개의 치우친 사물을 앞머리에 두었으며, 왜 혼륜한 것을 강구하여 그곳에 두지 않았는지"에 대하여 말하였는데, 지금 주석에서 조선예의 설명을 논파하였다.

○ 雲峯胡氏曰, 剛柔, 以質言, 健順, 以性言, 本義云剛以體言, 健兼用言, 何也. 曰, 本義之意, 蓋謂剛健皆體也, 健則兼以用言耳. 以質言則有一定之體, 以性言則有无窮之用. 中者, 其行无過不及, 用也, 正者, 其立不偏, 體也. 純者不雜于陰柔, 指剛健言, 粹者不雜于邪惡, 指中正言. 不雜於陰柔似專指剛而言, 不雜于邪惡似專指正而言, 本義之意皆以體也. 程子曰, 精者剛健中正純粹之極. 本義曰, 純粹者 剛健中正之至極, 精者又純粹之至極, 其論益精矣.

운봉호씨가 말하였다: 강유(剛柔)는 기질로써 말한 것이며, 건순(健順)은 본성으로써 말한 것입니다. 『본의』에서 '강(剛)'은 몸체로써 말하였고, '건(健)'은 쓰임을 겸하여 말한 것이라

---

529) 『周易·乾卦』: 象曰, 大哉乾元. 萬物資始, 乃統天. 雲行雨施, 品物流形. 大明終始, 六位時成, 時乘六龍以御天. 乾道變化, 各正性命, 保合太和, 乃利貞. 首出庶物, 萬國咸寧.

530) 조선예(趙善譽, 1221-1291): 송나라 종실(宗室). 자는 정지(靜之) 또는 덕광(德廣)이고, 호는 서재(恕齋)다. 효종(孝宗) 건도(乾道) 5년(1169) 예부시(禮部試)에서 장원하고, 임천지현(臨川知縣), 대리승(大理丞), 호북상평다염제거(湖北常平茶鹽提擧) 등을 역임했다. 은퇴 후에는 방 한 칸에 머물면서 도서(圖書)를 보는 것으로 낙을 삼았다. 『주역』을 정밀히 연구하여 『역설(易說)』을 저술했는데, 이 책은 곽옹(郭雍)이나 주희(朱熹) 등도 많이 참고했다고 한다.

한 것은 무슨 뜻입니까?

답하였다: 『본의』에서 설명한 뜻은 강(剛)과 건(健)이 모두 몸체인데, 건(健)은 쓰임을 겸해서 말한 것일 뿐입니다. 기질을 가지고 말한다면 일정한 몸체가 있고, 본성을 가지고 말한다면 무궁한 쓰임이 있습니다. '중(中)'이라는 것은 시행함에 지나치거나 미치지 못함이 없는 것이니 쓰임[用]이고, '정(正)'이라는 것은 서있는 자리가 치우치지 않은 것이니 몸체입니다. '순(純)'이라는 것은 부드러운 음에 섞이지 않음이니 강건을 가리켜서 한 말이며, '수(粹)'라는 것은 사악함에 섞이지 않음이니 중정을 가리켜서 한 말입니다. 부드러운 음에 섞이지 않음은 전적으로 강(剛)만을 가리켜서 말한 듯 하고, 사악함에 섞이지 않음은 전적으로 정(正)만을 가리켜서 말한 듯하지만, 『본의』의 뜻은 모두 몸체로써 설명한 것입니다. 정자(程子)는 '정미함'이라는 것은 강건하고 중정하며 순수함의 지극함이라고 하고, 『본의』에서는 '순수'라는 것은 강건하고 중정함의 지극함이고, '정미함'이라는 것도 순수의 지극함이 된다고 했으니, 그 논의가 더욱 정밀합니다.

‖韓國大全‖

박지계(朴知誠) 「차록(箚錄)-주역건괘(周易乾卦)」

大哉乾乎, 云云.

위대하구나 건(乾)이여, 운운.

本義曰, 純者, 不雜於陰柔, 粹者, 不雜於邪惡, 蓋剛健中正之至極也.

『본의』에서 말하였다: 순(純)은 부드러운 음이 섞이지 않음이고, 수(粹)는 사악함에 섞이지 않음이다. 강건은 중정함이 지극한 것이다.

不雜乎陰之柔則純乎剛, 而剛則必健, 故曰剛健之至極也. 不雜乎邪之惡則粹乎正, 而正則必中, 故曰正中之至極也. 陰柔邪惡, 皆謂坤也. 坤卦本義曰, 陰陽者, 造化之本, 不能相無. 然其類有淑慝之分, 故聖人作易, 於其不能相無, 旣以健順之屬明之, 其於淑慝之分, 未嘗不致其扶陽抑陰之意. 蓋以柔則必順, 順承乎乾, 所以不可無也. 邪則必慝, 慝者惡之匿於心, 必害於中, 故所當抑之者也. 如以一身言之, 心乾也, 形氣坤也. 形氣中如耳目之聰明, 順承乎心之德, 不可無者也. 耳目聲色之慾, 誘引心之本體而失其剛者也. 心失其剛, 仁義禮智之德, 或屈或息, 凡有屈息處, 非天理之正也. 乃所謂邪惡也, 所當抑之者也.

부드러운 음에 섞이지 않는다면 순전히 굳세고, 굳세면 반드시 강건하므로 "지극히 강건하다"라고 말한다. 사악함과 섞이지 않는다면, 순전히 바르고, 바르면 반드시 알맞으므로 "지극한 정중이다"라고 말한다. 부드러운 음과 사악함은 모두 곤괘(坤卦)를 가리킨다. 곤괘의 『본의』에서 "음양은 조화의 근본이니 서로 없을 수 없다. 그러나 그 부류에 선악의 분별이 있으므로 성인이 역(易)을 지을 때에 서로 없을 수 없는 것에는 이미 건(健)·순(順)과 인(仁)·의(義)의 종류들로써 그것을 밝혀서 선악의 구분에 이르러서는 일찍이 양을 붙들어주고 음을 억제하는 뜻을 지극히 하지 않은 적이 없었다"라고 말했다. 대체로 부드러움[柔]으로써 하면 반드시 순(順)하게 되니, 순함은 건(乾)을 잇는 것이므로 없을 수가 없다. 사악[邪]하게 하면 반드시 사특[慝]하게 되고, 사특한 것은 악함이 마음속에 숨겨진 것이니, 반드시 그 마음을 해치기 때문에 마땅히 억눌러야만 한다. 예를 들어 신체를 가지고 말하자면, 마음[心]은 건이고 형기(形氣)는 곤이다. 형기 중 눈과 귀의 총명함은 마음의 덕을 순순히 따르기 때문에 없어서는 안 된다. 눈과 귀의 소리와 여색에 대한 욕심은 마음의 본체를 유인하여 그 강건함을 잃게 만든다. 마음이 그 강건함을 잃으면 인의예지의 덕이 어떤 때에는 굽어지게 되고, 어떤 때에는 멈추게 된다. 굽어지고 멈추는 곳이 있다면 천리의 바름[正]이 아니다. 곧 이것을 사악이라고 말하니, 마땅히 그것을 억눌러야만 한다.

本義曰, 天地之間, 本一氣之流行而有動靜爾, 以其流行之統體而言, 則但謂之乾而無所不包矣, 以其動靜分之, 然後有陰陽剛柔之別也.

『본의』에서 말하였다: 천지 사이에는 본래 한 기운이 유행하여 움직임과 고요함이 있을 뿐이다. 유행을 통괄하는 몸체를 가지고 말하면 다만 하늘[乾]이라고만 말해도 포함되지 않음이 없고, 움직임과 고요함으로 나눈 뒤에야 음(陰)과 양(陽), 강(剛)과 유(柔)의 구별이 있다.

一氣之流行而有動靜, 乃所謂一分爲二也. 乾一而坤二, 故一氣, 乾之象也, 分二, 坤之象也. 流行之統體, 卽謂一氣, 故以此而言, 則但謂之乾, 而一氣蓋兼分二之氣, 故曰無所不包. 以其動靜分之, 卽謂分爲二也. 分二則陰與陽雖若偏剛偏柔, 陽之剛乃一氣之正脉也, 陰之柔乃一氣之旁枝也. 故乾常兼包乎坤也.

하나의 기(氣)가 유행하여 동정이 있다는 말은 곧 1이 나뉘어져 2가 된다는 말이다. 건괘는 1이고, 곤괘는 2이다. 그러므로 하나의 기는 건괘의 상(象)이고, 둘로 나뉜 것은 곤괘의 상이다. 유행을 통괄하는 몸체는 하나의 기를 가리킨다. 그러므로 이것을 가지고 말한다면, 단지 건이라고만 말해도 하나의 기는 대체로 둘로 나뉜 기를 겸비하고 있기 때문에 "포함하지 않는 것이 없다"고 말하였다. 동정으로써 나눈다면, 나뉘어져 둘이 됨을 이른다. 나뉘어져 둘이 된다면, 음과 양이 비록 굳센 양으로 치우치고 부드러운 음으로 치우친 것 같지만, 양의 굳셈은 곧 하나의 기(氣)의 바른 줄기[正脉][531]이고, 음의 부드러움은 곧 하나의 기의 곁가지이다. 그러므로 건은 항상 곤을 함께 포함한다.

심조(沈潮) 「역상차론(易象箚論)」

剛健中正.

강건하고 중정하다.

剛, 堅固之意, 健是걸ㅅ단뜻이니, 凡人之好脚善步者, 謂之健步, 有力善做事者, 謂之健夫健婦. 健云健云, 孰如天行之健哉.

강(剛)은 견고하다는 뜻이며, 건(健)은 강건하다는 뜻이니 사람들 중에 다리가 튼튼해서 걷기를 잘하는 자는 건보(健步)라 하고, 힘이 있고 일을 잘 처리하는 자를 건부(健夫)나 건부(健婦)라 한다. 이들에 대해 모두 '건(健)'이라 하지만 그 누가 하늘이 운행하는 것처럼 강건할 수 있겠는가?

유정원(柳正源) 『역해참고(易解參攷)』

剛健 [至] 也.

강건하고 … 정미함이다.

案, 純如布帛之純然, 不雜他色也. 粹如粒米之粹然, 不雜糠粃也. 此指乾德之統體言. 節齋雲峯, 以九五一爻當之, 九五固有此德, 而統體說時, 恐不必恁地說.

내가 살펴보았다: 순(純)은 베·비단이 순일하여 다른 색이 섞이지 않은 것과 같다. 수(粹)는 쌀알이 순수하여 겨나 쭉정이가 섞이지 않은 것과 같다. 이것은 건덕(乾德)의 통체(統體)를 가리켜서 말한 것이다. 절재와 운봉은 구오 한 효를 여기에 해당시켰는데, 구오는 본래 이 덕을 가지고 있지만 총괄해서 말할 때에는 굳이 이렇게 설명할 필요가 없을 듯하다.

本義動靜 [至] 別也.

『본의』에서 움직임과 고요함이 … 구별이다.

案, 繫辭曰, 乾, 其靜也專, 其動也直. 蓋乾道含動靜, 元亨其動也, 利貞其靜也. 以卦位言之, 亦有陰陽剛柔.

내가 살펴보았다: 「계사전」에서는 "건은 고요할 때는 전일하고 움직일 때는 곧다"[532]라고 했다. 건도는 동정을 포함하고 있으니, 원·형은 동에 해당하고, 리·정은 정에 해당한다. 괘의 자리로써 말한다면, 또한 음양과 강유가 있다.

---

531) 脉(脉)은 脈(脈)과 통용한다.

532) 『易·繫辭』: 夫易廣矣大矣. 以言乎遠則不禦, 以言乎邇則靜而正, 以言乎天地之間則備矣. 夫乾, 其靜也專, 其動也直, 是以大生焉, 夫坤, 其靜也翕, 其動也闢, 是以廣生焉. 廣大配天地, 變通配四時, 陰陽之義配日月, 易簡之善配至德.

김귀주(金龜柱) 『주역차록(周易箚錄)』

本義, 剛以體言, 云云.

『본의』에서 말하였다: 굳셈은 몸체로써 말한 것이고, 운운.

○ 按, 其立不偏, 言動靜皆具, 四德咸備也. 若或倚於動, 或倚於靜, 元亨而不足於利貞, 利貞不足於元亨, 則其立偏矣.

내가 살펴보았다: 그 서 있음이 치우치지 않았다는 것은 동정(動靜)이 모두 갖추어져 네 가지 덕이 다 완비되었다는 말이다. 만약 움직임[動]에 치우치거나 고요함[靜]에 치우치면 '원형'이지만 '리정'에 부족하고, '리정'이지만 '원형'에 부족하니, 그 서 있음이 치우친 것이다.

小註, 雲峰胡氏曰, 剛柔, 云云.

소주(小註)에서 운봉호씨가 말하였다: 강유(剛柔)는, 운운.

○ 按, 胡說訓本義, 體字爲質, 用字爲性, 恐偏. 蓋以理言, 則乾之性爲體, 而乾之情爲用, 以氣言, 則乾之形質爲體, 而乾之運行爲用. 本義體用字實兼理氣言耳, 凡體用之說, 非止一段, 或有以氣爲體, 而理爲用者然. 若便以形質爲體, 而反以性爲用, 則經傳之所未有也. 中正之分體用, 亦未見其必然純粹, 乃剛健中正之純粹, 亦不以剛健中正分屬純粹. 且旣曰, 純指剛健, 粹指中正, 而其下卽又曰, 純專指剛, 粹專指正, 何其言之不一如是耶. 本義旣兼言體用, 而自家訓釋, 亦節節分體用, 則末乃言本義之意, 皆以體也者, 又何故耶. 皆未可知也.

내가 살펴보았다: 호씨는 『본의』를 풀이하면서 '본체'를 바탕[質]으로, '작용'을 '본성[性]'으로 여긴다고 말하는데 이는 한쪽으로 치우친 주장 같다. 이치[理]로 말하면 건의 '본성[性]'이 '본체'이고 건의 '정(情)'이 '작용'이며, 기(氣)로 말하면 건의 형질이 '본체'이고 건의 운행이 '작용'이다. 『본의』에서 말하는 '체용'은 실제로 이치와 기(氣)를 겸해서 말했을 뿐이다. 일반적으로 '체용'에 대한 말은 한 가지에서 그치지 않으니, 혹 기를 본체로 여기거나 이치를 작용으로 삼는 것이 그러하다. 만약 형질을 본체로 삼고 도리어 본성을 작용으로 삼는다면, 이는 경전에 있지 않은 것이다. 중정(中正)을 체용으로 나눈 것 역시 그것이 필연적으로 순수(純粹)에 드러나지 않으니, 곧 강건·중정의 순수 역시 반드시 강건·중정으로 순수에 분속되는 것이 아니다. 또 이미 '순(純)'은 강건을 가리키고 '수(粹)'는 중정을 가리킨다고 말했는데, 그 아래에서는 또 '순'은 오로지 굳셈[剛]을 가리키고 '수(粹)'는 오로지 바름[正]을 가리킨다고 말하니, 어찌 그 말이 이처럼 한결같지 않은가? 『본의』에서는 이미 체용을 겸하여 말했는데, 호씨가 스스로 해석하여 구절마다 체와 용으로 나누고, 곧 끝에서 바로 "『본의』의 뜻은 모두 본체로서 설명한다"고 말하는 것은 또 무슨 이유인가? 모두 알 수 없다.

박제가(朴齊家) 『주역(周易)』

剛健中正, 純粹精也.

강건하고 중정하고, 순수함이 정미하다.

節齋蔡氏曰, 惟九五足以當之. 雲峯曰, 時乘六龍以下爲九五而言.

절재채씨가 "오직 구오만이 여기에 해당할 수 있다"라고 말하고, 운봉호씨가 "때에 따라 여섯 용을 탄다는 말로부터 그 이하는 구오를 위해서 한 말이다"라고 했다.

案, 夫子統論乾德, 故曰六爻發揮, 所謂周流六虛, 無不乘也. 豈曰乘初之潛, 而不可曰御天乎. 蓋與象傳同意, 亦未必象傳雲雨爲乾之雲雨, 文言雲雨爲聖人雲雨.

내가 살펴보았다: 공자는 하늘의 덕에 대해 통괄하여 논하였다. 그러므로 육효가 발휘한다는 것은 이른바 육허(六虛: 우주전체)에 두루 흐른다는 뜻이니,[533] 올라타지 않음이 없다. 그런데 어떻게 초구의 잠룡에 탄다고 하면서도 하늘을 난다고 말할 수 없는가? 「단전」의 의미와 동일하지만, 또한 반드시 「단전」에 나온 구름과 비를 건(乾)의 구름과 비로 여기고, 「문언전」에 나온 구름과 비를 성인의 구름과 비로 여길 필요는 없다.

它卦皆以位言德, 惟乾卦德無淺深. 其時位乃德中之時位, 此之中正, 非必二與五. 下曰, 時乘六龍, 若專屬九五, 則所乘者, 當爲五龍非六也.

다른 괘에서는 모두 자리로써 덕을 말했으나, 건괘만은 덕에 깊고 얕은 차이가 없다. 때와 자리는 곧 덕 가운데의 때와 자리이므로, 이곳의 중정(中正)은 반드시 구이와 구오만을 뜻하는 것이 아니다. 아래 문장에서 "때에 따라서 육룡에 올라탄다"라고 했으니, 만약 이것을 구오에게만 귀속시킨다면, 올라타게 되는 것이 마땅히 다섯 용이 되어야지, 여섯 용이 되어서는 안 된다.

강엄(康儼) 『주역(周易)』

大哉 [止] 精也.

크도다 … 정미하다.

本義, 天地之間 [止] 旡所不包矣.

『본의』: 천지의 사이 … 포함하지 않는 것이 없다.

---

533) 『易·繫辭』: 易之爲書也, 不可遠. 爲道也屢遷, 變動不居, 周流六虛, 上下无常, 剛柔相易, 不可爲曲要, 唯變所適.

按, 乾是陽剛之全體, 陰便包在這裏, 故本義於九二曰剛健中正, 於九五亦然, 有謂剛健中正. 純粹精, 惟九五當之者, 乃先儒之說, 非朱子之論也.

내가 살펴보았다: 건은 굳센 양의 전체이고, 음은 곧 그 안에 포함되어 있다. 그러므로 『본의』에서는 구이에 대해서, 강건하고 중정하다고 한 것이며, 구오에 대해서도 또한 그렇게 말했다. 이처럼 강건과 중정, 순수하고 정미함이 오직 구오에만 해당한다는 것은 곧 선대 유학자들의 학설이지, 주자의 논의가 아니다.

이지연(李止淵) 『주역차의(周易箚疑)』

諸爻皆剛健, 而剛健中正, 純粹精, 專指五, 中則兼指二也.

여러 효들이 모두 강건하지만, 강건하고 중정하며 순수함이 정미한 것은 오직 오효만을 가리키고, '가운데[中]'는 이효까지도 함께 가리킨다.

이항로(李恒老) 「주역전의동이석의(周易傳義同異釋義)」

按, 剛健, 乾之性也, 中正, 乾之行也. 純粹精三字, 所以贊四德者也. 乾爲陽首, 陽又統陰, 故六十四卦三百八十四爻, 无不包在乾德之內, 而剛健中正四字, 遍行乎逐卦逐爻之上. 是以所謂吉者, 曰剛曰健曰中曰正之効也, 所謂凶者, 曰不剛曰不健曰不中曰不正之驗也. 至若純粹之云, 不少槪見, 可見其不宜竝列於四德矣. 又以文勢論之, 則此下四節, 同押一韻, 上下両句, 句法齊整, 不應於此獨變體例, 此所以本義之不從也.

내가 살펴보았다: 강건은 건의 본성이고, 중정은 건의 행함이다. '순수정(純粹精)'이라는 세 글자는 네 가지 덕을 돕는 것이다. 건이 양의 으뜸이 되고, 양은 또한 음을 통솔한다. 그러므로 육십사괘와 삼백팔십사효가 건의 덕에 포함되지 않는 것이 없고, '강·건·중·정'이라는 네 글자는 괘와 효, 상(象)을 따라 두루 시행된다. 이 때문에 길이라는 것은 '강·건·중·정'의 효과이며, 흉이라는 것은 불강(不剛)·불건(不健)·부중(不中)·부정(不正)의 징험이다. 순수라고 말한 것에 있어서는 개괄적으로 본 것이 적지 않으니, 사덕과 병렬하는 것이 마땅하지 않음을 알 수 있다. 또한 문장의 흐름에 따라 논의해본다면, 이 문장 아래의 네 구절은 압운이 동일하며, 상하 두 구절로 되어 있고, 구문을 끊는 법도 정제되어 있으니, 이곳 구문에 대해서만 유독 체제를 변화시키는 것은 마땅하지 않다. 이것이 바로 『본의』가 『정전』을 따르지 않는 이유이다.

김기례(金箕澧) 「역요선의강목(易要選義綱目)」

剛健中正純粹精.

강건하고 중정하고, 순수함이 정미하다.

乾爲金, 故曰剛, 二五相應以德, 故曰中正, 乾爲玉, 故曰純粹, 摠解六爻, 而最指九五.

건은 금(金)이기 때문에, "굳세다"고 말하였고, 이효와 오효는 덕으로써 서로 호응하기 때문에 "중정이다"라고 말하였으며, 건은 옥이 되기 때문에 "순수하다"고 말하였으니, 총괄적으로 육효를 풀이한 것이지만, 최종적으로는 구오를 가리킨다.

심대윤(沈大允) 『주역상의점법(周易象義占法)』

發揮, 發違而推移也. 旁通情, 言曲暢萬物之情也, 卽上文六位時成之義也.

발휘는 발로되어 나와 옮겨간다는 뜻이다. 실정에 널리 통한다는 것은 만물의 실정을 모두 펼친다는 말이니, 곧 앞 문장에 나온 "여섯 자리가 때에 맞게 이루어진다"는 뜻이다.

박문호(朴文鎬) 「경설(經說)·주역(周易)」

本義以純粹爲剛健中正之至極, 又以精爲純粹之至極, 分三層釋之. 程子之分二層者, 似爲平順.

『본의』에서는 순수를 강건과 중정의 지극함이라고 생각하고, 또한 정미함을 순수의 지극함이라고 생각하여, 세 개의 층차로 나누어 해석했다. 정자가 두 개의 층차로 나눈 것이 평이하고 순조로운 듯하다.

六爻發揮, 旁通情也.

여섯 효로 발휘함은 두루 실정에 통하게 하는 것이다.

▮中國大全▮

本義

旁通, 猶言曲盡.

널리 통한다는 것은 곡진(曲盡)하다는 말과 같다.

小註

節齋蔡氏曰, 剛健中正而純粹精者, 惟九五足以當之, 兼用六爻以發揮其義者, 欲旁通以盡乎事物之情耳.

절재채씨가 말하였다: 강건하고 중정함이 순일하고 순수하며 정미한 것은 구오만이 감당할 수 있는데, 여섯 효를 함께 써서 그 뜻을 발휘하는 것은 널리 통하여 사물의 실정에 극진히 하고자 한 것일 뿐이다.

○ 雲峯胡氏曰, 曲盡其義者在六爻, 而備全其德者在九五一爻, 時乘六龍以下, 則爲九五而言也.

운봉호씨가 말하였다: 뜻을 곡진히 하는 것은 여섯 효에 해당하고, 덕을 구비하여 온전히 하는 것은 구오 한 효에 해당하니, "때로 여섯 마리 용을 탄다"라는 말로부터 그 이하의 내용은 구오를 위해서 한 말이다.

┃韓國大全┃

심조(沈潮) 「역상차론(易象箚論)」

六爻發揮.

여섯 효로 발휘함은.

發揮, 乾自發揮耶, 聖人發揮耶. 愚意則乾自發揮也. 卦旣剛健中正, 而又以六爻發揮
示人, 以盡事物之情云爾, 更詳之.

발휘는 굳건함이 저절로 발휘되는 것인가? 성인이 발휘하는 것인가? 내가 생각하기에는 건
이 저절로 발휘된다는 뜻인 것 같다. 괘에서는 이미 강건하고 중정하다고 했고, 또한 여섯
효로써 발휘하여 사람들에게 보여주고 사물의 실정을 극진히 함을 말했을 뿐이니, 다시 자
세히 살펴보아야 한다.

유정원(柳正源) 『역해참고(易解參攷)』

六爻 [至] 情也.

여섯 효가 … 실정이다.

正義, 發謂發越也, 揮謂揮散也, 言六爻發越揮散, 旁通萬物之情也.

『주역정의』에서 말하였다: '발(發)'은 드러남이며, '휘(揮)'는 흩어짐이니, 여섯 효가 드러나
흩어져 만물의 실정에 두루 통함을 말한다.

김귀주(金龜柱) 『주역차록(周易箚錄)』

本義, 旁通猶言, 云云.

『본의』에서 말하였다: "널리 사방으로 통한대[旁通]"는 … 라는 말과 같다, 운운.

小註, 節齋蔡氏曰, 剛健, 云云.

소주(小註)에서에서 절재채씨가 말하였다: 강건하며, 운운.

○ 按, 剛健中正純粹精, 是泛說乾之德. 若只以九五一爻當之, 則恐未盡. 蓋經文大哉
乾乎一段, 統一卦而言, 六爻發揮一段, 指各爻而言. 蔡氏於此, 未之深考矣.

내가 살펴보았다: "강건하고 중정함이 순수하여 정미하다"는 말은 건의 덕을 일반적으로 설
명한 것이다. 만약 이것이 구오 하나의 효에만 해당한다면 설명이 미진한 것 같다. 경문에서
"위대하다, 건이여![大哉, 乾乎]"라는 한 단락은 한 괘를 통괄해서 말하였고, "육효를 발휘하

여"라는 한 단락은 각 효를 가리켜서 말하였다. 채씨가 이것에 대해 깊이 생각하지 못하였다.

雲峰胡氏曰, 曲盡, 云云.

운봉호씨가 말하였다: … 곡진하게 하다, 운운.

○ 按, 備全其德在九五, 云云, 與蔡說同病. 時乘六龍以下, 雖言聖人得天位, 行天道之事, 亦不必專屬九五一爻.

내가 살펴보았다: "그 덕을 구비하여 온전히 하는 것은 구오에게 달려있다, 운운"은 절재채씨의 주장과 같은 잘못이 있다. "때로 여섯 용을 탄다" 아래는 비록 성인이 하늘의 지위를 얻어 천도의 일을 실행하더라도 반드시 구오 한 효에만 전속되는 것은 아니다.

박문건(朴文健)『주역연의(周易衍義)』

剛健中正, 乾之定也, 元亨利貞之象也. 六爻發揮, 乾之動也, 潛見躍飛之理也.

강건하고 중정한 것은 건의 안정됨이니, 원형이정의 상(象)이다. 육효를 발휘하는 것은 건의 움직임이니, 잠기고 드러나며 뛰고 나는 이치이다.

〈問, 剛健中正. 曰, 剛健以二體言, 中正以二五言, 此指文王之易也.

물었다: "강건하고 중정하다"는 무슨 뜻입니까?

답하였다: 강건은 이효의 몸체로써 말했고, 중정하다는 것은 이효와 오효로써 말했으니, 이것은 문왕의『역』을 가리킵니다.〉

〈問, 純粹精. 曰, 此三字之義, 本義備矣.

물었다: "순수하여 정미하다"는 무슨 뜻입니까?

답하였다: 이 세 글자의 뜻은『본의』에 이미 설명되어 있습니다.〉

〈○ 問, 何以見得元亨利貞之象. 曰, 文王則於陽之升進處, 取亨義, 於體之純剛處, 取貞義, 而夫子則於二體剛健上, 取元與亨義, 於二五中正上, 取利與貞義也.

물었다: 어떻게 원형리정의 상(象)을 볼 수 있습니까?

답하였다: 문왕의 경우에는 양이 오르고 나아가는 곳에서 '형'의 의미를 취했고, 몸체가 순수하고 굳센 곳에서 '정'의 의미를 취했지만, 공자는 이효의 몸체가 강건하다는 것에서 '원'과 '형'의 뜻을 취하고, 이효와 오효가 중정하다는 것에서 '리'와 '정'의 뜻을 취했습니다.〉

〈問, 六爻發揮. 曰, 發, 發來於此也. 揮, 揮去於彼也. 蓋卦有定體, 而爻无定位故也, 卽繫辭傳所謂周流六虛, 變動不居者也. 此指周公之易也.

물었다: "육효를 발휘한다"는 무슨 뜻입니까?

답하였다: '발(發)'은 이곳에서 발로되어 나온다는 뜻입니다. '휘(揮)'는 저곳으로 돌아간다는 뜻입니다. 대체로 괘에는 정해진 몸체가 있지만, 효에는 정해진 자리가 없기 때문이니, 곧 「계사전」에서 말한 "여섯 빈자리에 두루 흘러서", "변동하여 머물지 않는다"는 뜻입니다.[534] 이것은 주공의 『주역』을 가리킵니다.〉

〈問, 旁通情. 曰, 六爻旣成, 中藏萬物之理, 故能廣通萬物之情也. 旁與不旁狎之旁同也.

물었다: "실정을 사방으로 널리 통한다"는 무슨 뜻입니까?

답하였다: 육효가 이미 완성이 되어 그 가운데 만물의 이치를 감추고 있기 때문에 만물의 실정에도 두루 통할 수 있습니다. '두루'라는 것은 두루 업신여기지 않는다고 할 때의 '두루'와 같습니다.〉

이지연(李止淵) 『주역차의(周易箚疑)』

旁通, 指上下四陽爻也.

널리 통한다는 것은 상하에 있는 네 개의 양효를 가리킨다.

박문호(朴文鎬) 「경설(經說)·주역(周易)」

以六爻分作三才, 則三四爲人位. 而四居人之最上, 故謂之中不在人也. 抑以二體言, 則二與五爲人位, 故云爾耶.

육효를 나누어서 삼재(三才)로 삼는다면, 삼효와 사효는 사람의 자리가 된다. 사효는 사람의 가장 윗자리에 있기 때문에 "가운데로는 사람에게 있지 않다"고 말하였다. 두 개의 몸체로 말한다면, 이효와 오효는 사람의 자리이기 때문에 이처럼 말하였을 것이다.

---

534) 『易·繫辭』: 易之爲書也, 不可遠. 爲道也屢遷, 變動不居, 周流六虛, 上下无常, 剛柔相易, 不可爲曲要, 唯變所適.

時乘六龍, 以御天也, 雲行雨施, 天下平也.

때로 여섯 마리 용을 타고 하늘을 다스리니, 구름이 떠다니고 비가 내려 천하가 화평하다.

中國大全

傳

大哉, 贊乾道之大也. 以剛健中正純粹六者, 形容乾道, 精謂六者之精極, 以六爻發揮, 旁通盡其情義, 乘六爻之時, 以當天運, 則天之功用著矣. 故見雲行雨施, 陰陽溥暢, 天下和平之道也.

'위대하다'는 건도(乾道)의 위대함을 찬양한 것이다. 강(剛)·건(健)·중(中)·정(正)·순(純)·수(粹) 여섯 가지로 건도(乾道)를 형용하였으니, 정(精)은 이 여섯 가지의 정미함이 지극함을 말한 것이다. 여섯 효로써 발휘하고 널리 통하여 그 실정과 의리를 다하고 여섯 효의 때를 타고서 하늘의 운행을 감당하면 하늘의 공효(功效)가 드러난다. 그러므로 구름이 떠다니고 비가 내리는 것을 보는 것이니, 음과 양이 널리 통함은 천하가 화평한 도이다.

小註

朱子曰, 陽氣方流行, 固已包了全體, 陰便在裏了. 所以說剛健中正, 然不可道這裏卻夾雜些陰柔. 所以卻說純粹精, 觀其文勢, 只是言此四者又純粹而精耳, 程易作六德解未安.

주자가 말하였다: 양기가 막 유행할 때에는 진실로 이미 전체를 포괄하니, 음이 그 안에 포함되어 있기 때문에 강건과 중정을 설명했다. 그러나 여기에서 도리어 부드러운 음을 가지고 있다고 말할 수 없기 때문에 순수하여 정밀하다고 한 것이다. 그 문맥을 살펴보면, 이것은 단지 이 네 가지 것들이 또한 순수하여 정밀하다는 뜻일 뿐이니, 『정전(程傳)』에서 육덕으로 풀이한 설명은 타당하지 못하다.

本義

言聖人時乘六龍以御天, 則如天之雲行雨施而天下平也.

성인이 때로 여섯 마리 용을 타고 하늘을 다스리는 것은 하늘에 구름이 떠다니고 비가 내리는 것과 같아 천하가 화평해짐을 말한다.

○ 此第五節, 復申首章之意.

이는 제 5절이니, 다시 제 1장의 뜻을 거듭 설명하였다.

小註

中溪張氏曰, 象言雲行雨施而以品物流形繼之, 則雲雨爲乾之雲雨, 此言雲行雨施而以天下平繼之, 則聖人之功卽乾, 而雲雨乃聖人之德澤也.

중계장씨가 말하였다: 「단전」에서 구름이 떠다니고 비가 내린다고 말하고, 만물이 형체를 갖춘다는 말을 이어서 언급했으니, 구름과 비는 곧 하늘의 구름과 비다. 여기에서는 구름이 떠다니고 비가 내린다고 말하고 천하가 화평하다는 것을 이어서 말했으니, 성인의 공적은 곧 하늘에 해당하고 구름과 비는 성인의 은택에 해당한다.

○雲峯胡氏曰, 象言元亨利貞, 屬之乾, 而文言以屬之君子, 乾之德, 固在君子躬行中也. 象傳言雲行雨施, 屬之乾, 而文言以屬之聖人, 乾之功, 固在聖人發用內也.

운봉호씨가 말하였다: 단사(彖辭)에서는 원형리정을 말하여 하늘에 포함시켰고, 「문언전」에서는 군자에 포함시켰으니, 하늘의 덕은 진실로 군자가 몸소 행하는 가운데에 있는 것이다. 「단전(彖傳)」에서는 구름이 떠다니고 비가 내리는 것을 말하여 하늘에 포함시켰고, 「문언전」에서는 성인에 포함시켰으니, 하늘의 공적은 진실로 성인이 움직이고 사용하는 내부에 있는 것이다.

▌韓國大全▌

홍여하(洪汝河) 「책제(策題):문역(問易)·독서차기(讀書箚記)-주역(周易)」

文言, 本義, 此第五節, 復申首章之意.

「문언전」의 『본의』에서 말하였다: 이는 제 5절이니, 다시 제 1장의 뜻을 거듭 설명하였다.

首章, 指文言第一節.

제 1장이란 「문언전」의 제 1절을 가리킨다.

이현익(李顯益) 「주역설(周易說)」

雲峯胡氏, 以時乘六龍, 以御天, 雲行雨施, 天下平, 爲指九五. 然此只是聖人乾體之事, 而非以爻言, 況六龍中有九五, 則以是乘者爲九五, 亦成說耶. 且必以爻言, 則如九二之德施普者, 亦不在雲行雨施, 天下平之中乎.

운봉호씨는 "때로 여섯 마리 용을 타고 하늘을 다스리니, 구름이 떠다니고 비가 내려 천하가 화평하다"는 것으로 구오를 가리킨다고 하였다. 그러나 이것은 단지 성인을 나타내는 건체(乾體)의 일이지 효(爻)로써 말한 것은 아니다. 더욱이 여섯 마리 용 가운데 구오가 있는데, 타는 것을 구오라 한다면 또한 말이 되겠는가? 또 반드시 효로써 말한다면, 구이의 덕을 널리 베푼다는 것이 또한 구름이 떠다니고 비가 내려 천하가 화평하게 되는 가운데 있는 것이 아니겠는가?

김상악(金相岳) 『산천역설(山天易說)』

本義, 剛以體言, 健兼用言, 中者, 其行无過不及, 正者, 其立不偏, 四者, 乾之德也. 蓋剛者體也, 故爲元. 健者用也, 故爲亨. 中者用之行也, 故爲利. 正者體之立也, 故爲貞. 純者, 不雜於陰柔也, 粹者, 不雜於邪惡也, 言剛健中正之極, 至於純粹而精也. 六爻, 卽六位也. 爻之動, 能發揮以通之, 所以大明終始. 六位以時而成也, 故乘此六龍以御于天也. 雲行雨施, 所以乾道變化也. 天下平, 所以萬國咸寧也.

『본의』에서는 "굳셈은 몸체로써 말한 것이고, 강건함은 쓰임을 겸하여 말한 것이며, 중(中)은 그 행함에 지나치거나 미치지 못함이 없는 것이고, 바름이라는 것은 서는 것이 치우치지 않은 것이니, 이 네 가지는 하늘의 덕이다"라고 했다. 굳셈은 몸체이므로 으뜸이 된다. 강건함은 쓰임이므로 형통이 된다. 가운데는 쓰임을 행함이므로 이로움이 된다. 바름은 몸체가 세워지는 것이므로 곧음이 된다. 순전함은 음의 나약함에 섞이지 않는 것이고, 순수함은 사악함에 섞이지 않는 것이니, 강건하고 중정함의 지극함이 순수하여 정미한 경지 도달했음을 말한다. 여섯 효는 곧 여섯 자리이다. 효가 움직이면 발휘되어 소통할 수 있기 때문에 시작과 끝을 크게 밝힌다. 여섯 자리는 때에 따라서 성립이 되기 때문에 이 여섯 용에 올라타서 하늘을 다스릴 수 있다. 구름이 떠다니고 비가 내리는 것은 하늘의 도가 변화하는 것이다. 천하가 화평하게 되기 때문에 모든 나라가 편안해진다.

○ 象傳, 先言雨施, 後言御天. 文言, 先言御天, 後言雨施, 互相見義. 此第五節, 復申前章之意.
「단전」에서는 먼저 비가 내린다고 말하고, 그 이후에 하늘을 다스린다고 말했다. 「문언전」에서는 먼저 하늘을 다스린다고 말하고, 그 이후에 비가 내린다고 말했으니, 서로 뜻을 드러냈다. 이는 제 5절이니, 다시 앞 장의 뜻을 거듭 설명하였다.

서유신(徐有臣) 『역의의언(易義擬言)』

六陽剛健, 二五中正, 旣純且粹, 全體其精, 无所駁雜, 純粹精也. 旁通情也, 同一語勢. 純粹精, 猶言全聚其精也, 所謂卦以象告者也. 六爻之義, 分別推廣直達旁通, 各效其情, 无復餘蘊, 所謂爻以情言者也. 是故行其六陽, 以用天道也. 雲行雨施, 元亨也. 天下平, 利貞也. 乾始能以美利利天下, 故萬國咸寧, 是謂乾元之始而亨而利而貞也.
여섯 양이 강건하고, 이효와 오효가 중정이 되어 이미 순수하고, 그 정미함을 온전히 하여 잡스러운 것이 없으니, 순수함이 정미한 것[純粹精也]이다. 두루 실정에 통하는 것[旁通情也]이라는 것도 말의 기세가 같다. 순수함이 정미하다는 것은 그 정미함을 온전히 모았다고 말하는 것과 같으니, 이른바 괘가 상을 통해서 말한다는 뜻과 같다. 육효의 뜻을 분별하고 미루어서 넓히며, 직접 소통하여 두루 통하게 되어 각각 그 실정을 따라 더 이상 남은 뜻이 없으니, 이른바 효가 실정을 통해서 말한다는 뜻과 같다.[535] 이러한 까닭으로 여섯 개의 양을 시행하며, 하늘의 도를 사용하는 것이다. 구름이 떠다니고 비가 내리는 것은 원(元)과 형(亨)에 해당한다. 천하가 화평함은 이(利)와 정(貞)에 해당한다. 건의 시작은 아름다운 이로움으로써 천하를 이롭게 할 수 있기 때문에 모든 나라가 평안하게 되니, 이것은 건원이 시작하여 형통하게 되고, 이롭게 되며, 바르게 된다는 뜻이다.

---

535) 『易·繫辭』: 八卦以象告, 爻象以情言, 剛柔雜居, 而吉凶可見矣.

박문건(朴文健)『주역연의(周易衍義)』

時乘六龍, 指二聖而言, 雲行雨施, 指乾元而言.

때로 여섯 용을 탄다는 것은 두 성인을 가리켜서 말하였고, 구름이 떠다니고 비가 내린다는 말은 건원을 가리켜 말하였다.

○ 此申彖傳之正義.

이는 「단전」의 바른 뜻을 거듭 설명하였다.

김기례(金箕澧)「역요선의강목(易要選義綱目)」

時乘六龍, 以御天, 雲行雨施, 天下平.

때로 여섯 용을 타고 하늘을 다스리니, 구름이 흘러가고 비가 내려 천하가 화평하다.

聖人乘六爻之宜, 應運御極, 如天之雲雨以時, 天下和平, 全指九五.

성인이 합당한 육효에 올라타서 호응하고 운행함이 지극해지니, 마치 하늘이 구름과 비를 때에 알맞게 운행하여 천하가 화평하게 되는 것과 같다. 오로지 구오를 가리킨다.

오치기(吳致箕)「주역경전증해(周易經傳增解)」536)

此承上節, 而贊歎聖人體乾之亨貞也. 以體則剛, 以性則健, 其行无過不及, 其立无偏无倚. 有此剛健中正之德而至極, 故不雜於陰柔, 而有純粹之盛精, 又純粹之極者也. 六位皆有其象, 而各自發揮, 卽曲盡其情而旁通者也. 時乘六龍以行于天, 而雲行雨施以致天下之平, 卽聖人之體天者也.

이것은 위의 절을 이어서 성인이 건의 '형통함과 곧음[亨貞]'을 체득함을 찬탄한 것이다. 몸체는 굳세고 본성은 굳건하여 그 행실에 지나침도 없고 부족함도 없으니, 있는 자리가 치우치거나 기울어지지 않았다. 여기에 강건하고 중정한 덕이 있어서 지극하기 때문에 음(陰)의 유약함과 섞이지 않았고, 순수함이 성대하고 정밀함이 있었기에 또 순수함에 지극한 것이다. 여섯 자리는 모두 그 상(象)이 있어서 각자가 발휘되니 곧 그 실정을 곡진히 하여 널리 통하는 것이다. 때로 여섯 용을 타고 하늘로 나아가서 구름이 떠다니고 비가 내려서 천하가 태평해지니, 곧 성인이 하늘을 체득하는 것이다.

---

536) 경학자료집성DB에서는 건괘 상구에 해당하는 것으로 분류했으나, 내용에 따라 이 자리로 옮겼다.

이병헌(李炳憲) 『역경금문고통론(易經今文考通論)』

此節論乾元之義, 而曰始而亨, 曰利貞者性情, 敍象餘意, 而利言其情, 貞者其性也. 乾始, 不言所利, 無所不利也. 剛健中正純粹精, 列乾之七德也. 六爻發揮, 旁通情, 卽六位時成也, 遂及于天下平. 而乃統天三字, 留而不發, 無用之用, 大矣.

이 절에서는 건원의 뜻을 논의하여 시작하여 형통하다고 말하고, 곧음이 이로운 것이 성정이라고 한 것은 「단전」의 남은 뜻을 서술하였으니, 이로움은 그 정(情)을 말하며, 곧음은 곧 그 본성이기 때문이다. 건시(乾始)에 대해서 이로운 바를 언급하지 않은 것은 이롭지 않은 것이 없기 때문이다. 강(剛)・건(健)・중(中)・정(正)・순(純)・수(粹)・정(精)은 건(乾)의 일곱 가지 덕을 열거한 것이다. 육효를 발휘하여 실정이 사방으로 널리 통한다고 했는데, 이것은 여섯 자리가 때에 알맞게 완성되어 마침내 천하가 화평한 데에 도달한 것이다. '내통천(乃統天)' 세 글자는 머물러 발로되지 않은 것이니, 작용이 없는 쓰임이 크도다.

君子以成德爲行, 日可見之行也. 潛之爲言也, 隱而未見, 行
而未成, 是以君子弗用也.

정전 군자는 덕을 이룸을 행실로 삼으니, 날로 볼 수 있는 것이 행실이다. 잠(潛)이란 말은 숨어서
　나타나지 않으며 행하여도 아직 이루어지지 않음이다. 이 때문에 군자가 쓰지 않는다.
본의 군자는 이루어진 덕을 행실로 삼으니, 날로 볼 수 있는 것이 행실이다. 잠(潛)이란 말은 숨어서
　나타나지 않으며 행하여도 아직 이루어지지 않음이다. 이 때문에 군자가 쓰지 않는다.

中國大全

傳

德之成, 其事可見者, 行也. 德成而後可施於用, 初方潛隱未見, 其行未成, 未成,
未著也, 是以君子弗用也.

덕이 이루어짐에 그 일을 볼 수 있는 것은 행실이다. 덕이 이루어진 뒤에야 쓰임에 베풀 수 있는데
초효는 잠기고 숨어서 나타나지 않아 그 행실이 이루어지지 않았으니, 이루어지지 않았으면 드러나
지 못한다. 이 때문에 군자가 쓰지 않는다.

本義

成德, 已成之德也. 初九, 固成德, 但其行未可見爾.

'성덕(成德)'은 이미 이루어진 덕이다. 초구는 본래 덕을 이루었지만, 다만 그 행실이 아직 볼 수
없을 뿐이다.

小註

朱子曰, 德者, 行之本. 君子以成德爲行, 言德則行在其中矣. 德者, 得之于心, 行出來

方見, 這便是行.

주자가 말하였다: 덕은 행실의 근본입니다. 군자는 이루어진 덕을 행실로 삼으니, 덕을 말했다면, 행실은 그 안에 있습니다. 덕은 마음에서 얻어 밖으로 행하여야 드러나니, 이것이 곧 행실입니다.

問, 行而未成, 如何.

물었다: '행하여도 아직 이루어지지 않았다'는 것은 무슨 뜻입니까?

曰, 只是事業未就.

답하였다: 사업이 성취되지 않은 것일 뿐입니다.

問, 乾六爻, 皆聖人事, 安得有未成. 伊川云未成是未著, 莫是如此否.

물었다: 건의 여섯 효는 모두 성인의 일인데, 어떻게 완성되지 못한 것이 있을 수 있습니까? 정이천은 이루어지지 않았다는 것은 드러나지 않은 것이라고 했는데, 이러한 뜻은 없습니까?

曰, 雖是聖人, 畢竟初九, 行而未成.

답하였다: 비록 성인이라 하더라도 결국 초구는 행하여도 완성되지 않습니다.

問, 此只論事業, 不論德否.

물었다: 이것은 사업에 대해서만 논의한 것이고, 덕에 대해서는 논의하지 않은 것입니까?

曰, 不消如此費力, 且如伊尹居有莘之時, 便是行而未成.

답하였다: 이처럼 힘들일 필요가 없습니다. 또한 이윤(伊尹)이 유신(有莘)에 거하고 있을 때와 같으니, 이것이 곧 행하여도 아직 이루어지지 않은 것입니다.

○ 雙湖胡氏曰, 德行, 以在身者而言, 見之行, 以在事者而言. 初九德成行立, 固自可以見之行事矣. 但其時位, 方當潛隱, 故其德行雖可見之行, 而時位未能成其所以行也. 是以爻辭以勿用言之.

쌍호호씨가 말하였다: 덕행은 자신에게 달려 있는 것으로써 말하였고, 볼 수 있는 행실은 일에 달려 있는 것으로써 말하였다. 초구는 덕이 이루어지고 행실이 성립되었으니 본래 일을 시행함을 볼 수 있다. 다만 시기와 자리가 은둔에 해당하기 때문에 그 덕행이 비록 볼 수 있는 행실이더라도, 시기와 자리가 그가 행하는 것을 완성시킬 수가 없다. 이 때문에 효사에서 '쓰지 말라'고 말한 것이다.

∥韓國大全∥

유정원(柳正源) 『역해참고(易解參攷)』

君子 [至] 未成.

군자는 … 아직 이루어지지 않았다.

梁山來氏曰, 君子以已成之德, 擧而措之于行, 則其事業之所就, 指日可見矣. 初九其德已成, 則日可見之行也, 而占者乃勿用何也? 蓋聖人出世有德有時, 人之所能者德, 所不能者時, 今初九雖德已成, 然時當乎潛也, 隱而未見. 故行而未成, 時位陋之也.

양산래씨가 말하였다: 군자가 이미 완성된 덕으로써 행동으로 옮긴다면, 그 사업의 성취를 머지않아 볼 수 있다. 초구에서 그 덕이 이미 완성이 되었다면 매일같이 그 행동을 볼 수 있는데, 점친 사람이 사용하지 말라고 한 것은 무엇 때문인가? 성인이 세상에 출현함에는 덕도 있고 때도 있다. 사람들이 할 수 있는 것은 덕이지만, 할 수 없는 것은 때이다. 지금 초구가 비록 덕을 이미 완성했다 하더라도 때는 잠겨있음에 해당하여 숨어서 드러나지 않는다. 그러므로 행하여도 이루어지지 않는 것은 때와 자리가 막혔기 때문이다.

○ 案, 君子之行, 自格致誠正, 至於治國平天下, 自戒懼愼獨, 至於位天地育萬物, 乃謂成德之行也. 初九之龍德, 不得其時, 不得其位, 潛藏隱晦, 其行未見. 未見則未成矣, 非謂德行之未成也.

내가 살펴보았다: 군자의 행동은 '대상을 연구함·앎을 완성함[格致]'과 '뜻을 성실히 함·마음을 바르게 함[誠正]'으로부터 '나라를 다스림[治國]'과 '천하를 화평하게 함[平天下]'에 이르며, '경계함·두려움[戒懼]'과 '삼감·신중함[愼獨]'으로부터 천지를 바르게 하고 만물을 기르는 것에 이르니, 곧 덕을 완성하는 행동이라고 말한다. 초구의 용의 덕은 그 때를 얻지 못하고 그 자리를 얻지 못하여 잠겨 숨어있고, 은밀하게 자취를 감추어서 그 행적이 드러나지 않는다. 드러나지 않음은 아직 이루지 않았다는 뜻이지, 덕행을 이루지 못했다는 뜻은 아니다.

김상악(金相岳) 『산천역설(山天易說)』

成德, 已成之德也. 行而未成, 謂事業未就也.

'성덕(成德)'은 이미 이루어진 덕이다. 행하여도 아직 이루어지지 않았다는 것은 사업이 아직 성취되지 않았음을 말한다.

○ 初九龍德而隱者也, 故言君子者再, 必君子而後, 能安於潛. 上九龍德而亢者也, 故言聖人者再, 惟聖人而後, 不至於亢.

초구는 용의 덕이지만, 숨은 사람이다. 그러므로 군자라는 말을 두 차례 반복한 것이니, 반드시 군자인 이후에야 잠겨 숨는 것에 편안할 수 있다. 상구는 용의 덕을 갖추고 있지만, 끝까지 올라간 사람이다. 그러므로 성인이라는 말을 두 차례 반복한 것이니, 오직 성인인 이후에야 끝까지 도달하지 않는다.

김귀주(金龜柱) 『주역차록(周易箚錄)』

本義, 成德, 已成之德, 云云.

『본의』에서 말하였다: ‘성덕(成德)’은 이미 이루어진 덕이다, 운운.

○ 按, 初九固成德, 但其行未可見, 此說固然. 然於經文, 君子以成德爲行之意, 卻不甚相貼. 窃謂成德二字意, 極包濶, 蓋以成己成物, 事業全備者而言, 如隱居以求其志, 猶未及於成德, 而必行義以達其道然後, 方可謂之成德. 德字亦不必訓以得之於己, 而與行對看. 夫子之意, 只是泛言君子以成己成物, 事業全備者爲行. 而今則潛隱未見, 便是未成德, 不可謂之行也云爾. 如是看意方通, 未知如何也. 當更商.

내가 살펴보았다: “초구는 본래 덕을 이루었지만, 다만 그 행실이 아직 볼 수 없을 뿐이다”라는 설명은 진실로 그러하다. 그러나 경문에서 군자의 ‘성덕(成德)’을 행실로 삼은 뜻과는 도리어 관계가 밀접하지 않다. 생각하건대, ‘성덕’ 두 글자의 뜻이 매우 포괄적이다. 자기를 완성하고 대상을 완성함으로써 사업을 온전히 갖춘 것으로 말하면, 마치 숨어서 그 뜻을 구하는 것이 ‘성덕’을 이룰 수 없는 것과 같으니, 반드시 의로움을 실천함[行義]으로써 그 도에 도달한 뒤에 비로소 ‘성덕’이라 할 만하다. ‘덕(德)’이라는 말도 반드시 자기에서 얻는 것으로 해석할 필요가 없고 ‘행실[行]’과 대비해서 보아야 한다. 공자의 뜻은 단지 군자는 자기를 완성하고 대상을 완성함으로써 사업을 온전히 갖춘 것을 행실로 삼는다고 일반적으로 말하였다. 그러나 지금 곧 잠기고 숨어서 드러나지 않으니 이는 바로 ‘성덕’도 아니고, ‘행실’이라 할 수도 없다고 말할 뿐이다. 이와 같이 보아야 뜻이 비로소 통할 수 있을 것 같은데, 어떤지 알지 못하겠다. 마땅히 다시 생각해보아야 한다.

小註, 朱子曰, 德者, 云云.

소주(小註)에서 주자가 말하였다: 덕(德)은, 운운.

○ 按, 不消如此費力, 云云, 以下, 朱子蓋於行而未成四字, 看得活了. 行而未成四字, 旣看得如是, 則成德二字, 恐亦當一例活看.

내가 살펴보았다: “이와 같이 힘 쓸 필요가 없다, 운운”이하에서 주자는 “행하여도 이루어지

지 않는다"는 말을 융통성 있게 해석하였다. "행하여도 이루어지지 않는다[行而未成]"네 글자를 이미 이와 같이 보았다면, '완성된 덕'이란 말도 같은 예로 융통성 있게 살펴야 할 것이다.

雙湖胡氏曰, 德行, 云云.
쌍호호씨가 말하였다: 덕행(德行)은, 운운.
○ 按, 胡說, 似以成德爲行, 行字爲在身之行, 日可見之行, 行字爲在事之行等. 是一行字, 而分而言之, 恐未穩.
내가 살펴보았다: 호씨의 주장은 "덕을 이룸을 행실로 삼고[以成德爲行]"에서의 '행실'을 자신에게 있는 행실로 삼고, "날마다 볼 수 있는 행실[日可見之行]"에서의 '행실'을 일에 있는 '행실'로 삼은 것 같다. 이 하나의 '행실'자를 나누어서 말하는 것은 온당하지 않은 것 같다.

박제가(朴齊家) 『주역(周易)』

行而未成.
행하여도 이루어지지 않는다.
傳, 未成, 未著也, 語差嫩, 所以本義確定已成之德. 但其行未可見一句, 亦未快懷癢處, 經固以可見爲行, 而以不見爲未成, 語極完, 無以復加. 而未成之成, 少不涉於成德之成矣.
『정전』에서는 "이루어지지 않았으면 드러나지 못한다"라고 하여 그 말이 불분명하므로 『본의』에서는 '이미 이루어진 덕'이라고 확정하였다. 다만 "행실이 아직 볼 수 없다"라는 한 구절은 또한 아직 뜻이 명쾌하지 못하다. 경문에서는 진실로 볼 수 있는 것을 행실로 삼고, 드러나지 않은 것을 아직 이루어지지 않은 것으로 여겼으니, 그 말이 매우 완전하여 다시 설명을 더할 필요가 없다. '미성(未成)'의 '성(成)'은 '성덕(成德)'의 '성(成)'과 조금도 관련이 없다.

問, 乾六爻, 皆聖人事, 安得有未成. 伊川云未成是未著, 莫是如此否.
물었다: 건의 여섯 효는 모두 성인의 일인데, 어떻게 완성되지 못한 것이 있을 수 있습니까? 정이천은 이루어지지 않았다는 것은 드러나지 않은 것이라고 했는데, 이러한 뜻은 없습니까?
曰, 雖是聖人, 畢竟初九, 行而未成.
답하였다: 비록 성인이라 하더라도 결국 초구는 행하여도 완성되지 않습니다.
問, 此只論事業, 不論德否.
물었다: 이것은 사업에 대해서만 논의한 것이고, 덕에 대해서는 논의하지 않은 것입니까?

曰, 不消如此費力, 且如伊尹居有莘之時, 便是行而未成.

답하였다: 이처럼 힘들일 필요가 없습니다. 또한 이윤(伊尹)이 유신(有莘)에 거하고 있을 때와 같으니, 이것이 곧 행하여도 아직 이루어지지 않은 것입니다.

案, 此答若舍不得德者, 經明言成德, 不言不成德, 則本義已成之德者是矣. 經明言行而未成, 不言德而未成, 而又明以可見爲行, 以釋行字. 蓋德者無時, 行者有時, 故爻有六而德則一. 經之所論者, 事之時也. 注之所答者, 德之時也. 所以致此窮極到底不破葫蘆. 夫占之用與不用, 專屬時位, 若德未成之時, 則初非占之可論矣. 蓋潛故民不信, 以其不信故曰行未成, 非以爲德之未成也.

내가 살펴보았다: 이곳에서 대답한 말은 덕에 대한 이해가 아쉬운데, 경문에서는 덕을 이룬 다고 명확하게 말했으며 덕을 이루지 못했다는 것에 대해서는 언급하지 않았으니, 『본의』에 나오는 이미 완성된 덕이 그것이다. 경문에서는 행하여도 아직 이루어지지 않았다고 분명히 말했고, 덕을 갖췄지만 아직 완성되지 않았다고는 말하지 않았으며, 또한 분명히 볼 수 있는 것을 행실로 삼음으로써 행(行)자의 뜻을 풀이하였다. 덕이라는 것은 시(時)가 없고, 행(行)이라는 것에 시(時)가 포함된다. 그러므로 효에는 여섯 가지가 있지만, 덕은 한 가지이다. 경문에서 논의한 것은 일에 대한 시(時)에 해당한다. 주석에서 답한 것은 덕의 시(時)에 해당하는데, 그래서 이 궁극에 이르러서도 문제를 전혀 해결하지 못했다. 점에서 사용하고 사용하지 않음은 전적으로 시위(時位)에 달린 것이니, 만약 덕이 아직 이루어지지 않았을 때라면, 애초에 점을 논의할 수 있는 것이 아니다. 잠겨 있기 때문에 백성들이 믿지 않았던 것이니, 믿지 않기 때문에 행실이 아직 이루어지지 않았다고 말한 것이지, 이것을 덕이 아직 이루어지지 않은 것으로 생각한 것이 아니다.

서유신(徐有臣) 『역의의언(易義擬言)』

行, 猶用也. 君子者, 成德之稱, 其平居云爲之間, 日日而可見者, 莫非其德之用也. 是足以擧而措之邦國天下也. 但潛之一言, 蓋以身之潛德之潛而爲言也. 時則方遯於世, 而道未遽顯矣. 時則方不見, 是而功未遽就矣. 是以君子非無其用, 特不肯出而用之也.

행실은 쓰임과 같다. 군자는 덕을 이룬 자의 칭호이니, 그가 평상시 거처하며 말하고 행동하는 사이에 날마다 볼 수 있는 것은 그 덕에 따른 쓰임이 아닌 것이 없다. 이것은 그 행실을 들어서 나라와 천하에 적용할 수 있는 것이다. 다만 잠긴다는 말은 몸이 잠겨 있고, 덕이 잠겨 있는 것으로써 말하였다. 때가 세상에서 운둔해야 한다면, 도는 급작스럽게 드러나지 않는다. 때가 드러나지 않는다면, 이것은 그 공을 아직 이루지 못한 것이다. 이 때문에 군자는 그 쓰지 않음이 없지만, 다만 밖으로 나와서 사용하는 것을 즐겨 하지 않는다.

박문건(朴文健) 『주역연의(周易衍義)』

見之之疑當作者.

'견지(見之)'에서의 '지(之)'자는 아마도 '자(者)'자가 되어야 할 것 같다.

○ 成德, 已成之德, 成其德於天下者也. 是以君子弗用, 其潛隱也.

'성덕(成德)'은 이미 이루어진 덕이니, 천하에서 그 덕을 완성하는 것이다. 이 때문에 군자가 사용하지 않는 것은 잠겨 있고 숨어 있기 때문이다.

〈問, 見之之字, 與漸卦象傳漸之之字, 疑皆者字之誤也歟. 曰, 然.

물었다: '견지(見之)'에서의 '지(之)'자와 점괘(漸卦)「단전」에 나온 '점지(漸之)'에서의 '지(之)'자[537]는 모두 '자(者)'자의 오자로 의심이 되지 않습니까?

답하였다: 그렇습니다.〉

〈○ 問, 隱而未見, 行而未成. 曰, 隱而未著, 故雖有德, 其行未成也.

물었다: "숨어서 나타나지 않으며 행하여도 아직 이루어지지 않는다"는 무슨 뜻입니까?

답하였다: 숨어서 드러나지 않기 때문에 비록 덕을 가지고 있지만, 그 행실이 이루어지지 못합니다.〉

이항로(李恒老)「주역전의동이석의(周易傳義同異釋義)」

按, 朱子曰, 乾卦六爻, 文言皆以聖人名之, 有隱顯而无淺深也. 與此相表裏, 淺深指德而言, 隱顯指行而言. 蓋舜耕歷山, 摯在有莘之時, 固无未成之德, 而但行未見於天下, 澤未被於萬民, 是所謂隱而未見, 行而未成也. 然成德之見於外者行也, 日進月積, 自有不已之勢, 未見未成之未字, 卽將然而未然之謂也. 又與繫辭成性存存道義之門, 語勢略同, 成德卽成性之謂也. 曰可見之行, 卽存存道義門之謂也.

내가 살펴보았다: 주자는 "건괘의 육효를 「문언전」에서는 모두 성인으로써 명명하였으니, 숨어 있고 드러남은 있어도 깊고 얕은 차이는 없다"고 했는데, 이곳 문장과 서로 표리를 이루니, 깊고 얕음이라는 것은 덕을 가리켜서 한 말이고, 숨어 있고 드러난다는 것은 행동을 가리켜서 한 말이다. 순임금이 역산(歷山)에서 농사를 짓고, 지(摯)가 유신(有莘)에 머물러

---

537) 『易·漸卦』: 象曰, 漸之進也, 女歸吉也. 進得位, 往有功也, 進以正, 可以正邦也. 其位, 剛得中也, 止而巽, 動不窮也.

있을 때에는 진실로 아직 이루어지지 않은 덕이 없었지만, 천하에 그 행실이 아직 드러나지 않은 것이고, 그 은택이 모든 백성들에게 입혀지지 않았으니, 이것이 이른바 숨어서 드러나지 않는다는 것이며, 행실이 이루어지지 않았다는 뜻이다. 그러나 이루어진 덕이 밖으로 드러나는 것은 행실이니, 날로 나아가고 달로 쌓여서, 스스로 그만둘 수 없는 기세를 가지고 있다. '아직 드러나지 않고[未見]', '아직 이루어지지 않았다[未成]'고 했을 때의 '미(未)'자는 곧 장차 그렇게 되려고 하지만, 아직 그렇지 않다는 뜻이다. 또한 「계사전」에서 "이루어진 성품을 보존하고 보존하는 것이 도의의 문"이라고 한 것538)과 어세가 대체적으로 동일하니, 이루어진 덕은 곧 이루어진 성품을 말한다. 날로 볼 수 있는 행실은 곧 보존하고 보존하여 도의의 문이 된다는 말이다.

심대윤(沈大允) 『주역상의점법(周易象義占法)』

初九, 成德而行矣. 但行而未成業, 故未見耳.

초구는 덕을 이루어서 행한다. 다만 행하되 아직 공업을 이루지 못하기 때문에 드러나지 않을 뿐이다.

오치기(吳致箕) 「주역경전증해(周易經傳增解)」539)

自此至終節, 復申象傳之意也. 行者德之用也, 成德爲行, 言成其德而爲用於世也. 日可見之行也者, 言日日見其成德之爲用, 然後乃可謂行也. 隱而未見, 言德雖可行而時未可行, 故隱其德而未見於世也. 行而未成, 言德可用而時未可見用. 故雖有成德而未可言成也.

여기서부터 마지막 절까지는 「상전」의 뜻을 다시 거듭 밝힌 것이다. '행'은 덕의 쓰임이니, "이루어진 덕을 행실로 삼는다"는 것은 그 덕을 이루어 세상에 활용하는 것을 말한다. "날로 볼 수 있는 것이 행실"이란 매일매일 그 이루어진 덕이 활용됨을 보고 난 뒤에 '행실[行]'이라고 이를만하다는 것을 말한 것이다. "숨어서 나타나지 않는다"는, 덕을 실천할 수 있으나 아직 실천할 만한 때가 되지 않았기 때문에 그 덕을 숨기고 세상에 드러내지 않음을 말한다. "행하여도 이루어지지 않음"은 덕을 쓸 만하나, 아직 쓸 만한 때가 되지 않았다는 말이다. 그러므로 이루어진 덕은 있으나 이루었다고 말할 수 없는 것이다.

---

538) 『易・繫辭』: 子曰, 易其至矣乎. 夫易, 聖人所以崇德而廣業也. 知崇禮卑, 崇效天, 卑法地. 天地設位, 而易行乎其中矣. 成性存存, 道義之門.

539) 경학자료집성DB에서는 건괘 상구에 해당하는 것으로 분류했으나, 내용에 따라 이 자리로 옮겼다.

君子, 學以聚之, 問以辨之, 寬以居之, 仁以行之, 易曰, 見龍
在田利見大人, 君德也.

군자는 배움으로 지식을 모으고 물음으로 분별하며 너그러움으로 거처하고 어짊으로 행하니,『주역』
에서 말하기를 "나타난 용이 밭에 있으니 대인을 보는 것이 이롭다"고 하니, 임금의 덕이다.

中國大全

傳

聖人在下, 雖已顯而未得位, 則進德修業而已. 學聚問辨, 進德也, 寬居仁行, 修業
也. 君德已著, 利見大人而進以行之耳. 進居其位者, 舜禹也, 進行其道者, 伊傳也.

성인이 아랫자리에 있으니 비록 이미 드러났으나 지위를 얻지 못한 것이다. 그렇다면 '덕을 기르고
학업을 닦을' 뿐이다. 배움으로 지식을 모으고 물음으로 분별함은 덕을 기르는 것이다. 너그러움으로
머물고 어짊으로 행함은 학업을 닦는 것이다. 임금의 덕이 이미 드러났으니, 대인을 만나보고 나아가
도를 행하는 것이 이롭다. 나아가 그 자리에 있는 이는 순(舜)임금과 우(禹)임금이었고, 나아가 그
도를 행한 이는 이윤(伊尹)과 부열(傅說)이었다.

本義

蓋由四者, 以成大人之德. 再言君德, 以深明九二之爲大人也.

대체로 네 가지[學·問·寬·仁]로 말미암아 대인의 덕을 이룬다. '임금의 덕'이라고 두 번 말한 것
은 구이가 대인이 됨을 깊이 밝힌 것이다.

小註

朱子曰, 學以聚之, 問以辨之, 旣探討得當, 且放頓寬大田地, 得觸類, 自然有會合處,

故曰寬以居之.

주자가 말하였다: 배움으로 지식을 모으고 물음으로 분별하여 이미 탐구하던 것을 얻고, 또 관대한 경지에 도달하여 마땅히 부류를 널리 접촉한다면 자연스럽게 깨닫는 것이 있을 것이다. 그러므로 "너그러움으로 거처한다"고 하였다.

○ 廣平游氏曰, 乾之道不盡於九二, 故有學問之功. 坤之道盛於六二, 故不習无不利.

광평유씨가 말하였다: 건(乾)의 도는 구이에서 극진하지 않기 때문에 학문의 공이 있고, 곤(坤)의 도는 육이에서 번성하기 때문에 '익히지 않아도 이롭지 않음이 없는'[540] 것이다.

○ 進齋徐氏曰, 德者, 人所得於天之理, 雖我之所固有, 然亦未嘗不散在事事物物之間, 苟不務學, 則无以會聚衆理而有諸已也. 學而弗問, 亦无以辨別衆理使之, 條件不紊, 而精粗本末或不知所擇也. 學聚矣, 問辨矣, 必有涵養寬裕之意 自莫匪從容中道之妙. 故橫渠張子云, 心大則百物皆通, 心小則百物皆病, 必寬以居之, 則吾之所以學聚問辨者, 常見其與心爲一矣. 然仁者, 心之全德生生而不窮也. 德至于仁, 與天同運, 无一息間斷, 則吾之所居者, 固非徒大而无實, 亦非固守而不化者也. 此仁以行之乃學問之極功, 君子之成德也.

진재서씨가 말하였다: 덕은 사람이 하늘로부터 얻은 이치이니, 비록 나에게 본래부터 있는 것이지만 일찍이 사물들 사이에 흩어져 있지 않은 적이 없다. 만일 배움에 힘쓰지 않는다면, 뭇 이치를 모아서 자기에게 보존할 수 없다. 배우되 묻지 않는다면, 또한 뭇 이치를 분별하여 각 조리들을 문란하지 않게 할 수 없어 정밀함과 거침, 근본과 말단에 대해 택할 바를 모르게 될 것이다. 배워서 모으고 물음으로 분별함에 반드시 관대함을 함양할 수 있는 뜻이 있어 스스로 넉넉하고 중도(中道)의 묘한 이치에 따르지 않음이 없게 된다. 그러므로 장횡거는 마음이 크면 만물이 모두 소통되고, 마음이 작으면 만물이 모두 병폐가 된다고 하였다. 반드시 너그러움으로 거하면, 내가 배워서 모으고 물음으로 분별한 것들이 항상 드러나서 마음과 함께 일치가 된다. 그러나 어짊이라는 것은 마음의 온전한 덕이고, 낳고 낳아서 다하지 않는 것이니, 덕이 어짊에 이르러 하늘과 함께 운행하고, 조금이라도 틈이 없다면 내가 거하는 것이 진실로 크기만 하고 실질이 없는 일이 아니고, 또한 고집스럽게 지키기만 하여 변화하지 못하는 일이 아니다. 어짊으로써 행하는 것이 곧 학문의 지극한 공이며, 군자가 덕을 완성하는 일이다.

○ 臨川吳氏曰, 學聚之以知其理, 仁行之以行其事, 問辨之以審別所當行于學聚之後,

---

540) 『周易·坤卦』: 六二, 直方大, 不習无不利.

寬居之以存貯所已知於仁行之先. 寬之所居, 卽學之所聚者, 仁之所行, 卽問之所辨者.
임천오씨가 말하였다: 배워 지식을 모아서 그 이치를 알고 어질게 행하여 그 일을 시행하며, 배워서 모은 뒤에 묻고 분별하여 마땅히 행해야 할 것을 자세하게 분별하고, 어짊을 행하기 이전에 너그러이 머물러 이미 알고 있는 것을 온축해야 한다. 관대함으로 거할 것은 바로 배워서 모을 것이고, 어짊으로써 행할 것은 바로 물음으로 분별할 것이다.

韓國大全

김장생(金長生) 『경서변의(經書辨疑)-주역(周易)』

君子, 學以聚之.
군자는 배움으로 지식을 모으고,
本義, 四者.
『본의』에서 말하였다: 네 가지로 말미암아 …
四者, 指學聚, 問辨, 寬居, 仁行.
네 가지는 "배움으로 지식을 모으고 물음으로 분별하며, 너그러움으로 거처하고 어짊으로 행한다"를 가리킨 것이다.

심조(沈潮) 「역상차론(易象箚論)」

學以聚之, 寬以居之.
배움으로 지식을 모으고 너그러움으로 거처하고
聚是畜底意, 蓋博學而多聞多識之意也. 寬是恢大心量, 從容緩裕之意. 居卽貯在之意, 非寬則學之所聚者, 無湊泊處矣.
취(聚)는 쌓는다는 뜻이니, 널리 배우고 많이 듣고 많이 기억하는 뜻이다. 관(寬)은 매우 큰 도량이니, 침착하고 너그럽다는 뜻이다. 거(居)는 곧 쌓여 있는 뜻이니, 너그럽지 않으면 배워서 쌓여진 것들이 머무를 곳이 없다.

유정원(柳正源) 『역해참고(易解參攷)』

君子 [至] 君德.

군자가 … 임금의 덕이다.

梁山來氏曰, 民受天地之中以生, 苟非學聚問辨有此致知工夫, 寬居仁行有此力行工夫, 安能體此龍德之正中哉. 聚者, 多聞多見以會聚, 此正中之理也. 辨者, 講學也. 親師取友, 辨其理之精粗本末得失是非, 擇其正中者從之也. 寬者, 優游厭飫, 勿忘勿助, 俾所聚所辨, 此理之畜於我者, 瀜會貫通, 无强探力索凌節欲速之患也. 蓋寬者, 以久遠言, 有從容不迫之意, 非專指包含也. 居者, 守也, 據也, 仁以行之者, 无適而非天理之公, 而无一毫意必固我之私也. 蓋辨者, 辨其所聚, 居者, 居其所辨, 行者, 行其所居. 故寬以居之, 而後方可仁以行之. 有是四者, 宜乎正中之德, 博而化矣.

양산래씨가 말하였다: 백성은 천지의 중(中)을 받아서 태어났으니, 진실로 배워 모으고 묻고 변별하여 이러한 앎을 완성하는 공부를 갖추고, 너그럽게 거처하고 어질게 행동하여 이러한 힘써 행하는 공부를 갖추지 않는다면, 어떻게 이러한 용의 덕의 정중(正中)을 체득할 수 있겠는가? 모음은 많이 보고 많이 들어서 모을 수 있는 것이니, 이것이 정중의 이치이다. 변별은 학문을 익힘이니, 스승을 섬기고 벗을 얻어서 그 이치의 자세함과 거침, 근본과 말단, 얻음과 잃음, 옳음과 그름을 변별하는 것이니, 그 정중한 것을 택하여 따르는 것이 아니다. 너그러움은 편안하게 지내며 만족하여 잊지도 않고 조장하지도 않으며 모으고 변별한 것으로 하여금 이러한 이치가 나에게 길러져 융회하고 관통하여 억지로 탐구하고 애써 찾으며 절차를 무시하고 빨리 하고자 하는 우환이 없다. 너그러움은 오래되고 원대하다는 말이며, 침착하여 급박하지 않다는 의미로서, 포용한다는 뜻만을 가리키는 것이 아니다. '거처한다[居]'는 것은 지킨다는 뜻이며 의거한다는 뜻이니, 어짊으로써 행하는 것은 어디 간들 천리(天理)의 공변됨이 아닌 것이 없고, 한 터럭이라도 자신을 고집하는 사사로움이 없다. 변별은 그 취합한 것을 변별함이며, 거함은 변별한 것에 머무르는 것이고, 행함은 거하는 자리대로 행함이다. 그러므로 너그러움에 거처하고, 그런 이후에야 어짊을 행할 수 있다. 이 네 가지를 갖춘다면, 정중의 덕에 합당하게 되어 넓어지고 변화되는 것이다.

김상악(金相岳) 『산천역설(山天易說)』

言信行謹, 所以學聚而問辨也. 閑邪存誠, 所以寬以居之也. 善世德博, 所以仁以行之也.

말을 믿게끔 하고 행실을 삼가는 것은 배워서 모으고 물음으로 변별하는 방법이다. 사악한 것을 막고 정성을 보존하는 것은 너그러움으로 거처하는 방법이다. 세상을 좋게 만들고 덕을 넓게 베푸는 것은 어짊으로 행하는 방법이다.

김귀주(金龜柱) 『주역차록(周易箚錄)』

本義, 蓋由四者, 云云.

『본의』에서 말하였다: 네 가지로 말미암아, 운운.

小註, 進齋徐氏曰, 德者, 云云.

소주(小註)에서 진재서씨가 말하였다: 덕은, 운운.

○ 按, 學聚問辨寬居仁行, 自是學者之事, 但在聖人, 則無非極致. 徐氏混淪言之語, 多未精.

내가 살펴보았다: "배움으로 지식을 모으고 물음으로 분별하며 너그러움으로 거처하고 어짊으로 행한다"는 것은 당연히 배우는 자의 일이지만, 성인에 있어서는 지극하지 않음이 없다. 서씨가 크게 뒤섞어 설명한 말은 대부분 정밀하지 않다.

臨川吳氏曰, 學聚之, 云云.

임천오씨가 말하였다: 배움으로 지식을 모으고, 운운.

○ 按, 學聚問辨, 是格物致知底事, 寬居是大其心而涵養底事, 仁行是身體天理, 而無間斷做去底事. 四者以知行之序言, 則固若有先後, 而實學者之所當交須竝進, 不可以先後論者也. 今吳說, 只以學聚仁行分知行, 而又以問辨置之學聚之後, 寬居置之仁行之先. 如此則學未聚時, 便不須問辨, 寬未居時, 便不須仁行, 此是何㨾學問. 且以寬之所居爲學之所聚, 仁之所行爲問之所辨者, 破碎支離, 却不成義理.

내가 살펴보았다: '배움으로 지식을 모으고 물음으로 분별함'은 '사물의 이치를 연구하여 그 앎을 지극히 하는' 일이고, '너그러움으로 거처함'은 그 마음을 크게 하여 함양하는 일이며, '어짊으로 행함'은 몸소 천리를 본받아 끊임없이 실천하는 일이다. 이 네 가지는 '지행(知行)'의 순서로 말한 것이니, 곧 진실로 선후가 있을 것 같지만, 실제로 배우는 자들은 마땅히 모두 함께 행해야 하는 것이기에 선후로 논해서는 안 된다. 지금 임천오씨의 주장은 단지 '배움으로 모음'과 '어짊으로 행함'을 '지(知)'와 '행(行)'으로 나누고, 또 '물음으로 분별함'을 '배움으로 모음'의 뒤에 두며, '너그러움으로 거처함'을 '어짊으로 행함'의 앞에 두었다. 이와 같이 하면 배움으로 지식을 모으지 못했을 때는 곧 물음으로 분별할 필요가 없고, 너그러움으로 거처하지 못할 때에는 곧 어짊으로 행할 필요가 없으니, 이것이 어떤 모습의 학문인가? 또 '관대함으로 거처함'을 '배움으로 모음'으로 삼고, '어짊으로 행함'을 '물음으로 분별함'으로 삼는 것은, 너무 잘게 쪼개고 지루하여 도리어 의리가 이루어 지지 않는다.

서유신(徐有臣) 『역의의언(易義擬言)』

旣成德矣, 猶且學之問之, 此其爲大人爲君德也. 寬以居之, 裕綽自得也. 仁以行之, 德施及物也. 九二猶是未及奮庸之時, 故曰寬以居之.

이미 덕을 이루었는데도 여전히 배우고 물으니, 이 때문에 대인이 되고 임금의 덕이 된다.

너그럽게 거처함은 너그럽고 유순하게 하여 제 스스로 얻는다는 뜻이다. 어짊으로 행함은 덕을 베풀어서 만물에게 미친다는 뜻이다. 구이는 여전히 노력하고 힘쓰는 시기에 도달하지 못하므로 관대함으로써 거처한다고 말한다.

강엄(康儼) 『주역(周易)』

君子學以聚之 [止] 君德者[541].

군자가 배움으로 모으고 … 임금의 덕이란.

按, 學以聚之, 陰之闔也. 問以辨之, 陽之闢也. 寬以居之, 陰之靜也. 仁以行之, 陽之動也. 又以知行之始終言之, 則學聚問辨, 陽之始也, 寬居仁行, 陰之終也. 九二以陽居陰, 故其象如此.

내가 살펴보았다: 배움으로 모은다는 것은 음이 간직하는 것이다. 물음으로 변별한다는 것은 양이 열어주는 것이다. 관대함으로 거처하는 것은 음의 고요함이다. 어짊으로 행한다는 것은 양의 움직임이다. 또한 앎과 행동의 시작과 마침으로써 말한다면, 배움으로 모으고 물음으로 변별하는 것은 양의 시작이고, 관대함으로 거처하고, 어짊으로 행하는 것은 음의 마침이다. 구이는 양으로써 음에 거하기 때문에 그 상(象)이 이와 같다.

○ 又按, 此一節與大學相表裏, 學聚問辨, 卽格致之工也, 寬居, 卽誠正之謂也, 仁行, 卽修齊治平之事也.

또 살펴보았다: 이곳 한 절은 『대학』과 서로 표리 관계가 되니, 배움으로 모으고 물음으로 변별한다는 것은 곧 격치(格致)의 공부가 되고, 관대함으로 거처하는 것은 곧 성정(誠正)을 뜻하며, 어짊으로 행한다는 것은 곧 수신·제가·치국·평천하에 대한 일이다.

박문건(朴文健) 『주역연의(周易衍義)』

學則當問, 寬則必仁, 聚而後辨之, 居而後行之, 此四者君德之所由成也.

배우게 되면 마땅히 묻게 되고, 관대하면 반드시 어질게 되며, 모은 이후에야 변별하고, 거처한 이후에야 행하니, 이 네 가지는 임금의 덕(德)이 그로 말미암아 완성되는 것이다.

〈問, 學聚問辨, 寬居仁行. 曰, 以學聚之則博, 以問辨之則明, 以寬居之則裕, 以仁行之則順.

물었다: "배움으로 지식을 모으고 물음으로 분별하며 너그러움으로 거처하고 어짊으로 행한

---

541) 也: 경학자료집성DB에는 '者'로 되어 있으나 영인본에 근거하여 '也'로 바로잡았다.

다"는 무슨 뜻입니까?

답하였다: 배움으로 모으면 넓어지고, 물음으로 변별하면 명확해지며, 너그러움으로 거하면 여유로워지고, 어짊으로 행하면 순조롭게 됩니다.〉

이지연(李止淵) 『주역차의(周易箚疑)』

寬以居之, 似於陰位取象, 仁以行之, 似以陽爻取義也.

너그러움으로 거한다는 것은 음의 자리에서 상(象)을 취한 것과 비슷하며, 어짊으로 행한다는 것은 양효로써 뜻을 취한 것과 비슷하다.

김기례(金箕澧) 「역요선의강목(易要選義綱目)」

學問寬仁, 皆君子事, 而蓋仁爲陽道, 故特著於乾, 而統學問寬以行成己之道.

배우고 물으며 너그럽고 어진 것은 모두 군자의 일에 해당하는데, 어짊이라는 것은 양의 도이다. 그러므로 특별히 건에 드러내고, 배우고 물으며 관대하게 하는 것을 통괄하여, 자신을 완성하는 도를 행한다.

심대윤(沈大允) 『주역상의점법(周易象義占法)』

言九二學成以行之也. 〈再言君德, 以明君子之在下者, 德非不若於上, 其尊貴非不若於上, 善世俗之功同, 而特無位不得施之政事耳. 凡天下後世治亂之本在此. 故无位而在下, 亦得稱爲君子, 乃无位而有其德者也. 德者, 仁之施於人者也. 凡觀士之道術, 可以知是邦之隆替矣.〉

구이가 배우고 이루어서 행함을 말한다. 〈다시 임금의 덕을 말하여 군자가 아랫자리에 있지만, 그 덕은 윗자리에 있는 것과 같으며, 그 존귀함이 윗자리에 있는 것과 같아서 세속의 공을 선하게 하는 점에서는 같지만, 다만 지위가 없어서 베풀 수 있는 정사가 없음을 밝힌 것일 뿐이다. 천하와 후세가 다스려지고 어지러워지는 근본이 여기에 달려 있다. 그러므로 지위가 없어서 아랫자리에 머무는 자에 대해서도 또한 군자라고 지칭할 수 있으니, 여기에서 말하는 자 또한 지위는 없지만 그 덕을 가지고 있는 자이다. 덕이라는 것은 어짊을 남에게 베푸는 것이다. 선비들의 도와 방법을 살펴본다면, 나라의 융성과 침체를 알 수 있다.〉

오치기(吳致箕) 「주역경전증해(周易經傳增解)」[542]

學聚問辨, 進德之事, 而學聚在乎我, 問辨在乎師友. 寬居仁行, 修業之事, 而寬居以體言, 仁行以用言也. 此皆大人成德之盛, 而雖非君位, 已有君德者也.

'배움으로 모으고 물음으로 분별하는 것'은 덕을 기르는 일인데, 배움으로 모으는 것은 자신에게 달려 있으며, 물음으로 분별하는 것은 스승과 벗에게 달려 있다. '너그러움으로 거처하고 어짊으로 행하는 것'은 학업을 닦는 일인데, 너그러움으로 거처하는 것은 본체로 말했고 어짊으로 행하는 것은 작용으로 말했다. 이것은 모두 덕을 이룬 대인의 성대함으로, 비록 임금의 자리에 있지 않지만 이미 임금의 덕이 있음을 말한 것이다.

이병헌(李炳憲) 『역경금문고통론(易經今文考通論)』

學而聚之, 得其善而不失之謂也.

배워서 모은다는 것은 그 선함을 얻어서 잃지 않음을 말한다.

---

542) 경학자료집성DB에서는 건괘 상구에 해당하는 것으로 분류했으나, 내용에 따라 이 자리로 옮겼다.

九三, 重剛而不中, 上不在天, 下不在田. 故乾乾, 因其時而
惕, 雖危, 无咎矣.

구삼은 거듭된 굳셈이고 가운데에 있지 못하여 위로는 하늘에 있지 않고 아래로는 밭에 있지 않다.
그러므로 힘쓰고 힘써 때에 따라 두려워하면 비록 위태롭지만 허물이 없을 것이다.

‖中國大全‖

傳

三重剛, 剛之盛也. 過中而居下之上, 上未至於天而下已離於田, 危懼之地也.
因時順處, 乾乾兢惕, 以防危. 故, 雖危而不至於咎, 君子順時兢惕, 所以能泰也.

삼효는 거듭된 굳셈이니, 강함이 성대한 것이다. 가운데 자리를 지나 하괘의 위에 있어 위로는 아직
하늘에 이르지 못하고, 아래로는 이미 밭에서 떠났으니, 위태롭고 두려운 자리이다. 때에 따라 순순
히 대처하여 힘쓰고 힘쓰며 조심하고 두려워하여 위험을 방비한다. 그러므로 비록 위태롭지만 허물
에는 이르지 않는다. 군자가 때에 따라 순응하여 조심하고 두려워하기 때문에 편안할 수 있다.

本義

重剛, 謂陽爻陽位.

‘거듭된 굳셈’은 양효가 양의 자리에 있음을 말한다.

小註

節齋蔡氏曰, 下卦以二爲中, 上卦以五爲中. 三居二上, 過乎中也, 四居五下, 不及乎中
也. 在天五也, 在田二也. 三上未至于五, 下已離乎二, 而中處人位, 唯乾乾不息, 則雖
處危地而无咎矣.

절재채씨가 말하였다: 하괘에서는 이효를 중(中)으로 삼고, 상괘에서는 오효를 중(中)으로 삼는다. 삼효는 이효 위에 있으니 중(中)을 지나친 것이고, 사효는 오효 아래에 있으니 중(中)에 미치지 못한 것이다. 하늘에서는 오효이고, 땅에서는 이효인데, 삼효는 위로는 오효에 이르지 못하고 아래로는 이미 이효와 떨어져 있으며, 중간으로 사람의 자리에 있으니, 오직 힘쓰고 힘써 쉼이 없어야만 비록 위태로운 곳에 처하더라도 허물이 없게 되는 것이다.

┃韓國大全┃

김장생(金長生) 『경서변의(經書辨疑)-주역(周易)』

九三, 重剛.

구삼은 거듭된 굳셈이다.

本義, 以陽居陽位, 乃爲重剛. 程傳, 則下爻及本爻, 皆陽爲重剛. 乾卦及離卦大壯卦巽卦, 程傳並有重剛字.

『본의』는 양(陽)이 양의 자리에 있는 것을 바로 ‘거듭된 굳셈[重剛]’으로 여겼다. 『정전』은 초효와 본효[삼효] 모두 양을 ‘거듭 굳셈[重剛]’으로 여겼다. 『정전』의 건괘(乾卦☰)와 리괘(離卦☲)·대장괘(大壯卦☳)·손괘(巽卦☴)에는 모두 ‘거듭된 굳셈[重剛]’이란 글자가 있다.

유정원(柳正源) 『역해참고(易解參攷)』

九三 [至] 在田.

구삼이 … 밭에 있다.

梁山來氏曰, 三居下卦之上, 四居上卦之下, 交接處以剛接剛, 故曰重剛. 九三以時言, 九四以位言, 故曰乾乾, 因其時.

양산래씨가 말하였다: 삼효는 하괘에서 위에 있고, 사효는 상괘에서 아래에 있는데, 서로 이어지는 곳은 굳셈으로써 굳셈과 접했기 때문에 ‘거듭된 굳셈[重剛]’이라고 말했다. 구삼은 때로써 말했고, 구사는 자리로써 말했으므로 힘쓰고 힘써[乾乾] 때에 따른다고 말한다.

김상악(金相岳) 『산천역설(山天易說)』

重剛, 謂以陽居陽也. 不中, 謂三已過中也. 上不在天, 下不在田, 三居人位也.

거듭된 굳셈은 양이 양 자리에 있다는 말이다. 가운데 자리가 아님은 삼효가 이미 가운데를 지나쳤다는 말이다. 위로는 하늘에 있지 않고, 아래로는 밭에 있지 않음은 삼효가 사람의 자리에 있다는 것이다.

서유신(徐有臣) 『역의의언(易義擬言)』

重剛, 其德也. 不中, 其位也. 三四皆稱重剛, 虞氏重乾之說得矣. 大抵三四之重剛, 所以能乾乾能或躍也. 下體之上而非天, 上卦之下而非田, 不在天不在田而在於人, 故以君子言之也.

거듭된 굳셈은 그 덕이고, 가운데 자리하지 않음은 그 자리를 뜻한다. 삼효와 사효는 모두 거듭된 굳셈이라고 했는데, 이에 대해서는 우씨(虞氏)의 중건(重乾)에 대한 설명이 옳다. 대체적으로 삼효와 사효의 거듭된 굳셈은 힘쓰고 힘쓸 수 있는 것이며, 혹은 뛰어오를 수 있는 것이다. 하괘의 위에 있지만 하늘에 있는 것이 아니고, 상괘의 아래에 있지만 밭에 있는 것이 아니니, 하늘에 있지 않고 밭에 있지 않으며 사람에게 있다. 그러므로 군자로써 언급하였다.

박문건(朴文健) 『주역연의(周易衍義)』

重剛, 重乾也. 在天謂五, 在田謂二也. 處不中而兢惕, 故无咎.

거듭 굳센 것은 거듭된 건괘이다. 하늘에 있는 것은 오효이며, 밭에 있는 것은 이효이다. 알맞지 못한 곳에 처하였지만, 조심하기 때문에 허물이 없다.

이항로(李恒老) 「주역전의동이석의(周易傳義同異釋義)」

按, 傳以上下釋重. 本義以爻位釋重. 以本義例之, 則九四重剛之重字, 爲衍明矣, 而曰疑衍何也. 蓋易中以陽居陽以陰居陰, 謂之得位, 而未嘗以重剛重柔稱焉. 衆陰衆陽上下相承, 謂之剛過柔過, 而亦未嘗以重剛重柔稱焉. 此所以存疑而未斷也歟.

내가 살펴보았다: 『정전』에서는 상하에 따라서 거듭됨을 해석했고, 『본의』에서는 효의 자리에 따라서 거듭됨을 해석했다. 『본의』의 체제에 따른다면, 구사가 '거듭된 굳셈[重剛]'이라고 했을 때의 '중(重)'자는 잘못 들어간 글자가 분명한데, "아마도 잘못 들어간 글자인 것 같다"고 한 것은 어째서인가? 『주역』 중에 양이 양에 위치하고, 음이 음에 위치하는 것을 자리를 얻었다고 말하니, 일찍이 '거듭된 굳셈'이나 '거듭된 부드러움'이라고 지칭한 적이 없다. 여러 음과 여러 양은 상하가 서로 이어진 것을 '굳셈이 지나침[剛過]', '부드러움이 지나침[柔過]'이라고 하는데, 이것을 또한 '거듭된 굳셈'이나 '거듭된 부드러움'이라고 지칭한 적

이 없다. 이것이 바로 의심을 하고, 단정을 하지 않은 까닭일 것이다.

김기례(金箕澧) 「역요선의강목(易要選義綱目)」

重剛.

거듭 굳셈.

三以陽剛之才, 居陽剛之位.

삼효는 굳센 양의 재질로서 양강의 자리에 있다.

심대윤(沈大允) 『주역상의점법(周易象義占法)』

三四在上下體之交, 有重剛之義, 雖莊健之過中, 而時可以然者, 以居半上半下之地也.

삼효와 사효는 상하의 몸체가 교차하는 곳에 있으니, 거듭된 굳셈의 뜻을 가진다. 비록 씩씩하고 강건함이 중을 벗어났지만, 때에 알맞게 이처럼 할 수 있는 것은 절반은 위이고 절반은 아래의 지위에 머물고 있기 때문이다.

오치기(吳致箕) 「주역경전증해(周易經傳增解)」[543]

以爻言, 則以剛乘剛, 以卦言, 則以剛接剛, 故九三九四, 皆言重剛也. 九三, 上不及于天, 下已離於田, 而又此重剛不中, 乃危懼之時. 故因而能兢惕, 進德修業, 則雖處危, 而亦無咎矣.

효(爻)로 말하면 굳셈이 굳셈을 올라타는 것이고, 괘로 말하면 굳셈이 굳셈과 붙어있기 때문에 구삼과 구사는 모두 거듭 굳세다고 말하는 것이다. 구삼은 위로는 하늘에 미치지 못하고 아래는 이미 밭을 떠났지만 또 이것이 거듭 굳세고 가운데 있지 않으니 곧 위태로운 때이다. 그러므로 따라서 삼가고 조심하며 "덕을 기르고 학업을 닦으면" 비록 위험에 처하더라도 또한 허물이 없을 것이다.

이병헌(李炳憲) 『역경금문고통론(易經今文考通論)』

虞曰, 以乾接乾, 故曰重剛. 位非二五, 故不中也.

우씨가 말하였다: 건이 건에 접했기 때문에 굳셈이 거듭되었다고 말했다. 그 자리가 이효와 오효가 아니기 때문에 알맞지 않다.

---

543) 경학자료집성DB에서는 건괘 「상전」에 해당하는 것으로 분류했으나, 내용에 따라 이 자리로 옮겼다.

九四, 重剛而不中, 上不在天, 下不在田, 中不在人, 故, 或之.
或之者, 疑之也, 故无咎.

구사는 거듭된 굳셈이고 가운데에 있지 못하여 위로는 하늘에 있지 않고 아래로는 땅에 있지 않으며, 가운데로는 사람에 있지 않으므로 의혹하는 것이다. 의혹이란 의심하는 것이므로 허물이 없다.

中國大全

傳

四, 不在天, 不在田, 而出人之上矣, 危地也. 疑者, 未決之辭, 處非可必也. 或進或退, 唯所安耳, 所以无咎也.

구사는 하늘에 있지 않고 땅에도 있지 않으면서 사람의 위로 나왔으니 위험한 자리이다. 의(疑)는 아직 결정하지 못했다는 말이니, 대처를 반드시 할 수 있는 것이 아니다. 그러므로 혹 나아가고 혹 물러가서 오직 편안한 대로 할 뿐이니, 이 때문에 허물이 없다.

本義

九四, 非重剛, 重字, 疑衍. 在人, 謂三. 或者, 隨時而未定也.

구사는 거듭된 굳셈이 아니니, '중(重)'자는 아마도 잘못 들어간 글자인 것 같다. 사람에 있다는 것은 삼효를 이른다. 의혹이란 때에 따르고 정해지지 않은 것이다.

小註

雲峯胡氏曰, 九三九四當合看. 復之六四曰中行, 四居五陰之中也. 益之三四皆曰中行, 三與四居六爻之中也. 乾之三四亦居六爻之中, 而文言以不中稱之, 非但謂其不中也, 謂其重剛而不中爾. 蓋下乾之剛, 以二爲中, 三則重剛而過乎中, 上乾之剛以五爲

中, 四則重剛而不及乎中. 過則憂, 不及則疑. 然憂所當憂, 卒於无憂, 疑所當疑, 卒於
无疑, 此二爻所以皆无咎也.

운봉호씨가 말하였다: 구삼과 구사는 함께 살펴보아야 한다. 복괘(復卦)의 육사에서 "가운
데를 지나가지만"544)이라고고 한 것은 사효가 다섯 음의 가운데에 거한 것이다. 익괘(益卦)
의 삼효와 사효에서는 모두 '중(中)으로 행한다'545)고 했으니, 삼효와 사효는 여섯 효의 가운
데 자리에 있다. 건괘(乾卦)의 삼효와 사효 또한 여섯 효의 가운데에 거하는데, 「문언전」에
서 가운데 자리가 아니다[不中]라고 말한 것은, 다만 '가운데 자리가 아님[不中]'만을 말한
것이 아니라, 거듭된 굳셈으로 알맞지 않음을 말한 것이다. 하괘 건괘의 굳셈은 이효를 중
(中)으로 삼으니, 삼효는 굳셈을 거듭하고 가운데 자리를 지나친 것이며, 상괘 건괘의 강함
은 오효를 중(中)으로 삼으니, 사효는 굳셈을 거듭하고546) 가운데 자리에 미치지 못한 것이
다. 지나치면 근심하고, 미치지 못하면 의심한다. 그러나 마땅히 근심해야 할 것을 근심한다
면 마침내 근심이 없게 될 것이며, 마땅히 의심해야 할 것을 의심한다면 마침내 의심이 없게
될 것이니, 이것이 두 효가 모두 허물이 없는 이유이다.

‖韓國大全‖

유정원(柳正源) 『역해참고(易解參攷)』

九四 [至] 在人.

구사가 … 사람에 있다.

節齋蔡氏曰, 重剛謂重乾也. 以六爻之卦言之, 則三四居中以重剛, 三爻之卦言之, 則
二五爲中, 三四非中矣. 〈案, 小註雲峯說重剛, 亦此意.〉

절재채씨가 말하였다: 거듭된 굳셈은 거듭된 건[重乾]을 말한다. 육획괘로써 말하면 삼효와
사효는 거듭된 굳셈[重剛]으로써 가운데에 있고, 삼획괘로써 말하면 이효와 오효는 가운데
가 되고, 삼효와 사효는 가운데가 아니다. 〈내가 살펴보았다: 소주에서 운봉이 거듭된 굳셈
을 설명한 것도 이런 뜻이다.〉

---

544) 『周易・復卦』: 六四, 中行獨復.

545) 『周易・益卦』: 六三, 益之用凶事, 无咎, 有孚中行, 告公用圭. 六四, 中行告公從, 利用爲依遷國.

546) 본래 구사의 자리는 음의 자리에 양이 온 것이므로 '거듭된 굳셈[重剛]'이 아니나, 경문의 뜻에 따라 번역하였다.

○ 案, 四亦人位, 而謂不在人者, 指五天二田三君子而言也.

내가 살펴보았다: 사효는 인위(人位)인데도 사람에게 있지 않다고 말하는 것은 오효가 하늘, 이효가 밭, 삼효가 군자를 가리켜서 말했기 때문이다.

김상악(金相岳) 『산천역설(山天易說)』

上下皆乾, 故曰重剛. 四不及中, 故曰不中. 三四皆人位, 而四則近乎天位, 故曰中不在人. 或者, 疑而未定之辭, 然終必上進, 故得无咎也.

상하가 모두 건(乾)이므로 거듭된 굳셈이라고 말한다. 사효는 가운데에 이르지 못했기 때문에 가운데 자리가 아니라고 말한다. 삼효와 사효는 모두 인위(人位)에 해당하지만, 사효는 천위(天位)에 가깝기 때문에 가운데로는 사람에 있지 않다고 말한다. 의혹[或]은 의심스러워서 확정하지 못했다는 말인데, 마침내 반드시 위로 올라가게 되므로 허물이 없을 수 있는 것이다.

김귀주(金龜柱) 『주역차록(周易箚錄)』

本義, 九四非重剛, 云云.

『본의』에서 말하였다: 구사는 거듭된 굳셈이 아니니, 운운.

小註, 雲峰胡氏曰, 九三, 云云.

소주(小註)에서 운봉호씨가 말하였다: 구삼과, 운운.

○ 按, 九三九四合看, 云云. 其意蓋欲以乾之九三九四, 從復益之例, 而謂之中. 而若其不中, 則乃由於重剛之故也云爾, 此甚未安. 夫易之取義, 不一其端. 復益三四通一卦言, 而謂之中, 乾之三四, 各就上下卦言, 而謂之不中, 意自不同, 何必相準, 況重剛與不中, 各是一義. 重剛者, 以陽爻居陽位之謂也, 不中者, 非二非五之謂也, 非謂重剛, 故不中也. 九四重剛重字, 本義疑衍, 而今乃混論, 亦未知何故. 大抵胡說多錯, 以下文下乾以二爲中, 上乾以五爲中云云觀之, 則似非不知中字之義者. 而必引復益爲說, 不覺其前後之矛盾, 良可異也. 〈又按, 以復益本義考之, 則復之六三, 只取衆陰之中, 而謂之中, 益之三四, 皆不得中, 故皆以中行爲戒. 然則二卦中行之云, 亦實非中者可知也.〉

내가 살펴보았다: "구삼과 구사를 합해서 살펴보면, 운운"한 것은, 그 뜻이 건괘의 구삼과 구사를 가지고 복괘(復卦䷗)[547]와 익괘(益卦䷩)[548]의 사례를 따르고자 하여 '중(中)'이라

---

547) 『周易·復卦』 六四: 中行獨復.

548) 『周易·益卦』 六三: 益之用凶事, 无咎, 有孚中行, 告公用圭. 益卦 六四: 中行告公從, 利用爲依遷國.

하였다. 그런데 그것이 중(中)이 아닌 것은 바로 '거듭된 굳셈[重剛]'이기 때문이라고 말했을 뿐이니, 이것은 매우 적절하지 않다. 『주역』에서 뜻을 취한 것은 하나의 단서만이 아니다. 복괘와 익괘의 삼·사효는 한 괘를 통괄해서 말하면서 그것들을 중(中)이라고 했고, 건괘의 삼·사효는 각기 상·하괘를 취하여 말하면서 그것들을 부중(不中)이라고 하여 의미가 본래 같지 않은데, 어째서 굳이 그것들을 서로 맞추려 하는가? 하물며 '거듭된 굳셈'과 '부중'은 각기 하나의 뜻이다. '거듭된 굳셈'은 양효가 양의 자리에 있다는 말이고, '부중'은 이효도 아니고 오효도 아니라는 말이다. '거듭된 굳셈'이라 하지 않기 때문에 '부중'인 것이다. 구사의 '거듭된 굳셈[重剛]'에서 '거듭[重]'자를 『본의』에서는 쓸데없이 붙여진 것으로 여겼는데, 이제는 섞어서 논하니, 또한 무슨 까닭인지 모르겠다. 운봉호씨의 주장은 대부분 어지럽지만 "하괘 건에서의 이효를 '중'으로 여기고 상괘 건에서의 오효를 '중'으로 여긴다"고 말한 아래의 글로 보면 '중'자의 뜻을 모르지는 않는 것 같다. 그런데 굳이 복괘와 익괘를 인용하여 설명하면서 그 전후의 모순을 깨닫지 못했으니 정말 이상하다. 〈또 내가 살펴보았다: 복괘와 익괘를 『본의』로 고찰하면, 복괘의 육삼효는 단지 여러 음의 '중'에서 취하여 '중'이라 하였고, 익괘의 삼·사효는 모두 '중'을 얻지 못하였기 때문에 모두 '중행(中行)'으로 경계를 삼은 것이다. 그렇다면 두 괘에서 '중행(中行)'이라 말한 것은 역시 실제로는 '중'이 아님을 알 수 있다.〉

서유신(徐有臣)『역의의언(易義擬言)』

下卦之上而非天, 上體之下而非田, 両體之中而過乎三, 不在天不在田不在人而在於淵也. 若是者, 躍之故也. 龍有當躍之龍, 時有宜躍之時, 故曰或. 或者, 未必盡然之辭, 蓋疑其不在天不在田不在人也. 九四爲當躍之龍, 宜躍之時, 故无咎也. 〈苟其躍之非時宜也, 則是當有咎也.〉

하괘의 위에 있지만 하늘에 있는 것은 아니며, 상괘의 아래에 있지만 밭에 있는 것이 아니며, 두 괘의 중간에 있지만 삼효를 벗어났으니, 하늘에 있지 않고 밭에 있지 않으며 사람에 있지 않고, 연못에 있다. 이와 같은 것은 뛰어오르기 때문이다. 용에는 마땅히 뛰어올라야 하는 용이 있고, 때에는 마땅히 뛰어올라야 하는 때가 있다. 그러므로 혹(或)이라고 말하였다. 혹(或)이라는 것은 모두 그렇다고 할 수 없을 때 쓰는 말이니, 대체로 하늘에 있지 않고 밭에 있지 않으며 사람에 있지 않다고 의심한다는 뜻이다. 구사는 마땅히 뛰어올라야 하는 용이 되고, 마땅히 뛰어올라야 하는 때가 된다. 그러므로 허물이 없다. 〈만약 뛰어오르는 것이 시의(時宜)에 따른 것이 아니라면, 이러한 경우에는 마땅히 허물이 있게 된다.〉

박문건(朴文健) 『주역연의(周易衍義)』

在人謂三, 中不在人, 言處淵也. 或者, 疑而慮審之辭也. 處不中而慮審, 故旡咎.

사람에 있다는 것은 구삼을 말하고, 가운데로 사람에 있지 않다는 것은 못에 처해 있다는 뜻이다. 혹은 의심을 하여 심사숙고를 한다는 뜻이다. 알맞지 않은 곳에 처해서 심사숙고를 하기 때문에 허물이 없다.

〈問, 中不在人. 曰, 三四皆人位, 然三則以人明其義, 四則以龍明其義, 故於此云中不在人.

물었다: "가운데로는 사람에 있지 않다"는 무슨 뜻입니까?

답하였다: 삼효와 사효는 모두 사람 자리입니다. 그러나 삼효는 사람으로써 그 뜻을 밝히고, 사효는 용으로써 그 뜻을 밝혔습니다. 그러므로 여기에서는 가운데로는 사람에 있지 않다고 말한 것입니다.〉

〈○ 問, 九四不如九三, 何. 曰, 九三體剛而用剛, 九四體剛而用柔, 殊失其剛體者歟. 曰, 九三亦不中而於此取焉, 何. 曰, 三雖不中, 猶用剛而示疆, 豈不愈於用柔而示弱者乎. 故夫子兼取之也. 然或剛或柔, 亦時也.

물었다: "구사가 구삼만 못하다"는 무슨 뜻입니까?

답하였다: 구삼은 몸체도 굳세고 쓰임도 굳센데, 구사는 몸체는 굳센데 쓰임은 부드러우니, 자못 그 굳센 몸체를 잃어버리는 것 같습니다.

물었다: 구삼 또한 가운데 있지 않은데, 이곳에서 그 의미를 취한 것은 어째서입니까?

답하였다: 삼효는 비록 가운데 있지 않지만 여전히 굳셈을 쓰고 강함을 드러내니, 어찌 부드러움을 쓰고 약함을 드러내는 것보다 낫지 않겠습니까? 그러므로 공자는 여기에서 그 의미를 함께 취한 것입니다. 그런데 어떤 때에는 굳세고 어떤 때에는 부드러운 것은 또한 때에 따른 것입니다.〉

심대윤(沈大允) 『주역상의점법(周易象義占法)』

疑者, 兩似而難辨也. 言或行或否, 不能從心所欲, 而審辨乃行也.

의심은 둘이 서로 비슷하여 구별하기 어려운 것이다. 어떤 때는 행하고 어떤 때는 행하지 않는 것은 마음이 하고자 하는 바에 따를 수 없어서 신중히 변별해서 시행함을 말한다.

오치기(吳致箕) 「주역경전증해(周易經傳增解)」[549]

在人謂三也. 四雖亦人位, 然居人位之上, 而近天位. 非如三之不近天位, 故曰不在人也. 疑者, 審其時, 而未決其進之意也. 處疑地, 而能審時未進, 故无咎.

사람에 있다는 것은 삼효를 말한다. 삼효가 비록 또한 사람의 자리이나, 사람의 자리에서는 위에 있고 하늘의 자리와 가까워 삼효가 하늘의 자리와 가깝지 않은 것과 같지 않기 때문에 사람에 있지 않다고 했다. 의심하는 것은 때를 살펴서 나아가는 것을 결정하지 않았다는 의미이다. 의심스러운 곳에 있으면서 때를 살펴 아직 나아가지 않았기 때문에 허물이 없다.

이병헌(李炳憲) 『역경금문고통론(易經今文考通論)』

虞曰, 非其位故疑之.

우씨가 말하였다: 그 자리가 아니기 때문에 의심한다.

---

549) 경학자료집성DB에서는 건괘 구사에 해당하는 것으로 분류했으나, 내용에 따라 이 자리로 옮겼다.

夫大人者, 與天地合其德, 與日月合其明, 與四時合其序, 與
鬼神合其吉凶, 先天而天弗違, 後天而奉天時, 天且弗違, 而
況於人乎, 況於鬼神乎.

대인은 천지와 덕이 부합하며, 해·달과 밝음이 부합하고, 사계절과 질서가 부합하며, 귀신과 길흉이
부합하여, 하늘보다 먼저 해도 하늘이 어기지 않고 하늘보다 뒤에 해도 하늘의 때를 받드니, 하늘이
또한 어기지 않는데, 하물며 사람에게 있어서이겠으며, 귀신에게 있어서이겠는가!

中國大全

傳

大人, 與天地日月四時鬼神合者, 合乎道也. 天地者, 道也, 鬼神者, 造化之跡也.
聖人, 先於天而天同之, 後於天而能順天者, 合於道而已, 合於道, 則人與鬼神,
豈能違也.

대인이 하늘·땅, 해·달, 사계절, 귀신과 더불어 부합한다는 것은 도에 부합하는 것이다. 천지는 도이
고 귀신은 조화의 자취이다. 성인이 하늘보다 먼저 해도 하늘이 그와 같이 하고, 하늘보다 뒤에 해도
하늘에 순응하는 것은 도에 부합해서일 뿐이니, 도에 부합하면 사람과 귀신이 어찌 어길 수 있겠는가?

小註

程子曰, 大人者, 與天地合其德, 日月合其明, 非在外也.
정자가 말하였다: 대인은 천지와 덕이 부합하고, 해·달과 밝음이 부합한다는 것은 외재적
인 것이 아니다.

又曰, 若不一本, 安得先天而天弗違, 後天而奉天時.
또 말하였다: 만약 하나의 근본이 아니라면, 어찌 하늘보다 먼저 하여도 하늘이 어기지 않으
며, 하늘보다 뒤에 하여도 하늘의 때를 받들 수 있겠는가?

○ 鬼神言其功用, 天言其主宰.

귀신은 공용(功用)을 말한 것이며, 하늘은 주재(主宰)를 말한 것이다.

○ 易言天亦不同, 如天道虧盈而益謙, 此通上下, 理亦如此, 天道之運亦如此. 如言天且弗違, 況於人乎, 況于鬼神乎, 此直謂形而上者言, 以鬼神爲天地矣.

『주역』에서 하늘을 말하는 것은 동일하지 않다. 예컨대 "하늘의 도는 가득 찬 것을 이지러지게 하며 겸손한 것은 더해준다"[550]라고 하는 것은 상하에 통하니, 이치가 이와 같은 것이고 천도의 운행 또한 이와 같은 것이다. 예컨대 "하늘이 또한 어기지 않는데 하물며 사람에게 있어서이겠으며, 귀신에게 있어서이겠는가?"라고 하는 것은, 다만 '형이상자(形而上者)'를 가리켜서 말한 것이니, 귀신을 천지로 삼은 것이다.

○ 臨川吳氏曰, 夫天專言之則道也, 此雖兼地言之, 蓋以其主宰之理而言, 非指輕淸之氣爲天, 重濁之氣爲地也. 日月四時鬼神, 皆天地之氣所爲, 氣之有象而照臨者爲日月, 氣之循序而運行者爲四時, 氣之往來屈伸而生成萬物者爲鬼神, 命名雖殊, 其實一也. 其所以明, 所以序所以能吉能凶, 皆天地之理主宰之. 天地以理言, 故曰德. 日月四時鬼神以氣言, 故曰明, 曰序, 曰吉凶也.

임천오씨가 말하였다: 하늘을 전적으로 말하면 도이다. 여기에서는 비록 땅을 겸하여 말했으나 주재(主宰)의 이치로 말한 것이지 가볍고 맑은 기운을 하늘이라 하고 무겁고 탁한 기운을 땅이라 한 것을 가리키는 것이 아니다. 해와 달·사계절·귀신은 모두 천지의 기운이 만든 것이다. 기운이 모양이 있어서 비춰주는 것이 해와 달이고, 기운이 질서에 따라 운행하는 것이 사계절이며, 기운이 왕래하며 굽히고 펴서 만물을 생성하는 것이 귀신이니, 비록 그 명칭은 다르지만 실질은 한 가지이다. 그것이 밝혀주고 순서에 따르며 길하고 흉하게 할 수 있는 것은 모두 천지의 이치가 주재한 것이다. 천지는 이치로 말했기 때문에 덕이라고 한 것이고, 해와 달·사계절·귀신은 기운으로 말했기 때문에 '밝음[明]'·'질서[序]'·'길흉(吉凶)'이라고 말한 것이다.

○ 雙湖胡氏曰, 天地日月四時鬼神之所以爲德爲明爲序爲吉凶者, 同一道也. 大人之與合, 亦合其道而已.

쌍호호씨가 말하였다: 천지·일월·사시·귀신이 덕·밝음·질서·길흉이 되는 이유는 동일한 도이기 때문이다. 대인이 부합한다는 것은 또한 그 도에 부합한다는 뜻일 뿐이다.

---

550) 『周易·謙卦』: 象曰, 謙, 亨. 天道下濟而光明, 地道卑而上行. 天道虧盈而益謙, 地道變盈而流謙, 鬼神害盈而福謙, 人道惡盈而好謙. 謙尊而光, 卑而不可踰, 君子之終也.

本義

大人, 卽釋爻辭所利見之大人也, 有是德而當其位, 乃可以當之. 人與天地鬼神, 本无二理, 特蔽於有我之私. 是以, 梏於形體, 而不能相通, 大人, 无私, 以道爲體, 曾何彼此先後之可言哉. 先天不違, 謂意之所爲, 黙與道契, 後天奉天, 謂知理如是, 奉而行之. 回紇, 謂郭子儀曰, 卜者言此行, 當見一大人而還, 其占, 蓋與此合, 若子儀者, 雖未及乎夫子之所論, 然其至公无我, 亦可謂當時之大人矣.

대인은 효사의 '이견대인(利見大人)'의 대인을 해석한 것이니, 이런 덕이 있으면서 이런 지위에 있어야 이에 해당할 수 있다. 사람과 천지·귀신이 본래 두 가지 이치가 없으나, 다만 사람은 나를 의식하는 사욕에 가려졌기 때문에 형체에 질곡되어 서로 통하지 못한다. 대인은 사욕이 없어서 도로써 본체를 삼으니, 어찌 피차의 관계나 선후의 관계를 말할 수 있겠는가? "하늘보다 먼저 하여도 하늘이 어기지 않는다"는 것은 마음에 생각하는 바가 묵묵히 도에 부합함을 말한 것이고, "하늘보다 뒤에 하여도 하늘의 때를 받든다"는 것은 이치가 이와 같음을 알아 받들어 행함을 말한다. 회흘(回紇)사람이 곽자의(郭子儀)에 대해 말하기를 "점치는 자가 이번 행차에 한 대인을 만나고 돌아올 것이라고 말하더니, 그 점이 이와 부합했다"고 하였으니,[551] 곽자의와 같은 사람은 비록 공자가 말씀한 대인에는 미치지 못하지만 지극히 공정하고 사욕이 없었으니, 또한 당시의 대인이라 일컬을 만하다.

小註

或問, 先天而天弗違, 後天而奉天時, 聖人與天爲一, 安有先後之殊. 朱子曰, 只是聖人意要如此, 天便順從, 先後相應, 不差毫釐也. 又曰, 天地只以形言, 先天而天弗違, 如禮雖先王未之有, 而可以義起之類. 蓋雖天之所未爲, 而吾意之所爲, 自與道契, 天亦不能違也. 後天而奉天時, 如天叙有典天秩有禮之類. 雖天之所已爲, 而理之所在, 吾亦奉而行之耳. 蓋大人无私, 以道爲體, 此一節只是釋大人之德. 其曰, 與天地合其德, 與日月合其明, 與四時合其序, 與鬼神合其吉凶, 將天地對日月四時鬼神說, 便只是指形而下者言.

어떤 이가 물었다: "하늘보다 먼저 해도 하늘이 어기지 않고 하늘보다 뒤에 해도 하늘의 때를 받든다"는 것은 성인이 하늘과 같다는 것인데, 어찌 선후의 차이가 있을 수 있습니까? 주자가 답하였다: 성인의 뜻이 이와 같고자 하면 하늘이 곧 순순히 따르니, 선후가 서로

---

551) 『舊唐書·回紇列傳』: 子儀呪曰, 大唐天子萬萬歲. 迴紇可汗亦萬歲. 兩國將相亦萬歲. 若起負心違背盟約者, 身死陣前, 家口屠戮. 合胡祿都督等失色, 及杯至, 卽譯曰, 如令公盟約. 皆喜曰, 初發本部來日, 將巫師兩人來云, 此行大安穩, 然不與唐家兵馬鬥, 見一大人卽歸. 今日領兵見令公, 令公不爲疑, 脫去衣甲, 單騎相見, 誰有此心膽. 是不戰鬥見一大人, 巫師有徵矣. 歡躍久之.

호응하여 조금의 차이도 생기지 않는다는 뜻일 뿐입니다.

또 답하였다: 천지는 단지 형체로써 말한 것이니, 하늘보다 먼저 해도 하늘이 어기지 않는다는 말은 마치 "비록 선왕이 아직 갖추지 않았다고 하더라도, 의를 통해서 일으킬 수 있다"[552]고 한 말과 같습니다. 이는 하늘이 아직 행함이 없더라도 내 뜻에 행하고자 하는 것이 그 자체로 도와 합치되므로 하늘도 어길 수가 없는 것입니다. "하늘보다 뒤에 해도 하늘의 때를 받든다"는 말은 "하늘의 질서에는 법이 있고, 하늘의 질서에는 예가 있다"[553]라는 말과 같습니다. 비록 하늘이 이미 시행한 것이라고 하더라도 이치가 있는 것에 대해서는 내가 또한 받들어서 행할 따름입니다. 대체로 "대인은 사욕이 없어 도를 본체로 삼는다"는 말은 단지 대인의 덕을 풀이한 말입니다. 그리고 "천지와 덕이 부합하고, 해·달과 밝음이 부합하며, 귀신과 길흉이 부합한다"고 하는 말은 천지를 해와 달·사계절·귀신과 대비시켜 말한 것으로서 단지 형이하자(形而下者)를 가리켜서 한 말입니다.

○ 童溪王氏曰, 先天而天弗違, 時之未至, 我則先乎天而爲之, 而天自不能違乎我. 後天而奉天時, 時之旣至, 我則後乎天而奉之, 而我亦不能違乎天. 蓋大人卽天也, 天卽大人也.

동계왕씨가 말하였다: "하늘보다 먼저 해도 하늘이 어기지 않는다"는 말은 때가 되기 전에 내가 하늘보다 먼저 그 일을 행해도 하늘이 저절로 나와 어긋나지 않는다는 것이다. "하늘보다 뒤에 해도 하늘의 때를 받든다"는 말은 하늘의 때가 이미 이른 뒤에 내가 하늘보다 뒤에 받들게 되었으나, 나 또한 능히 하늘과 어긋나지 않는다는 것이다. 이는 대인이 곧 하늘이고, 하늘이 곧 대인이기 때문이다.

○ 雲峯胡氏曰, 九二九五亦當合看. 九五利見之大人, 卽九二之大人. 然大人之所以爲大人, 其工夫正在九二上, 至與天地合其德以下, 是釋大人之德, 乃學聚問辨之極功也. 九二大人於道不容不用力, 至此則以道爲體, 无所容力矣.

운봉호씨가 말하였다: 구이와 구오는 합쳐서 보아야 한다. 구오의 '보면 이로운' 대인은 곧 구이의 대인이다. 그러나 대인이 대인이 되는 이유는 그 공부가 바로 구이에 있다. 천지와 그 덕이 부합한다는 말 이하는 바로 대인의 덕을 풀이한 것이니, 배움으로 지식을 모으고 물음으로 분별하는 지극한 공부이다. 구이의 대인은 도에 대해서 힘을 쓰지 않아서는 안 되지만, 여기에 이르면 도를 본체로 삼게 되어, 힘쓸 곳이 없다.

---

552) 『禮記·禮運』: 故禮也者, 義之實也. 協諸義而協, 則禮雖先王未之有, 可以義起也.
553) 『書經·皐陶謨』: 天敍有典, 勅我五典五惇哉. 天秩有禮, 自我五禮有庸哉.

▎韓國大全▎

조호익(曺好益) 『역상설(易象說)』

與鬼神合其吉凶.

귀신과 길흉이 부합한다.

中庸, 質諸鬼神, 小註, 或問, 鬼神, 只是龜從筮從, 與鬼神合其吉凶否. 朱子曰, 亦是, 然不專在此, 只是合鬼神之理.

『중용』에서 "귀신에게 질정한다"[554]라 하였는데, 소주(小註)에서, "혹자가 묻기를 '귀신이라 한 것은 단지 거북점을 따르고 시초점을 따라서 귀신과 길흉이 부합하는 것입니까?'라 하니, 주자가 말하기를 '그렇습니다. 그러나 오로지 그런 데만 뜻이 있는 것이 아니라, 단지 귀신의 이치에 합하는 것입니다'라 하였다"고 했다.

○ 吉凶, 卽屈伸, 是也.

'길흉(吉凶)'은 곧 굽어지고[屈] 펴지는[伸], 이것이다.

이현익(李顯益) 「주역설(周易說)」

程子所謂天, 專言則道也. 天且不違, 是也. 朱子曰, 此語某亦不敢以爲然, 天且不違, 此只是上天. 以此觀之, 則程子之以天且不違, 直爲形而上者, 爲不然, 天道虧盈而益謙, 地道變盈而流謙, 朱子曰, 此是說形體. 程子謂天道虧盈而益謙, 此通上下理, 二說又不合.

정자가 말한 "하늘은 오로지하여 말하면 도이다. '하늘도 어기지 않는다'라는 것이 이것이다."에 대하여 주자는 "이 말은 내가 또한 감히 그렇다고 여기지 못하니, '하늘도 어기지 않는다'는 것은 단지 상천(上天)이다"라고 했다. 이것으로 살펴보면, 정자가 "하늘도 어기지 않는다"는 것을 곧바로 형이상의 것으로 여긴 것은 옳지 않다고 여긴 것이다. "하늘의 도가 가득 찬 것을 이지러지게 하고 겸손한 것을 보태주며, 땅의 도가 가득 찬 것을 변하게 하고, 겸손한 것에 복을 내린다"[555]라는 말에 대해 주자는 "이것은 형체(形體)를 설명한 것이다"

---

554) 『중용』: 그러므로 군자의 도는 자기 몸에 근본하여 백성들에게 징험하며, 삼왕에게 상고해도 틀리지 않고, 천지에 세워도 어긋나지 않으며, 귀신에게 질정해도 의심이 없고 백세에 성인을 기다려도 의혹되지 않는다[故君子之道, 本諸身, 徵諸庶民, 考諸三王而不謬, 建諸天地而不悖, 質諸鬼神而無疑, 百世以俟聖人而不惑].

라고 말했고, 정자는 "하늘의 도가 가득 찬 것을 이지러지게 하고, 겸손한 것을 보태준다"라는 것에 대해 이것은 상하의 이치에 통한다고 했으니, 두 주장이 또한 합치되지 않는다.

臨川吳氏, 以與天地合其德之天爲以理言, 以日月四時鬼神爲以氣言, 此說不可. 朱子曰, 將天地對日月四時鬼神說, 便只是指形而下者言, 當以此爲正.
임천오씨는 "천지와 덕이 부합한다"라고 했을 때의 천(하늘)을 리(理)로써 말한 것으로 생각하고, 일월·사시·귀신은 기(氣)로써 말한 것이라고 생각하였는데, 이 설명은 옳지 않다. 주자는 "천지를 일월·사시·귀신과 대비시켜서 말한 것은 단지 형이하의 것을 가리켜서 말한 것이다"라고 하였으니, 마땅히 이것을 정론(正論)으로 삼아야 한다.

雙湖胡氏, 以天地日月四時鬼神之所以爲德爲明爲序爲吉凶者, 爲道, 此與吳氏所謂天地以理言. 故曰, 德者不同. 蓋吳氏, 則以德爲理也. 然侯氏, 以中庸鬼神之爲德德字爲理, 朱子嘗非之, 則此德字, 亦不是專以理言, 況以此而又以天直爲理乎.
쌍호호씨는 천지(天地)·일월(日月)·사시(四時)·귀신(鬼神)이 덕이 되고, 밝음[明]이 되고, 차례[序]가 되고, 길흉이 되는 것을 도라고 생각했다. 이것은 임천오씨가 말한 천지는 이치로써 말했다는 뜻이다. 그러므로 덕이 같지 않다. 대체로 임천오씨의 경우에는 덕을 리로 여겼다. 그러나 후씨는 『중용』에 나오는 '귀신의 덕'556)이라고 할 때의 '덕'자를 '리'로 여겼는데, 주자가 그 주장을 비판하였으니, 여기에서의 '덕'자도 전적으로 '리'만을 말한 것이 아닌데, 하물며 이것을 가지고 하늘을 단지 '리'라고만 여길 수 있겠는가?

심조(沈潮) 「역상차론(易象箚論)」

與四時合其序.
사계절과 질서가 부합하며.
序是道之品節處, 莊周曰, 非其序則非道, 其言卻是.
서(序)는 도를 단계에 따라 안배한 것이니, 장자는 "그 질서가 아니면 도가 아니다"557)라고 하였는데, 그 말이 도리어 옳다.

---

555) 『易·謙卦』: 彖曰, 謙亨. 天道下濟而光明, 地道卑而上行. 天道虧盈而益謙, 地道變盈而流謙, 鬼神害盈而福謙, 人道惡盈而好謙. 謙尊而光, 卑而不可踰, 君子之終也.
556) 『中庸』: 子曰, 鬼神之爲德, 其盛矣乎.
557) 『莊子·天道』: 語道而非其序者, 非其道也, 語道而非其道者, 安取道.

유정원(柳正源) 『역해참고(易解參攷)』

大人 [至] 神乎.

대인이 … 귀신에게 있어서이겠는가!

正義, 合其德者, 謂覆載也. 合其明者, 謂照臨也. 合其序者, 若賞以春夏, 刑以秋冬之類也. 合其吉凶者, 若福善禍淫也.

『주역정의』에서 말하였다: 덕이 부합한다는 것은 덮어주고 실어줌을 말한다. 밝음[明]이 부합한다는 것은 비춰주고 임함을 말한다. 질서가 부합한다는 것은 마치 봄과 여름에 상을 주고, 가을과 겨울에 형벌을 시행하는 부류와 같다. 길흉이 부합한다는 말은 마치 선한 자에게 복을 주고 음란한 자에게 재앙을 내리는 것과 같다.

○ 朱子曰, 先天後天, 乃是左右參贊之意, 如左傳實先後之意思.

주자가 말하였다: 선천과 후천은 곧 좌우에서 돕는다는 뜻이니, 마치 『춘추좌씨전』에서 "진실로 앞뒤에서 돕겠습니다"558)는 뜻과 같다.

○ 厚齋馮氏曰, 九五一卦之主, 故文言兼一卦之象, 先天者, 謂乾下先乾上之天也. 德合天地者, 初上卑高以陳也. 明合日月者, 二五中正, 坎離之位也. 序合四時者, 六位之序也. 吉凶合鬼神者, 爻之當與559)不當也.

후재풍씨가 말하였다: 구오는 한 괘의 주인이므로 「문언전」에서는 한 괘의 상을 겸하여 말했으니, 선천(先天)은 하괘의 건(乾)이 상괘의 건(乾)의 하늘보다 앞선다는 말이다. 덕이 천지에 부합한다는 것은 초효부터 상효까지 "낮고 높은 것이 배열됨"560)을 말한다. 밝음이 해와 달에 부합한다는 것은 이효와 오효가 중정이라서 감리(坎離)의 자리라는 말이다. 순서가 사계절에 부합한다는 것은 여섯 자리의 차례를 말한다. 길흉이 귀신에 부합한다는 것은 효의 합당함과 부당함을 말한다.

○ 晦齋先生曰, 簫韶奏, 春秋成, 而鳳麟至, 先天而天不違也. 圖書出, 而聖人則之, 曆象日月, 敬授人時, 後天而奉天時也.

회재선생이 말하였다: 소(韶)561)를 퉁소로 연주하고 『춘추』가 완성되자 봉황과 기린이 왔으

---

558) 『左傳 · 襄公』: 曾臣彪將率諸侯以討焉, 其官臣偃實先後之.

559) 與: 경학자료집성DB와 원문에는 '興'으로 되어 있으나, 문맥을 참조하여 '與'로 바로잡았다.

560) 『易 · 繫辭』: 天尊地卑, 乾坤定矣, 卑高以陳, 貴賤位矣, 動靜有常, 剛柔斷矣, 方以類聚, 物以群分, 吉凶生矣, 在天成象, 在地成形, 變化見矣.

561) 소(韶): 순(舜)임금이 만든 음악을 가리킨다.

니, 하늘보다 앞서 했지만 하늘이 어기지 않았다. 「하도(河圖)」와 「낙서(洛書)」가 나타나자 성인이 그것을 법칙으로 삼고 해와 달의 운행을 관찰하고 계산하여 사람에게 때를 공경스럽게 내려주었으니, 하늘보다 뒤에 했지만 하늘의 때를 받든 것이다.

○ 案, 天地日月四時鬼神, 極言大人之道而贊之. 若就卦象言, 則二五陰陽中正, 自然有此象.

내가 살펴보았다: 천지·일월·사시·귀신은 대인의 도를 극진히 말하여 찬미한 것이다. 만약 괘상에 따라 말한다면, 이효와 오효는 음양이 중정하여 저절로 이러한 상이 있다.

本義, 回紇 [至] 而還.

『본의』에서 말하였다: 회흘사람들이 … 돌아온다.

案, 唐書所載以九二變爻, 而本義引之於此者, 蓋其所見者, 九五之大人也.

내가 살펴보았다: 『당서』에서는 구이의 변효를 기록하고 있는데, 『본의』에서 여기에 그것을 인용한 것은 아마도 구이가 보는 것이 구오의 대인이기 때문일 것이다.

이만부(李萬敷) 「역통(易統)·역대상편람(易大象便覽)·잡서변(雜書辨)」562)

易曰, 大人者, 與天地合其德, 與日月合其明, 與四時合其序, 與鬼神合其吉凶. 先天而天不違, 後天而奉天時.

『주역』에서 말하였다: 대인은 천지와 덕이 부합하며, 해·달과 밝음이 부합하고, 사시(四時)와 질서가 부합하며, 귀신과 길흉이 부합하여, 하늘보다 먼저 해도 하늘이 어기지 않고 하늘보다 뒤에 해도 하늘의 때를 받든다.

朱曰, 大人者, 大心之人也. 大人之心與道爲一. 天地日月四時鬼神, 皆從道生, 故其德其明其序其吉凶, 皆道之器, 體之用云云.

주씨가 말하였다: 대인은 큰마음을 지닌 사람이다. 대인의 마음은 도(道)와 하나이다. 천지·일월·사시·귀신은 모두 도를 따라 생기므로 그 덕과 그 밝음과 그 질서와 그 길흉이 모두 도의 그릇이자 본체의 작용이다, 운운.

又曰, 大人者, 天地莫比其德, 日月莫方其明. 蓋天德以健, 地德以順, 乃至山止雷動, 巽入兌說, 各秉一德, 而不及大人之備. 日月各以時明, 而不及大人之恒. 故非大人之此心, 無以爲寂然不動. 先天而天不違, 感而遂通天下之故, 後天而奉天時. 天有先後, 心無先後. 蓋心爲道體, 無始無終, 故無先後.

---

562) 경학자료집성DB에는 건괘 「단전」으로 분류했으나, 내용에 따라 이곳에 배치하였다.

또 말하였다: 대인은 천지도 그 덕을 비교할 수 없고, 일월도 그 밝음을 견줄 수 없다. 하늘의 덕은 굳건함으로 하고 땅의 덕은 순함으로 하며, 산은 그치고 우레는 움직이고 손은 들어가고 태는 기뻐함563)에 이르러 각각 하나의 덕만을 잡기에 대인의 갖춤에 미치지 못한다. 일월은 각기 때에 맞춰 밝아 대인의 '언제나 변하지 않음[恒]'에 미치지 못한다. 그러므로 대인의 이 마음이 아니면 고요히 움직이지 않을 방법이 없다. 하늘보다 먼저 하여도 하늘이 어기지 않고, 느껴서 드디어 천하의 연고를 통하며,564) 하늘보다 뒤에 하여도 천시를 받든다. 하늘에는 선후가 있지만 마음에는 선후가 없다. 마음이 도의 본체여서 시작도 없고 끝도 없으므로 선후가 없다.

愚按, 經傳所言大人, 或以位言, 或以德言, 未嘗以心言. 如孟子見大人藐之, 是有位之人, 而論語畏大人, 兼有德者, 又孟子非禮之禮, 非義之義, 大人不爲, 則全以德言. 惟大人者, 不失赤子之心, 以心言, 而亦謂其不失本心之德云爾. 況九五九二之大人, 本以位與德言, 則所謂大心之人也者, 何所據也. 譬如貨寶充積者, 可謂之富家. 若以柺然之室爲富, 則豈無名實之誤乎. 大抵與天地合德, 實爲大人之全體, 而明序吉凶卽其用也. 今欲極贊其心之大, 則逐以其德其明其序其吉凶竝作道之器體之用, 天地日月有不足以盡之. 然則大傳所謂合者, 亦非盡至之言也. 程子曰, 吾儒主性, 釋氏主心. 蓋主心故釋氏之學, 以天地萬物爲諸相, 而心則欲超相, 獨立以誇耀眩弄. 朱氏之言, 亦不過此箇意見所發也. 至於心無始終者, 楊簡所嘗省悟於象山言下, 自詫所得之妙, 而實是禪家光景也. 先儒已辨之, 今何用贅論哉.

내가 살펴보았다: 경전에서 말한 '대인'은 혹 지위로 말하고 혹 덕으로 말하였지만, 일찍이 '마음[心]'으로 말하지는 않았다. 예를 들어 『맹자』의 "대인을 보고 가볍게 여긴다"565)는 지위가 있는 자이고, 『논어』의 "대인을 두려워한다"566)는 덕이 있음을 겸한 자이며, 또 『맹자』의 "예가 아닌 예와 의가 아닌 의를 대인은 하지 않는다"567)는 온전히 덕으로 말한 것이다. 오직 "대인은 천진한 어린아이의 마음을 잃지 않는다"568)라는 말만이 마음으로 말하였으니, 또한 본심의 덕을 잃지 않는다고 말한 것일 뿐이다. 하물며 구오와 구이의 대인은 본래 지위와 덕으로 말했으니, 이른바 '큰마음을 지닌 사람'이란 어디에 근거한 것인가? 비유하자면 재화와 보물을 가득 채운 자라 해서 부자라고 할 수 있겠는가? 만약 집안이 텅 빈 것을 부(富)로 여긴다면 어찌 이름과 실질에 어긋남이 없겠는가? 천지와 덕이 부합함은 실제로

563) 『주역·설괘전』 7장.
564) 『周易·繫辭傳』: 易无思也, 无爲也, 寂然不動. 感而遂通天下之故, 非天下之至神, 其孰能與於此
565) 『孟子·盡心下』: 孟子曰, 說大人, 則藐之.
566) 『논어·계씨』.
567) 『孟子·離婁下』: 非禮之禮, 非義之義, 大人不爲.
568) 『孟子·離婁下』: 大人者, 不失赤子之心也.

대인의 전체이고, 밝음과 순서와 길흉은 그 작용이다. 지금 마음의 큼을 극찬하고자 한다면, 마침내 덕·밝음·순서·길흉으로 아울러 도의 그릇[道之器]과 본체의 작용[體之用]을 만들어야 하니, 천지와 일월은 그것을 극진하게 하기에 부족하다. 그렇다면 『주역』에서 말하는 '부합한대[合]'는 지극하게 하고 극진하게 했다는 말이 아니다. 정자가 말하기를, "우리 유가는 본성[性]을 위주로 하고 불가[釋氏]는 마음[心]을 위주로 한다"라 했다. 생각하건대 마음을 위주로 하므로 불가의 학문은 천지만물을 제상(諸相)[569]으로 여기고, 마음은 상(相)을 초월하고자 하여 홀로 서서 뽐내고 현혹하며 희롱한다.

주씨의 말 역시 이런 의견이 나타난 것에 불과하다. 마음은 시작과 끝이 없다는 것에서는, 양간(楊簡)[570]이 육구연(陸九淵)[571]의 말에서 일찍이 깨달아 오묘함을 얻었다고 스스로 자랑하는 것이지만, 사실은 선가(禪家)의 모습이다. 선배 유학자들이 이미 변론했는데, 지금 어찌 사족을 달겠는가?

김상악(金相岳) 『산천역설(山天易說)』

大人, 五也. 此言體道之極功. 蓋有乾而无坤, 則不能成造化, 所以天地之德, 日月之明, 四時之序, 鬼神之吉凶, 皆由於乾坤之變化也. 故乾之健, 能先天而天不違, 坤之順, 能後天而奉天時, 故人與鬼神不能違. 大人所以體天地之道, 亦如此也.

대인은 오효이다. 이것은 도를 체득한 지극한 공(功)을 말한다. 건(乾)만 있고, 곤(坤)이 없다면 조화를 이룰 수 없는 것은 천지의 덕과 해·달의 밝음과 사계절의 차례와 귀신의 길흉이 모두 건곤의 변화로부터 비롯되기 때문이다. 그러므로 건의 강건함은 하늘보다 먼저 해도 하늘이 어기지 않을 수 있고, 곤의 순함은 하늘보다 뒤에 해도 천시(天時)를 받들 수 있기 때문에 사람과 귀신도 어길 수 없는 것이다. 대인이 천지의 도를 체득하는 것은 또한

---

569) 제상(諸相): 불교 용어로 일체 사물이 밖으로 드러난 형태를 가리킨다.

570) 양간(楊簡, 1141~1226): 남송시대의 이학자로, 자는 경중(敬仲)이고, 호는 자호선생(慈湖先生)이며, 시호는 문원(文元)이다. 명주(明州) 자계(慈溪) 사람이다. 상산학파의 대표로 심(心)으로 역(易)을 해석했다. 저서에 『자호시전(慈湖詩傳)』과 『양씨역전(楊氏易傳)』, 『계폐(啓蔽)』, 『선성대훈(先聖大訓)』, 『오고해(五誥解)』, 『자호유서(慈湖遺書)』 등이 있다.

571) 육구연(陸九淵): 남송 시대의 유학자(1139~1193)이다. 남송 무주(撫州) 금계(金溪) 사람으로, 자는 자정(子靜)이고, 호는 존재(存齋) 또는 상산옹(象山翁)이며, 시호는 문안(文安)이다. 형인 육구소(陸九韶)·육구령(陸九齡) 등과 함께 '삼육자(三陸子)'라고 일컬어졌다. 그는 이기설(理氣說)과 달리 우주 안에는 오직 심(心)만이 있다고 하는 심일원론(心一元論)으로 심학파를 세웠다. 즉 그는 인간에 있어서는 '그 마음이 곧 이[心卽理]'라는 명제를 정립하여 심(心)을 성(性)과 정(情), 도심(道心)과 인심(人心), 천리(天理)와 인욕(人慾)으로 구별한 주희의 학설에 반대하였다. 그의 심즉리설은 왕양명(王陽明)이 실천에 중점을 두는 심학(心學), 즉 지행합일설(知行合一說)로 계승됨으로써 육왕학파(陸王學派)로 성립되었다. 저서에는 어록과 서간, 문집을 수록한 『상산선생전집(象山先生全集)』 36권이 있다.

이와 같기 때문이다.

○ 乾坤相對而爲體用者, 乃其德也. 相交而爲坎離者, 乃其明也. 四德配四時者, 乃其序也. 陽作五福, 陰作六極者, 乃其吉凶也.
건곤이 서로 상대하여 체용(體用)이 되는 것이 곧 그 덕이다. 서로 교차하여 감리(坎離)가 되는 것이 곧 그 밝음이다. 네 가지 덕이 사계절에 짝하는 것이 곧 그 차례이다. 양이 오복(五福)572)을 만들고, 음이 육극(六極)573)을 만드는 것이 곧 그 길흉이다.

김귀주(金龜柱) 『주역차록(周易箚錄)』

夫大人者, 與天地, 云云.
대인은 천지와, 운운.
○ 按, 合其德以下四其字, 指大人而言. 太極圖記聞錄, 亦言之, 蓋德與明與序與吉凶, 乃大人之德之明之序之吉凶, 而天地日月四時鬼神, 各以其理而合之也.
내가 살펴보았다: "덕이 부합한다" 아래에 있는 네 개의 "기(其)"574)자는 대인을 가리켜서 한 말이다. 『태극도기문록』에서도 말하였으니, 덕·밝음·질서·길흉은 곧 대인의 덕·밝음·질서·길흉이고 천지(天地)·일월(日月)·사시(巳時)·귀신(鬼神)은 각각 그 이치로써 합한 것이다.

○ 天地日月四時鬼神, 朱子以爲指形而下者, 此論是矣. 蓋天地日月四時鬼神者, 氣也. 是氣也, 本都是一氣而分而言之, 則有此四㨾, 四㨾之氣, 各自有其理, 而大人與之合矣. 至於先天後天, 天且不違等, 天字以專言, 則道之義言之, 則雖直以理看, 無所不可, 然此天字實承上天地字說下來, 而下 卽以人與鬼神繼說, 則蓋亦以形而下者言也. 雖以形而下者言, 而其先之後之及不違者, 則實不害爲指其理也. 故朱子嘗論, 程子所謂天專言則道, 天且不違之語, 曰某未敢以爲然. 天且不違之天, 亦只是上天〈上天指蒼蒼之形體〉, 意可見矣.
천지·일월·사시·귀신을 주자는 형이하자(形而下者)를 가리킨다고 여겼으니, 이 논의는 옳다. 천지·일월·사시·귀신이란 기(氣)이다. 이 기는 본래 하나의 기이지만, 나누어서 말하면 이러한 네 가지 양태가 있고, 네 가지 양태의 기에는 각각 본래 그 이치가 있어 대인

---

572) 『書經·洪範』: 五福, 一曰壽, 二曰富, 三曰康寧, 四曰攸好德, 五曰考終命.
573) 『書經·洪範』: 六極, 一曰凶短折, 二曰疾, 三曰憂, 四曰貧, 五曰惡, 六曰弱.
574) 네 개의 '其'는 다음과 같다: 夫大人者, 與天地合其德, 與日月合其明, 與四時合其序, 與鬼神合其吉凶.

이 그것과 부합하는 것이다. "선천과 후천" 및 "하늘 또한 어기지 않는다" 등에서 '하늘[天]'은 전적으로 말하면 도(道)의 의로움으로 말한 것이니, 비록 직접 이치로 살피더라도 잘못될 것이 없다. 그러나 여기의 '하늘[天]'이라는 말은 실제로는 위 글에 있는 '천지(天地)'란 말을 이어서 한 말인데, 아래에서 곧 사람과 귀신으로 이어서 말했으니, 이것 역시 형이하자로 한 말이다. 형이하자로 말하였지만 "하늘보다 먼저 해도", "하늘보다 뒤에 해도"에서 "어기지 않는다" 까지는 그 이치를 가리키는 데에 실제로 방해가 되지 않는다. 그러므로 주자가 일찍이 논하기를, 정자의 이른바 "하늘은 전적으로 말하면 도이고, 하늘 또한 어기지 않는다"[575] 라는 말에 대해 "내가 감히 이를 옳게 여기지 않는다"라 하였다. "하늘도 어기지 않는다"에서 말한 '하늘[天]'도 '위에 있는 하늘[上天]'일 뿐이니, 〈'위에 있는 하늘[上天]'은 푸르고 넓은 형체를 가리킨다.〉 뜻을 알 수 있다.

傳, 大人與天地, 云云.
『정전』에서 말하였다: 대인이 천지와, 운운.
○ 按, 天地者道, 鬼神者造化之迹, 此兩句, 甚好. 朱子亦嘗引用於中庸章句, 然窃味此節, 經文之意, 則天地日月四時鬼神都是一般說. 指其形而上者而言, 則四者固莫非道, 而據其形而下者而言, 則四者却都是氣也. 恐不必但以天地爲道, 而其餘者爲氣也, 故朱子不用其說, 而曰天地只以形言, 當以此爲正.
내가 살펴보았다: "천지는 도(道)이고 귀신은 조화의 자취이다"라는 두 구절은 매우 좋다. 주자 역시 일찍이 『중용장구』에서 인용하였으나, 이 구절을 생각해 보면 경문의 의미는 천지·일월·사시·귀신 모두 한 가지의 설명이다. 형이상자(形而上者)를 가리켜 말하면 이 네 가지는 진실로 도가 아님이 없지만, 형이하자(形而下者)에 근거해서 말하면 이 네 가지는 오히려 모두 기(氣)이다. 굳이 천지를 도로 여기려고 하지 않은 듯 할 뿐만 아니라 그 나머지[일월·사시·귀신]를 기(氣)로 여기기 때문에, 주자는 정자의 주장을 채용하지 않고 "천지는 단지 형체로 말한 것이다"라 하니, 주자의 말을 옳은 것[正]으로 여겨야 한다.

小註, 程子曰, 大人者, 云云.
소주(小註)에서 정자가 말하였다: 대인은, 운운.
○ 按, 非在外也云者, 蓋謂聖人之與合者, 乃理也. 非指在外成形之氣, 而謂之合也云爾.
내가 살펴보았다: "밖에 있는 것이 아니다"라 말한 것은 성인이 그것들과 부합하는 것이 바로 이치라는 말이다. 밖에서 형태를 이루는 기를 가리켜서 부합한다고 말한 것이 아니라는 말이다.

---

575) 『伊川易傳·乾卦』: 天專言之則道也, 天且弗違是也.

易言天亦不同, 云云.

『주역』에서 말한 하늘 역시 같지 않으니, 운운.

○ 按, 此說, 便是朱子所謂未敢以爲然者也, 已論在上.

내가 살펴보았다: 정자의 이 주장은 바로 주자가 말한 "감히 옳게 여기지 않는다"는 것으로 이미 위에서 논하였다.

臨川吳氏曰, 夫天, 云云.

임천오씨가 말하였다: 하늘을, 운운.

○ 按, 此云天地以理言, 日月四時鬼神以氣言者, 似是承用程傳之意, 而恐未然, 已論在上.

내가 살펴보았다: 여기서 말하는 "천지는 이치로 말하였고, 일월·사시·귀신은 기운으로 말하였다"는 것은 『정전』의 뜻을 이어서 채용한듯한데, 옳지 않다는 것은 이미 위에서 논하였다.

雙湖胡氏曰, 天地, 云云.

쌍호호씨가 말하였다: 천지는 운운.

○ 按, 以道之一原而言, 則四者固是同一道也. 然分而言之, 則四者各有其氣. 各有其氣, 故亦各有其道. 大人之所合者, 各合其道也. 若謂同一道也, 則經文只說一道字可矣, 又何必分四者而言耶.

내가 살펴보았다: 도(道)라는 하나의 근원으로 말하면 네 가지[天地·日月·四時·鬼神]는 진실로 같은 도이다. 그러나 나누어서 말하면 네 가지는 각각 그 기(氣)를 가지고 있다. 각각 그 기를 가지고 있기 때문에 또한 각각 그 도가 있다. 대인이 합하는 것은 각각의 그 도와 합하는 것이다. 만약 같은 도라고 말한다면 경문에서 '하나의 도[一道]'자만 말해도 되는데, 또 무엇 때문에 굳이 네 가지로 나누어서 말했는가?

本義, 大人卽釋, 云云.

『본의』에서 말하였다: 대인은 바로 … 을 해석한 것이다.

小註, 雲峰胡氏曰, 九二, 云云.

소주(小註)에서 운봉호씨가 말하였다: 구이와 운운.

○ 按, 學聚問辨之極功, 云云, 恐未穩, 且漏卻寬居仁行, 未知何故. 蓋乾之六爻文言, 皆以聖人言, 有隱顯而無淺深, 故當九二之時位, 則自當學問寬仁, 進德修業而已. 及當九五之時位, 則自當德合天地明合日月, 而先天不違, 後天奉時, 以行之而已. 非向來則德不足, 而勉力進修至此, 方成其爲極功, 而無所容力也.

내가 살펴보았다: "배움으로 모으고 물음으로 변별하는 지극한 공력이다, 운운"한 것은 온당치 않은 것 같고, 또 "관대함으로 거처하고 어짊으로 행함"을 누락시킨 것은 무슨 까닭인지 알 수 없다. 건괘 여섯 효에 대한 「문언전」은 모두 성인의 입장에서 말했으니, 숨고 드러남은 있으나 얕고 깊음이 없다. 그러므로 구이의 때와 자리에 있게 되면 곧 저절로 "배우고 묻고 관대하고 어질며, 덕을 기르고 학업을 닦을" 뿐이다. 구오의 때와 자리에 있게 되면 곧 저절로 "덕이 천지와 부합하고 밝음이 해와 달과 부합하여, 하늘보다 먼저 하여도 어기지 않고 하늘보다 뒤에 하여도 때를 받들어서 행할" 뿐이다. 원래 덕이 부족하지 않지만 노력하여 덕을 기르고 학업을 닦아서 여기에 이르게 되면, 비로소 지극한 공력을 이루어 더 이상 노력할 것이 없다.

서유신(徐有臣) 『역의의언(易義擬言)』

大人, 亦天也, 是爲乾之九五也. 日月四時六子之象, 日離, 月坎, 春震, 夏巽, 秋兌, 冬艮也. 鬼神之吉凶, 萬物之造化也. 先天後天, 重乾象也. 天時, 非特雨暘燠寒之時也. 天猶可使弗違, 況於人於鬼神, 豈不可使之從我乎?

대인은 또한 하늘을 가리키니, 이것은 건의 구오가 된다. 해·달과 사계절은 여섯 개의 상(象)이니, 해는 리(離)이고, 달은 감(坎)이며, 봄은 진(震)이고, 여름은 손(巽)이며, 가을은 태(兌)이고, 겨울은 간(艮)이다. 귀신의 길흉이라는 것은 만물의 조화를 뜻한다. 하늘보다 먼저하고 하늘보다 뒤에 하는 것은 거듭된 건괘의 상이다. 하늘의 때는 단지 비가 내리고 햇볕이 내려쬐고, 따뜻하거나 추운 기후만을 뜻하는 것이 아니다. 하늘도 오히려 거스를 수 없는데, 하물며 사람과 귀신에 대해 어찌 그들로 하여금 나를 따르게 할 수 없겠는가?

박문건(朴文健) 『주역연의(周易衍義)』

鬼神者, 屈伸之迹也.

귀신이라는 것은 굽히고 펴는 자취이다.

〈問, 上則言天地日月四時鬼神, 而下則言天人鬼神, 何. 曰, 天者, 萬物之首也. 人者, 萬物之靈也. 鬼神者, 萬物之屈伸也. 曰, 天地日月四時之外, 又有所謂鬼神者歟. 曰, 萬物之屈伸, 皆是也. 天人鬼神之所以不違者, 大人有四合故也.

물었다: 위에서는 천지·일월·사시·귀신을 언급했는데, 아래에서는 천인·귀신을 언급한 것은 어째서입니까?

답하였다: 하늘은 만물의 으뜸이고, 사람은 만물 중에서도 신령한 존재이며, 귀신은 만물이 굽히고 펴는 작용이기 때문입니다.

물었다: 천지·일월·사시 외에 또한 귀신이라고 부를 것이 있습니까?

답하였다: 만물이 굽히고 펴는 작용이 모두 이것입니다. 하늘과 사람과 귀신이 어기지 않는 것은 대인이 이러한 네 종류를 합하여 가지고 있기 때문입니다.〉

이항로(李恒老)「주역전의동이석의(周易傳義同異釋義)」

大人者, 與天地合其德, 云云.

대인은 천지와 덕이 부합한다, 운운.

傳, 大人 [止] 違也.[576]

정전에서 말하였다: 대인 … 어긴다.

本義, 大人 [止] 行之.

본의에서 말하였다: 대인 … 행한다.

按, 傳指所合者是何事, 本義釋其所以不合之由與夫所以合之之方, 學[577]者當合兩訓而通觀體認也. 蓋大人, 指九五利見之大人, 天地, 指乾坤卦象也.〈乾統[578]坤, 故合言.〉日月, 指坎離之象也.〈坎离得乾坤之中, 故其德最成, 先天後天, 皆居正方, 上下經皆以坎离終焉者以此.〉四時, 指元亨利貞之行也. 鬼神, 指占筮之吉凶也. 先天, 如未占有孚之類. 後天, 如擬之後言. 議之後動之類也.

내가 살펴보았다: 『정전』에서 부합한다고 가리킨 것은 어떤 일인가? 『본의』에서 부합하지 않는 원인과 부합하는 방도를 해석하였으니, 학자들은 마땅히 두 해석을 합하여 총괄적으로 이해하고 체득해야만 한다. 대인이라는 것은 구오에서 보는 것이 이롭다고 했을 때의 대인이며, 천지라는 것은 건곤의 괘상을 가리킨다.〈건은 곤을 통괄하기 때문에, 부합한다고 말한다.〉일월은 감(坎)과 리(離)의 상(象)을 가리킨다.〈감(坎)과 리(離)가 건곤의 중을 얻었기 때문에, 그 덕이 가장 융성하게 되며, 선천과 후천은 모두 정방(正方)에 머문 것이니, 상하의 경문이 모두 감(坎)과 리(離)로 끝맺고 있는 것도 모두 이러한 이유 때문이다.〉사계절은 원형이정의 운행을 가리킨다. 귀신은 점서(占筮)에서의 길흉을 가리킨다. 선천은 아직 점을 치지 않았는데 조짐이 생긴 부류와 같다. 후천은 헤아린 이후의 말이니, 논의한 이후에 행동하는 부류이다.

---

576) 경학자료집성DB에 [傳]이라는 표시가 빠진 것으로 보인다.

577) 學: 경학자료집성DB에 '擧'로 되어 있으나, 경학자료집성 영인본을 참조하여 '學'으로 바로잡았다.

578) 統: 경학자료집성DB에 '說'로 되어 있으나, 경학자료집성 영인본을 참조하여 '統'으로 바로잡았다.

김기례(金箕澧) 「역요선의강목(易要選義綱目)」

先天而天不違, 後天而奉天時.

하늘보다 먼저 해도 하늘이 어기지 않고, 하늘보다 뒤에 해도 하늘의 때를 받든다.

天地人本无二理, 實繫陰陽, 陰陽卽道也. 大人合於道, 故曰不違.

천·지·인의 근본에는 두 가지 이치가 없으니, 실제로 음양에 결부되어 있는 것이고, 음양은 곧 도이다. 대인은 도에 합치되기 때문에 어기지 않는다고 말한다.

贊曰, 爲君爲父, 萬物之先, 隨時而變, 四德兼全, 无首无亢, 戎在居前, 天且好仁, 人可不然.

찬미하여 말하였다: 군주가 되고 부모가 되니 만물보다 앞서고, 때에 따라 변화하니 사덕을 모두 갖추고, 머리가 됨도 없고 끝까지 올라감도 없으니 전쟁이 앞에 있고, 하늘 또한 어짊을 좋아하니, 사람이 그렇게 하지 않을 수 있겠는가?

심대윤(沈大允) 『주역상의점법(周易象義占法)』

人心旣滅, 道心獨全, 不以心從道, 而道從心, 至誠不測, 而變化靈通, 能與天地日月四時鬼神, 合其則也. 中庸曰, 大德必得其位, 必得其祿, 必得其名, 必得其壽, 天之生物, 必因其材而篤焉, 故裁者培之, 傾者覆之. 夫天道有禍福, 人道有利害, 利之所歸, 福之所萃也, 害之所至, 禍之所集也. 天人之道, 无二致焉. 爲必利之道者, 理之所必利也. 天何以禍焉. 爲必害之道者, 理之所必害也. 天何以福焉. 故行而无福者, 必其不能爲必利之道也. 行而有禍者, 必其爲必害之道也. 詩云, 永言配命, 自求多福, 福善禍淫, 天之道也. 中庸者, 必利之道也. 天必應之以福, 夫中庸者, 天道也. 與天地同道, 天地不墜, 人亦不亡, 與鬼神同德, 鬼神若存, 人必有慶. 凡人之積善積惡, 感召天地之氣, 各以類應, 爲慶爲殃. 夫爲善於无人之地, 爲德於不報之所, 有善不伐, 有德不食. 濟人之不足, 悶人之不及, 不以行能自高而明人之不肖. 忠信篤敬而行之以敏, 博學於文而約之以禮, 安其分位, 順其時命, 以天地之心爲心, 以造化之用爲用. 若然者眞氣內凝, 吉氣外合, 塞乎天地之間, 彌亘萬世不可消滅, 天地順之, 人衆歸之, 鬼神護之. 生則榮顯而盡其利, 死則爲明神而食廟亨, 令名无窮而子孫不絶. 中庸曰, 神之格思, 不可度思, 矧可斁思. 微之顯, 誠之不可掩如此夫. 是故, 君子愼獨也. 中庸曰, 至誠之道, 可以前知, 善必先知之, 不善必先知之, 故曰至誠如神. 又曰, 思知人, 不可以不知天. 夫君子之學无他, 要在明其利害禍福之所以然之故, 而取舍趣避焉而已矣. 苟能用力之久, 而至於通神, 則可以了然形於心目矣. 子曰, 吾四十而不惑, 五十而知天命. 夫善惡生利害, 利害生禍福, 必然之理也. 春秋之時, 先王之學敎雖廢, 而未遠, 士君子尚能質于天道, 而以人之一言一動斷其數世之禍福若符契也. 自秦漢以降, 士大夫之所謂學者, 止於章句箋注, 而已莫能明其利害禍福之所以然之故, 而行其忠恕中庸之道者. 其學與不學, 不足爲其身利害禍福之輕重, 與天下利害禍福之輕重, 而適以爲間談釣名之資矣. 小子有恒言曰, 聖人之道无他, 天人之道也. 天不變而人尙存, 則可師而可徵也. 中庸曰, 本諸身, 徵諸庶民, 考諸三王而不謬, 建諸天地而不悖, 質諸鬼神而无疑, 百世以俟聖人而不惑, 質諸鬼神而无疑, 知天也, 百世以俟聖人而不惑, 知人也.

인심이 이미 없어져서 도심만이 온전히 남아 있어, 마음이 도를 따르지 않고 도가 마음을 따라 지극한 성실함은 헤아릴 수 없어, 변화하여 신령스러움이 소통되어, 천지·일월·사시·귀신과 더불어서 그 법칙을 합하게 된다. 『중용』에서는 "큰 덕은 반드시 그 지위를 얻게 되고, 그 녹봉을 얻게 되며, 그 명성을 얻게 되고, 그 수명을 얻게 되니, 하늘이 사물을 낳음에 반드시 그 재질에 따라서 돈독히 하였다. 그러므로 잘 심겨진 것을 북돋아주고, 기울어진 것을 엎어버린다"[579]라고 했다. 하늘의 도에는 재앙과 복이 있고, 사람의 도에는 이로움과 해로움이 있으니, 이로움이 귀착하는 곳은 복이 모이는 곳이고, 해로움이 도달하는 곳은 재앙이 집결된 곳이다. 하늘과 사람의 도는 둘로 이룸이 없다. 반드시 이로운 도를 시행하는 자는 그 이치가 반드시 이롭게 된다. 하늘이 어떻게 재앙을 주겠는가? 반드시 해로운 도를 시행하는 자는 이치가 반드시 해롭게 된다. 하늘이 어떻게 복을 주겠는가? 그러므로 시행을 하되 복이 없는 것은 반드시 이롭게 되는 도를 시행할 수 없기 때문이다. 그리고 시행하되 재앙이 있게 되는 것은 분명 반드시 해롭게 되는 도를 시행한 것이다. 『시경』에서는 "영원토록 천명에 부합하는 것을 생각하는 것이 제 스스로 많은 복을 구하는 것이다"[580]라고 했으니, 선한 자에게 복을 주고 음란한 자에게 화를 내리는 것이 하늘의 도이다. 중용은 반드시 이롭게 되는 도이다. 하늘이 반드시 복으로써 호응하니, 중용은 하늘의 도이다. 천지와 더불어서 그 도를 함께 하니, 천지가 무너지지 않으므로 사람 또한 망하지 않는다. 귀신과 더불어서 그 덕을 함께 하니, 귀신이 만약 보존된다면 사람도 반드시 경사스러운 일이 있게 된다. 사람이 선을 쌓고 악을 쌓음에 천지의 기운이 감응하여 각각 그 부류로써 호응하게 되어 경사가 되기도 하고 재앙이 되기도 한다. 사람이 없는 곳에서 선을 행하고, 보답하지 않는 곳에서 덕을 베풀어서 선하게는 하지만 과시함이 없고, 덕을 갖추었지만 먹지 않는다. 남의 부족함을 메꾸어 주고, 남의 미치지 못함을 불쌍하게 여겨, 행하되 자기 스스로를 높이거나 남의 불초함을 밝히지 않는다. 충신과 독경으로 민첩하게 시행하며, 글을 널리 배우고 예로써 요약하며, 그 분수와 지위에 안주하고, 때와 천명에 따라서 천지의 마음을 마음으로

---

579) 『中庸』: 故大德必得其位, 必得其祿, 必得其名, 必得其壽. 故天之生物, 必因其材而篤焉. 故栽者培之, 傾者覆之.

580) 『詩·大雅』: 無念爾祖, 聿脩厥德. 永言配命, 自求多福. 殷之未喪師, 克配上帝. 宜鑒于殷, 駿命不易.

삼고, 조화의 쓰임을 쓰임으로 삼으니, 이렇게 하면 진실한 기운이 내적으로 응결되고, 길한 기운이 외적으로 화합되어 천지 사이에 가득 하게 되며 만세토록 펼쳐져서 없어지지 않는다. 따라서 천지가 순응하고, 사람들이 귀의하며, 귀신들도 비호하게 된다. 또한 생전에는 영화롭게 세상에 드러나 그 이로움을 모두 누리고, 죽어서는 신명이 되어 종묘에서 흠향을 받으며, 그 명성을 영원토록 길이 남기고 자손들이 끊어지지 않게 한다. 『중용』에서는 "신이 도래함을 헤아릴 수 없는데, 하물며 싫어할 수 있겠는가? 은미함이 드러남이니, 성실함을 가릴 수 없는 것이 이와 같다"581)라고 했다. 이 때문에 군자가 신독을 한다. 『중용』에서는 "지극한 성실의 도는 앞서 알 수 있으니, 선함도 반드시 먼저 알 수 있고, 불선함도 반드시 먼저 알 수 있다. 그러므로 지극한 정성은 신과 같다고 말한다"582)라고 했다. 또한 "사람을 알 것을 생각한다면, 하늘에 대해서 모를 수가 없다"583)라고 했다. 군자의 학문은 다른 것이 없고, 이로움과 해로움, 재앙과 복이 도출되는 까닭을 분명히 알아서 선택을 하며 나아가고 피하는 것일 뿐이다. 진실로 오래도록 힘써 신명과 소통하는 경지에 도달하게 된다면, 마음의 눈이 형태를 갖추게 될 것이다. 공자는 "나는 사십 세가 되어 미혹되지 않았고, 오십 세가 되어 천명을 알았다"584)라고 말했다. 선악은 이로움과 해로움을 낳고, 이로움과 해로움은 재앙과 복을 낳으니, 이것은 필연적인 이치이다. 춘추시대에는 선왕의 학문과 교화가 비록 폐지되었지만, 시대적 차이가 많이 나지 않아서 선비와 군자들이 오히려 하늘의 도에 바탕을 두고 사람들의 한 마디 한 행동을 통해서 여러 세대에 걸친 화·복을 마치 신표(信標)처럼 판단할 수 있었다. 진나라와 한나라 이래로 사대부들이 학문이라 일컫는 것은 문장과 구절을 나누고 해석하고 주석하는 것에 그쳐서, 이미 그 이로움과 해로움, 재앙과 복이 그렇게 되는 까닭을 밝히지 못해서 충서와 중용의 도를 시행할 수가 없었다. 학문을 배우고 배우지 못한 것이 자신의 이익과 해로움, 재앙과 복에 대한 경중, 천하의 이익과 해로움, 재앙과 복의 경중에 맞출 수가 없게 되어 결국 한가한 얘기나 명예만을 추구하는 바탕으로 삼게 되었다. 소자(小子)가 항상 하는 말 중에 "성인의 도는 다른 것이 없으니, 하늘과 사람의 도"라고 했다. 하늘이 변하지 않으면 사람도 항상 존재하기 때문에 스승으로 삼을 수 있고 징험할 수 있다. 『중용』에서는 "자신에게 근본하여 백성들에게 징험하고, 삼왕(三王)에게서 고찰하여 틀리지 않으며, 천지에 세워도 어그러지지 않고, 귀신에게 물어보아도 의혹이 없으며, 백세에 성인을 기다려도 의혹되지 않는다. 귀신에게 물어보아 의혹이 없는

---

581) 『中庸』: 詩曰, 神之格思, 不可度思, 矧可射思. 夫微之顯誠之不可揜如此夫.

582) 『中庸』: 至誠之道可以前知. 國家將興, 必有禎祥. 國家將亡, 必有妖孽. 見乎蓍龜, 動乎四體. 禍福將
　　 至, 善必先知之, 不善必先知之. 故至誠如神.

583) 『中庸』: 故君子不可以不修身. 思修身不可以不事親. 思事親, 不可以不知人. 思知人, 不可以不知天.

584) 『論語·爲政』: 子曰, 吾十有五而志于學, 三十而立, 四十而不惑, 五十而知天命, 六十而耳順, 七十而
　　 從心所欲, 不踰矩.

것은 하늘을 아는 것이며, 백세에 성인을 기다려도 의혹되지 않는 것은 사람을 아는 것이다"585)라고 했다.

詰者曰, 世有名德, 而多不免於禍者, 何歟.
曰, 必其行人之所不能行, 以引繩批根天下之不及者, 高峻絶物, 與人異其好惡憂樂, 而喪其利者也. 不然則其色莊而取名者也. 不然則其不知時位者也. 不然則其迂濶不知幾而好自用者也. 中庸曰, 遠之則有望, 近之則不厭, 詩云在彼无惡, 在此无射, 君子未有不如此而蚤有譽於天下者也. 夫君子尊賢容衆, 隱惡揚善, 溫和而不流, 强毅而不猛, 故天下之善者好之, 不善者不惡也. 親而不狎, 敬而不憚, 是以能不違於人, 而人亦不違焉. 人之不違於我者, 以我之能不違於人也. 天人一也. 人之所不違者, 天之所不違也.

물었다: 세상에는 명성과 덕을 갖춘 자들이 있지만, 대부분 재앙을 면하지 못하는 것은 무엇 때문입니까?

답하였다: 반드시 사람들이 행할 수 없는 것들을 행하여 천하의 사람들 중에 미치지 못한 자를 배척하고, 존귀하고 고매하며 남들보다 뛰어나다고 생각하여 다른 사람들과 더불어서 좋아하고 싫어함, 근심하고 즐거워함을 달리하여 그 이로움을 잃은 자입니다. 그렇지 않다면, 낯빛만 장엄하게 하여 명예를 추구했던 자입니다. 그렇지 않다면, 때와 위치를 알지 못했던 자입니다. 그렇지 않다면, 물정에 어두워 기미를 알지 못하고, 자기 스스로만 쓰일 것을 좋아했던 자입니다. 『중용』에서는 "멀리 있으면 우러러보게 되고, 가까이 있으면 싫어하지 않게 된다. 『시경』에서는 '저기에 있어도 미워하는 사람이 없고, 여기에 있어서도 싫어하는 사람이 없다'고 했다. 군자가 이처럼 하지 않고서 천하에서 일찍이 명예를 얻은 자가 없었다"586)라고 했습니다. 군자는 현명한 자를 존중하며 대중을 수용하고, 악함을 가리고 선함을 드러내며, 온화하되 지나치게 흐르지 않고, 강건하되 사납지 않습니다. 그러므로 천하의 선한 자들은 그를 좋아하게 되고, 불선한 자들도 그를 싫어하지 않습니다. 친근하게 대하되 도리를 어기지 않으며, 공경하되 꺼리지 않으니, 이 때문에 타인에 대해서 어기지 않을 수 있고, 타인 또한 어기지 않을 수 있습니다. 타인이 나에 대해서 어기지 않는 것은 내가 타인에 대해 어기지 않을 수 있기 때문입니다. 하늘과 사람의 이치는 동일합니다. 따라서 사람이 어기지 않는 것에 대해서 하늘도 어기지 않는 것입니다.

---

585) 『中庸』: 故君子之道本諸身, 徵諸庶民, 考諸三王而不繆, 建諸天地而不悖, 質諸鬼神而無疑, 百世以俟聖人而不惑, 質諸鬼神而無疑, 知天也, 百世以俟聖人而不惑, 知人也.
586) 『中庸』: 遠之則有望, 近之則不厭. 詩曰, 在彼無惡, 在此無射. 庶幾夙夜, 以永終譽. 君子未有不如此而蚤有譽於天下者也.

오치기(吳致箕) 「주역경전증해(周易經傳增解)」[587]

大人卽指九五之大人, 而合其德以下盛言大人陽剛中正, 有此至公无私之德也. 天地者造化之主, 而覆載无私之謂德也. 日月者造化之精, 而照臨无私之謂明也. 四時者造化之功, 而生息无私之謂序也. 鬼神者造化之靈, 而禍福无私之謂吉凶也. 先天而天不違, 言時之未至, 我乃先乎天而有爲, 如制耒耜作書契之類也. 後天而奉天時, 言時之旣至, 我乃後乎天而奉行, 如天敘有典而我惇之, 天秩有禮而我庸之之類也.[588] 大人之德與天一理, 故天且不違乎大人. 而況人得天地之理以生, 鬼神亦不過天地之功用, 則豈可違於大人乎. 此所以九二之大人同德相應者也.

대인은 곧 구오의 대인을 가리킨 것이고, "덕이 부합한다[合其德]"는 구절 이하는 대인이 양강(陽剛)하고 중정하여 이렇게 지극히 공변되고 사사로움이 없는 덕이 있음을 성대하게 말하였다. 천지는 조화의 주체로서, 덮어주고 실어줌에 사사로움이 없는 것을 '덕'이라 한다. 해와 달은 조화의 정수(精髓)로서, 만물을 비추고 임함에 사사로움이 없는 것을 '밝음'이라 한다. 사시(四時)는 조화의 공력으로서, 낳아주고 길러줌에 사사로움이 없는 것을 '차례'라 한다. 귀신은 조화의 영묘(靈妙)함으로서, 재앙과 복을 줌에 사사로움이 없는 것을 '길흉'이라 한다. "하늘보다 먼저 해도 하늘이 어기지 않는다"는 것은 시절이 아직 오지 않았지만 내가 오히려 하늘보다 먼저 행동하는 것이니, 예를 들어 보습과 쟁기를 만들고 문자와 부호를 짓는 종류와 같은 것이다. "하늘보다 뒤에 해도 하늘의 때를 받든다"는 것은 시절이 이미 왔는데도 내가 오히려 하늘보다 뒤에서 받들어 행하는 것이니, 예를 들어 하늘이 차례지어 전례(典例)를 두면 내가 돈독히 실천하고, 하늘이 차례지어 예(禮)를 두면 내가 떳떳하게 실천하는 종류이다. 대인의 덕과 하늘은 하나의 이치이니 하늘도 대인을 어기지 않는다. 하물며 사람은 천지의 이치를 얻어 태어나고 귀신도 천지의 공용에 불과한데, 어찌 대인을 어길 수 있겠는가? 이것이 구이의 대인과 같은 덕으로 서로 호응하는 이유이다.

이병헌(李炳憲) 『역경금문고통론(易經今文考通論)』

九五以聖人而位天德, 故與天爲一. 文言中連贊九五之德, 至此而極矣. 人謂擧一世之人, 鬼神謂上下神祇.

구오는 성인으로서 하늘의 덕에 위치하였기 때문에 하늘과 하나가 된다. 「문언전」에서는 구오의 덕(德)을 계속해서 찬양을 했는데, 이곳에 와서 지극해졌다. 사람은 한 시대의 모든 사람을 말하며, 귀신은 상하의 귀신을 말한다.

---

587) 경학자료집성DB에서는 건괘 구오에 해당하는 것으로 분류했으나, 내용에 따라 이 자리로 옮겼다.
588) 『書經·皐陶謨』: 天敘有典, 勅我五典, 五惇哉. 天秩有禮, 自我五禮, 有庸哉.

亢之爲言也, 知進而不知退, 知存而不知亡, 知得而不知喪.

끝까지 올라간다는 말은 나아갈 줄만 알고 물러날 줄을 모르며, 보존하는 것만 알고 망하게 될 줄을 모르며, 얻는 것만 알고 잃게 될 줄을 모르는 것이다.

中國大全

本義

所以動而有悔也.

이 때문에 움직이면 후회가 있다.

小註

厚齋馮氏曰, 進退者, 身也, 存亡者, 位也, 得喪者, 物也. 此爻窮上反下, 則退矣. 九變爲六 則亡矣 无民无輔, 則喪矣.

후재풍씨가 말하였다: 나아가고 물러나는 것은 자신이고, 보존하고 망하는 것은 자리이며, 얻고 잃음은 외물이다. 이 효는 끝까지 올라갔다가 돌이켜 내려가니 곧 물러남이고, 구가 변하여 육이 되니 곧 망함이며, 백성이 없고 도움이 없으니 곧 잃음이다.

○ 雲峯胡氏曰, 初九曰潛之爲言也, 隱而未見, 行而未成, 二句釋一潛字, 而言君子者再, 蓋必君子而後能安於潛也. 上九曰, 亢之爲言也, 知進而不知退, 知存而不知亡, 知得而不知喪, 三句釋一亢字, 而言聖人者再, 蓋必聖人然後不至於亢也.

운봉호씨가 말하였다: 초구에서 "잠(潛)이란 말은 숨어서 나타나지 않으며 행하여도 아직 이루어지지 않음이다"[589]고 하였는데, 이 두 구절은 잠(潛)이라는 한 글자를 풀이한 것이다. '군자'라고 두 차례 언급한 것은 반드시 군자가 된 뒤에야 잠김에 대해서 편안할 수 있기

---

[589] 『周易·乾卦·文言傳』: 君子以成德爲行, 日可見之行也. 潛之爲言也, 隱而未見, 行而未成, 是以君子弗用也.

때문일 것이다. 상구에서 "항(亢)이란 말은 나아갈 줄만 알고 물러날 줄을 모르며, 보존하는 것만 알고 망하게 될 줄을 모르며, 얻는 것만 알고 잃게 될 줄을 모르는 것이다"고 했는데, 이 세 구절은 '항(亢)'이라는 한 글자를 풀이한 것이다. '성인'이라고 두 차례 언급한 것은 반드시 성인이 된 뒤에야 항(亢)에 이르지 않을 수 있기 때문일 것이다.

┃韓國大全┃

김귀주(金龜柱) 『주역차록(周易箚錄)』

本義, 所以動而有悔, 云云.

『본의』에서 말하였다: 이 때문에 움직이면 후회가 있다, 운운.

小註, 厚齋馮氏曰, 進退, 云云.

소주(小註)에서 후재풍씨가 말하였다: 나아가고 물러나는 것은, 운운.

○ 按, 上九亢龍, 有徒知進存得, 而不知退亡喪之象, 所以動必有悔, 非謂亢之象已自退亡喪也. 蓋進極則必退, 存極則必亡, 得極則必喪, 乃理勢之自然耳. 聖人知其如此, 而預有以處之, 不似亢之徒知有進存得, 而不知有退亡喪也. 馮氏於此, 蓋未深察矣.

내가 살펴보았다: 상구의 '끝까지 날아오른 용[亢龍]'은 단지 나아가고 보존하며 얻을 줄만 알고, 물러나고 없어지고 잃을 줄을 모르는 상이 있기 때문에 움직이면 후회가 있는 것이니, 끝까지 날아오른 상이 이미 저절로 물러나고 없어지고 잃어버렸다는 말이 아니다. 나아감이 극에 달하면 반드시 물러나고, 보존함이 극에 달하면 반드시 없어지며, 얻음이 극에 이르면 반드시 잃어버리는 것은 이치의 형세 상 저절로 그러함일 뿐이다. 성인은 이와 같음을 알아서 미리 대처 하니, 끝까지 날아오른 것이 단지 나아가고 보존하며 얻음이 있을 줄만 알고, 물러나고 없어지며 잃음이 있는 줄 모르는 것과는 같지 않다. 풍씨는 이 부분에서 깊이 고찰하지 않았다.

심대윤(沈大允) 『주역상의점법(周易象義占法)』

知自高而不知絶於人, 知守正而不知失其中, 知得名而不知喪其利也. 知進退存亡, 而不失其正者, 中庸之德也, 豈有亢哉?

자기 스스로 높아질 줄은 알지만 남보다 뛰어나게 하는 것은 모르며, 올바름을 지키는 것은 알지만 중도를 잃는 것에 대해서는 모르고, 명예를 얻는 것은 알지만 그 이로움을 잃는 것에 대해서는 모른다. 나아감과 물러남, 보존함과 잃어버림에 대해서 알면서도 그 올바름을 잃지 않는 것은 중용의 덕에 해당한다. 어찌 끝까지 올라감이 있겠는가?

其唯聖人乎. 知進退存亡, 而不失其正者, 其唯聖人乎.

오직 성인일 것이다! 진퇴와 존망의 이치를 알아 올바름을 잃지 않는 자는 오직 성인일 것이다!

‖中國大全‖

傳

極之甚, 爲亢. 至於亢者, 不知進退存亡得喪之理也. 聖人則知而處之, 皆不失其正, 故不至於亢也.

끝까지 감이 심한 것을 항(亢)이라고 하니, 끝까지 올라감에 이른 자는 나아감과 물러남·보존과 망함·얻음과 잃음의 이치를 알지 못하는 것이다. 성인은 이것을 알고 대처하여 그 바름을 잃지 않기 때문에 끝까지 올라감에 이르지 않는다.

本義

知其理勢如是, 而處之以道, 則不至於有悔矣, 固非計私以避害者也. 再言其唯聖人乎, 始若設問而卒自應之也.

이치와 형세가 이와 같음을 알고 도로써 대처하면 후회가 생기는 데에 이르지 않는 것이니, 진실로 사사로움을 계산하여 해로움을 피하려고 하는 것은 아니다. "오직 성인일 것이다!"라고 두 번 말한 것은 앞에서는 묻는 것처럼 가설하고 마침내 스스로 응답한 것이다.

○ 此第六節, 復申第二第三第四節之意.

이는 제 6절이니, 다시 제 2절·제 3절·제 4절의 뜻을 거듭 설명하였다.

小註

厚齋馮氏曰, 聖人知進退存亡, 而不言得喪者, 知進退存亡, 則无得喪矣.

후재풍씨가 말하였다: 성인이 진퇴와 존망에 대해서 알면서도 얻음과 잃음에 대해서 언급하지 않은 이유는 진퇴와 존망에 대해서 안다면 얻고 잃을 것이 없기 때문이다.

○ 山齋易氏曰, 進退存亡, 在我者也, 得喪, 則效之見於彼者也.

산재역씨가 말하였다: 진퇴와 존망은 나에게 달린 것이며, 얻고 잃음은 공효가 상대에게서 드러난 것이다.

○ 雲峯胡氏曰, 天數中於五, 陽極則剝, 乾上則亢, 中不可過也. 知其時將過乎中而處之, 不失其正, 其唯聖人乎. 貞者, 正也, 乾元之用所歸宿也. 乾之四德, 始于元, 至此, 又論聖人之體乾而歸於正, 其意深矣.

운봉호씨가 말하였다: 하늘의 수는 5가 가운데 자리[中]이다. 양이 극성해지면 깎이고 건괘(乾卦)의 꼭대기[상효]는 '끝까지 올라감'[亢]이니, 중(中)을 넘어서는 안 된다. 시기가 중을 지나치게 됨을 알고서 대처하면 올바름을 잃지 않게 될 것이니, 그런 사람은 오직 성인일 것이다. '곧음[貞]'은 바르다는 뜻으로서 건원(乾元)의 쓰임이 귀착하여 머무는 것이다. 하늘의 네 가지 덕이 원(元)에서 시작하여 여기에 이름에, 또 "성인이 하늘을 본받아 바름으로 돌아간다"고 논의하였으니, 그 뜻이 매우 깊다.

○ 朱子曰, 文言六爻, 皆是言聖人之德, 只所處之位不同. 初爻言不易乎世, 不成乎名, 遯世无悶, 不見是而无悶, 樂則行之 憂則違之, 潛龍也, 已是說聖人之德了, 只是潛而未用耳. 到九二卻恰好, 其化已能及人矣. 蓋正是臣位, 所以處之而安, 到九三居下卦之上, 位已高了. 那時節无可做. 只得恐懼進德脩業乾乾不息, 此便是伊周地位. 九四位便乖, 或躍在淵, 伊川謂淵者, 龍之所安. 恐未然, 田是平所在, 縱有水亦淺, 淵是深不可測, 躍離乎行而未至乎飛, 行尚以足, 躍則不以足, 一跳而起, 足不踏地, 跳得便上天去. 不得依舊在淵裏, 皆不可測. 下離乎行, 上近乎飛, 上不在天, 下不在田, 中不在人. 故或之, 或之者, 疑之也. 不似九二安穩. 此時進退不得, 皆不由我, 只聽天時了. 以聖人言之, 便是舜歷試, 文王三分天下有二, 湯武鳴條牧野時. 到上九又亢了. 看來人處大運中, 无一時間, 吉凶悔吝, 一息不曾停, 如大輪一般, 一恁衰將去. 聖人只隨他恁地去, 看道理如何, 這裏則將這道理處之, 那裏則將那道理處之.

주자가 말하였다: 「문언전」에서의 여섯 효는 모두 성인의 덕을 말한 것이나, 단지 처한 자리가 다를 뿐이다. 초효에서 "세상을 따라 변하지 않으며 명성을 이루려 하지 않고 세상에

은둔해도 고민하지 아니하며, 옳음을 알아주지 않아도 고민하지 않고, 즐거우면 행하고 근심스러우면 떠나니, '잠겨있는 용'이다"라고 한 것은 이미 성인의 덕에 대해 설명했지만, 은둔하여 아직 쓰이지 않는다는 뜻일 뿐이다. 구이에 이르면, 적합하여 그 교화가 타인에게까지 미칠 수 있으니, 바로 신하의 자리에 해당되어 거처하면서도 편안한 것이다. 구삼에 이르면 하괘의 위에 거하여 자리가 이미 높으니, 이때에는 할 수 있는 것이 없다. 단지 두려워하고 삼가며 덕을 기르고 학업을 닦아 힘쓰고 힘써 쉼이 없어야 하니, 곧 이윤(伊尹)과 주공(周公)의 처지에 해당한다. 구사는 자리가 어긋나 혹 뛰어오르거나 못에 있다. 이천이, 못을 용이 편안히 여기는 곳이라고 한 것은 옳지 않은 듯하다. '밭[田]'은 평지가 있는 곳이어서 비록 물이 있더라도 얕고, 못은 깊어서 헤아릴 수 없다. 뛰어오름[躍]은 걸음에서는 벗어났으나 아직 날아다니는 경지는 아니다. 걸음은 여전히 발을 사용하지만 뛰어오르면 발을 사용하지 않고, 한 번 도약하여 일어나면 발로 땅을 디디지 않는다. 도약할 수 있으면 바로 하늘로 올라 갈 수 있지만, 도약하지 못하면 여전히 못 속에 있으니, 다 헤아릴 수 없다. 아래로는 걸음에서 벗어났고 위로는 나는 것과 가까워졌으나, 위로 하늘에 있지 않고 아래로 밭에 있지 않으며, 중간으로는 사람과 함께 있지 않으므로 '혹은[或之]'이라고 하니, '혹은'이라는 것은 의심한다는 뜻이다. 이는 편안히 거하는 구이와는 같지 않다. 이때에 나아가거나 물러날 수 없는 이유는 모두 나로 말미암은 것이 아니니, 다만 하늘의 때를 따를 뿐이다. 성인으로써 말하면 곧 순(舜)임금이 시험을 거친 일과, 문왕(文王)이 천하를 세 등분하여 그 중 둘을 소유한 일과,[590] 탕왕(湯王)이 명조(鳴條)에서 싸우고 무왕(武王)이 목야(牧野)에서 전쟁할 때가 여기에 해당한다. 상구에 이르게 되면 또한 끝까지 간 것이다. 사람이 큰 운행에 처하는 것을 보면, 한 때라도 한가한 적이 없어 길·흉·회·린이 한 순간도 멈춘 적이 없으니, 마치 큰 바퀴가 한결같이 굴러가는 것과 같다. 성인은 단지 그가 어떤 곳에 가느냐에 따라 도리가 어떠해야 하는 지를 살펴보니, 여기에 있게 되면 이런 도리로 대처하고, 저기에 있게 되면 저런 도리로 대처한다.

又曰, 大抵易卦爻辭, 本只是各著本卦本爻之象, 明吉凶之占, 當如此耳, 非是就聖賢地位說道理也. 故乾六爻, 自天子以至于庶人, 自聖人以至於愚不肖, 筮或得之, 義皆有取. 但純陽之德, 剛健之至, 若以義類推之, 則爲聖人之象, 而其六位之高下, 又有似聖人之進退. 故文言因潛見躍飛自然之文, 而以聖人之迹, 各明其義, 位有高下, 而德无淺深也.

또 말하였다: 대체로 『주역』의 괘사·효사는 각각 본괘와 본효의 상(象)을 드러내어 길흉의

---

590) 『論語·泰伯』: 舜有臣五人而天下治. 武王曰, 予有亂臣十人. 孔子曰, 才難, 不其然乎. 唐虞之際, 於斯爲盛. 有婦人焉, 九人而已. 三分天下有其二, 以服事殷. 周之德, 其可謂至德也已矣.

점을 밝힘이 마땅히 이와 같을 뿐이니, 성현의 지위에 나아가 도리를 설명한 것이 아니다. 그러므로 건괘의 여섯 효는 천자로부터 서민에 이르기까지와 성인으로부터 우매하고 불초한 자에 이르기까지 점쳐서 혹 점괘를 얻으면 모두 의리상 얻는 것이 있다. 다만 순전한 양의 덕은 굳셈과 강건함이 지극하여 의리의 따라 종류대로 미루어 보면 성인의 상(象)이고, 여섯 자리의 높고 낮음은 성인의 진퇴와 흡사한 점이 있다. 그러므로 「문언전」에서는 잠기다[潛]·나타나다[見]·뛴다[躍]·날다[飛]라는 자연스러운 문장에 따라 성인의 자취를 가지고 각각의 의리를 밝힌 것이니, 자리에는 높고 낮음의 차이가 있으나, 덕에는 깊고 얕음의 차이가 없다.

○ 伊川云, 卦爻有相應, 看來不相應者多, 且如乾卦如其說時, 除了二與五之外, 初何嘗應四, 三何嘗應上. 坤卦更都不見相應, 此似不通.
이천이 "괘의 효는 서로 호응한다"라 하였는데, 살펴보니 서로 호응하지 않는 것이 많다. 예컨대 건괘를 때로 설명할 경우에 구이와 구오를 제외하면, 초구가 어떻게 구사와 호응하며 구삼이 어떻게 상구와 호응하는가? 더욱이 곤괘에서는 모두 호응하는 것을 볼 수 없으니, 이천의 이 말은 이치에 맞지 않는 듯하다.

○ 雙湖胡氏曰, 六爻取應與不應, 夫子象傳例也. 如恒象曰, 剛柔皆應, 恒, 此六爻以應言也. 如艮象曰, 上下敵應, 不相與也, 此六爻雖居相應之位, 剛柔皆相敵而不相與, 則是雖應亦不應矣. 又如未濟六爻皆應, 故曰, 雖不當位, 剛柔應也. 以此例之 則六爻皆應者八卦, 泰否咸恒損益旣濟未濟是也. 皆不應者亦八卦, 乾坤坎離震巽艮兌是也. 二體所以相應者, 初應四, 四亦應初, 二應五, 五亦應二, 三應上, 上亦應三. 然上下體雖相應, 其實陽爻與陰爻應, 陰爻與陽爻應, 若皆陽皆陰, 雖居相應之位, 則亦不應矣. 江都李衡曰, 相應者, 同志之象, 志同則合, 是以相應. 然事固多變, 動在因時. 故有以有應而得者, 有以有應而失者, 亦有以无應而吉者, 有以无應而凶者. 夫九三以援小人而凶, 剝六三以應君子而无咎, 咸貴虛心而受人, 故六爻以有應而失所. 蒙六四以无應而困吝, 斯皆時事之使然. 故不可執一而定論也. 又觀象辭, 重在二五剛中而應者, 凡五卦, 師臨升二以剛中應五, 无妄萃五以剛中應二. 至若比五以剛中, 上下五陰應之, 大有五以柔中上下五剛應之, 小畜四以柔得位, 上下五剛亦應之, 又不以六爻之應例論也.
쌍호호씨가 말하였다: 여섯 효로써 호응함과 호응하지 않음을 취한 것은 공자의 「단전(彖傳)」의 용례이다. 예컨대 항괘(恒卦)의 「단전(彖傳)」에서 "굳센 양과 부드러운 음이 모두 호응함이 항(恒)이다"591라고 했으니, 항괘의 여섯 효는 호응으로 설명한 것이다. 예컨대 간괘(艮卦)의 「단전(彖傳)」에서 "위와 아래가 위와 아래가 적으로 대응하여 서로 함께하지

않는다"592)고 하였으니, 간괘의 여섯 효는 비록 서로 호응하는 자리에 있더라도, 굳센 양과 부드러운 음이 모두 서로 대등하여 함께 하지 않으니, 이것은 비록 호응하는 자리라 하더라도 호응하지 않는 것이다. 또한 예컨대 미제괘(未濟卦)의 여섯 효는 모두 호응을 한다. 그러므로 "비록 자리가 마땅하지 않지만, 굳센 양과 부드러운 음이 호응한다"593)고 하였다. 이러한 기준에 따라 예를 들어보면, 여섯 효가 모두 호응하는 것은 여덟 개의 괘이니, 태괘(泰卦)・비괘(否卦)・함괘(咸卦)・항괘(恒卦)・손괘(損卦)・익괘(益卦)・기제괘(既濟卦)・미제괘(未濟卦)가 여기에 해당한다. 호응하지 않는 것도 여덟 개의 괘이니, 건괘(乾卦)・곤괘(坤卦)・감괘(坎卦)・리괘(離卦)・진괘(震卦)・손괘(巽卦)・간괘(艮卦)・태괘(兌卦)가 여기에 해당한다. 두 몸체가 호응하는 것은 초효가 사효에 호응하고 사효도 초효에 호응하며, 이효가 오효에 호응하고 오효도 이효에 호응하며, 삼효가 상효에 호응하고 상효도 삼효에 호응하는 것이다. 그러나 상하의 몸체가 비록 서로 호응하더라도, 실제로는 양효가 음효와 호응하는 것이고 음효가 양효와 호응하는 것이니, 만일 모두 양이거나 모두 음이라면, 비록 서로 호응하는 자리에 있더라도 또한 호응하지 않는 것이다.

강도(江都) 이형(李衡)이 아래와 같이 말하였다. "서로 호응을 한다는 것은 뜻을 함께 하는 상(象)이다. 뜻이 같으면 합하게 되므로 서로 호응하는 것이다. 그러나 일은 본래 변화가 많으니, 움직임은 상황에 맞게 하는 데에 달려 있다. 그러므로 호응이 있어서 얻는 경우가 있고, 호응이 있더라도 잃는 경우가 있으며, 또 호응이 없더라도 길한 경우가 있고, 호응이 없어서 흉한 경우가 있다. 쾌괘(夬卦䷪)의 구삼은 소인을 취하여 흉하게 된 것이고, 박괘(剝卦䷖)의 육삼은 군자와 호응하여 허물이 없게 된 것이다. 함괘(咸卦䷞)는 마음을 비우고 남을 받아들임을 귀하게 여기기 때문에 여섯 효가 호응이 있으나 제자리를 잃은 것으로 설명하였고, 몽괘(蒙卦䷃)의 육사는 호응이 없어서 곤궁하고 인색해짐으로 설명하였으니, 이것은 모두 때[時]와 일[事]이 그렇게 만든 것이다. 그러므로 하나를 고집하여 논의를 단정해서는 안 된다. 또 단사를 살펴보니 이효나 오효가 굳센 양으로서 가운데 자리에 있으면서[剛中] 호응하는 것을 중시한다. 이에 해당하는 것이 모두 다섯 개의 괘이니, 사괘(師卦䷆)・림괘(臨卦䷒)・승괘(升卦䷭)는 이효가 양강(陽剛)으로서 가운데 자리에 있어 오효에 호응하고, 무망괘(无妄卦䷘)・취괘(萃卦䷬)는 오효가 양강(陽剛)으로서 가운데 자리에 있

---

591) 『周易・恒卦』: 象曰, 恒, 久也. 剛上而柔下, 雷風相與, 巽而動, 剛柔皆應, 恒. 恒亨无咎利貞, 久於其道也. 天地之道, 恒久而不已也. 利有攸往, 終則有始也. 日月得天而能久照, 四時變化而能久成, 聖人久於其道而天下化成, 觀其所恒, 而天地萬物之情可見矣.

592) 『周易・艮卦』: 象曰, 艮, 止也. 時止則止, 時行則行, 動靜不失其時, 其道光明. 艮其止, 止其所也. 上下敵應, 不相與也, 是以不獲其身, 行其庭, 不見其人, 无咎也.

593) 『周易・未濟卦』: 象曰, 未濟, 亨, 柔得中也. 小狐汔濟, 未出中也, 濡其尾, 无攸利, 不續終也. 雖不當位, 剛柔應也.

어 이효에 호응한다. 비괘(比卦䷇)같은 것은 오효가 양강으로서 가운데 자리에 있기 때문에 위 아래의 다섯 음이 호응하고, 대유괘(大有卦䷍)는 오효가 음유로서 가운데 자리에 있기[柔中] 때문에 위아래의 다섯 개의 강함이 호응하며, 소축괘(小畜卦䷈)는 음유(陰柔)로서 제자리를 얻어서 위아래의 다섯 개의 강함이 또한 호응한다. 이것은 또한 여섯 효가 호응하는 용례로 논할 수 없다."

韓國大全

유정원(柳正源) 『역해참고(易解參攷)』

亢之 [至] 人乎.

끝까지 올라간다 … 성인일 것이다!

正義, 進退據心, 存亡據身, 得喪據位, 唯聖人乃能知進退存亡也. 何不云得喪. 得喪輕於存亡, 擧重略輕也.

『주역정의』에서 말하였다: 진퇴는 마음[心]에 근거한 것이고, 존망은 몸[身]에 근거한 것이며, 얻고 잃음[得喪]은 자리[位]에 근거한 것이니, 성인만이 진퇴와 존망에 대해서 알 수 있다. 왜 얻고 잃음에 대해서는 말하지 않았는가? 얻고 잃음은 존망보다 비중이 낮기 때문에, 비중이 높은 것을 제시하고 비중이 낮은 것은 생략하였다.

○ 朱子曰, 乾卦有兩箇其唯聖人乎, 王肅本卻以一箇做愚人, 此必有自改得恁地亂道.

주자가 말하였다: 건괘(乾卦)에는 두 개의 '기유성인호(其唯聖人乎)'라는 구절이 있는데, 『왕숙본』에는 한 곳의 글자를 우인(愚人)으로 고쳤으니, 이것은 분명 제 마음대로 글자를 고쳐서 도리를 문란하게 만든 것이다.

○ 案, 文言歷擧六爻, 以何謂發問而不擧用九. 第六節, 復申第二第三第四節, 而又不言見群龍无首何也.

내가 살펴보았다: 「문언전」에서는 여섯 효를 일일이 들어 열거할 때, '무슨 말인가[何謂]'로 질문하면서도 '구를 씀[用九]'에 대해 거론하지 않았습니다. 제 6절은 제 2절, 제 3절, 제 4절의 뜻을 거듭 밝히고 있는데, 또한 "여러 용들을 보되 머리가 없다"는 말을 하지 않은 것은 어째서입니까?

曰, 孔子之易, 不必盡從文王之易, 用九无首以文王之意, 則乾變爲坤之義, 而孔子之
意不如是也. 第三節曰, 乾元用九, 天下治也. 第四節曰, 乾元用九, 乃見天則. 蓋言其
乾之諸爻, 皆是用九之道也. 然則剛柔相濟爲中, 而乃用純剛之道, 是過乎剛者也. 何
以謂天下治也, 何以謂乃見天則也. 夫以剛居剛, 不自用其剛. 德者, 用九之道也. 以
聖人言, 則謙以持己慄慄畏懼, 不以聰睿自居, 乃无首之義, 則所謂天則也, 所以天下
治也. 潛龍之不見无憫, 見龍之愼謹不伐, 九三之不驕不憂, 九四之无常无恒, 九五之
同聲同氣, 皆是无首之義, 則不必以群龍无首別爲問答, 而其意自在於六爻之中也. 坤
之文言, 亦不言用六利永貞之義, 坤之六爻, 何莫非永貞之義耶.

답하였다: 공자의 역은 문왕의 역을 모두 따른 것이라고 할 필요가 없으니, '구를 씀[用九]'에
서 '머리가 없음'은 문왕의 뜻에 따른다면 건이 변하여 곤이 된다는 뜻이지만, 공자의 뜻은
이와 같지 않습니다. 제 3절에서는 "건원의 구를 씀은 천하가 다스려짐이다"라고 했고, 제
4절에서는 "건원이 구를 씀은 곧 하늘의 법칙을 보는 것이다"라고 했습니다. 건의 여러 효들
이 모두 이러한 양을 쓰는 도입니다. 그렇다면 굳셈과 부드러움이 서로 도와서 중(中)이
되는 것이니, 이것은 곧 순전히 굳센 도를 사용하는 것으로서 굳셈보다 지나친 것입니다.
그런데 어떻게 천하가 다스려진다고 말하며, 하늘의 법칙을 본다고 말합니까? 굳셈으로써
굳셈에 있으면 저절로 그 굳셈을 사용하지 못합니다. 덕은 양을 쓰는 도입니다. 성인으로
말한다면, 겸손하게 자기를 단속하며 조심스럽고 두려워하니, 총명함으로써 제 스스로 거처
하는 것이 아니므로 곧 "머리가 없음"은 뜻이 되니, 하늘의 법칙이라고 말하며 이 때문에
천하가 다스려집니다. 잠긴 용이 나타나지 않고 근심이 없으며, 나타난 용이 신중히 삼가고
자랑하지 않으며, 구삼은 교만하지 않고 근심하지 않으며, 구사는 항상 됨이 없고 일정함이
없으며, 구오는 소리와 기운을 함께 한다고 했으니, 모두 "머리가 없다"는 뜻이니, 여러 용들
이 머리가 없다는 것에 대해서 별도로 문답할 필요가 없으며, 그 의미는 저절로 여섯 효
안에 있는 것입니다. 곤괘의 「문언전」에서도 또한 "육을 씀은 영원하고 곧게 하는 것이 이롭
다"는 뜻을 말하지 않았지만, 곤괘의 여섯 효가 어느 것인들 영원하고 곧게 한다는 뜻이
아니겠습니까?

김상악(金相岳) 『산천역설(山天易說)』

知進知存知得, 故至於亢, 不知退不知亡不知喪, 故至於悔. 進退據心, 存亡據身, 得喪
據位.

나아감을 알고 보존함을 알며 얻음을 알기 때문에 끝까지 올라감에 이르고, 물러날 줄 모르
고 망할 줄 모르며 잃어버릴 줄을 모르기 때문에 후회에 이른다. 나아감과 물러남은 마음을
근거로 한 것이고, 존망은 몸을 근거로 한 것이고, 얻고 잃음은 지위를 근거로 한 것이다.

○ 文言, 六爻皆言聖人之德, 而但其所處之位不同. 初之潛龍德而隱者也, 二之見龍德而正中者也, 三之乾乾, 四之或躍, 所以進德也. 五之大人, 位乎天德也. 獨上九之亢, 不言其德. 故用九曰天德, 不可爲首也. 此第六節, 復申第二第三第四未盡之意.

「문언전」에서는 여섯 효가 모두 성인의 덕이라고 말했는데, 다만 각각 그 처한 자리가 다르다. 초효는 잠긴 용의 덕을 갖췄지만 숨어있는 사람이고, 이효는 나타난 용의 덕을 갖췄으면서도 정중(正中)한 사람이고, 삼효는 힘쓰고 힘쓴다고 하고, 사효는 혹은 뛰어오른다고 했기 때문에 덕으로 나아간다. 오효의 대인은 하늘의 덕에 자리한다. 오직 상구가 끝까지 올라감에 그 덕을 말하지 않았다. 그러므로 용구(用九)에서 "천덕(天德)이 으뜸이 되어서는 안 된다"고 말하였다. 이는 제 6절이니, 제 2절·제 3절·제 4절에서 미진했던 뜻을 거듭 밝혔다.

김귀주(金龜柱) 『주역차록(周易箚錄)』

此第六節, 復申, 云云.
이는 제 6절이니 … 을 거듭 밝혔다, 운운.
小註, 厚齋馮氏曰, 聖人, 云云.
소주(小註)에서 후재풍씨가 말하였다: 성인은, 운운.
○ 按, 不言得喪, 只是省文. 今謂知進退存亡, 則無得喪者, 未知何說.
내가 살펴보았다: 얻고 잃음[得喪]을 말하지 않은 것은 글을 생략한 것일 뿐이다. 지금 나아감과 물러남 및 보존함과 없어짐을 알면 얻고 잃는 것이 없다는 말은 무슨 말인지 모르겠다.

山齋易氏曰, 進退, 云云.
산재역씨가 말하였다: 나아감과 물러남과, 운운.
○ 按, 進退存亡得喪者, 理勢之自然也. 知其如是, 而處之以道者, 聖人也. 易氏說, 在我見彼者, 亦未知何謂.
내가 살펴보았다: 진퇴와 존망 및 얻음과 잃음은 이치의 형세상 저절로 그러함이다. 그것이 이와 같음을 알고서 도(道)로써 대처하는 자는 성인이다. 역씨가 주장하는 "나에게 달린 것과 상대방을 통해서 드러나는 것" 역시 무슨 말인지 모르겠다.

雲峰胡氏曰, 天數, 云云.
운봉호씨가 말하였다: 하늘의 수는, 운운.
○ 按, 天數中於五之云, 恐不襯當.

내가 살펴보았다: "하늘의 수는 5가 가운데 자리[中]이다"라고 한 것은 아마 적당하지 않은 듯하다.

서유신(徐有臣) 『역의의언(易義擬言)』

有進必有退, 有存必有亡, 有得必有喪者, 理也. 凡人安在目前, 故不知其退與亡與喪也. 聖人則進而慮其退, 存而慮其亡也. 不言得喪者, 得喪小物, 未足言於聖人也. 其唯聖人乎語疊, 上五字疑衍文. 文言諸爻之義, 雖皆以聖人之事爲言, 而小象則未必盡, 然讀易者看得通活無所拘泥, 則自不相妨也. 此凡六節, 申釋彖辭者二節, 第一節, 言其用也, 第五節, 言其義也. 申釋爻辭者四節, 第二節, 言其用也, 第六節, 言其義也, 故其辭詳, 第三節, 言其時也, 第四節, 言其象也, 故其辭簡.

나아감이 있으면 반드시 물러남도 있고, 보존함이 있으면 반드시 잃어버림도 있으며, 얻음이 있으면 반드시 잃어버림도 있는 것이 바로 이치이다. 보통 사람들은 눈앞에 대해서만 편안하게 여기기 때문에 물러나거나 잊어버림, 또는 잃어버림에 대해서 알지 못한다. 성인은 나아가면 물러남에 대해서 생각하고, 보존하면 잃어버림에 대해서 생각한다. 얻음과 잃어버림에 대해서 언급하지 않은 것은 얻음과 잃음은 작은 대상이므로, 성인을 말하면서 언급하기에는 부족하기 때문이다. "오직 성인일 것이다"라는 말이 두 차례 나오는데, 앞에 나온 "오직 성인일 것이다[其唯聖人乎]"라는 다섯 글자는 아마도 잘못 들어간 말인 것 같다. 「문언전」에서는 효들의 의미를 언급하였는데, 비록 모두 성인의 일로써 언급을 하였지만, 「소상전(小象傳)」의 경우에는 모두 그런 것이 아니니, 『주역』을 읽는 자들이 통괄적으로 살펴서 구애됨이 없다면, 저절로 서로 간의 방해가 되지 않게 된다. 이것은 모두 여섯 개의 절로 이루어졌고, 「단전」의 말을 거듭 풀이한 것이 두 개의 절인데, 제 1절은 쓰임에 대해서 언급하였고, 제 5절은 의로움에 대해서 언급하였다. 효사를 거듭 풀이한 것은 네 개의 절인데, 제 2절은 쓰임을 언급하고, 제 6절은 의로움을 언급하였기 때문에 말이 상세하고, 제 3절은 때를 언급하고, 제 4절은 상(象)을 언급하였기 때문에 말이 간략하다.

강엄(康儼) 『주역(周易)』

其惟聖人 [止] 聖人乎.

오직 성인일 것이다! … 성인일 것이다!

按, 文言釋亢龍有悔之義者, 至此凡四, 而始曰動而有悔也, 又曰窮之災也, 又曰與時偕極, 至此則曰知進不知退云云, 而其於防亢之道, 未嘗言及也. 若如是而止, 則天下後世孰能知其防於未然, 而不至於悔乎. 是則聖人之所可憂也. 於是乃以聖人之知進退存亡而不失⁵⁹⁴⁾其正者明之, 使天下之人於其進退存亡之際, 必以聖人爲法, 一循天理之正, 而不容人欲之私, 則庶可以不至於亢, 而得免於悔矣, 其旨深哉.

내가 살펴보았다: 「문언전」에서는 끝까지 올라간 용이니 후회가 있다는 뜻을 설명한 것은 이곳 문장에 이르기까지 모두 네 개가 되는데, 처음에는 움직여 후회가 있다고 했고, 또한 궁극함의 재앙이라고 했으며, 또한 때와 함께 궁극에 달했다고 했고, 이곳에 이르러서는 나아감만 알고 물러날 줄은 모른다는 등의 말을 했으니, 원(元)을 막는 도에 대해서는 일찍이 언급을 하지 않았다. 만약 이처럼 하여 멈추게 된다면, 천하의 후세 사람들 중에 그 누가 미연에 방지하는 것을 알아서 후회가 있게 되는데 이르지 않을 수 있겠는가? 이것은 성인으로서 근심할 만한 점이다. 이에 곧 성인이 나아가고 물러남, 보존함과 잃어버림을 알면서도, 그 올바름을 잃지 않는다는 말로써 밝혀주어, 천하의 모든 사람들로 하여금 나아가고 물러남, 보존함과 잃어버림에 대해서 반드시 성인을 법도로 삼고, 한결같이 천리의 올바름에 따르며, 인욕의 사사로움을 허용하지 않는다면, 거의 끝까지 올라가는 데에는 이르지 않아서 후회가 있는 지경에서 벗어날 수 있게 했으니, 그 의미가 매우 깊도다!

박문건(朴文健)『주역연의(周易衍義)』

言亢滿而不知止也.

끝까지 올라가고 가득 찼는데도 그칠 줄 모름을 말한다.

○ 此復申象傳之衍義.

이는 「상전」에서 풀이한 말을 거듭 설명하였다.

〈問, 知進知存知得. 曰, 知有進而不知退, 知有存而不知亡, 知有得而不知喪者, 亢滿之致也. 進退者, 往來之謂也. 存亡者, 消長之謂也. 得喪者, 吉凶之謂也.

물었다: "나아감을 알고, 보존함을 알며, 얻음을 안다"는 무슨 뜻입니까?

답하였다: 나아감만 알고 물러날 줄은 모르며, 보존함만 알고 잃어버릴 줄은 모르며, 얻음만 알고 잃어버릴 줄은 모르는 것은 끝까지 올라가 가득참이 지극해 지는 것입니다. 나아가고 물러난다는 것은 왕래한다는 말입니다. 보존하고 잃어버린다는 것은 소멸하고 생장한다는 말입니다. 얻고 잃는다는 것은 길흉을 말합니다.〉

〈○ 問, 竝言其唯聖人乎者, 何. 曰, 深歎亢龍之不善處也.

물었다: 두 차례나 "오직 성인일 것이다!"라고 말한 것은 왜입니까?

---

594) 失: 경학자료집성DB에는 '矣'로 되어 있으나, 경학자료집성 영인본을 참조하여 '失'로 바로잡았다.

답하였다: 끝까지 올라간 용이 잘 처하지 못한 것에 대해 깊이 탄식한 것입니다.〉

이항로(李恒老) 「주역전의동이석의(周易傳義同異釋義)」

亢之爲言也 [止] 其惟聖人乎.

끝까지 올라간다는 말 … 오직 성인일 것이다!

傳, 極之甚爲亢 [止] 不至於亢也

『정전』에서 말하였다: 궁극이 심한 것이 끝까지 올라감이 된다 … 끝까지 올라감에 이르지 않는다.

本義, 所以動而有悔 [止] 不至於有悔矣

『본의』에서 말하였다: 움직여 후회가 있는 까닭 … 후회가 있는 데에 이르지 않는다.

按, 亢龍, 上九之象也. 有悔, 上九之占也. 亢係乎天, 悔由乎人, 傳合象占說, 故統論亢與不亢, 義分象占說, 故只論悔與无悔, 此蓋不同之由也. 讀者詳之. 蓋嘗論之, 易有太極, 其體大中至正而已. 其用一動一靜而已. 所謂一陰一陽之謂道是也. 有陽必有陰, 有陰必有陽, 消長往來, 進退得喪, 相因相反, 不可已也. 然陽類屬吉, 陰類屬凶, 陽舒而陰慘, 天之心也. 吉樂而凶憂, 人之情也. 陰陽吉凶, 理勢固有, 而扶此抑彼, 避彼趨此, 亦有其道, 將如之何. 不過曰因天理之自然, 盡人道之當然而已. 陽而必動, 元亨之道也. 陰而必靜, 利貞之道也. 動靜循環而恒于一者道也. 吉則用行, 仁禮之道也. 凶則用止, 義智之道也. 吉凶反復而貞于一者道也. 是所以陽統陰吉統凶者也. 然陽吉人所樂也. 陰凶人所憂也. 樂憂旣分, 則欲與不欲繼之矣. 欲與不欲, 皆人欲也. 所欲在此, 所不欲在彼, 故失其當然之則, 或不當進而進, 不當得而得, 或當退而不退, 當喪而不喪, 亡夫大中至正之道, 而違其一動一靜之常, 吉反爲凶而凶不化吉, 人道不得行而天理發乎息矣. 昔者聖人, 蓋有憂之, 於是形容太極之道而畫卦立蓍, 卦爲體而蓍爲用, 蓋自一而二, 二而四, 四而八, 八而十六, 十六而三十二, 三十二而六十四, 卦之體也. 自六十四而三十二, 三十二而十六, 十六而八, 八而四, 四而二, 二而一, 蓍之用也. 非卦則无以立其體, 非蓍則无以通其用, 然則作易者不可廢一而獨立, 學易者亦不可缺一而孤行, 此所以象與占, 不可不合, 亦不可不分也. 如乾之上九[595], 亢龍象也. 有悔占也. 知此而不失其正, 无悔之道也. 无悔則吉可得矣. 易曰自天祐之, 吉无不利, 朱子警學曰, 動有常吉, 此之謂也. 學易者當潛心焉.

내가 살펴보았다: 끝까지 올라간 용은 상구의 상(象)이다. 후회가 있다는 것은 상구의 점

---

595) 九: 경학자료집성DB에는 '尤'로 되어 있으나, 경학자료집성 영인본을 참조하여 '九'로 바로잡았다.

(占)이다. 끝까지 올라감은 하늘에 달려 있고, 후회는 사람에게서 비롯된다. 『정전』에서는 상과 점을 합하여 설명을 했기 때문에 통괄적으로 항(亢)과 불항(不亢)에 대해서 논의한 것이며, 『본의』에서는 상과 점을 구분해서 설명했기 때문에 단지 후회가 있고 후회가 없는 것에 대해서 논의한 것이다. 이것이 바로 서로 해설이 다르게 된 이유이다. 따라서 읽는 사람은 자세히 살펴보아야 한다. 일찍이 다음과 같이 논의하였다. 역에는 태극이 있으니, 그 몸체는 큰 가운데와 지극한 바름일 뿐이고, 그 쓰임은 한 번 움직이고 한 번 고요할 뿐이다. 이른바 한 번 음이 되고 한 번 양이 되는 것이 도라고 한 말[596]이 바로 이러한 뜻에 해당한다. 양이 있으면, 반드시 음이 있고, 음이 있으면, 반드시 양이 있는데, 소멸하고 커지며 왕래하고, 나아가고 물러나며 얻고 잃으며, 서로 따르고 서로 거스르는 것은 그만 둘 수 없다. 그러나 양의 부류는 길에 속하고, 음에 부류는 흉에 속하니, 양이 길하며 음이 흉한 것은 하늘의 마음이다. 길하면 즐겁고 흉하면 근심스러운 것은 사람의 감정이다. 음양과 길흉은 이치의 형세에 따라서 고유한 것인데, 이것을 돕고 저것을 억누르며, 저것을 피하고 이것을 따르는 것에도 또한 그 도가 있는데, 어떻게 하는가? 천리의 자연에 따라서, 인도의 당연한 법칙을 다한다고 말하는 것에 불과할 뿐이다. 양이 되면 반드시 움직이게 되니, 원(元)과 형(亨)의 도이다. 음이 되면 반드시 고요하게 되니, 리(利)와 정(貞)의 도이다. 움직임과 고요함이 순환하여 하나에서 항상된 것이 바로 도이다. 길하면 쓰임을 시행하게 되니, 인(仁)과 예(禮)의 도이다. 흉하면 쓰임을 멈추게 되니, 의(義)와 지(智)의 도이다. 길흉이 반복하여, 하나에서 바른 것이 도이다. 이것은 양이 음을 통섭하고, 길이 흉을 통섭하는 이유이다. 그런데 양과 길은 사람들이 즐거워하고, 음과 흉은 사람들이 근심스러워한다. 즐거움과 근심스러움이 이미 분별되었다면, 하고 싶고 하고 싶지 않은 것이 있게 된다. 하고 싶고 하고 싶지 않은 것은 모두 인욕에 해당한다. 바라는 것이 여기에 있고, 바라지 않는 것이 저기에 있기 때문에 당연한 법칙을 잃는 것이고, 혹은 마땅히 나아가서는 안 되는데도 나아가고, 마땅히 얻어서는 안 되는데도 얻으며, 혹은 마땅히 물러나야 하는데도 물러나지 않고, 마땅히 잃어야 하는데도 잃지 않으니, 큰 가운데와 지극한 바름의 도를 잃고, 한 번 움직이고 한 번 고요한 항상 됨을 어긴다. 길함이 반대로 흉함이 되고, 흉함이 길함으로 변하지 않아서, 인도가 실행되지 못하고, 천리가 멈추게 된다. 옛날 성인은 아마도 이러한 것들을 근심하였으니, 이에 태극의 도를 형용하여, 괘를 그리고, 시초(蓍草)를 만들었던 것이니, 괘는 몸체가 되고, 시초는 쓰임이 된다. 1로부터 2가 되고, 2로부터 4가 되며, 4로부터 8이 되고, 8로부터 16이 되며, 16으로부터 32가 되고, 32로부터 64가 되는 것은 괘의 몸체이다. 64로부터 32가 되고, 32로부터 16이 되며, 16으로부터 8이 되고, 8로부터 4가 되며, 4로부터 2가 되고, 2로부터 1이 되는 것은 시초의 쓰임이다. 괘가 아니라면 그 몸체를 세울

---

596) 『易·繫辭』: 一陰一陽之謂道. 繼之者善也, 成之者性也.

수 없고, 시초가 아니라면 그 쓰임에 통할 수 없다. 그렇다면 『주역』을 지음에 하나라도 폐지하여 홀로 설 수는 없는 것이니, 『주역』을 배우는 자들 또한 하나라도 누락하여 홀로 시행해서는 안 된다. 이것이 상(象)과 점(占)이 합하지 않을 수가 없고, 또 나누지 않을 수가 없는 이유이다. 예를 들어 건(乾)의 상구에서 끝까지 올라간 용은 상(象)이다. 후회가 있는 것은 점(占)이다. 이러한 사실을 알고서 그 올바름을 잃지 않는 것은 후회가 없게 되는 도이다. 후회가 없다면, 길함을 얻을 수 있다. 『주역』에서 하늘로부터 도우니, 길하여 이롭지 않음이 없다고 했고,[597] 주자의 「경학(警學)」에서는 움직임에 항상 길함이 있다고 한 말들이 바로 이러한 뜻을 나타낸다. 따라서 『주역』을 배우는 자들은 마땅히 마음 깊이 새겨야 한다.

오치기(吳致箕) 「주역경전증해(周易經傳增解)」[598]

先言亢之爲悔, 終言聖人之不至亢也, 進退以身言, 存亡以位言, 得喪以事物言也. 處亢而不知其危亡之幾, 不知其喪失之理, 則豈可曰聖人乎. 故能知進退存亡, 而不失其正者, 唯爲聖人也. 再言其唯聖人, 始若設問, 而終應之也.

먼저 '끝까지 올라가면[亢]' 후회한다고 말하고, 끝에 성인은 '항(亢)'에 이르지 않는다고 말하는 것은, 진퇴는 자기 자신으로 말하고 존망은 지위로서 말하며 얻고 잃음은 사물로서 말하기 때문이다. '항'에 처하여 위태하고 망하는 기미를 알지 못하고 그 상실하는 이치를 알지 못한다면 어찌 성인이라 할 수 있겠는가? 그러므로 진퇴와 존망을 알아서 그 바름을 잃지 않는 이는 성인일 뿐이다. 거듭하여 '오직 성인[唯聖人]'이라고 말한 것은 처음에는 가설하여 묻는 것처럼 하고, 끝에는 스스로 응답한 것이다.

이병헌(李炳憲) 『역경금문고통론(易經今文考通論)』

正義曰, 上聖人爲知進退存亡者發文, 下聖人爲不失其正者發文.

『정의』에서 말하였다: 위에서는 성인에 대해서 진퇴와 존망을 아는 자로 설명을 하였고, 아래에서는 성인에 대해서는 그 올바름을 잃지 않는 자로 설명을 하였다.

本義曰, 再言其唯聖人乎, 始若設問卒自應之也.

『본의』에서 말하였다: 거듭 "오직 성인일 것이다!"라고 말한 것은 처음에는 가정하여 묻는 것처럼 하고 끝에서 스스로 응답한 것이다.

---

597) 『易·繫辭』: 易曰, 自天祐之, 吉无不利.
598) 경학자료집성DB에서는 건괘 상구에 해당하는 것으로 분류했으나, 내용에 따라 이 자리로 옮겼다.

按, 乾坤爲易之門, 故特增文言. 然乾比坤爲尤詳.

내가 살펴보았다: 건곤은 역으로 들어가는 문이 되므로 특별히 「문언전」을 더하게 된 것인데, 건괘에 대한 기록은 곤괘에 비하면 더욱 상세하다.

乾之爲卦, 合言則可包含六十四卦, 分言則不害爲六十四卦之一. 夫乾之策二百一十有六, 以卦氣推之, 則爲七十二候者三, 三者天數也. 爲二十四節者九, 九爲老陽. 七十二者爲三, 則可當三年之候, 二十四者爲九, 則可當九年之節, 不待他求, 而一卦之推, 可當三年或九年之數. 以此推之, 可定百千萬年之事而有餘裕. 窮其變而入于無窮之門, 則乃乾元統天之道也, 何止包六十四卦也? 乃擧二百一十有六之數, 與坤之策一百四十有四之數, 合爲一期之日也. 亦以卦氣推之, 則坤策之數, 爲七十二候者兩, 兩者地數也. 與天數三合, 則是爲參天兩地之倚數也. 爲二十四節者六, 六爲老陰, 是故乾數爲九, 坤數爲六, 九六者, 變化之主, 乾坤之合, 六陽六陰相爲一對, 爲萬物之父母, 故次列坤卦.

건의 괘는 합하여 말한다면 육십사개의 괘를 포용할 수 있고, 나눠서 말한다면 육십사개의 괘 중 하나에 지나지 않는다. 건의 책(策)은 이백십육인데, 괘기(卦氣)로써 추론해보면 칠십이후(七十二候)가 3이니, 3이라는 것은 하늘의 수이다. 그리고 이십사절(節)이 9이니, 9는 노양이 된다. 칠십이가 삼배가 된다면, 삼년의 후(候)가 되고, 이십사가 구배가 된다면, 구년의 절(節)이 되니, 다른 것을 찾지 않아도 하나의 괘를 미루어서 삼년 혹은 구년의 수에 해당할 수 있다. 이를 통해 추론해보면, 백년, 천년, 만년의 일들을 확정하고도 남음이 있게 된다. 그 변화를 궁구하여 무궁의 문으로 들어간다면, 곧 건원은 하늘에 합치되는 도가 되는데, 어찌 육십사괘를 포용하는데 그치겠는가? 그런데도 이백십육의 수를 제시한 것은 곤의 책(策)인 일백사십사의 수와 더불어서 합하여 일년의 날 수가 되기 때문이다. 또한 괘기로써 추론해보면, 곤책의 수는 칠십이후가 2이니, 2라는 것은 땅의 수이다. 이것을 하늘의 수인 3과 합한다면, 삼천양지의 의수(倚數)가 된다. 이십사절 됨이 6이니, 6은 노음이 된다. 이 때문에 건의 수는 9가 되고, 곤의 수는 6이 되는데, 9와 6은 변화의 주관하고, 건곤의 합이 되어, 여섯 양과 여섯 음이 서로 상대하게 되니, 만물의 부모가 된다. 그러므로 다음 순서에서 곤괘를 열거하였다.

한국주역대전 **1** 건괘

초판 인쇄   2017년 8월 10일
초판 발행   2017년 8월 30일

엮 은 이 | 한국주역대전 편찬실
펴 낸 이 | 하운근
펴 낸 곳 | 學古房

주   소 | 경기도 고양시 덕양구 통일로 140 삼송테크노밸리 A동 B224
전   화 | (02)353-9908   편집부(02)356-9903
팩   스 | (02)6959-8234
홈페이지 | http://hakgobang.co.kr
전자우편 | hakgobang@naver.com, hakgobang@chol.com
등록번호 | 제311-1994-000001호

ISBN   978-89-6071-681-0   94140
              978-89-6071-680-3   (세트)

값 : 1,250,000원 (전14책)

이 도서의 국립중앙도서관 출판예정도서목록(CIP)은 서지정보유통지원시스템 홈페이지
(http://seoji.nl.go.kr)와 국가자료공동목록시스템(http://www.nl.go.kr/kolisnet)에서 이용하
실 수 있습니다. (CIP제어번호 : CIP2017021423)